W9-AZO-609

SV

Siegfried Kracauer
Werke

Herausgegeben von Inka Mülder-Bach
und Ingrid Belke

Band 6

Kleine Schriften zum Film

Siegfried Kracauer
Kleine Schriften zum Film

Band 6.3
1932-1961

Herausgegeben von
Inka Mülder-Bach

Unter Mitarbeit von
Mirjam Wenzel und Sabine Biebl

Suhrkamp

Herausgegeben mit freundlicher Unterstützung
der Deutschen Forschungsgemeinschaft

Bibliografische Information Der Deutschen Bibliothek
Die Deutsche Bibliothek verzeichnet diese Publikation
in der Deutschen Nationalbibliografie;
detaillierte bibliografische Daten sind im Internet
über http://dnb.ddb.de abrufbar.

Erste Auflage 2004

Satz und Druck:
Memminger MedienCentrum AG
Printed in Germany
Erste Auflage 2004
ISBN 3-518-58336-0 (Ln.)
ISBN 3-518-58346-8 (Kt.)

1 2 3 4 5 6 – 09 08 07 06 05 04

Inhaltsübersicht

1932

670. Schluß mit dem Klamauk!

Zu einer Rundfrage des Reichsfilmblattes

Vor kurzem stellte ich in einem Sammelbericht über einige aktuelle Filme fest, daß die Zeit für jene rein der Zerstreuung gewidmeten Filmfabrikate, mit denen wir seit längerem überflutet worden sind, bis auf weiteres vorbei zu sein scheint (vergl. mein Referat: »Der Film im Dezember« in der Reichsausgabe vom 30. Dezember).[1] Diese Prognose wird nun zu meiner Genugtuung durch das Ergebnis einer *Rundfrage* bestätigt, die das *Reichsfilmblatt* veranstaltet hat. Die in seinen beiden letzten Nummern veröffentlichten Antworten sind so aufschlußreich, daß sie der Öffentlichkeit bekanntgegeben zu werden verdienen.[2]

Am wichtigsten ist die erstaunliche Übereinstimmung, mit der die befragten *Darsteller, Regisseure, Kinobesitzer, Filmautoren usw. den sinnlosen Amüsierfilm verurteilen,* der von der Filmindustrie im vergangenen Jahr als Massenartikel hergestellt wurde und den Markt nahezu völlig beherrschte. Wir haben uns an dieser Stelle wieder und wieder gegen die unselige Tendenz der Filmproduzenten gewandt, das Publikum durch nichtige Zerstreuung von der Lebensnot abzulenken, und es zeigt sich jetzt zum Glück, daß auch der bessere Teil der Filmwelt selber aus praktischen und ideellen Gründen des bisherigen Treibens müde geworden ist.
Ich zitiere aufs Geratewohl ein paar der eingegangenen Verdikte.
Paul Morgan: »Ich spreche gegen meine Tasche, wenn ich offen die Ansicht ausspreche, daß der reine Amüsierteil auf laufendem Band aufhören wird. Aufhören muß ...«[3]
Felix Bressart, derselbe, der sich bereits vor einigen Monaten mit einem anerkennenswerten Unabhängigkeitssinn dagegen aufgelehnt hat, in Militärfilmen weiter den Rekruten zu spielen: »Mein innigster Wunsch ist – daß die Zeit der inhaltlosen – lebensfernen – Klamaukschwänke vorüber ist.«[4]

Herbert Juttke, ein Autor: »Der Nur-Klamauk-Film wird ... infolge seiner ... inneren Gehaltlosigkeit wenig Chancen auf größeren Erfolg haben.«[5]
Generaldirektor *August Weinschenk*: »Die Chancen des Lustspiels und des Schwanks sind meiner Ansicht nach nicht erschöpft, aber doch wesentlich eingeschränkt und verkleinert ...«[6]
Woher rührt die allgemeine Abkehr vom leeren »Klamauk«? Zunächst daher, daß man mit ihm nachgerade schlechte Geschäfte zu machen befürchtet. Der Konsument hat anscheinend genug von dem Zeug, eine Absatzkrise droht einzutreten, und die klugen Leute sehen sich vor. Willi Forst trägt dieser Tatsache durch die folgende Bemerkung Rechnung: »Ich bin fest davon überzeugt, daß jeder Produzent ebensogern einen anständigen Film macht, wenn er von vornherein keine Chance sieht, mit Mist Geld zu verdienen.«[7] Woraus man zugleich erkennt, welche zweifelhaften Herkünfte der Anstand oft hat. Manche blicken tiefer und bringen das Ende der Amüsierfilm-Hausse mit dem Wachstum des Elends in unmittelbaren Zusammenhang. In meinem schon zitierten Bericht schrieb ich selber, daß die »von der Filmindustrie systematisch aufgezogene Zerstreuungskultur ... immerhin nur so lange möglich war, als die Massen betäubt werden konnten.« Herr *Lapiner*, der Propagandachef einer Filmgesellschaft, äußert sich in ähnlichem Sinne. Nachdem er festgestellt hat, daß die reine Posse bereits zu einer Warengattung gehöre, die auf Lager bleiben werde, fährt er fort: »Es gibt nämlich einen Grad von Sorgen und Lebensernst, bei dem die Volksstimmung umschlägt und zur Sehnsucht nach Vertiefung, Erhebung und Erbauung wird.«[8]

In der Ablehnung des Klamauks sind sich also sämtliche Beteiligten einig. Die Frage ist, was jetzt produziert werden soll. Ehe ich aber die hierauf bezüglichen Äußerungen diskutiere, möchte ich eine Filmkategorie aussondern, die nach der Meinung maßgebender Filmschaffender jetzt *nicht* produziert werden kann.
Um welche handelt es sich? Um das *Zeitstück*.
Wie sehr man seine Unterdrückung gegenwärtig für notwendig hält, geht aus der Tatsache hervor, daß gerade die mit dem Produktionsprozeß und der Publikumsstimmung besonders vertrauten Personen auf

diese Gattung ausdrücklich verzichten. Es sind die Filmregisseure, die ihr vorerst den Abschied erteilen zu müssen glauben.
Joe May: »Gerade sie aber, diese Zeitstoffe, auf die man wartet, können nicht verfilmt werden. Packt man kräftig zu und läßt eine unmißverständliche Weltanschauung durchblicken, kann man sicher sein, daß die Zensur entweder das wichtigste herausschneidet – oder den Film ganz verbietet.«[9]
Hans Steinhoff: »Zeitstücke sind in puncto des Geschäfts bei der heutigen Lage zu riskant, außerdem kann man es nicht allen recht machen, und im Kino sitzt zu gleicher Zeit links und rechts.«[10]
Hans Behrendt: »Ein Spezialwunsch von mir ist die Satire à la *»Hose«*[11] – doch beiße ich stets mit diesbezüglichen Vorschlägen auf Granit.«[12]
Diese Erklärungen belehren auch über die Gründe, aus denen die Inaktualität des aktuellen Films abzuleiten ist. Sie sind wirtschaftlicher und politischer Art. Und zwar wird die Industrie, will sie Nieten vermeiden, durch die Angst vor der Zensur auf der einen Seite und auf der andern durch die Angst vor der Verstimmung, die sie mit Filmen von ausgesprochener Haltung bei einem Teil der Bevölkerung erregen könnte, beinahe zwangsläufig in die Neutralität gedrängt. Was die *Zensur* betrifft, so habe ich wiederholt darauf hingewiesen, daß ihre faktische Handhabung die Unternehmungslust einschränkt und die Herstellung guter, zeitgemäßer Filme über Gebühr erschwert.[13] Auch *Wolfgang Petzet* ist erst jüngst in seiner Broschüre: *»Verbotene Filme«*[14] dem Verfahren der Filmprüfstellen vom gleichen Gesichtspunkt aus zu Leibe gerückt. Weniger bedrohlich dagegen ist, so dünkt mich, die Tatsache der *politischen Zerrissenheit* des Volkes; jedenfalls brauchte sich die Filmindustrie von ihr längst nicht so sehr ins Bockshorn jagen zu lassen wie von der Zensur. Es gibt genug aktuelle Themen, die nur richtig angepackt werden müßten, um trotz ihres Eingreifens in die heutige Situation nicht nur keinem ernsthaften Widerspruch zu begegnen, sondern eine bessere Aufnahme zu finden als der öde Klamauk. Was dem Theater möglich ist, sollte beim Film völlig ausgeschlossen sein? Das wird dem Publikum auf die Dauer niemand einreden können. Im Gegenteil, ich bin der Überzeugung, daß es ein starkes Verlangen nach Filmen hat, die direkt oder indirekt mit seinem eigenen Leben etwas zu schaffen haben. Und überdies werde ich den Verdacht nicht los, daß die Besorgnis davor,

das linksgerichtete Publikum oder das rechtsgerichtete Publikum zu verletzen, gar keine so große Rolle spielt, wie man häufig behauptet. Denn tatsächlich ist ja in den letzten Jahren mehr als ein Film erschienen, der eine bestimmte Beziehung [zur][15] Gegenwart hatte, ohne daß er darum behelligt worden wäre; von dem Ausnahmefall des Remarque-Films[16] natürlich zu schweigen. Pazifistische Filme und vor allem Filme mit nationalistischer Tendenz – sie haben das ihnen zugeordnete Publikum erfaßt und sind, wenn sie nur gut gemacht waren, auch in geschäftlicher Hinsicht ein Erfolg gewesen. Die Flucht in die Neutralität mit der Toleranz des Publikums zu rechtfertigen, wäre jedenfalls allzu billig. Freilich ist es bequemer, Zerstreuungsware zu fabrizieren, als sich an Gestaltungen zu wagen, die gar noch von heute sind. Aber Bequemlichkeit hat sich seit jeher gerächt.

Da die sogenannten Zeitstücke auf den Index gesetzt sind, wird man mit Recht neugierig darauf sein, für welche Filme die Befragten nun eigentlich eintreten. So geschlossen die Front gegen den Klamauk ist, so weit gehen die auf eine bessere Zukunft gerichteten Wünsche auseinander. Hier mehrere Wunschzettelproben.

Etliche Regisseure äußern sich *pessimistisch*. Nach der Auffassung Joe Mays etwa wird unter den obwaltenden Verhältnissen »der Lustspielfilm im gleichen Maße dominieren wie bisher.« Und Friedrich Zelnik erklärt: »Sollte die heutige Lage ... einige Zeit andauern oder noch verworrener werden, kann von einer ›künstlerischen‹ Entwicklung des Films keine Rede sein, und wir werden alle Hände voll zu tun haben, dem ›Publikum‹ leichte Kost bieten zu können, wenn wir die Kinos nicht leerstehen haben wollen.«[17]

Andere begnügen sich damit, *formale* Hoffnungen auszusprechen, die mehr oder weniger nichtssagend sind. Claire Rommer ersehnt die Auferstehung des ernsten Spielfilms,[18] Georg C. Klaren, der Regisseur des anständigen Films KINDER VOR GERICHT,[19] tritt für Lebensbejahung im Film ein,[20] und Herbert Juttke meint, das Qualitätspublikum möchte Darbietungen sehen, »die Niveau und Weltanschauung haben«. Man darf sich über die Unverbindlichkeit dieser Ansprüche keiner Täuschung hingeben. Wo sie doch einmal spezifiziert werden, findet sich Gutes mit Schlechtem gemischt. So empfiehlt ein prominenter Theater-

besitzer[21] als Musterbeispiele unter anderem den Film: IM WESTEN NICHTS NEUES[22] und zugleich das Lustspiel DREI TAGE MITTELARREST.[23]
Schließlich noch zwei Forderungen, die etwas inhaltlicher sind. Propagandachef Lapiner ist der Ansicht, »daß demnächst eine Hausse in Filmen einsetzen wird, die man als Filme ›Aus Deutschlands stolzer Vergangenheit‹ bezeichnen kann«.[24] Ein neues Produkt der von ihm vertretenen Filmgesellschaft entspricht wie durch ein Wunder haargenau dieser Verheißung,[25] mit der er überhaupt nicht ganz unrecht haben mag. Ebenso *pro domo* fragt Regisseur Steinhoff: »Sollte man's nicht einmal mit Herz versuchen, statt Sachlichkeit Rührung, statt Hirn Gefühl bringen?«[26] Nach diesem wirksamen Rezept ist er selber in seinem Volksstückfilm: MEIN LEOPOLD[27] verfahren. Auch manche Schriftsteller wenden es übrigens neuerdings mit Erfolg um des Erfolges willen an. Ich bin nur daran zu zweifeln versucht, ob ein so rational begründetes Gefühl wirklich echtes Gefühl sei.

Immerhin, die Bilanz, die hier gezogen wird, ist nach der negativen Seite hin erfreulich. *Schluß mit dem Klamauk* – diese Parole sollte den Produzenten zu denken geben. Wie sie zweifellos dem Bedürfnis breiter Publikumsschichten entspricht, so ist sie nicht zuletzt das Verlangen zahlreicher Filmschaffender selber. Die Zerstreuungskultur beginnt das Zeitliche zu segnen, in dem sie sich breit machte, die Situation ist für Filme reif, die uns näher betreffen. Trotz der namenlosen (freilich wohl zu benennenden) Schwierigkeiten, die sich ihrer Verwirklichung entgegenstellen, sind sie heute zum mindesten stark erfragt. Das zu wissen, ist wichtig; danach zu handeln, sollte auch unter den obwaltenden Umständen hier und dort möglich sein.
(FZ vom 10. 1. 1932)

1 Siehe Nr. 668.
2 Siehe *Reichsfilmblatt*, Bd. 9, vom 24. 12. 1931, Nr. 51/52 und Bd. 10, vom 2. 1. 1932, Nr. 1.
3 Paul Morgan, [ohne Titel]. In: *Reichsfilmblatt*, Bd. 9, Nr. 51/52; Paul Morgan (d. i. Georg Paul Morgenstern, 1886-1938), österreichischer Schauspieler und Kabarettist, war als Bühnenschauspieler in Wien, München und Berlin tätig; bekannt wurde er vor allem durch seine satirischen Kabarettprogramme; seit 1919 war Morgan auch in zahlreichen Stummfilmrollen zu sehen (siehe u. a. Nr. 112, 155, 239 und 373); 1933 wurde ihm die

Kabarett-Lizenz durch die Nationalsozialisten entzogen, im selben Jahr emigrierte Morgan in die Schweiz, später nach Österreich. Er wurde im KZ Buchenwald umgebracht.

4 Felix Bressart, »Reform!«. In: ebd.; zu Bressart (1892-1942) siehe Nr. 630 (DIE PRIVATSEKRETÄRIN) und 778 (BLOSSOMS IN THE DUST).

5 Herbert Viktor Juttke, »Idee – Niveau – Weltanschauung. Trotzdem: Lieber Erholung als Erbauung«. In: ebd.; Herbert Juttke (1897-1952) war deutscher Filmproduzent, u. a. VON MORGENS BIS MITTERNACHTS (1920), Regisseur und vor allem Drehbuchautor, u. a. CASANOVAS ERBE (1928); DAS RECHT DER UNGEBORENEN (1928) und SPIONE AM WERK (1932/33); siehe auch Nr. 320, 344, 532 und 595.

6 August Weinschenk, »Tonfilmproduktion 1932«. In: ebd.; Weinschenk war prominenter Film- und Kinofunktionär der Weimarer Republik, u. a. Generaldirektor des Deutschen Lichtspiel-Syndikats (D. L. S.).

7 Willi Forst, »Läßt das Publikum die Kunst im Stich?«. In: ebd.; zu Forst (1903-1980) siehe Nr. 505 und 613.

8 Alexander Lapiner, »Der ernste Film kommt wieder!«. In: ebd.; Lapiner war Propaganda-Chef der Heros-Film-Verleih GmbH.

9 Joe May, »Zeitstück unmöglich!«. In: ebd.; zu May (1880-1954) siehe Nr. 501 sowie Nr. 25, Anm. 3.

10 Hans Steinhoff, »Das Volksstück lebt wieder«. In: ebd.; zu Steinhoff (1882-1945) siehe Nr. 123, 184, 393 und 519.

11 Zu Carl Sternheims Drama *»Die Hose«* siehe Nr. 389, Anm. 1.

12 Hans Behrendt, »Vier Probleme«. In: ebd.; zu Behrendt (1889-1942) siehe Nr. 379 und 572.

13 Siehe Nr. 633, 637 und 645.

14 Siehe Nr. 667 und 706.

15 Im FZ-Druck: »der«.

16 Siehe Nr. 625.

17 Friedrich Zelnik, »Krisenzeit erzwingt leichte Kost«. In: *Reichsfilmblatt*, Bd. 10, Nr. 1.; zu Zelnik (1885-1950) siehe u. a. Nr. 138, 201, 242, 283 und 362.

18 Claire Rommer, »Auferstehung des ernsten Films«. In: *Reichsfilmblatt*, Bd. 9, Nr. 51/52; zu Rommer siehe Nr. 224 und 423.

19 Siehe Nr. 656, Anm. 22.

20 Georg C. Klaren, »Lebensbejahende Filme!«. In: ebd.; zu Klaren (1900-1962) siehe Nr. 320, 344, 532 und 595.

21 Carl Riechmann, »Wo liegt der Erfolg?«. In: ebd.; Riechmann war im Vorsitz des Reichsverbandes deutscher Lichtspieltheaterbesitzer und des Rheinisch-Westfälischen Lichtspieltheaterbesitzer-Verbandes.

22 Siehe Nr. 625.

23 Siehe Nr. 630, Anm. 7.

24 Siehe oben, Anm. 8.

25 Die Produktion ist nicht zu ermitteln.

26 Siehe oben, Anm. 10.

27 MEIN LEOPOLD. Hans Steinhoff. DE 1931.

671. Neue Filmliteratur

Sammelrez.: Ilja Ehrenburg, *Die Traumfabrik*. Chronik des Films. Berlin: Malik 1931; René Fülöp-Miller, *Die Phantasie-Maschine*. Eine Saga der Gewinnsucht. Berlin u. a.: Zsolnay 1931; Rudolf Arnheim, *Film als Kunst*. Berlin: Rowohlt 1932.

Drei Bücher sind zu gleicher Zeit über den Film erschienen. Zwischen zweien von ihnen besteht eine überraschende Ähnlichkeit, die sich bis auf den Titel erstreckt. Es sind die Bücher: »*Die Traumfabrik*« von *Ilja Ehrenburg* und: »*Die Phantasie-Maschine*« von *René Fülöp-Miller*.

Was zunächst *Ehrenburg* betrifft, so setzt er in seinem bereits in Frankreich publizierten Filmbuch[1] jene besondere Art der Reportage fort, die er in seinem Buch: »*Das Leben der Autos*«[2] aufgenommen hatte. Ihr Ziel ist: dem Leben und Treiben der weltbeherrschenden Wirtschaftsführer auf die Spur zu kommen und dadurch das ökonomische Geschehen seiner Anonymität zu entkleiden. Dieses Mal sind die Filmmagnaten an der Reihe: Zukor, William Fox, Karl Laemmle, Will Hays, Klitzsch, Natan[3] und wie sie heißen: sie werden aus der Verborgenheit hervorgeholt, in die sie sich gern zurückziehen, und dem großen Publikum öffentlich vorgestellt. Nicht so, als ob Ehrenburg ihre Biographien entwürfe; ihm liegt vielmehr allein an der Darstellung ihrer Transaktionen und Machtkämpfe, in denen sich ja auch das ganze Wollen und Trachten dieser Männer objektiviert. Sie sind in entscheidender Hinsicht fleischgewordener Profitgeist, und eine Hauptabsicht des Buches besteht eben darin, ihn, den Profitgeist bei der Arbeit zu zeigen und seine vielfältigen Wirkungen zu schildern. Er hat die nach Amerika ausgewanderten Juden dazu bewogen, die Gattung Film großzuzüchten und ihre Erzeugnisse dem Geschmack der Publikumsmassen anzupassen; er hat zwischen Film-Industrien und Konzernen der verschiedensten Länder zu Auseinandersetzungen, Abmachungen und Pakten geführt, von denen trotz ihrer schweren Folgen kaum ein Laut an die Öffentlichkeit gedrungen ist; er hat den Ablauf unzähliger Einzelschicksale beeinflußt und sich eine Menge von Ideologien zum Versteck ausgewählt, um deren Entlarvung sich Ehrenburg oft mit Glück bemüht. Nicht so glücklich scheint mir allerdings die Form zu sein, in der sich dieses an sich durchaus notwendige

Aufklärungswerk vollzieht. Sie ist allzu romanhaft, und man weiß häufig nicht, wo die Wirklichkeit aufhört, um die es doch geht, und die Phantasie frei zu schalten beginnt. Immer wieder kommt der Romancier Ehrenburg dem nüchternen Zeitkritiker Ehrenburg ins Gehege. Er montiert erfundene Details und Lebensfragmente ins Tatsachengewebe hinein und stellt überhaupt lauter Arrangements her, die der Realität nicht eigentlich folgen, sondern sie dem Ganzen künstlerisch einverleiben. Wenn auch dieser Arbeitsweise Visionen von düsterer Großartigkeit zu danken sind: in sachlicher Hinsicht befriedigt sie nicht. Es ist unmöglich, eine Kontrolle über sie auszuüben; sie liefert ein Gemälde, aber keinen exakten Bericht. Und hier bin ich im Kern des Buches angelangt. Obwohl es sich ins Gewand der Reportage hüllt, ist es in Wahrheit etwas ganz anderes: eine mit Hilfe gegebener Fakten bewerkstelligte dichterische Gestaltung des Zustands der kapitalistischen Welt. Diese erscheint als ein bereits völlig zersetztes Durcheinander blinder Gewalten, denen die Massen als Beute dienen, und wird bewußt in Gegensatz zu Rußland gebracht. So gewiß nun das Untergangsbild bedeutende Züge enthält, ebenso gewiß ist es einseitig und nur von außen gesehen. Weder dringt es ins Innere der angegriffenen Verhältnisse ein, noch zeigt es die konstruktiven Kräfte, die etwa in Europa und Amerika unter der Oberfläche vorhanden sind. Ich kann mir nicht helfen: eine zuverlässigere und meinetwegen trockene Berichterstattung hätte zum mindesten die europäischen Leser Ehrenburgs mehr überzeugt als diese Freskomalerei, die zweifellos zu stark stilisiert ist.

Fülöp-Millers Filmbuch läßt sich der Vorwurf poetischer Übertreibungen nicht gut machen. Im Gegenteil: es befleißigt sich eines prosaischen Wesens, bringt aber zum Lohn dafür ein paar nützliche Erkenntnisse unter Dach und Fach. Zu ihnen rechne ich vor allem die Entdeckung, daß an der Wiege des amerikanischen Films außer den Instinkten der jüdischen Einwanderer noch der Genius der puritanischen Geschäftsmoral geweilt habe. (Eine seiner glänzenden Inkarnationen ist, nebenbei bemerkt, der »Filmzar« – Will Hays.) Für sehr verdienstvoll halte ich ferner den Hinweis Fülöp-Millers auf die wesentliche Beziehung zwischen der konfektionierten Unterhaltungsware des Films und der Langeweile, unter der gerade die amerikanischen Massen in ihrer freien Zeit leiden. Schließlich wird noch in ausgezeichneter Weise die Entstehung des heutigen Films aus den tiefen Einsichten in die allgemeingültigen Gemütsreaktionen des Publikums abgeleitet, deren gerade die profitfreudigen Schöpfer der Branche fähig waren. Kurzum, Fülöp-Miller führt wie Ehrenburg die These aus, daß der neue Filmstil sein Dasein geschäftlichen Erwägungen schulde. Allerdings geht er behutsamer zu Werk und stempelt nicht zur Ideologie, was ein echter Gehalt ist. Als solcher gilt ihm durchaus zu Recht das komische Element im amerikanischen Film, das er streng von allen jenen Elementen sondert, die rein dem mehr oder weniger gehaltlosen Massenbedürfnis antworten. Wie das unvermeidliche happy end wenigstens teilweise zu ihnen gehört, so auch die standardisierte Erotik und die Berücksichtigung des sozialen Ressentiments. Diese und andere soziologische Betrachtungen verleihen dem Buch seinen Wert. Schade, daß Fülöp-Miller die Neigung nicht unterdrücken kann, bei jeder Gelegenheit historische Exkurse zu machen und aus allen möglichen Himmelsgegenden Zitate heranzuschleppen, die mehr seitenfüllend als belehrend wirken. Ein Verfahren, das an Gleichen-Rußwurm[4] erinnert.

Das dritte Filmbuch trägt den Titel: »*Film als Kunst*« und hat *Rudolf Arnheim* zum Verfasser.
Arnheim ist längere Zeit als Filmkritiker der *Weltbühne* tätig gewesen und scheint sich überdies eine Menge praktischer Erfahrungen auf dem Gebiet der Filmherstellung erworben zu haben.[5] Sie kommen seinem großangelegten Versuch einer Filmästhetik zugute, der sich außerdem auf die Erkenntnisse der modernen Experimentalpsychologie und die theoretischen Arbeiten von Balázs, Pudowkin und Moussinac[6] gründet. Da er methodisch richtig angesetzt ist, gelangt er zu einem höchst fruchtbaren Ergebnis, das nicht zuletzt auch die Aufmerksamkeit aller Filmpraktiker verdient. Es besteht im systematischen Aufweis der Formgesetzlichkeiten des stummen Films. Ich deute nur gerade an, wie Arnheim verfährt. Er arbeitet zunächst in einer genauen Analyse die einzelnen Unterschiede zwischen dem Filmbild und der abgebildeten Wirklichkeit heraus und zeigt sodann, wie diese Eigentümlichkeiten des Materials künstlerisch auszunutzen seien. Wenn mich nicht alles täuscht, sind die ästhetischen Gesetzmäßigkeiten des stummen Films bisher we-

der so bewußt aus den materiellen Bedingungen abgeleitet noch so vollständig verzeichnet worden. Auch dem Tonfilm gegenüber erweist sich die von Arnheim angewandte Methode im allgemeinen als glücklich. Überhaupt beruht wohl seine Stärke vorwiegend auf dem ausgeprägten Sinn für formale Strukturen. Jedenfalls sind die ihnen gewidmeten Betrachtungen ungleich aufschlußreicher als jene, die den Gehalt der Filme betreffen. Zwar weiß Arnheim zum Beispiel genau, daß die Details wichtiger als die Gesamthandlung sind, und möchte am liebsten den Regisseur mit dem Filmautor identifizieren, aber hinter seiner Erkenntnis der filmischen Gestaltungsprinzipien steht die Fähigkeit, die Filminhalte selber zu interpretieren, entschieden zurück. Zum mindesten ist seine Deutung des »Konfektionsfilms« nicht eben originell, und ich glaube fast, es fehlt ihm noch an den notwendigen soziologischen Kategorien. Hier liegt die Grenze des Buches. Im übrigen ist es als umfassender Leitfaden der Filmästhetik ein gelungener Wurf, dem – ich sage es noch einmal – auch die Anerkennung der Filmschaffenden gebührt.
(FZ vom 10. 1. 1932, Literaturblatt)

1 Das Buch erschien 1931 in der russischen Originalausgabe: *Fabrika snov. Chronika našego vremeni* (Berlin: Petropolis 1931); eine frühere französische Ausgabe ist nicht nachweisbar.

2 Ilja Ehrenburg, *Desjat' lošadinych sil*. Berlin: Petropolis 1929; dt.: *Das Leben der Autos*. Übers. von Hans Ruoff. Berlin: Malik 1930.

3 Adolf Zukor (1873-1976), amerikanischer Filmindustrieller, eröffnete 1904 das erste Kino New Yorks, Crystal Hall; von 1916/17 bis 1935 war er Inhaber und Leiter der Paramount, ab 1935 Vorsitzender des Aufsichtsrats; William Fox (1879-1952), amerikanischer Filmunternehmer, gründete 1913 die Fox Office Attractions Company, die 1915 zur Fox Film Corporation ausgeweitet wurde und ab 1917 in Hollywood produzierte; Carl Laemmle (1867-1939), amerikanischer Filmunternehmer, gründete 1909 die Independent Movie Pictures Company (I. M.P.), die 1912 mit anderen Unternehmen zur Universal verschmolz; William Hays (1879-1954), republikanischer Politiker und Filmfunktionär, war seit der Gründung des Verbands amerikanischer Filmunternehmer Motion Pictures Producers and Distributors of America, Inc. (MPPDA) 1922 als offizielle Vertretung des gesamten Filmwesens von Hollywoods Filmkonzernen dessen Vorsitzender. 1930 erließ die MPPDA – auch als »Hays Office« bekannt – den Motion Picture Production Code oder auch »Hays Code«, einen strengen Codex von Verboten und Geboten zur Selbstzensur der amerikanischen Filmindustrie. Hays Codex bestimmte die Inhalte und das Image von Hollywood-Produktionen bis weit über das Ende seiner Amtszeit 1945 hinaus (siehe auch Nr. 782) Ludwig Klitzsch (1881-1954), deutscher Verleger, baute während des Ersten Weltkriegs als Direktor des Deutschen Überseedienstes den Ausland-Verlag auf, dem die Deutsche Lichtspielgesellschaft und die Deulig-Film-Gesellschaft angegliedert

wurden; als Generaldirektor des Scherl Verlags ab 1919 war er maßgeblich an der Übernahme der Ufa durch die Hugenberg-Gruppe (siehe Nr. 441, Anm. 6) beteiligt, deren Generaldirektor er 1927 wurde; in dieser Funktion leitete er eine umfassende Sanierung und Reorganisation des Konzerns ein, die u. a. den Bau der Anlagen in Neubabelsberg und die Eröffnung zahlreicher großer Kinos in Berlin umfaßte. Unter den Nationalsozialisten war Klitzsch Mitglied der Reichsfilmkammer, der Reichskulturkammer und der Reichspressekammer; Emile Natan (1900-1962), Bevollmächtigter der Bank Baur et Marchal, die 1930 die Aktien Charles Pathés, des Begründers der größten französischen Filmfirma Pathé Cinéma übernahm. Natan stand an der Spitze der Nachfolgegesellschaft Pathé Natan.

4 Karl Alexander Freiherr von Gleichen-Rußwurm (1865-1947), deutscher Schriftsteller, bekannt vor allem für seine voluminösen Biographien, u. a. *Schiller: Die Geschichte seines Lebens* (1913); *Goethe*. Lebensaufriß aus Tagebüchern, Briefen, Zeitstimmen (1918).

5 Rudolf Arnheim (geb. 1904), deutscher Publizist, Filmkritiker und Kunstpsychologe; von 1928 bis 1933 war Arnheim Redakteur der *Weltbühne*, und hatte in dieser Zeit Kontakt u. a. zu Béla Balázs, Joseph von Sternheim und dem Dokumentarfilmer Wilfried Basse, an dessen Projekten er beteiligt war; 1933 Emigration nach Italien, ab 1940 in den USA, wo er u. a. als Gastdozent an der New School for Social Research in New York und (ab 1968) als Professor für Kunstpsychologie an der University of Michigan, Ann Arbour tätig war. In den vierziger Jahren wurde Arnheim für Kracauer zu einem der wichtigsten Gesprächspartner. Zu Arnheim siehe auch Nr. 706.

6 Zu Balázs siehe Nr. 259 und 621, zu Pudovkin siehe Nr. 416; der französische Schriftsteller Léon Moussinac veröffentlichte zahlreiche Bücher zur Theorie, Ästhetik und Geschichte des Films, u. a. *Naissance du cinéma* (1925), *Panoramique du cinéma* (1929) und *Le cinéma soviétique* (1928).

672. Parade im Brot

Filmrez.: GETRENNT MARSCHIEREN – VEREINT SCHLAGEN! Prod. Ufa. DE 1932.

Brot ist eines der friedlichsten Dinge auf Erden, und sogar das Roggenbrot macht keine Ausnahme davon. Nur wenn es einmal fehlt, entstehen unter Umständen Hungerrevolten, die ihrerseits vielleicht wieder militärische Aktionen bedingen. Ist es aber vorhanden, so sind die Menschen beruhigten Gemütes und geben sich gerne dem Glück des Friedens hin. Sie träumen bei ihrer Bürostulle vom nächsten Sonntagsausflug oder schmieden schon Pläne für die Ferien, in denen sie ebenfalls mit Brot versorgt sein werden. Und dennoch ...

Der Kulturfilm, von dem ich hier rede, heißt: GETRENNT MARSCHIEREN,

VEREINT SCHLAGEN! und ist die Gemeinschaftsarbeit der Ufa und eines Fabrikunternehmens, das auf diesem nicht ungewöhnlichen Wege sein Erzeugnis unter den Bäckern propagieren will. Ohne mich den technischen Einzelheiten näher zu widmen, begnüge ich mich mit der Feststellung, daß das vorgeführte Verfahren zur Fabrikation guten Roggenbrotes ingeniös ersonnen zu sein scheint und der Film selber glänzend gemacht ist. Er ist *ein Bäckertonfilm*, mit einem Wort: ein umfassendes Epos, in dessen Roggenteig alle löblichen Taten des ehrsamen Bäckerstandes hineingeknetet worden sind. So veranschaulicht es etwa die Sangesfreude der Bäcker durch Aufnahmen vom Sängerfest des Mittelsächsischen Bäckermeister-Bundes in Roßwein oder gestaltet den Kummer der Meisterin, die kein Brot mehr im Laden hat und daher die Kunden unbefriedigt abziehen lassen muß. Manchmal ist es gar kein Spaß, ein Bäcker zu sein. Die Rosinen im Kuchen sind natürlich jene Bilder, die das betreffende Fabrikationsverfahren zum Gegenstand haben. Sie dringen tief in die Geheimnisse des Sauerteigs ein und fördern mit vollendeter Deutlichkeit die folgenschweren Prozesse zutage, die sich in seinem Innern unsichtbar abspielen. Aber welcher Mittel bedienen sie sich zu diesem Zweck! Ich stehe nicht an, sie kriegerisch zu nennen.

Es handelt sich darum, mit Hilfe von Trickzeichnungen den Nachweis zu erbringen, daß sich die Hefen und die Sauerteigbakterien im Sauerteig unter verschiedenen Bedingungen entwickeln. Dieser Vorgang wird nun so demonstriert, daß man die winzigen und wahrhaftig friedfertigen Körperchen einfach in *Uniformen* steckt. Und zwar müssen die einen zur Kavallerie einrücken, während die anderen, die nur schlecht vorwärts kommen, der Infanterie zugeteilt werden. Dann schmettern Militärmärsche drauf los, und ein unendlicher Zug von Hefen- und Bakterientruppen vollführt in strammer Haltung die vorgeschriebenen Evolutionen. Paraden im Brot, aufgerüsteter Sauerteig und Fridericus Rex unterm Mikroskop: soweit also hätten wir's glücklich gebracht. Bald werden sich die Elektronen nicht mehr wie die Planeten bewegen, sondern links schwenken und rechts schwenken wie Rekruten. Die ganze Natur wird dann ein Kasernenhof sein, und ich sehe schon die Heuschrecken im Aufklärungsdienst beschäftigt und die Maulwürfe als Pioniere.

Ernsthaft gesprochen: die Ereignisse im Sauerteig wären nicht minder

verständlich geworden, wenn man die Hefen und Bakterien zum Beispiel in Sportsleute verwandelt oder ihnen irgendeinen anderen passenden Friedensberuf zugedacht hätte. Mußten sie wirklich militarisiert werden, damit der Sauerteig aufgeht und dem Publikum eingeht? Es scheint beinahe so. Wenn ich in Zukunft Roggenbrot esse, wird mir die Kavallerie und Infanterie jedenfalls schwer im Magen liegen.[1]
(FZ vom 18. 1. 1932)

1 Siehe zu diesem Film auch Nr. 676.

673. Rationalisierung und Unterwelt

Ein Filmbericht

Filmrez.: ES LEBE DIE FREIHEIT / À NOUS LA LIBERTÉ. René Clair. FR 1931; STÜRME DER LEIDENSCHAFT. Robert Siodmak. DE 1931.

In seinem neuen Film: ES LEBE DIE FREIHEIT, der vor kurzem im *Mozartsaal* uraufgeführt wurde, entwickelt *René Clair* die Handlung nicht aus dem Milieu oder aus bestimmten Situationen, sondern umspielt satirisch das Thema der *Nationalisierung*. Ein Problemstück also; aber eines, das sich ein wenig leichtfertig mit seinem Problem auseinandersetzt. Eine Glanzfabrik im Stil von Le Corbusier[1] ist aufgebaut, in der die Arbeiter am laufenden Band Schallplatten fabrizieren, und der Witz besteht nun darin, daß das Dasein dieser Arbeiter fortwährend mit dem von Gefangenen verglichen wird. Die Persiflage der Mechanisierung wäre noch hinzunehmen, stellte nicht René Clair dem Leben im rationalisierten Betrieb die Vagabondage als Ideal gegenüber. Wahrhaftig, die beiden Helden, denen die Aufgabe zufällt, das laufende Band ad absurdum zu führen, sind moderne Eichendorffsche Taugenichtse, die auf der Landstraße wandern, im Gras liegen und sich unsterblich verlieben. Durch solche romantische Träumerei die Nationalisierung aus den Angeln heben zu wollen, heißt aber, eine ernste Sache gar zu heiter betrachten. René Clair hätte, wie mir scheint, besser daran getan, die Finger von einem Problem zu lassen, das keinen Spaß verträgt. Der einzige Milderungsgrund für sein gewagtes Unternehmen ist vielleicht der, daß er als Franzose nicht zu ermessen vermag, wie tief der mechanisierte Arbeitsprozeß in unseren Alltag eingreift und wie unbefriedigend daher, um nicht zu sagen verstimmend, dieses poetische Geplänkel auf uns wirken muß. Jedenfalls beweist der Film unzweideutig, daß Frankreich auch heute noch die Oase Europas ist.

Immerhin, René Clair hat Geist, und an vereinzelten Stellen trifft seine uns wenig betreffende Satire ins Schwarze. Vor allem dort, wo er drastisch zeigt, daß unter den herrschenden Umständen durch die leiseste menschliche Regung der ganze sinnreich ausgeklügelte Arbeitsvorgang ins Stocken gerät. Einer vergißt einen Augenblick, daß er nur eine Teilfunktion auszuführen hat: sogleich hört das laufende Band auf zu laufen, eine allgemeine Balgerei entsteht, und die schöne mechanische Ordnung verwirrt sich unrettbar. Reizend ist auch der Hohn, mit dem die unbesonnenen Lobredner der Rationalisierung bedacht werden. René Clair nimmt sie beim Wort und schildert mit einem feinen Lächeln das Leben der durch die vollkommene Maschinerie freigesetzten Arbeiter wie ein ewiges Feriendasein in paradiesischen Farben.

Überhaupt hält das Spielerische dem Problematischen nicht nur die Waage, sondern überstrahlt es zum Glück. In der charmanten Glossierung des Spießbürgertums, der Mittelmäßigkeit, der Konventionen und des Offiziellen hat dieser Künstler-Regisseur seine Stärke. Auch jetzt wieder ist er reich an blendenden Bildeinfällen solchen Inhalts. Die Gesellschaft beim Generaldirektor, die Festversammlung, deren würdige Teilnehmer auf einmal ihre Würde verlieren und die herabströmenden Geldscheine gierig raffen – alle diese Szenen sind mit einer wunderbaren Grazie gestaltet. Sie entstofflicht die grobe Körperlichkeit und verwandelt das Geschehen in eine Arabeske, die heiter, ironisch und schwerelos dahinschwingt. Es ist, als werde ein plumpes Rüsseltier mit einem Zauberstab angerührt und tanze dann leichtfüßig wie eine Fee.

Eine Befreiung von der Materie, die nicht zuletzt der Herrschaft über das Material und den technischen Apparat zu danken ist. Wie kaum ein anderer Regisseur hat heute René Clair die Kunstmittel des Tonfilms in der Gewalt. Er denkt in Bildern und Tönen, er produziert Ideen, die nirgends sonst Bestand haben als eben auf der Leinwand. Der neue Film bedeutet durch die Art und Weise, in der er das gesprochene Wort verwendet, wieder einen großen Fortschritt. Es ist keineswegs ausgeschaltet, wird aber so eingesetzt, daß man es versteht, auch ohne es zu verstehen. Der Wortsinn erklärt nämlich nicht die Situation, sondern umgekehrt: diese, die sich rein bildmäßig erschließt, führt zu dem Wortsinn hin. Da so der tönende Film schon beinahe die internationale Faßlichkeit des stummen erreicht, ist mit Recht auf das Hineinkopieren der deutschen Texte verzichtet worden. Wie sich von selbst versteht, tritt der Dialog hinter der musikalischen Illustration[2] zurück. Sie entläßt ihn gewissermaßen aus sich, und das Ziel Clairs ist offenbar die Einheit alles Tönenden überhaupt.[3]

Der Jannings-Film der Ufa: STÜRME DER LEIDENSCHAFT ist ein Unterweltstück aus der Werkstatt von Robert Liebmann und Hans Müller.[4] Die beiden Autoren haben einen Bankeinbruch, einen Mord, einen Weibsteufel und eine Handvoll Verbrechermilieu zu einer Handlung vereinigt, die unbestreitbar routiniert entwickelt wird. Man möchte sagen, daß alle Regeln der höheren Filmkochkunst bei ihrer Komposition erfolgreich angewandt worden seien. Da fehlt keine Würze, und sogar aktuelle Anspielungen auf Bankdirektoren bleiben nicht aus. Dennoch enträt die Fabel der eigentlichen Spannkraft. Sie rechnet mit den altbekannten Wirkungen mittlerer Unterhaltungsromane und setzt sich überdies wieder einmal mit einem viel zu großen Applomb in Szene, um nicht am Ende doch zu enttäuschen.
Es ist das Verdienst des Regisseurs *Robert Siodmak*, daß trotz des konventionellen Handlungsschemas einige Abschnitte stark zu fesseln vermögen. Siodmak ist zu einem sicheren Könner geworden, der den Stoff durchknetet und vorzüglich montiert. Geglückt ist ihm vor allem die Gestaltung des Verbrecher-Gartenfestes, in dessen Verlauf der Mord erfolgt. Das Tohuwabohu der Gäste, die Musik und die zur Katastrophe drängenden Ereignisse greifen lückenlos ineinander, steigern sich und münden in zwei parallel geführte Auftritte ein: das Feuerwerk und den Kampf der beiden Nebenbuhler. Während diese sich am Boden wälzen, zischen Raketengarben zum Nachthimmel empor, die allmählich in zukkende Lichtornamente übergehen und zuletzt nicht mehr durch die Luft brausen, sondern als Reflexe auf dem Wasser tanzen, in das der eine der Gegner von dem andern gestürzt worden ist.

Auch die Darsteller, auf deren effektvolles Eingreifen man sich viel zu sehr verlassen hat, werden im allgemeinen gut geführt. *Jannings*, der nach bewährter Weise Gutmütigkeit und Brutalität mischt, findet diesmal ein paar erfreuliche Zwischentöne; so schattiert er die glänzende Szene in der Fürsorgeanstalt zart und verschmitzt. *Anna Sten* als Dirne muß einen Song à la Marlene zum besten geben,[5] der ihr längst nicht so gut liegt wie die Gebärden der Angst, der Begierde und der Verlogenheit. Trude Hesterbergs älteres Tingeltangelmädchen ist restlos gelungen. *Franz Nicklisch* machte aus dem Fürsorgezögling Willy eine bis zum Ende glaubhaft durchgehaltene Figur.
(FZ vom 27. 1. 1932)

1 Le Corbusier (d.i. Charles-Edouard Jeanneret, 1887-1965) französisch-schweizerischer Architekt, wurde in den zwanziger Jahren mit Entwürfen für eine Idealstadt sowie mit der Erfindung einer neuen Form des Stahlbetonbaus, die u.a. eine neue Konzeption von Wohnhäusern und Siedlungsbauten ermöglichte, zu einem der wichtigsten Exponenten der architektonischen Moderne.
2 Musik: Georges Auric.
3 Zu diesem Film siehe auch Nr. 676.
4 Robert Liebmann war u. a. Autor des Drehbuchs zu DER BLAUE ENGEL (siehe Nr. 608), DER KONGRESS TANZT (siehe Nr. 662) und gemeinsam mit Hans Müller zu YORCK (siehe Nr. 676); beide Autoren standen bei der Ufa unter Vertrag.
5 »Ich gehe nie mehr mit Matrosen« und »Ich weiß nicht, zu wem ich gehöre«, für den Film komponierte Schlager von Friedrich Holländer, Richard Busch und Robert Liebmann.

674. Todessturz eines Fliegers

Vor kurzem sah ich in einer *Filmwochenschau* eine Aufnahme, die auch das sensationslüsterne Publikum zu befriedigen vermochte. Sie trug die Überschrift: *»Todessturz eines Fliegers«* und war zwischen harmlosen Tier- und Sportbildern eingereiht. Der Flieger stieg zunächst friedlich auf, beschrieb schöne Bahnen in der Luft, und dann erfolgte der Todessturz. Er wurde von Anfang bis zu Ende gezeigt. Nachdem die Maschine einige Schlingerbewegungen ausgeführt hatte, überschlug sie sich und taumelte der Erde entgegen. Hier explodierte sie, und hier hätte der Operateur immer noch aufhören können zu kurbeln. Aber nein: »Das gibt's nur einmal, das kommt nie wieder«.[1] Die Zuschauer sind gezwungen, Zeugen der Feuersbrunst zu sein, sie dürfen nicht einmal wie die Menschen auf dem Flugplatz zur Unglückstätte rennen, sondern müssen untätig stillsitzen, während schwarze Flammen zum Himmel emporschlagen, aus dem der Flieger kam, der nun mit seinem Apparat in wenigen Minuten verbrennt. Ein Wunder noch, daß der Leichnam nicht herausgezerrt und in Großaufnahme vorgeführt wird.

Der *russische* Avantgarde-Regisseur *Dsiga Werthoff* hat in einem seiner stummen Filme ebenfalls den Vorgang des Sterbens vergegenwärtigt. Wie er in jenem Werk den Geburtsakt offen demonstriert, so hält er in ihm, erinnere ich mich recht, auch ein Menschengesicht fest, das gerade erlischt.[2] Man mag diese Bilder unerträglich finden oder gar ihre Zulässigkeit bezweifeln, aber sie entspringen doch einer Weltauffassung, die jedenfalls nicht damit abgetan werden kann, daß das unkontrollierte Gefühl sich gegen einige ihrer Folgerungen sträubt. Und zwar sind die betreffenden Aufnahmen Grenzprodukt einer Lehre, die das individuelle Leben dem der Gemeinschaft radikal untertan machen will. Auch die Prozesse der Geburt und des Sterbens noch sollen von ihren Trägern gleichsam abgelöst und in die Öffentlichkeit des Kollektivs hineingetragen werden, dem der Einzelmensch vom ersten bis zum letzten Atemzug angehört. Es handelt sich also im Werthoff-Film nicht etwa um schamlose Übergriffe eines besessenen Film-Reporters, sondern um rabiate Schlüsse aus einer großen Doktrin. Sie werden mit einer naiven Unbekümmertkeit[3] gezogen, und sie sind insofern berechtigt, als sie die Grenzen des neuen Gemeinschaftslebens einstweilen so weit wie möglich hinausverlegen, um ihre spätere Absteckung vorzubereiten.

Der Filmstreifen vom Todessturz enträt einer solchen Bedeutung durchaus. Er überbietet beinahe noch jene berüchtigte Szene des Films: AFRIKA SPRICHT,[4] in der ein Löwe[5] einen Neger zerreißt, er ist wie sie der Ausdruck einer Gesinnung, die in allen Leiden und Qualen nur dankbare Ausbeutungsobjekte erblickt. Ihr gilt der Tod keinen Pfifferling, wenn er sich nicht photographieren läßt, ihr ist das furchtbare Ende des Fliegers ein glücklicher Zufall, den man nicht preisgeben darf, ein rentables industrielles Nebenprodukt, das unter jeder Bedingung verwertet werden muß. Wahrhaftig, der Kameramann hat seinen Kasten nicht hingeschmissen, sondern wacker gedreht und gedreht, und ich glaube fast annehmen zu dürfen, daß er für sein Ausharren von der Firma gekrönt worden ist. Während der Werthoff-Film im Interesse der Kollektivisierung die Grenzen des Möglichen zu erweitern sucht, ist dieses Wochenschaubild das Zeichen skrupelloser Profitgier, die überhaupt keine Grenzen mehr kennt. Sie lockt mit einer Fliegerkatastrophe den Leuten das Geld aus der Tasche und gibt dem Tod nur darum seine Schrecken zurück, um ihn zur lukrativeren Sensation zu machen. Nichts ist ihr heilig außer dem Geschäft, und alles erlaubt, außer finanziellen Verlusten. Die Folge eines solchen Verhaltens ist aber unweigerlich die Zersetzung sämtlicher echten Gehalte; auch jener, auf denen unsere heutige Gesellschaft beruht. Der Individualismus zum Beispiel büßt sein Recht ein, sobald Todesstürze zu Zerstreuungszwecken ausgenutzt werden können oder auch Kriege zum Bummeln. Ich sage das nicht aufs Geratewohl hin. In einer Berliner Zeitung wurde jüngst ein *Kriegsbericht* aus der Mandschurei unter dem Titel: »*Bummel* durch den abgeleugneten Krieg« gebracht.[6] Die Einstellung, von der dieser Bummel genau so zeugt wie die Aufnahmen des Fliegertods, wird uns noch völlig auf den Hund bringen, wenn wir nicht gegen sie revoltieren. Denn sie hebt jede vernünftige Bestimmung des Menschen und der menschlichen Gemeinschaft auf und überlieferte, könnte sie wirklich überall durchgreifen, die zivilisierten Nationen hoffnungslos dem ganz und gar photographierbaren[7] Untergang.

Da ich gerade bei der Mandschurei bin: in Berlin wird ein Kulturfilm: KAMPF UM DIE MANDSCHUREI[8] gezeigt, der diese aktuelle Benennung offenbar nur darum trägt, um seine Anziehungskraft zu erhöhen.[9] Mögen ihm selbst ein paar Kriegsbilder herausgeschnitten worden sein, so enthält er doch in der Hauptsache nichts als dilettantische Schilderungen japanischer und chinesischer Sitten und Gebräuche. Man ißt dort drüben Reis, fischt im Meer oder in Seen, hat Heiligtümer, Soldaten und Kulis: das ist so ziemlich der ganze Ertrag, den die Hersteller heimgebracht haben. Eine dumme, langweilige Bildfolge, die nirgends einen Einblick in soziale und wirtschaftliche Zusammenhänge gewährt und durch ihre Unorientiertheit das Publikum nur noch verwirrter macht.

(FZ vom 5. 2. 1932)

1 Anspielung auf den Schlager »Das gibt's nur einmal« aus dem Film DER KONGRESS TANZT (siehe Nr. 662, Anm. 4).

2 Zu Vertovs Film siehe Nr. 510. Es handelt sich bei der von Kracauer erinnerten Szene um

das Gesicht eines Verunglückten, der die Augen wieder aufschlägt und von einer Ambulanz weggefahren wird.
3 Text nach der handschriftlichen Korrektur Kracauers in den Klebemappen; im FZ-Druck: »Unbekümmerlichkeit«.
4 Siehe Nr. 629.
5 Text nach der handschriftlichen Korrektur Kracauers in den Klebemappen; im FZ-Druck: »ein Löwe vergeblich«.
6 Walter Bosshard, »Bummel durch den abgeleugneten Krieg«. In: *BZ am Mittag* vom 29. 1. 1932-2. 2. 1932. Teil I: »Wie Koupangtzu ›friedlich‹ besetzt wurde« (29. 1. 1932); Teil II: »Der Schreckenstag von Koupangtzu« (30. 1. 1932); Teil III: »Bomben und Sonnenblumenkerne« (1. 2. 1932); Teil IV: »Bomben statt Drucksachen« (2. 2. 1932).
7 Text nach der handschriftlichen Korrektur Kracauers in den Klebemappen; im FZ-Druck: »photographierten«.
8 KAMPF UM DIE MANDSCHUREI. Gustav von Estorff und Johannes Häußler. DE 1931.
9 Als Hauptobjekt der japanischen Wirtschaftsexpansion nach dem Ersten Weltkrieg wurde die Mandschurei 1931/32 von Japan militärisch besetzt und 1934 als »unabhängiges« Kaiserreich Mandschukuo japanisches Protektorat.

675. Spionage im Krieg

Filmrez.: UNTER FALSCHER FLAGGE. Johannes Meyer. DE 1932.

Seit einiger Zeit florieren die *Spionagefilme*, und jeder weibliche Star – die Garbo, die Dietrich usw. – muß mindestens einmal Spionin gewesen sein.[1] Je anspruchsvoller sich diese Filme gebärden, desto schlechter endigen sie gewöhnlich. Das heißt, die Starspionin geht mit dem Tod ab. Einmal darum, weil ihr Tod dem ganzen Film die Weihe einer Schicksalstragödie gibt, was als sehr attraktiv und vornehm gilt. Zum anderen darum, weil das tödliche Finale ausgezeichnet zur Verklärung des Liebeserlebnisses der Heldin dient. Ohne Liebe wäre aber eine Filmstar-Spionin ein Dreck. Und was könnte die Größe ihrer Leidenschaft besser ausdrücken als dies: daß sie für den Geliebten sich aufopfert und stirbt? Sie läßt ihn in der Regel entwischen und muß dafür als Verräterin den Tod erleiden. Zwei Fliegen werden durch ihn mit einer Klappe geschlagen.
Auch der neue Spionagefilm der Ufa: UNTER FALSCHER FLAGGE benutzt natürlich den Todeseffekt. Ein von Johannes Meyer sehr geschickt inszenierter Reißer, der so viele gerissene Tricks aneinanderreiht, daß man

unwillkürlich auf die Vermutung gerät, es handle sich in dem Film um die konzentrierte Darstellung sämtlicher moderner Spionagemethoden. Die Spannung allerdings wird durch diese Häufung von Wachsabdrücken, Geheimschriften, Grammophonplatten mit doppeltem Belag usw. eher vermindert; denn bald schlägt ein Kniff den nächsten tot, und man stumpft nach und nach ab. Um so mehr, als man schon lange vorher weiß, wie die primitive Geschichte sich weiter entwickelt.

Es lohnt[e] sich nicht, von dem Film ausführlich Notiz zu nehmen, beförderte er nicht mittelbar die *Gewöhnung an Kriege*. Ohne daß er wie DAS FLÖTENKONZERT VON SANSSOUCI[2] oder YOR[C]K[3] den Krieg direkt anspricht, setzt er ihn doch als eine gar nicht zu diskutierende Selbstverständlichkeit voraus. Schlachtfelder und Maschinengewehre gehören zu seinen Requisiten, und beinahe die einzige Zivilperson, die in ihm vorkommt, ist ein Kriminalkommissar, der ebenfalls zu militärischen Zwekken beschäftigt wird. Man mag einen solchen Tatbestand durch die Erklärung zu rechtfertigen suchen, daß es im Weltkrieg ebenso ausgesehen habe. Aber diese Erklärung ist ungenügend. Aus zwei Gründen: Erstens ist es im Weltkrieg bestimmt niemals so unwahrscheinlich und romanhaft zugegangen wie in dem Filmreißer, und zweitens kann man überhaupt nicht den Krieg einfach zum Hintergrund erniedrigen und ihn gar noch als Anreiz für irgendein Sensationsstück verwenden. Entweder macht man den Krieg, in der Absicht, sich mit ihm auseinanderzusetzen, zum Hauptgegenstand eines Films, oder man läßt ganz die Finger davon. Ihm eine Nebenrolle zuschieben wie hier heißt aber von vornherein: ihn anerkennen, ihn unserem Alltag einverleiben. Ich bezweifle nicht, daß der Film auf viele unkritische Zuschauer in diesem Sinne wirkt. Sie fressen die Spionageaffäre und schlucken mit ihr zugleich ahnungslos das Kriegsleben herunter. Bis es zuletzt zu ihrer Alltagsnahrung wird, bis sie sich eines Tages nicht mehr darüber verwundern, einen wirklichen Krieg mitzumachen, der dann sicher von Anfang bis zu Ende verfilmt werden wird.

Vielleicht ist den Filmherstellern nicht einmal deutlich bewußt, was sie mit einem solchen Film anrichten. Gerade darum besteht die Pflicht, es ihnen und den Konsumenten zu sagen. Wobei ich mich nicht in dem Wahn wiege, die Produktion zu verbessern, sondern sie nur ein wenig zu entgiften hoffe. Damit sie nicht unter falscher Flagge segeln kann.

(FZ vom 18. 2. 1932)

1 Siehe u. a. Nr. 695, dort auch Anm. 1.
2 Siehe Nr. 626, 627 und 647.
3 Siehe Nr. 676.

676. Tonfilm von heute

Filmsammelrez.: KAMERADSCHAFT / LA TRAGÉDIE DE LA MINE. Georg Wilhelm Pabst. DE / FR 1931; MÄDCHEN IN UNIFORM. Leontine Sagan und Carl Froelich. DE 1931; GETRENNT MARSCHIEREN – VEREINT SCHLAGEN! Prod. Ufa. DE 1932; YORCK. Gustav Ucicky. DE 1931; À NOUS LA LIBERTÉ! / ES LEBE DIE FREIHEIT. René Clair. FR 1932.

Es ist schlechterdings unmöglich, die neuen Erzeugnisse der Filmproduktion in thematischer Hinsicht auf einen Generalnenner zu bringen.[1] Immerhin läßt sich rein negativ feststellen, daß die Operetten- und Schlagerfilme sich in den Hintergrund zurückziehen und auch jene Filme vom Schauplatz abzutreten scheinen, in denen ein kleines Ladenmädchen am Schluß eine gefeierte Künstlerin wurde oder doch ihren Generaldirektor kriegte. Mit den Generaldirektoren ist heute kein Staat mehr zu machen, und überhaupt wird die Not viel zu tief und allgemein empfunden, als daß das Publikum noch an eines der Paradiese zu glauben vermöchte, die ihm die Filme bis vor kurzem vorzugaukeln beliebten. Vorbei ist die ganze, von der Industrie systematisch aufgezogene Zerstreuungskultur, die an eine Zeit gebunden war, in der die Massen noch betäubt werden konnten. Inzwischen sind sie durch die unaufhörlichen Krache aus dem Halbschlaf erwacht; womit allerdings nicht gesagt sein soll, daß sie auch sehend geworden wären.
Daß der »Klamauk«-Film ausgespielt hat, wird nicht zuletzt durch das Ergebnis einer vom *Reichsfilmblatt* um die Jahreswende veranstalteten Rundfrage bestätigt.[2] Wie die eingelaufenen Antworten beweisen, stimmen Darsteller, Regisseure, Kinobesitzer, Filmautoren usw. darin überein, daß der sinnlose Amüsierfilm, der im vergangenen Jahr als Massenartikel hergestellt wurde und den Markt nahezu völlig beherrschte, endlich von der Bildfläche verschwinden müsse. Leider wenden sie sich auch geschlossen gegen die Produktion aktueller Zeitstücke; einmal der

Zensur wegen, deren faktische Handhabung in der Tat die Unternehmungslust einschränkt und die Herstellung guter, zeitgemäßer Werke über Gebühr erschwert, zum andern aus Angst vor der Verstimmung, die mit Filmen von ausgesprochener Haltung bei einem Teil der Bevölkerung erregt werden könnte. Ich selber bin der Meinung, daß diese Angst, deren Folge immer wieder die Flucht in die sture Neutralität ist, nicht zureichend begründet sei. Das Publikum trägt zweifellos ein starkes Verlangen nach Filmen, die direkt oder indirekt mit seinem eigenen Leben etwas zu schaffen haben, und es gibt genug aktuelle Themen, die nur richtig angepackt werden müßten, um trotz der politischen Zerrissenheit des deutschen Volkes eine bessere Aufnahme zu finden als der öde Klamauk.

Die Frage ist, was jetzt produziert werden soll. So einmütig die Teilnehmer an der Rundfrage den bisherigen Filmbetrieb verwerfen, so weit gehen ihre Zukunftswünsche auseinander; ohne daß auch nur einer von ihnen eine brauchbare Richtung wiese. Aber gleichviel: die Filmindustrie kann jedenfalls nicht mehr schematisch das Garn weiter abspulen, das sie so lange gewerbsmäßig spann. Sie muß andere Modelle erzeugen, neue Muster entwickeln. Kein Zufall, daß die Produktion zurzeit sehr gemischt ist und auch die Treffer nicht fehlen. Freilich sieht es vorerst nicht danach aus, als ob sich auf dem Trümmerfeld zerstörter Ideologien, entwerteter Surrogate und wirkungslos gewordener Rauschmittel gerade die gehaltvolleren Werke behaupteten.

Zu den rühmlichen Ausnahmen gehört der von G. W. Pabst inszenierte Nero-Film: KAMERADSCHAFT,[3] dem eine Idee Karl Ottens zugrunde liegt, die neben anderen Entwürfen vom deutschen Ausschuß des »Völkerbund-Komitees für die Annäherung der Völker durch den Film« ausgewählt wurde. Der Film stellt[4] sich auf eine höchst nützliche Weise in den Dienst des Friedensgedankens. Statt sich zu ideologischen Forderungen zu versteigen oder programmatisch auszuschwärmen wie etwa die pazifistische Filmlegende: NIEMANDSLAND von Leonhard Frank und Victor Trivas,[5] die durch ihre leeren rhetorischen Gesten[6] nur die Schwäche der hier eingenommenen pazifistischen Position enthüllt, holt er seine Fabel aus dem Leben selber. Sie zeigt nicht, was sein soll; sie zeigt, an die Bergwerkskatastrophe von Courrières anknüpfend, was einmal geschehen ist und sich immer wieder begeben mag. Der Höhepunkt des Films ist die Aktion der deutschen Kumpels, die ihre nationale Befangenheit überwinden und rettend ins fremde Land einbrechen. Pabst hat diese wirksame Handlung, die leider manchmal in schematische Gefühlsseligkeit entgleitet, bewundernswert gestaltet. Ich denke zum Beispiel an die Panik der Weiber, an den Auftritt in der Badehalle der Kumpels, an den dichten Realismus der Katastrophenbilder und nicht zuletzt an den geradezu großartigen Aplomb, mit dem die Fahrt der deutschen Rettungsmannschaft über die Grenze veranschaulicht wird. Die Außenszenen sind zum Teil im Kohlenrevier aufgenommen worden, und Kumpels wirken als Darsteller mit. Am Schluß findet eine Verbrüderung zwischen der deutschen und französischen Arbeiterbevölkerung statt, die aber nicht der Schluß ist. Ihr folgt vielmehr noch eine letzte bittere Szene im Schacht. Grenzbeamte nehmen dort unten zu Protokoll, daß das starke eiserne Trennungsgitter, das von den friedlich vordringenden Deutschen während des Brandes gesprengt[7] wurde, wieder ordnungsgemäß eingesetzt ist. Dieses erschütternde Bild, dessen langsames Verdämmern jeden einzelnen Zuschauer zum Nachdenken darüber zwingt, ob ein solches Ende wirklich das Ende sein darf, ist bei den späteren Aufführungen gestrichen worden. Überhaupt scheint das breite Publikum der Tendenz des Filmes nicht eben hold zu sein und lieber von einer Verbrüderung zu träumen, als in der Wirklichkeit für sie einzutreten.[8]

Der Film: MÄDCHEN IN UNIFORM,[9] der mit Recht die öffentliche Gunst errungen hat, ist eine in doppelter Hinsicht erfreuliche Leistung. Einmal darum, weil sie von Geschmack und Anstand zeugt, die bei uns rar geworden sind; zum anderen darum, weil sie eine Gemeinschaftsarbeit ist. Die Deutsche Filmgemeinschaft, die unter der künstlerischen Oberleitung von Carl Froelich steht, erbringt mit diesem ihrem ersten Kollektiv-Unternehmen den Beweis, daß es noch andere Methoden der Herstellung von Filmen gibt als die der herrschenden Filmindustrie. Von der nach einem Bühnenstück Christa Winsloes gedrehten Handlung nur soviel, daß sie die Erziehungsmethoden in einem Stift für adlige Mädchen geißelt und dem alten, konservativen Maximen entspringenden Geist einen neuen gegenüberstellt, der mit Verständnis und Liebe mehr ausrichten zu können glaubt als mit militärischem Drill. Frau Leontine Sagan hat den Film sauber inszeniert. Ihre Regie trifft immer scharf die Kontur und erreicht durch die plastische Ausarbeitung aller Gestalten, was die zweidimensionale Satire, zu der ein solches Sujet den Routinier zweifellos verführt hätte, niemals bewirkt: eine Preisgabe dieses Mädchenstiftwesens, die zugleich seine Kennzeichnung ist. Aufgerollt wird es in lose aneinandergereihten Szenen, die voller reizender filmischer Einfälle sind. Der Alltag im Stift und die Potsdamer Architektur interpretieren sich wechselseitig, die große Schultreppe erhält das ihr zukommende Eigenleben, die Theaterepisode ist exemplarisch entwickelt und die Mischung der komischen Auftritte mit den ernsten und tragischen delikat. Zur besonderen Genugtuung gereicht überdies, daß die zahlreichen Mädchen im Film keine schablonierten Girls sind, sondern richtige Mädchen. Hoffentlich ist die Girlzeit jetzt auch auf der Leinwand vorbei, nachdem sie im Leben längst abgewirtschaftet hat.

Mit den Militärparaden allerdings scheint es noch kein Ende zu nehmen. Im Gegenteil, sie erfreuen sich sowohl in der Wirklichkeit wie im Film großer Beliebtheit und müssen sich daher mitunter auch dort entfalten, wo sie von Rechts wegen gar nicht hingehören. Die Ufa hat kürzlich in Gemeinschaft mit einem Fabrikunternehmen einen der Roggenbrotererzeugung gewidmeten Kulturtonfilm: GETRENNT MARSCHIEREN, VEREINT SCHLAGEN![10] hergestellt, in dem durch Trickzeichnungen der Nachweis erbracht werden soll, daß sich die Hefen und die Sauerteigbakterien im Sauerteig unter verschiedenen Bedingungen entwickeln. Dieser Vorgang wird nun so demonstriert, daß man die winzigen und wahrhaftig friedfertigen Körperchen einfach in Uniformen steckt. Und zwar müssen die einen zur Kavallerie einrücken, während die anderen, die nur schlecht vorwärts kommen, der Infanterie zugeteilt werden. Dann schmettern Militärmärsche drauflos, und ein unendlicher Zug von Hefen- und Bakterientruppen vollführt in strammer Haltung die vorgeschriebenen Evolutionen. Paraden im Brot, aufgerüsteter Sauerteig und Fridericus Rex unterm Mikroskop – wenn es so fort geht, wird die ganze Natur bald ein Kasernenhof sein.

Paraden und Militärmärsche herrschen auch im Film YOR[C]K[11] vor, mit dem die Ufa die Linie fortsetzt, die sie bereits im FLÖTENKONZERT VON

SANSSOUCI[12] eingeschlagen hat. Zu den tragenden Bestandteilen dieses Films zählen im übrigen historische Befreiungsreden gegen Frankreich, die ins Publikum hineingefeuert werden und jedenfalls gar nicht historisch anmuten. Um ihres aktuellen Neben- oder Hauptsinnes willen ist denn auch vermutlich in einem Teil des Auslandes das Werk starken Widerständen begegnet.[13] Seiner Szenenfolge, die mit den geschichtlichen Ereignissen sehr willkürlich umspringt, läßt sich vor allem dies vorwerfen: daß sie sich ihre Tendenz so leicht gewonnen gibt, daß sie in einer Zeit, in der nur [Selbstzucht][14] und Vernunft eine Rettung herbeiführen könnten, den Glauben nährt, das Heil sei durch bloße Begeisterung oder gar kriegerische Aktionen zu erlangen. Aber ein solches Strohfeuer verprasselt schnell[15] und hinterher ist die Nacht noch viel dunkler. Um ganz davon zu schweigen, daß das Hinausspielen der Handlung auf so fragwürdige Glanzeffekte den Film selber beeinträchtigt und ihn des Gewichtes einer halbwegs historischen Darstellung beraubt. Schade darum! Denn er ist mit einem gewaltigen Apparat aufgezogen worden, enthält prachtvolle Arrangements und Photographien und bringt einige Episoden, die es verdienten, in einem besseren Ganzen untergebracht zu sein. Werner Krauß kämpft nach Kräften dagegen an, zur heroischen Attrappe entwürdigt zu werden. Am reinsten setzt er sich im Nebenbei durch.[16]

Zum Schlusse noch ein Hinweis auf den längst bei uns eingebürgerten René Clair. In seinem neuesten Film: ES LEBE DIE FREIHEIT[17] persifliert er ein wenig naiv die Rationalisierung des Arbeitsprozesses. Er läßt das laufende Band ablaufen, vergleicht die Tätigkeit an ihm mit der von Sträflingen und stellt diesem Sträflingsdasein das freie Leben der Vagabunden als Ideal gegenüber. Aber diese romantische Ausflucht ist keine Lösung, sondern eine dem Ernst des Problems unangemessene Träumerei. Wahrscheinlich erklärt sie sich daraus, daß man in dem glücklicheren Frankreich noch nicht recht weiß, wie sehr wir unter den Folgen der durchgreifenden Mechanisierung zu leiden haben. Immerhin trifft Clair an vereinzelten Stellen ins Schwarze. Vor allem dort, wo er zeigt, daß unter den heutigen Umständen durch die leiseste menschliche Regung der ganze sinnreich ausgeklügelte Arbeitsvorgang ins Stocken gerät. Einer vergißt einen Augenblick seine Teilfunktion, und sofort ist die schöne

mechanische Ordnung unrettbar verwirrt. Überhaupt wird das Problematische durch eine Fülle von Bildeinfällen umspielt, die den Spießbürger,[18] die Konventionen und das Offizielle mit einer wunderbaren Grazie glossieren. Sie entstofflicht die grobe Körperlichkeit und verwandelt das Geschehen in eine Arabeske, die heiter, ironisch und schwerelos dahinschwingt. Eine Befreiung von der Materie, die nicht zuletzt der Herrschaft über das Material und den technischen Apparat zu danken ist. René Clair denkt in Bildern und Tönen, er produziert Ideen, die nirgends sonst Bestand haben als eben auf der Leinwand. Der neue Film bedeutet wieder einen großen Fortschritt hinsichtlich der Verwendung des gesprochenen Worts. Es ist keineswegs ausgeschaltet, wird aber so eingesetzt, daß man es auch ohne Kenntnis der fremden Sprache versteht. Der Wortsinn deutet nämlich nicht die Situation, sondern umgekehrt: diese, die sich rein bildmäßig erschließt, führt zum Wortsinn hin. Musikalische Illustrationen überwiegen den Dialog und entlassen ihn gewissermaßen aus sich. Das Ziel Clairs ist offenbar die Einheit alles Tönenden überhaupt.
(*Kunst und Künstler*, Januar/Februar 1932)

1 Siehe Nr. 668; Kracauer greift im folgenden z. T. wörtlich auf diesen früheren Text zurück.
2 Siehe Nr. 670.
3 Siehe Nr. 665; Kracauer greift im folgenden z. T. wörtlich auf diesen früheren Text zurück.
4 Im Typoskript (KN): »Er stellt«.
5 Siehe Nr. 668.
6 Im Typoskript: »die durch ihre leere rhetorische Schlußgeste«.
7 Im Typoskript: »durchbrochen«.
8 Zu KAMERADSCHAFT siehe auch *Werke*, Bd. 2.1, Kap. 20.
9 Siehe Nr. 666; Kracauer greift im folgenden z. T. wörtlich auf diesen früheren Text zurück.
10 Siehe Nr. 672; Kracauer greift im folgenden z. T. wörtlich auf diesen früheren Text zurück.
11 Siehe Nr. 668, Anm. 16; Kracauer greift im folgenden z. T. wörtlich auf sein früheres Typoskript zurück.
12 Siehe Nr. 626, 627 und 647.
13 Im Typoskript: »ist denn auch in einem Teil des Auslandes die Aufführung des Werks mittlerweile verboten worden.«
14 Korrektur der Hrsg. nach dem Wortlaut des Typoskripts. Im FZ-Druck: »Selbstsucht«.
15 Im Typoskript: »Aber die Strohfeuer verprasseln schnell [...].«
16 Zu YORCK siehe auch *Werke*, Bd. 2.1, Kap. 21.

17 Siehe Nr. 673; Kracauer greift im folgenden z. T. wörtlich auf diesen früheren Text zurück.
18 Im Typoskript: »das Spießbürgertum«.

677. Thema: Arbeitslosigkeit

Filmrez.: DREI VON DER STEMPELSTELLE. Eugen Thiele. DE 1932.

Der Film: DREI VON DER STEMPELSTELLE (Manuskript: Bünger, Klaren, Reicher;[1] Regie: Eugen Thiele), der vor ein paar Tagen im *Marmorhaus* uraufgeführt wurde, ist eine verhältnismäßig angenehme Überraschung. Sein Titel klingt nur darum an den des Films: DREI VON DER TANKSTELLE[2] an, um diesen zu desavouieren. In Wahrheit ist er weder eine jener blödsinnigen Operetten, deren Produktion gar nicht aufhören will, noch eines der neubürgerlichen Filmindustriespiele, in denen es unentwegt heiter, herrschaftlich und verlogen zugeht. Er bemüht sich vielmehr, ein Stück Wirklichkeit zu zeigen, und das ist heute schon viel.

Man sieht in dem Film Arbeitsämter, wie sie sind, Straßen, wie sie sind, und sogar einige Zustände, wie sie sind. Die Handlung ergibt sich ungezwungen aus der Arbeitssuche. Drei Erwerbslose verschiedener Schichten, die bei einer Witwe Unterkunft gefunden haben, machen vergebliche Anstrengungen, wieder eine Stellung zu bekommen, und entschließen sich nach zahlreichen Fiaskos am Ende dazu, Siedler zu werden. Darüber später. Ich finde es anerkennenswert, daß der Film verschiedenen Lustspielmöglichkeiten ausweicht und einige instruktive Einblicke in die Lage der Arbeitslosen gewährt. Wie leicht wäre es gewesen, die drei Helden an irgendeinem Punkt aus dem allgemeinen Elend herauszuheben und ihnen die große Chance zu geben! Es geschieht aber nicht. Die drei bleiben in der Masse stecken, zu der sie gehören, werden abgewiesen wie die andern, suchen Gelegenheitsarbeit, machen Projekte, die sich zerschlagen usw. In zwei, drei Szenen verdichtet sich dieses typische Dasein zu typischen Situationen. So brüllt einmal einer der Arbeitslosen die kleinbürgerliche Witwe an und protestiert dagegen, wie ein Deklassierter behandelt zu werden; so verhöhnt eine Arbeitslosenversammlung einen Redner, der über die guten Absichten der Regierenden faselt.

Diese Vorzüge des Films werden allerdings durch seine Schwächen und Fehler teilweise zunichte gemacht. Eine Schwäche ist zum Beispiel der unwiderstehliche Hang zum Idyll. Immer wieder entfaltet sich ein behaglicher Humor, der offenbar die Härte des Stoffes mildern soll und nur ungenügend von einem grimmigen Sprechchor eingegrenzt wird. Es gibt solche Oasen der Gemütlichkeit, gewiß; aber sie dürfen den Situationsbericht nicht verfälschen. Wahrscheinlich haben die Hersteller geglaubt, das Thema möglichst mundgerecht servieren zu müssen. Sie hätten besser auf diese Kompromisse verzichtet.

Zu den Fehlern rechne ich die Art und Weise, in der die Kündigung der Tochter der Witwe motiviert wird. Sie ist in einem Putzsalon angestellt und verliert ihren Posten, weil sie als anständiges Mädchen sich den unsittlichen Bewerbungen des Chefs entzieht. Dergleichen kommt zweifellos vor, reicht jedoch als Motiv in einem Arbeitslosenfilm nicht hin. Es ist ein individuelles Motiv und nicht eines, das der Wirtschaftskrise entspringt. Auch in jenen Filmen, die sich wahrhaftig um die Krise nicht kümmern, ereignen sich mitunter aus gleichen Gründen die gleichen Konflikte. Überhaupt vermeidet der Film – das ist sein Hauptfehler – alle Erklärungen, die über die Wiedergabe der Stimmung hinausführen. Er unterläßt sie nicht nur, er sabotiert sie ausdrücklich. Einer der Arbeitslosen, ein entlassener Buchhalter, versucht sich unaufhörlich Rechenschaft darüber abzulegen, warum so viele Millionen Menschen von dem Schicksal der Arbeitslosigkeit betroffen sind und wie man dieses Schicksal etwa aufheben könnte. Seine törichten Auskünfte werden von den Kameraden verlacht und reizen niemanden zum Nachdenken. Mit anderen Worten: der Film versandet nach einem guten Ansatz in der Reportage, die sich zu schildern begnügt und das Schicksal für Schicksal nimmt. Richtiger wäre es gewesen, die Denkbemühungen des Arbeitslosen zu Diskussionen auszubauen, die wirklich Aufklärung verschaffen. Dem vorzeitigen Halt, das geboten wird, entspricht auch der Schluß, der beinahe eine Propaganda für den Siedlungsgedanken[3] ist. Die Sonne geht über den Wäldern auf, sobald die zukünftigen Siedler aus der Stadt fahren. Ich fürchte, sie geht rasch wieder unter; denn das Siedlungsunternehmen in seiner jetzigen Form weist viel zu

viele Unvollkommenheiten auf, als daß es optimistisch zu stimmen vermöchte.
Während der Premiere wurde die Vorführung des Films (der von der *Panzer-Filmproduktion G.m.b.H.* hergestellt wurde) immer wieder durch Beifall und Zurufe unterbrochen, die von der leidenschaftlichen Anteilnahme des Publikums zeugten. Damit ist bewiesen, was ich schon häufig sagte: daß das Publikum Filme verlangt, die nicht in einem anderen Erdteil oder in einer imaginären Gesellschaft spielen, sondern seine eigene Wirklichkeit demonstrieren. Es läge im Interesse der Filmindustrie, daß sie sich endlich danach richtete. Oder vielleicht doch nicht in ihrem Interesse?
(FZ vom 4. 3. 1932)

1 Paul Michael Bünger verfaßte das Drehbuch nach einer eigenen Idee sowie nach einem Manuskript von Georg C. Klaren und F. A. Reicher.
2 Siehe Nr. 637, Anm. 19.
3 Der Siedlungsgedanke entwickelte sich seit der Jahrhundertwende aus der Lebensreformbewegung. Vor allem unter Intellektuellen war es um 1900 populär, als Siedler auf dem Lande häufig genossenschaftlich Ackerbau zu betreiben und in Weltanschauungsgemeinschaften nach einem »ganzheitlichen« Leben zu suchen. Nach dem Krieg fand die nun betont ideologisch ausgerichtete Siedlungsidee vor allem in der bündisch organisierten Jugend Anhänger, fungierte aber auch in kleinbürgerlichen Kreisen als völkisch gefärbte Ziel- und Fluchtvorstellung.

678. Einige Filme

Filmsammelrez.: LICHTSPIEL: SCHWARZ – WEISS – GRAU. László Moholy-Nagy. DE 1930; MARSEILLE VIEUX PORT. László Moholy-Nagy. DE 1929; EIN BISSCHEN LIEBE FÜR DICH ... Max Neufeld. DE 1932; ZWEI IN EINEM AUTO. Joe May. DE 1932; HALLO, HALLO! HIER SPRICHT BERLIN! / ALLO? BERLIN? ICI, PARIS! Julien Duvivier. FR 1931/32.

Abstrakte Kunst

Moholy-Nagy ist, wie seine beiden in der *Kamera* gezeigten Filmchen wieder einmal beweisen, ein außerordentlicher Photograph. Am liebsten unterdrückte er alles Gegenständliche, um nur noch Kontrastwirkungen, Licht- und Schatteneffekte usw. übrig zu lassen. So jedenfalls verfährt er in dem einen der Filme, der sich darauf beschränkt, verschiedene Konstruktionselemente wie Kugeln, Spiralen, gestanzte Bleche, polierte Röhren und Teile komplizierter Apparaturen in photographisch günstige Situationen zu bringen. Es ist nicht zu leugnen, daß hierbei wunderschöne Formenspiele entstehen. Glanzlichter und Schraubenschatten durchdringen einander, und das ganze mechanische Getriebe bildet, vom Zwang der statischen Gesetze befreit, eine Folge sehenswerter Ornamente, die den imaginären Raum in stetem Wechsel erfüllen. Allerdings fehlt ihnen Zweck und Sinn. Ihres stofflichen Untergrundes enthoben, sind sie nur bedeutungslos schön, ohne sonst die geringste Funktion auszuüben; es sei denn die, durch ihr bloßes Dasein die Fülle der Chancen anzudeuten, die unsere helldunkle Welt dem Filmoperateur bietet. Das ist von großem artistischen Interesse, aber eine Werkstattangelegenheit, deren öffentliche Vorführung unter Umständen Verwirrung stiftet. Denn diese abstrakte Kunstübung kann ebenso gut als Studie des Avantgarde-Künstlers aufgefaßt werden wie als Flucht vor der Auseinandersetzung mit den Gegenständen und Sachproblemen, die uns bedrängen. Der epigonale deutsche Idealismus z.B. ist kaum noch etwas anderes als eine solche Flucht ins Abstrakte und verhält sich denn auch der Wirklichkeit gegenüber reaktionär. Zum Glück scheint sich Moholy-Nagy der mit der rein formalen Kunstbetätigung verbundenen Gefahren bewußt zu sein. Sein anderer Film behandelt das Thema *Marseille*. Und zwar durchschweift er die Stadt nicht wie ein Genießer, sondern nimmt sich vor, das soziale Elend in ihr zu beleuchten. Eine Menge von Aufnahmen aus dem Hafenviertel sind aneinandergereiht, und finstere Gassenperspektiven, verwüstete Gesichter und zerlumpte Figuren häufen sich dicht. Der Eindruck ist um so stärker, als auch der Gegensatz zwischen der menschlichen Not und dem Naturzauber des Südens offenbar wird. Wenn die Bilder ihre Absicht doch nicht erreichen, so ist der Grund hierfür der, daß weniger Gewicht auf die Verdeutlichung des Elends als auf die Auswertung seiner malerischen Wirkungen gelegt wird. Das Mosaik spult sich auch so rasch ab, daß nichts recht haften bleibt. Totalbilder hätten öfters die zahlreichen kleinen Ausschnitte unterbrechen müssen, und eine zeitweilige Verlangsamung des Tempos wäre entschieden zweckdienlich gewesen.

Wunschträume

Die weibliche Angestellte, die mit einem Schlag ihrer Berufsmisere entrückt wird und als Frau irgendeines Millionärs in die höheren Sphären und Schichten einzieht: dieses durch die Wirklichkeit inzwischen reichlich desavouierte Thema behauptet sich merkwürdigerweise immer noch in den Filmen. Zwei Operettenfilme auf einmal wandeln es neuerdings ab. Der eine: EIN BISSCHEN LIEBE FÜR DICH ..., dessen Musik von *Paul Abraham* stammt, ist allerdings ein so nettes Boulevardstück, daß man ihm die soziologische Fahrlässigkeit schließlich verzeiht. Mag die Privatsekretärin immerhin den amerikanischen Autokönig kriegen – der Film macht gleichsam zum Entgelt für ihren Anstieg manche Schäden wieder gut, die andere Operettenfilme angerichtet haben. Er persifliert nämlich amüsant und nicht ohne Geist jenes Film-Wien, das mit seinen süßen Mädels, seinem Grinzing usw. nachgerade zu einer von der Filmindustrie ausgesogenen Traumkolonie geworden ist, die in keiner Hinsicht mehr an ihr Urbild erinnert. Natürlich will ihr der Amerikaner in Wien selber wieder begegnen. So steht er einmal verzückt vor einer kleinen Kneipe, aus der Heurigenmelodien erklingen, und glaubt schon, das in Hollywood geprägte Ideal herrlich bestätigt zu finden. Nach seinem Eintritt muß er dann enttäuscht bemerken, daß das Lokal gähnend leer ist und die aus dem Lautsprecher strömenden Melodien von Berlin gesandt worden sind. Der ganze Film ist überhaupt mit Witz verfertigt, und das gebrochene Deutsch von Georg Alexander hört sich echt amerikanisch an.

Peinlich dagegen ist das andere Operettenfabrikat: ZWEI IN EINEM AUTO, für das Joe May verantwortlich zeichnet. Eine Warenhausverkäuferin gerät durch ein Inserat und eine Verwechslungsgeschichte an einen englischen Lord, den sie aber lange Zeit für den einfachen Buchhalter und Autogewinner hält, auf dessen Inserat sie geantwortet hatte. Der unerkannte Lord und sie machen nun eine Autoreise nach Monte Carlo zusammen, deren Glanz die kühnsten Wunschträume törichter kleiner Mädchen um ein Vielfaches übertrifft. Die Reise wird schwül und schwüler, der Lord reich und reicher, und die Verkäuferin endigt als Mylady und Herrin eines Riviera-Schlosses. Ich weiß nicht, ob sich heute noch viele weibliche Angestellte durch solche Filme zu unwahrscheinlichen Hoffnungen bestimmen lassen. Aber ich weiß, daß dieser Schlagerfilm[1] roh und erbärmlich ist. Er verkuppelt das Glück eindeutig an die hübsche Figur; er spiegelt Zustände und Prachtperspektiven wider, deren gerade die niemals habhaft werden können, denen er sie bedenkenlos vorspiegelt; er profitiert von der Sehnsucht breiter Publikumsschichten, die er durch die brutale Spekulation auf ihre Begehrlichkeit nicht nur noch unzufriedener mit ihrem Dasein macht, sondern auch noch unfähiger, es wirklich zu ändern. (Romanowsky als Buchhalter: eine Gestalt von hinreißender Komik.)

Paris – Berlin

Julien Duvivier, der Regisseur des DAVID GOLDER-Films,[2] hat ein Lustspiel: HALLO, HALLO – HIER SPRICHT BERLIN[3] verfaßt und gedreht, das wie die vorigen Filme seine Hauptpointen aus Verwechslungen bezieht. Die Menschen, besonders die Angestellten, scheinen immer leichter verwechselt werden zu können. Ein Berliner Telephonist verliebt sich in die Stimme einer Pariser Kollegin und fährt nach Paris, um die deutsch-französische Annäherung zu vollenden. Berufsgenossen und Berufsgenossinnen schalten sich aber dazwischen, so daß die gewünschte Verbindung nicht zustande kommt. Erst in einem Berliner Tanzlokal finden sich ganz am Schluß beide Partner mit Hilfe von Tischtelephonen. Diese Irrungen und Wirrungen, deren Entwicklung auf der an sich glücklichen Tonfilm-Idee beruht, zwei Sprachen miteinander zu konfrontieren, verlaufen unter ermüdenden Parallelführungen und groben Späßen. Wenn man schon die Nationen zusammenbringen will, dann sollte man sich nicht so billiger Mittel und besserer Typen bedienen. Die eine Französin ist so aufdringlich wie irgendein internationales Mädchen, und die beiden Deutschen, die ihrem verliebten Kollegen zuvorkommen, benehmen sich in Paris täppisch und unerzogen. Umsonst versucht Duvivier, die spielerische Art René Clairs[4] einzuholen. Er wird massiv, wo er leicht sein müßte, und mixt im Bestreben, das Berliner und das Pariser Publikum gleichzeitig zu erheitern, Ingredienzien zusammen, deren Gemisch weder hier noch dort anzusprechen vermag. Am besten gelungen ist ihm unstreitig die Satire auf eine Fremdenrundfahrt durch Paris.

Oper, Madeleine und Eiffelturm werden im Handumdrehen abgemacht, und die Fremden, die wie der Blitz vorbeischießen, nehmen nur Bruchstücke der Monumente in ihr Bewußtsein auf.
(FZ vom 19. 3. 1932)

1 Bruno Granichstaedten komponierte für den Film nach Texten von Fritz Rotter und Ernst Marischka die Schlager »Es liegt heut' in der Luft wie von Liebe und Duft«, »Ich leg' mein Herz in deine kleinen Händchen« und »Zwei in einem Auto«.
2 DAVID GOLDER. Julien Duvivier. FR 1930/31.
3 Der korrekte deutsche Verleihtitel lautet wie oben angegeben.
4 Zu René Clair (1898-1981) siehe u. a. Nr. 604, 614, 649, 673, 676 und 705.

679. Goethe im Film

Filmrez.: GOETHE LEBT ...! Eberhard Frowein. DE 1932; GOETHE-GEDENKFILM. Teil I: DER WERDEGANG. Fritz Wendhausen. DE 1932; Teil II: DIE VOLLENDUNG. Fritz Wendhausen. DE 1932.

Bei der Popularität, die Goethe dank seinem 100. Todestag[1] plötzlich genießt, wäre es mehr als unwahrscheinlich gewesen, wenn sich die Filme den kostenlosen Star hätten entgehen lassen. Auch in den illustrierten Zeitungen hat er sich ja einen Ehrenplatz erobert, und in einem hiesigen Kaufhaus ist eine Goethe-Ausstellung zu sehen, um die sich billige Ausgaben seiner Werke und einschlägige Grammophonplatten scharen. Wer wollte es allen diesen Feiernden verdenken, daß sie den Augenblick der Goethe-Hochkonjunktur nicht versäumen, sondern zu ihm sagen: »Verweile doch, du bist so schön«? Man muß das Eisen schmieden, solange es warm ist, und Geistesherden erkalten heut' schnell.
Ich erinnere mich eines stummen Beethoven-Films,[2] der vor einer Reihe von Jahren überall lief. Sein Held war ein Schauspieler in Beethovenmaske, der den Meister in den verschiedensten Lebenslagen verkörperte. Er spielte im Halbdunkel mit verträumtem Ausdruck die »Mondscheinsonate«, er machte ein titanenhaftes Gesicht, als er die Widmung an Napoleon zerriß. Vielleicht wäre der ganze Film besser unterblieben; aber wenn schon dieses Leben auf die Leinwand gezerrt werden sollte, mußte man der Kolportage geben, was ihr gebührte, und Beethoven persönlich

auftreten lassen. Und daß er sich leibhaft unter uns erging, komponierte, schwärmte und sann, beeinträchtigte nicht etwa die Wirkung des Films, sondern erzeugte im Gegenteil erst die Illusionen, deren eine solche Kolportage bedarf. Betrogen waren nur jene Leute, die sich von einem Beethoven-Film Beethoven und nicht einen Film erwarteten.

Inzwischen ist man geschmackvoll geworden, ungewöhnlich geschmackvoll. Da man um keinen Preis Kitschfilme herstellen, aber um jeden Goethes Leben verfilmen will, hat sich sowohl der Reichskunstwart Redslob[3] wie die Ufa aus diesem Dilemma wie folgt geholfen: *sie sparen in ihren Filmen den Dichterfürsten selber einfach aus.* Goethe erscheint nicht, Goethe fällt weg. Was bleibt noch übrig? Abfälle, aus Dichtung und Wahrheit gemischt.

Um mit dem Film: GOETHE LEBT...! zu beginnen, der unter der künstlerischen Oberleitung des *Reichskunstwarts* entstanden ist, so sind in ihm beispielsweise zu sehen: Frau Aja, die sich, ihrer Frohnatur entsprechend, höchst munter beträgt; das Puppenspiel *»Faust«*; zahlreiche Stätten, die ein edler Mensch betrat; Bruchstücke aus dem *»Götz«*, aus *»Iphigenie«*, aus *»Faust«* usw. Obwohl einige dieser Milieuskizzen ganz nett hergerichtet sind – so wird die Rekrutenaushebung mit Hilfe Goethescher Karikaturen, das Weimarer Hofleben durch Silhouetten im Zeitgeschmack vergegenwärtigt –, könnte ich nicht behaupten, daß sie zusammen ein annähernd treffendes Bild ergäben. Bald machen sie das Beiwerk zur Hauptsache, indem sie etwa meterlangen Kulissentratsch auftischen oder reichbebilderte Gesänge wie das »Heideröslein« und »Über allen Wipfeln ist Ruh« zum Vortrag bringen. Bald entstellen und verfälschen sie die Geschichte. Gelegentlich der Befreiungskriege erhält der Geist von Potsdam beinahe das Übergewicht über den von Weimar, und Goethes Flucht nach Italien wird, den Tatsachen zuwider, zu einem aus Postkutsche und Schleier komponierten Idyll. Mit dem Schleier winkt die hinter dem Fenster verborgene Frau von Stein der Postkutsche nach, in der Goethe verborgen sitzt. Auch wenn er in seinem Arbeitszimmer dem treuen und sichtbaren Eckermann diktiert, ist er nicht zu erblicken. Eine Diskretion, die an die eines Detektivbüros grenzt.

Die beiden kleinen, für's Beiprogramm bestimmten *Ufa*-Filme WERDEGANG und VOLLENDUNG verfahren nicht minder zartfühlend. Sie lassen

Goethe draußen stehen, während Theodor Loos eine Conférence über ihn abhält, zu der die jeweils passenden Bilder vorüberziehen. Wie im Film des Reichskunstwarts, so wird auch hier das Land der Griechen mit der Seele gesucht und der Chor: »Über allen Wipfeln ...« durch stimmungsvolle Aufnahmen aus dem Thüringer Wald illustriert. Wenn die Ankündigung: »Warte nur ...« erfolgt, senkt sich der Abend symbolisch auf die Wälder herab. Kurzum, es ist, als sei die Kulturabteilung der Ufa auf den Zehenspitzen gegangen.

Ob der Takt, der diese drei Filme hörbar durchfaucht, sich wirklich gelohnt hat? Ich fürchte, die Frage ist zu verneinen. Denn sind auch die Filme selber nicht geradezu Kitsch, so zeugen sie doch von einer Auffassung Goethes, die zweifellos kitschig ist. Ein sinnloses Sammelsurium durch und durch konventioneller Vorstellungen von Goethe liegt ihnen zugrunde. Diesem Fundus, der keiner ist, werden dann auf gut Glück ein paar marktgängige Züge entnommen, die kaum noch eine Beziehung zu ihrem Ursprung haben und in sich nicht zusammenhängen. Man fabriziert aus ihnen Arrangements, die es sich vermutlich als Verdienst anrechnen, daß in ihnen Goethe durch Abwesenheit glänzt. Aber der mit seiner Ausschaltung bewiesene Geschmack verbessert die Filme nicht, sondern erhöht nur ihre Bedenklichkeit, weil er den von ihnen verzapften Bildungskitsch tarnt, statt ihn zu offenbaren.

Jener Beethoven-Reißer ist mir seiner Unverblümtheit wegen ungleich lieber gewesen. Um nicht zu vergessen, daß er auch spannender war...

(FZ vom 22. 3. 1932)

1 Die hundertjährige Wiederkehr von Goethes Todestag (22. 3. 1832) wurde im März 1932 mit großem Aufwand begangen.

2 Vermutlich: BEETHOVEN. Hans Otto Löwenstein. AT 1926.

3 Reichskunstwart Edwin Redslob schrieb mit Eberhard Frowein das Drehbuch zu GOETHE LEBT und war für die künstlerische Oberleitung verantwortlich. Das Amt des Reichskunstwarts wurde 1919 im Zuge der Auseinandersetzung um die Schaffung neuer Nationalsymbole eingerichtet als Zentralstelle mit beratender Funktion in allen Fragen der Gesetzgebung und Verwaltung, bei denen eine künstlerische Auffassung in Betracht kam. 1920 wurde der Kunsthistoriker Edwin Redslob (1884-1973) in das Amt berufen; sein aktives Eingreifen in kulturpolitische Fragen, vor allem seine verteidigenden Stellungnahmen in den Prozessen gegen Georg Grosz (siehe Nr. 112, Anm. 2) und dessen Verleger Herzfelde riefen starke Widerstände der rechten Parteien hervor und führten 1933 zu seiner Entlassung und zur Auflösung des Amtes.

680. Film von heute

Es ist kein Zufall, daß vor kurzem zwei Bücher erschienen sind, die sich mit den Verhältnissen der Filmproduktion befassen und aus ihnen Schlüsse auf die Art der Filme zu ziehen suchen. Ich meine die Bücher von Ilja Ehrenburg (*»Die Traumfabrik«*) und von René Fülöp-Miller (*»Die Phantasie-Maschine«*).[1] Beide entspringen dem Bedürfnis, das in der Tat mehr und mehr unabweisbar geworden ist: die Beschaffenheit der den Konsumenten aller Länder gelieferten Filmwaren aus den Produktionsbedingungen zu erklären, unter denen diese Waren entstehen. Ehrenburgs Buch ist ein apokalyptisches Gemälde der kapitalistischen Welt, in der die amerikanischen, deutschen, französischen Filmmagnaten eine beträchtliche Rolle spielen. Sie werden als fleischgewordener Profitgeist definiert, und die Absicht des Dichters besteht eben darin, diesen Profitgeist bei der Arbeit zu zeigen und seine vielfältigen Wirkungen zu schildern. Er führt zur Filmfabrikation großen Stils, zu Transaktionen zwischen den Filmindustrien der verschiedensten Länder und vor allem zur genauen Abstimmung der Filmprodukte auf die echten oder vermeintlichen Bedürfnisse des Publikums. Auch Fülöp-Miller belegt dokumentarisch – nüchterner, aber dafür nicht selten besonnener als Ehrenburg –, daß die typischen Inhalte des (amerikanischen) Films rein kapitalistischen Erwägungen entstammen. Die Gründer der Branche haben die Gemütsreaktionen des Publikums studiert und im Interesse eines breiten Absatzes ihre Fabrikate diesen Reaktionen genau angepaßt. Wozu noch das Bestreben der Produzenten kommt, die Massen an das System zu fesseln, dem sie selber ihre Erfolge verdanken.

So ist es geblieben. Allerdings sind inzwischen gewisse Modifikationen eingetreten; besonders bei der deutschen Produktion, mit der ich mich im folgenden hauptsächlich beschäftige. Die Verschärfung der Wirtschaftskrise hat aus bekannten Gründen gerade in Deutschland zu einer unerhörten Verschärfung des politischen Kampfes geführt, von der natürlich auch der Film nicht unberührt geblieben ist. Und zwar tritt, wenn ich mich nicht sehr täusche, die Rücksichtnahme auf etwaige Publikumsreaktionen zusehends zurück hinter zwei aktiven Bemühungen, die selbstverständlich den Bedürfnissen gewisser Teile des Publikums

entgegenkommen. Einmal sucht die Industrie das in der Hauptsache bürgerliche Publikum gewissermaßen aufzurüsten, und zum andern vermeidet sie geflissentlich auch nur den Schein einer politischen Beeinflussung.
An Hand der führenden deutschen Produktion lassen sich diese beiden Richtungen exemplarisch aufweisen. Die Ufa stellt Filme um Filme her, deren nationalistische Tendenz offen am Tag liegt. Ich denke noch nicht einmal an den YOR[C]K-Film,[2] in dem lauter provokatorische Reden geschwungen werden und wieder einmal die Militärs über die Staatsmänner triumphieren, sondern an Filme, die zwar weniger unverhüllt, aber darum nicht minder wirksam verfahren. In einem erst kürzlich abgelaufenen Spionagefilm: UNTER FALSCHER FLAGGE[3] etwa setzt die Ufa den Weltkrieg als eine gar nicht zu diskutierende Selbstverständlichkeit voraus. Schlachtfelder und Maschinengewehre gehören zu den ständigen Requisiten dieses Reißers, und fast die einzige Zivilperson, die in ihm vorkommt, ist ein Kriminalkommissar, der ebenfalls zu Kriegszwecken verwandt wird. Den Weltkrieg als Anreiz für irgendein Sensationsstück zu verwerten, ihm eine Nebenrolle zuzuschieben wie hier, ist aber gleichbedeutend mit seiner unmerklichen Einverleibung in unseren Alltag. Ich bezweifle nicht, daß man so viele unkritische Zuschauer wieder ans Kriegsleben gewöhnt. Sie fressen die Spionageaffäre und schlucken mit ihr zugleich ahnungslos das Schlachtgetümmel herunter. Bis es zuletzt zur schmackhaften Nahrung wird, bis sie sich eines Tages nicht mehr darüber wundern, einen wirklichen Krieg mitzumachen, der dann von Anfang bis zu Ende verfilmt werden wird ...
Die andere Richtung zeitigt pure Zerstreuungsware. Als um die Mitte vorigen Jahres die Ufa mit ihrem neuen Produktionsprogramm herauskam, begründete der *Film-Kurier* dieses Programm mit folgenden Worten: »Sicher ist das für Vergnügungen zur Verfügung stehende Geld geringer geworden. Aber immer ist in Zeiten einer das Gemüt bedrükkenden Notlage die Forderung nicht nur nach Brot und Arbeit, sondern auch nach Zerstreuung erhoben worden, und so wird es auch in Zukunft sein«.[4] Gleichviel ob es in Zukunft so sein wird oder nicht: die Ufa hat jedenfalls ihre Absichten wahrgemacht und zahlreiche Operetten- und Lustspielfilme auf den Markt geworfen. Sie waren bald besser, bald schlechter arrangiert, bald mit der Harvey[5] und bald ohne sie und hatten

niemals auch nur die Spur eines richtigen Inhalts. »Zerstreuung ist angenehm und vielleicht auch nützlich«, so kommentierte ich seinerzeit das erwähnte Programm, »wird sie aber zum Leitmotiv und drängt sie die echte Belehrung völlig beiseite, so verfälscht sich ihr guter Sinn. Indem sie das bedrückte Gemüt erheitert, nebelt sie es nur immer dichter ein, und die Entspannung, die sie dem Publikum verschafft, führt zugleich zu seiner Verblendung.«[6] In der Tat leistet diese Art der Zerstreuung mittelbar dasselbe wie das vorher erwähnte tendenziöse Genre. Diese systematisch fabrizierten Zerstreuungsdinge lenken das Publikum von der gesellschaftlichen Wirklichkeit ab, statt es über sie aufzuklären, und machen es damit zur ohnmächtigen Beute der ans Irrationale appellierenden Gewalten. Um ganz davon abzusehen, daß in den betreffenden Filmen meistens eine Menge von Uniformen erglänzen, die gewissermaßen ein Surplus darstellen.

Die kleineren Filmproduzenten halten es kaum anders. Ausgesprochene Filme, die aus ihrer reaktionären Gesinnung keinen Hehl machen, und neutrale Unterhaltungsware, die dieser Gesinnung nicht entgegentritt: das ist der Durchschnitt. Nun hat sich in der letzten Zeit, und zwar gerade in den Kreisen der Kinobesitzer, Darsteller, Verleiher, Regisseure usw. eine gewisse Opposition gegen den bisherigen Betrieb angemeldet; das heißt, man bekämpft nicht eigentlich seine bedenkliche Tendenz, sondern den sogenannten »Klamauk«-Film, der rein der Zerstreuung gewidmet ist. Ein Zeichen dafür, daß die Filmindustrie mit ihm den Publikumsgeschmack eben doch nicht ganz getroffen hat. Die Frage ist, was nach der Meinung dieser Leute, die in einer vor kurzem vom *Reichsfilmblatt* veranstalteten Rundfrage[7] den Klamauk abgelehnt haben, fortan produziert werden soll. Keiner der Opponenten weiß es zu sagen. Sie machen statt positiver Vorschläge unverbindliche Phrasen und sind sich nur darin alle einig, daß die Herstellung aktueller »Zeitstücke« der Zensur und der politischen Zerrissenheit des Volkes wegen zu riskant sei. Mit anderen Worten: auch die Gegner der leeren Zerstreuungsprodukte leugnen die praktische Möglichkeit, Filme herzustellen, die keine bloße Zerstreuung sind.

Aus dem ängstlichen Verhalten dieser Klamauk-Feinde geht zum mindesten eindeutig hervor, wie stark heute bereits die Kulturreaktion ist. Dennoch gibt es einige wenige Filme, die dem vor ihr ausgeübten Druck zwar nicht entronnen sind, aber sich ihm auch nicht ganz beugen; so: MÄDCHEN IN UNIFORM,[8] KAMERADSCHAFT[9] und neuerdings: DREI VON DER STEMPELSTELLE.[10] Ich behaupte nicht, daß diese Ausnahmen durchweg eine richtige Haltung hätten; ich bin nur der Ansicht, daß sie fortschrittliche Elemente aufweisen und zeigen, was noch gemacht werden kann. Vermutlich könnte selbst unter den jetzigen Umständen viel mehr gemacht werden. Wieviel, das hängt von der geschickten Ausnutzung der zulässigen Darstellungsmethoden und nicht zuletzt von politischen Faktoren ab.

(*Melos*, März 1932)

1 Zu den genannten Büchern siehe Nr. 671 und 706.
2 Siehe Nr. 676.
3 Siehe Nr. 675; Kracauer greift im folgenden z. T. wörtlich auf diesen und die unten angeführten früheren Texte zurück.
4 »Die Produktion der Ufa 1931/1932«. In: *Film-Kurier* vom 13. 7. 1931, Nr. 161, S. 3; siehe Nr. 652.
5 Siehe Nr. 648, Anm. 2.
6 Siehe 6.2, Nr. 652, S 521.
7 Siehe Nr. 670.
8 Siehe Nr. 666.
9 Siehe Nr. 665.
10 Siehe Nr. 677.

681. Kino in der Münzstraße

In der Münzgasse hinter dem Alexanderplatz befinden sich mehrere *Tageskinos*, die alle schon um 11 Uhr vormittags eröffnen.[1] Um diese Zeit ist die Münzstraße so mit Passanten gefüllt, daß man sich ordentlich durchdrängen muß, um weiterzukommen. Die Menge, die aus Arbeitern, Frauen, Kleinbürgertypen und in der Hauptsache aus jungen Burschen besteht, hat es nicht eilig. Langsam schiebt sie sich voran, man spürt, daß die Arbeitslosigkeit auf ihr lastet. Begrenzt wird der träge Fluß auf der einen Seite von Lebensmittelfuhrwerken, auf der anderen von Straßenhändlern, Geschäften und Restaurants, deren Schaufenstergerichte aber längst nicht so viele Illusionen zu erwecken scheinen wie

die Bilderwände der Kinos. Sie gleichen schönen Uferpunkten, an denen sich das Publikum staut. Vielleicht übertrifft auch wirklich der geistige Hunger den leiblichen.
Bei dem Anblick dieser Kinos erinnere ich mich des Pariser Paramount-Theaters in der Nähe der Oper, das ebenfalls tagsüber in Betrieb ist. Ein lichtübergossener Prunkpalast, der lauter Novitäten bringt und dazwischen bunte Ensembleszenen. Obwohl er eigentlich mit den Lokalen und dem Alexanderplatz nicht in einem Atem genannt werden darf, ist er ihnen doch darin verwandt, daß er wie sie die Unterhaltungsbedürfnisse von Leuten befriedigt, die nichts mit ihrer Zeit anzufangen wissen. Nur daß die Kreise, die ihn aufsuchen, genügend Geld haben, um sich schon vormittags zu amüsieren – während das Publikum in der Münzstraße einem erzwungenen Müßiggang frönt.
Man merkt es ihm an. Die jungen Burschen, die vor den Kinoeingängen herumlungern und kritisch die Photos betrachten, sehen alle mißmutig aus. Der Zeitvertreib, der sich hier bietet, ist ihnen weniger ein Vergnügen als ein Mittel, das die Gespenster der bösen Zeit vertreibt. Sie verwenden es wie eine Medizin, die man im Krankheitsfall schluckt. Ihre Hautfarbe ist schlecht, und das Bewußtsein der Nutzlosigkeit trübt ihren Blick. Manchmal zögert auch ein Pärchen vor den Bildern, das im Dunkel verschwinden will. Oder ein Mädchen überlegt sich, ob es im Augenblick nichts Besseres anfangen kann. Das Risiko ist in der Tat nicht gering, denn Erwerbslose zahlen gegen Vorzeigen ihres Ausweises ganze 50 Pfennige, und die Logen, oder was sich so nennt, kosten gar 1 Mark.
Dem Beispiel mehrerer Vorgänger folgend, entschließe ich mich trotz dem schönen Wetter zum Eintritt. Wie in jenen verschollenen Zeiten, als noch die Filme stumm waren und schöner, muß man an der niederen Leinwand vorbei in die Hintergründe des Zuschauerraumes, der ein unermeßlich langer Schlauch ist. Er strömt einen Geruch aus, an dessen Herstellung offenbar Generationen gearbeitet haben, und wimmelt von Menschen. Ich sehe sie nicht, spüre aber, daß sie zu Klumpen zusammengeballt sind. Die Bilder auf der Leinwand sind schon ein wenig verregnet und sprechen so undeutlich, daß man kaum eine Silbe versteht. Liebesgeflüster klingt wie Gekeife, und schlichte Männerworte verwandeln sich in Alarmsignale. Gespielt wird ein älterer Tonfilm mit Hans

Albers, der überhaupt der Favorit der Münzstraße zu sein scheint, da er so ziemlich in allen Kinos auftritt. Bezeichnend für das Publikum sind die Stellen, an denen gelacht wird. Besonderen Jubel löst eine kleine Szene aus, in der Albers seine Muskelkräfte unbekümmert entwickelt. Er springt zum schmächtigen Rühmann in die Badewanne hinein und taucht ihn mehrere Male unter.[2] Es sind Erwerbslose, die über den rohen Spaß lachen, ausgebootete Menschen, denen jeder Ulk Dankbarkeit abnötigt. Sie stehen außerhalb des Arbeitsprozesses und verlieren dadurch allmählich das Unterscheidungsvermögen. Man dürfte es ihnen nicht einmal übel nehmen, wenn sie auch die glänzende Karriere beklatschten, die ihr Liebling Albers im Film gewöhnlich macht.

Auf der Leinwand erscheint: »Fortsetzung folgt«, und der Zuschauerraum erhellt sich. Ich habe mich nicht getäuscht, die meisten Reihen sind dicht besetzt. Jacken und dünne Mäntel flüstern miteinander; ein alter Mann schläft. Nachher, wenn der Lärm vorne wieder beginnt, ist es mit dem Schlummer vorbei. Rechts in der Nische haust eine Art von Büfett, das den Raum zum Wartesaal stempelt. Er hat keine Farbe mehr und gleicht den Sälen der Arbeitsnachweise und Wärmehallen aufs Haar. Wer den Kellner für überflüssig hielte, der in schmieriger Schürze Pfefferminz, Waffeln und Negerküsse feilbietet, irrte sich sehr. Seine Waren sind stärker erfragt als in den feinen Kinos, die allerdings zu fein sind, um richtige Pausen einzuschalten. Wahrscheinlich dient das Dessert manchmal als Mittagessenersatz.

Albers setzt die Autopartie genau an dem Punkt fort, an dem er sie abgebrochen hatte, und rast auf Umwegen den Gipfelhöhen des happy end entgegen. Ich warte nicht, bis er sie erklommen hat, sondern passiere wieder die Leinwand, auf der er riesig dahinflitzt, und verlasse den Stall. Die Sonne scheint, aber was geht diese Menschen die Sonne an? Vor dem Kinoportal steht eine Frau im imitierten Pelz und kaut. Lautlos kaut sie, sieht weder nach rechts noch nach links und wartet. Sie ist in mittleren Jahren, eine gewöhnliche Frau, die nichts zu tun hat und darum einfach irgendwo am Straßenrand stehen bleibt. Wenn nicht einer kommt und sie ins dunkle Kino mitnimmt, kaut sie sicher noch bis in die Nacht hinein, am selben Fleck, und die Sonne zieht unverrichteter Dinge ab.

(FZ vom 2. 4. 1932; wieder in: *Straßen*)

1 Otto Pritzkow, der Gründer des ersten Lichtspiel-Verbandes Berlins, hatte am 1. 11. 1899 in der Münzstraße 16 in seinem Automatenbetrieb das erste feste Kino Berlins errichtet – damals noch unter dem Namen Abnormitäten- und Biographentheater. In einem kleinen, schlauchartigen Raum ohne feste Bestuhlung wurden dort täglich acht bis zehn kleine Filme in sich wiederholender Folge vorgeführt. Weitere Kinos in der Münzstraße waren das Biographentheater Münzstraße 9 (1904-1933), das Biograph-Theater Münzstraße 8/ Almstadtstraße 1 (1933-1943) sowie das Münztheater in der Münzstraße 5 (1910-1964, ab 1958 unter dem Namen Jugend-Filmtheater-Münz).

2 Vermutlich: BOMBEN AUF MONTE CARLO, siehe Nr. 657.

682. »Kuhle Wampe« verboten!

Die Filmprüfstelle hat den Film: KUHLE WAMPE von Bert Brecht und Ernst Ottwald verboten;[1] aus Gründen, auf die ich noch zurückkomme. Das Verbot ereilt einen Film, der es schon sowieso schwer hatte: einen Outsiderfilm nämlich, der nicht ein Erzeugnis der Filmindustrie ist, sondern das Werk eines kleinen unabhängigen Kollektivs, das außer *Brecht* und *Ottwald* noch den Regisseur *Dudow* und den Komponisten *Eisler* umfaßt. Es handelt sich hier also um zwei Fälle:
1. um das Eingreifen der Zensur,
2. um einen außerhalb des üblichen Produktionsprozesses entstandenen Film.
Beide sind gesondert voneinander zu betrachten. Das Hauptinteresse beansprucht im Augenblick zweifellos der *Bescheid der Filmprüfstelle*, und ich schicke voraus, daß er *schlechterdings unbegreiflich ist*. Aber sich auf einen Protest gegen ihn zu beschränken und den Film selber durchs Netz schlüpfen zu lassen, wäre nur dann angebracht, wenn das Verbot irgendein belangloses Industrieprodukt betroffen hätte. KUHLE WAMPE jedoch ist schon seiner Hersteller wegen wichtig genug, um genau so stark belichtet zu werden wie dieses Verbot.

Der Film sucht vorwiegend die Zustände unter den Arbeitslosen zu veranschaulichen. Im Mittelpunkt des ersten der drei Teile, in die er zerfällt, befindet sich eine Erwerbslosenfamilie, deren besonderes Schicksal das allgemeine illustriert. Die Eltern tragen kleinbürgerliche Züge und hantieren mit Sprüchen, die auf die Verhältnisse nicht mehr passen. Einem Milieu, dem die Tochter bereits entwachsen ist, der Sohn aber erliegt. Nachdem ihm der Vater vorwurfsvoll mitgeteilt hat, daß auf Grund der Notverordnung[2] seine Unterstützung beträchtlich gekürzt werde, bringt er sich um. – Der zweite Teil zeigt das Leben der exmittierten Familie in der Siedlung Kuhle Wampe, in der sich die Erwerbslosen auf dumpfe Art mit den Zuständen abfinden. Hier schlägt der Film in Kritik um, in Kritik der Spießbürgerlichkeit, die resigniert und das Leben nach alter Art weiterschleppt, so gut es eben geht. Die Tochter erwartet ein Kind, und der Bräutigam, ein ziemlich haltloser Mensch, willigt schließlich ein, sich mit ihr zu verloben. Das Verlobungsessen, das in Anbetracht der gedrückten Verhältnisse merkwürdig üppig ist, entwickelt sich zum Saufgelage, dessen Widerwärtigkeit die der ganzen Kleinbürgerwelt kennzeichnen soll. Um nicht im Schlamm zu ersticken, verläßt die Tochter ihre Eltern. – Der dritte Teil dient der Belehrung und Aufrichtung. Die Arbeitersportjugend feiert ein Sportfest, in dessen Verlauf man auch der Tochter und ihrem Bräutigam begegnet, der durch das Fest zu einer besseren Lebenshaltung bekehrt wird. Man treibt Nacktkultur, veranstaltet Wettspiele und singt Songs, die den Willen zur Veränderung der Zustände kundgeben. Im Hintergrund prangt ein Plakat, das zur Solidarität ermahnt. Auf der Rückfahrt zur Stadt kommt es zwischen der Arbeitersportjugend und verschiedenen bürgerlichen Typen zu leider viel zu ausgedehnten Eisenbahngesprächen, in denen die Weltanschauungsgegensätze noch einmal aufeinanderprallen.

Ich habe den Inhalt nicht nur des Verbots wegen, sondern auch um seiner selbst willen so ausführlich berichtet. Festzustehen scheint mir in der Tat, daß sich die Filmindustrie dieses Stoffes unter den heutigen Umständen kaum angenommen hätte. Allerdings macht der Film DREI VON DER STEMPELSTELLE[3] ebensowenig wie KUHLE WAMPE einen Hehl daraus, daß die Arbeitslosen heute fast keine Chance haben; aber er mildert durch komische Einschläge ab und hält die Siedlung doch halb und halb für eine brauchbare Lösung. Brecht und Ottwald gehen unstreitig weiter. Der Haken ist nur, daß sie die Freiheit, deren sie sich außerhalb des Geheges der Industrie erfreuen, nicht richtig nutzen. Ihre Analysen sind verschwommen, ihre Demonstrationen ermangeln der Schlüssig-

keit. Die Folge? Was ein Schlag gegen die offizielle Filmproduktion hätte sein können, ist ein Schlag ins Wasser geworden.
Der entscheidende Fehler der Filmkomposition besteht meines Erachtens darin, daß unklar bleibt, zu welchem Zweck die beiden Welten der resignierenden Erwerbslosen-Kleinbürger und der hoffnungsvollen Arbeiterjugend in der vorliegenden Form stilisiert und gegeneinander abgesetzt sind. Soll die der Arbeiterjugend die kleinbürgerliche verdrängen? Ich nehme es an und mutmaße darüber hinaus, daß die Verfasser durch ihre Darstellung des schlechten kleinbürgerlichen Behagens die politisch indifferenten oder rückständigen Schichten zu treffen gedachten und im Schlußteil die kommunistische Aktivität verherrlichen wollten. Wenn das ihr Vorhaben war, ist ihnen jedenfalls seine Ausführung nicht gelungen. Denn zunächst wird das gegnerische Spießerleben in einer Weise karikiert, die der Überzeugungskraft enträt. Daß sich arme Tröpfe, die keinen Ausweg aus ihrer im ersten Teil verdeutlichten Situation wissen, bei Gelegenheit vollsaufen, ist nicht zu bezweifeln; daß sie sich dabei so ekelhaft anstellen, ist unwahrscheinlich. Aber benähmen sie sich selbst derart peinlich, so widerspräche doch die Behandlung, die der Film ihrer Ausschweifung angedeihen läßt, seinen im Schlußteil sich durchsetzenden Absichten. Er traktiert die Völlerei nicht zornig oder bekümmert, sondern schlechthin gehässig und verhöhnt obendrein wie irgendein mondäner Gesellschaftsfilm die kleinbürgerlichen Eßmanieren. Das ist unberechtigt angesichts der Lage, in der sich die Erwerbslosen befinden, und verstößt auch wider das Interesse der Solidarität; um von der geringen Glaubwürdigkeit zu schweigen, die der ganzen Schilderung anhaftet.
Der älteren Generation, die im Morast verkommt, wird später die junge gegenübergestellt, die ein Vortrupp der Freiheit sein soll. Woraus geht hervor, daß sie es ist? Am Ende daraus, daß sie der Freikörperbewegung huldigt, Motorrad fährt und sich zu Kampfliedern vagen Inhalts vereinigt? Enthielten die Texte dieser Gesänge sogar spezifischere Aussagen, sie klängen doch nur rhetorisch. Schuld daran trägt, daß sie in einem Zusammenhang sitzen, dem nach der vorangegangenen Vergegenwärtigung des Erwerbslosenelends keine reale Macht innewohnen kann. Einmal ist der Sport eine Sache der Jugend aller Richtungen und nicht nur das Zeichen der revolutionär gesinnten. Dann ist ein Sportfest eine An-

gelegenheit, die niemals – und sei es rein gleichnishaft – der Alltagsnot die Balance zu halten vermag. Und schließlich eröffnet dieses Fest um so weniger die vermutlich gewünschten neuen Perspektiven, als auf ihm die Jugend die Hauptrolle spielt. Hätte man noch mit den sumpfenden Erwerbslosen des zweiten Teils Leute desselben Alters konfrontiert! Aber Unterschiede der Haltung durch Generationsunterschiede versinnlichen zu wollen, heißt jene entkräften. Gute Jugend gebärdet sich immer radikal; nur eben bietet ihr Drang, die Verhältnisse zu ändern, an sich eine geringe Garantie für zukünftige Taten. Kurzum, der letzte Teil des Films ist eine windige Schlußapotheose, deren Optimismus nicht mitreißt. Ich glaube natürlich, daß es besser ist, gemeinsam Sport zu treiben, als sich zu besaufen. Doch auch Sportfeste können Räusche sein, und ich weiß weder, ob sie zur Überwindung des Kleinbürgertums taugen, noch ob sie einen nachträglichen Katzenjammer ausschließen. Das Hintergründige, das im Film gezeigt wird, wirkt unter allen Umständen wie eine dekorative Geste und erscheint mehr als eine Flucht denn als ein Signal der Rettung. Der Beweis dafür ist der: daß die Bilder des Anfangs im Zuschauer noch fortdauern, nachdem die Hurra-Stimmung des Festes längst verflogen ist.

Dudow, ein neuer Mann als Filmregisseur,[4] verrät an einigen Stellen seine Begabung. Er hält das Motiv der Fahrräder im ersten Teil sicher durch und hat von den Russen gelernt, soziale Zustände durch Gesichter zu charakterisieren. Da man im deutschen Film die sozialen Zustände meistens verschweigt oder verfälscht, ist gerade diese Kunst noch selten bei uns angewandt worden. Auf lange Stecken hin verfährt die Regie ungeübt. So sind die Milieubilder, die jeweils einen neuen Teil einleiten, nicht genug mit Bedeutung gefüllt und die Aufnahmen vom Sportfest viel zu weitschweifig geraten. Immerhin sind mir diese abstellbaren Mängel lieber als die unheilbaren, die der Versiertheit entspringen.

Die Filmprüfstelle hat, wenn ich richtig informiert bin, den Film darum verboten, weil er den *Reichspräsidenten* als den Schöpfer der Notverordnungen, die *Justiz* und die *Kirche* verächtlich mache.

1. Verächtlichmachung des Reichspräsidenten: sie kann nur in jener Szene erblickt werden, die den Selbstmord des Arbeitslosen aus der niederschmetternden Wirkung der Notverordnung ableitet.

2. Verächtlichmachung der Justiz: Anstoß erregt wird die Erscheinung eines Richters haben, der mit der in solchen Fällen üblichen Monotonie einen Exmittierungsbefehl nach dem andern verliest. Mit seinem Auftritt sind die vergeblichen Bittgänge der Tochter bei den verschiedenen Ämtern zusammenmontiert.
3. Verächtlichmachung der Religion: während Gruppen der Arbeiterjugend nackt baden, ertönen die Sonntagsglocken, und hinter der Wasserfläche ist ein Kirchturm zu sehen.
Diese Verbotsgründe sind nicht stichhaltig. Heißt es, die Notverordnung und durch sie gar den Reichspräsidenten verächtlich machen, wenn ein Fall gezeigt wird, in dem die Notverordnung zur Katastrophe führt? Der Selbstmord ist noch dazu gar nicht die alleinige Folge der Notverordnung, sondern diese nur das letzte Glied einer Kette von Erfahrungen, die den unglücklichen Arbeitslosen allmählich umdüstern. Von einer Verächtlichmachung der Justiz kann ebenfalls keine Rede sein. Die Einmontierung des Richters bezweckt nichts anderes, als die Kritik an der Härte von Räumungsbefehlen zu unterstreichen. Wenn eine solche Kritik nicht zulässig wäre, müßten zum Beispiel auch sämtliche Zeitungsberichte ausgemerzt werden, die sich an Hand von Tatsachen mit der Rechtspflege kritisch befassen. – Was schließlich die Verächtlichmachung der Kirche betrifft, so ist dieses Argument besonders weit hergeholt. Kaum einer beachtet überhaupt beim Anblick der Badenden den blassen Kirchturm im Hintergrund und das verwehende Glockengeläute, und erst recht niemand verfällt auf den Gedanken, zwischen diesen Merkmalen des kirchlichen Sonntags und der freikörperbewegten Sportgruppe irgendeine Beziehung zu konstruieren.
Oder sollte sich hinter der Beanstandung der genannten Szenen (die sich übrigens leicht streichen ließen, ohne daß damit dem Film ein wesentlicher Abbruch geschähe) ein Generaleinwand gegen das Werk im ganzen verbergen? Dann hätte man ihn formulieren müssen, und überdies wüßte ich nicht, was die Zensur dem Werk vorwerfen könnte. Es verschafft noch nicht einmal einen richtigen Begriff von der herrschenden Not. Seine Haltung ist, wie ich nachgewiesen zu haben glaube, viel zu verworren, um deutlich erkennbar zu sein. Und seine Proteste gegen die Zustände sowie die Demonstrationen seiner Arbeiterjugend sind ungleich zurückhaltender und unbestimmter als alle Äußerungen, die man

heute tagtäglich an den Litfaßsäulen, in Wahlversammlungen, Zeitungen und Theatern zu sehen und zu hören bekommt. Nichts berechtigt in Wahrheit zum Verbot dieses Films; es sei denn, man sähe es schon als inopportun an, daß die Jugend von der Leinwand herunter ihren Willen zur Änderung der Verhältnisse verkündet. Träfe das zu, so wäre es mehr als bedenklich um uns bestellt.
Die Hoffnung bleibt, daß die Oberfilmprüfstelle den Film doch noch freigibt. Wir wünschen die Aufhebung des Verbots, weil die Öffentlichkeit mündig genug ist, um sich mit einem Werk dieser Art selber auseinanderzusetzen.
(FZ vom 5. 4. 1932)

1 KUHLE WAMPE ODER: WEM GEHÖRT DIE WELT? Slatan Dudow. DE 1932; Drehbuch: Bertold Brecht, Ernst Ottwald und Slatan Dudow; Musik: Hanns Eisler. Am 31. 3. 1932 wurde der Film von der Filmprüfstelle Berlin verboten (B.31222). Die Oberprüfstelle bestätigte am 9. 4. 1932 diese Entscheidung mit der Begründung, daß der Film zum Widerstand gegen die Staatsgewalt und zum Ungehorsam gegen das geltende Gesetz auffordere und damit die öffentliche Ordnung und Sicherheit gefährde (O.04636). Der Film wurde daraufhin von 2186 auf zuletzt 2070,40 m gekürzt, erheblich verändert und am 21. 4. 1932 von der Filmprüfstelle Berlin unter Auflagen (Jugendverbot) zugelassen (B.31425), am 23. 3. 1933 jedoch endgültig verboten (O.06363). Siehe auch *Werke*, Bd. 2.1, Kap. 20.

2 Die »Vierte Notverordnung des Reichspräsidenten zur Sicherung von Wirtschaft und Finanzen und zum Schutze des inneren Friedens vom 8. Dezember 1931« sah neben einer allgemeinen Preissenkung mit Wirkung vom 1. 1. 1932 auch erhebliche Kürzungen von Beamtengehältern, Pensionen, Renten und Löhnen vor, worauf die Nationalsozialisten mit Propagandaagitationen gegen die »Brüningschen Gehaltskürzungen« reagierten.

3 Siehe Nr. 677.

4 Slatan Dudow drehte 1930 seinen ersten Film, die Reportage WIE DER BERLINER ARBEITER WOHNT, der ebenfalls von der Zensur verboten wurde. Dieser mit der Handkamera aufgenommene Dokumentarstreifen gab den Anstoß für den Spielfilm KUHLE WAMPE.

683. Zwei Filme

Filmrez.: SCHANGHAI EXPRESS / SHANGHAI EXPRESS. Josef von Sternberg. US 1932; FÜNF VON DER JAZZBAND. Erich Engel. DE 1932.

Mona Lilly

Josef von Sternbergs endlich zu uns gekommener Film SCHANGHAI-EXPRESS enthält ein paar wundervolle Bild- und Geräuschreportagen. Vor allem ist das Bahnhofsdurcheinander in Peking und Schanghai so fabelhaft geschildert, daß man vermutlich enttäuscht wäre, wenn man es an Ort und Stelle erlebte. Um die flimmernde, flirrende Welt festzuhalten, bedient sich Sternberg einer impressionistischen Technik. Er zeigt Ausschnitte und Fragmente, die von der Phantasie ergänzt zu werden verlangen, und geht nicht den inhaltlichen Bedeutungen nach, sondern den Licht- und Tonvaleurs. Eine Handhabung der Apparatur, die zu ähnlichen Effekten wie die französische Malerei führt und durch den Stoff gerechtfertigt sein mag. Darüberhinaus sind die Typen gelungen, die den internationalen Expreßzug bevölkern. Die Besitzerin des Boarding-Hauses, der Reverend usw.: diese zusammengewürfelten, leicht komisch gezeichneten Reisegenossen haben Kontur und wirken so glaubhaft wie die Chargenfiguren eines Kolonialromanes von Claude Farrère.[1]

Soweit wäre die Sache gut und in Ordnung. Aber die eigentliche Handlung des Films ist eine klebrige, widerwärtige Magazingeschichte, deren happy end sich kaum weniger lang hinauszieht wie die Fahrt nach Schanghai. Ich weiß nicht, was peinlicher ist: daß der ganze chinesische Bürgerkrieg mit Zugüberfällen, Maschinengewehren und Foltern aufgeboten wird, um die Liebe der beiden Helden zu verschleppen und auf die Probe zu stellen, oder das edle Getue dieser Zuckerstangenliebe selber. *Clive Brook* und *Marlene Dietrich* bilden das schmachtende Paar. Er: der ins Quadrat erhobene Mann; ritterlich, als sei die Welt ein Turnierplatz, und von einer Verhaltenheit, die man drei Tagereisen weit fauchen hört. Sie nennt sich Schanghai-Lilly, hat dem Vernehmen nach unzählige Männer gehabt, aber immer nur den einen geliebt, dieser Übermann, für den sie sich im Kriegsgebiet schweigend opfern möchte. Damit man nur ja an ihre Seelentiefen glaubt, lächelt Marlene Dietrich in einem fort ein ergründliches Mona-Lilly-Lächeln und ringt die Hände, statt ihre Beine zu zeigen. Kurzum, sie ist eine Dirne, wie sie in den schlechtesten Shortstorys steht, die noch viel zu lang sind, eine Verwirklichung abgeschmackter Pubertätsträume, eine durch und durch verderbte literarische Erfindung.

Ich sage das so deutlich, weil diese Bilder verlogener Innerlichkeit blind gegen die Erscheinung der echten machen, weil durch einen solchen Film auch Gesten, die wirklich aus dem Herzen kommen, in Gefahr sind, entwertet zu werden. Opfermut, Liebe, Schweigen – alles, was irgend wirklich ist, wird hier mißbraucht und um seine Richtigkeit gebracht. Wenn es so weiter ginge mit der Falschmünzerei, vermöchte bald kein Mensch mehr den anderen zu erkennen.

Scherzo

Der Film FÜNF VON DER JAZZBAND ist eine erfreuliche Ausnahme unter den deutschen Lustspielfilmen und bestätigt wieder das Talent *Erich Engels*.[2] Zum Lobe dieser nach Joachimsons Theaterstück[3] gedrehten Komödie wüßte ich nichts Besseres zu sagen, als daß sie eine reizende Zerstreuung ist, die bis auf den abfallenden, grundverkehrten Schluß voller scharmanter Pointen steckt. Während das Gros unserer Filmoperetten und Unterhaltungsfilme mit leichtem Gepäck schwer dahertrampelt und aus einem Nichts ein Etwas zu machen sucht, gibt Engel niemals vor, mit großen Gewichten zu hantieren, sondern behandelt die Nichtigkeit so spielerisch, wie es ihr zukommt. Gerade dadurch aber erreicht er, daß sie ihren Zweck wirklich erfüllt. Der Inhalt des Films besteht einfach darin, daß vier Jazzband-Jünglinge aus Zufall eine Partnerin gewinnen, die sich aber immer wieder dagegen sträubt, diesen Zufall anzuerkennen und bei der Bande zu bleiben. Auftritte hinter den Varieté-Kulissen, Eifersüchteleien und Verwechslungsgeschichten vervollständigen die Handlung, die keine ist. Sie könnte, wie es gewöhnlich geschieht, zu einem dummen und groben Film ausgewalzt werden, wird aber tatsächlich von Engel in ein Arrangement übergeführt, das kaum eine leere Stelle enthält. Die Situationskomik ist manchmal bezwingend;

die Dialoge sind nicht dalbrig, sondern gescheit; die Leute benehmen sich nett und nicht doof; die Musik wird witzig verwandt und setzt an den passenden Stellen ein. *Jenny Jugo*, die man lange nicht mehr gesehen hat, entwickelt unter dieser Regie eine ungeahnte Schalkhaftigkeit, die an die der Nagy[4] anklingt. Hoffentlich bearbeitet Engel nächstens ein substantielleres Thema.
(FZ vom 20. 4. 1932)

1 Claude Farrère (1876-1957), französischer Schriftsteller, verfaßte vor allem Kolonialromane und exotische Erzählungen, u. a. *Les civilisés* (1906; dt.: *Kulturmenschen*, 1906).
2 Erich Engel (1891-1966), Film- und Theaterregisseur, inszenierte 1928 die Premierenaufführung der *Dreigroschenoper* (siehe Nr. 623, Anm. 2) und drehte u. a. WER NIMMT DIE LIEBE ERNST (1931), ALTES HERZ WIRD WIEDER JUNG (1943) und AFFÄRE BLUM (1948).
3 Felix Joachimson, *Fünf von der Jazzband* (UA 1927).
4 Zu Käthe von Nagy (1907-1973) siehe Nr. 371, 409, 529 und 630.

684. Film-Notizen

Filmrez.: DIE GRÄFIN VON MONTE CHRISTO. Karl Hartl. DE 1932; STRASSEN DER WELTSTADT / CITY STREETS. Rouben Mamoulian. US 1931.

Lebenswahr?

Die *Ufa* hat einen neuen Film herausgebracht, der sozusagen lebenswahr ist oder es doch sein möchte. Er heißt: [DIE] GRÄFIN VON MONTE CHRISTO und unterscheidet sich von den üblichen Filmen darin, daß seine Heldin keine Karriere macht. Während sonst die geplagten Privatsekretärinnen, die weiblichen Warenhausangestellten usw. im Film regelmäßig das große Los ziehen und einen reichen, hübschen jungen Ehepartner kriegen, der sie mit einem Schlag aus der Alltagsmisere befreit, kehrt hier die arme Filmstatistin nach kurzem Grandehotelglück wieder zu ihrem Ausgangspunkt zurück. Sie hat auch einmal in schönen Kleidern auf Höhen der Menschheit durch die Hotelhallen wandeln wollen und ist zu diesem Zweck während einer Filmprobe im Auto der Filmgesellschaft ausgerissen. Wunderbare Zufälle ermöglichen ihr, ein paar Tage lang die Sehnsucht nach Luxus, Freiheit und Glanz zu befriedigen.

Aber kein Generaldirektor legt sich ihr zu Füßen, kein Lord naht, der sie um ihre Hand bäte – das alles kommt im Leben nicht vor, sondern ereignet sich nur in verlogenen Filmen. Diesem widerstrebt es, die Wirklichkeit zu beschönigen, und schleudert darum die Statistin am Ende von neuem in den Abgrund, aus dem sie aufgerauscht war. Die Herrlichkeit des Hoteldaseins ist eine flüchtige Episode, der Wunschtraum nicht mehr als ein Traum gewesen. Man erwacht aus ihm und begnügt sich damit, weiter winzige Rollen zu spielen und die Freundin eines schlecht bezahlten Reporters zu sein.

So ist das Leben! Wahrhaftig, auf den ersten Blick hin scheint es, als bedeute dieser Film eine Art Umkehr, als sei die Ufa gesonnen, der Wirklichkeit mehr als bisher die Ehre zu geben. Das Herz quillt über im Gedanken, daß sie in Zukunft Filme herstellen könne, die unser soziales Dasein nicht vertuschen, sondern entlarven, die dumme Illusionen zerstören, statt sie zu hegen, die, kurz gesagt, das genaue Gegenteil jener Filme wären, deren Produktion sie seit Jahren betrieben hat. Sieht man aber näher hin, so zeigt sich leider, daß der Augenschein trügt und auch der neue Film nicht eben zu Hoffnungen berechtigt. Denn warum landet die Filmstatistin nicht in dem Paradies, das solchen Mädchen von den Filmproduzenten gemeinhin zugedacht wird? Weil sie im Grandhotel in die Klauen eines Hochstaplers gerät und weil der vornehme Herr, der in Lieb zu ihr entbrennt, ebenfalls ein Hochstapler ist. Wäre er keiner gewesen, so hätte sich ohne Mühe das normale Happyend ergeben. Da aber dieser schablonenhafte Schluß ausnahmsweise einmal vermieden werden sollte, hat man mit der gewohnten Instinktsicherheit dafür gesorgt, daß nicht der Eindruck entsteht, als verhindere die obere Gesellschaft den Anstieg der armen Statistin. Sie muß das Ziel der Wunschträume bleiben, die Gesellschaft, und um ihr diese Eigenschaft zu erhalten, hat man die zum Absturz bestimmte Heldin nicht dem hergebrachten Generaldirektor oder Lord begegnen lassen, die beide sie unfehlbar zu sich heraufgezogen hätten, sondern sie mit einem Hochstapler verkoppelt, der nicht zur Gesellschaft gehört. Mit anderen Worten: durch die Motivierung, die das Scheitern der Statistin im Grandhotel erfährt, ist die Lebenswahrheit wieder aufgehoben worden, die ihrem Scheitern selber zukommt. Das Mädchen hat keinen Ort in der Gesellschaft, gewiß; aber damit um Himmelswillen das Publikum nicht

auf den Gedanken verfällt, die unteren Schichten seien aus der Gesellschaft ausgeschlossen, enthüllt sich die Gesellschaft, nach der dem Mädchen der Sinn steht, zuletzt als eine gefälschte. So gelingt es trotz scheinbarer Aufrichtigkeit, die sozialen Verhältnisse doch wieder zu verdunkeln.
Der Film enthält im übrigen reizende Szenen und ist mit mehr Witz als die meisten anderen Ufa-Komödien arrangiert (Regisseur: Karl Hartl). Brigitte Helm ist in ärmlichen und blendenden Toiletten gleich glaubhaft. Zu Lucie Englisch möchte man immer Mizzi sagen, so filmwienerisch versteht sie zu maunzen. Wer nicht gesehen hat, wie Rudolf Forster den Zylinder aufsetzt, weiß nicht, was letzte Eleganz ist.

Old Shatterhand unter Gangstern

Im Gangster-Film der Paramount: STRASSEN DER WELTSTADT geht es unbeschreiblich toll zu. Eins, zwei, drei, werden Menschen um die Ecke gebracht, der Mordbetrieb flutscht nur so. Ich erinnere mich, einen Detektivroman von Wallace gelesen zu haben, der im Milieu der Alkoholschmuggler spielt; er ist harmlos im Vergleich mit diesem Filmszenarium, dessen kriminelle Orgien bestimmt den Neid des englischen Autors erregt hätten. Man wird sich, nebenbei bemerkt, noch gar nicht des Todes von Wallace bewußt.[1] Denn seit er gestorben ist, sind schon zwei weitere Detektivromane von ihm erschienen. Offenbar hat er auf Vorrat gearbeitet. Aber nicht nur Wallace wird durch den Film übertrumpft, sondern beinahe auch Karl May. Der Held des Films ist nämlich der reinste Old Shatterhand. Gespielt von Gary Cooper, einem der neuen Mannestypen, mit denen Filmamerika uns beschert, gleicht er dem großen Freund Winnetous an sieghaftem Wesen, selbstbewußtem Auftreten, Kühnheit und Listen. Er führt immer zwei Revolver mit sich, schießt Freunden bei Gelegenheit die Zigarette aus dem Mund und schützt mit ungeheurem Aplomb seine Freundin vor dem Zugriff des teuflischen Chefs. Wunderbar ist vor allem, wie er sich der Bande entledigt. Im Luxuswagen rast er mit ihren Hauptmitgliedern so schnell die Bergstraße hinan, daß ihnen Hören und Sehen vergeht, kocht sie gewissermaßen durch Übertempo gar und setzt sie dann hoch oben aus. Nicht anders mag Old Shatterhand einst durch die Prärien des wilden Westens galoppiert sein. Und auch darin stimmt sein Ebenbild mit ihm überein, daß er eigentlich nie schießt, um irgendeinen Unhold zu töten. Sein Edelmut ist viel zu gewaltig dazu.

In diesem Film, der eine Ausgeburt grenzenloser Naivität ist, gibt es eine filmisch vollkommene Szene. Sie vergegenwärtigt die Erinnerung einer Gefangenen an ein wichtiges Gespräch. Man hat einen derartigen Vorgang früher gewöhnlich so dargestellt, daß man die Bilder auftauchen ließ, auf die sich die Erinnerungen bezogen. Hier wird das Gespräch selber mit Flüsterstimme rekapituliert, ohne daß Bilder sich zeigten. Die Worte scheinen aus den Steinen zu dringen und wirken so unkörperlich, als seien sie vom Gedächtnis gewebt.

(FZ vom 30. 4. 1932)

1 Edgar Wallace (geb. 1875) starb am 10. 2. 1932; siehe auch Kracauers Nachruf, *Werke*, Bd. 5, Nr. 631.

685. Über die Aufgabe des Filmkritikers[1]

Die Frankfurter Tagung der Lichtspieltheater-Besitzer bietet mir einen guten Anlaß, mich einmal etwas allgemeiner über die Aufgaben einer unabhängigen Filmkritik zu äußern; jener Filmkritik, die wir seit Jahren in der *Frankfurter Zeitung* zu pflegen suchen.

Der Film ist innerhalb der kapitalistischen Wirtschaft eine Ware wie andere Waren auch. Er wird – von wenigen Outsidern abgesehen – nicht im Interesse der Kunst oder der Aufklärung der Massen produziert, sondern um des Nutzens willen, den er abzuwerfen verspricht. Jedenfalls gilt das für die große Masse der Filme, mit denen es der Filmkritiker immer wieder zu tun hat.

Wie soll er sich ihnen gegenüber verhalten? Diese Filme sind bald besser, bald schlechter arrangiert und je nach dem Einsatz der Mittel und Kräfte mit einem größeren oder geringeren Aufwand hergestellt. Es versteht sich von selbst, daß die Kritik – gerade die Tageskritik – solche Unterschiede sorgfältig beachten muß, und manche Kritiker beschränken sich ja auch wirklich darauf, bei der Würdigung irgendwelcher Filme alle

möglichen Einzelheiten hervorzuheben, die ihrem Geschmack entsprechen oder nicht entsprechen.
Aber in einem derartigen Verhalten, das noch dazu meistens von ganz ungeklärten Empfindungen ausgeht, kann sich die Aufgabe des Filmkritikers dem Durchschnitt der Produktion gegenüber nie und nimmer erschöpfen. Denn so wenig die filmischen Durchschnittsleistungen als Kunstwerke gewertet zu werden verlangen, ebensowenig sind sie gleichgültige Waren, denen durch eine rein geschmackliche Beurteilung schon Genüge geschieht. Sie üben vielmehr außerordentlich wichtige gesellschaftliche Funktionen aus, die kein Filmkritiker, der diesen Namen verdient, unberücksichtigt lassen darf.
In der Tat: je ärmer die meisten Operettenfilme, Militärfilme, Lustspielfilme usw. an Gehalten sind, die einer strengen ästhetischen Beurteilung standzuhalten vermögen, desto mehr fällt ihre soziale Bedeutung ins Gewicht, die gar nicht überschätzt werden kann. Das kleinste Nest hat heute sein Kino, und jeder halbwegs gängige Film wird durch tausend Kanäle an die Massen in Stadt und Land herangebracht. Was vermittelt er den Publikumsmassen, und in welchem Sinne beeinflußt er sie? Das genau sind die Kardinalfragen, die der verantwortliche Betrachter an die Durchschnittserzeugnisse zu richten hat.
Man könnte hier einwenden, daß zwar manche Filme ausdrücklich politische und soziale Tendenzen verfolgten, aber das Gros doch lediglich gehobene Unterhaltung oder billige Zerstreuung bezwecke. Der Einwand ist richtig und unrichtig zugleich. Gewiß befleißigen sich gerade die typischen Filme anscheinend der Tendenzlosigkeit; damit ist jedoch keineswegs gesagt, daß sie nicht mittelbar bestimmte soziale Interessen verträten. So muß es auch sein. Denn einmal können die im herrschenden Wirtschaftssystem verankerten Produzenten nicht aus ihrer Haut, und zum anderen sind sie um des besseren Absatzes willen darauf angewiesen, die Wünsche und Bedürfnisse der noch einigermaßen zahlungskräftigen Bevölkerungsschichten zu befriedigen; von Konsumenten also, deren Schicksal ebenfalls im großen und ganzen an die Aufrechterhaltung des gegenwärtigen Gesellschaftszustandes gebunden ist.
Die Aufgabe des zulänglichen Filmkritikers besteht nun meines Erachtens darin, jene sozialen Absichten, die sich oft sehr verborgen in

den Durchschnittsfilmen geltend machen, aus ihnen herauszuanalysieren und ans Tageslicht zu ziehen, das sie nicht selten scheuen. Er wird zum Beispiel zu zeigen haben, was für ein Gesellschaftsbild die zahllosen Filme mitsetzen, in denen eine kleine Angestellte sich zu ungeahnten Höhen emporschwingt oder irgendein großer Herr nicht nur reich ist, sondern auch voller Gemüt. Er wird ferner die Scheinwelt solcher und anderer Filme mit der gesellschaftlichen Wirklichkeit zu konfrontieren und aufzudecken haben, inwiefern jene diese verfälscht. Kurzum, der Filmkritiker von Rang ist nur als Gesellschaftskritiker denkbar. Seine Mission ist: die in den Durchschnittsfilmen versteckten sozialen Vorstellungen und Ideologien zu enthüllen und durch diese Enthüllungen den Einfluß der Filme selber überall dort, wo es nottut, zu brechen.

Ich habe mit Absicht nur die der Durchschnittsproduktion gegenüber gebotene kritische Einstellung behandelt. Filme, die echte Gehalte bergen, waren und sind selten. Bei ihrer Betrachtung darf natürlich der Akzent nicht allein auf der soziologischen Analyse liegen, sondern diese hat sich mit der immanent-ästhetischen zu durchdringen. Auf die Schwierigkeiten einer solchen Durchdringung kann indessen hier nicht mehr eingegangen werden.

(*Film-Kurier*, 21. 5. 1932)[2]

1 Dem Artikel geht folgende redaktionelle Anmerkung voraus: »Frankfurter Tagung ohne ›Frankfurter Zeitung‹ unmöglich. Sie stellt einen Gruß an Deutschlands Theaterbesitzer dem F.[ilm] K.[urier] zur Verfügung, naturgemäß schreibt ihn nicht der Wirtschaftler, sondern der Filmkritiker, der auf seine Weise ein Wirtschaftler [ist], der konsequenteste Verfechter der soziologischen Kritik, S. Kracauer. Man hat selten seinen Standpunkt in einer so klaren Formulierung gelesen. Daß diese Gegner findet und ein Loch da hat, wo der Kampf und die Parteinahme des soziologischen Kritikers einsetzt (seine persönliche Aktivität in der Kritik), die einseitig sein wird, sei es, ob er rechts oder links steht, ist bekannt.«

2 Wiederveröffentlicht in: FZ vom 23. 5. 1932, Nr. 378.

686. Film-Notizen

Filmrez.: RAZZIA IN ST. PAULI. Werner Hochbaum. DE 1932;
DAS LIED EINER NACHT. Anatole Litvak. DE 1932.

Auf der Reeperbahn

Kunst ist zunächst und unter allen Umständen: Wahl der richtigen Sache. Nun will ich gar nicht behaupten, daß *Werner Hochbaum*, der junge, bisher unbekannte Autor und Regisseur[1] des Films: RAZZIA IN ST. PAULI, der jetzt seinen Weg in die Provinz machen wird, durchaus die richtige Sache ergriffen hätte; aber er sucht sich ihr doch anzunähern und widerstrebt ihr jedenfalls nicht. Das will heut schon viel heißen.
Der Film spielt in der Hamburger Unterwelt, und laut Programm sind sogar echte Ganoven und Mädchen aus St. Pauli mitverwandt worden. Durch die Beziehung, die eines der Mädchen mit dem Klavierspieler einer sinistren Bar unterhält, soll die Hoffnungslosigkeit veranschaulicht werden, in der diese aus Lumpenproletariern und kleinen Verbrechern zusammengesetzte Bevölkerung dahinlebt. Man ist zermürbt; kein Lichtschimmer dringt hier herein. Die Fabel selber ist einfach und dünn. Ein Kraftkerl von Einbrecher, der bei dem Mädchen Schutz findet, verschafft diesem die Illusion eines abenteuerlichen Daseins, das über den erbärmlichen Alltag hinausführen könnte. Die beiden verbringen im Stübchen und in der Bar eine Nacht zusammen und wollen dann fliehen. Aber am Schluß wird der Einbrecher erwischt, und der Stumpfsinn beginnt wieder von neuem. Um den sozialen Ort dieser trüben Welt zu bezeichnen, hängt Hochbaum ans äußerste Ende noch eine Szene an: Hafenarbeiter ziehen im Morgengrauen mit einem verheißungsvollen Song zur Arbeit. Die Szene ist gut gemeint, erzielt jedoch ihres Nachklappens und verschiedener Unstimmigkeiten wegen nicht den gewünschten Effekt.
Man merkt dem Film an, daß sein Hersteller von der Sache durchdrungen ist. Und das ist wichtiger als die starke filmische Begabung, über die er außerdem noch verfügt. Viele Filme sind zweifellos mit Talent gemacht. Da sie sich aber nicht um eine Sache, sondern um ein Nichts drehen, bleibt das in ihnen investierte Talent ohne Bedeutung. Es läuft leer

und betätigt sich rein formal; während das Hochbaums durch einen wirklichen Gegenstand erregt und gebunden ist.
Welch eine Wohltat, wieder einmal einen Film zu sehen, in dem ein Gegenstand, der diesen Namen verdient, zu bewältigen versucht wird. Da die Handlung nicht eigentlich einen Selbstzweck hat, sondern nur die vollkommene Entwicklung der Zuständlichkeiten bezweckt, liegt der Hauptakzent auf der *Milieuschilderung*. So ist es auch in der Ordnung, und gerade die besten Filme haben sich bisher immer in der epischen Vergegenwärtigung gewisser Verhältnisse und Situationen erschöpft; denn nichts entspricht dem Wesen der Filmkamera mehr als das freizügige Wandern durch die Welt der optischen Zeichen. Es zeugt für den Film, daß seine Milieudarstellung zu spannen vermag; obwohl Hochbaum nach Art der Anfänger noch unökonomisch verfährt und manchmal, vor allem am Schluß, zu viel des Guten tut. Er ist in sein Thema vergafft. Und der Gewinn davon ist der, daß das Hamburg des Hafens, der Reeperbahn und der verdächtigen Kneipen hier nicht in konventionellen Abkürzungen vorüberzieht, wie sie die üblichen Ansichtskarten bieten, sondern mit Entdeckerlust und sachlicher Leidenschaft beobachtet, gestellt und montiert wird. Keine Klischees öden den Zuschauer an – er ist vielmehr gefesselt durch originale Bilder, deren Einstellung und Schönheit die Folge der ihre Produktion bedingenden sauberen Haltung ist.
Wolfgang Zilzer verkörpert den etwas vertrottelten Musiker. *Gina Falkenberg*, von der Regie ausgezeichnet eingesetzt, gibt sich traurig und schnöd; dazwischen ein leichtes Blühen. Charly Wittong: ein volkstümlicher Sänger.

Der Tenor in der Landschaft

Der neue *Jan Kiepura-Tonfilm*[2] der Ufa: DAS LIED EINER NACHT, verspricht ein großer Publikumserfolg zu werden. In der Tat ist er voller Glanz. Zunächst beweist er den technischen Fortschritt des Tonfilms: die Stimme Kiepuras erklingt in ihm, von einigen überlauten Stellen abgesehen, so rein und mächtig, wie man vielleicht noch nie einen Tenor im Film gehört hat. Und welche Steigerung erfährt der Genuß, den diese

Stimme bereitet, erst noch dadurch, daß sie in einer herrlich photographierten Landschaftspracht schallt. Das hohe C und Alpengipfel hinter Blütenbäumen, italienische Arien und das Plätschern oberitalienischer Seen: eine paradiesischere Häufung von Süßigkeiten ist nicht wohl denkbar. Auch sonst geschieht alles, um das Publikum zu beglücken. So weiß es zum Beispiel, daß nicht der von Fritz Schulz nett gespielte Hochstapler der berühmte Tenor ist, sondern Kiepura selber, der sich als dessen Sekretär ausgibt, weil er sich endlich einmal ungezwungen wie ein gewöhnlicher Sterblicher bewegen will. Da er aber andererseits in einemfort singt und überhaupt den berühmten Tenor in sich schlechterdings nicht zum Schweigen bringen kann, ist sein Inkognito bald gelüftet, und das Publikum darf Zeuge der Begeisterung sein, die sich an den Enthüllungsakt knüpft. Vervollständigt wird die Unsumme des Glücks durch einen allzu niedlichen Backfisch (Magda Schneider), der sich in die Macht des Gesanges verliebt, ferner durch ein paar populär-komische Typen, unter denen Margo Lions rabiater Manager Erwähnung verdient, und nicht zuletzt durch die Musik Spolianskys. Hinzuzufügen wäre nur noch, daß der wohlgefällige Zauber von der Regie (Anatol Litwak) versiert hergerichtet und mit allerlei Bildeinfällen ausgestattet worden ist. Wenn etwa gleich am Anfang die Stimme des Sängers im Radio ertönt, sieht man eine Reihe von Szenen, in denen die Wirkung der Stimme auf die verschiedenen Hörer gewissermaßen humoristisch glossiert wird.

Außer Glanz und Genuß gibt der Film freilich nichts. Er ist ganz hohl inwendig. Die Stimme schwingt sich um ihrer selbst willen in die Höhe, und die Landschaften sind eitel Dekoration. Im Hamburger Film ist eine Sache angesprochen, die uns wirklich betrifft; in diesem Film wird allen Sachen ausgewichen, die uns etwas angehen könnten. Die *Wendung ins Dekorative*, die er gleich dem Film: DER KONGRESS TANZT[3] und anderen Großfilmen vollzieht, scheint in der Tat zu den erfolgreichsten Ausweichmöglichkeiten der letzten Zeit zu gehören. Man verstellt die Wirklichkeit durch leckere Kompositionen, und das Publikum läßt sich durch die Mache so betäuben wie weiland *Odysseus* durch die Nymphe Kalypso. Mittlerweile bleibt die Wirklichkeit im Halbdunkel und ein Spielball von Elementen, denen das Zwielicht gerade recht ist. Doch auch Odysseus ist eines Tages heimgekehrt.

(FZ vom 3. 6. 1932)

1 Hochbaum hatte zuvor schon bei BRÜDER (DE 1929) Regie geführt.
2 Jan Kiepura (1902-1966), polnischer Tenor, trat ab Mitte der zwanziger Jahre auf allen großen Bühnen auf, in den dreißiger Jahren vermehrt Filmarbeit, so u.a. auch in MEIN HERZ RUFT NACH DIR (1934), ICH LIEBE ALLE FRAUEN (1935), ZAUBER DER BOHÈME (1937); siehe auch Nr. 620.
3 Siehe Nr. 662.

687. Ende eines Filmlieblings

Vor wenigen Monaten noch war auf dem Aushang eines Konzertcafés am Zoo zu lesen, daß *Bruno Kastner* in diesem Lokal gastiere. Wer um seinen früheren Ruhm wußte, konnte nur mit einer Empfindung der Trauer dem gefeierten Namen in einer solchen Umgebung begegnen.[1] Er selbst hatte alles versucht, um das Abgleiten in die Anonymität zu verhindern. Durch den Tonfilm und die geheimnisvollen Wandlungen der Mode außer Kurs gekommen, war er zum Theater zurückgekehrt, von dem er einst seinen Ausgang genommen hatte, doch das Glück blieb ihm dort fern. Es ergibt sich selten denen, die, nachdem sie groß gewesen waren, zum zweiten Mal klein beginnen wollen. Nun hat er die letzte Folgerung aus seinem Mißgeschick gezogen und sich in einem Hotelzimmer in Kreuznach erhängt. Es soll nicht Geldnot gewesen sein, die ihn zum Strick greifen ließ.
Bis in die letzten Jahre des stummen Films hinein war er ein Publikumsliebling wie kaum einer nach ihm. Er spielte jenen Typus des Hochstaplers, dessen Handlungen, so tadelnswert sie auch sein mögen, diese schlecht ausbalancierte Welt wieder etwas ins Gleichgewicht bringen. Er spielte den Gent, der charmiert. Und er spielte, wann immer er auf der Leinwand erschien, den Liebhaber, der die Herzen der Frauen betörte. Verübelten sie es ihm, wenn er bei ihnen einbrach und sich mit ihrer Schmuckkassette entfernte? Nur um so stürmischer wandten sie sich ihm dann zu. Denn er war von einer Eleganz, die jeden Einwand verstummen machte, und trug auch in den heikelsten Situationen ein Benehmen zur Schau, das im Verein mit seinem Smoking unbeschreiblich entzückte. Die Wirkungen, die es hervorrief, verdoppelten sich, so oft er

lächelte und seine wundervollen Zahnreihen entblößte, die herrlicher als alle von ihm gestohlenen Perlenhalsbänder blitzten. Kein Wunder, daß er dieses Lächeln häufig benutzte. Wenn er aber einmal nicht lächelte, verkörperten seine Züge den Ernst von Knabenhelden in Kolportageromanen – einen Ernst, der nicht schwül war, sondern sachlich und verschlossen wie der eines Ritters. Und vielleicht war es überhaupt seine stets durchgespürte Ritterlichkeit, um derentwillen man für ihn schwärmte.

Wie ein Schlager verschwand er dann plötzlich und ohne viel Aufhebens von der Bildfläche, die ihm die Welt bedeutete. Andere Lieblinge kamen herauf, die nicht mehr waren als er, aber der unergründlichen Laune des Publikums besser entsprachen. Und kaum hatte das Publikum ihm den Rücken gekehrt, so teilte er das Los aller Lieblinge, der vergangenen und der künftigen: sein Glanz geriet nicht nur in Vergessenheit, sondern fiel überdies von ihm ab. Denn diesen Glanz besaß er von Gnaden der Menge, und als sie ihn von sich stieß, nahm sie den Glanz mit sich fort. Darum blieben auch seine späteren Bemühungen vergeblich. Er, der nicht aus sich selber leuchtete, war um jene Aura geprellt, an der ihn die Menge wiederzuerkennen vermocht hätte, und hatte mit dem vergötterten Bruno Kastner nur noch den Namen gemein. Es muß ihn zu Tode gequält haben, daß er weiter lebte und zugleich schon gestorben war.

Vor seinem letzten Abschied aus Berlin soll er geäußert haben, daß er nicht zurückzukommen gedenke, da er vor dieser Stadt einen Ekel empfinde. Die Grausamkeit Berlins, die um so schlimmer ist, als niemand ihre verborgenen Zwecke errät, hat ihn jetzt endgültig in den Tod getrieben und auch den Ekel besiegelt. Wie er zur Zeit seines Ruhmes beschaffen war, vermag kein Bild mehr zu zeigen. Auf den Ansichtskarten, die ihn dem Gedächtnis erhalten möchten, tritt er dem Beschauer als eine Gestalt von leicht doofer Süße mit schimmernden Zähnen entgegen.

(FZ vom 3. 7. 1932)

1 Bruno Kastner (geb. 1890) beging am 30. 6. 1932 Selbstmord; er spielte u. a. in DIE FRAU MIT DEM ETWAS (siehe Nr. 117), HOTEL ERZHERZOGIN VIKTORIA (siehe Nr. 256) und FREIWILD (siehe Nr. 344).

688. Zur Ideologie des deutschen Tonfilms

Wie der Rundfunk[1] und alle anderen Äußerungen des öffentlichen kulturellen Lebens, so untersteht auch – wenigstens einstweilen noch – der deutsche Tonfilm einem System, das keine inhaltlich bestimmte Richtung hat, sondern die resultierende von Druck und Gegendruck ist. Weder ist es bisher einer Partei gelungen, sich zur absoluten Macht aufzuschwingen und ihre Grundsätze einfach dem Volk zu diktieren, noch hat sich infolge der hin- und herwogenden wirtschaftlichen und sozialen Kämpfe, die ihrerseits eine Verwirrung sämtlicher ideologischer Maßstäbe bedingen, ein einheitlicher Lebensstil unter der Decke herausbilden können. Aus dieser Tatsache erklärt sich nicht zuletzt, wie Wolfgang Petzet in seiner jüngst erschienenen Broschüre: *»Verbotene Filme«*[2] nachweist, die unzulängliche Arbeit der Filmprüfstellen und die Zufälligkeit ihrer Beschlüsse. Denn fehlt der Staatsmacht der volle Gehalt und der Öffentlichkeit das Gesicht, so ergeben sich alle Zensurentscheidungen aus der jeweiligen Konstellation der parteipolitischen Kräfte.

Das einzige Jenseits dieser Kräfte ist die Neutralität. Auf sie zieht sich der Rundfunk zurück, der jeder Meinung von links eine von rechts entgegensetzt – bald wird er jene gar nicht mehr nötig haben –, und in sie flieht auch, getrieben von Verboten und wirtschaftlichen Interessen, der Tonfilm wie in eine Oase. Leider wird die Oase sehr spärlich berieselt. Sei es, daß die politische Leidenschaft bzw. die Leidenschaft des Politisierens sich sämtliche Säfte zuleitet, sei es, daß im Kampf ums wirtschaftliche Dasein die menschliche Substanz angegriffen worden ist: alle unpolitischen Lebensregungen, die etwa dem neutralen Gebiet zugute kommen könnten, scheinen ein wenig verkümmert zu sein.

Eine Dürre, von der die meisten um Neutralität bemühten Tonfilme befallen sind. Verfilmte Operetten, Amüsierschwänke usw. – man merkt ihnen an, daß sie um jeden Preis politische Ketzereien vermeiden wollen, aber man spürt kaum je einen Funken in ihnen. Sie machen aus der Not keine Tugend, sondern eine leere Zerstreuung. Ihre Liebe ist bestenfalls Liebelei, ihren Situationen fehlt jede Beziehung zu unserer Situation, und Willy Fritsch und Lilian Harvey[3] sind ihre bedeutendsten

Stars. Die Atmosphäre, die sie umgibt, ist in Wahrheit ein Vakuum. Zum Überfluß erglänzen in diesen Filmen manchmal eine Menge von Militäruniformen, die als ein Surplus aufgefaßt werden dürfen.
In einer zu Anfang des Jahres vom *Reichsfilmblatt* veranstalteten Rundfrage[4] haben einige Filmschaffende ihre Abneigung gegen die bloße Zerstreuungsware deutlich bekundet. Und es fehlt auch tatsächlich nicht an Versuchen, diese Produkte aufzuwerten; wobei natürlich ängstlich darauf geachtet wird, daß die Neutralität unverletzt bleibt. Die betreffenden Versuche laufen vorwiegend auf eine Art von Niveauhebung hinaus. Das heißt, man trachtet danach, durch eine soignierte, ja großartige Mache den Mangel an echtem Gehalt zu ersetzen. Ein solches Verfahren widerspricht aber geradezu dem Wesen der Zerstreuung. Sie verlangt nicht pfleglich behandelt zu werden wie irgendein wichtiger thematischer Vorwurf, sondern will ihre Flüchtigkeit auch durch die Gestaltung zum Ausdruck bringen. Die Revuen entraten aus guten Gründen durchgehender Motive, und die richtigen Boulevardstücke sind alle mit Absicht locker gewebt. Zum Unterschied von ihnen arbeiten die hier gemeinten Filme mit einem Aufwand von Mitteln, der ihrer Inhaltslosigkeit umgekehrt proportional ist. Es ist, als errichte man stabile Häuser für provisorische Zwecke – ein Verfahren, durch das dem Publikum offenbar eingeredet werden soll, daß es in diesen Häusern dauernd wohnen könne. Einer der neuesten Tonfilme der Ufa zum Beispiel: DAS LIED EINER NACHT[5] gleicht einer Luxuswohnung aufs Haar. Er bietet das hohe C Kiepuras, leuchtende Alpengipfel hinter Blütenbäumen und das Plätschern oberitalienischer Seen; inwendig aber ist er ganz hohl. Die Stimme schwingt sich um ihrer selbst willen in die Höhe, und die Landschaften sind eitel Dekoration. Überhaupt gehört die Wendung ins Dekorative, die er wie der Film DER KONGRESS TANZT[6] und andere Großfilme vollzieht, zu den erfolgreichsten Ausweichmöglichkeiten der letzten Zeit.
Ungefährlicher und zugleich ästhetisch befriedigender als diese aufgeblähte Zerstreuung, die am liebsten nicht wahrhaben möchte, daß sie arme Zerstreuung ist, und das Publikum genau so arretiert wie die Nymphe Kalypso den heimkehrenden Odysseus, ist jene Filmgattung, die einen unsubstanziellen Vorwurf bewußt als solchen gestaltet. Sie beabsichtigt weiter nichts, als sich ihrer Unterhaltungspflichten auf eine

scharmante Art zu entledigen. In dieser Hinsicht besitzt Erich Engel eine glückliche Hand. Während jene eben erwähnten Filme mit leichtem Gepäck schwer dahertrampeln und aus einem Nichts gewaltsam ein Etwas zu machen suchen, gibt er in seinem jüngsten Film FÜNF VON DER JAZZBAND[7] niemals vor, mit großen Gewichten zu hantieren, sondern behandelt die Nichtigkeit so spielerisch, wie es ihr zukommt. Sie blüht auf und verschwindet sogleich wieder, ohne je zu behaupten, daß sie mehr sei als eine Arabeske.

Trotz aller Anstrengungen, in der Neutralitätssphäre zu bleiben, überschreiten die Filme in der Regel deren Grenzen. Sie hat ja auch schon darum eine sehr beschränkte Ausdehnung, weil elementare Triebe und kulturelle Traditionen nur dürftig strömen. Daß die Filme fast durchweg (bewußt oder unbewußt) das Publikum im Sinne der herrschenden Gesellschaft zu beeinflussen suchen, versteht sich beinahe von selbst. Dem Bestehenden dient bereits das betonte Verharren in der Neutralität, das den an der Macht befindlichen Gewalten insofern nützt, als es von einer Kritik an ihnen ablenkt. Darüber hinaus werden noch immer in vielen Filmen Wunschträume und Illusionen genährt, die den Hauptstamm der Kinobesucher mitten aus der Not des Alltags heraus in herrliche Luftschlösser versetzen. Arme kleine Angestellte fallen in der Schlußapotheose jäh in die Höhe, und an die Stelle der Generaldirektoren, mit denen kein Staat mehr zu machen ist, tritt ein Amerikaner oder ein englischer Lord, dem auch der Pfundsturz nichts anhaben kann. Moderne Märchen; aber im Gegensatz zu den alten halten sie sich nur um höchst praktischer und greifbarer Interessen willen ans Unwahrscheinliche. Wie ingeniös man diese zu schützen versteht, wird unter anderem durch den an sich hübsch und lustig gemischten Film: GRÄFIN VON MONTE CHRISTO[8] bewiesen. Er stellt sich lebenswahr, indem er den Anstieg einer Filmstatistin in die Gesellschaft schildert, von deren Gipfeln das Mädchen zuletzt wieder herabgestürzt wird. So träte hier statt irgendeiner Illusion die harte Wirklichkeit selbst auf den Plan? Keineswegs. Denn die Filmstatistin landet nur deshalb nicht in dem ersehnten Paradies, weil sie im Grandhotel in die Klauen eines Hochstaplers gerät, und der vornehme Herr, der dort in Liebe zu ihr entbrennt, ebenfalls ein Hochstapler ist. Wäre er echt gewesen, so hätte sich ohne Mühe das normale happy end ergeben. Da aber dieser hergebrachte Schluß ausnahmsweise einmal vermieden werden soll, hat man instinktsicher dafür gesorgt, daß nicht der Eindruck entsteht, als verhindere die obere Gesellschaft das Emporkommen aus den unteren Schichten. Sie bleibt auf Schleichwegen als Ziel der Wunschträume erhalten.

Diese tendieren ihrer politischen Bedeutung nach gewöhnlich nach rechts. Und mitunter wagen sich die Tendenzen so offen hervor, daß die Neutralität gesprengt zu werden droht. Man braucht noch nicht einmal an den YOR[C]K-Film[9] zu denken, in dem wieder einmal die Militärs über die Staatsmänner triumphieren, sondern kann sich mit Filmen begnügen, die zwar weniger unverhüllt, aber darum nicht minder wirksam verfahren. In dem Spionagefilm UNTER FALSCHER FLAGGE[10] etwa ist der Weltkrieg als eine gar nicht zu diskutierende Selbstverständlichkeit vorausgesetzt. Schlachtfelder und Maschinengewehre gehören zu den ständigen Requisiten dieses Reißers, und fast die einzige Zivilperson, die in ihm vorkommt, ist ein Kriminalkommissar, der ebenfalls zu Kriegszwecken verwandt wird. Den Krieg als Anreiz für irgendein Sensationsstück zu verwerten, ihm eine Nebenrolle zuschieben wie hier, ist aber gleichbedeutend mit seiner unmerklichen Einverleibung in unseren Alltag. Und es läßt sich nicht bezweifeln, daß man so viele unkritische Zuschauer wieder ans Kriegsleben gewöhnt.

Es gibt zum Glück auch Filme anderer Tendenz und solche, die gefüllter sind als der Durchschnitt der Produktion. Daß die Substanz uns nicht ganz abhanden gekommen ist, belegt der im wesentlichen neutrale Film MÄDCHEN IN UNIFORM.[11] Er sticht schon dadurch aus der Masse heraus, daß er Menschen auf die Bildfläche bringt und nicht nur Schemen mit schablonierten Gefühlen. Sein gewaltiger Erfolg zeigt an, wie ausgehungert heute das Publikum ist. Eine starke Substanz verrät auch der Film RAZZIA IN ST. PAULI,[12] der das Leben in der Hamburger Unterwelt schildert und dieses trübe Zwischenmilieu von dem des seiner selbst bewußten Proletariats abzugrenzen versucht. Das Hamburg des Hafens, der Reeperbahn und der verdächtigen Kneipen zieht hier nicht in konventionellen Abkürzungen, sondern in originalen Bildern vorüber, deren Einstellung und Schönheit die Folge der ihre Produktion bedingenden sauberen Haltung ist. Filme von ausgesprochener linker Gesinnung erscheinen begreiflicherweise selten. Zu ihnen rechnet der Pabst-Film: KAMERADSCHAFT, der es bei uns nicht weit gebracht hat und noch dazu um

die entscheidende Schlußszene gekürzt worden ist;[13] dann der von der Zensur beschnittene Film: KUHLE WAMPE[14] von Brecht und Ottwalt, der allerdings eine unklare und problematische Haltung verrät.
(Typoskript aus KN, 4. 7. 1932)[15]

1 Zur »Neuregelung des Rundfunks« siehe Nr. 691, Anm. 3, sowie *Werke*, Bd. 5, Nr. 672, 688 und 712.
2 Siehe Nr. 667 und 706.
3 Zu Willy Fritsch und Lilian Harvey siehe Nr. 648, Anm. 2.
4 Siehe Nr. 670.
5 Siehe Nr. 686; Kracauer greift im folgenden z. T. wörtlich auf diesen Text zurück.
6 Siehe Nr. 662.
7 Siehe Nr. 683.
8 Siehe Nr. 684.
9 Siehe Nr. 676.
10 Siehe Nr. 675.
11 Siehe Nr. 666.
12 Siehe Nr. 686.
13 Siehe Nr. 665 und 676.
14 Siehe Nr. 682.
15 Auf dem Typoskript hat Kracauer handschriftlich notiert: »4. Juli 32 an Hirschfeld«. Der Text, der unveröffentlicht blieb, sollte in den von dem Dramaturgen Kurt Hirschfeld herausgegebenen *Blättern des Hessischen Landestheaters* erscheinen, die ein Sonderheft zum Thema »Bühne und Tonfilm« planten, das jedoch nicht zustande kam.

689. Film-Sommer

Filmrez.: MENSCH OHNE NAMEN. Gustav Ucicky. DE 1932.

Den lauten Ereignissen, die jetzt die Straße beherrschen, ist die ereignislose Stille in den Berliner Kinos umgekehrt proportional. Man veranstaltet eine Reprise um die andere, das ganze vergangene Repertoire wird wieder durchgekaut. Die PRIVATSEKRETÄRIN[1] macht von neuem eine unwahrscheinliche Karriere, die STÜRME AUF DEM MATTERHORN[2] toben; und DER ANDERE[3] kehrt in sein eigentliches Ich zurück. Einige dieser Filme sind noch ganz lebendig und halten jeden Vergleich mit den späteren aus; viele dagegen wirken wie Grabgespenster, die bei der leisesten Berührung vergehen. Noch nie ist bisher im Sommer ein solcher Mangel an Nachschub gewesen. Verschuldet wird die Dürre durch das Kontingentgesetz, das neuerdings bekanntlich sehr verschärft worden ist.[4] Sollte seine Auflockerung nicht möglich sein, so befürchten die Interessenten für den Winter eine filmlose, eine schreckliche Zeit. Was den Produzenten recht ist, scheint wieder einmal den Konsumenten (d. h. den Theaterbesitzern) nicht billig zu sein.

Eine einzige Neuheit ist zu verzeichnen, der Ufa-Film: DER MANN OHNE NAMEN[5] mit Werner Krauß. Die Ufa hat sich hier um ein gefüllteres Thema, um eine dichtere Atmosphäre als die hergebrachte bemüht. Dennoch gelingt es der Werkstattarbeit Robert Liebmanns nicht, den Oberst Chabert-Stoff[6] wirklich zu bewältigen. Sie schlägt wesentliche Motive an, ohne sie zu Ende zu entwickeln, und stoppt den Eintritt ernster Möglichkeiten vorzeitig ab. So wird der Kampf geschildert, den der nach 16jähriger Abwesenheit zurückgekehrte und längst totgesagte Automobilfabrikant Heinrich Martin im Interesse der Anerkennung seines Namens führt; aber ehe noch diese Kampfszenen ihren Sinn erfüllen und die bittere Hilflosigkeit des Einzelnen dem Staatsorganismus gegenüber illustrieren können, hören sie plötzlich auf und münden in einen törichten Lustspielschluß ein, der ganz zu Unrecht wieder aufatmen läßt. Und wie das soziale Motiv verebbt das private. Aus der Tatsache, daß der Heimkehrer seine frühere Frau mit seinem besten Freund verheiratet findet, werden keinerlei deutliche Folgerungen gezogen, und man weiß weder genau, ob die Frau ihn zuletzt erkennt, noch ob die abweisende Haltung des Freundes auf bösem Willen beruht. Durch den Abbruch der thematisch gegebenen Konflikte und ihre Auflösung in den Gewässern des Schwanks entstehen überdies schwer erträgliche Unmöglichkeiten. Innerhalb eines realistisch gemeinten Films ist es wenig glaubhaft, daß der Held seinen Namensanspruch nicht zureichender begründen kann – Zeit genug dazu wird ihm in den gedehnten Szenen wahrhaftig gelassen –, und die Schnelligkeit, mit der er sich um des Happy End willen in ein fremdes Mädchen verliebt, widerstreitet den Bindungen, die ihn angeblich ins alte Zuhause zurücktreiben.

Kurzum, der Film bleibt wie die meisten andern in lauter *Unentschiedenheiten* stecken. Sie rühren daher, daß er und seinesgleichen ihr Dasein nicht so sehr einer substantiellen Kraft als dem Willen verdanken, es jedermann recht zu machen, ohne dabei die Gesetze der Neutralität zu verletzen. Es gibt auch unpolitische Lebensregungen, die eine gewisse Sättigung der Neutralitätssphäre gestatteten. Aber sie scheinen bei uns in einem hohen Grade erstorben oder doch verkümmert zu sein. Denn dieser Film, der die Flauheit seiner Konzeption mit der Mehrzahl der übrigen Filmprodukte teilt, verrät nirgends eine gedankliche oder gefühlsmäßige Beziehung zu der von ihm zu treffenden Sache, sondern an allen Ecken und Enden immer nur den einen Wunsch: um keinen Preis Anstoß zu erregen und sämtliche Klippen zu umschiffen, die seinen Publikumserfolg beeinträchtigen könnten. Er ist von außen her bestimmt, er richtet sich nach Bedingungen, die ihm selber nicht immanent sind. Und vergeblich sucht man nach Antrieben, die ihm zum unableitbaren Leben verhülfen und seine Entfaltung von sich aus bestimmten.

Die Regie Ucickys sprengt nirgends die Grenzen der Routine; es sei denn in einer kleinen Szene, die im Archiv für Kriegsverluste spielt. Sie zeigt einen Büroangestellten, der immer höher und höher an den Aktenregalen emporklettert; dann kommt er wieder herunter, und die Szene, die keine Konsequenz hat, ist aus. Infolge der Schwächen des Manuskripts werden gerade die Hauptdarsteller gehemmt. Man merkt es *Werner Krauß* an, wie sehr ihn seine Rolle vergewaltigt. Wenn er das Spiel zu tragischer Größe steigern will, muß er sich lustspielhaft benehmen, und hat er sich in ein heiteres Lächeln hineingelebt, so wird er sofort von neuen Wolken umzogen. Eine Figur, die nicht gesehen, sondern zusammengekleistert ist, kann auch er nicht zum Charakter gestalten. Aus ähnlichen Gründen ist *Helene Thimig* um ihre Bewegungsfreiheit betrogen. Falkenstein als kleiner Agent, Maria Bard als helle sympathische Stenotypistin und Grünbaum als Rechtskonsulent versehen durch ihre spielfreudigen Leistungen den Film mit einigen kräftigen Lichtern. Aber diese Chargenrollen gehören nicht notwendig zur Komposition, wären vielmehr überall möglich.

(FZ vom 8. 7. 1932)

1 Siehe Nr. 630.
2 Gemeint ist: STÜRME ÜBER DEM MONTBLANC. Arnold Fanck. DE 1930.
3 Siehe Nr. 614.
4 Siehe Nr. 691.
5 Gemeint ist der oben angegebene Film. DER MANN OHNE NAMEN ist der Titel eines sechs-

teiligen Films von Georg Jacoby (DE 1920/21), für den ebenfalls Robert Liebmann das Drehbuch schrieb.
6 Drehbuch: Robert Liebmann, nach dem Roman von Honoré de Balzac, *Le Colonel Chabert* (1832; dt.: *Der Oberst Chabert*, 1884).

690. An der Grenze des Gestern

Zur Berliner Film- und Photo-Schau

In einem Ladenkomplex der Joachimsthaler Straße ist jetzt eine *permanente Film- und Photo-Schau*[1] eröffnet worden, die ein Material vereint, wie es in dieser Fülle noch niemals geboten wurde. Dokumente, Bilder und Proben sind hier zusammengestellt, die von den ersten Anfängen der Photographie und des Films bis zur jüngsten Gegenwart reichen. Sie gewähren einen nahezu lückenlosen Überblick über eine Entwicklung, an der wir selber so ganz beteiligt waren, daß wir sie bisher nicht von uns abzulösen vermochten. Durch diese Sammlung erst wird das ungewußt mitgeführte Leben offenbar und tritt uns fremd gegenüber. Und indem wir sie mustern, erkennen wir, nicht ohne zu schaudern, wie das Heute stückweise in die Vergangenheit zurücksinkt und das Vergangene stetig im Heute weiter rumort.

Die Ausstellungsräume erinnern an Buden. Alle Wände sind von oben bis unten mit Photos gepflastert, und dazwischen leuchten immer wieder grelle Außenplakate. Noch andere Umstände tragen dazu bei, den Eindruck des Jahrmarktzaubers zu wecken. Der Betrieb dauert bis in die späte Nacht; in einem der Räume, der als altes Vorstadt-Kintopp ausgestattet ist, werden verschollene und neue Filme gezeigt; die Schaufensterdekoration gleicht einer sichtbar gewordenen Drehorgelmelodie; der Eintrittspreis ist so niedrig gehalten, daß die offene Ladentür nicht als unüberwindliches Hindernis wirkt. Kurzum, die Straße zieht sich tief in die Schau hinein, und deren heimlichste Winkel noch sind für Passanten geschaffen. Mag die Improvisation, die hier herrscht, den Absichten der Veranstalter oder einfach der Knappheit an Mitteln zu danken sein: sie entspricht jedenfalls genau dem Gegenstand, der vorgeführt werden soll. Diese Bilder müßten nicht allein ihrer Herkunft und ihres Sinnes wegen in hellen, vornehmen Museumssälen ersticken, sondern wären auch darum in einer solchen Umgebung schlecht untergebracht, weil sie noch nicht völlig historisch geworden sind. Ihr Ort ist an der Grenze zum Gestern, an der nur improvisiert werden kann. Denn im Zwielicht dort verschwimmen vorerst die Konturen, und das Rauschen des gelebten Daseins klingt in die kaum verlassenen Felder herüber.

Aus der Urzeit stammt die Aufnahme eines *Fensters* von *Niépce*,[2] der zwischen 1816 und 1830 gewirkt hat und der Vorläufer Daguerres[3] gewesen ist. Die Photographie ist auf besonders präpariertem, in Asphalt getränktem Papier hergestellt worden und wird keine lange Lebensdauer mehr haben. Schon zeigt das Bild Sprünge und Risse, schon droht die Gestalt wieder in die Monotonie des Grundes einzugehen, dem ihr Schöpfer sie abgelistet hatte. Es muß für ihn ein Glück ohnegleichen gewesen sein, alle todgeweihten Dinge zu bannen. Noch ist die Erscheinung deutlich zu sehen, mit dem Fensterkreuz und der steinernen Brüstung – ein armseliges Fenster an irgendeinem Pariser Haus. Aber gerade die Nichtigkeit dieses Sujets veranschaulicht das von den ersten Lichtbildern Gemeinte. Sie waren zweifellos von der Mission erfüllt, das Zeitliche einer Welt zu segnen, die das Zeitliche segnet. Und die Rührung, die sich der heutigen Betrachter beim Anblick des vergilbten Blattes bemächtigt, erklärt sich eben daraus, daß es zum Unterschied von den meisten modernen Photos das Vergängliche retten, nicht aber bis zum Überdruß verewigen will. Dadurch, daß es ein flüchtiges Phänomen um seines möglichen Sinnes willen wunderbar zum Stehen bringt, ruft es wieder die ursprüngliche Bestimmung der photographischen Technik ins Gedächtnis zurück, deren Nutznießer sich längst damit begnügen, die Verflüchtigung unwesentlicher Phänomene sinnlos aufzuhalten.

Anfänge des Films: eine Wundertrommel wird gedreht, und aus kleinen Bilderheftchen, die man wie ein Kartenspiel rasch mit dem Finger überschlagen kann, erstehen kunstlose Szenen. »Du ahnst es nicht«, heißt eines der Heftchen, und diese Behauptung ist dazu geeignet, die Neugier von Rummelplatz-Besuchern zu wecken. Noch erhalten sich im Luna-Park die Biofixbilder-Apparate jener Zeiten fort, die der spendierfreudigen Lüsternheit übertriebene Versprechungen machen. Schaubudenluft umweht überhaupt den Beginn der ganzen Filmproduktion, ist die Atmosphäre, in der die Versuche Max Skladanowskys[4] gedeihen. Und wie das ungeschlachte Instrumentarium, dessen sich dieser Erfinder bedient, schon viele, später herausgearbeitete Möglichkeiten in sich enthält, so ist die Stelle, an der ins jungfräuliche Stoffgebiet eingebrochen wird, für die Zukunft entscheidend. Immer haben die Umstände, unter denen eine neue Entwicklung anhebt, einen unabsehbaren Einfluß auf deren Verlauf. Der von *Skladanowsky* geschaffene erste Spielfilm der Welt nennt sich: DIE RACHE DER FRAU SCHULTZE[5] und ist eine Art von Moritat, deren Bilder von Versen wie diesen begleitet werden:

»Abends, wenn die Glocke zehn,
Will Frau Schultze schlafen gehn,
Ihr Herr Nachbar – componiert,
Spielt Posaune und klaviert.«

Bezeichnend auch, daß eine Zirkusreiterin die Rolle der Rächerin spielt. Alle Filme von damals sind Illustrationen zu Bänkelsängerweisen oder vergegenwärtigen wie selbstverständlich kolportageähnliche Themen. Derselbe Zwang, dem die Techniker bei der Ausbildung der Apparatur gehorchen, führt sie Motiven zu, die unterhalb der offiziellen Literatur ihr Wesen treiben. Es ist die Welt der Volksbelustigungen, in die sie vorstoßen, der primitiv gemachten und genossenen Abenteuergeschichten, der Zehnpfennig-Broschüren, die in Schreibwarengeschäften und Hinterhöfen an die halbe Öffentlichkeit kommen. Wenn aber diese Welt als erste dem Film erobert wird, so heißt das nichts anderes, als daß er ihr zugeordnet ist. Und in der Tat: als ein Geschöpf der Straße, als ein Vermittler jener unzerstörbaren, großen Motive, die sich in Schauzelten deutlicher offenbaren als in der sogenannten Literatur und das Glück der Unverbildeten und der Weisen sind, feiert er später die höchsten Triumphe. Die Chaplinaden, die das Zeichen seiner Abstammung unverwischbar auf der Stirn tragen, sind zugleich seine Erfüllung.

RACHE DER GEFALLENEN. SITTENGEMÄLDE IN VIER AKTEN:[6] diesen Titel führt ein verschlissener Film, in dem der junge Hans Albers als dämonischer Verführer auftritt. Noch wehen seine Locken in voller Pracht, noch ist seine Eitelkeit unschuldig wie die von Helden in Dienstmädchenromanen. Jetzt will er die Volksfigur sein, die er in seiner Novizenzeit vielleicht wirklich war, und trifft sie nicht mehr. Der Kitsch, den er einst darstellte, war populärer Natur, die Bedeutung hatte; die Natur, die er heute im Interesse seiner Popularität mimt, ist Kitsch.[7] Aufschlußreich ist ein Bild aus diesem Film. Mit der Pistole in der Hand steht die (anscheinend schon gefallene) Heldin im reich ausgestatteten Familiensalon einem Staffelei-Gemälde gegenüber, das den Verführer in Frackuniform zeigt, und hegt Gefühle, die der Text wie folgt ausdrückt: »Diesen Mann liebte ich einst. Oh, wie ich ihn heute hasse! Ich muß ihn töten, und sei es auch nur im Bild!« Statt daß man nun der Heldin die Erregung anmerkte, die diese Worte verraten, wirkt sie im Gegenteil wie eine völlig unbeteiligte Person. In der ruhigen Haltung einer gehobenen Mittelstands-Statue erfüllt sie die Mitte des Zimmers, und der Windstille, die ihren Busen am Wogen verhindert, entspricht durchaus die Gleichgültigkeit, mit der sie den Revolver umfaßt. Das Mordinstrument könnte eine leere Streichholzschachtel sein, die im nächsten Augenblick abgelegt wird, so gering sind seine Beziehungen zur Gefallenen und zum Frack. Und doch diese tragischen Worte? Die Aufnahme beweist, daß sich zur Zeit ihrer Entstehung der inzwischen vom Film eroberte Raum noch nicht aufgetan hat. Der Salon ist ein abgewandeltes Bühnenpodium, die Darsteller sind Schauspieler, die nicht reden dürfen, die Möbel kommen aus der Requisitenkammer, und die Kamera hat Angst, sich vom Fleck zu rühren. Solange dieses Vorstadium dauert, gehören die Menschen und Dinge weder zum Theater, in dem sie sich verständlich machen können, noch bereits in jene Welt, die auf der Leinwand widergespiegelt zu werden vermag. Es sind Gespenster, die im *Morgengrauen* agieren und deren Sprache nicht die unsrige ist. Ihre Gebärden scheinen ihre Worte Lügen zu strafen, ihre Reglosigkeit ist Aufruhr, und ihre Pistolen schießen ins Leere. Wenn die Kamera aus der Starre erwacht, werden sie weichen.

Viele Filme der abgelebten Epoche sind nur noch *komisch*. Nicht dort, wo sie komisch sein wollen, sondern gerade an den Höhepunkten des Ernstes. Inmitten einer Friedhofsszenerie zum Beispiel, die offensichtlich den rührenden Schluß einer dramatischen Handlung bildet, verweilen ein besser gekleideter Herr, der jedem Courths-Maler-Roman[8] zur

Ehre gereicht, und die kniende Henny Porten.[9] Der Kommentar zum Bildertext lautet:

»Der schönste Platz, den ich auf Erden hab',
Das ist die Rasenbank am Elterngrab.«

Daß die Trauergestalt und der etwas abseits stehende Herr erschüttert sind, duldet nicht den mindesten Zweifel. Dennoch zwingt das Bild Gelächter herauf, und auch andere, weniger krasse Szenen aus verjährten Gesellschaftsfilmen sind unrettbar der Komik verfallen. Sie entspringt einer bestimmten Veränderung, die mit diesen Bildern vorgegangen ist. Zeigten sie ihren ersten Betrachtern im wesentlichen nur den von ihnen gemeinten Gehalt, so zeigen sie ihren heutigen Betrachtern das sonderbare, eben vermoderte Milieu, in dem jener Gehalt sich so naiv kundgab, als sei er darin wirklich verwurzelt. Wir sehen nicht nur die Ergriffenheit des Herrn, sondern auch sein antiquiertes Jackett, und sind zu bemerken genötigt, daß die Trauer Henny Portens gleich unter der veralteten Hutform sitzt. Der Akzent der Bilder hat sich verschoben, die modischen Äußerlichkeiten, die früher verschwanden, treten jetzt wie eine Geheimschrift sichtbar hervor. Und statt von dem Pathos mitgerissen zu werden, das in der Zeit ihrer Aktualität aus ihnen sprach, erregt uns nur noch der lächerliche Kontrast, der zwischen den pathetischen Ansprüchen und der hinfälligen Erscheinung ihrer Helden besteht. Da der Film das erscheinende Leben vollständiger als irgendeine andere Kunstgattung darstellt, zählt zu seinen Aufgaben vielleicht auch diese: uns immer wieder auf das fragwürdige Ineinander von verrinnender Zeit und Gefühlen oder Leidenschaften aufmerksam zu machen, die Dauer zu haben behaupten. Die Heiterkeit, die jüngst veraltete Bildstreifen wecken, ist freilich dunkel grundiert; denn der Anblick von Kleidern und Gesten, in denen wir uns vor kurzem noch geäußert hatten, gemahnt an den Untergang jeder Gegenwart überhaupt. Und zweifellos werden viele Sportfeste, Tragödien usw., denen wir heute auf der Leinwand begegnen, bald genau so komisch wirken wie das Paar am Elterngrab. Befreit von dieser Komik ist nur die vollends historisch gewordene Wirklichkeit, die nicht mehr in die unsrige hinübergreift, und die Erscheinung von Gehalten, die so gut evident und übermächtig sind, daß sie sogar noch ihre vergehende Erscheinung bezwingen. Aber wo kämen sie in der jetzigen Welt vor?

Von der Vergangenheit rückt die Ausstellung unmerklich zur Gegenwart vor. Einige Etappen der Entwicklung heben sich immerhin ab. Da ist der Brief von Max Mack an Albert Bassermann, in dem dieser, der sich bisher gegen das Filmen gesträubt hatte, erfolgreich beschworen wird, eine Rolle im Film: SEIN EIGENER MÖRDER zu übernehmen.[10] Da sind Abbildungen der ersten, im Atelier gebauten Dekoration, da werden Proben von Filmen geboten, die eine neue Serie einleiteten oder in technischer Hinsicht eine wichtige Anregung brachten. Aber trotz dieser kleinen Signale findet man nicht die Schwelle, hinter der ein für allemal das Gestern läge, sondern gleitet ohne Zwischenstation ins Heute hinein. Das Gefühl der Unheimlichkeit, das dadurch entsteht, daß man nicht eigentlich weiß, wann die modernen Gewänder die alten verdrängen, wird noch durch das Bewußtsein gesteigert, daß mit dem technischen Fortschritt die Leere der Filme selber wächst. Am Ende der Schau ist eine neue Tonfilmkamera aufgebaut, die sich zum plumpen Bioskop Skladanowskys wie ein eleganter Wagen von Heute zu einem urtümlichen Ford verhält. Die Filme jedoch, die aus dieser schnittigen, wundervoll durchkonstruierten Apparatur hervorgehen, befriedigen nicht die Erwartungen, die man an die Vervollkommnung des ursprünglichen Modells knüpfen durfte. Im Gegenteil: je mehr sie zu Industrieprodukten werden, desto hohler klingen sie, und der Zuwachs des in ihnen investierten technischen Könnens scheint geradezu ihre *Substanzminderung* zu bedingen. Sie verkehren richtige Absichten, sie heben die Kolportage und senken sie dadurch, sie liefern der Bevölkerung faule Ideologien und verbauen die Gehalte durch Dekorationen. So hätte es nicht zu sein brauchen, aber so ist es faktisch gekommen. Der Gang durch die Ausstellungen gleicht aufs Haar einem Rutsch ins Bodenlose. Eine Hoffnung aber bleibt: der herrliche Apparat, der diese nichtigen Produkte erzeugt. Er kann nicht vergeblich geschaffen worden sein, sondern wird eines Tages die Funktion erhalten müssen, die ihm in Wirklichkeit zukommt.

Nachzutragen wäre noch, daß das gewaltige Material, das in der Schau nach und nach der Öffentlichkeit zugänglich gemacht werden soll, von den zahllosen Filmschaffenden zur Verfügung gestellt worden ist. Regisseure haben ihre Privatarchive geöffnet, Komparsen wertvolle alte

Fotos beigesteuert. Die ausstellende Gesellschaft, die von ihren Bruttoeinnahmen bestimmte Prozentsätze an die Wohlfahrtskassen einiger Filmverbände abführt, will auch in anderen großen Städten des Reiches Zweigausstellungen gründen. Geplant sind ferner in der Zentrale selber: Vorträge der verschiedensten Art und Sonderveranstaltungen aus Spezialgebieten.
(FZ vom 12. 7. 1932)

1 Am 2. 7. 1932 eröffnete in der Joachimsthaler Straße in Berlin die Ausstellung »Film und Foto« unter dem Motto »Deutscher Geist – deutsche Arbeit«. Sie beruhte auf einer großen Sammlung des Drehbuchautors Eduard Andrés zur Geschichte des Kinos, für die u. a. Harry Piel, Max Mack und Fritz Lang ihre Privatarchive zur Verfügung gestellt hatten.
2 Joseph Nicéphore Niépce (1765-1833), einer der Erfinder der Photographie; Niépce gelang es 1822, mit einer Camera obscura aufgenommene Gegenstände auf lichtempfindliche Bitumenschichten zu fixieren (Niepcotypie), später arbeitete er mit L. J. M. Daguerre zusammen.
3 Louis Jacques Mandé Daguerre (1787-1851), französischer Erfinder und Maler; auf der Grundlage von Niépces Erkenntnissen entdeckte er, daß ein nur kurz dauernder, noch unsichtbarer Lichteindruck auf Jodsilber im Quecksilberdampf sichtbar gemacht werden kann (Daguerreotypie).
4 Max Skladanowsky (1863-1939), Schausteller, führte im Berliner Wintergarten 1895 mit einem von ihm entwickelten Bildwerfer (Bioskop) die ersten Filmaufnahmen in Deutschland öffentlich vor.
5 EINE FLIEGENJAGD ODER DIE RACHE DER FRAU SCHULTZE. Max Skladanowsky. DE 1913; der Film gilt heute nicht mehr als »erster Spielfilm der Welt«.
6 DIE RACHE DER GEFALLENEN. Prod. Deutsche Film-Industrie Robert Glombeck. DE 1920; DZ: 6. 12. 1920, B.00883.
7 Zu Hans Albers (1891-1960) siehe u. a. Nr. 585, 615, 629 und 657.
8 Siehe Nr. 16, Anm. 2.
9 Gemeint ist vermutlich das Tonbild DIE RASENBANK AM ELTERNGRAB (Prod. vermutlich Messter's Projektion GmbH); weitere Angaben vorläufig nicht zu ermitteln; siehe *Film-Kurier* vom 2. 7. 1932, Nr. 154.
10 Wer in dem 1914 produzierten Film SEIN EIGENER MÖRDER Regie führte, ist vorläufig nicht zu ermitteln; der Film wird nicht Max Mack zugeschrieben. Wahrscheinlich verwechselt Kracauer den Film mit Max Macks DER ANDERE (DE 1912/13). Mit der Übernahme der Hauptrolle in diesem Film durchbrach Albert Bassermann (1867-1952) als einer der ersten den Boykott des Films durch die deutschen Bühnenschauspieler. Der Film gilt auch als einer der ersten deutschen »Autorenfilme«; das Drehbuch stammt von Paul Lindau, nach seinem Drama *Der Andere: Schauspiel in vier Aufzügen* (1896) sowie nach Theorien von Hippolyte Taine, *De l'intelligence* (1870); dt.: *Der Verstand* (1880).

691. Analyse einer Verordnung

Zur Neufassung der Filmkontingent-Bestimmung

I.

Die durch die *Notverordnung* vom 28. Juni in Kraft getretene *Neufassung des Filmkontingent-Gesetzes*[1] ist eingreifender Art und hat sowohl ihrer praktischen Folgen wie ihrer mehr prinzipiellen Bedeutung wegen Anlaß zu erregten Diskussionen in der Fachpresse und in den Tageszeitungen gegeben. Und zwar beziehen sich die Erörterungen vor allem auf die folgende, jetzt hinzugekommene Bestimmung:
»Ein Bildstreifen ist als deutscher Bildstreifen anzuerkennen, wenn:
1. er von Deutschen ... oder einer Gesellschaft hergestellt ist, die nach deutschem Recht mit dem Sitz in Deutschland errichtet ist,
2. die Atelieraufnahmen und – soweit die Art des verfilmten Gegenstandes es zuläßt – auch die Außenaufnahmen in Deutschland hergestellt sind,
3. das Manuskript, bei Tonfilmen auch die Musik, von Deutschen verfaßt ist,
4. die Produktionsleiter und Regisseure Deutsche sind, und
5. 75 v.H. der Mitwirkenden innerhalb der einzelnen Beschäftigungsgruppen Deutsche sind.«
Es ist klar, daß durch diese Festsetzung die Freiheit der inländischen Produktion getroffen wird. An ihr sind faktisch viele Ausländer (in der Hauptsache Österreicher und Ungarn) beteiligt, die fortan nur noch in einem bestimmten Prozentsatz auftreten dürfen, wenn ein unter ihrer Mitwirkung entstandener Film das Prädikat »deutsch« erhalten soll. Beteiligen sie sich in einer größeren Zahl als der zulässigen an dem betreffenden Werk, so fällt dieses – eine rigorose Handhabung der Verordnung vorausgesetzt – unverzüglich unter die Sonderbestimmungen, die für ausländische Filme gelten. Auch die Theaterbesitzer haben Grund, von der Neuregelung eine Erschwerung ihrer Lage zu fürchten; denn die von ihnen schon seit einiger Zeit als unzureichend empfundene Belieferung des Marktes durch die deutsche Produktion wird sich in Zukunft eher noch dürftiger gestalten.

Aber hier handelt es sich nicht so sehr um die etwaigen Schwierigkeiten des Gewerbes, als um den Gehalt der Maßnahme selber. Sie ist zweifellos ein Zeichen jener *autarkischen* Tendenzen, die heute durch die Welt gehen (und sie zersplittern). Andere Staaten haben ja ebenfalls ihre Kontingentbestimmungen oder werden sie erlassen. Dergleichen steckt an, und bald wird sich jedermann fragen müssen: nicht wo er der von ihm gemeinten Sache am besten dient, sondern wo er die prozentualen Bedingungen nicht verletzt. (Sonderbar oder vielmehr gar nicht sonderbar: daß gerade die Reglementierung nach derartigen »nationalen« Gesichtspunkten mechanistischen Grundsätzen zur Macht verhilft.)

II.

Wäre die neue Kontingent-Verordnung vorwiegend eine Aktion wirtschaftlicher Notwehr, so hätte man sich außerhalb der am Film interessierten Kreise wahrscheinlich nicht viel um sie bekümmert. Die Sensation, die sie in der Öffentlichkeit hervorgerufen hat, erklärt sich eben daraus, daß man in ihr weniger das Produkt ökonomischer Erwägungen, als ein Symptom des *»neuen Kurses«* erblickt.[2] Sie scheint in irgendeinem unterirdischen Zusammenhang mit der geplanten Rundfunk-Reorganisation[3] zu stehen und wie diese eine Kulturpolitik einleiten zu wollen, die den in der Regierungserklärung des jetzigen Kabinetts vertretenen Anschauungen entspricht. Und indem sie den numerus clausus für ausländische Filmschaffende einführt, begibt sie sich, so glaubt man zu spüren, in eine gefährliche Nähe zum nationalsozialistischen Programm, dem sich der verfassungsmäßige Begriff des Deutschen noch nicht einmal in der deutschen Staatsangehörigkeit erschöpft.
Indessen wäre es schon darum verfehlt, die Verordnung rein als ein solches Symptom zu bewerten, weil sie nach zuverlässigen Informationen längst vor dem Regierungsantritt des Präsidial-Kabinetts geplant gewesen ist. Wenn aber ihre Bearbeitung noch in die Zeit Brünings fällt, handelt es sich bei ihr jedenfalls nicht um eine plumpe Anpassung an die augenblickliche Konjunktur. Hinzu kommt ferner, daß sie tatsächlich ernsten Überlegungen entspringt, die auf eine *Verbesserung des Stands der deutschen Filmproduktion* abzielen. Diesen Überlegungen nachzu-

gehen, ist unter allen Umständen wichtiger als eine Kritik, die ihrem Gegner nichts vorgibt und sich undialektisch zu ihm verhält. Denn eine Sache angreifen heißt, das wirklich (oder auch nur vielleicht) mit ihr Gemeinte vollkommen ermessen.
Die Verordnung ist, wenn ich recht unterrichtet bin, auf die Einsicht zurückzuführen, daß der deutsche Film an *Substanzlosigkeit* krankt. Diese Erkenntnis – sie bildet die Grundvoraussetzung der Kontingent-Bestimmungen – deckt sich durchaus mit dem Ergebnis der kritischen Filmbetrachtungen, die wir seit langem in der *Frankfurter Zeitung* üben müssen. Immer wieder haben wir auf die Leere der meisten bei uns gebotenen Filme hingewiesen, auf ihre fatale Neigung, die Wirklichkeit durch Illusionen und Dekorationen zu verstellen, auf ihre Armut an unableitbarem Leben. Mit einem Wort: sie sind *Konfektion.* Nun geht die Meinung des Gesetzgebers offenbar dahin, daß das Unwesen dieser Konfektion durch gewisse *ausländische Elemente* verschuldet werde, die sich an allen entscheidenden Stellen der Filmbranche eingenistet hätten und andere, vielleicht substantiellere Kräfte verdrängten. Die ins Auge gefaßten Klüngel näher zu kennzeichnen, ist hier nicht unsere Sache. Genug, daß das Leitmotiv des zitierten Abschnitts der Verordnung dieses ist: eine Handhabe zu erhalten, die es ermöglicht, bestimmte verderbliche Einflüsse eine Zeitlang aus dem Filmbetrieb auszuschalten und Raum zu schaffen für Menschen, denen man mehr Gehalt zutraut. Die faktische Monopolstellung der *formalen Versiertheit*, die unter anderem auch die unmögliche Gattung der »gedubbten« Filme auf den Markt gebracht hat – das heißt, jener Filme, in denen den Darstellern des Produktionslandes die Sprache des Absatzlandes in den für sie nicht bestimmten Mund gelegt wird –, soll zugunsten von inhaltreicheren Leistungen aufgehoben werden, deren mutmaßliche Schöpfer sich bisher nur noch nicht hatten durchsetzen können. Damit ist zugleich gesagt, daß sich die Verordnung ihrem Sinne nach nicht gegen die im deutschen Filmbetriebe tätigen Ausländer als solche richtet, sondern allein gegen die typischen Konfektionäre, die zum großen Teil Ausländer seien. In der Tat ist den Kontingent-Bestimmungen ein Passus eingefügt, der den staatlichen Exekutivorganen gestattet, aus »kulturellen oder künstlerischen Erwägungen« im Einzelfall auf die Durchführung des numerus clausus zu verzichten. Unter der zur Zeit fraglos erfüllten Bedingung,

daß der Exekutor weiß, worauf es im Film ankommt, hätte also das Reich jetzt eine vernünftige Regulierung des Filmbetriebs in der Hand? Wir möchten es glauben. Aber jede gesetzgeberische Maßnahme entwikkelt ein eigenes Leben aus sich heraus, dessen Richtung unabhängig ist von der des immer auswechselbaren Trägers der Exekutivgewalt. Und es scheint uns keinen Zweifel zu dulden, daß der Kontingent-Verordnung Tendenzen innewohnen, die sich unter den herrschenden Umständen verhängnisvoll auswirken werden. Sie gehen nicht zuletzt aus einer *Fehlkonstruktion* im Kern der Verordnung hervor.

III.

Angenommen selbst, daß die hier dem Gesetzgeber zugeschobene Argumentation den Tatbestand trifft und für die Herstellung substanzloser Konfektionsware faktisch die in der heimischen Filmindustrie wirkenden Ausländer verantwortlich zu machen sind, so heißt das doch noch nicht, daß die *Substanz eine Funktion der Staatsangehörigkeit, der Herkunft, der Abstammung* sei. Eben diese verkehrte Deutung des Tatbestandes gehört aber mit zum Fundament der Bestimmungen, und genau in ihr besteht die gemeinte Fehlkonstruktion. In anderen Zeiten hätte sie vielleicht keine bedenklichen Folgen, sondern träte hinter dem praktischen Zweck einer solchen Verordnung zurück; in unserer Zeit muß sie darum schädliche Wirkungen haben, weil sie eine weitverbreitete Anschauung gewissermaßen legalisiert. Die nationalistische Anschauung, derzufolge das Nationale sich nicht in substantiellen Leistungen offenbart, sondern, gleichviel im übrigen, wie es beschaffen ist, als deren alleinige und entscheidende Bedingung gilt. Sie macht die Substanz, die doch eine Sache für sich ist, zum Derivat des Nationalen schlechthin.
Der Tatbestand, der den Anstoß zur Verordnung gegeben hat, läßt in Wirklichkeit nur die Deutung zu, daß man bei uns nicht dazu fähig gewesen ist, dem ausländischen Einfluß wirkungsvoll zu begegnen. Mehr noch: man hat die Konfektionäre nicht etwa lässig geduldet, sondern sie begünstigt und ihre Ware positiv bewertet. Zum Teil aus Gründen, die jedenfalls nicht zu Lasten der betreffenden Ausländer fallen. Es muß

hier bündig erklärt werden, daß gerade die *verlogensten und hohlsten Produkte der Konfektion von breiten Schichten des deutschen Kinopublikums* mit besonderem Beifall aufgenommen worden sind. Die Branche hat sich nach den Kassenerfolgen gerichtet. Das Anschwellen der substanzlosen Filme kann also keineswegs allein auf die Tätigkeit der Ausländer zurückgeführt werden, sondern ist ebenso sehr in *unserer gegenwärtigen Mentalität* begründet. Enthielte sie genug Widerstandskräfte, so wäre der etwa von außen kommende schlimme Einfluß rasch gebrochen.
Nun könnte es scheinen, als ob die Verordnung dieser Mentalität die Chance gäbe, sich endlich zu kräftigen. Man hält den Patienten die Bazillen fern, die ihn fortwährend neu vergiften, und leitet so den Gesundungsprozeß ein. Hier liegt indessen ein *Kurzschluß* vor. Ohne zu untersuchen, wodurch eigentlich in Deutschland der Konfektionsfilm die Herrschaft an sich zu reißen vermochte, setzt man in der Verordnung stillschweigend voraus, daß das von der Ausländerei befreite Nationale die erwünschte Substanz von sich aus gewährleiste. Eine fragwürdige Übereilung. Denn sind auch vielleicht die Ausländer wichtige Förderer des Konfektionsbetriebes, so ist doch damit nicht erwiesen, daß sie die Infektion *primär* verursachen. Ungleich wahrscheinlicher ist vielmehr, daß die substanzlose Mache, die man uns heute im Film und anderswo bietet, vor allem durch die *ökonomischen, sozialen und politischen Verhältnisse der deutschen Nachkriegszeit* verschuldet wird und daß die ausländischen Routiniers nur deshalb eine so große Rolle bei uns spielen können, weil sie den (nicht durch sie erzeugten) Zuständen am geschicktesten Rechnung tragen. Für diese Auffassung spricht, daß ein hervorstechender Zug der üblichen Konfektionsfilme ihre schon erwähnte *Scheu vor der Wirklichkeit* ist. Sie betäuben die Massen, sie fliehen in Ideologien hinein. Eigentümlichkeiten, die ihren Grund in der Beschaffenheit unserer Zustände haben, nicht aber einem spezifisch ausländischen Geiste entspringen. Vertreibt man also die Ausländer aus dem Produktionsprozeß, so beseitigt man höchstens ein *sichtbares Symptom* des Übels, *ohne das Übel selber zu tilgen*. Die Verordnung berührt es kaum. Sie tut jedoch etwas anderes. Indem sie um der Erzielung eines gehaltvolleren Filmwesens willen die Ausländer verpönt, rückt sie in die Nähe jenes Vulgärnationalismus, der das Nationale als solches fälschlich

zum Garanten substantieller Leistungen erhebt. So verdeckt sie nicht nur die eigentlichen Gründe der im Film herrschenden Substanzlosigkeit, sondern versperrt auch die Aussicht auf die Gegenden, aus denen Substanz zu beziehen wäre. Da sie die Verhältnisse unverändert läßt, aus denen die Konfektions-Mentalität hervorgegangen ist, darf man einen Strukturwandel der Filmproduktion von ihr nicht erwarten, es sei denn, daß uns statt der leeren Operettenfilme noch mehr Militärfilme aufgetischt werden, die ebenso leer sind. Und da sie nur das nationale Moment anredet, in dem doch die von ihr gemeinte Substanz ohne weiteres gar nicht steckt, muß man von ihr eine Versteifung gewisser irriger (weil unfruchtbarer und rein reaktiver) Anschauungen befürchten, die heute unter der Masse umgehen.

IV.

Die erstrebte Substanzmehrung: wäre sie vielleicht durch irgendeine andere Fassung der Verordnung zu erreichen? Sie gehört zu den Wünschbarkeiten, die auf dem Verordnungswege überhaupt *nicht* zu realisieren sind. Gemäß den Ursachen, die den Substanzschwund herbeigeführt haben, vermögen nur große Umbrüche der Verhältnisse im Verein mit großen menschlichen Vorbildern einem Volk wieder zur Substanz zu verhelfen. Und immer wird es kontinuierlicher, lautloser, zielsicherer Erziehungsarbeit an vielen Stellen bedürfen, um die im Volk vorhandenen Kräfte heraufzuholen, zu wahren und zu formen.
In Wahrheit drängt die Verordnung auf eine Veränderung hin, die sie als Verordnung gar nicht bewirken kann. Sie verrät damit deutlich, daß ihr noch eine andere Tendenz als die gekennzeichnete innewohnt. Es ist die zum *autoritären Staat*. Er allerdings beruht auf der Voraussetzung, daß sich auch das nicht erzwingbare Leben der Gehalte von oben her regulieren lasse. Die Sehnsucht nach ihm, die heute viele beherrscht, mag aus der Leere des öffentlichen Wesens zu verstehen sein, aber sie sollte der Einsicht weichen, daß der autoritäre Staat an sich die Leere bestenfalls zu formieren, niemals indessen zu bannen vermag. Wenn echte Substanz, um sich durchsetzen zu können, Anspruch auf Autorität erheben darf und muß, so vermittelt doch die Autorität als solche darum noch

keinen Zuwachs an Substanz. Im Gegenteil! Wo sie gleichsam als Substanzersatz dient, ist sie nur die *Zuflucht der Schwäche*. Und sie hebt in diesem Fall die verdammenswerte Leere nicht auf, sondern bringt Veräußerlichung und kulturelle Erstarrung.

Wie die Kontingent-Verordnung den Sinn des Nationalen übersteigert, so auch den autoritärer Reglementierung. Wenn die in ihr angelegten Tendenzen sich ausleben dürfen, wird sie zur schweren Belastung für den deutschen Film.

(FZ vom 22. 7. 1932)

1 Das »Gesetz über die Vorführung ausländischer Bildstreifen« vom 15. 7. 1930, die Weimarer Kontingentbestimmungen, legte Kriterien zur Unterscheidung »deutscher« und »ausländischer« Filme fest, um den Filmimport zu beschränken. Ursprünglich als wirtschaftspolitische Schutzmaßnahme erlassen, wurde das Gesetz von seiten der Nationalsozialisten innenpolitisch instrumentalisiert und durch Neufassungen zum Zensurinstrument gemacht. Unter der Regierung Papen wurde am 28. 6. 1932 die »Dritte Verordnung über die Vorführung ausländischer Bildstreifen« erlassen (im Zuge der zweiten Notverordnung »des Reichspräsidenten gegen politische Ausschreitungen vom 28. Juni und die Verordnung des Reichsministers des Innern über Versammlungen und Aufzüge vom gleichen Tag«), die die Zensurvollmacht des Reichsinnenministers erheblich erweiterte.

2 Nach dem Rücktritt des zweiten Kabinetts unter Reichskanzler Brüning (1930-1932) übernahm Franz von Papen und sein »Kabinett der nationalen Konzentration« am 1. 6. 1932 die Regierung; nach Auflösung des Reichstags regierte Papen unter Ausschaltung der Legislative gänzlich auf der Basis von Notverordnungen des Reichspräsidenten. In seine Regierungszeit fielen u. a. die Aufhebung des Verbots der nationalsozialistischen Wehrverbände SS und SA und der Sturz der letzten SPD-geführten Regierung in Preußen.

3 Nach einer zweijährigen Debatte zwischen dem Reichsministerium des Inneren, der Reichspost und den Ländern, die ihren Niederschlag auch im Reichstag fand, wurde durch den Erlaß der »Leitsätze für die Neuregelung des Rundfunks« vom 27. 7. 1932 und der »Richtlinien für den Rundfunk« vom 18. 11. 1932 die Rundfunkordnung der Weimarer Republik organisatorisch und inhaltlich neu geregelt. Das Ergebnis war die vollständige Verstaatlichung des Rundfunks durch den Ausschluß privater Anbieter und seine Ausgestaltung zum Propagandainstrument der Regierung, indem den beiden Reichsministerien des Inneren und der Post bzw. den von ihnen bestellten Kommissaren die Vollmacht über die Programmgestaltung übertragen wurde. Zur »Neuregelung des Rundfunks« siehe auch *Werke*, Bd. 5, Nr. 672, 688 und 712.

692. Ablenkung oder Aufbau?

Zum neuen Ufa-Programm

Die *neue Ufa-Produktion* umfaßt 25 Tonfilme,[1] deren Titel, Inhalt und Besetzung dieser Tage bekannt gegeben worden sind. Werden sie ein anderes Gesicht als die der abgelaufenen[2] Spielzeit zeigen? Man kündigt sie mit zwei wichtigen programmatischen Erklärungen an, die sich leider nicht decken.

I. *Erklärung*: Sie rührt von Direktor Correll, dem Produktionschef der Ufa, her. Er kommentierte während der Ufa-Tagung[3] die neue Produktion mit folgenden Worten:

»Wenn auch heute noch die Gegenwart außerordentlich trübe erscheint, lebt doch ein starkes *Glaubensgefühl an eine Neubildung geistiger Anschauung* auf, dämmert eine *Hoffnung auf sichere Neugestaltung*. Es ist notwendig, daß die führenden Persönlichkeiten im Film die Entwicklung fühlen. Denn aus ihr bildet sich auch der kommende Film, *d.h. er wendet sich ab von der Befriedigung des Ablenkungsbedürfnisses* beim Publikum und muß dazu übergehen, dem *Aufbaugedanken Rechnung zu tragen*. Wir kommen dazu, Filme, ganz gleich, ob ernsten oder heiteren Charakters, zu schaffen, in denen nicht einfach ein ablenkender, heiterer Vorgang gezeigt wird, sondern in denen *Fragen gestellt werden, die wir beantworten müssen*. Wir wollen in Zukunft im Film Menschen sehen, die *positive und klare Ziele* verfolgen, die aus charakterlicher Veranlagung den Kampf mit der Umwelt aufnehmen und die national oder in rein menschlicher Form um ein erstrebenswertes Ziel innerlich ringen und weder durch konstruierte Zufälligkeiten noch durch krumme Wege ihr Ziel erreichen . . .«[4]

II. *Erklärung*: Sie findet sich in einem Artikel des *Film-Kurier*,[5] der sich eingehend mit der neuen Ufa-Produktion befaßt und übrigens auch in der *Licht-Bild-Bühne*[6] auszugsweise wiedergegeben worden ist. An seinem offiziösen Charakter ist um so weniger zu zweifeln, als die Ufa selber auf ihn als auf eine Informationsquelle verweist. In dem betreffenden Artikel heißt es:

»Die Ufa trägt mit ihrem Programm bewußt der seelischen Verfassung der heutigen Welt Rechnung. Die Wirtschaftskrise, die private Not, die politische Zerrissenheit sind Faktoren, die das Publikum von heute nervenmäßig ungeheuer belasten. Was erscheint also nötiger als ein Programm von Filmen, die geeignet sind, das Publikum aus seiner seelischen Not herauszuführen: ihm teils Erhebung, teils Zerstreuung und teils Unterhaltung zu bieten? Dabei ist ebenfalls dem Zug der Zeit folgend dem stofflichen oder musikalisch erhebenden, dem ernsten und nachdenklichen Film gegenüber der leichteren Art ein größerer Raum geboten als in den Jahren zuvor.«

Während also die II. Erklärung teilweise noch am Zerstreuungsfilm festhält, der die vorjährige Produktion beherrschte, und ihn genau wie damals in eine durchaus fragwürdige Beziehung zur Not bringt, rückt die I. Erklärung unzweideutig von der Befriedigung des Zerstreuungsbedürfnisses ab. Es verlohnt sich, bei dieser Erklärung zu verweilen: »Neubildung geistiger Anschauung«, »Hoffnung auf sichere Neugestaltung« – alle Vokabeln, die in ihr nicht ohne Pathos verwandt werden, deuten darauf hin, daß die Ufa ihre kommende Produktionsepoche mit dem »neuen Kurs«[7] unserer Kulturpolitik in Übereinstimmung zu bringen sucht. Noch vor einem Jahr dachte sie nur an Zerstreuung und Amüsement; jetzt aber geht sie mit Hoffnungen schwanger, frohlockt über den »neuen Kurs« und hält die Zeit des Aufbaus endlich für nahe. Die Art, in der sie dem »Aufbaugedanken« zu huldigen beabsichtigt, wirft, nebenbei bemerkt, nachträglich ein besonders schlechtes Licht[8] auf die Art, in der sie bisher die Zerstreuung pflegte. Denn wenn Direktor Correll proklamiert, daß man, eben um des »Aufbaugedankens« willen, nunmehr Filme zeigen wolle, »in denen Fragen gestellt werden, die wir beantworten müssen«, so räumt er damit zugleich ein, daß die früheren Filme solche Fragen nicht aufgeworfen haben. Und indem er in den zukünftigen Filmen Menschen fordert, »die positive und klare Ziele verfolgen, die aus charakterlicher Veranlagung (– warum nicht aus Gründen der Erkenntnis? Anm. d. Verf. –) den Kampf mit ihrer Umwelt aufnehmen ... und weder durch konstruierte Zufälligkeiten noch durch krumme Wege ihr Ziel erreichen«, stellt er den Menschen der alten Zerstreuungsfilme kein sehr günstiges Zeugnis aus. Er tut recht daran. Nur vermögen wir nicht zu begreifen, warum die von ihm verheißene neue Produktionsrichtung[9] gerade erst heute fällig ist und inwiefern sie mit der »Hoffnung auf sichere Neugestaltung« zusammenhängt. Auch und gerade in den vergangenen Jahren hätten wir gerne Filme gesehen, die wichtige Fragen behandeln und einleuchtende[10] Ziele setzen. Dergleichen war stets aktuell und verstand sich eigentlich immer von selbst. Das von dem Produktionschef der Ufa abgegebene Versprechen kommt ein wenig spät und seine Begründung läßt darauf schließen, daß es weniger aus dem Zwang der Sache als aus Opportunität erfolgt.

Wird es eingelöst werden? Oder trifft eher die zweite Erklärung zu, die ohne »Aufbaugedanken« auskommt und sich gewissermaßen mit Minimalforderungen begnügt?
Das Programm sieht unter anderem folgende Filme vor:
MORGENROT.[11] Er behandelt eine U-Boot-Episode und wird im Artikel des *Film-Kurier* ein »nationaler Großfilm« genannt.
STRICH DURCH DIE RECHNUNG.[12] Ein Film, der »in die Gewohnheiten und Lebensformen der Radrennfahrer« einführt.
KAMERADIN.[13] Behandelt die »heute von Millionen erlebte Liebes- und Lebenskameradschaft zwischen Mann und Frau«.
ALARM FÜR GLEIS B.[14] Der Film »erfaßt die Welt der modernen Eisenbahn mit klarem Blick«.
EIN BLONDER TRAUM.[15] Zwei Fensterputzer und eine junge Artistin sind die Helden »einer wirklichkeitsnah aufgebauten, aber romantisch gemütvoll umrankten Handlung«.
Hinzu kommen:
Abenteurerfilme, in denen zum Beispiel eine technische Zukunftsphantasie, das Leben der Rauschgifthändler und das Mädchenhändler-Milieu veranschaulicht werden;[16]
Gesellschaftskomödien;
musikalische Komödien;
zwei Kriminalfilme.
Über den Wert der einzelnen Filme kann heute noch nicht geurteilt werden. Aber soviel verrät schon die Programmgestaltung als solche: daß kaum in einem Film – es sei denn in KAMERADIN – »Fragen gestellt werden, die wir beantworten müssen«. Es gibt derartige filmreife Fragen in Menge: das Siedlungswesen, das Leben der jugendlichen Erwerbslosen, die Stellung des Studenten in der heutigen Gesellschaft, das Angestelltenproblem usw. usw. In allen[17] diesen Filmen sind sie nicht einmal an-

geschnitten. Und wo wäre dem »Aufbaugedanken« Rechnung getragen? Das Programm schweigt sich, entgegen der Ufa-Erklärung, über ihn aus.
Kurzum, die »Hoffnung auf sichere Neugestaltung«, der sich die Ufa hingibt, scheint sie in uns nicht erwecken zu wollen. Sie sagt zwar zu, daß sie »seltene, im Film noch nie gezeigte Landschaften ...« vorführen werde, die den Hintergrund für die verschiedenen Handlungen bilden sollen, doch die Handlungen selber bleiben offenbar annähernd so, wie sie waren. Unter den Manuskriptverfassern begegnet man wieder den alten Konfektionären, und zu den Hauptstars gehören auch in der kommenden Saison Lilian Harvey, Willy Fritsch und Hans Albers. Zweifellos birgt das Programm Attraktionen, die gute Kassenerfolge sichern; aber ich wüßte nicht, wodurch es die Ideologien rechtfertigte, mit deren Hilfe die Ufa diese Erfolge verklären möchte.

In dem kürzlich angelaufenen[18] ersten Film der neuen Produktion: SCHUSS IM MORGENGRAUEN[19] geschehen jedenfalls keine Zeichen und Wunder. Eine Bande von Juwelendieben wird von der Kriminalpolizei mit List und nach einem heftigen Feuergefecht liquidiert. Man hat schon besser konstruierte Reißer gesehen.[20] Wer wollte bestreiten, daß ein solcher Spannungsfilm das Ablenkungsbedürfnis befriedigt? Mit dem »Glaubensgefühl an eine Neubildung geistiger Anschauung« dagegen hat er so wenig wie seine Vorgänger zu tun.
(FZ vom 28. 7. 1932)

1 Im Typoskript (KN): »23 Tonfilme«.
2 Im Typoskript: »verflossenen«; zur Ufa-Produktion 1931/32 siehe Nr. 652, 655 und 656.
3 Im Juli 1932 fand die Jahreshauptversammlung der Ufa statt. Hugo Corell, der erst vor kurzem in die Leitung des Konzerns berufen worden war, hielt das programmatische Referat.
4 Zitat aus dem Referat Corells, abgedruckt in: *Film-Kurier* vom 20. 7. 1932, Nr. 169, S. 1 und 3.
5 Siehe [anonym], »Dreiundzwanzig neue Ufa-Filme. Wieder imponierendes Angebot vieler neuartiger Großfilme – Morgen beginnt Konvention unter Ludwig Klitzsch«. In: *Film-Kurier* vom 18. 7. 1932, Nr. 167, S. 1 f.
6 Siehe [anonym], »Eindrücke und Bemerkungen zum Ufa-Programm 1932/33«. In: *Lichtbild-Bühne* vom 18. 7. 1932, Nr. 166, S. 3 f.
7 Siehe Nr. 691, dort auch Anm. 1 und 3.
8 Im Typoskript: »wirft ein schlechtes Licht«.

9 Im Typoskript: »der von ihm verheißene Wandel der Produktion«.
10 Im Typoskript: »einwandfreie«.
11 Siehe Nr. 707.
12 STRICH DURCH DIE RECHNUNG. Alfred Zeisler. DE 1932.
13 Der Film ist nicht in den deutschen Zensurlisten verzeichnet.
14 Gemeint ist: GLEISDREIECK. ALARM AUF GLEIS B. Robert Stemmle. DE 1936.
15 EIN BLONDER TRAUM. Paul Martin. DE 1932.
16 Im Typoskript: »in denen zum Beispiel das Leben der Rauschgifthändler und der Mädchenhändler gezeigt wird«.
17 Im Typoskript: »Aber in allen«.
18 Im Typoskript: »In dem dieser Tage angelaufenen«.
19 SCHUSS IM MORGENGRAUEN. Alfred Zeisler. DE 1932.
20 Im Typoskript lautet der vorangehende Satz: »Man hat schon besser konstruierte Reißer gesehen, – ich erinnere an den TIGER [siehe Nr. 597] – und weder die guten Darsteller [Heinz Salfner, Ery Bos, Karl Ludwig Diehl, Theodor Loos, Fritz Odemar, Peter Lorre, Gerhard Tandar, Kurt Vespermann, Ernst Behmer, Curt Lucas, Hermann Speelmans, Genia Nikolajeva] noch gar die geübte Mache veredeln die Qualität.«

693. Ausländische Filme

Filmrez.: DER TUGENDKÖNIG / LE ROSIER DE MADAME HUSSON. Bernard-Deschamps. FR 1932; EINE STUNDE MIT DIR / ONE HOUR WITH YOU. Ernst Lubitsch. US 1931/32.

Eine französische Satire

Keck und reizend wie Maupassants Novelle *»Le rosier de Madame Husson«*[1] ist auch der nach ihr gedrehte französische Film: DER TUGENDKÖNIG. Um einen Begriff von seinen Vorzügen zu geben, muß ich den Inhalt wenigstens andeuten. In einer französischen Provinzstadt wird jedes Jahr eine Tugendkönigin gewählt. Da zur Zeit der Handlung aber die Tugend unter den Mädchen ausgestorben zu sein scheint, fällt die Wahl ausnahmsweise auf einen Jüngling, der ein vollendeter Trottel ist. Er wird gekrönt und erhält ein Diplom, das seine Tugend preist. Beim Festessen trinkt er zuviel, besteigt dann im halben Rausch einen Omnibus nach Paris und gerät mit seinem Diplom in ein öffentliches Haus. Hier gewinnt er Geschmack an der Liebe, verliert dabei allerdings die ihm bestätigte Tugend.
Der Zauber dieses Lustspiels erklärt sich weder aus der Kunst der Dar-

steller und des Regisseurs *Bernard-Deschamps* noch etwa aus der Verwirklichung neuartiger filmischer Möglichkeiten, sondern rührt einzig und allein von gewissen Eigentümlichkeiten her, die ihm wie selbstverständlich innewohnen. Französischer Esprit und französische Lebensauffassung bewähren sich in dem Film. Sie durchsetzen ihn, sie erzeugen seine Pointen, gewiß ist er auch von begabten Kräften geschaffen; aber den Erfolg, der ihm mit Recht zuteil geworden ist, verdankt er doch nur jenen Qualitäten, die ihm als eine *natürliche Voraussetzung* zugrunde liegen und schlechterdings unnachahmlich sind.

Oder wäre es zum Beispiel in einem anderen Lande möglich, den herrschenden Kleinbürgertypus, Provinzgebräuche und nationale Gepflogenheiten so anmutig-frech zu verspotten? Das sichere Frankreich produziert und erträgt diesen Spott. Unter den Ansprachen, die auf den Tugendtrottel gehalten werden, findet sich auch die obligate des Ministers. Aber der Minister ist nur in Gestalt eines Grammophons zugegen, auf dem die bei solchen Gelegenheiten ein für allemal übliche Rede abgespult wird. So geht es weiter. Während die Marseillaise zu Ehren des Tugendkönigs ertönt, macht dieser eine besonders klägliche Figur, unter der das Ansehen der Nationalhymne zu leiden hat. Und nachdem der Held verschwunden ist, benimmt sich der Feuerwehrkommandant, der ihn zu suchen hat, wie Napoleon vor dem Antritt einer ruhmreichen Expedition.

Auch der unvergleichliche Charme, mit dem die Frivolität vergegenwärtigt wird, ist nicht zu verpflanzen. Bezeichnend für ihn ist vor allem die gewagte Szene zwischen dem Mädchen und dem diplomierten Jüngling im Bordellzimmer. Statt daß die beiden selber erscheinen, ist nur das Zimmer zu sehen, in dem sich das Publikum, das die Bewegung des Aufnahmeapparates mitzuvollziehen genötigt wird, mehrmals umherdrehen muß. Bei der ersten Drehung zeigt sich die Toilette des Mädchens, bei der zweiten erblickt man die Kleider des Liebesnovizen über einem Stuhl. Ich wüßte nicht, wie man diesen für die Handlung entscheidenden Auftritt delikater hätte darstellen können. Aber ich erinnere mich mancher Filmlustspielszenen anderer Nationalität, die rein thematisch viel harmloser waren als diese und doch plump und anstößig wirkten.

Der französische Film darf sich eben darum jede Freiheit erlauben, weil er

sie nirgends mißbraucht. Er gründet die Schnödigkeit in Trauer und verbindet das Frivole mit dem in Frankreich heimischen Wirklichkeitssinn. Von einem großartigen Realismus ist die Szene im Morgengrauen. Der Hausdiener des Bordells fegt die Schmutzreste zusammen, die das einzige Überbleibsel der nächtlichen Vergnügungen sind. Aus dem Draht des Kranzes, der das Haupt des einstigen Tugendkönigs schmückte, macht er sich einen neuen Schlüsselbund zurecht, und mit dem zerfetzten Ehrendiplom putzt er sich seine Schuhe. Wird so wie hier die Grenze der Lust durchschaut, dann hat es mit dieser seine Richtigkeit.
Es wäre zu wünschen, daß der entzückende Film überall gezeigt würde. Nicht seiner (allerdings hervorragenden) Mache wegen, sondern um der *Substanz* willen, die ihn vor den meisten anderen Filmen auszeichnet. Man kann nichts aus ihm lernen; aber man kann an ihm abmessen, was der übrigen Produktion fehlt.

Amerikanische Komödie

Der neue *Lubitsch*-Film: EINE STUNDE MIT DIR ist das genaue Gegenteil jenes französischen Films; das heißt: die vollendete Substanzlosigkeit. In dem unseligen Hollywood scheinen nachgerade alle Substanzen ausgelaugt zu werden. Man verfährt dort nach einem Kodex,[2] von dem man zu glauben scheint, daß er internationale Gültigkeit besäße. Indem man aber nur Stoffe, Typen und Gesten passieren läßt, die angeblich der allgemeinen Nachfrage entsprechen, beraubt man die Filme sämtlicher besonderer Gehalte und bringt Surrogate zuwege, die hoffentlich eines Tages überhaupt nicht mehr erfragt werden. Sie bestehen aus lauter Abstraktionen und haben mit zu hohen Allgemeinbegriffen die Inhaltsarmut gemein. Aus Liebe wird in ihnen Liebelei, aus einer idealen Gestalt ein Star[3] und aus der Wirklichkeit ein Schatten. Der Lubitsch-Film ist bereits auf diesem Nullpunkt angelangt. Er spielt in einem Milieu, in dem die Weltnot unbekannt ist, und zieht das Nichts eines überflüssigen Ehebruchs unerträglich in die Länge. Was nutzt die auf ihn verwandte Regiekunst? Sie gleicht der Kunst des Friseurs und ist gerade darum erbärmlich, weil sie sich ohne Beziehung zu irgendeinem bedeutenden Stoff entwickelt. *Maurice Chevalier* ist mit ins Verderben gerissen wor-

den. Er, der einst groß war, als er im Empire die »Valentine« sang,[4] und sich noch damit begnügte, ein Pariser Gamin zu sein, muß heute amerikanisch und deutsch parlieren und hat damit sein Wesen verloren. Man hat ihm aus Geschäftsgründen Weltgeltung verschafft und ihn zugleich zum Markenartikel entwertet. Dabei spürt man überall seine Natur durch und merkt auch, was Jeanette MacDonald zu leisten vermöchte. Schauriger Anblick: Wie diese beiden sich zu Allerweltsfiguren erniedrigen.[5]
(FZ vom 9. 8. 1932)

1 Drehbuch: Bernard-Deschamps (d. i. Dominique Deschamps) nach Guy de Maupassant, *Le rosier de Madame Husson* (1888); dt.: *Der Rosenjüngling der Madame Husson* (1964).
2 Zum Production Code siehe Nr. 671, Anm. 3.
3 Im Typoskript: »eine Allerweltsfigur«.
4 Siehe Nr. 596.
5 Im Typoskript (KN): »Schauriger Anblick: wie diese beiden erniedrigt worden sind.«

694. Realistische Lösung

Filmrez.: LA CHIENNE. Jean Renoir. FR 1931.

Aus welchen Gründen man uns in Deutschland gerade die besten französischen (und amerikanischen) Filme vorenthält, ist mir unbekannt. Tatsächlich hat man dem deutschen Publikum weder: JEAN DE LA LUNE[1] übermittelt, eines der reizendsten Kammerspiele, die seit langem gedreht worden sind, noch den Film von *Jean Renoir*: LA CHIENNE.[2] Gerade dieses Werk bei uns einzuführen, wäre aber sehr nützlich. Denn es ist ein gutes Beispiel für jenen *Realismus*, den der Film im allgemeinen und der deutsche Film im besonderen offenbar nicht aufzubringen wagt. Im Gegenteil! Der Film verleugnet bei uns, wie man weiß, die Wirklichkeit, wo er nur kann, und ergeht sich lieber in den ausschweifendsten Illusionen, als daß er das Leben richtig widerzuspiegeln versuchte. Und doch gäbe es keine entscheidendere Aufgabe in Deutschland als die Schärfung des Blicks für die Realität. Unter seiner Stumpfheit haben wir, nicht zuletzt in politischer Hinsicht, viel und unnötig zu leiden gehabt.

Die Handlung des Films: LA CHIENNE entwickelt sich wie folgt: Ein älterer, mit einer Xanthippe verheirateter Bonhomme, der in seinen Mußestunden der Malerei huldigt, knüpft eine Beziehung mit einer Grisette an, die einen Zuhältertyp zum Freund hat. Da sie diesem ganz ergeben ist, hilft sie ihm, die Bilder des Malers heimlich in den Handel zu bringen. Der Coup gelingt, und der Zuhälter macht sich bald ein Vermögen. Eines Tages entdeckt der Bonhomme von Maler, daß er elend betrogen worden ist, seine Arglosigkeit weicht der Verzweiflung, und er ermordet das Mädchen, das ihn allein noch mit dem Leben verband. Durch eine Reihe von Zufällen wird nun nicht er, sondern der Freund der Tat bezichtigt und ins Gefängnis gesetzt. Die Frage ist: zieht man im Film seine Unschuld ans Tageslicht, oder läßt man ihn für ein Verbrechen büßen, das er – zufälligerweise – nicht begangen hat?

Ich bin davon überzeugt, daß die üblichen Manuskriptschreiber die erste Lösung bevorzugt hätten. Und zwar hätten sie aus zwei Motiven heraus den Zuhälter entlastet und dem Maler den Prozeß angedreht. Einmal darum, weil gemäß der bei uns herrschenden Auffassung der Film das Leben, in dem sich ja manchmal Justizirrtümer ereignen, nicht demonstrieren, sondern beschönigen soll. Zum andern darum, weil der für den Mord verantwortlich gemachte Maler gar noch zum (pseudo-) tragischen Helden angeschwollen wäre und ein Film mit einem tragischen Helden nach der Meinung unserer Filmkonfektionäre mehr taugt als ein Film, der das reale Dasein schildert, in dem die tragischen Helden keineswegs überwiegen. Kurzum, man hätte in hundert gegen eins Fällen auf Kosten der Lebensechtheit einer billig zu erlangenden Wahrheit die Ehre gegeben und leichter Hand die sogenannten höheren Bedürfnisse befriedigt.

Renoir läßt, der Romanvorlage folgend,[3] den Widersinn scheinbar triumphieren. Der Maler schweigt während der Gerichtsverhandlung, er ist zu feig oder zu gelähmt, um sein Verbrechen einzugestehen. Da kein Verdacht auf ihn fällt, wird der Freund des Mädchens guillotiniert. Dergleichen pflegt zu geschehen. Es gibt diese Hündinnen, diese älteren Männer, die mit dem Leben nicht fertig geworden sind, und diese schurkischen Kerle. Und die Stärke des Films ist eben die, daß er sich dem Anblick wirklicher Menschen und ihrer Handlungen nicht entzieht, sondern ihm standhält; daß er den Sieg der Ungerechtigkeit offen darstellt, statt ihn zu vertuschen. Verherrlicht er etwa die Ungerechtigkeit? Er tut nur nicht so, als sei sie ohne weiteres aus der Welt zu schaffen, und veranschaulicht überdies, auf welch vertrackten, kaum sichtbaren Wegen das Leben jene Ausgleiche bewerkstelligt, die unserem Gerechtigkeitsbedürfnis annähernd genügen. Dem Film klappt ein Epilog nach, aus dem hervorgeht, daß der Maler zum Vagabunden herabgesunken ist, der nicht einmal mehr weiß, daß er einst Maler gewesen war. Die Strafe hat ihn mittelbar ereilt, er vegetiert kläglich dahin. Während in der Mehrzahl der Filme die Gerechtigkeit, entgegen jeder Erfahrung, offene Türen einrennen darf, ist sie hier wie in der Wirklichkeit selber nur hinter einer Wand zu ahnen; das heißt, sie erzeugt sich dadurch, daß sich zwei Ungerechtigkeiten aufheben.

Am Können fehlt es bei uns durchaus nicht; wohl aber an der realistischen Gesinnung, die aus diesem Film spricht. Zu ihr sollten auch unsere Filme erziehen. Denn die Kraft, das unverstellte Leben ins Auge zu fassen, ist eine Vorbedingung echten politischen Handelns.[4]

(FZ vom 16. 9. 1932)

1 JEAN DE LA LUNE. Jean Choux. FR 1931.
2 Kracauer machte von Ende August bis Mitte September 1932 Urlaub in Royan (Bretagne) und Paris, wo er beide Filme gesehen haben dürfte.
3 Georges de la Fouchardière, *La Chienne*. Paris: Michel 1930.
4 Zu diesem Film siehe auch Nr. 704.

695. Zwei Frauen im Film

Filmrez.: MATA HARI. George Fitzmaurice. DE 1932; DER TRÄUMENDE MUND. Paul Czinner. DE 1932.

Greta Garbo

Da geht man ins Kino, um die *Garbo* zu sehen, und sieht sie auch – aber in welcher Umgebung! Inmitten eines Unrats von Peinlichkeiten und erlogenen Gefühlen muß sie erscheinen. Wenn eine Industriefirma Maschinen erzeugt, so ist es in Ordnung; wenn sie jedoch ihren Kundenkreis zu Tränen rühren will und sich in dieser Absicht bedeutender

Stoffe bemächtigt, so kommen in der Regel schlimme Dinge heraus; mag auch das Publikum tatsächlich schluchzen. Der Film: MATA HARI übertrifft noch die Befürchtungen derer, die schon in Gedanken daran, daß man in Hollywood ein solches Thema bearbeiten könne, von ungünstigen Vorahnungen geplagt worden sind.[1] Kein Effekt, den uns Metro-Goldwyn-Mayer diesmal schuldig geblieben wäre; keine melodramatische Szene, die sich nicht zu Erpressungszwecken unerträglich lang hinauszöge. Der Delinquent am Anfang wird nicht nur erschossen, sondern zeigt sich auch noch nach der Hinrichtung mit gekrümmten Gliedern. Und der Abschied des erblindeten russischen Offiziers von Mata Hari ist eine Seelenzuckertorte von so gewaltigem Umfang, daß man sie niemals aufessen kann. Liebe, Verrat aus Dämonie, Glanz, Jugend, Trauer: all diese Daseinsformen und Gehalte werden wie irgendein neuentdecktes Ölfeld vom Spekulantentum skrupellos ausgebeutet, und mit ihrem puren Sensationswert macht es dann seine sensationellen Geschäfte.

Man sieht die Garbo, kann sie aber nicht einmal hören. Zu den Widerwärtigkeiten des Films kommt noch diese hinzu: daß seinen Darstellern die deutsche Sprache in den Mund gezwängt wird. Das aus dem Film: ANNA CHRISTIE[2] her bekannte, dunkle und rauhe Organ der Garbo mag anfechtbar sein. Doch es ist ihre Stimme, die einzige, die wirklich zu ihren Gebärden gehört. Hier verleibt man ihr eine fremde (an sich gar nicht schlecht klingende) Stimme ein, deren Weichheit durch das Mienenspiel stets Lügen gestraft wird. Noch fahrlässiger beinahe ist man mit einem alten General[3] umgesprungen, der seine fatale Rolle im lyrischen Ton eines jugendlichen Liebhabers herunterdeklamieren muß. Wann werden diese gedubbten Filme endlich von der Bildfläche verschwinden? Wenn man nicht eine Version mit deutschen Schauspielern vorzieht, ist nur das eine Verfahren richtig: die Originalsprache beizubehalten und die wichtigsten deutschen Texte in die Bildstreifen hineinzukopieren.

Immerhin *sieht* man die Garbo. Und sie hat soviel Natur, die manchmal ganz Kunst wird, daß es ihr an einigen Stellen gelingt, den elenden Kitsch zum Vergessen zu bringen, in dem jede andre erstickte. Am Krankenbett des Geliebten und dann weiter dem Ende zu ist sie gleichsam allein und vollkommen wirklich. Die ergreifenden Monologe ihres

Gesichts sind in diesen Szenen beredt genug, um hörbar zu werden, und sogar die erborgte Stimme bleibt auf der Strecke zurück.[4]

Elisabeth Bergner

Unmittelbar nach der Garbo ist den Berlinern wieder einmal *Elisabeth Bergner* zuteil geworden. Sie hat lange nicht mehr gespielt. Der für sie hergestellte Film nennt sich übertrieben poetisch: DER TRÄUMENDE MUND und ist, wie immer, von *Paul Czinner* inszeniert.[5] Zugrunde liegt ihm ein leichthin ernst gemeintes Boulevardstück Henri Bernsteins,[6] das durch die Verfilmung weder vertieft noch, was wünschenswerter gewesen wäre, verflacht worden ist. Denn es ist wirklich nicht einzusehen, warum die Frau des sympathischen Orchestermusikers in den Tod gehen muß. Weil sie plötzlich eine heiße Liebe zu dem berühmten Violinvirtuosen gefaßt hat, in dem sie auch den Glanz der Welt gesammelt findet, und nun nicht mehr weiß, zu welchem der beiden Männer sie fortan gehören soll? Indessen, die gewaltsame Lösung dieses etwas postumen Konflikts wirkt nur wie eine brüske Überrumpelung und nicht als ein notwendiges Finale, das tragisch heißen dürfte.
Es ist der Bergner nicht geglückt, die Konstruktion glaubhafter zu machen. Sie soll die kleine Frau des netten Musikers sein und zugleich das Weib, das den erfahrenen Virtuosen an sich zu fesseln vermag. Statt aber dieses aus jener hervorgehen zu lassen, spielt die Bergner durchweg ein Jungmädchen, das kapriziös auf seinem etwas kindischen Wesen beharrt. Sie trägt ihre Unreife zur Schau, sie behandelt die Sprache wie ein Spielzeug, das man mit sich herumzerrt und manchmal zerbricht. Zugegeben, daß sie diesen kaum der Pubertät entwachsenen Typus reizend und intelligent verkörpert. Nur ist die Art, in der sie ihn darstellt, schon fast zur Manier gediehen, und überdies traut man einem so bewußt verniedlichten Geschöpfchen nie und nimmer die Eroberung des abgebrühten Geigers zu. Die Anlage der Rolle ist so verfehlt, daß auch die paar Akzentverschiebungen keinen entscheidenden Einfluß erlangen. Gewiß, als Pflegerin ihres Mannes mischt die Bergner wundervoll Ernst und Verzicht, und wenn sie am Hals des Geliebten weint, enthüllt sich eine nicht erwartete volle Natur. Aber veranschaulichen diese wenigen

Auftritte auch, was die Bergner unter Umständen leisten könnte, so drängen sie doch nicht die viel zu dick aufgetragene Infantilität zurück, die keineswegs gleichbedeutend mit der dunklen Verwirrung ist, in der die Heldin allerdings befangen sein müßte.
Czinner hat unzweifelhaft Delikatesse; ja die Gestaltung eines qualvollen Traumes geht sogar noch über den bloßen guten Geschmack hinaus. Seine Regie erblickt im übrigen ihre Hauptaufgabe darin, den passenden Rahmen für die Bergner zu schaffen, und ist die gepflegte Arbeit eines sicheren Kunstgewerblers, der keine besonderen Einfälle hat. Mitunter hat er sich die Sache etwas zu leicht gemacht. So hätte er in einem Film, der die Einheit des Ortes wahrt, weder ein Pariser Restaurant mit einer Berliner Destille zusammenstellen, noch einen Schupomann am Ufer der Seine zeigen dürfen. Auch ist die Wohnung des Ehepaares für ein Orchestermitglied entschieden zu luxuriös. *Anton Edthofer* verleiht dieser Gestalt die Liebenswürdigkeit des schon halbwegs verbeamteten Künstlers und setzt sie vorzüglich vom Geiger *Rudolf Forsters* ab. Der ist mit seiner Rattenfängerstimme ein Frauengott ohne Makel.
(FZ vom 20. 9. 1932)

1 Mata Hari war der Künstlername der Tänzerin Margaretha Geertruida Zelle (1876-1917), die seit 1905 in Paris mit ihrem orientalischen Ausdruckstanz das Publikum begeisterte und für sich selbst eine phantastisch anmutende Biographie erfand; 1917 wurde sie in Frankreich der Spionage für Deutschland angeklagt, für schuldig befunden und zum Tode verurteilt; endgültig bewiesen wurde ihre Agententätigkeit jedoch nie. Der Stoff »Mata Hari« wurde bereits 1927 mit Asta Nielsen (siehe Nr. 228) und 1931 mit Marlene Dietrich (DISHONORED, siehe Nr. 653, Anm. 4) verfilmt.

2 Siehe Nr. 643.

3 Dargestellt von Lionel Barrymore.

4 Zu Greta Garbo siehe auch Nr. 709.

5 Zu weiteren Filmen von Paul Czinner mit Elisabeth Bergner siehe Nr. 161, 331, 504 und 636.

6 Drehbuch Paul Czinner und Carl Mayer, nach Henri Bernstein, *Mélo*. Pièce en 3 actes et 12 tableaux. Paris: Fayard 1930.

696. »F. P. 1« auf der Insel Oie

»F. P. 1« liegt nur zum Schein auf der Insel Oie. Bald wird die Insel wieder verödet sein, ohne daß darum die »F. P. 1« im Weltmeer auftauchte, in dem sie von Rechts wegen schwimmen sollte. Dennoch wird man spätestens gegen Jahresende »F. P. 1« überall sehen können; aber die Insel Oie zeigt sich dann nicht mehr mit.
Versteht man diese geheimnisvollen Zusammenhänge? Ich fange noch einmal von vorne an.

Was die Insel *Oie* betrifft, so existiert sie wirklich. Sie heißt, genau genommen, die Greifswalder Oie und ist vom Ostseebad Göhren auf Rügen aus in einer anderthalbstündigen Dampferfahrt zu erreichen. Eine winzige Insel mit einem Leuchtturm und einem Restaurant. Wer will, kann an einem Vormittag unzählige Mal ihre grüne Fläche umkreisen, die steil ins Meer abfällt. In normalen Zeiten wird das Miniatur-Eiland von 17 Menschen bewohnt.
Jetzt allerdings hat es vorübergehend starken Zuzug erhalten. Matrosen, deren bebänderte Mützen die Inschrift »F. P. 1« tragen, streifen auf der Insel herum, und neben dem roten Leuchtturm erheben sich hohe Gerüste. Hinter ihnen beginnt eine andere Welt. Der Rasen hört auf, und an Stelle des natürlichen Geländes entfaltet sich eine leere, sanft ansteigende Ebene, die aus Eisenplatten besteht. Sie hat einen künstlichen Glanz, schwebt über dem Meeresspiegel und zeichnet sich scharf vom Horizont ab. Begrenzt wird sie von Fragmenten moderner Fassaden, die aber in Wahrheit nur die Vorderseiten der Gerüste sind. Auch der Riesenkran, der einsam in den Himmel ragt, ist nicht das, was er zu sein vorgibt. Echt ist vermutlich nur ein Zelt am Rand der eisernen Plattform, in dem jedenfalls richtiges Bier ausgeschenkt wird.
Zweifellos hat man schon erraten, daß diese ganze Schein-Architektur zu Filmzwecken errichtet worden ist. In der Tat, die *Ufa* dreht hier große Stücke ihres Films: F. P. 1 ANTWORTET NICHT.[1]

Die rätselhaften Buchstaben, die nicht antworten, sind die Abkürzung für *»Flugzeug-Plattform 1«*. Unter dieser Bezeichnung ist eine künstli-

che schwimmende Insel zu verstehen, die als Stützpunkt für den transozeanischen Luftverkehr dient. Einstweilen gibt es eine derartige Insel nur in einem Roman von Kurt Siodmak,[2] dem der Ufa-Film den Titel und die offenbar sehr aufregende Spielhandlung entlehnt hat. Aber der Roman ist nicht etwa ein reines Phantasieprodukt, sondern nimmt ein Projekt vorweg, dessen Verwirklichung auf beiden Seiten des Ozeans ernsthaft erwogen wird. *A. B. Henninger,*[3] ein deutscher Ingenieur, hat ein solches Projekt bis ins kleinste ausgearbeitet. Er sieht ein Flugdeck von 500 Metern Länge und 150 Metern Breite vor, das sich 25 Meter über dem Meeresspiegel befindet und auf einer Reihe von Stempeln ruht, die in die unbewegten Meeresschichten hinabreichen. Die ganze Konstruktion ist an einem Tiefsee-Anker befestigt, um den sie sich je nach der Windrichtung drehen kann.
Da der Insel des Films die Pläne Henningers zugrunde liegen, kommt ihr eine gewisse Wahrscheinlichkeit zu. Und taucht sie gar erst einmal auf der Leinwand auf, so wird jedermann glauben, daß sie so auch wirklich sei. Man wird Flugzeuge auf ihr landen sehen, im Kommandoturm zu stehen meinen, mit den Passagieren im Hotel einkehren, tief unter der Plattform zwischen den Stempeln hindurchfahren und Schreckensszenen mit erleben, die sich freilich nur bei Siodmak ereignen. Aber alle Romane bleiben hinter dem Leben zurück. Wunderbarer noch als diese künftigen Illusionen sind unter allen Umständen die Vorkehrungen, mit deren Hilfe sie erzielt werden. Die Hotelanlage besteht nur im Modell; von den Stempeln hat man einige aus Blech improvisiert und bei Cuxhaven in die Elbe gesenkt; der rauschende Ozean ist die friedliche Greifswalder Bucht; ein Ausschnitt des Flugdecks, das eigentlich von den Stempeln getragen werden sollte, schmiegt sich dem Rasen der Oie an.

Gerade wird eine *dramatische Szene* in drei Versionen gedreht. Der Held, ein so kühner wie dämonischer Flieger, erklärt dem Kommandanten von »F. P. 1«, daß er die Station zerstört habe (oder zerstören wolle). Natürlich hat ihn eine Frau zu dieser Verzweiflungstat getrieben. Bitter weist der Flieger auf die Dame, die man leider während der Aufnahme nicht sieht, und schickt sich dann an, schlafen zu gehen. »Weck' mich, wenn es soweit ist«, sagt er zum Kommandanten, »man geht nicht alle

Tage unter auf einer sinkenden ›F. P. 1‹.« Immer wieder wird die kleine Szene wiederholt, und stets von neuem ertönen die mit tragischer Ironie übersättigten Worte. In der französischen Version wirken sie absichtlich affektiert, in der englischen sind sie das Zeichen männlicher Souveränität.[4]

Wenn in den Berliners Kinos Uraufführungen stattfinden, sind die Eingänge gewöhnlich von einem Haufen begeisterter Leute umlagert, die den *Stars* zujubeln wollen. Zwei Reihen Schutzleute müssen Lilian Harvey auf dem Weg zu ihrem Wagen behüten, sonst wird sie ein Opfer des Ruhms. Das Übermaß von Seligkeit, das diese jungen Film-Enthusiasten hier auf der Oie empfänden, ist wirklich nicht auszuschöpfen. Denn wer wandelt in stattlicher Naturgröße und prächtigem Fliegerdreß über die Plattform und spricht die Worte: »Man geht nicht alle Tage unter auf einer sinkenden F. P. 1«? *Hans Albers* persönlich. Um das Glück voll zu machen, ist auch *Conrad Veidt* zugegen; im selben Fliegerdreß, mit Einglas und Schal. Er ist der englische Sprecher.[5] Einmal sitzen sogar die beiden rein privat in der Kantine zusammen. Es gibt noch Lichtblicke in dieser düsteren Zeit.

Abend für Abend fährt der Dampfer mit den Darstellern und dem technischen Stab nach Göhren zurück. Die falschen Matrosen auf dem Verdeck sehen jetzt vollends wie richtige aus, und Echtheit und Unechtheit fließen merkwürdig ineinander. Das Blau der Ostsee täuscht das Mittelmeer vor, der Mann am Steuerrad muß ein Komparse sein. Göhren selber ist eine einzige Filmdekoration zu einem historischen Film aus der Zeit Kaiser Friedrich III., dessen Bild im Restaurationssaal eines Hotels hängt. Und obwohl die Häuser mit den Holzloggien, die Strandpromenade und die Andenkengeschäfte das Flutdeck und die Gerüste noch lang überdauern werden, wirken sie doch ungleich verschollener als drüben auf der Oie der Schein von »F. P. 1«. Bald gehen die Aufnahmen zu Ende. Dann wird Hans Albers verschwinden, der Glanz erlöschen und die Insel mit ihren 17 Menschen verlorener sein als je zuvor.

(FZ vom 30. 9. 1932)

1 Zu diesem Film siehe auch Nr. 703.

2 Üblicherweise: Curt Siodmak, *F. P. 1 antwortet nicht*. Berlin: Scherl 1931.

3 Die Bauten zum Film stammen von Erich Kettelhut, unter technischer Mitarbeit von A. B. Henninger.
4 Karl Hartl drehte 1932 als Ufa-Produktion sowohl die französische Version mit dem Titel I. F. 1 NE RÉPOND PLUS für Alliance Cinématographique Européenne (ACE), Paris, als auch die englische Version F. P. 1 (alternativer Titel: SECRETS OF F. P. 1) für Gaumont-British Picture Corporation Ltd., London.
5 D. h. der Darsteller der Hauptrolle in der englischen Version.

697. Neue Filme

Filmrez.: MIETER SCHULZE GEGEN ALLE. Carl Froelich. DE 1932; DER SCHWARZE HUSAR. Gerhard Lamprecht. DE 1932; DIE STEINERNEN WUNDER VON NAUMBURG. Curt Oertel und Rudolf Bamberger. DE 1932.

Geschichte eines Großstadthauses

Der Film: MÄDCHEN IN UNIFORM,[1] die erste *Kollektivarbeit* der Froelich-Film-Gesellschaft, ist ein so ungeheurer Erfolg gewesen, daß es schwer gewesen sein muß, das mit diesem Film begonnene Werk fortzusetzen und auszubauen. Welchen Stoff wählen, ohne in die übliche Bahn abzugleiten und zu enttäuschen? Man hat sich für das Hörspiel: *»Mieter Schulze gegen Alle«* von Auditor entschieden, einem Pseudonym, hinter dem sich mehrere Frankfurter Juristen verbergen sollen.[2]
Dieses Stück bietet in der Tat einer Spielgruppe wichtige Vorteile. Es enthält eine Menge von Personen, deren keine eine besondere Bedeutung beanspruchen kann, und legt den Hauptakzent auf die Zustandsschilderung. Alle Menschen sind hier Helden, oder richtiger: das Gegenteil von Helden, und alle leben sie unter den gleichen Bedingungen, von denen sie fühlbar geprägt werden. Sie sind Kleinbürger und bewohnen eine Mietskaserne, in der sie so dichtgedrängt hausen, daß sie einander ständig auf die Fersen treten. Was geschieht, was muß in einem solchen Falle geschehen? Die Klatschsucht feiert ihre heimlichen Siege, die jedesmal öffentlich ausposaunt werden, ein Wort gibt und hetzt das andere, und das Produkt sind Streitigkeiten, deren Ursache ein Nichts und deren Folge eine Kette von Beleidigungsklagen ist. Wie von selber gebiert der Urschlamm des Mietshauses solche Prozesse. Sie füllen Aktenberge,

ohne sie wirklich zu füllen, kosten ein Geld, das sie nicht wert sind, und beschwören über die Beteiligten und die Nichtbeteiligten Unheil herauf. Mit dem Ausweis dieses Milieus verbindet das Verfasser-Kollektiv auch die moralische Absicht, das Laster der Krakeelsucht zu bekämpfen und die Michael-Kohlhaas-Naturen[3] vor sachlich unbegründeten Katastrophen zu bewahren. Sprachrohr der Tendenz ist der geplagte Richter, der am Schluß den wildgewordenen Parteien ins Gemüt redet und durch einen Vergleich dem ganzen Unfug ein Ende macht.

Carl Froelich hat die Typen, die Zimmereinrichtungen und verschiedenen Situationen mit Liebe ausgemalt. Er stellt ein filmisches Mosaik zusammen, das sich sehen lassen kann, und veranschaulicht vor allem die Atmosphäre trüben Geschwätzes. Wenn die Beschreibungen dennoch nicht besonders fesselnd geraten sind, so rührt das unzweifelhaft daher, daß hier der Kleinbürgermuff auf kleinbürgerliche Art festgehalten ist. Liegt es an der Textvorlage oder an der Verfilmung: die Mietshaus-Szenerie ist zwar beobachtet, aber nicht durchdrungen. Es fehlt der Blick hinter die Kulissen des Alltags, jener Blick, der zu photographischen Einstellungen führt, die das Gewohnte in ungewohntem Lichte zeigen und es damit zugleich deuten. Die üblichen Dinge werden, im Gegenteil, so konventionell wiedergegeben, wie sie sich gemeinhin zeigen, und kaum je fällt auf den Wirrwarr ein Strahl aus einer anderen Welt. Auch der Richter gehört noch zu dieser.

Ernst Karchow macht ihn zu einer Figur, der man anmerkt, daß unter der Decke strenger formaler Sachlichkeit sympathische Gefühle sich regen. Der Mieter Schulze Paul Kemps ist nicht so sehr eine einheitlich durchkomponierte Gestalt, als eine Erscheinung, die in einzelnen Episoden erglänzt. Die mondäne Ida Wüst, die hier allerdings nicht am Platz wäre, ziehe ich für meinen Teil der mütterlichen weit vor.[4] Mit Ohrringen, dicker Halskette und einem impertinenten Lachen ausgestattet, fegt Trude Hesterberg als Metzgermeistersgattin durch das Stück.

Husarenstreiche

Aus den Schatzkammern der Geschichte hat die Ufa eine Episode hervorgekramt, die zwar so klein ist, daß man sie kaum sieht, aber dafür zur Zeit der Franzosenherrschaft spielt. Im Jahre 1812. Ein schwarzer Husar mit dem Totenkopf am Tschako erhält vom Herzog von Braunschweig den Auftrag, ihm die Braut wiederzubringen, die von Napoleon für einen anderen Mann beschlagnahmt worden ist. Natürlich gelingt der tollkühne Husarenstreich. Und die Freude über ihn wird noch dadurch erhöht, daß die aus den Franzosenhänden befreite Braut sich vom Herzog abwendet, um fortan ihrem Husaren anzugehören.

Mag sich die Geschichte in der Wirklichkeit auch weniger sinnreich zugetragen haben, im Film: DER SCHWARZE HUSAR spielt sie sich jedenfalls zwangsläufig so ab. Denn der schwarze Husar mit dem Totenkopf am Tschako ist kein anderer als *Conrad Veidt*, der doppelt verführerisch wirkt, wenn er in einer Uniform, die ihn womöglich noch schlanker macht, verwegene Attacken reitet. Wie sollte Mady Christians ihm widerstehen können? Außer dem Anblick dieser beiden werden uns zum Überfluß einige kriegerische Plänkeleien, der komische französische Gouverneur Wallburgs und bedeutende militärische Schauspiele geboten. Das Ganze klingt in die übliche pompöse Schlußapotheose aus, die diesmal dem Auszug der Regimenter in den Befreiungskrieg gilt.

Wie unschwer zu merken ist, handelt es sich hier wieder einmal um eine Mischung heute bewährter Effekte. Man könnte das Arrangement Gerhard Lamprechts und einige wunderschöne Bilder loben, aber im Grund kommt es in einem solchen Fall auf die bessere oder schlechtere Mache gar nicht an. Die Hauptsache ist vielmehr der Stoff selber. Und alles ist in bester Ordnung, wenn er durch Paraden und dergleichen jene Tendenzen ausbreiten hilft, die man kennt.

Nur anhangsweise erwähne ich noch, daß die Uraufführung[5] nicht nur stark beklatscht, sondern auch durch die Anwesenheit des Kronprinzenpaares ausgezeichnet wurde. Vielleicht hing das eine mit dem anderen zusammen. Nach der Premiere staute sich die Menge vor den Portalen des *Ufa-Palastes* und wartete gespannt und geduldig. Als dann der Exkronprinz[6] endlich erschien, schrie man ihm Hoch zu und ließ sich von seinem Lächeln besonnen. Nicht alle freilich zogen die Hüte. Und manch einer glaubte wahrscheinlich, daß sich der Film jetzt einfach im Freien fortsetze, und verglich unwillkürlich die auf der Straße gespielte historische Szene mit anderen, inzwischen offenbar längst vergessenen Szenen aus dem Weltkrieg, der Revolution usw., die jeder den Schatzkammern der Geschichte entnehmen kann.

Deutsche Plastik

Zum Schluß möchte ich auf den schönen Kulturfilm der Universal: DIE STEINERNEN WUNDER VON NAUMBURG aufmerksam machen. C.[urt] Oertel und R.[udolf] Bamberger schlagen in ihm einen neuen Weg ein. Sie wählen nicht Gegenstände, die in Bewegung befindlich sind, sondern suchen umgekehrt ruhende Dinge durch die bewegte Kamera zu erschließen. Dieser Versuch zeitigt ein wunderbares Ergebnis. Indem nämlich der Blick im Film so gelenkt wird, daß er die Gestalten und Gruppen immer wieder auf anderen, geschickt ausgesuchten Wegen umfahren muß, beginnt allmählich der Figurenreichtum zu leben. Die Stifter werden zu handelnden Personen, die Abendmahlszene etwa tritt förmlich aus dem Stein heraus, und alle Kompositionen verwandeln sich in Gebilde, deren Wirklichkeitsnähe erregt. Es fehlte nicht viel, und sie wandelten wie erweckte Schläfer umher.
(FZ vom 17. 10. 1932)

1 Siehe Nr. 666.
2 Das gleichnamige Hörspiel *Mieter Schulze gegen alle* des anonymen Verfasserkollektivs »Auditor« wurde 1931 unter der Regie von Manfred Marlo im Südwestdeutschen Rundfunk produziert; eine weitere Fassung entstand im selben Jahr unter der Regie von Rudolf Rieth bei der Westdeutschen Rundfunk AG, Köln.
3 Michael Kohlhaas, Titelfigur aus der gleichnamigen Novelle von Heinrich von Kleist (1810), wird durch sein verletztes Rechtsgefühl zum Räuber und Mörder im Kampf um das eigene Recht.
4 Ida Wüst (1884-1958) in der Rolle der Frau Schulze, der Mutter von »Mieter Schulze«; vor dieser Rolle hatte sie u. a. in DAS ALTE LIED (1930) und BOMBEN AUF MONTE CARLO (siehe Nr. 657) mitgewirkt.
5 Am 12. 10. 1932 im Ufa-Palast am Zoo in Berlin.
6 Gemeint ist der ehemalige Kronprinz Wilhelm von Deutschland und Preußen (1882-1951), der am 1. 12. 1918 auf den Thronanspruch hatte verzichten müssen.

698. Neue Filme

Filmrez.: DER CHAMP / THE CHAMP. King Vidor. US 1931.

Amerikanisches Volksstück

DER CHAMP: ein hinreißender Reißer. Erzählt wird in ihm die Geschichte eines von seiner Frau verlassenen Exboxmeisters, der mit seinem Jungen zusammenlebt. Er säuft und spielt, weil er sich über seinen Abstieg grämt, er ist eine Vagabundennatur, die sich nicht mehr retten kann. Sein einziges Glück ist der kleine Sohn, der ihm Kamerad, Freund und Mutter bedeutet. Tatsächlich begleitet Dick,[1] dieser winzige Kerl, den Champ auf allen Wegen und Abwegen, bringt ihn zu Hause ins Bett und sucht ihn vor jeder Gefahr zu behüten. Obwohl er noch ein Kind ist, hat er durch sein Schicksal doch schon die Erfahrung und Weisheit des Alters erlangt. Ich könnte mich nicht entsinnen, daß schon einmal eine solche Vater-Sohn-Beziehung dargestellt worden wäre. Sie ist merkwürdig und rührend und endet erst mit dem Tod des Champ, der aus Liebe zu Dink wieder einen Boxkampf wagt, in dem er siegt und zusammenbricht.
Ein hinreißender Reißer; bis auf das letzte (leicht zu streichende) Finale, dessen hundertprozentige Sentimentalität die Tränendrüsen allzu schrill, allzu amerikanisch alarmiert. Aber was schadet dieser feuchte Endspurt in einem trockenen Lande? Er vermag die Durchschlagskraft des Films nicht zu beeinträchtigen, sie, die so elementar ist, daß sie sich trotz der leidigen Verdeutschung ungebrochen behauptet. Welch ein Schauspieler ist aber auch *Wallace Beery*! Man erfährt, daß das Schicksal des Boxers ungefähr sein eigenes gewesen sein soll. Gleichviel, ob dieser Umstand die Echtheit der von ihm geschaffenen Gestalt vertieft hat: der Champ, den er auf die Beine stellt, ist ein völlig dreidimensionales, märchenhaft wirkliches Wesen. Ihm eignet die Gutmütigkeit der Stärke, der nicht zu bändigende Freiheitssinn, die Scham über sein Elend, die große Naivität. Wunderbar glaubwürdig, wie er der Spielleidenschaft verfällt, wie er angibt und renommiert und dann wieder ganz klein wird, wie er aus Verzweiflung mit den Fäusten gegen die Zellenwand hämmert. Das ist nicht eine erfundene, ausgetüftelte Figur, das ist ein leibhaftiger,

prächtiger Mensch, dessen ungeteilte Existenz noch in der kleinsten Äußerung steckt. Und *Jackie Cooper*! War der andere Jackie (im KID z. B.)[2] ein herziges Kunstbübchen, so ist dieser ein wahres Naturgeschöpf. Woher der Junge das Spielen hat? Als sei er selber der Dink des Films, so unbefangen und bis auf den Millimeter richtig führt er die Rolle durch. Er ist schnöd, besorgt, lausbubenhaft, kindlich, erwachsen, er beherrscht jede von ihm verlangte Nuance. Seinen Weinkrampf an der Leiche des Vaters wird man nicht mehr vergessen.

Die nie verblassende Ausdrucksgewalt dieses geschundenen und sonderbaren Paares ist nicht zuletzt der unvergleichlichen Regiekunst *King Vidors* zu danken. Er hat wie kaum ein zweiter ein Auge für die Realität. Mag er Bretterzäune um einen Trainingsplatz aufbauen, Straßenzüge zeigen, Ausschnitte einer Rennbahn vergegenwärtigen oder in abgeschlossene Interieurs entführen: immer ist die Wirklichkeit aufs Haar genau erkannt und widergespiegelt, und zwar nicht eine beliebige, sondern eben jene, die einzig und allein an die betreffende Stelle gehört. Vidor entdeckt gleichsam Wirklichkeiten, die wirklicher sind als die gegebene. Hinzu kommt, daß er mit derselben Virtuosität über Massenszenen und Soloauftritte verfügt. Die Bilder in der Stube des Champ stehen den großartigen Arenabildern nicht nach. Nirgends bildet sich eine Lücke. Das Leben bewahrt durchweg eine vollendete Dichte.

(FZ vom 21. 10. 1932)

1 Richtig: Dink; der Name wird im folgenden stillschweigend korrigiert.
2 Der »andere« ist Jackie Coogan (1914-1984), siehe Nr. 55 und Nr. 24, Anm. 4.

699. Arbeiter, lernt arbeiten!

Zu einem sowjetrussischen Tonfilm

Filmrez.: DELA I LJUDI. Aleksandr Mačeret. SU 1932.

In der Berliner Botschaft der Sowjet-Union wurde vor einigen Tagen einem geladenen Publikum der Tonfilm: DINGE UND MENSCHEN[1] gezeigt. Es ist der erste tönende Film, der aus Moskau zu uns kommt,[2] und er beweist unter anderem, daß die russische Tonfilmproduktion in technischer Hinsicht die unsrige eingeholt hat. Geräusche und Sprechorgane stufen sich vielfältig ab, und die Kamera ist beweglich wie früher geblieben. Beachtung verdient, daß auch die meisten Tonaufnahmen nicht im Atelier, sondern gleich an Ort und Stelle im Freien gemacht worden sind. Die Bevorzugung dieses Verfahrens zeugt vom realistischen Sinn der heutigen Russen.

Ich möchte die Fabel des Films andeuten, weil aus ihr einige interessante Folgerungen zu ziehen sind. Sie handelt von der Erbauung des Kraftwerks Dnjeprostroj und hat *pädagogische* Absichten. Jedenfalls ist die ganze erste Hälfte der schonungslosen Kritik am russischen Arbeiter gewidmet. Man beobachtet die verschiedensten Typen beim Bau und muß schließlich feststellen, daß sie eine Fülle von Lastern haben. Sie bedienen sich veralteter Arbeitsmethoden, sie geben sich, wo sie nur können, dem Genuß des Nichtstuns hin, sie greifen zur Flasche und schädigen überhaupt bei jeder Gelegenheit den sozialistischen Aufbau. Kein Wunder, daß die Arbeit nicht vorwärts rückt. Der gerade eingetroffene amerikanische Ingenieur, der die örtliche Leitung übernehmen soll, ist über die ganze Schlamperei äußerst mißvergnügt und sagt dem russischen Vorarbeiter seine Meinung offen ins Gesicht. Darob Empörung des Russen. Kommt es jetzt zum Konflikt oder werden die Arbeiter sich bessern? Sie bessern sich. Und zwar nicht nur deshalb, weil sie sich vom amerikanischen Ingenieur verachtet fühlen, sondern auch auf Grund der Lektüre eines amerikanischen Zeitungsberichts, in dem das Stocken der Arbeiten gegeißelt wird. Bei ihrem Ehrgeiz angepackt, beschließen sie, die Fahrt zur Baustelle fortan in einem Unterrichtswagen zurückzulegen, in dem man sie nun tatsächlich mit schwierigen technischen Problemen beschäftigt sieht. Ein Sieg nach dem andern wird so über die faule, schlechte Natur errungen. Mit dem Erfolg, daß die Arbeit flutscht und das riesige Kraftwerk wie irgendein Märchenschloß gleichsam über Nacht aus der Erde schießt. Der amerikanische Ingenieur aber, der ursprünglich ein starkes Heimweh nach New York hatte, ist mittlerweile etwas skeptisch gegen die Segnungen der westlichen Zivilisation geworden und nimmt sich vor, noch in der Sowjet-Union zu bleiben.

Ein Film wie dieser gibt uns mehr Aufschluß über das gegenwärtige Rußland als manche Reportagen, die das Produkt eiliger Besuchsreisen sind. Vor allem zeigt er deutlich, was man immer allzu leicht vergißt: an welchem Punkt die russischen Machthaber faktisch ansetzen müssen. Sie formen nicht eine bereits durch den Kapitalismus gegangene Bevölkerung um, die mit der Technik ihre aktiven und passiven Begegnungen gehabt hätte, sondern holen ganze Völkerschaften aus dem primitiven, vortechnischen Dasein heraus. Ihre Anstrengungen gelten sozusagen dem Urmaterial und wären daher auf europäische Verhältnisse niemals unmittelbar zu übertragen. Denn ginge es bei uns um Eingriffe in völlig ausmodellierte Strukturen, so handelt es sich dort noch um etwas anderes als um die Veränderung des Wirtschaftssystems und der Traditionen: nämlich um das Durchkneten von Völkermassen, die bisher kaum ein eigenes Bewußtsein hatten. Nichts ist merkwürdiger und wunderbarer als der vom Film veranschaulichte Zusammenstoß dieser gerade erweckten Menschen mit den modernen Maschinen. Arbeiter, in deren Gesichter sich die unendlichen Steppen und Wälder tief eingezeichnet haben, werden plötzlich aus der Naturverbundenheit herausgerissen und technischen Ungeheuern gegenübergestellt, die ihrerseits Erzeugnisse eines von der Natur abgelösten, rein rationalen Denkens sind. So ähnlich wie den Arbeitern muß den germanischen Stämmen zumute gewesen sein, als sie mit den Herrlichkeiten Roms Bekanntschaft schlossen. Der Film zeigt aber nicht nur das Mißverhältnis zwischen Dingen und Menschen, er versucht auch zu demonstrieren, wie sich diese der fremden Apparatur bemächtigen. Sie lernen wie brave Schüler, sie sind rührend beflissen. Der westliche Zuschauer sollte sich indessen klar darüber sein, daß hier das unbekannte Wissen nicht einfach übernommen wird. Indem die Russen von der Technik Besitz ergreifen, verwandeln sie diese zugleich und verleiben sie ihrer neuen Lebensordnung ein. Es läßt sich beinahe aus dem Film ablesen, wie sehr die Technik drüben ihre Funktion ändert. Die Maschinen scheinen ihren Hochmut und ihre Bedrohlichkeit abgestreift zu haben, und wenn am Schluß der amerikanische Ingenieur einen Blick aufs fertige Kraftwerk wirft, so verrät seine Gemütsbewegung, daß ihn nicht nur die technische Zweckmäßigkeit des Gebildes berührt.

Wenn ich diesem Film ein paar Aufklärungen über Sowjetrußland entnehme, habe ich damit seine Bedeutung für uns nahezu erschöpft. Er ist nicht wie die großen Revolutionsfilme Eisensteins und Pudowkins[3] einem internationalen Publikum zugekehrt, sondern dient von vornherein ausschließlich zum innerrussischen Gebrauch. Seine Aufgabe ist: im Interesse des Fünfjahresplanes die noch dem alten Schlendrian verfallenen Arbeitermassen zu mobilisieren. Da wir selber also im Film gar nicht angesprochen werden, können wir ihn auch nur von außen betrachten. Ja, nicht einmal das ist uns ohne weiteres möglich. Denn er enthält eine Menge von Wiederholungen und Exkursen, die den beteiligten russischen Zuschauern zweifellos unentbehrlich dünken, auf uns aber als ermüdende Längen wirken. Immerhin wäre seine öffentliche Aufführung von außerordentlichem Nutzen. Und sei es allein darum, weil sie unseren Kulturfilmen einen Spiegel vorhielte. Es versteht sich von selbst, daß die europäischen »Kulturfilme« nicht so zielbewußt und einheitlich ausgerichtet sein können wie die filmischen Instruktionen der Russen. Aber sie brauchten auch nicht so öde und inhaltslos zu sein, wie sie in Wirklichkeit sind. Immer wieder umgehen sie in weitem Bogen unser Dasein und flüchten in Regionen, deren Kenntnis uns nicht im geringsten betrifft. Der Film: DINGE UND MENSCHEN verstärkt den Wunsch nach Kulturfilmen, die diesen Namen verdienen. Es gäbe genug Dinge und Menschen, in die sie ungestraft hineinleuchten dürften. Aber die Angst davor, sich mit der Realität zu befassen, ist bei uns faktisch größer, als sie sein müßte.

Obwohl der Russenfilm nicht ästhetisch befriedigen, sondern zum Handeln anspornen will, berücksichtigt er doch auch zu seinem Glück das Bedürfnis nach Kontemplation. Eine Reihe von Szenen dienen weniger der Aktivierung, als der Betrachtung von Zuständlichkeiten. So jene, in denen der Amerikaner auftritt. Er ist eine kunstvolle Charakterstudie, die nichts weiter bezweckt als sich selber. Sie steigert sich zu einem Dialog von großartiger Komik, in dem sich der Amerikaner und der russische Vorarbeiter dadurch verständigen, daß sie in einemfort »Aoh« zu einander sagen.

(FZ vom 28. 10. 1932)

1 Der Film ist nicht in den deutschen Zensurlisten verzeichnet; u. d. T. TATEN UND MENSCHEN wird er erwähnt in: Staatliches Filminstitut der UdSSR (Hrsg.), *Der sowjetische Film.* Bd. 1. Von den Anfängen bis zur Gegenwart. Berlin: Henschel 1974, S. 197.

2 Der erste sowjetische Tonfilm, der auch in Deutschland öffentlich gezeigt wurde, war DER

WEG INS LEBEN / PUTEVKA V ŽIZN', siehe dazu Kracauers Rezension Nr. 659. DELA I LJUDI wurde bis Ende 1932 in Deutschland nicht öffentlich vorgeführt.
3 Siehe u. a. Nr. 229, 382 und 741.

700. Henny Porten über sich selbst

Rez.: Henny Porten, *Vom ›Kientopp‹ zum Tonfilm.* Dresden: K. Reißner 1932.

Zwar nennt Henny Porten ihr Buch: »*Vom ›Kientopp‹ zum Tonfilm*« im Untertitel: »Ein Stück miterlebter Filmgeschichte«, aber was wir miterleben dürfen, ist in Wahrheit einzig und allein sie selber. Sollen wir uns darüber beklagen? Es wäre nicht ganz gerecht. Denn wer sich wie sie trotz oder gerade wegen verschiedener Hinweise auf das Glück der Demut und der Bescheidenheit für ein Muster der Vollkommenheit hält, dem kann es kaum sehr verargt werden, daß er über der Betrachtung seines Ebenbildes alles andere vergißt. Und außerdem werden wir für die ausführlichen Schilderungen ihrer Rollen,[1] ihrer Erfolge, ihrer Beliebtheit beim Publikum usw. dadurch reichlich entschädigt, daß sie uns eine Reihe von »Empfindungen und Gedanken« preisgibt, die mehr das intime Leben betreffen. So erzählt sie uns zum Beispiel, daß ihr die Arbeit in der Küche große Freude bereitet, daß sie ein ganz moderner Mensch sei und daß sie sich aus Instinktgründen nicht zum Bubikopf zu bekehren gedenkt. Die Gedanken, die sie sich macht, beziehen sich sowohl auf die Kunst wie das Leben. »Ich glaube ja überhaupt«, erklärt sie einmal, »daß nur *das* Spiel anderen etwas sagen und in ihren Herzen Wurzeln schlagen kann, das selbst seine Wurzeln fühlt und sich ihnen verbunden weiß: Natur und Gefühl.« Es sei verraten, daß das übrige Gedankengut ebenso wurzelhaft ist. Kurzum, Natur und Gefühl sind hier unausschöpflich, und obwohl die nationalgesinnte Diva, sich einiger ihrer tragisch ausgehenden Filme erinnernd, uns an irgendeiner Stelle versichert, daß wir uns um die amerikanische Neigung zum happy end nicht zu kümmern brauchten, scheint ihr doch das eigene Dasein aus einer Folge paradiesischer happy ends zu bestehen.
(FZ vom 13. 11. 1932, Literaturblatt)

1 Siehe Nr. 160, 408, 481, 573 und 606.

701. Auf der Leinwand

Filmsammelrez.: FILMVERRÜCKT / MOVIE CRAZY. Clyde Bruckman. US 1932; DER WEISSE DÄMON. Kurt Gerron. DE 1932; DIE BLONDE VENUS / BLONDE VENUS. Josef von Sternberg. US 1932; DER MANN, DEN SEIN GEWISSEN TRIEB / BROKEN LULLABY. Ernst Lubitsch. US 1932; WER HAT HIER RECHT ...? / LADY AND GENT. Stephen Roberts. US 1932.

Harold Lloyds neuer Tonfilm: FILMVERRÜCKT, der jetzt in deutscher Fassung gezeigt wird, ist von einer so drastischen Komik, daß man aus dem Lachen nicht herauskommt. Nur ein Beispiel von zahllosen: ein Küken ist in ein Kanalisationsrohr gefallen, und Lloyd schafft es dadurch wieder nach oben, daß er Wasser ins Rohr fließen läßt. Munter erscheint das Küken auf dem Wasserspiegel im Tageslicht. Der Film hat eine geschlossene Handlung, die darin besteht, daß Harold als Filmenthusiast nach Hollywood reist, dort wider Willen lauter Unheil anrichtet und schließlich zu seiner eigenen Überraschung doch noch den ursprünglich ersehnten Kontrakt erhält. Natürlich ist diese einheitlich durchgeführte Handlung nur der oft kaum sichtbare Rahmen für eine Fülle von Improvisationen. Ihrer zwei sind in sich zusammenhängende Einfallsketten. Die eine entspringt einer Verwechslung. Harold tauscht bei einer Gesellschaft seinen Frack für den eines Zauberers ein, aus dem dann beim Essen und Tanzen eine Menge ungeahnter Dinge hervorbrechen. Weiße Mäuse machen sich selbständig, eine Taube fliegt durch die Luft des Saales und die Knopflochblume verspritzt in den unpassendsten Augenblicken Wasser. Die andere Improvisationsreihe vermischt Sein und Schein. Während einer gigantischen Aufnahme im Filmatelier stürzt sich Harold auf den gerade agierenden Darsteller, der im Privatleben sein Nebenbuhler ist, und ein äußerst roher Kampf hebt an, den der zufällig vorbeikommende Filmdirektor für die Haupt- und Staatsaktion eines eben in Arbeit befindlichen komischen Films hält. Er kann gar nicht aufhören zu lachen. Und obwohl er später über seinen Irrtum aufgeklärt wird, engagiert er doch Harold mit der Begründung, daß er ihn eben zum Lachen gebracht habe. In der Tat versteht sich Harold Lloyd auf diese Kunst wie nur wenige und hat sie im neuen Film so weitergebildet, daß sie die Form der bloßen Groteske schon manchmal sprengt. An seinen Höhepunkten nimmt der Film märchenhafte Züge an. Der

Held wird dann zum Tolpatsch, und der Tolpatsch zum Hans im Glück. Die Situationskomik allerdings bleibt zum großen Teil auf der Strecke zurück. Während bei Chaplin etwa irgendeine Verwechslung stets einen Hinweis auf die Unordnung in der menschlichen Gesellschaft enthält, ist sie bei Lloyd immer nur eine Verwechslung.

Der Ufa-Film: DER WEISSE DÄMON, den die Zensur aus unbekannten Gründen verboten hatte, ist jetzt doch freigegeben worden. Offenbar erst nach Strichen; denn hier und da ist eine Lücke zu spüren, in der etwas gesteckt haben muß, was man aber nicht allzu sehr vermißt.[1] Wenn es allein auf die Spannung ankäme, wäre dieser Film schlechthin vollkommen. Er stellt die Jagd auf eine Bande skrupelloser *Rauschgift*-Händler dar, bei deren Verfolgung noch dazu eine Sensation die andere jagt. Das fängt im Ozeanriesen an und hört im Wasserflugzeug auf. Dazwischen liegen Stationen wie die Kulissen eines Varietétheaters, eine Hamburger Hafenkneipe, FD-Züge in voller Fahrt, der Dachgarten des Pariser Hotels Grillon und Lissaboner Milieus. Mehr Schauplätze in anderthalb Stunden hineinzupacken, ist einfach nicht möglich. Hinzu kommen die Aufregungen der Fabel selber und das Tempo, in dem sie sich abwickelt. Über Verhaftungen, die nicht ausgeführt werden können, Attentate, die scheinbar glücken, Grammophon-Verabredungen, Revolverschüsse und andere Zwischenfälle geht es unaufhaltsam weiter bis zur Erledigung der Bande und der Entdeckung ihres geheimnisvollen Chefs. Die Lüftung seines Inkognitos ergibt eine Schlußpointe, die dem gewieftesten Detektivromanautor Ehre gemacht hätte. Kurzum, der Film hält die Zuschauer in Atem, und da er keinen höheren Ehrgeiz als diesen kennt, darf man mit ihm zufrieden sein. Um so mehr, als er von Kurt Gerron schmissig und mit großem Aufwand arrangiert worden ist. Die Schiffsszenen zu Beginn sind unterhaltend, die Effekte der einzelnen Auftritte klar aufgebaut und die Bilder sorgfältig ausgewählt. Wer anders als *Hans Albers* könnte der Held sein, der den Augiasstall reinigt? Er begibt sich in tausend Gefahren, um ihnen immer sieghafter zu entsteigen, und ist von Anfang bis zu Ende ein einziger Glanz. Dennoch wirkt er sympathischer als in früheren Filmen, weil er in diesem nicht nur auftrumpfen muß, sondern auch ab und zu hilflos sein darf. Schade, daß er nicht häufiger die Gelegenheit erhält, sich in den gemäßigten Zonen zu tummeln. Zu den Hauptstützen des Ensembles gehören Gerda Maurus, die das Laster der Rauschgiftsucht verkörpert, und Peter Lorre, dessen Verbrechertyp ausgezeichnet gelungen ist. Sein kahlgeschorener Kopf wirkt wie der eines Asiaten, der zum Zweck feingesponnener Verbrechen durch die europäischen Hauptstädte schleicht.

Über den Zivilisationskitsch, der sich im *Marlene Dietrich-Film* DIE BLONDE VENUS breit macht, ist kein Wort zu verlieren. Die blonde Venus fällt tief und immer tiefer, ohne eigentlich zu fallen, denn sie liebt ja nur ihr Kind, und weil sie ihr Kind so liebt, nimmt sie ihr Mann, der sie natürlich ebenfalls liebt, zuletzt wieder in Gnaden bei sich auf, obwohl sie doch tief gefallen war. Beinahe bedrückender noch als diese Rührseligkeit ist die künstlerische Art, in der sich *Josef von Sternberg*, dem sie aufoktroyiert wurde,[2] mit ihr abzufinden sucht. Er hätte sie in die Kolportage hineinzerren sollen und behandelt sie nobel. Die badenden Mädchen am Anfang, das Varieté, die südamerikanische Farm usw. – alle Szenen werden zu Bildern, die eingerahmt an der Wand hängen könnten. Und ein ewiges Dämmerlicht herrscht in ihnen, das sie noch anspruchsvoller macht. Das ist die Tonart für ein Kammerspiel, nicht aber für einen solchen Stoff. Indem Sternberg seinen Unwert zu adeln trachtet, statt ihn entschieden herauszustellen, erhöht er nicht etwa die Niedrigkeit der dem Stoff innewohnenden Gesinnung, sondern erniedrigt auch noch das Höhere. Denn die Kunst, die man aufs Imprägnieren von Leerläufen des Gefühls und gesellschaftliche Ideologien verwendet, wird von diesen herabgezogen und verliert ihren Sinn. Marlene Dietrich vollzieht natürlich den vermeintlichen Veredelungsprozeß mit. Das gewisse Etwas, das von ihr ausgeht und viele bezaubert, leidet aber bei ihrer Erhebung in die oberen Sphären, die gar nicht die oberen sind, schwere Not. Es kommt zum Vorschein, wenn sie die Dialoge der Beine beseelt. Übertönt sie dagegen als blonde Venus mit der Seelenharfe die Beine, so wird die Rangordnung in fataler Weise verkehrt. Nicht so, als ob sie bei der Darstellung der Mutterliebe, der Resignation usw. mimisch versagte. Das Peinliche ist nur, daß diese seelischen Zustände nicht, wie es zu fordern wäre, um ihrer selbst willen erscheinen, sondern als erotische Verführungsmittel dienen. Der unerträgliche Mißbrauch, der hier mit echten Empfindungen getrieben wird, enthüllt seine wahre Natur dort sehr deutlich, wo es sich tatsächlich darum handelte, die Beine zum Sprechen zu bringen. Auch in den Varietészenen möchte sich die Dietrich rein von oben her geben, und der Effekt ist der, daß sie nicht einmal wie einst im BLAUEN ENGEL[3] ein Prickeln erzeugt. Die Chansons[4] werden von Luftkissen erstickt, die bloße Andeutung der sinnlichen Reize verfehlt ihren Zweck. Das ist die Rache für die Ausnutzung der Seele im Interesse der Erotik: daß diese genau an den Orten zu kurz kommt, an denen sie sich von Rechts wegen zu zeigen hätte.

Unter den Filmen, auf die kurze Hinweise genügen, wäre die deutsche Fassung des *Lubitsch*-Films: DER MANN, DEN SEIN GEWISSEN TRIEB zu nennen, die bereits gelegentlich der Wiener Aufführung besprochen worden ist.[5] Die gegen den Krieg gerichtete Tendenz des Films in Ehren: aber das Übermaß sachlich unorientierter Sentimentalität entwertet zuletzt leider wieder die Tendenz. Großartige Regieeinfälle gehen durch. Abgesehen vom vielgerühmten Anfang, der den in Paris nach dem Waffenstillstand abgehaltenen Dankgottesdienst mit schlagender optischer Kritik vergegenwärtigt, ist eine geistreiche Szene zu loben, die dem Ton eine besondere Rolle zuerteilt. Während das Liebespaar durch den Ort wandelt, stürzen die Bewohner zu Beobachtungszwecken aus ihren Ladentüren, die mit Glöckchen ausgestattet sind. Und ohne daß man die Neugierigen selber erblickte, folgt den beiden Vereinten noch lange ein Gebimmel, das ihre zärtlichen Gespräche begleitet. Eine Abhandlung wäre zu schreiben über die sonderbare, in ihrer Bedeutung noch gar nicht durchschaute *Verschiebung nationaler Ausdrucksformen*, die der Tonfilm heute vornimmt. Der Film schildert ein deutsches Familienmilieu, das in Hollywood von amerikanischen Schauspielern produziert worden ist und nun, nachträglich eingedeutscht, in jenes Land zurückkehrt, aus dem es geholt worden war. Das Ursprüngliche wird so vielfach gebrochen; aber die Verzerrungen, die ihm widerfahren, erwecken eine Ahnung künstlerischer Möglichkeiten. Zweifellos weist der bedenkenlose Güteraustausch, den der Tonfilm bewerkstelligt, auf eine Zeit vor, in der sich die nationalen Eigenarten nicht nur gegenseitig abgrenzen, sondern miteinander vertragen werden.
Der *Bancroft*-Film: WER HAT HIER RECHT ...? verfolgt die nützliche

Tendenz, das Publikum über die Schattenseiten des Berufsboxertums aufzuklären. Die Manager sind oft skrupellos und entledigen sich zu ihrem Nutzen rasch der Kräfte, die sie verbraucht haben. Es bekommt Bancroft gut, daß er diesmal mehr Püffe zu erdulden als auszuteilen hat; denn die Passivität, die ihm durch die Rolle auferlegt wird, zwingt ihn zur Auswertung aller seiner reichen darstellerischen Mittel. Sehr lustig ist der Kampf zwischen seiner Schwere und dem schlagfertigen Mundwerk der Ehepartnerin, die den großen Mann keifend am Gängelband führt.

ZIGEUNER DER NACHT:[6] ein heiterer Kriminalfilm mit Musik von Paul Abraham. Harmlose Unterhaltung; nicht unwitzig gemacht. Jenny Jugo zeigt wieder einmal ihre Begabung für charmant-komisches Ungeschick.

(FZ vom 29. 11. 1932)

1 Die Filmprüfstelle Berlin hatte den Film zunächst verboten (DZ: 7. 10. 1932, B.32228), nach Kürzungen und der Änderung des Verleihtitels (ursprünglich: RAUSCHGIFT) unter Auflagen (Jugendverbot) am 31. 10. 1932 schließlich zugelassen (B.32347); die eingeschränkte Zulassung wurde von der Oberprüfstelle am 10. 11. 1932 bestätigt (O.05569).

2 Über den Plot des Films kam es angeblich zu einem Zerwürfnis zwischen Sternberg und dem Produktionschef von Paramount, woraufhin Sternberg seine Arbeit am Film zunächst aufgab und Richard Wallace mit der Regie beauftragt wurde. Nicht zuletzt auf Grund vertraglicher Zwänge setzte Sternberg nach kurzer Zeit seine Regietätigkeit fort, wobei seine Drehvorlage (Drehbuch: Jules Furthman und S. K. Lauren, nach einer Vorlage von Josef von Sternberg) unterdessen im Sinne der Hayschen Zensurbestimmungen (siehe Nr. 671, Anm. 3) gänzlich überarbeitet worden war.

3 Siehe Nr. 608.

4 »Hot Voodoo« von Ralph Rainger und Sam Coslow, »You Little So-and-So« von Sam Coslow und Leo Robin, »I Couldn't Be Annoyed« von Leo Robin und Dick Whiting.

5 Die Rezension ist vorläufig nicht zu ermitteln.

6 ZIGEUNER DER NACHT. Hanns Schwarz. DE 1932.

702. Das Zeitalter des Films

Rez.: Joseph Gregor, *Das Zeitalter des Films.* Wien und Leipzig: Reinhold 1932.

Von *Josef Gregor,*[1] dem Leiter der Theatersammlung und des Archivs für Filmkunde an der Wiener Nationalbibliothek, ist ein kleines Werk: *»Das Zeitalter des Films«* erschienen, das die Erscheinung des Films der kultur- und kunstkritischen Analyse unterwirft. In einer vorzüglichen historischen Einleitung zeigt der Autor, daß die Versuche der Menschen, Bewegungen und zeitliche Abläufe nach Art des im Film durchgeführten Prinzips zu vergegenwärtigen, bis in die primitiven Zeiten zurückreichen. An diesen geschichtlichen Exkurs schließt sich die Betrachtung des dem Film zugeordneten Zeitalters, das durch die Vorherrschaft des Visuellen, die Verdrängung des Inhalts durch die Form gekennzeichnet werde. Eine Kritik der Gegenwart, die in folgende Sätze einmündet: »Daß unter solchen Verhältnissen ein Mittel, das die größte Bildkraft suggestiv und mühelos entfaltet, der Film, als wahre Erlösung der Menschheit angesehen werden konnte, liegt auf der Hand. Der Grad der Abziehung von den Fakten des täglichen Lebens ist der höchste, der Grad der Aufwendung eigener Intelligenz der tiefste.« Sachkundiger als diese Kritik selber, deren Bedeutung dadurch nahezu illusorisch wird, daß sie die soziologischen Zusammenhänge völlig außer acht läßt, sind die eigentlichen Material-Analysen, die an Hand zahlreicher Bilder die optischen Gesetze des Films, seine Dramaturgie usw. herauszuarbeiten suchen. Wichtig sind hier vor allem die Hinweise auf die Beziehungen zwischen Film und Theater. Gregor gelangt zu dem Ergebnis, daß der Film seinen Hauptwert als Mittel der Wissenschaft habe. Zur Kunst könne er erst werden, wenn der Dichter sich dieser Maschine bemächtige. Die Schlußthese Gregors: »Das Zeitalter des Films mag auf seinem Höhepunkt sein oder ihm auch jetzt noch entgegeneilen – es ist (ähnlich wie das römische Imperium) in seiner Buntheit, Mechanik, in seinem Glanz und seinen Qualen ein starker Wegbereiter des dereinst kommenden Geistes.«

(FZ vom 11. 12. 1932, Literaturblatt)

1 Üblicherweise: Joseph Gregor.

703. Zwei große Film-Premieren

Filmrez.: UNMÖGLICHE LIEBE. Erich Waschneck. DE 1932;
F. P. 1 ANTWORTET NICHT. Karl Hartl. DE 1932.

Asta Nielsen

Viele Jahre hindurch ist Asta Nielsen nicht mehr auf der Leinwand erschienen. Sie, die den stummen Film zum Rang einer Kunstgattung erhoben und eine Reihe unvergeßlicher Gestalten geschaffen hatte, war schon von der Bildfläche verschwunden gewesen, ehe der Tonfilm einzusetzen begann. Woher dieser plötzliche[1] Abgang? Schuld an ihm trugen, wie ich in einem meiner Artikel: »Asta Nielsen und die Filmbranche« (vergl. Reichsausgabe vom 18. April 1931)[2] dargelegt habe, nicht so sehr gewisse, aus den sozialen Umschichtungen zu erklärende Wandlungen des Zeitgeschmacks, als die hartnäckigen und unbegründeten Widerstände, die sich in den Kreisen der Filmproduktion und des Filmverleihs gegen die Künstlerin regten. Um so weniger konnte das Verlangen nach einer Kunst verstummen, die durch die bisherige Entwicklung des Tonfilms wahrhaftig nicht aus der Erinnerung[3] verdrängt worden war.

Die Berechtigung dieses in der Öffentlichkeit wieder und wieder geäußerten Verlangens hat der nach einem Roman Schirokauers[4] gedrehte Film: UNMÖGLICHE LIEBE jetzt glänzend erwiesen. Asta Nielsen spielt in ihm eine alternde Bildhauerin, die trotz ihrer zwei erwachsenen Töchter auf das eigene Leben nicht verzichten will. Sie liebt einen berühmten Bildhauer, gerät dadurch in einen Konflikt mit den Mädchen, die sich benachteiligt glauben, und resigniert später.[5] Ich erwähne nur nebenbei, daß die Durchführung dieser Fabel älteren Stils an sich nicht eben zu fesseln vermag. Sie behandelt den Stoff auf konventionelle Weise, benutzt an entscheidender Stelle eine Irrenhausszene, die uns besser erspart geblieben wäre, und mündet in einen Verlegenheitsschluß ein.

Aber gleichviel, der Film gibt doch Asta Nielsen die Möglichkeit, alle Zweifler schlagend und endgültig zu widerlegen. So groß ist ihre Kunst, daß sie sich in einer veränderten Zeit ungemindert behauptet. Nicht zuletzt dank der *Stimme*, deren schmiegsame Herbheit sich den verschiedenen Situationen leicht anpaßt und mit dem Gesamtspiel wie selbstverständlich zusammenwächst. Gerade das Ineinander von Sprache und Mimik ist Frau Nielsen wunderbar gelungen. Sie läßt den stummen Auftritten viel Raum; so daß die Aussage nicht eigentlich durch die Gebärde unterstützt wird, sondern dieser jeweils das Wort entspringt. Noch kaum je ist die Sprache so filmgerecht eingesetzt worden. Hinzu kommt die Meisterung des Mimischen selber. Schon beim ersten Erscheinen der Nielsen ist die ganze Figur fix und fertig vorhanden. Man weiß: diese Bildhauerin hat sich ihre Existenz selber geschaffen, sie lebt zwischen den Milieus einer geregelten Bürgerlichkeit[6] und einer freizügigeren Bohème (die ebenso bürgerlich ist), sie möchte ihre mütterlichen Pflichten nicht vernachlässigen und doch noch einmal jung und unbeladen sein usw. Das alles weiß man, ehe ein Wort fällt. Eine Kraft des Ausdrucks, die auch die Durchgangspassagen erfüllt und sich in den großen Szenen hinreißend steigert. Der tragische Grundton, den man von früheren Rollen der Nielsen her kennt,[7] ist das düstere Lokalkolorit, in das alle mimischen Nuancen getaucht sind. Vielleicht hätte er manchmal zugunsten hellerer Töne ein wenig verblassen sollen. Infolge seiner Herrschaft kann zum Beispiel das Glück nicht frei ausschwingen, das die Bildhauerin über den Rompreis empfindet, und auch ihre Liebe klingt nur gedämpft. Die straffe Führung jedoch, die längere Abschweifungen ausschließt, duldet auf der anderen Seite nicht selten kurze Unterbrechungen des Linienzugs, die für seine Strenge voll entschädigen. Eine herrliche Enklave ist etwa das Lächeln der Schelmerei, das manchmal durchs Gewölk dringt und sofort den strahlenden Himmel hervorzaubert.

Erich Waschne[c]k hat den Film flüssig und mit dem hier angebrachten psychologischen Verständnis inszeniert. Seine Stärke scheint der Sinn für die Eigentümlichkeiten der Darsteller zu sein. Wie er der Kunst Frau Nielsens zu bedeutenden Wirkungen verhilft, so verfeinert er das Spiel Pointners und läßt *Ellen Schwannecke*[8] gewähren. Diese junge Künstlerin hat nicht nur jenen seltenen Charme, der aus einer aufrichtigen Natur kommt, sie verfügt auch über mehr als eine Dimension. Ihr Backfischlachen steckt an, ihr Schluchzen ist von rührender Unmittelbarkeit, ihr Wesen wird von reinen Empfindungen durchwaltet. Sie ist insofern eine Ausnahme, als ihr das Seelenschmalz fehlt, das in zahllo-

sen anderen Fällen die Begegnungen zwischen Ernst und Heiterkeit verhindert.
Asta Nielsen wurde bei der Premiere mit begeisterten Ovationen begrüßt. Sie steht nun vor einem zweiten Beginn.[9] Und es gäbe repräsentative Figuren genug, die nur durch ihre Kunst erweckt werden könnten.

Technik und Menschen

Die Ufa hat uns zu Weihnachten mit dem langerwarteten Großfilm: F. P. 1 ANTWORTET NICHT beschert, der seines sensationellen Inhalts wegen vermutlich die Millionen wieder einbringen wird, die er gekostet hat. Worin besteht die Sensation, die er bietet? In der Vorwegnahme eines technischen Riesenprojekts, dessen Verwirklichung man heute ernsthaft erwägt. Wie ich in meinem Artikel: »F. P. 1 auf der Insel Oie« (vergl. Reichsausgabe vom 30. September 1932)[10] bereits ausführte, sind die rätselhaften Buchstaben, die nicht antworten, eine Abkürzung für: »Flugzeug-Plattform 1«, und unter dieser Plattform wiederum ist eine künstliche, im Atlantik schwimmende Insel zu verstehen, die als Stützpunkt für den *transozeanischen Luftverkehr* dienen soll. Mit Hilfe eines gewaltigen Aufwands an Mitteln ist es geglückt, die nicht vorhandene Insel so realistisch darzustellen, daß ihre Existenz nicht den geringsten Zweifel zu dulden scheint. Man verfolgt ihre Entstehung in der Werft, sieht sie auf gewaltigen Stempeln mitten im Weltmeer ruhen und beobachtet vom bequemen Sessel aus die Landung eines Flugzeugs auf dem Inselverdeck. Die gigantischen Konstruktionen des Unterbaus, die funkelnden Lichter bei Nacht und die Vision der dem Morgengrauen entsteigenden Plattform: das sind Eindrücke von einer Großartigkeit, wie sie der Film bisher selten erschlossen hat. Ein technischer Traum ist hier ins Dasein hereingerissen, ehe er überhaupt zum Dasein gehört. Die Vollkommenheit der Illusion wird noch durch fabelhafte Fliegeraufnahmen gesteigert. Sie vermitteln nicht nur außerordentliche Naturbilder, sondern geben auch Perspektiven wieder, deren Kühnheit die Phantasie mühelos zur schwimmenden Insel hinleitet.
Im Vergleich mit der technischen Konzeption[11] wirkt die Fabel allerdings doppelt erbärmlich. Sie gipfelt in einem Sabotageakt gegen die In-

sel, der aus unerfindlichen Gründen von unbekannten Auftraggebern veranlaßt wird. Und ihr Held ist ein vagabundierender Ozeanflieger, der aus Gram darüber, daß die geliebte Frau seine Neigung nicht mehr erwidert, beinahe die Flugzeug-Plattform einschließlich der Frau und dem Freund untergehen läßt. Erst im letzten Augenblick rettet er dann doch noch das tote und lebende Inventar. Ein Kitsch, der angesichts des Glanzbaus der F.P. 1 ziemlich peinlich berührt.[12] Immerhin erfüllt er, wenn auch wider Willen, die Funktion, einmal drastisch zu veranschaulichen, wieviel Unreife und Sentimentalität zwischen Eisenrippen und in Flugzeugkabinen wohnen und wie wenig der Stand des menschlichen Bewußtseins vorerst dem der heutigen Technik entspricht.

Karl Hartl,[13] ein begabter Regisseur, hat nach besten Kräften versucht, den pompösen Stoff sachgemäß und spannend zu entwickeln. Ganz ist er seiner nicht Herr geworden. Das Tempo schleppt manchmal zu sehr, und über der Ausmalung der menschlichen Bagatellen wird die Schilderung der technischen Vorgänge vernachlässigt, die viel interessanter gewesen wären. Man hätte gern mehr Plattform und weniger Gefühlsleben gekostet. Es ist, als würde Hartl eine gewisse Befangenheit nicht los, die ihn zum Beispiel bei der Darbietung der Matrosenszenen und des Hanseatenmilieus spürbar beeinträchtigt. Nur in den Montagen, den Flugbeschreibungen und an einigen anderen Stellen kämpft er sich zur unbelasteteren Gestaltung durch.

Eine neue Erscheinung im deutschen Film ist *Sybille Schmitz*.[14] Sie verkörpert die weibliche Hauptrolle mit einer erstaunlichen suggestiven Gewalt.[15] Ohne daß ihr Gesicht an sich eine zwingende Form besäße, erlangt es in der Bewegung des Spiels sofort eine Macht, die beinahe magisch genannt werden muß. Jede leise Veränderung der Züge beschwört Gehalte[16] herauf und weckt ganze Vorstellungsketten. Nicht anders braucht die Stimme nur zart zu modulieren, um weit auseinanderliegende Empfindungen zu vergegenwärtigen. *Hans Albers* als Ozeanflieger muß diesmal zum Glück nicht immer nur siegen und strahlen. Und gerade dadurch, daß er die Rolle des Unterlegenen sympathisch ausfüllt, beweist er, wie groß seine Naturgaben sind. Statt ihn zum Plakat eines Volkshelden zu stilisieren, sollte man ihn in den Niederungen alltäglicher Konstellationen zeigen, in denen er seine reiche Mitgift besser verwerten kann. *Paul Hartmann*, der den Inselingenieur spielt, bringt zu

diesem Beruf die nötige Härte und Bestimmtheit mit. Der harmlose Fotoreporter *Peter Lorres* ist eine Ausgeburt anheimelnder Unheimlichkeit.[17] (F. P. 1 ANTWORTET NICHT wird zur Zeit auch im *Frankfurter Ufa-Palast* gezeigt.)[18]
(FZ vom 28. 12. 1932)

1 Im Typoskript (KN): »erzwungene«.
2 Siehe Nr. 644.
3 Im Typoskript: »aus dem Gedächtnis«.
4 Drehbuch: Erich Waschneck und Franz Winterstein, nach Alfred Schirokauer, *Die unmögliche Liebe*. Roman. Berlin: Ullstein 1929.
5 Im Typoskript: »und verzichtet zuletzt«.
6 Im Typoskript: »einer sanktionierten Bürgerlichkeit«.
7 Siehe u. a. die Filme DER ABSTURZ (Nr. 644, dort auch Anm. 1) und DIRNENTRAGÖDIE (Nr. 231).
8 Richtig: Ellen Schwanneke.
9 Der Film blieb Asta Nielsens einziges Tonfilmprojekt.
10 Siehe Nr. 696.
11 Im Typoskript: »Im Vergleich mit der Gestaltung der technischen Konzeption [. . .]«.
12 Im Typoskript: »Ein Kitsch, der sehr drastisch illustriert, wie ziemlich peinlich berührt.«
13 Im Typoskript: »Bruno Hartl«.
14 Sie spielte bereits in DER ÜBERFALL (DE 1928) und TAGEBUCH EINER VERLORENEN (DE 1929).
15 Im Typoskript: »mit einer erstaunlichen Ausdrucksgewalt.«
16 Im Typoskript: »einen Gehalt«.
17 Im Typoskript: »[. . .] ist zu einer Ausgeburt anheimelnder Unheimlichkeit gediehen.«
18 Kracauer berichtete aus Berlin, wo der Film am 22. 12. 1932 im Ufa-Palast am Zoo Premiere hatte.

1933

704. Der schönste Film

Filmrez.: LA CHIENNE. Jean Renoir. FR 1931.

Wenn ich mir die Filme des abgelaufenen Jahres vergegenwärtige und mich frage, welcher von ihnen der schönste gewesen sei, so fällt meine Wahl ohne zögern auf *Jean Renoirs*: LA CHIENNE. Er ist allerdings schon älter; aber ich habe ihn doch erst vor wenigen Monaten in einem Pariser Vorstadtkino gesehen.[1] Gepriesen zu werden verdient dieser Film nicht etwa darum, weil er in technischer oder künstlerischer Hinsicht vollkommener wäre als manche andere inzwischen erschienenen Filme, sondern aus folgendem Grund: Die gesellschaftliche Wirklichkeit ist in ihm unverstellt wiedergegeben. Genau jene Zustände, die man bei uns im Film überhaupt nicht zeigt oder bis zur Unkenntlichkeit verfälscht, wenn man sie schon einmal nicht hat umgehen können, sind im Renoir-Film ohne Beschönigung ins Auge gefaßt. Sein Thema ist der Justizmord. Durch eine Reihe von Zufällen wird nicht der Maler, der die im Mittelpunkt der Handlung stehende Grisette erstochen hat, ins Gefängnis gesetzt, sondern der Zuhälter, der am Mord des Mädchens unschuldig ist. Es wäre durchaus möglich gewesen, den Irrtum noch rechtzeitig aufzuklären und so der irdischen Gerechtigkeit zum Sieg zu verhelfen. Der Film geht jedoch seinen Weg, der zur Hinrichtung des Zuhälters führt, unerbittlich zu Ende. Genau darin aber besteht seine Stärke: daß er es verschmäht, auf Kosten der Lebensechtheit einer billig zu erlangenden Wahrheit die Ehre zu geben. Statt sich dem Anblick wirklicher Menschen und ihrer Handlungen zu entziehen, hält er ihm stand; statt die Mängel unserer Rechtsprechung zu vertuschen, stellt er sie exemplarisch und phrasenlos dar. Verherrlicht er damit den Lauf der Welt? Er tut nur nicht so, als sei die Welt so leicht zu verändern, und hindert uns daran, in Apotheosen zu flüchten. Auch der angehängte Epilog, der veranschaulicht, daß der schuldige Maler später zum elenden Vagabunden herabsinkt, dient nicht der Rehabilitierung der Wirklichkeit, sondern führt nur einen der Ausgleiche vor, die das Leben unter Umständen schafft. Zu der realistischen Gesinnung, die aus diesem Werk spricht, sollten unsere Filme nicht minder erziehen. Denn die Kraft, die sozialen Verhältnisse scharf

ins Auge zu fassen, ist eine Vorbedingung echten politischen Handelns.
(FZ vom 1. 1. 1933)

1 Siehe auch Kracauers frühere Rezension des Films, Nr. 694.

705. Idyll, Volkserhebung, Charakter

Filmrez.: 14. JULI (DAS TANZENDE PARIS) / QUATORZE JUILLET. René Clair. FR 1932;
DER REBELL. DIE FEUER RUFEN. Kurt Bernhardt und Luis Trenker. DE 1932;
EIN MANN MIT HERZ. Geza von Bolvary. DE 1932.

Das tanzende Paris

Von einem Ausflug in höhere Regionen, in denen es um Probleme wie die des laufenden Bandes und Privateigentums ging,[1] hat sich *René Clair* in seinem jüngsten Film: 14. JULI wieder nach Paris heimgefunden. Ein Glück für ihn und für uns, denn hier, unter den Dächern dieser Stadt, ist er wirklich zu Hause. Er weiß um die Treppen und Winkel des Quartiers Bescheid, ist mit der in ihr ansässigen Kleinbürgerfauna wie nur ein Spezialist vertraut und hat auch die Außenseiter von den Taschendieben an bis zu den Fremden gründlich erforscht.[2] Aus einer solchen Materialkenntnis heraus läßt sich freilich immer neu schöpfen.
Der Film hat eine Art von Fabel, an der aber wenig liegt. Ein Taxichauffeur und ein Blumenmädchen lieben sich, verleben den Tag des Nationalfestes zusammen und geraten dann auseinander. Schuld daran ist die frühere Geliebte des Chauffeurs, die ihn zurückerobern möchte.[3] Er wird durch sie[4] in schlechte Gesellschaft gelockt und droht zu verkommen. Im kritischen Augenblick begegnet er jedoch dem Blumenmädchen wieder, dem es inzwischen auch nicht gut ergangen war. Endgültige Vereinigung der Liebenden. Es ist nicht schwer zu erkennen, daß alle Schmollereien, Mißverständnisse und Schwierigkeiten nur aus ihrer Liebe entstanden.
Der Hauptzweck dieser locker gehaltenen Fabel ist ersichtlich der, einen günstigen Vorwand für Milieuschilderungen zu liefern. Sie sind die eigentliche Essenz des Films. Mit der Leidenschaft des *Flaneurs* durch-

schweift René Clair das Quartier, stellt Beobachtungen an, glossiert flüchtige Ereignisse, sammelt Gesichter und Szenen. Genau das, worüber die beschäftigten Leute hinwegleben, ist ihm, dem Flaneur, unerhört wichtig. Als musischer Müßiggänger verweilt er in Concierge-Logen und bei spielenden Kindern, folgt der sonderbaren Erscheinung einer Bürgerfamilie lang mit den Blicken nach, entzückt sich am Gewühl der Tanzenden und schlürft genießerisch das Bild einer Kneipe.[5] Solcher unauffälliger Dinge, die den Schlenderer berauschen, ist der Film voll. Die Beziehungen zwischen Zimmerinterieurs, Fassadenschildern und Straßenperspektiven werden in bezaubernden Improvisationen ausgekostet, und ein kleiner, von den Passanten kaum gewürdigter Blumenwagen erhält den Rang eines Stars.

Die Frage ist, welche Bedeutung René Clair seinen Objekten abgewinnt. Das Quartier ist für ihn ein *Idyll*, das er mit Liebe, heiter-versöhnlichem Witz und ein bißchen Melancholie betrachtet. Auf Grund dieser Haltung ergeben sich ihm natürlich viele eingängige Pointen. Bestrickend sind zum Beispiel die naturgeschichtlichen Studien über das Leben der Chauffeure und eine Monographie, die sich mit der Existenz von Portiersfrauen befaßt. Als eine besondere Entdeckung ist das vornehme Restaurant zu preisen;[6] irgendein Dancing, in dem sich ein paar Amerikaner und Angehörige der Oberschicht furchtbar mopsen. Zum Bindeglied zwischen seiner Öde und dem mit ihr glänzend kontrastierten Straßentreiben wird ein älterer Gentleman, der im Suff die vergnüglichsten Streiche begeht. Er verirrt sich ins Orchester, bandelt mit dem Blumenmädchen an usw. Wie im Spiel und ganz ohne Zwang vermischen sich all diese Typen. Indem Clair sie illustriert und kommentiert, verwandelt er sie zugleich in lauter harmlose Wesen. Der Suff ist gutartig, die Kriminellen sind ungefährlich, und die Bosheit wirkt komisch. Kein Sturm von außen fährt in dieses geschlossene idyllische Reich. Wenn die Liebenden sich an der Haustür endlos küssen, schleichen die Spießbürger andächtig vorbei.

Aber diese Harmonie ist zu früh angesetzt. Vielleicht durch den internationalen Erfolg verführt, hört Clair an einem Punkt auf, von dem aus er erst recht weiter vorstoßen müßte. Statt die surrealistischen Möglichkeiten zu verwirklichen, biegt er sie ab und benutzt Stilmittel, mit denen man Ernst machen müßte, zur Verniedlichung der Menschen und Sachen. Seine Liebe zum Kleinbürger ist nicht tief genug, um ihn beim Schopf zu packen und durchzurütteln, sein Witz gibt sich damit zufrieden, rauhe Zustände zu glätten, und seine Melancholie ist nur der schwache Widerschein wissender Schwermut.[7] Nirgends weist der Film die Sprünge unter der Oberfläche auf, im Gegenteil, er überdeckt sie und verstopft sämtliche Poren. Das Dasein wird vorzeitig zur Arabeske, der Heiterkeit fehlt der Schauer, der sie zu legitimieren vermöchte. Das heißt aber nichts anderes, als daß die große Chance des Surrealismus: das Nahe uns zu entfremden und dem Bestehenden die vertraute Maske herunterzureißen – daß diese Chance hier mit leichter Hand vertan wird. In der Tat ist der Film *Kunstgewerbe*. So gewiß die Qualität seiner Einfälle, an denen er wahrhaftig reich ist, außer Zweifel steht, ebenso gewiß sind sie grundlos und ohne Abgrund. Sie geben sich das Spiel zu rasch gewonnen, sie sollten die Kleinbürgerwelt illuminieren, damit sie transparent wird, und benutzen sie faktisch zum Zweck einer lieblichen Illumination. Man merkt noch gerade, daß sie etwas meinen könnten; aber ehe sie es sagen, kehren sie schon um und erfüllen die mindere Funktion bloßen Scharmierens.

Die kunstgewerbliche Verflachung ist um so unerträglicher, als Clair wieder einmal beweist, über welches außerordentliche filmische Talent er verfügt. Mit unvergleichlicher Virtuosität gestaltet er Bagatellen zu Motiven aus und fügt diese zum Bildgewebe zusammen. Ein Zylinderhut hat wichtige Aufgaben zu bewältigen, und scheinbar zufällige Bildkonstellationen geben den Anstoß zu nachhaltigen Kurven und Mustern. Es ist aber ein entscheidendes Merkmal jedes echten Filmwerks, daß in ihm die kleinsten Elemente eine tragende Rolle erhalten. Clairs Fähigkeit, sie auszubauen, hängt unstreitig mit seinem Flaneurtum zusammen. Auch das Tongefüge beherrscht er in erstaunlichem Maß. Um von der merkwürdigen Entgleisung eines Chorgesanges abzusehen, der immer wieder auftaucht und rein als Tondekoration wirkt, ist die Sprache überall treffend in die Situation hineingesetzt. Diese wird nicht durch die Worte geschaffen, sondern läßt sie aus sich erstehen, so daß die Dialoge sich in Sprachbilder verwandeln, die man anschauen kann. Das Liebesgeflüster entwächst sichtbar wie eine Blüte der Umarmung der Küssenden.

Volkserhebung

Der *Luis-Trenker*-Film: DER REBELL, der eine Episode aus dem Tiroler Freiheitskampf gegen Napoleon zeigt, ist auf jeden Fall großartig gemacht. Zugrunde liegt ihm eine einfache, geschlossene, bildhafte Fabel. Ein junger Tiroler, der aus der Studentenzeit heimkehrt, trifft sein Vaterhaus als Trümmerhaufen an, erschießt einen französischen Offizier und flieht in die Berge. Es folgen bewegte Aktionen, in deren Verlauf der Rebell einen Volksaufstand organisiert, der schließlich niedergeschlagen wird und mit seiner Exekution endigt. Die unentbehrliche Liebesgeschichte ist geschickt eingearbeitet und drängt sich nicht vor.
Der Hauptglanz strahlt natürlich von Trenker selber aus, der sich die Rolle des Rebellen auf den Leib geschrieben hat. Er hat sich noch nie so brillant und vielseitig entfaltet. Als Reiter, Kletterer und Anführer vollbringt er Leistungen, die sich denen von Douglas Fairbanks[8] getrost an die Seite stellen können. Die Freude, die man an ihnen hat, rührt wohl davon her, daß sie nicht einfach Bravourstückchen sind, sondern jeweils aus dem Zwang der Situation hervorgehen und überdies mit körperlichem Scharm ausgeführt werden. Reizend ist die Ballszene im Innsbrukker Schloß. Trenker, der sich in bayrischer Offiziersuniform eingeschlichen hat, wird erkannt und muß sich auf gute Art davonmachen. Er bewerkstelligt seine Flucht dadurch, daß er die Gattin des Kommandierenden unter einem im Augenblick erfundenen Vorwand aus dem Saal geleitet. Wie in dieser (bei der Premiere[9] spontan beklatschten) Episode, so gelingt es ihm durchweg, die Einheit von leiblicher Gewandtheit und geistigem Elan zu versinnlichen.
Wenn er auch der natürliche Mittelpunkt ist, spielt er sich doch nicht eigentlich in den Vordergrund hinein. Gewiß kargt er keineswegs mit Flucht- und Verfolgungsszenen, in denen er allein auftreten und noch das Letzte aus sich fürs Publikum herausholen darf. Aber über diesen Jagden, die trotz photographischer Schönheiten ihn und uns durch ihre Länge ermüden, soll nicht vergessen werden, daß die von Trenker in Gemeinschaft mit Kurt Bernhardt geführte Regie das entscheidende Gewicht auf die Volksbewegung selber legt. Die ihr gewidmeten Szenen sind in der Tat die Achse des Films. Man muß schon an die großen russischen Filme zurückdenken, um eine Analogie für den Zug der Auf-

ständischen zu finden. Er ist in einer Weise hinphantasiert und gesteigert, die der Reflexion vorübergehend den Garaus macht. Hat dieser Aufmarsch noch Vorbilder, so ist der Überfall der Bauern auf die französische Armee ein filmisches Ereignis, das, wenn ich mich nicht täusche, alle bisherigen in einer bestimmten Hinsicht hinter sich läßt. Wie realistisch immer die Kampfszenen in manchen früheren Kriegsfilmen gestaltet worden sind, sie haben niemals eine solche Unmittelbarkeit erreicht. Die Wut der Unterdrückten und die Schrecken, die sie dem Feind bereiten, werden in diesem Film Gegenwart. Man sieht und hört: die Feuersalven, die aus geschützter Höhe auf die im Tal ziehende französische Armee niederprasseln; die donnernden Steinlawinen, die von den Tirolern auf die zum Sturm angesetzten Truppen herabgesandt werden; die mörderischen Geräusche eines besessenen Waldgefechts und die Bilder elementarer Vernichtung. Pferdeleiber, Felsblöcke, Trompetensignale, Knäuel kämpfender Menschen, Wasserspritzer, Bäume und verzerrte Gesichter fügen sich zum entsetzlichen Chaos zusammen. Es ist, darüber besteht gar kein Zweifel, mit einer erstaunlichen Konsequenz komponiert und geht der Wirklichkeit bis in den letzten Schlupfwinkel nach.

Ich verzichte von vornherein auf die immanente Kritik (die außer den Längen noch einige andere Schwächen zu kennzeichnen hätte), um einen wesentlichen allgemeinen Einwand gegen den Film desto stärker zu unterstreichen. Er betrifft nicht etwa seine Kraßheit, sondern die Haltung, der diese entwächst. Verherrlicht wird in dem Film die mythische Kraft des Volkes, die sich in den Steinlawinen am deutlichsten vergegenständlicht, der von der Natur selber diktierte Gewaltakt gegen usurpatorische Gewalt. Indem aber Trenker diese historische Episode mit einer Sinnfältigkeit ohnegleichen vorführt, suggeriert er dem Publikum (absichtlich oder unabsichtlich) eine Geschichtsauffassung, die sich jedenfalls angesichts unserer aktuellen Zustände nicht behaupten kann. Ihr naturaler Begriff des Volks läßt sich so nicht mehr realisieren, ihr Anruf des Mythischen hat die einstige Legitimität eingebüßt, und manches, was ihr noch als Ideal gilt, ist seines alten Schimmers entkleidet. Andere politische und gesellschaftliche Kräfte erfordern den Appell an andere Kräfte. Das Unbehagen nun, das der Film erzeugt, entsteht offenbar dadurch, daß er ein historisches Geschehen nicht in den nötigen historischen Abstand rückt, sondern es, gerade umgekehrt, mit aller Macht dem *Heute aufpressen* will. Die Nähe, die er den Ereignissen gibt, vergewaltigt unser Bewußtsein, die Anstrengungen, die er macht, um sie vollkommen zu vergegenwärtigen, beruht auf einer Voraussetzung, die nicht annehmbar ist. Es ist nicht der Mangel an Realisierungskunst, der hier verletzt, sondern im Gegenteil, ihr Übermaß, das gegen die bessere Einsicht verstößt. Daher auch die Peinlichkeit der Kampfszenen. Sie bejahen naiv eine Wirklichkeit, die von uns nur gebrochen erfahren werden kann und aus diesem Grunde unter keinen Umständen die aufreizend wirklichkeitsgetreue Wiedergabe vertrüge, die ihr tatsächlich zuteil wird.[10]

Präsident Waldau

Gustav Waldaus erste Filmrolle[11] ist zwar nur eine Nebenfigur, aber dafür ein Präsident. Der Präsident einer Bank, die offenbar von der Krise noch nichts gespürt hat. Ihre Geschäfte scheinen zu florieren, ihre Büroräume sind fürstlich und die Ereignisse, die sich in ihr abspielen, märchenhaft. So arbeitet zum Beispiel die Tochter des Präsidenten, die es gar nicht nötig hätte, als kleine Angestellte im Betrieb, und ein kleiner Angestellter bewahrt seinerseits auf wunderbare Weise die Bank vor großen Verlusten. Natürlich lieben und kriegen sich die beiden und sind dann keine Angestellten mehr. Nicht anders geht es zu in der Welt. Dennoch kann man dem Film, der sich nach dem von Gustav Fröhlich herzhaft gespielten Glückspilz: EIN MANN MIT HERZ nennt, nicht eigentlich böse sein. Er erzeugt die Illusionen ja mehr zum Spaß und macht sie überdies durch ein paar sympathische Einfälle[12] nahezu wett. Der reizendste ist unstreitig die verblüffende Lösung des Problems, wie man sich in der Großstadt einen Sonnabend-Nachmittag lang kostenlos amüsieren könne. Antwort: man probiere in einer Kochkunst-Ausstellung sämtliche Gratisgerichte durch und fahre später mit dem Autobus einer Siedlungsgesellschaft ins Grüne hinaus. Wer es schlau anfängt, wird sich dort draußen gar nicht erst die Parzellen und Musterhäuschen zeigen lassen, sondern gleich auf den Zehenspitzen verduften.

Doch die Generalabsolution verdient der Film allein um Waldaus willen, dessen einzigartiger Scharm ebensosehr der vornehmen Gesinnung wie der Herzensgüte entstammt. Es ist ein Glück, ihn erscheinen zu sehen und zu beobachten, wie sich sein bezwingendes Wesen inmitten der Scherzchen behauptet. Indem er als Präsident auftritt, ist er nicht nur der Präsident, sondern auch der Mensch bzw. Schauspieler Waldau, der sich über die ihm zugedachte Rolle innerlich ein wenig mokiert. So ein Präsident soll er sein! Aber da er sich nun einmal dazu entschlossen hat, die Figur zu übernehmen, gängelt er sie mit souveräner Ironie durch den Film. Man merkt ihm an, daß er sich zum Präsidenten herabläßt, glaubt zu spüren, daß er ihn fortwährend freundlich begönnert. Er spielt also gewissermaßen doppelt: einmal als die Verkörperung der Filmgestalt und das andere Mal als der ihr überlegene Gestalter. Dem Filmmanuskript[13] zufolge muß der Präsident ein großer Herr und ein liebevoller Vater sein, der alles versteht und alles verzeiht. Nun, Waldau entspricht natürlich dieser Vorschrift durchaus. Aber der eigentliche Zauber seines Spiels ist, daß er darüber hinaus noch mehr gibt. Wenn der Präsident etwa den kleinen Angestellten von oben herunter abfertigt, hat man den Eindruck, als ob sich Waldau des Herrentums schäme, das er mimt. Der Grandseigneur, der er ist, desavouiert die Anmaßung des Bankpräsidenten im Verkehr mit dem niederen Personal. Überall stellt er so die von ihm vergegenwärtigte Figur unter Kontrolle, dämpft ihre Selbstgefälligkeit und bricht ihre Naivität. Und zwar vollzieht er diese Korrekturen mit Hilfe einer verlegenen Schüchternheit, die den Repräsentanten der sozialen Allmacht von vornherein einschränkt und bändigt. Daß sie eine Kritik der Macht ist und dem unbeirrbaren Gefühl für menschliche Würde entspringt, zeigt sich in jenen Szenen, in denen der Präsident sozusagen als Privatmann auftritt. Besonders schön ist die Episode im Tanzcafé, wo er seiner Tochter und ihrem Freund, dem kleinen Angestellten, begegnet. Hier entfaltet Waldau Eigenschaften, deren sich gewöhnliche Präsidenten zweifellos nicht oft rühmen können: eine sanfte Schelmerei dem jungen Mann gegenüber und eine späte Innigkeit beim Tanz mit der Tochter. Und immer, wenn er in der Rolle lächelt, ist es so, als lächle er auch über sie, als schenke er sein eigenes vielsagendes Lächeln der Rolle. Es kommt aus einem Dasein, das aus den Rollen nichts herausholt, sondern etwas in sie hineintut. Dank seiner leisen Gewalt wird Waldau zur selbstverständlichen Mitte des Films, an dessen Rand

er sich befindet. Wenn er auftaucht, beherrscht er schon durch seine Anwesenheit die Szene, und verschwindet er, so spielen die andern im Schatten. Er ist der wahre Präsident des Films, und seine Existenz ein gültiger Maßstab.
(FZ vom 24. 1. 1933)

1 Siehe Nr. 649 und 673.
2 Im Typoskript (KN): »gründlich studiert«.
3 Im Typoskript: »die ihn sich zurückerobern möchte.«
4 Im Typoskript: »Er wird von ihr [...]«.
5 Im Typoskript: »und schlürft genießerisch das Bild einer Kneipe ein.«
6 Im Typoskript: »Eine besondere Entdeckung ist das vornehme Restaurant«.
7 Im Typoskript: »Widerschein wissender Trauer«.
8 Zu Douglas Fairbanks siehe u. a. Nr. 172, 185, 244 und 426.
9 Am 17. 1. 1933 im Ufa-Palast am Zoo in Berlin.
10 Zu diesem Film siehe auch *Werke*, Bd. 2.1, Kap. 21.
11 Gustav Waldau (1871-1958) war lange Jahre erfolgreicher Theaterschauspieler in Wien, St. Petersburg, New York und vor allem München; bereits ab 1915 war er in kleineren Rollen auf der Leinwand zu sehen, seine regelmäßige Filmarbeit begann er aber erst 1930 mit DER FALSCHE EHEMANN (1930/31).
12 Im Typoskript: »ein paar nette Einfälle«.
13 Drehbuch: Hans H. Zerlett.

706. Neue Filmbücher

Sammelrez.: Wolfgang Petzet, *Verbotene Filme*. Streitschrift. Frankfurt a. M.: Societäts-Verlag 1931; Rudolf Arnheim, *Film als Kunst*. Berlin: Rowohlt 1932; Ilja Ehrenburg, *Die Traumfabrik*. Chronik des Films. Berlin: Malik 1931; René Fülöp-Miller, *Die Phantasie-Maschine*. Berlin u. a.: Zsolnay 1931.

»Nicht der Branche zuliebe ist diese Schrift geschrieben, sondern für den wertvollen Film. Mehr noch: für die Entfaltung und die Fruchtbarkeit des geistigen deutschen Lebens, das heute nicht zuletzt auch in der Form des Films sich bekunden kann.« Ich entnehme diese Sätze der Einleitung des Buches: *»Verbotene Filme«* von *Wolfgang Petzet*,[1] das wie jede echte Polemik über sein engeres Kampfziel hinausgreift. Es beschränkt sich darauf, die Filmzensur zu geißeln. Aber indem es deren Methoden anprangert, kennzeichnet es zugleich die Mentalität, die heute aus vielen Äußerungen des öffentlichen Lebens in Deutschland spricht. Voraussetzung ihres Nachweises ist die von Petzet musterhaft gehandhabte Materialanalyse. Er untersucht mit philologischer Exaktheit den Text des Lichtspielgesetzes,[2] verfolgt wie ein Spürhund die verschiedenen Zensurbescheide und ihre Begründungen und benutzt auch sonst alles einschlägige Material. Wobei es ihm immer wieder gelingt, aus den von ihm zitierten amtlichen Dokumenten, Schriften, Fachzeitschriftenartikeln usw. Bekenntnisse herauszulocken, die sie eigentlich gar nicht ablegen wollen. Daß er so zwischen den Zeilen lesen kann,[3] ist seiner entschiedenen Haltung zu danken. Dieser linksgerichtete Autor weiß, worauf es ankommt, weiß es auf ökonomischem, sozialem, politischem und kulturellem Gebiet. Leider muß ich mir versagen, auf die Fülle seiner Einzelbetrachtungen näher einzugehen. Die Hauptsache ist, daß sie die Unsinnigkeit des Lichtspielgesetzes und seiner Anwendung vollkommen zur Evidenz erheben; daß sie ferner die Prüfung der Fälle zum Anlaß nehmen, um wichtige Aussagen über unsere öffentlichen Zustände zu machen; daß sie schließlich nachhaltig auf das Grundgebrechen unseres kulturellen Lebens aufmerksam machen, insofern es staatlich zu reglementieren versucht wird: die Kulturpolitik hat innerhalb des heutigen Systems keine feste Direktion, sondern ist jeweils die resultierende von Druck und Gegendruck. Daher die unzulängliche Arbeit der Prüfstellen, daher die Zufälligkeit ihrer Beschlüsse, die sich noch dazu oft genug widersprechen. Was hätte zu geschehen, um diesem blinden Walten wirkungsvoll zu begegnen? Der Autor tritt für die Abschaffung der Filmzensur ein. »Für die demokratische Republik«, so erklärt er, »gibt es nur *eine* ihr angemessene Einstellung zum Film: die einer gelassenen Liberalität und großzügigen Förderung aller geistig produktiven Arbeit.« Vermutlich ist sich Petzet selber darüber klar, daß seine beiden Forderungen dann allein ihren eigentlichen Sinn erlangen, wenn sich der Staatswille, in dem sich der des Volkes verkörpert, nicht mit dem formalen Ausgleich der vorhandenen Kräfte begnügt, sondern von einem bestimmten Gehalt durchdrungen ist.

Rudolf Arnheim unternimmt in seinem Buch: *»Film als Kunst«* den großangelegten Versuch einer Filmästhetik.[4] Da er methodisch richtig angesetzt ist – er gründet sich auf die Erkenntnisse der modernen Experimentalpsychologie und die theoretischen Arbeiten von Balázs, Pudowkin und Moussinac –, gelangt er zu einem höchst fruchtbaren Ergebnis, das nicht zuletzt auch die Aufmerksamkeit der Filmpraktiker verdiente. Es besteht im systematischen Ausweis der Formgesetzlichkeiten des stummen Films. Ich deute nur gerade an, wie Arnheim verfährt. Zunächst grenzt er in einer genauen Analyse die abgebildete Wirklichkeit von dem Filmbild ab, das sich von jener etwa darin unterscheidet, daß es die Körper in die Fläche projiziert, die räumliche Tiefe verringert, die raumzeitliche Kontinuität nicht einbegreift und die nichtoptische Sinneswelt ausscheidet. Dann zeigt er, wie diese Eigentümlichkeiten des Filmmaterials im Interesse künstlerischer Wirkungen zu verwenden seien und tatsächlich verwandt worden sind. Eine Betrachtungsweise, der die folgende, gut formulierte Einsicht zugrunde liegt: »Für den Filmkünstler ... kommt viel darauf an, daß er die Charaktereigenschaften seines Materials bewußt unterstreiche, und das nun wiederum so, daß dadurch der Charakter des dargestellten Objektes nicht zerstört, sondern im Gegenteil verstärkt, konzentriert, gedeutet wird.« Wenn mich nicht alles täuscht, sind die ästhetischen Gesetzmäßigkeiten des stummen Films bisher weder so grundsätzlich aus den materiellen Bedingungen abgeleitet, noch so vollständig verzeichnet worden. Auch dem Tonfilm gegenüber erweist sich das von Arnheim benutzte Verfahren im allgemeinen als glücklich; wenn es auch, vielleicht der Neuheit der Gattung wegen, hier nicht so ergiebig ist. Überhaupt beruht wohl seine Stärke vorwiegend auf dem ausgeprägten Sinn für formale Strukturen. Jedenfalls sind die ihnen gewidmeten Untersuchungen aufschlußreicher als jene, die den Gehalt der Filme betreffen. So konkret das Abstrakte behandelt wird, so abstrakt bleiben manche Auskünfte über die Konkretionen, und die soziologische Deutung der üblichen »Konfektionsfilme« zum Beispiel ist reichlich mager geraten. Dieser Schwächen ungeachtet ist aber das Buch als umfassender ästhetischer Leitfaden zweifellos ein Gewinn.

Das bereits in Frankreich publizierte Buch: *»Die Traumfabrik«* von *Ilja Ehrenburg* setzt die besondere Art der Reportage fort, die bereits in dem viel besprochenen Werk: *»Das Leben der Autos«* aufgenommen worden war. Ihr Ziel ist: dem Treiben der weltbeherrschenden Wirtschaftsführer auf die Spur zu kommen und dadurch das ökonomische Geschehen seiner Anonymität zu entkleiden. Dieses Mal müssen die Filmmagnaten daran glauben. Nicht so, als ob Ehrenburg die Biographien der Zukor, Fox, Laemmle, Klitzsch, Nathan[5] usw. entwürfe; ihm liegt vielmehr allein an der Darstellung ihrer Transaktionen und Machtkämpfe, in denen sich ja auch die Bedeutung dieser Männer objektiviert. Sie sind, wenn man will, fleischgewordener Profitgeist, und eine Hauptabsicht des Buches besteht eben darin, den Profitgeist bei der Arbeit zu zeigen und seine vielverzweigten Wirkungen zu schildern. Er hat findige Geschäftsleute dazu bewogen, die neue Ware Film zu produzieren und ihre Erzeugnisse dem Geschmack der Publikumsmassen anzugleichen; er hat zwischen den Filmkonzernen der verschiedensten Länder zu Konflikten und Pakten geführt, von denen die Öffentlichkeit kaum etwas weiß; er hat den Ablauf unzähliger Einzelschicksale beeinflußt und sich eine Menge von Ideologien zum Versteck ausgewählt, um deren Entlarvung sich Ehrenburg mit Erfolg bemüht. Allerdings läßt die romanhafte Form, in der er sein Aufklärungswerk vollbringt, den Leser häufig im unklaren darüber, wo die Wirklichkeit aufhört, um die es doch geht, und die Phantasie frei zu schalten beginnt. Immer wieder kommt der Romancier Ehrenburg dem nüchternen Zeitkritiker Ehrenburg ins Gehege. Arrangements werden hergestellt, die der Realität ersichtlich nicht folgen, und erfundene Details und Lebensfragmente dem Tatsachengewebe unmerklich einverleibt. Das Ganze entzieht sich der Kontrolle und ist überhaupt nicht eigentlich ein exakter Bericht, sondern eine düstere Vision vom Zustand der kapitalistischen Welt. Diese erscheint als ein verheerendes Durcheinander blinder Gewalten, denen die Massen als Beute dienen, und wird bewußt in Gegensatz zu Rußland gebracht. Ein Untergangsgemälde, das die Verhältnisse zuletzt doch verzerrt wiedergibt, so großartig es im übrigen auch gestaltet ist.

René Fülöp-Millers Buch: »Die Phantasie-Maschine« ist dem Ehrenburgs überraschend ähnlich, packt aber dasselbe Thema ungleich prosaischer an. Zu den brauchbaren Erkenntnissen, die es vermittelt, rechne ich die Entdeckung, daß an der Wiege des amerikanischen Films außer den Instinkten der jüdischen Einwanderer noch der Genius der puritanischen Geschäftsmoral gestanden habe; ferner den Hinweis auf die wesentliche Beziehung zwischen der konfektionierten Unterhaltungsware des Films und der Langeweile, unter der gerade die amerikanischen Massen in ihrer freien Zeit leiden. Ein sehr prominenter amerikanischer Politiker äußerte einmal zu einem von mir verehrten Publizisten: »Eines unserer Hauptprobleme ist, wie wir die Bevölkerung nach der Arbeit beschäftigen sollen.« Die Hollywooder Filmherren haben dieses Problem auf ihre Weise bewältigt und einen Filmstandard geschaffen, der den Ansprüchen der Massen entgegenkommt. Mit Recht leitet Fülöp-Miller seine Entstehung aus den tiefen Einsichten in die allgemeingültigen Gemütsreaktionen des Publikums ab, deren gerade die profitfreudigen Schöpfer der Branche fähig waren. Wie sie durch das unvermeidliche happy end und eine typisierte Erotik dem Massenbedürfnis zu antworten suchen, so auch durch die weitgehende Berücksichtigung des sozialen Ressentiments.[6] Der Autor liefert eine Reihe wertvoller soziologischer Betrachtungen, die nur leider in einemfort durch langwierige Zitate und historische Exkurse unterbrochen werden. Sie wirken nicht so sehr belehrend als bildungsbeflissen und hätten gut und gern fortfallen können.

(*Die Neue Rundschau*, Januar 1933)

1 Zu Petzets Buch siehe auch Nr. 667; Kracauer greift im folgenden z. T. wörtlich auf diese frühere Besprechung zurück.

2 Zum Reichslichtspielgesetz siehe Nr. 667, Anm. 2.

3 Im Typoskript (KN): »Daß er sie so unter Druck setzen kann [...].«

4 Zu den im folgenden besprochenen Büchern von Arnheim, Ehrenburg und Fülöp-Miller siehe auch Nr. 671; Kracauer greift z. T. wörtlich auf diese frühere Besprechung zurück.

5 Richtig: (Emile) Natan.

6 Im Typoskript folgt hier der Satz: »Von solchen mehr oder weniger ideologischen Fixierungen scheidet der Autor behutsam die Komik im amerikanischen Film, die ihm als echter Gehalt gilt. Kurzum, er liefert [...].«

707. Duldertum und Heroismus[1]

Zu zwei Filmen

Filmrez.: MARIE, LÉGENDE HONGROISE / TAVASZI ZAPOR. Pál Fejős. HU / FR 1932;[2] MORGENROT. Gustav Ucicky. DE 1932/33.

Wichtiges Experiment

Der Regisseur *Paul Fejos*, dessen Film: ZWEI JUNGE HERZEN[3] einer der schönsten stummen Filme ist, die je gedreht worden sind, hat jetzt ein neues Werk inszeniert, das aus der Reihe der üblichen Tonfilme völlig herausfällt. Es heißt MARIE und nennt sich selber eine Filmlegende. Diese Schöpfung ist unter allen Umständen ein kühnes und für die Entwicklung der Gattung wichtiges *Experiment*. Denn sie versucht nicht nur, den Tonfilm zum Kunstwerk zu verdichten, sondern möchte ihm auch die *Internationalität* des stummen Films zurückerobern.
Zu Grunde gelegt ist die ungarische Legende vom Dienstmädchen Marie, in der sich das Schicksal der geschundenen Kreatur verkörpert. Marie wird geplagt wie Aschenputtel, verführt und verlassen wie Gretchen und nach Eintritt der Schwangerschaft von der ganzen Dorfgesellschaft verfemt. Nur die Insassen eines Freudenhauses haben Erbarmen mit ihr. Hier kommt sie nieder, hier verhätscheln alle Mädchen ihr Kind. Aber auf eine Denunziation hin greift die Staatsgewalt ein und entreißt der armen Marie das Töchterchen, ohne das sie nicht sein kann. Sie verfällt dem Wahnsinn, irrt verspottet umher und stirbt. Nach ihrem Tod nimmt die sozialkritische Legende vollends märchenhafte Züge an. Erlöst von der Erdenpein, fährt Marie himmelwärts, putzt in der ewigen Seligkeit eine schimmernde Küche und bewahrt als Schutzengel ihre Tochter vor dem eigenen bitteren Los.
Diese ergreifende Fabel gibt Fejos zwei wesentliche Chancen. Die eine: daß der Stoff einer freien filmischen Durchgestaltung auf halbem Wege entgegenkommt. Zum Unterschied von den meisten anderen Vorwürfen gestattet nämlich die Legende, alle Dinge von einer einzigen, inhaltlich erfüllten Perspektive aus zu betrachten. Die Welt muß so erscheinen, wie Marie sie sieht, und der Blick, den sie, die Gequälte, auf ihre Umge-

bung richtet, ist kein beliebiger Blick, sondern einer, der die Menschen und Zustände entlarvt. Indem nun Fejos diesem Blick bewußt folgt, verfährt er mit der Realität wie ein Dichter. Er nimmt alle Gestalten[4] und Gegenstände gleichsam durch die Augen Maries wahr und hebt so die konfuse Empirie in eine entschiedene Wirklichkeit. Seine verwandelnde Kraft ist oft groß. Der Glockenturm, zu dem Marie aufsieht, wird mit Bedeutung imprägniert, das Standbild der Muttergottes scheint bewegt, und die Gesichter der Dienstherrschaft erhalten jene unpersönliche Härte, die ihrer sozialen Stellung entspricht. Der Verlassenheit Maries antwortet die Öde der Objekte. Die vorsintflutliche Eisenbahn führt aus der Welt heraus, die Häuser wirken wie Feinde. Nur im Bordell eigentlich, einer entsetzlichen Kleinstadt-Oase, tauen die Sachen und Figuren ein wenig auf. Das mechanische Klavier spielt selbsttätig muntere Disharmonien, der kalte Lichterglanz erwärmt, und hinter der erstarrten Physiognomie der Inhaberin regt sich ein Mitgefühl, das sie spürbar verschönt.

Auch von der zweiten Chance macht Fejos einen guten Gebrauch. Sie besteht darin, daß durch die Einfachheit und Sinnfälligkeit der Fabel die Sprache auf ein Minimum beschränkt werden kann. Während René Clair den Dialog nach Möglichkeit als Element des musikalischen Tongefüges verwendet,[5] läßt ihm Fejos, hierin realistischer, den Charakter des Sprechdialogs, drängt ihn aber fast ganz in den Hintergrund. Er bemüht sich, praktisch durchzuführen, was ich an dieser Stelle wieder und wieder aus ästhetischen Gründen fordern zu müssen glaubte.[6] Tatsächlich sind alle Situationen so entwickelt, daß das *Wort nahezu entbehrlich* wird. Und in jenen Fällen, in denen es doch eintritt, erwächst sein Sinn ohne Schwierigkeiten aus dem der Situation.[7] (Um so unbegreiflicher, daß die paar Sätze, die sich herauskristallisieren, in deutscher Sprache unterlegt worden sind.) Das hier gegebene Beispiel verdient die Nachfolge um so mehr, als Fejos auch auf jede übertriebene oder sachlich unbegründete musikalische Illustration verzichtet. Er nutzt die Geräusche und Tierstimmen aus und schaltet die Musik vorwiegend nur dort ein, wo sie von der Fabel bedingt ist. Man hört die Klänge eines Tanzfestes herüberwehen, das sich später vor aller Augen entfaltet. Überhaupt ist kaum je eine akustische Untermalung angesetzt, die ein bloßes Füllsel wäre und außerhalb des Films gelegene Quellen hätte. Dank dieser sinnvollen Ökonomie aber wird der Film erst richtig zum Film. Das heißt nichts anderes, als daß sein Hauptgewicht auf den stummen Partien ruht. Gesten übernehmen tragende Funktionen, mimische Veränderungen, deren Verständnis an keine Sprachgrenze gebunden ist, bestimmen die der Handlung. In *Annabella* hat Fejos eine Darstellerin gefunden,[8] die seine Absichten zu realisieren vermag. Sie besitzt eine erstaunliche Fähigkeit zu nuancieren, und wie sie das eine Mal ein Bild ausswegloser Trauer ist, so erstrahlt sie das andere Mal in der Glorie des Mutterglücks.

Trotz solcher schwer zu überschätzender Qualitäten bleibt aber der Film weit hinter dem Ziel zurück, das Fejos ersichtlich vorgeschwebt hat. Und zwar darum, weil das Werk schon von Geburt an mit einem Gebrechen behaftet ist. Erstrebt wird in ihm die Verfilmung einer Legende von so rein *epischer* Beschaffenheit, daß ihre Transponierung in die Filmsprache gar nicht gelingen kann. In der Legende spielt der chronologische Zeitablauf nur eine unwesentliche Rolle im Vergleich mit der legendären Zeit, die sich windschief zur chronologischen verhält. Diese episch wohl zu gestaltende Zeit nun, die über Daten und Räume nach freiem Ermessen verfügt, wird im Film oft bis zur Unerträglichkeit verzerrt. Um sie annähernd widerzuspiegeln, ist Fejos genötigt, fortwährend zwischen langgezogenen Szenen und höchst summarisch verfahrenden Auftritten zu wechseln. Manchmal steht der Uhrzeiger still, manchmal sind Monate oder Jahre ein Nichts. Was in der Legende zur Einheit verwoben sein mag, erscheint eben im Film als abruptes Nacheinander. Diese Sprunghaftigkeit der Tempi, die ein starkes Unbehagen erzeugt, weist aber deutlich darauf hin, daß sich die Legende der Verfilmung widersetzt. Ihre Wahl wird dadurch noch problematischer, daß die legendäre Phantasie häufig der Verbildlichung spottet. Sie ist im Himmel genauso wie auf der Erde zu Hause und kann sich in Reichen ergehen, die nie ein Auge erblickt. Daher muß der Filmregisseur notwendig scheitern, sobald er gewisse Sprachbilder optisch belegen will. Seine Ferien schmecken auch wirklich nach dem Atelier, seine Sterne sind künstlich, und die Erdkugel, auf die Marie niederschaut,[9] ist ein Modell. Solche Illustrationen sind Verfehlungen prinzipieller Art. Sie vernichten die Kraft des erzählten Märchens und kommen der Phantasie nicht zu Hilfe, sondern töten sie nur. Schließlich hat Fejos, vielleicht um

einen abendfüllenden Film herzustellen, die Maße im ganzen zu völlig genommen. Der Film erreicht eine Ausdehnung, der seine Inhalte nicht gewachsen sind. In der knappen Legende beheimatet, werden sie sofort obdachlos, wenn man sie über die ihnen zubestimmte absolute Länge hinaus streckt.
Diese Einwände besagen selbstverständlich nichts gegen den außerordentlichen Wert, den der Film als Experiment hat. Die Filmschaffenden könnten viel von ihm lernen.

Unterseeboot-Krieg

Krieg als Ereignis *heroischer Pflichterfüllung*: das ist das Thema des Ufa-Großfilms: MORGENROT. Er veranschaulicht auf Grund eines von *Gerhard Menzel* gestalteten Manuskripts eine Episode aus dem Unterseeboot-Krieg, deren wichtigste Szene die folgende ist: Die überlebende Mannschaft des nach mehreren geglückten Unternehmungen vernichteten U-Boots sitzt im engen Schiffsraum zusammen und weiß, daß sie nur noch ein paar Stunden zu leben haben wird. Acht Rettungsapparate sind vorhanden, aber die Besatzung zählt einschließlich des Kapitänleutnants und des Oberleutnants zehn Mann. Der Kommandant fordert die Mannschaft auf, sich zu retten. Sie erklärt, daß sie mit ihren Führern zusammen sterben wolle. Erst der freiwillige Opfertod des Oberleutnants und eines Matrosen – dieser ist ein Einzelgänger, jener hat eine (nur peripher angedeutete) unglückliche Liebe – verpflichtet die übrigen Acht, fürs Vaterland weiterzuleben.
Die hier bewährte heroische Gesinnung wird im Verlauf der Handlung mit dem Verhalten der Heimat konfrontiert. Der Film entwirft von ihr Schilderungen offizieller Art. Schuljugend stellt sich zum Empfang der Helden am Bahnhof auf, und der Bürgermeister schwingt begeisterte Reden. Entscheidend ist nun, daß sich die Gesinnung der Front von der des Kleinstädtchens deutlich abhebt. Die Unterseeboot-Leute verwerfen den Heldenrummel ebenso bestimmt wie die Verzagtheit, die sich später der Gemüter zu Hause bemächtigt. Ergänzt wird diese an der Bevölkerung des Hinterlandes geübte Kritik durch die Mutter des Kapitänleutnants, die dem Heroismus auf die rechte Weise antwortet. Sie

erklärt ungefähr: daß nach Siegen kein Grund zum ungebrochenen Jubilieren vorliege, daß man auch immer der Opfer des Gegners gedenken solle usw. (Ihre Worte wurden bei der Uraufführung am lebhaftesten beklatscht.) Zu diesen an sich wohltuenden Abrechnungen wäre nur zu bemerken, daß sie in eine reichlich stilisierte Wiedergabe der wirklichen Verhältnisse eingefügt sind. Front und Heimat haben in jenen Jahren faktisch anders ausgesehen, als es die idealtypischen Bilder des Films wahrhaben möchten.

Während nirgends ein Wort fällt, das dem Phänomen des Krieges selber gilt, werden verschiedene Sentenzen geprägt, die den Geist heroischer Pflichterfüllung als einen Grundzug unseres Wesens ansprechen. Der Kapitänleutnant sagt einmal, daß wir zwar vielleicht nicht richtig zu leben, aber dafür »fabelhaft« zu sterben verstünden. Und ein andermal bekennt er sich beinahe dankbar zu einem Geschick, das der heldischen Haltung gemäß sei. Damit stimmt überein, daß in dem Film jede Frage nach dem Sinn des furchtbaren Geschehens fehlt, das er zeigt. Stumm wird es hingenommen, stumm abgewehrt oder herbeigeführt. Indem der Film so die heroische Weltanschauung verabsolutiert, entkräftet er sie aber zugleich. Denn echter Heroismus ist sich nicht Selbstzweck, sondern steht im Dienst des von der Erkenntnis gesetzten Ziels. Daher wäre es im nationalpädagogischen Interesse zweifellos ratsamer, auf die Notwendigkeit einer Regelung unserer Angelegenheiten durch die Vernunft hinzuweisen, statt dem Heroischen ohne weiteres den Primat zuzuerteilen. Vorausgesetzt, daß es darum geht, richtig zu leben ...

Der Film, der zum Teil an Bord eines filmischen Unterseebootes hergestellt ist, enthält eine Reihe hervorragender Aufnahmen und Szenen. Besonders gut ausgearbeitet sind die technischen Dinge: das tauchende Boot, das Zusammenspiel der Menschen und Apparate im Schiffsinnern, der Vorgang der Zerstörungsaktionen. Eine saubere, exakte Leistung, die einen durchaus glaubhaften Eindruck erweckt und ganz unsentimental durchgebildet ist. Im Vergleich mit den militärischen Partien wirken die des Zivillebens ein wenig gestellt; aber das liegt wohl nicht so sehr an Regiemängeln als am Thema selber und der Auffassung, die man von ihm hat. Umrahmt wird die ganze Kriegsepisode von Bildern rollender Eisenbahnzüge. Lazarettzüge und Truppentransportzüge, die ins Feld fahren oder aus dem Feld kommen, kreuzen sich unaufhörlich. Sie

sind ein Gleichnis des Krieges, symbolisieren seine Dauer und rufen Erinnerungen wach, die erschüttern.
Rudolf Forster, den wir sonst nicht in Uniform zu sehen gewohnt sind,[10] macht als Kapitänsleutnant eine gute Figur; wenn man auch manchmal merkt, daß er sich nur verkleidet hat. Die Mutter *Adele Sandrocks* spricht überzeugend; die Mannschaft ist echt; die Kleinstadtbürger sind wie Gespenster. Gewisse Empfindungen, die Forster und andere Darsteller bezeugen sollen, verweigern sich hartnäckig dem Ausdruck.[11]
(FZ vom 7. 2. 1933)

1 Das Typoskript (KN) hat den Titel: »Filmlegende«.
2 Der Film ist eine Mehrsprachen-Produktion; die deutsche Version erschien u. d. T. MARIE, der englische Titel war MARY – HUNGARIAN LEGEND (beide: Pál Fejős. HU / FR 1932), der rumänische PRIMA DRAGOSTE (Jean Mihail. HU / FR 1932).
3 Siehe Nr. 502.
4 Im Typoskript: »Figuren«.
5 Siehe Nr. 614 und 649.
6 Siehe u. a. Nr. 512, 533, 591, 597 und 612.
7 Im Typoskript: »[. . .] ergibt sich sein Sinn ohne Schwierigkeit aus der Situation.«
8 Im Typoskript: »Zum Glück hat Fejos in Anabella eine Darstellerin gefunden [. . .].« Annabella (d. i. Suzanne Georgette Charpentier) spielte die Rolle der Marie.
9 Im Typoskript: »niederblickt«.
10 Zu Rudolf Forster (1884-1968) siehe u. a. Nr. 562, 636 und 684.
11 Zu diesem Film siehe auch *Werke*, Bd. 2.1, Kap. 21.

708. Berliner Nebeneinander [Teil IV][1]

Menschen im Hotel

Filmrez.: MENSCHEN IM HOTEL / GRAND HOTEL. Edmund Goulding. US 1931/32.

Bälle werden jetzt nicht nur im »Hotel Savoy« auf der Bühne gefeiert. Auch in den wirklichen Hotels herrscht ein ziemlich ausgedehntes Balltreiben, das aus den Sälen in die Hallen und wieder zurück in die Säle flutet. Ja, der Eindruck ist nicht abzuweisen, daß sich das gesellschaftliche Leben in diesem Jahr stärker als im vergangenen entfaltet. Wenn man die glänzenden Bilder betrachtet, die es bietet, hat man durchaus das Gefühl, als gingen wir wieder einmal herrlichen Zeiten entgegen ... Eine Kombination aus Hotelleben und gesellschaftlichem Ereignis ist die von der »Genossenschaft Deutscher Bühnenangehörigen« veranstaltete Uraufführung des Films: MENSCHEN IM HOTEL gewesen.[2] Lauter Prominente im Parkett und auf dem Balkon, und als Auftakt ein Bühnenteil unter Mitwirkung von Generalmusikdirektor *Lert*, *Willi Domgraf-Faßbänder* und *Frau Salvatini*.[3] Warum das chinesisch vermummte Laban-Ballett[4] der Staatsoper so verkrampfte Bewegungen machen muß, ist nicht recht einzusehen. Oder spiegelt es die Zuckungen unseres politischen Lebens wider? Zu erwähnen wäre noch das Programmblatt, das ein kalligraphisches Wunder ist. Übrigens ist es jetzt nachgerade zur allgemeinen Sitte geworden, bedeutende Filme so festlich herauszubringen. Die Einladungskarte zu Cecil DeMille's Millionenfilm: IM ZEICHEN DES KREUZES, dessen Premiere in diesen Tagen stattfindet,[5] hat die Form einer römischen Urkunde und ist mit einem Siegel versehen, das durch seine Amtsmiene den Empfänger zunächst in Schrecken versetzt. In besonderen Fällen werden die Filme sogar von Mitgliedern der Reichsregierung aus der Taufe gehoben. Der Film: MENSCHEN IM HOTEL ist, wie man weiß, nach dem gleichnamigen Roman von Vicki Baum[6] gedreht worden und zeichnet sich durch eine Besetzung aus, deren Prominenz die bei seiner Berliner Uraufführung versammelte fast in den Schatten stellt. Sein Werk fällt aber auch in der Tat mit dem der darstellerischen Leistungen zusammen, die dank der Regie *Gouldings* spielerisch gut ineinandergreifen. Denn die Handlung selber, die das grausame Nebeneinander im Hotel veranschaulichen möchte, verdichtet sich nicht zu irgendeiner Gestaltung, sondern ist eine mittlere Unterhaltungsware, der in der Hauptsache jene Publikumsschichten Beifall spenden werden, die in den großen Hotels nicht verkehren. Kennt man solche Hotels nicht von innen, so hört man wenigstens gern etwas über sie, und wem liefe nicht ein angenehmes Gruseln über den Rücken, wenn er eine angemessene Zeit in der Gesellschaft einer russischen Tänzerin, eines aristokratischen Hoteldiebs, eines Generaldirektors usw. verbringen darf? Vor allem dann, wenn sich zeigt, daß auch diese unnahbaren Hotelgäste nur arme, geplagte Menschen sind. Die Autorin hat die Bedürfnisse ihres Publikums richtig erfaßt. Allein das Star-Ensemble erhebt den Film zum Rang eines interessanten und wichtigen Dokuments. *Greta Garbo* als

russische Tänzerin: seit sie vor Jahren, ebenfalls unter der Regie Gouldings, Anna Karenina verkörperte,[7] hat sich die Natur und das Spiel dieser einzigen Frau nicht mehr so voll und hinreißend dargestellt. (Ich werde über sie noch gesondert berichten.)[8] Joan Crawfords Stenotypistin ist die sehr exakt ausgeformte Figur eines durch den Existenzkampf abgebrühten Mädchens; John Barrymore, ein heruntergekommener Edelmann, dem trotz seiner Diebstähle unsere Sympathie gehört; *Wallace Berry*,[9] ein Generaldirektor mit parvenuhaften und täppischen Zügen. Das Zusammenspiel dieser ausgezeichneten Kräfte, aus dem eigentlich nur *Lyonel Barrymores*[10] viel zu aufdringlich gestalteter Buchhalter Kringelein herausfällt, zwingt zu starker innerer Beteiligung. Sie wird noch vertieft durch die Genauigkeit des Details und die hervorragenden Schilderungen des Hotelmilieus.
(FZ vom 17. 2. 1933)

1 Die folgende Rezension war im FZ-Druck der vierte Abschnitt des Artikels »Berliner Nebeneinander. Kara-Iki – Scala-Ball im Savoy – Menschen im Hotel«. Zu den ersten drei Abschnitten siehe *Werke*, Bd. 5, Nr. 610.
2 Die deutsche Erstaufführung fand am 14. 2. 1933 im Capitol statt. Die Genossenschaft Deutscher Bühnen-Angehöriger (GDBA), die gewerkschaftliche Organisation der Bühnenangehörigen, wurde 1871 von Ludwig Barnay in Weimar gegründet. In der GDBA sind heute rund 7000 Mitglieder des künstlerischen und künstlerisch-technischen Bereichs der Theater organisiert.
3 Richard Lert (1885-1980), österreichischer Dirigent, von 1928 bis 1933 Generalmusikdirektor an der Berliner Staatsoper Unter den Linden; Willi Domgraf-Faßbaender (1897-1978), deutscher Bariton, seit 1930 an der Berliner Staatsoper; Mafalda Salvatini (verh. Mafalda Saulys, 1888-1971), italienische Sopranistin, trat vor allem in Berliner Opernhäusern auf.
4 Siehe Nr. 98, Anm. 4.
5 IM ZEICHEN DES KREUZES / THE SIGN OF THE CROSS. Cecil B. DeMille. US 1932. Die deutsche Erstaufführung fand am 17. 2. 1933 in Berlin statt.
6 Drehbuch: William A. Drake, nach Vicki Baums Roman *Menschen im Hotel*. Ein Kolportageroman mit Hintergründen. Berlin: Ullstein 1929.
7 In dem Film LOVE. Edmund Goulding. US 1927.
8 Siehe Nr. 709.
9 Richtig: Wallace Beery.
10 Richtig: Lionel Barrymore.

709. Greta Garbo

Eine Studie

Wäre die Garbo nur schön, so ließe sich daraus das Wunder ihrer Weltgeltung nicht erklären. Gewiß ist ihre Schönheit schon ein seltenes Ereignis. Wie der hohe Wuchs mit dem Gesicht zusammenklingt, wie die Gesichtszüge selber sich zueinander verhalten: das alles ist so richtig und genau angeordnet, daß keine Einzelheit auch nur um einen Millimeter verändert werden könnte. Aber es gibt andere Darstellerinnen (Lil Dagover zum Beispiel),[1] denen ebenfalls das Attribut der Schönheit zukommt. Dennoch unterscheidet sich die Garbo bereits im Äußeren von ihnen, und zwar durch die Art ihrer Schönheit. Diese verträgt nicht die geringste nähere Bestimmung. Weder ist sie lieblich noch großartig, noch auch darf man sie als blendend bezeichnen. Sie hat keine Eigenschaften, sie ist Schönheit schlechthin.

Vorausgesetzt, daß sich in der Erscheinung eines Menschen sein Wesen darstellt, so kann eine solche nicht zu differenzierende Schönheit nur auf zwei Arten der Existenz hinweisen. Die eine Möglichkeit wäre die, daß sie den Zustand völliger Leere ausdrückt. Das heißt, es ist durchaus denkbar, daß das Schöne, dem alle charakteristischen Merkmale fehlen, ein Sein ohne Gehalt vergegenwärtigt und die Harmonie nur eine Larve ist, hinter der sich nichts verbirgt. Schönheit und Dummheit paaren sich oft. Die andere, der hier gemeinten Schönheit eingeräumte Möglichkeit ist die, daß sie aus der Fülle stammt und eine komplette Natur anzeigt. So verhält es sich in der Tat bei der Garbo. Ihr Spiel bestätigt, daß die Schönheit, über die sie verfügt, nicht in der Armut, sondern im Reichtum der Existenz gegründet ist.

Die Natur, aus der sie schöpfen kann, ist nun keineswegs allein die elementare, jene, die in die Seele hineinwuchert und den Geist abstößt. Denn ginge es nur um sie, so müßte sich ja die Schönheit der Garbo schon spezifizieren lassen. Sie wäre dann wild oder auch mütterlich, und die Garbo selber verkörperte ausschließlich das Weib. Nicht so, als ob sie dumpfer Natur ermangelte. Im Gegenteil, ihr Sein ist durchaus kreatürlich bedingt, und man spürt immer neu, daß es noch in der Erde wurzelt. Etwas Volkshaftes setzt sich in ihrem Spiel häufig durch. Entscheidend ist jedoch, daß es bei den Manifestationen der Natur im engeren Sinne nicht sein Bewenden hat. Was sich in der Garbo kundgibt, ist vielmehr die gebildete Natur. Eine, die den Geist annimmt und durchläßt, statt sich gegen ihn zu empören, und sich überhaupt allen wirklichen Mächten öffnet, die an die Existenz des Menschen rühren. Sie läßt sich mit Klugheit vereinen und reicht aus dem Dunkel dämonischer Besessenheit in die Helle schwereloser Gefühle. Anders ausgedrückt: die Garbo ist nicht so sehr das Weib als die Frau. Und es ist ein einzigartiger Glücksfall, daß sich in ihr sämtliche Elemente des unbewußten und seiner bewußt gewordenen Daseins zusammenfinden, ohne daß eines von ihnen um der übrigen willen hätte verkümmern müssen. Entstehen sonst gewöhnlich Konflikte, die zu einer einseitigen Lösung zwingen, so herrscht hier ein unverkrampftes, latentes Gleichgewicht, das jeweils verschiedene Lösungen ermöglicht. Der exakte Widerschein dieses Gleichgewichts aber ist die Schönheit der Garbo, die bedeutungslos wäre, wenn sie nicht das Miteinander vieler Bedeutungen enthielte.

Beinahe wunderbarer als eine derartige Mitgift ist der Gebrauch, der von ihr gemacht wird. Ihm und nicht dem vorhandenen Fundus an Schönheit und Natur verdankt die Garbo den Weltruhm, den sie besitzt. Er ist daran geknüpft, daß sie mit einem großen Können und einer vielleicht noch größeren Instinktsicherheit genau das verwirklicht hat, wozu ihre Anlagen sie vorbestimmen: die Frau, die nichts anderes ist als Frau. Das eigentliche Geheimnis der Garbo besteht eben darin, daß sie einen Typus versinnlicht, der gar kein Typus ist, sondern gewissermaßen die Gattung selber repräsentiert. Wahrhaftig, die Gestalt, zu der sie sich in ihren Filmen verdichtet, erreicht einen so hohen Allgemeinheitsgrad, daß alle nur typischen Züge wie ausgelöscht sind. Bei anderen Schauspielerinnen kann man gewöhnlich Herkünfte und Schicksale erraten, oder doch irgendwelche besondere Kennzeichen und Gaben feststellen, die ihnen ein für allemal eignen. Sie sind so und so beschaffene Frauen, und ihr Aktionsradius ist daher auch beschränkt. Die Garbo dagegen entzieht sich jeder solchen Fixierung. Ihr Alter verändert sich fortwährend, ihre Nationalität spielt keine Rolle, ihre Erscheinung wechselt vom Mädchen zum Kind und vom Kind zur Dame hinüber. Ebenso wenig wie sie char-

giert, hat sie eine spezielle Note, die sich in ihr Signalelement eintragen ließe, sie ist die Frau als solche und nichts außerdem.
Das Allgemeine, Gattungsmäßige zu veranschaulichen, gelingt ihr aber dadurch, daß sie vor allem jene Gehalte darstellt, die sie in ihrem Sein vorfindet. Anstatt in Gebärden, Nuancierungen und Verhaltensweisen zu glänzen, die nicht a priori mitgegeben, sondern nur durch die Eingliederung in die Gesellschaft und zahlreiche empirische Erfahrungen zu gewinnen sind, formt sie vorwiegend Bestände, die, unabhängig von äußeren Relationen, aus einer so vollen Existenz wie der ihren unschwer heraufgeholt werden können. Man erzählt sich, daß die Garbo ein sehr zurückgezogenes Leben führe. Zweifellos hält sie sich auch darum allein, weil sie gerade die Erlebnisse und Verwandlungen ausscheiden muß, die den zwischenmenschlichen Beziehungen zwangsläufig entwachsen. Sie verschleißen das Gattungswesen in der Regel zum mehr oder minder typischen Exemplar. Welche andere Darstellerin vermöchte allerdings eine Allgemeinheitsstufe zu erfüllen, die noch höher wäre als der Typus? Indem die Garbo sich von der Welt absondert, gehorcht sie vertrauensvoll den Anweisungen ihrer Natur. Diese produziert aus sich heraus und ohne fremdes Zutun alle Grundgefühle und wesentlichen Einstellungen des Frauenlebens. Auf ihnen ruht denn auch der Hauptakzent ihres Spiels. Im Film: MENSCHEN IM HOTEL[2] etwa entfaltet sie sich dort am stärksten, wo sie über ihre Liebe jubiliert. Es ist gleichsam das Liebesglück an sich, das sie darbietet, ein Glück, das nicht erst durchs Medium der Erfahrung hindurchgegangen ist, sondern schleierlos erscheint. Wenn sie es in vielen Variationen vor Augen führt, so hat man den Eindruck, daß sie nur bei sich selber einzukehren braucht, um den ganzen Stoff des Glücks anzutreffen. Sie greift in die Saiten ihres Wesens und bringt die eigene Existenz zum Tönen. Damit hängt der andere Eindruck zusammen, daß sie auf den Höhepunkten immer monologisiert. Der Gegenspieler wird ihr zum Gegenstand, an dem sie sich entzündet, die Fabel schenkt ihr Gelegenheiten zum Einsatz, und der Raum, den sie [mit] der Zofe oder dem Geliebten teilt, gehört ihr tatsächlich allein. Dabei drängt sie sich keineswegs vor; ihr Sein vielmehr, dem sie jede Geste entnimmt, drängt von sich aus die Außenwelt zurück. Es ist so angelegt, daß sie nicht nur wie in diesem Film das Glück, sondern auch den Schmerz, die Enttäuschung oder die sich opfernde Liebe verkörpern

kann. Auf die Verbildlichung solcher fundamentaler Zustände, die nicht so sehr einem bestimmten Frauentyp als der Frau überhaupt zugeordnet sind, konzentriert sich in Wahrheit ihr Spiel.
Der Preis, den die Garbo für ihre Größe zahlt, ist hoch. Infolge des außerordentlichen Allgemeinheitsgrades ihrer Formulierungen läuft sie stets die Gefahr, dekorative Wirkungen hervorzurufen. Vor allem in einem Ensemble, das sich durch realistische Leistungen auszeichnet. Im Vergleich mit ihnen scheint die der Garbo manchmal stilisiert zu sein; obwohl sie viel zu reich ist, um ihre Zuflucht bei seinsmäßig nicht unterbauten Stilisierungen zu suchen. Äußerungen, die nur den Gattungsbegriff bestimmen, ohne sich näher mit der Empirie einzulassen, erzielen jedoch schon ihrer Weite wegen leicht den Nebeneffekt des Dekorativen. Eingreifender ist, daß sich die Garbo, um ihren Gestaltungen die generelle Gültigkeit zu wahren, unberührt erhalten muß. Das besagt, daß sie sich nicht ins gelebte Leben mischen darf, dessen Bindungen die Reinheit ihrer Existenz trübten. Die von ihr gewählte Abgeschiedenheit verrät auch einen (freilich notwendigen) Mangel. Den am Dazwischen. Dadurch, daß die Garbo rein ihre Natur ausspielt, verzichtet sie automatisch auf alle mimischen Prägungen, die nicht nur eine Natur, sondern auch ein durch zwischenmenschliche Beziehungen gemodeltes Dasein zur Voraussetzung haben. Die Wiedergabe der fraulichen Grundhaltungen schließt die von besonderen Haltungen aus, die sich erst als Frucht eines wirklichen Existenzkampfes ergeben. Das Letzte kann man noch aus sich selber herausschlagen; das Vorletzte niemals. Bei der Darstellung ausgesprochener Typen oder zwischenschichtlicher Regungen wirkt die Garbo daher immer schwächer. Im Film: ANNA CHRISTIE[3] spielt sie ein Mädchen, das am Anfang als Dirne auftritt; aber das Dirnenhafte bleibt unerfüllt und wird nur formal charakterisiert. Ähnlich blaß erscheint sie in jenen Szenen des Films: MENSCHEN IM HOTEL, die dem Frohlocken der Liebe vorangehen. Sie hätte in ihnen den Kummer der alternden Tänzerin zu formen, deren Ruhm zu verwelken beginnt. Doch das Gebärdenspiel, mit dessen Hilfe sie dieses menschliche Stadium schildert, ist kaum mehr als eine Draperie, die längst nicht eng genug aufsitzt. Wie schematisch die betreffenden Posen sind, enthüllt sich durch ihre Konfrontation mit der Mimik Joan Crawfords, die den Typ der vom Leben abgewetzten Stenotypistin so realistisch durchbildet,

daß nirgends ein Hohlraum entsteht. Hier, wo es sich darum handelt, empirische Züge herauszukristallisieren, ist die Garbo der Crawford gegenüber im Nachteil. Wer aber nähme diese ihre unausbleibliche Schwäche nicht gern mit in Kauf? Denn zur Entschädigung dafür, daß sie die Erfahrungswelt nicht widerzuspiegeln vermag, gestaltet sie die Welt des Allgemeinen, die durch sie erst Erfahrung wird.
(FZ vom 25. 2. 1933)

1 Zu Lil Dagover (1887-1980) siehe u. a. Nr. 178, 216, 317 und 405.
2 Siehe Nr. 708.
3 Siehe Nr. 643.

710. Film-Literatur

Rez.: *Universal-Filmlexikon*. Hrsg. von Frank Arnau. Berlin: Universal-Filmlexikon GmbH 1933; Felix Henseleit, *Der Film und seine Welt*. Berlin: Photokino 1933.

Das von *Frank Arnau* herausgegebene *»Universal-Filmlexikon«*, das jetzt zum zweitenmal erscheint,[1] behandelt in seiner Ausgabe 1933 die drei großen europäischen Filmländer Deutschland, England und Frankreich. Der umfangreiche, schön ausgestattete Band verfolgt den Zweck, allen am Tonfilm aktiv interessierten Kreisen als Nachschlagewerk zu dienen. Den Hauptraum nehmen die Abbildungen und Biographien der im Tonfilm wirkenden bzw. für ihn geeigneten Darsteller ein, unter denen die Bühnenkünstler eine besondere Berücksichtigung gefunden haben. (Interessant ist der Nachweis, daß ungefähr 95 Prozent aller beim Tonfilm tätigen Kräfte aus dem Theaterbetrieb hervorgegangen sind.) Soweit es sich um Prominente handelt, ist den im Lexikon porträtierten Schauspielern, Sängern, Artisten usw. ein Steckbrief beigegeben, der Auskunft über ihre Verwendungsfähigkeit erteilt. Gekennzeichnet werden in dem Signalement die Rollenfächer, die Größe, die Farbe der Augen und der Haare, die Dialekte, die Sports und dergleichen. Ausführliche Adressenteile erhöhen noch den Wert des Bandes als eines Vermittlungsorganes zwischen der ausübenden Künstlerschaft und der Produktion.
Felix Henseleit, der Chefredakteur des *Reichsfilmblattes*, legt unter dem

Titel: *»Der Film und seine Welt«* einen *»Reichsfilmblatt-Almanach«* vor, der von nun an alljährlich erscheinen soll. Die mit der Herausgabe des Almanachs verbundene Absicht ist: eine Plattform einzurichten, von der aus Filmfreunde und Filmschaffende ihre Meinungen und Wünsche geltend machen können. Wie jeder Sammelband, so vereinigt auch dieser eine Fülle verschiedenwertigen Materials. Schauspieler, Regisseure und Filmproduzenten verbreiten sich von ihrem Standpunkt aus über besondere und allgemeine Aufgaben des Films; Fachleute erörtern das Zensurproblem, Fragen der Organisation und der Werbung und die kinotechnische Situation. Die unter der Rubrik: »Der Film lebt von der Idee« zusammengestellten Beiträge von Adolf Lantz, Hanns Brodnitz, Paul Morand usw.[2] vertreten erfreulicherweise vorwiegend die Auffassung, daß nur der Film Bestand habe, der aus der Wirklichkeit schöpfe. In diesem Sinn äußert sich auch der Regisseur G. W. Pabst.[3] Besonders zu erwähnen ist[4] ein Artikel: »Film und Kultur« von Dr. Luciano de Feo, dem Direktor des Internationalen Instituts für Lehrfilmwesen in Rom.[5] Die Auswahl der zur Mitarbeit am Almanach aufgeforderten Dichter und Schriftsteller scheint leider ein Zufallsprodukt zu sein.[6] Dem Textteil sind zahlreiche Abbildungen einverleibt worden.

In diesem Zusammenhang sei auch auf das Februarheft der *Süddeutschen Monatshefte* aufmerksam gemacht, das als Sondernummer: *»Der deutsche Film«*[7] erschienen ist. Es bringt Aufsätze von Peter Dörfler, Tim Klein, René Prévot, Ernst Hugo Corell, Edmund Schopen[8] und anderen. In ihrer Gesamtheit geben diese Beiträge, deren mancher eine kritische Würdigung verdiente, interessante Aufschlüsse über die kulturelle Bedeutung des deutschen Films.

(FZ vom 26. 2. 1933, Literaturblatt)

1 Die erste Auflage erschien 1932.

2 Felix Henseleit, »Gestern und heute«, S. 20f.; Adolf Lantz, »Stoff-Erneuerung«, S. 22; Paul Morand, »Opium des Volks . . .«, S. 23; Robert Lantz, »Junge Generation und Film«, S. 24; Hanns Brodnitz, »Die im Glashaus sitzen«, S. 25-27; Julius Urgiß, »Der Konflikt ist alles?«, S. 28-30; Carl Froelich, »Der Film vom Alltag«, S. 30.

3 G. W. Pabst, »Film und Gesinnung«, S. 98f.

4 Im Typoskript (KN): »Zu erwähnen ist«.

5 Luciano de Feo, »Film und Kultur«, S. 48-50.

6 Kracauer bezieht sich hier auf das Kapitel »Das Schrifttum an die Welt« (S. 73-88) mit Kurzbeiträgen von Herbert Eulenberg, Fred A. Angermayer, Waldemar Bonsels, Roda Roda, Walter von Molo, Fedor von Zobeltitz, Rudolf Presber, Kurt Tucholsky, Walter

Bloem, Stefan Großmann, Rudolf Arnheim, Irmgard Keun, Rudolph Stratz, Kurt Pinthus und Alfred H. Unger. Die Beiträge haben keine Überschrift und sind in Briefform verfaßt. Die Autoren werden in der Kapiteleinleitung als »eine Reihe der besten deutschen Schriftsteller aus allen geistigen Lagern« vorgestellt (S. 73).

7 *Der deutsche Film*. Süddeutsche Monatshefte, Jg. 30 (1933), H. 5.

8 Siehe Peter Dörfler, »Film und Dichter«. In: ebd., S. 259 f.; Tim Klein, »Film und Theater«, S. 261-263; René Prévot, »Das Filmerlebnis«, S. 264-266; Ernst Hugo Correll, »Produktionsgestaltung und Filmindustrie«, S. 282; Edmund Schopen, »Der Film im süddeutschen Kulturkreis«, S. 293-298 (Seitenangaben nach der Zählung des Gesamtjahrgangs). Die anderen Beiträge stammen von Eduard Stemplinger, Hugo Rütters, Adolf Engl, Walther Günther, Hans Deneke, Ernst Seeger und Walther Plugge.

711. Ein Bali-Film

Filmrez.: DIE INSEL DER DÄMONEN. Friedrich Dalsheim. DE 1932/33.

Dr. Friedrich Dalsheim und *Baron von Plessen* haben von ihrer Expedition nach der Insel Bali den Film: DIE INSEL DER DÄMONEN mitgebracht, der eine sehr glückliche Mischung von Kultur- und Spielfilm darstellt. Schon immer sind wir der Meinung gewesen, daß eine solche Mischung zu fordern sei.[1] Sie ist dem rein dokumentarischen Kultur-Film gegenüber dadurch im Vorteil, daß sie die Bilder nicht nur mehr oder minder zufällig aneinanderreiht, sondern sie nach einem kontrollierbaren Leitprinzip auseinander hervorgehen läßt. Freilich kommt alles darauf an, daß die Handlung, die als Ariadne-Faden dient, auch wirklich durchs Labyrinth der fremden Welt führt.

Um dieses Ziel zu erreichen, haben die Verfasser des Films, denen sich noch der landeskundige Maler und Musiker *Walter Spieß*[2] zugesellt, die Fabel auf Grund von Erzählungen und Berichten der Eingeborenen gestaltet. Sie ist also nicht von außen herangetragen, entwickelt sich vielmehr aus dem Rohmaterial, das vergegenwärtigt werden soll.[3] Ihr Verlauf ist ungefähr folgender: In einem balinesischen Dorf lebt eine alte Hexe, deren Sohn die Tochter eines Kaufmanns liebt. Dieser erleidet durch einen Hahnenkampf schwere Verluste, für die er das Unwesen der Hexe verantwortlich macht. Nachdem ihr auch noch die Schuld für eine Sonnenfinsternis und ein großes Kindersterben aufgebürdet worden ist, beschließt die Gemeinde auf Rat des Priesters, den Hexensohn zu einer wundertätigen Urwaldquelle zu schicken, deren Wasser das Dorf retten wird. Während einige Mädchen Traumtänze produzieren, hat der Priester, der ins Urwaldwasser schaut, die Vision eines Kampfes zwischen dem guten Geist Barong und dem bösen Dämon Rangda. Der Dämon wird getötet, und im selben Augenblick stirbt auch seine Verkörperung, die Hexe. Ein Dankfest bildet den Beschluß.

Der Vorgang, der sich einmal annähernd so zugetragen haben soll, bietet die Gelegenheit, das Dorfleben auf Bali in weitem Umfang zu zeigen. Seine Schilderung fällt um so wirklichkeitstreuer aus, als die Darsteller durchweg Balinesen sind, die überdies im Film zum großen Teil ihre Alltagsrolle spielen.[4] Der reizende kleine Entenjunge des Films etwa ist tatsächlich ein Entenjunge. Mit einer erstaunlichen Sicherheit, die offenbar die Frucht einer langen und intensiven Kollektivarbeit ist, veranschaulichen alle Personen die verschiedenen Zustände ihrer realen Existenz. Am interessantesten ist wohl die tonfilmisch ausgezeichnet gelungene Wiedergabe der Traumtänze. Man sieht, wie die kindlichen Tänzerinnen rasch in Trance geraten und zur Begleitung sonderbarer Mädchen- und Männerchöre ihre genau abgemessenen Bewegungen vollführen. Der Hexenglaube ist durch die noch vorhandenen mythischen Gemeinschaftskräfte hinreichend fundiert. Großartig sind auch die Hahnenkampfszenen, die Episode im Urwald und eine nächtliche Tanzerei. Dabei haben es die Autoren zum Glück keineswegs darauf abgesehen, nur seltene Ereignisse darzubieten, sondern versuchen nach Möglichkeit das ganze, stark kultisch bestimmte Dasein zu erfassen. Markttreiben, Bebauung der Reisfelder, Straßenbegegnungen und häusliche Existenz: das alles ist seinem Rang entsprechend behandelt.

Gute Montage und schöne Bilder, die durch die hervorragende Abstufung der Helligkeiten auffallen, erhöhen den Wert des Films und drängen seine paar schwächeren Stellen vollends in den Hintergrund ab. Die Szene des Kindersterbens zum Beispiel ist zu abrupt eingebaut. Kein eigentliches Gebrechen dagegen sind gewisse Längen, die sich mitunter zu bilden scheinen. Sie erklären sich nicht aus der ungebändigten Lust am Berichten, sondern rühren von der Mischform her, die hier mit Recht gewählt worden ist. Manche Abschnitte, die vielleicht für die Spielhandlung unnötig wären, sind als Bestandteile des Kulturfilms unerläßlich. Und umgekehrt haben einige Szenen, die den Spielfilm vorantreiben,

nur eine untergeordnete dokumentarische Bedeutung. Da aber auf beiden Partien: der kulturellen sowohl wie der spielerischen, der gleiche Akzent ruht, ist auch das Nebeneinander purer Beschreibungen und betonter Handlungseffekte kaum zu vermeiden.
Vermutlich wird sich die Bali-Kultur nicht mehr lange in ihrer jetzigen Unberührtheit erhalten können. Um so wichtiger ist ein solcher Film. Er verhindert, daß diese Kultur in Vergessenheit gerät, und bewahrt gerade diejenigen ihrer Äußerungsformen auf, die sich aus literarischen und künstlerischen Zeugnissen nur unzureichend erschließen lassen.[5]
(FZ vom 1. 3. 1933)

1 Siehe u. a. Nr. 463, 499 und 604.
2 Üblicherweise: Walter Spiess (1896-1947), deutscher Maler und Musiker, lebte von ca. 1914 bis zum Kriegsende unter Baschkirenstämmen, deren Gesänge er aufzeichnete.
3 Im Typoskript (KN): »[...] um dessen Vergegenwärtigung es hier geht.«
4 Im Typoskript: »[...] die im Film dieselbe Rolle übernehmen, die sie im Alltag spielen.«
5 Der Text ist Kracauers letzte Filmrezension aus Berlin. Als er erschien, war Kracauer mit seiner Frau bereits aus Berlin geflohen (am 28. Februar); nach einer Zwischenstation in Frankfurt a. M. kam er am 2. März in Paris an.

712. Der Kettensträfling[1]

Filmrez.: JAGD AUF JAMES A. (ICH BIN EIN ENTFLOHENER KETTENSTRÄFLING) / JE SUIS UN ÉVADÉ / I AM A FUGITIVE FROM A CHAIN GANG. Mervyn Le Roy. US 1932.

Der amerikanische Film: DER KETTENSTRÄFLING, der jetzt sowohl in Berlin wie in Paris gezeigt wird, ist ein erschütternder Tatsachenbericht. Zugrunde liegen ihm die Erlebnisse des Amerikaners Robert Elliot Burns, die dieser bereits in Buchform der Öffentlichkeit unterbreitet hat.[2] Indem der Film seine Schicksale vergegenwärtigt, geißelt er zugleich mit bemerkenswertem Freimut gewisse Zustände, die eines zivilisierten Volkes nicht würdig sind.[3]
Angesichts der Verhältnisse, unter denen heute Filme produziert werden, darf man mit ziemlicher Sicherheit annehmen, daß auch dieser Film nicht nur um der Tendenz willen, sondern ebenso sehr aus Gründen der Sensation hergestellt worden ist.[4] Er läßt im Interesse effektvollerer

Wirkungen manche Fragen ungeklärt,[5] enthält den Zuschauern nicht eine Schreckensszene vor und spekuliert auf dieselben Instinkte in ihnen, gegen die er sie mobil machen möchte. Das alles hindert indessen nicht, daß er eine wesentliche Kritik an der Einrichtung der Zwangsarbeit und verknöcherter Rechtsprechung übt. Gerade der filmische Realismus, der die Sensationen schafft, kommt auch dieser Kritik zugute. Um ganz von *Paul Muni*, dem großartigen Darsteller des Helden abzusehen, sind tatsächlich die Figuren und Situationen durchweg von einer Wirklichkeitsnähe, die kaum überboten werden kann. Ihr aber, und nicht eigentlich den tendenziösen Zügen selber, ist es in erster Linie zu danken, daß der dokumentarische Bericht in ein Verdikt umschlägt. Denn aus dem Ineinandergreifen der nüchtern beobachteten und sauber kombinierten Details ergibt sich, was sich gefühlsmäßiger Empörung niemals erschlösse: der Zusammenhang zwischen bigottem Richtertum und bestialischer Exekutive, zwischen der Unzulänglichkeit des hier veranschaulichten Strafverfahrens und dem Gesamtzustand des Staates, der sich dieses Verfahrens bedient. Wo solche (außerästhetischen) Erkenntnisse durch einen Film vermittelt werden, rückt die Frage nach seinem Kunstwert von selber in den Hintergrund. Daher sei nur nebenbei erwähnt, daß diese filmische Reportage, die bald Jahre überfliegt, bald lang bei einem Ereignis verweilt, als Komposition keinen Gehalt aufweist. Die Tempi verändern sich rein nach den stofflichen Bedürfnissen, und der Ablauf der Handlung wird einfach von den Fakten diktiert, statt deren Nacheinander zu einer sinnvollen Einheit zu zwingen.

Zurück bleibt die Frage, ob ein Protest wie der im Film erhobene praktische Bedeutung gewinnen kann. Zweifellos erfolgt er zu Recht, und gewiß ließe sich denken, daß er den Anstoß gäbe zu der einen oder andren Reform. Nur sind die Schändlichkeiten, die dieser Film denunziert, so tief in der heutigen Welt[6] und der mit ihr kommunizierenden Menschennatur begründet, daß jede Einzelkritik sich ihrer beschränkten Möglichkeiten von vornherein bewußt sein muß. So nötig die im Film betriebene Aufklärung der Geister über ein großes Unrecht ist: sie ist ohnmächtig gegenüber den dunklen Gewalten, die aus Menschen Kettensträflinge machen.

(FZ vom 24. 3. 1933)

1 Kracauer schickte diese Rezension aus Paris; vorangestellt war seiner Besprechung im FZ-Druck eine Rezension von Bernhard Diebold, der den Film in Berlin sah. Beide Rezensionen erschienen unter der Überschrift: »Der Kettensträfling. Ein Film, zweimal gesehen«. Kracauers Text wurde für den Druck redigiert und erheblich gekürzt. Die geänderten bzw. gekürzten Passagen sind in den Anmerkungen nach dem in KN erhaltenen Typoskript der Rezension wiedergegeben, das den Titel »Justiz im Film« trägt.

2 Robert Elliott Burns, *I am a fugitive from a Georgia chain gang!* London: S. Paul 1932; dt.: *Meine Flucht als Kettensträfling aus Georgia*. Übers. von Hellmuth Wetzel. Berlin: Selle-Eysler 1932.

3 Hier folgen im Typoskript vier im FZ-Druck gekürzte Absätze:
»Es geht um die Handhabung der Justiz in einem amerikanischen Staat. Der mit Burns identische Held des Films – ein strebsamer junger Mann, der im Augenblick ohne Arbeit ist – wird am Ort eines von ihm nicht begangenen Mords angetroffen und trotz seiner Unschuld zu vieljähriger Zwangsarbeit verurteilt. Die Zwangsarbeit ist eine Sondereinrichtung dieses Staats. Grausamer noch als die Strafart selber ist die Art ihrer Durchführung, und man muß schon gute Nerven haben, um sie auch nur als Augen- und Ohrenzeuge zu ertragen. Denn die an Fußketten geschmiedeten Gefangenen werden nicht mehr als Menschen behandelt, sondern sind die Opfer sadistischer Orgien, die sich ungestraft austoben dürfen. Gewalt über das Lager haben vertierte Wärter, die von ihrem Züchtigungsrecht einen erbarmungslosen Gebrauch machen. Sie lassen die Peitschen auf nackte Rücken niedersausen und schlagen Sträflinge blutig, deren einzige Schuld darin besteht, daß sie vor Erschöpfung zusammenbrachen. Akte der Roheit erfüllen den Alltag, Schmerzensschreie wechseln mit dem stumpfsinnigen Klopfen der Hämmer beim Straßenbau.
Der Held entflieht dieser Hölle, arbeitet sich in einem anderen Staat unter neuem Namen zum Direktor eines Industrie-Unternehmens empor und scheint ein für allemal gerettet. Aber eines Tages verrät ihn die eigene Frau, eine gerissene Person, die ihn schon die ganzen Jahre über nur dadurch an sich gefesselt hatte, daß sie immer seine Vergangenheit zu enthüllen drohte. Die Angelegenheit des entsprungenen Sträflings, der ein geachteter Mitbürger geworden ist, ruft ein ungeheures Aufsehen hervor. Was soll mit dem Manne geschehen ? Die Zeitungen treten für seine Begnadigung ein, ja, nehmen den Fall zum Anlaß, um die Abschaffung der Zwangsarbeit überhaupt zu verlangen. Der von ihren Anklagen getroffene Staat jedoch beharrt auf seinem Recht und fordert, daß der einstige Ge[fangene seine Strafe verbüße. Nach einiger Zeit beugt sich der Staat dann doch] dem Druck der öffentlichen Meinung [und erklärt sich] mündlich dazu bereit, die fehlenden Strafjahre in eine kurze und milde Haft umzuwandeln, die rein als Formsache aufzufassen sei. Im Vertrauen auf sein Wort stellt sich der einstige Gefangene, der nun endlich rehabilitiert zu werden hofft, freiwillig den Behörden.
Die jetzt folgende zweite Strafperiode übertrifft an Furchtbarkeit noch die erste. Und zwar darum, weil die Justizverwaltung gar nicht daran denkt, ihre ursprüngliche Zusage zu halten. Kaum hat sie den Helden wieder in ihren Klauen, so schickt sie ihn in das übelste Lager des Landes, mißachtet alle zu seinen Gunsten geführten Plädoyers und beschließt, daß er seine Strafe unverkürzt abbüßen müsse. Der Film schildert breit und genau die Physiognomien dieser Richter. Sie stellen ein Gemisch von Heuchelei, Wohlanständigkeit und Borniertheit dar und sind härter als die Steine, die von den zur Zwangsarbeit Verdammten zerschlagen werden.
Noch einmal gelingt dem betrogenen und gemarterten Helden die Flucht. Aber er kann

nicht mehr in die Freiheit entweichen, sondern muß sich fortwährend vor den Spürhunden versteckt halten, die ihm unablässig nachhetzen. In Garagen und anderen Schlupfwinkeln verbringt er seine Nächte, und nur unter tausend Ängsten verabredet er sich einmal mit der Frau, die ihn liebt. Nie wird er mit ihr zusammenleben können. ›Wie bringst du dich durch‹, fragt sie ihn verzweifelt. Er antwortet: ›Ich stehle‹. Dann heißt er sie weggehen, und der Film ist zu Ende. Ein kurzes Nachwort erklärt, daß Robert E. Burns noch immer von den Behörden gesucht werde.«

4 Im Typoskript: »[. . .] daß auch dieser Film weniger um der Tendenz willen als aus Gründen der Sensation hergestellt worden ist.«

5 Im Typoskript fehlt der vorangehende Teilsatz, der Satz beginnt hier: »Er enthält den Zuschauern nicht eine Schreckensszene vor [. . .].«

6 Im Typoskript: »in der heutigen Situation«.

713. Zwei deutsche Filmregisseure im Ausland

Filmrez.: DON QUICHOTTE. G. W. Pabst. FR 1933; LES HOMMES DE DEMAIN / MEN OF TOMORROW. Zoltan Korda und Leontine Sagan. GB 1932.

I.

Der DON QUICHOTTE-Film von G. W. Pabst hat einen Vorläufer, der vor vielen Jahren hergestellt worden ist und jetzt gelegentlich des Pabst-Films in einem Pariser Avantgarde-Kino gezeigt wird.[1] Ein koloriertes Filmchen, das sicher zu seiner Zeit großes Aufsehen erregt hat. Aber so überaltert, drollig und dumm es heute auch wirkt, es enthält zum mindesten eine Szene, in der etwas vom Geist des Buches umgeht. Die mit den Windmühlen. Kaum erblickt Don Quichotte sie, so verwandeln sie sich vor unseren Augen in Riesen. Und durch ihre Erscheinung wird auch sofort Don Quichotte selber zur Wahngestalt des Cervantes.

Nicht ein einziges Mal ist es Pabst gelungen, die Beschwörungskunst dieser Szene zu erreichen. Sein Don Quichotte-Film unternimmt überhaupt nicht den Versuch, die Essenz des Romans mit filmischen Mitteln zu veranschaulichen, sondern ist nichts weiter als ein auf die Echtheit des Lokalkolorits bedachtes Ausstattungstheater. Zweifellos hätte ein so bedeutender Regisseur wie Pabst die Fähigkeit gehabt, einige Gehalte des Buchs wirklich zu verkörpern. Doch er scheint bei der Arbeit auf Widerstände gestoßen zu sein. Nur so läßt sich jedenfalls die Tatsache erklären, daß der Schöpfer des unvergeßlichen Films: KAMERADSCHAFT[2] in seinem neuesten Werk ganz ins Dekorative ausweicht. Sein realistischer Sinn begnügt sich damit, eine Folge von Bildern zu inszenieren, denen man nicht mehr nachsagen kann, als daß sie schön und historisch richtig sind. Die Kostüme, Gehöfte und Felsenlandschaften machen einen notariell beglaubigten Eindruck, und das Paar Don Quichotte-Sancho Pansa entspricht durchaus den Vorstellungen, die man von ihm auf Grund berühmter Illustrationen hat.

Daß diese Äußerlichkeiten, die doch nur Voraussetzungen sein sollten,[3] sich so in den Vordergrund drängen, ist nicht zuletzt die Schuld des Manuskriptes, für das Paul Morand verantwortlich zeichnet.[4] Es besteht aus verschiedenen Episoden, die sich zusammenhanglos aneinanderreihen. Don Quichotte sticht die Weinschläuche auf, verjagt die Hammelherde, befreit die Bagnosträflinge von ihren Fesseln usw. Die Szenen am Hof des Herzogs nehmen ungefähr die Mitte des Films ein, und die Windmühlenepisode wird unmittelbar vor den Tod Don Quichottes verlegt, der den Schluß bildet. Ebenso gut hätte die Abfolge auch anders sein können. Weder ist diese Anordnung sachlich begründet, noch führt sie zu einer Komposition, die fesselnd aufgebaut wäre.

Die Eintönigkeit des Films ist aber nicht einmal dem undurchsichtigen Nebeneinander der einzelnen Episoden zuzuschreiben, sondern rührt viel eher daher, daß die Szenen ihre Pointen verfehlen. Auch der Roman setzt sich aus Abschnitten zusammen, die in sich geschlossen sind. Diese Erzählungen indessen haben stets einen Sinn, von dem her sie erst Gewicht und Gültigkeit empfangen. Der Film unterschlägt ihn beinahe regelmäßig. Die um den Herzog gruppierten Auftritte, in deren Verlauf sich die tiefe Prosaweisheit Sancho Pansas zu enthüllen hätte, sind völlig ins Burleske abgedreht, und die entsetzliche Klarheit des sterbenden Don Quichotte verkehrt sich in ein weinerliches Ende. Überall mangelt der Geist, kraft dessen die Episoden zu atmen vermöchten, und zurück bleiben leblose, breite Handlungsmassen, denen es, eben ihrer Sinnleere wegen, an Spannung gebricht. Sie wirken aber[5] darum zu breit, weil der Schlußstein herausgebrochen ist, der sie zusammenhalten und krönen müßte. So ist die Regie freilich nicht in der Lage gewesen, die weise Magie des Cervantes in Filmbilder umzusetzen. Statt die göttliche Narretei Don Quichottes gegenständlich auszudrücken, zeigt sie die Gegen-

stände, wie sie uns erscheinen. Die Windmühlen sind Windmühlen, und niemals schreitet ein Riese durchs Stück.
Die dekorativ, ja opernhaft ausgestaltete Welt ist die rechte Folie für *Schaljapin.*[6] Der berühmte Sänger, der seine erste Filmrolle spielt, hat eine gute Maske und trifft, von der Aufnahmeleitung unterstützt, auch in mimischer Hinsicht manche wesentlichen Züge des eingebildeten Ritters. Ungeachtet seiner Anstrengungen ist er aber doch eine Theaterfigur, die sich so bewegt, als stünden ringsum Kulissen. Er wird zum Star, wenn er singt, und macht bei jedem Finale die üblichen Sängergebärden.[7] Dorville als Sancho Pansa ist ein komischer kleiner Dicker, der nur ein wenig zu verschmitzt ist, um ganz seinem Urbild zu gleichen.

II.

Leontine Sagan, deren wunderbarer Film: MÄDCHEN IN UNIFORM[8] einen Welterfolg errang, ist zwar in ihrem neuen Film MÄNNER VON MORGEN der Jugend treu geblieben, hat aber die Mädchen mit Jünglingen und Potsdam mit Oxford vertauscht. Englische Studenten (und hübsche Studentinnen) sind die Träger einer Handlung, die das Motiv der Rebellion gegen die Überlieferung aus dem ersten Film übernimmt. Der Held, ein begabter, sensibler Junge, dem die Kommilitonen einmal ziemlich übel mitspielen, lehnt sich in einem Pamphlet wider die Sitten und Gebräuche in Oxford auf, wird ausgewiesen, macht dann im praktischen Leben bittere Erfahrungen und erwirbt sich plötzlich, offenbar um des guten Endes willen, ein literarisches Renommee, das ihn auch materiell sicherstellt. Zum Unterschied von MÄDCHEN IN UNIFORM triumphiert jedoch hier das Individuum nicht über die Tradition, sondern erkennt ihr größeres Recht an. Reumütig begibt sich der junge Dichter zu seiner Frau zurück, die in Oxford weilt, von dem sie nicht lassen kann, schließt seinen Frieden mit den Professoren und huldigt dem Geist, den er einst trotzig verneinte.
Die Fabel ist so schematisch und sentimental, als habe der Jüngling sein Herz in Alt-Heidelberg[9] statt in Oxford[10] verloren. Und obwohl sie zum Vergleich mit MÄDCHEN IN UNIFORM herausfordert, duldet sie ihn doch nicht. Während die Beziehungen zwischen Lehrerinnen und Schülerinnen im Potsdamer Adelsstift dicht gestaltet sind, werden die entsprechenden Verhältnisse im englischen Film skizzenhaft angedeutet,

und sprengt die Gestalt der Manuela fast den Rahmen der Handlung, so ist die des Oxforder Studenten ein bloßes Klischee. Man lebt die Konflikte und Ereignisse mit, die das autoritative Stiftsregime erschüttern; man ist dagegen nur mäßig von den Kämpfen und Versöhnungen betroffen, die sich in Oxford vollziehen. Die Verbindungsstücke sind unvollständig, die Ausweisung des Helden erfolgt nicht minder abrupt wie seine Unterwerfung unter den Ritus von Oxford. Ein Familienblattroman im Studentenmilieu . . . Hinzu kommt, daß der englische Film auch technisch dem deutschen nachsteht. Der Schnitt ist schwächer, und die Bilder sind ohne jene Eigengewalt, die etwa den Aufnahmen des Treppenhauses im Stift innewohnt.

Dennoch ist der Film sehenswert.[11] Er schildert das Leben einer privilegierten Jugend, die wie kaum eine andere das Glück des Jungseins in sinnvoller Weise genießen darf, und vergißt über dem Zauber dieser Oase keineswegs die Schwierigkeiten, denen die der Universität entwachsenen Studenten später im Alltag begegnen. Ein Stück englischer Wirklichkeit wird hier sinnfällig und ehrlich mitgeteilt.[12] Bewundernswert ist wieder die Kunst, mit der Frau Sagan aus jungen Menschen, die noch nicht gefilmt haben, reife Spielleistungen herausholt.[13] Einer der Studentendarsteller hätte das Zeug zu einem großen Komiker.

(FZ vom 7. 4. 1933)

1 DON QUICHOTTE. Georges Méliès (Teil I) und Émile Cohl (Teil II). FR 1909.
2 Siehe Nr. 665.
3 Im Typoskript (KN): »[. . .] die doch nur Voraussetzungen zu sein hätten«.
4 Drehbuch: Paul Morand, nach: Miguel de Cervantes Saavedra, *Don Quijote: El ingenioso Hidalgo Don Quijote de la Mancha* (Teil I: 1605; Teil II: 1615); Dialoge: Alexandre Arnoux.
5 Im Typoskript: »Sie scheinen aber«.
6 Fedor Chaliapin (1873-1938), russischer Bassist, prägte den Typus des »singenden Darstellers«.
7 Musik: »Don Quichotte« (1933) von Jacques Ibert.
8 Siehe Nr. 666.
9 Anspielung auf den Schlager von Fred Raymond, siehe Nr. 270, Anm. 2.
10 Im Typoskript fehlt der Zusatz »statt in Oxford«.
11 Im Typoskript: »sehr sehenswert«.
12 Im Typoskript: »wird hier faßlich mitgeteilt«.
13 Die Darsteller waren Maurice Braddell (Allan Shepherd), Joan Gardner (Jane Anderson), Merle Oberon (Ysobel d'Aunay), Emlyn Williams (Horners), Robert Donat (Julian Angell), John Traynor (Mr. Waters), Esther Kiss (Maggie) und Annie Esmond (Mrs. Oliphant).

714. Der Charlatan als Präsident

Filmrez.: LE PRÉSIDENT FANTÔME / THE PHANTOM PRESIDENT. Norman Taurog. US 1932.

LE PRÉSIDENT FANTÔME: kommt dieser Film wirklich aus demselben Amerika, dessen Filmindustrie sonst ängstlich darüber wacht, daß in ihren Erzeugnissen die Aufklärung nicht zu weit getrieben wird, der öffentlichen Moral kein Unrecht geschieht und die Küsse nur eine vorgeschriebene Zeit lang dauern? Er kommt von dort (wie so mancher andere überraschend gute Film der letzten Jahre) und ist vielleicht die witzigste politische Satire, die je gedreht worden ist. Glückt es ihm doch, eine sehr gewagte These zu erhärten, die zwar in unseren Tagen kaum auf Gegenliebe stoßen dürfte, aber darum nicht weniger eine gewisse Wahrscheinlichkeit für sich hat. Die These, daß es die Charlatane sind, die in der Politik die größten Erfolge erzielen.
Amerika vor der Präsidentenwahl, in einer Zeit schlimmster Krise. Das maßgebende Komitee stellt einen Kandidaten auf, der zweifellos alle Fähigkeiten besitzt, um die Krise sachkundig zu meistern. Nur fehlt ihm leider etwas Unentbehrliches: eben jenes Etwas, mit dessen Hilfe man die Massen gewinnt. Er blickt düster drein wie ein Diktator, der er noch nicht ist, übt nicht den geringsten sex-appeal aus, verachtet die Volkstümlichkeit – kurzum, so vortrefflich er sich auch auf den Gebrauch der Macht verstehen mag, ihre Eroberung ist ihm gründlich versagt.
Frage: wie müßte einer beschaffen sein, um der höchsten Würde im Staat teilhaftig zu werden? Der Film gibt hierauf eine ebenso betrübliche wie schlagende Antwort. Nachdem die Mängel des Präsidentschaftskandidaten hinreichend illustriert worden sind, erscheint ein Quacksalber; einer der bekannten Typen, die auf den Jahrmärkten mit einem großen Aufwand von Geschwätzigkeit und Geheimnistuerei ihre Tinkturen und Mixturen an den Mann zu bringen versuchen. Dieser Possenreißer nun sieht nicht nur dank einem wunderbaren Zufall dem künftigen Staatslenker täuschend ähnlich, sondern verfügt auch über alle die charismatischen Eigenschaften, an denen es dem andern gebricht. Gewiß kennt er sich nicht so sehr in Krisen als in Kräutern aus; seine Suada jedoch ist unerschöpflich, sein Beneh-

men scharmiert jedermann und seine Mätzchen sind schlechterdings zündend.[1]
Die Nutzanwendung aus diesen Gaben wird im Film ohne Skrupel gezogen. Das Komitee beschließt, dem Mann seiner Wahl dadurch zum Sieg zu verhelfen, daß es statt seiner den Kräuterdoktor auf die Wahlkampagne schickt. Während der richtige Kandidat hübsch zu Haus bleiben muß, reist sein Double für ihn im Land umher und schlägt alle Schlachten. Und was der echte Anwärter auf den Präsidentenposten niemals zustand gebracht hätte, gelingt dem falschen im Nu. Denn eine Wahlversammlung ist, dem Film nach zu urteilen, nicht kritischer als ein Jahrmarktspublikum gestimmt, und ob man den Wunderglauben der Massen durch medizinische oder politische Gaukeleien erweckt, bleibt sich ganz gleich. Jedenfalls enthüllt sich der Quacksalber als ein geborener Volkstribun und dieser als vollendeter Charlatan. Er treibt auf dem Rednerpodium denselben Humbug, den er in der Schaubude getrieben hat, preist die Heilkraft seiner politischen Kurpfuscherrezepte nicht anders an als die seiner Kräuter und Pillen und wiederholt mit bewährter Kennerschaft bis zum Überdruß ein paar Phrasen, die als alte Repertoirestücke immer neu wirken: »The country needs a Man« – die Menge rast vor Begeisterung. Hinzu kommt noch das bestrickende Lächeln des Doppelgängers und überhaupt seine Verführungskunst, die zum Beispiel darin besteht, daß er Wählern, die er nicht kennt, so vertraulich zuwinkt, als kenne er sie seit alters her und habe sie zu persönlichen Freunden erwählt. Durch alle diese Mittel befestigt er sich rasch in der allgemeinen Gunst, und der Triumph, den ihm am Schluß das berauschte Volk bereitet, könnte nicht vollständiger sein.
So also ginge es zu in der Politik? Aber der Film ist ja nur eine Satire. Und der Gedanke, daß in Wirklichkeit ein Charlatan je zur Fülle der Macht gelangte, wäre natürlich blasphemisch.[2]
(*Das Neue Tage-Buch* vom 1. 7. 1933)

1 George M. Cohan in der Rolle des Präsidentschaftskandidaten T. K. Blair und dessen Doppelgänger Doc Varney.
2 Siehe zu diesem Artikel auch Nachbemerkung und editorische Notiz, S. 577.

715. Deutsch-Französischer Film

Filmrez.: LE SEXE FAIBLE. Robert Siodmak. FR 1933.

Das *NTB [Neue Tage-Buch]* wies unlängst auf die Filmschöpfungen ausgewanderter Deutscher in Paris.[1] Von den vielen zurückgebliebenen (dies Wort entrutschte der Feder) werden selbst Nazis aus dem engeren kalmückisch-arischen Sondergau »Kulturtreue um Kulturtreue« nicht glauben, daß die Kunst, die vor ihrem Einbruch auf ansehnlicher Höhe stand, erledigt ist, wenn sie pfeifen.

Einer dieser Filme, LE SEXE FAIBLE, bearbeitet von Bourdet selbst und Kosterlitz,[2] kam jetzt an die Öffentlichkeit – und Frankreichs Ahnherr im Szenenreich, Antoine,[3] hat ihm einen großen Erfolg bestätigt.

Siodmaks Arbeit ist, für diesen Neubeginn, sichtbarlich gut. Dabei hat er im verlorenen Vaterland mehr Freiheit in der Auswahl von Darstellern und mehr Vertrautheit mit ihnen gehabt. Eine Gipfelung im strengen Sinn erfolgt nicht, es ist mehr ein Nebeneinander als ein Übereinander: doch in dem Ganzen herrscht – ob mit oder ohne Victor Boucher und Frau Cheirel (une Sandrock des bords de la Seine)[4] – wertvoller Einzelreichtum.

Wird nun dieser Film in Hitlerdeutschland gespielt?[5] Es gibt drei Möglichkeiten. Entweder: »Nein, denn er ist unsittlich.« Oder: »Ja, denn er malt ein unsittliches Frankreich.«

Oder (man weiß heut nie): »Auch bei diesem Anlaß reichen wir in deutscher Charakterfestigkeit und Würde dem Herzensfreund Frankreich voll inniger Friedensliebe die begeisterte Bruderhand, die wir an ihn legen wollen.«

(*Das Neue Tage-Buch* vom 11. 11. 1933)

1 Siehe [anonym], »Deutsche Filmarbeit in Paris«. In: *Das Neue Tage-Buch* vom 7. 10. 1933, H. 15, S. 346f. (Seitenzählung des Jahrgangs).

2 Drehbuch: Hermann Kosterlitz, nach Édouard Bourdet, *Le sexe faible*. Paris: E. Bourdet 1929 (Cahiers de bravo, Nr. 16).

3 André-Paul Antoine (1858-1943), französischer Regisseur, einer der ersten, der auf der Grundlage eines kompletten Film-Skripts drehte, u.a. in LES FRÈRES CORSES (1916), LES TRAVAILLEURS DE LA MER (1918) und L'ARLÉSIENNE (1922). Siehe auch Nr. 609.

4 Frz.: eine Sandrock von den Ufern der Seine; zu Adele Sandrock (1863-1937) siehe u.a. Nr. 313, 341, 371 und 504.

5 Der Film wurde als Produktion deutscher Emigranten nicht in Deutschland gezeigt.

716. Anna und Elisabeth

Filmrez.: ANNA ET ELISABETH / ANNA UND ELISABETH. Frank Wysbar. DE 1933.

Da sich die Filmindustrie im allgemeinen nicht an verfängliche Stoffe heranzuwagen pflegt, muß es den Herstellern des deutschen Films: ANNA UND ELISABETH schon als Verdienst angerechnet werden, daß sie überhaupt ein so delikates Thema wie das der religiösen Wunderheilung behandeln. Und sie ziehen sich auch mit Anstand aus der Affäre. Anna, ein einfaches Dorfmädchen, scheint durch die Kraft des Gebets ihren Bruder erweckt zu haben, der für tot gehalten worden war, und kommt so in den Geruch einer Wundertäterin. Vom Glauben der Gemeinde getragen, bewährt sie sich in zwei weiteren Fällen. Sie macht eine alte Frau gesund, die ihren Kopf nicht mehr recht bewegen konnte, und befreit Elisabeth, eine herrische Gutsbesitzerin, von einer Lähmung, der gegenüber die Kunst der Ärzte versagte. Ist Anna mit übernatürlichen Gaben ausgestattet? Der Film stellt die Vorgänge so dar, daß sie sich durchweg auf rationale Weise erklären lassen. Annas Bruder ist zweifellos vom Starrkrampf befallen gewesen, und Elisabeth ist eine Hysterikerin, bei der die Heilung durch Autosuggestion eine entscheidende Rolle spielt. Bezeichnend ist auch, daß Anna gerade den Bräutigam Elisabeths nicht zu retten vermag. Einmal leidet dieser nicht an einem Gebrechen psychischer Herkunft, sondern an einer organischen Krankheit, und zum andern fehlt ihm der nötige Lebenswille. Das heißt, die Kraft des Mädchens setzt genau dort aus, wo ihre Wirkung erst als ein Wunder aufzufassen wäre, und alle Wunder, die sie sonst vollbringt, brauchen nicht unbedingt Wunder zu sein. – Umgeht aber auch der Film derart das Problem der Wunderheilung selber, so ist er doch unter allen Umständen eine gute psychologische Studie. Er illustriert glänzend die Angst des Mädchens vor seiner eigenen Macht und entwirft ein richtiges Bild vom Akt der Heilung, die er nicht so sehr auf ein Eingreifen Annas als auf die verzückte Aktivität der Patienten zurückführt. Was die Milieuschilderung betrifft, so ist der Gegensatz zwischen dem Fanatismus der Bevölkerung und der Skepsis des katholischen Geistlichen treffend konstruiert. Aus dem Rahmen fällt eigentlich nur die Figur der Elisabeth heraus, die um eines billigen dramatischen Effektes willen zu verstiegen angelegt worden ist.

Hertha Thiele *beweist* als Anna, daß ihr Erfolg als Manuela im Film: MÄDCHEN IN UNIFORM[1] kein bloßer Zufallserfolg war. Denn sie bringt nicht nur alle Eigenschaften mit, die für ihre neue Rolle erforderlich sind: animalische Wärme, Naivetät und eine gewisse Aura, die vom starken Gefühlsleben zeugt, sondern macht auch von diesen Eigenschaften bewußten Gebrauch. Ohne je zu übertreiben, gestaltet sie eine Anna, der man wahrhaftig glaubt, daß sie ein Gefäß geheimnisvoller Kräfte ist. Sie verkörpert ein Gemisch aus heller Unschuld und dunklem Zwang und spielt die heiklen Szenen mit einer Unberührtheit, die aus der Tiefe der guten Natur zu stammen scheint. Am deutlichsten zeigt sich vielleicht ihr Talent dort, wo sie unter den Einfluß Elisabeths gerät, die das Mädchen dazu veranlassen möchte, eine veritable Wundertäterin zu werden. Anna bemüht sich, dem Wunsch der älteren Freundin zu entsprechen. Aber es ist, als ob sie in demselben Maße, in dem sie sich zur Ausübung der ihr verliehenen Macht zwingt, eben diese Macht einbüßt. Und man spürt dank der Kunst der Darstellerin förmlich, wie das niedere Prinzip über das höhere triumphiert und durch den bewußten Willen der Gutsherrin die unbewußte Fähigkeit Annas getilgt wird. – Wie in MÄDCHEN IN UNIFORM so spielt auch diesmal Dorothea Wieck mit Hertha Thiele zusammen. Wenn man sie aus Gründen der Konjunktur für die Rolle der Elisabeth ausersehen hat, so ist diese Spekulation jedenfalls verfehlt gewesen. Denn das Temperament der Wieck geht nach innen und eignet sich offenbar nur wenig zur Darstellung eines Naturells, das vorwiegend äußere Geltung erstrebt. Daher rührt es wohl, daß die Künstlerin als Elisabeth sämtliche Töne zu stark aufträgt. Sie wird aggressiv, wo sie einfach hochfahrend sein sollte, und vergegenwärtigt die hysterischen Zustände mit unnötigem Pathos.

Die filmische Durchführung ist zureichend, nutzt aber die Möglichkeiten des Manuskripts[2] längst nicht erschöpfend aus. Man verwendet als Staffage mittelmäßige Typen, baut die Massenszenen schematisch auf, stopft ein paar schöne italienische Landschaften in die Lücken und bewerkstelligt die Bildfolge mit konventionellen Mitteln. Immerhin ragen zwei Bilder über den Durchschnitt hinaus.

Das eine: die Kamera schweift dem Blick der gelähmten Elisabeth nach und veranschaulicht die Wipfel der Pinien, die vor Ungeduld zittern. Das andere: der Rollstuhl, der nach der Heilung Elisabeths überflüssig

geworden ist, schaukelt auf einer Segelbarke und hebt sich vom Horizont als ein grotesker Ballast ab, der keine Funktion mehr besitzt.
(Typoskript aus KN, undatiert [1933])[3]

1 Siehe Nr. 666.
2 Drehbuch: Gina Fink und Frank Wysbar.
3 Bei diesem Typoskript handelt es sich um die deutsche Originalfassung des Artikels, der u.d.T. »Anna et Elisabeth« in französischer Übersetzung am 30. 12. 1933 in *L'Europe Nouvelle* erschien. Dem französischen Text ging folgende, hier in Übersetzung wiedergegebene redaktionelle Bemerkung voran: »Es erschien uns interessant, unseren Lesern als einer Art Diptychon zwei Rezensionen des deutschen Films ANNA UND ELISABETH zu präsentieren, der zur Zeit im *Agriculteurs* läuft; die eine verfaßt von einem herausragenden deutschen Filmkritiker S. Kracauer und die andere von unserem regelmäßigen Berichterstatter M. Philippe Soupault.« Beide Artikel wurden unter die Überschrift »Anna et Elisabeth« gestellt. Zu Soupaults Besprechung siehe ebd., S. 1247f.

1936-1937

717. Ein französischer Film[1]

Filmrez.: LA TENDRE ENNEMIE. Max Ophüls. FR 1936.

Der nach einem Theaterstück von Antoine[2] gedrehte Film: LA TENDRE ENNEMIE, der in Paris gezeigt wird, hat deshalb Seltenheitswert, weil er sich über die bloße Magazingeschichte erhebt[3] und doch ein echter Film ist. Er vereinigt literarische Wirkungen mit optischen; er reflektiert ein Leben, das zu Reflexionen nötigt.[4] Die Fabel ist dem Alltag entnommen. Eine Tochter aus gutbürgerlichem Haus läßt sich von ihrer Mutter dazu bereden, dem Jüngling zu entsagen, den sie liebt, und macht dann die übliche standesgemäße Partie, die ihr so wenig Befriedigung gewährt, daß sie eines Tages in die Arme eines Zirkusdompteurs flieht.[5] Obwohl durch ihr Verhalten alle drei Männer in den Tod getrieben werden, ist sie gedankenlos genug, ihre eigene Tochter wieder mit einem ungeliebten Mann verheiraten zu wollen.[6] Gerade wird Verlobung gefeiert, und die ganze Tragikomödie müßte von vorn beginnen, wenn nicht ... An diesem Punkt setzt die Handlung ein, die schlechterdings märchenhaft ist. Sie besteht darin, daß die drei Toten aus dem Jenseits herbeiwehen,[7] in Form von Erinnerungen ihre Vergangenheit heraufbeschwören, die nun wie das Trio selber durchs Verlobungsfest geistert, und schließlich im Interesse der unglücklichen Braut gemeinsame Sache machen.[8]

Der Regisseur *Max Ophüls* verwandelt das Hin und Her der gespenstischen Erscheinungen in eine Art heiteren Gaukelspiels und vermeidet so Peinlichkeiten. Er bewältigt auch durchaus filmgerecht die schwierigen Probleme, die sich aus dem fortwährenden Ineinandergreifen vergangener und gegenwärtiger, wirklicher und unwirklicher Vorgänge ergeben.[9] Der Ehekrach im Hotelzimmer, die Nacht im besseren Animierlokal, die Aussprache zwischen dem Dompteur und seinem Arzt – alle diese Szenen halten das Geschehen nicht nur genau fest, sondern kommentieren es auch mit der zärtlichen Ironie, die verflossenen Jahrzehnten gegenüber angebracht ist. Und indem sie historisch gewordene Interieurs und Kostüme aus der Zeit unserer Eltern zum Leben erwecken, erzeugen sie überdies jene eigentümlichen Schauer, die etwa beim Durchblättern eines Familienalbums entstehen. Die

Schwächen des Films sind hauptsächlich solche der Komposition. Eine Strecke lang werden auf verwirrende Weise Erinnerungen in Erinnerungen geschachtelt, dann verliert das Liebeserlebnis dadurch seinen Sinn, daß es, aus keineswegs zwingenden Gründen, den beiden Episoden, denen es zeitlich vorausgeht, nachgestellt wird. Es ist als Mondscheinromanze ausgestaltet; aber der Mond bescheint lauter Dekorationen.[10]

Schönheitsfehler. Sie verhindern nicht, daß der Film die Durchschnittsproduktion weit überragt.[11]

(NZZ vom 22. 11. 1936)

1 Das Typoskript (KN) hat den Untertitel: »Tragikomödie im Film«.

2 André-Paul Antoine, *L'ennemie*. Comédie en 3 actes. Paris: L'Illustration 1929.

3 Im Typoskript: »[...] weil er sich thematisch über die bloße Magazingeschichte erhebt.«

4 Im Typoskript beginnt hier ein neuer Absatz.

5 Im Typoskript: »[...] daß sie eines Tages vom nie geliebten Ehemann weg in die Arme eines verführerischen Zirkusdompteurs flieht, dem sie mit ihrer unverbrauchten Zärtlichkeit stark zusetzt.«

6 Im Typoskript lautet der vorangehende Satz: »Obwohl aber durch ihr Verhalten alle drei Männer in den Tod getrieben werden, ist sie gedankenlos genug, um, viele Jahre danach, ihre eigene Tochter wieder mit einem ungeliebten Mann verheiraten zu wollen.«

7 Im Typoskript: »daß die drei Toten – der Ehemann, der Dompteur und der Jüngling – aus dem Jenseits herbeiwehen [...].«

8 Im Typoskript folgen hier die beiden Sätze: »Mit Hilfe kleiner überirdischer Tricks ermöglichen sie es dem in einen Flieger verliebten Mädchen, heimlich das Haus zu verlassen, und rühren das Herz der zärtlichen Feindin. Eine Geschichte, deren Moral zum mindesten allen freiheitsdurstigen Familientöchtern willkommen sein wird.«

9 Im Typoskript lautet die vorangehende Passage vom Absatzbeginn an: »Max Ophüls – er hat die Regie geführt – besitzt Geschmack und Talent. Statt den an sich filmisch dankbaren Spuk bis zum Überdruß auszuschlachten, verwandelt er das Hin und Her der gespenstischen Erscheinungen in eine Art heiteren Gaukelspiels und vermeidet so Peinlichkeiten. Technisch von Eugen Schüfftan [Kamera] unterstützt, bewältigt er auch durchaus filmgerecht die schwierigen Probleme, die sich aus dem fortwährenden Ineinandergreifen vergangener und gegenwärtiger, wirklicher und unwirklicher Vorgänge ergeben. Wesentlicher noch ist: daß diese filmischen Kunstfertigkeiten nirgends zum Selbstzweck entarten, sich vielmehr bereitwillig den Erfordernissen der Handlung unterordnen. Tatsächlich gewinnt Ophüls durch die richtige Verwendung der Mittel des Films und nicht zuletzt durch die überlegene Art, in der er das vorzügliche französische Ensemble lenkt, den unscheinbaren Ehe- und Liebesaffären ihre volle Bedeutung ab.«

10 Im Typoskript folgen hier die beiden Sätze: »Auch im Geisterreich funktioniert übrigens einiges nicht recht. Die Toten nehmen sich auf dem Kronleuchter viel zu handgreiflich

aus und begnügen sich gelegentlich mit Witzchen, die höchstens für eine spiritistische Sitzung gut genug wären.«

11 Im Typoskript folgen hier die Sätze: »Ohne daß er Neuerungen brächte oder sich durch eine fortschrittliche Gesinnung auszeichnete, bietet er ein kultiviertes Spiel in Sphären, die sich nicht oft auf der Leinwand erschließen. So gestattet er es immerhin dem Publikum, über den Lauf des Lebens zu erschrecken und ihn zugleich zu belächeln.«
Mit diesem Artikel begann Kracauers Tätigkeit als Filmkritiker der *Neuen Zürcher Zeitung*, für die er bis 1940 aus Paris berichtete; nach seiner Emigration in die USA nahm er die Korrespondententätigkeit 1941 von New York aus kurzfristig wieder auf. 1946 und 1948 veröffentlichte er dann noch zwei weitere größere Aufsätze in der Zeitung (siehe Nr. 787 und 789); siehe auch Nachbemerkung und editorische Notiz, S. 577f.

718. Ein amerikanischer Film

Filmrez.: DODSWORTH. William Wyler. US 1936.

Welch ein Vergnügen, den amerikanischen Film: SAM DODSWORTH[1] zu sehen. Zugrunde liegt ihm der vielgelesene Roman gleichen Titels, in dem Sinclair Lewis die Geschichte des Großindustriellen Dodsworth erzählt, der während einer Europareise den Zerfall seiner Ehe erleben muß.[2] Abgesehen davon, daß dieser Roman amerikanische Naivität sinnfällig mit europäischer Gewitztheit konfrontiert, Städte aus der Perspektive des Luxusreisenden betrachtet und sich überhaupt gern an der Oberfläche der Zivilisation herumtreibt, scheint er auf den ersten Blick hin keineswegs zu einer Verfilmung anzuregen. Er fließt breit dahin und vermeidet jede dramatische Zuspitzung. Dennoch ist der DODSWORTH-Film von Anfang bis zu Ende spannend. Womit wieder einmal bewiesen wäre, daß die filmische Spannung nicht wie die theatralische durch dramatische Effekte erzeugt wird, sondern durch die epische Schilderung. Der Film ist dem Roman näher verwandt als dem Theater.
Um fesselnd zu schildern, muß man freilich beobachten können. *William Wyler*, der aus der Schweiz stammende Regisseur des Films, beobachtet mit einer Genauigkeit, die auch und gerade banalen Vorgängen den Reiz der Sensation verleiht. Es gelingt ihm, die Langeweile im Industriestädtchen Zenith packend darzustellen, oder ein Telephongespräch Wien-Neapel zum Ereignis zu gestalten. Präzisionsarbeit. Sie zeitigt

Bildskizzen, die trotz ihrer Knappheit ein ganzes Milieu, eine ganze Stadt heraufbeschwören, und bewährt sich vor allem dort, wo es psychologische Entwicklungen zu veranschaulichen gilt. Nachklingende Walzermusik illustriert abgestufte Empfindungen,[3] unscheinbare Gesten sind gleichbedeutend mit ausführlichen Kommentaren, und die Hotelinterieurs scheinen selber beseelt. Dadurch aber, daß sämtliche Geräusche und Dinge mitschwingen, gewinnen Nuancen, die sonst unbeachtet bleiben, das Leben, das ihnen tatsächlich zukommt. Am reichsten oder doch am wirksamsten orchestriert ist jene Szene am Schluß, in der Dodsworth endlich erkennt, daß er mit seiner Frau nichts mehr gemein hat. Er brauchte diese Erkenntnis gar nicht zu formulieren; daß sie ihn erfüllt, verraten tausend Indizien, zu denen auch das erregte Verhalten des Schiffsraumes gehört, in dem die Aussprache stattfindet.

Die Regie, der nicht zuletzt die Virtuosität nachzurühmen ist, mit der die häufigen Zeit- und Ortswechsel in die epische Kontinuität einschmelzen,[4] wird durch ein ausgezeichnetes Spiel unterstützt. Walter Huston als Dodsworth – eine Art Lindbergh[5] der Industrie, eine jungenhafte, fast zu charmante Erscheinung. Glänzend verkörpert Ruth Chatterton die Verwandlung von Sams Frau: wie diese, im Drang, sich auszuleben, die Konventionen preisgibt, die ihr einen Halt geschenkt haben, sich hilflos dem Vergnügen der Liebe widmet und sich dabei so verschleißt, daß ihre Gewöhnlichkeit immer mehr nach oben und außen dringt. Im Hintergrund ziehen diskret aufgemachte Gigolos vorbei.

(NZZ vom 29. 12. 1936)

1 Der korrekte Filmtitel lautet wie oben angegeben.

2 Sinclair Lewis, *Dodsworth: a novel.* New York: Harcourt, Brace 1929; dt.: *Sam Dodsworth.* Übers. von Franz Fein. Berlin: Rowohlt 1930; zu Kracauers Besprechung dieses Romans siehe *Werke*, Bd. 5, Nr. 493.

3 Musik: Alfred Newman.

4 Im Typoskript (KN): »mit der sie die häufigen Zeit- und Ortswechsel in die epische Kontinuität einschmilzt [. . .].«

5 Charles Augustus Lindbergh (1902-1974) gelang am 20./21. 5. 1927 als erstem Flieger allein die Überquerung des Atlantischen Ozeans.

719. Marseille im Film

Filmrez.: CÉSAR. Marcel Pagnol. FR 1936.

Marcel Pagnol schließt seine Marseiller Film-Trilogie mit dem Film CÉSAR ab,[1] in dem die Hauptpersonen der beiden vorangegangenen Filme (MARIUS und FANNY) alle wieder auftauchen. Ihre bisher noch ungelösten Schicksale entwirren sich hier. Fannys Mann stirbt im rechten Augenblick, und nachdem der inzwischen zum hoffnungsvollen jungen Mann herangewachsene Césario den Schmerz darüber verwunden hat, daß nicht der Verstorbene, sondern der scharmante Tunichtgut Marius sein Vater ist, finden sich Marius und Fanny endlich zusammen. Eine reichlich stark aufgetragene Gefühlsseligkeit, die aber durch den ganzen Charakter der Darbietung bedingt wird. Denn trotz glänzender photographischer Aufnahmen[2] und filmischer Details ist dieser Film nicht so sehr ein Film als ein auf die Leinwand verschlagenes Volksstück. Als Volksstück ragt er unstreitig über viele seinesgleichen hinaus. Er schildert Menschen, die wirklich in Marseille, was sage ich: zwischen der Canebière und dem Transbordeur beheimatet sind, mit einem Realismus, der keine ihrer Schwächen beschönigt, und zugleich mit einem Humor, der alle Blößen wieder sanft zudeckt. So sind die Menschen hierzulande: sie wissen nicht genau zwischen Wahrheit und Lüge zu unterscheiden, erhitzen sich schnell und finden nichts dabei, dem Gesetz gelegentlich ein Schnippchen zu schlagen. Aber können sie etwas dafür? Die Sonne des Südens hat sie ausgebrütet, und der tägliche Umgang mit dem alten Hafen bestimmt ihre Spässe und Sitten. Indem der Film dieses menschliche Gewimmel rundum zeigt, gibt er auch ein Stück Folklore. Besonders echt wirkt der von *Raimu* unübertrefflich dargestellte César. Die Radomontaden des alten Bistrowirts, seine Zornausbrüche, seine kleinen Listen, sein natürlicher Verstand und sein im Licht der Scheinwerfer hell erstrahlendes gutes Herz – das alles verschmilzt zu einer Gestalt, in der sich Marseille selber zu verkörpern scheint.
(NZZ vom 6. 1. 1937)

1 Voraus gingen die Filme MARIUS (Alexander Korda und Marcel Pagnol. FR 1931) und FANNY (Marc Allégret. FR 1931). Erst CÉSAR entstand unter der Regie Pagnols selbst, der die Drehbücher und die dramatischen Vorlagen zu allen drei Filmen schrieb (Marcel Pa-

gnol, *Marius*. Paris: Fasquelles 1931; *Fanny*. Paris: Fasquelles 1932; *César*. Paris: Fasquelles 1937).
2 Kamera: Willy Faktorovitch.

720. Ein Revuefilm

Filmrez.: LE GRAND ZIEGFELD / THE GREAT ZIEGFELD. Robert Z. Leonard. US 1936.

Zum Lob des amerikanischen Films THE GREAT ZIEGFIELD[1] läßt sich nichts Besseres vorbringen, als daß er trotz seiner zweieinhalbstündigen Dauer und trotz einer Reihe in ihn eingestreuter Theater-Revuen keinen Augenblick langweilt. Der Grund hierfür ist der, daß diese Zwischenspiele nicht nur zusammenhanglose Schaubilder sind, an denen man sich freilich schnell satt sähe, sondern einer geschlossenen Handlung entwachsen, die interessiert und menschlich packt. Indem der Film den Anstieg Ziegfields[2] vom Budenbesitzer im Vergnügungspark der Chicagoer Weltausstellung zum gefeierten New Yorker Revue-Regisseur schildert, gibt er tatsächlich einen fesselnden Überblick über die Geschichte der amerikanischen Revue und enthüllt zugleich die unlösliche Verbundenheit des Genres mit der Person seines Schöpfers. Ziegfeld in der Darstellung *William Powells*: ein skrupelloser Charmeur, der bis ins Alter hinein keiner Frau die Treue hält, weil er von ihnen allen besessen ist; so besessen, daß er am liebsten jede zur Königin machte und mit einer Gloriole von Farben und Tönen umgäbe. Daher die Girls. Anfänglich Nebensonnen, die eine geliebte Frau als Trabanten begleiten, verlieren sie später ihre dienende Funktion und verselbständigen sich, wie um zu demonstrieren, daß Ziegfeld in der jeweiligen Geliebten stets die Frau als solche liebt. Diese Revuen sind Huldigungsakte. Und vom Verlangen verzehrt, sie immer großartiger zu gestalten, weiß Ziegfeld bald selber nicht mehr, ob er sie wirklich um der Frauen willen inszeniert oder ob er nicht umgekehrt die Frauen als Krönung der Revuen vergöttert.
Warum ist der Name des Regisseurs *Robert Z. Leonard* in Europa noch unbekannt? Er hat den Film mit einer erstaunlichen Kenntnis der Milieus durchgebildet und bewährt eine technische Virtuosität, der es spie-

lend gelingt, die schwierige Aufgabe des Einbaues der verschiedenen Revuen zu meistern, ohne in Monotonie zu verfallen. Ihrer jede ist nach einem andern Prinzip entwickelt, und überhaupt enträt kaum eine der zahlreichen Szenen des eigenen Lokalkolorits, der besonderen Pointe. Die Szene im Vorstadt-Tingeltangel, wo Ziegfeld in der Person einer schieläugigen Diseuse einen neuen Star entdeckt; die erste Revue-Szene, deren kitschiger Pomp so faszinierend verfilmt ist, daß der Kitsch die Brillanz der echten Kolportage erlangt.
Seine volle Tiefe aber gewinnt der Film erst durch das Spiel der Wienerin *Luise Rainer*, die Ziegfelds erste Frau verkörpert und abgesehen von ihrem natürlichen Liebreiz über die Gabe verfügt, Glück und Leid mit solcher Intensität auszudrücken, daß der ergriffene Zuschauer Glück und Leid hier neu zu erleben meint. Jene Szene am Telephon, in der sie, halb schluchzend, halb jauchzend Ziegfeld vorzutäuschen sucht, daß sie über seine Eheschließung beseligt sei, während sie in Wahrheit krank und erfolglos dahinsiecht, ist eine der erschütterndsten Leistungen, die man seit langem im Film gesehen hat.
(Der Film läuft gegenwärtig auch im *Urban*[3] in *Zürich*.)
(NZZ vom 31. 1. 1937)

1 Der korrekte Filmtitel lautet wie oben angegeben.
2 Richtig: Florenz Ziegfeld (1869-1932); die Schreibung wird im folgenden stillschweigend korrigiert. Ziegfeld war amerikanischer Produzent von Broadway-Musicals und -Shows; berühmt machten ihn ab 1907 seine Ziegfeld-Follies, perfekt inszenierte, revue-ähnliche Shows mit Musik, Gesang, Tanz und Komikern.
3 Das Urban Film-Theater in Zürich eröffnete 1934 und bestand bis 1971.

721. Gefilmtes Baby

Filmrez.: LE MIOCHE. Léonide Moguy. FR 1936.

Der französische Film LE MIOCHE unterscheidet sich darin von den meisten Filmen, die wie er zum Zweck der Rührung ein Kind verwenden, daß das Kind, dessen er sich bedient, kein »Filmkind« ist. Es ist vielmehr ein ganz gewöhnliches einjähriges Baby, das weder den geringsten schauspielerischen Ehrgeiz besitzt, noch auch durch irgendeine komische Haartolle in eines jener Püppchen verwandelt wird, mit denen die Erwachsenen gern spielen. Nein, diese kleine Kreatur quietscht, lacht, schreit und strampelt so unbekümmert, als ob sie allein auf der Welt sei, und denkt gar nicht daran, das Publikum durch dumme Mätzchen zu unterhalten.

Ein der Natur selber abgelauschtes Leben, und nichts spannender, als es im Film zu verfolgen. Denn dadurch, daß der Film die flüchtigsten Regungen des Babys in Großaufnahmen festhält, zwingt er Vorgänge herauf, über denen sich sonst Dunkel breitet und zeigt sie in einem ungewohnten Licht. In Wahrheit belauscht die Filmkamera nicht einfach das Dasein, sondern entdeckt es Stück für Stück. Warum macht sie so wenig von dieser wunderbaren Fähigkeit Gebrauch? Das ist die Frage, die sich angesichts der reizenden Babyszenen in den Vordergrund drängt. Statt seiner Bestimmung zu gehorchen und im Material der Wirklichkeit zu arbeiten, verzichtet der heutige Film tatsächlich fast durchweg auf den Ausbau der ihm gewährten Möglichkeiten und erteilt aus Bequemlichkeitsgründen der Ateliermache den Vorzug. Der Tonfilm bedeutet in dieser Hinsicht dem stummen Film gegenüber einen Rückschritt. Immer wieder müssen Schauspieler Charaktere mimen, die, wie einige amerikanische und russische Filme veranschaulichen, draußen im gelebten Leben weit besser anzutreffen wären; immer wieder entarten Massenaufläufe zu Opernensembles und Gruppenbewegungen zu Evolutionen auf einer nicht vorhandenen Bühne; immer wieder scheint auch dort störend die Pappe durch, wo ein rechtmäßiger Anspruch auf handfeste Realität besteht. Indem der Film so verfährt, deckt er die Wirklichkeit mit lauter Kulissen zu und beraubt sich selber der einzigartigen Chance, ins Reich des Unwillkürlichen vorzustoßen. Zugegeben, daß solche Expeditionen viel Findigkeit, Umsicht und Ausdauer erfordern. Wie sehr sie sich aber lohnen, beweist das Schauspiel dieses Babys, das durch seine unverkünstelte Existenz die Klischeehaftigkeit der Welt entlarvt, in die es verschlagen worden ist.

(NZZ vom 21. 2. 1937)

722. Ein Negerfilm

Filmrez.: LES VERTS PATURAGES / THE GREEN PASTURES.
Marc Connelly und William Keighley. US 1936.

Der amerikanische Negerfilm THE GREEN PASTURES ist eines der bedeutendsten Dokumente, die wir dem Tonfilm verdanken. Sein Inhalt: die biblische Geschichte, dem Verständnis armer kleiner Negerkinder nahegebracht, die an den Lippen ihres Negerlehrers hängen, der ihnen von den Wundern der Schöpfung zu erzählen beginnt. Da erscheint das Paradies, das einer Plantage gleicht, in der die Neger nicht zu arbeiten brauchen, sondern, mit Flügeln angetan, selig sein dürfen, und inmitten dieser Plantage erscheint der liebe Gott persönlich, ein würdiger alter Gentleman, im Bratenrock, mit einem Gesicht voller Güte und Majestät. Und wie er in der Absicht, die Erde zu schaffen, seine himmlische Besitzung durchschreitet, folgen ihm alle schwarzen Engel und blicken neugierig über den Staketenzaun, der das Paradies vom Wolkenhang trennt. Dann wird die Handlung auf die Erde selber verlegt, auf der es bald so wenig gesittet zugeht, daß der alte Gentleman seine Kreaturen, die Menschen, zu strafen beschließt. Die armen kleinen Negerkinder sehen jene gewaltige Überschwemmung mit an, die sich die Sintflut nennt, sind Zeugen der großartigen Zauberkunststücke, mit denen Moses in höherem Auftrag den Pharao schreckt, und begleiten das auserwählte Volk auf seiner Wanderung durch die Wüste. Das alles sind sehr ungewöhnliche Begebenheiten, die aber doch durchaus glaubhaft wirken. Denn warum sollte nicht irgendwo eine Plantage existieren, in der die Neger frei und glücklich dahinschwelgen können? Und was den lieben Gott selber betrifft – er benimmt sich ja keineswegs besonders prächtig und übernatürlich, bescheidet sich vielmehr mit einem Arbeitszimmer, das schmucklos wie das des Dorfpfarrers ist, und der Erzengel Gabriel, der immer hinter ihm steht, ist eigentlich nichts weiter als ein anhänglicher Diener, der tief besorgt dreinblickt, wenn sein Herr der Menschen wegen hin und wieder in trübe Laune verfällt.
Bilder, in denen sich eine Phantasie von rührender Naivität ausspricht; mehr noch, die Melancholie und die Komik einer unterdrückten Rasse werden hier Gestalt. So ist die Szene, in der Noa dem lieben Gott gegen-

über hartnäckig die Frage anschneidet, ob sich nicht außer der Mitnahme der Tiere auch die eines Fäßchens Whisky empföhle, ganz von dem Galgenhumor armer Teufel erfüllt, die sich mit kleinen Listen durchs Leben schlagen. Dieser Humor erspäht jede Blöße der Mächtigen, gibt große Worte der Lächerlichkeit preis und gebärdet sich mit einer gewissen Verdrossenheit, hinter der sich eine Unsumme schmerzlicher Erfahrungen verbirgt. Nicht umsonst liegt im Film der Nachdruck auf der schwierigen, kaum belehrbaren Menschennatur. Und schließt er auch damit, daß der Herr, um nichts unversucht zu lassen, den Erlöser aus sich gebiert, so ist doch niemand unter den Zuschauern, der nicht der folgenden zweitausend Jahre gedächte, die das melancholische Wissen der Neger zu rechtfertigen scheinen ...

Die Regie bewährt sich nicht zuletzt darin, daß sie auf sämtliche Effekte und Mätzchen verzichtet, zu denen gerade dieses Thema leicht verlockte. Bewundernswert ist die mimische Kraft der Negerschauspieler, die sicherlich auch dem ständigen Zwang der Schwächeren entstammt, zu beobachten, zu simulieren und zu imitieren.

(Typoskript aus KN, Februar [1937?])[1]

1 Das Typoskript ist maschinenschriftlich datiert: »Paris im Februar«; es wurde vermutlich 1937 für die NZZ geschrieben; eine Veröffentlichung konnte bislang nicht nachgewiesen werden.

723. La Marseillaise

Zurzeit befindet sich hier ein Filmprojekt in Vorbereitung, dessen Realisierung in thematischer und organisatorischer Hinsicht allgemeines Interesse beansprucht. Der rühmlich bekannte französische Filmregisseur *Jean Renoir* – er behandelt seit Jahren mit Vorliebe soziale Stoffe und hat erst unlängst Gorkis *»Nachtasyl«* verfilmt[1] – plant einen großen Revolutionsfilm LA MARSEILLAISE,[2] der aber von vornherein nicht wie irgendein Privatgeschäft, sondern unter aktiver Beteiligung der Bevölkerung aufgezogen werden soll. Dieser Film, so ungefähr argumentiert Renoir, darf kein Produkt der Branche sein, denn er ist eine Angelegenheit der Nation; und da er sich an die republikanisch gesinnten Massen wendet, muß er auch durch die Massen zustandekommen.

Dem neuartigen Gedankengang entspringt eine *neuartige Finanzierungsmethode*:[3] eine öffentliche Subskription wird ausgeschrieben, die zu zeichnen nahezu jeder in der Lage ist. Oder hat nicht jedermann die Möglichkeit, für eine ihn betreffende Sache einen Beitrag von zwei Francs zu spenden? Tatsächlich ist die Emission von Anteilen in der mikroskopisch geringen Höhe von zwei Francs projektiert. Wer einen solchen Anteil erwirbt, gibt gewissermaßen ein Darlehen, das er später zurückvergütet erhält. Sowohl den Kinobesitzern wie den Kinobesuchern nämlich werden die Zwei-Franc-Anteile als Zahlungsmittel dienen: jenen beim Bezug des Films, diesen beim Eintritt in alle Kinos, die ihn spielen. Angenommen, das Kinobillett koste sechs Francs, so hätte der Inhaber eines Anteils nur noch vier Francs zu entrichten. Das Prinzip ist einfach. Kommerziell ausgedrückt, besteht es darin, daß die künftigen Besucher die Produktionskosten des Filmes bevorschussen und hierfür zuzüglich ihrer Einlage eine Dividende in Gestalt des Lustgewinnes empfangen, den ihnen der Film verschafft.

Die Frage, ob sich die nötige Zahl von Kleinaktionären findet, wird von Jean Renoir mit begründetem Optimismus bejaht. Zunächst hat sich bereits eindeutig gezeigt, daß der Film dank seinem Thema ein starkes Echo weckt. Und wenn auch eine staatliche Hilfe völlig ausscheidet, so wird doch die Regierung das Projekt mit Erleichterungen unterstützen, deren es bei Massenszenen und Aufnahmen in historischen Milieus bedarf.[4]

Die Vorbereitungen sind weit gediehen. Gerade in diesen Tagen konstituiert sich die Produktionsfirma »Société La Marseillaise«, und binnen zweier Monate hofft Renoir, das Drehbuch fertigzustellen, das er mit mehreren fachkundigen Autoren zusammen bearbeitet. Es entrollt die Revolutionsgeschichte in volkstümlicher Form; den Auftakt bildet die Schilderung der ökonomischen Krise, die zur Einberufung der Generalstände geführt hat, den Abschluß die Schlacht von Valmy, von der Goethe bemerkte, daß mit ihr eine neue Epoche der Weltgeschichte anbräche.[5] Unmittelbar nach Beendigung des Drehbuchs werden die Aufnahmen beginnen, bei denen eine Mitwirkung der Pariser Bevölke-

rung vorgesehen ist, die sicherlich wie keine andere dazu geeignet wäre, in der Rolle ihrer Ahnen aufzutreten. Übrigens scheint Maurice Chevalier[6] keineswegs abgeneigt, sich unter diese Massen zu mischen und im Kostüm des Arbeiters die Marseillaise zu singen.[7]
(NZZ vom 25. 4. 1937)

1 LES BAS-FONDS. Jean Renoir. FR 1937, nach Maxim Gorki, *Na dne* (1902); dt.: *Nachtasyl*. Übers. von August Scholz. München: Marchlewski 1903.
2 LA MARSEILLAISE. Jean Renoir. FR 1937/38.
3 Für die Herstellung des Films wurde eigens ein Studio gegründet und wohl erstmals in der Filmgeschichte eine öffentliche Subskription für die Deckung der Produktionskosten durchgeführt. Zweieinhalb Millionen Personen kauften Aktien für insgesamt fünf Millionen Francs. Die Schirmherrschaft über die Aktion hatten die Gewerkschaften. In der Werbekampagne, die der Dreharbeit vorausging, wurde LA MARSEILLAISE als ein »Film über die Rechte des Menschen und Bürgers« bezeichnet, »vom Volk für das Volk geschaffen«.
4 In dem in KN erhaltenen Manuskript (die Druckvorlage ist in diesem Fall ausnahmsweise handschriftlich) lautet der vorangehende Absatz: »Und wenn auch eine staatliche Hilfe völlig ausscheidet – wie sympathisch immer die Regierung dem Projekt gegenüberstehen mag, sie wird sich wie in anderen Fällen damit begnügen, den Produzenten die Erleichterungen zu gewähren, deren sie bei Massenszenen und Aufnahmen in historischen Milieus bedürfen –, so gilt doch die finanzielle und moralische Unterstützung der Gewerkschaften als gesichert. Da die C. G. T. [Abkürzung für Confédération générale du travail, 1895 gegründeter größter Gewerkschaftsbund Frankreichs] 5 1/2 Millionen Mitglieder zählt, ist eine stattliche Gemeinde von Subskribenten schon jetzt garantiert. Zur gewerkschaftlichen Propaganda sollen sich ferner öffentliche Werbeversammlungen gesellen, deren erste am 5. Mai in Rouen unter dem Protektorat der Maison de la Culture, einer Organisation der Linksparteien, abgehalten wird.«
5 Siehe Johann Wolfgang Goethe, *Campagne in Frankreich* (1792).
6 Siehe u. a. Nr. 596; Chevalier wirkte in dem Film nicht mit.
7 Die thematische Ausrichtung des Artikels folgte einer Anregung von Edwin Arnet, dem Redakteur der NZZ. In einem Schreiben vom 9. 4. 1937 (KN) bat er Kracauer darum, in seiner Filmrezension »den Hauptakzent auf das Finanztechnische und Organisatorische zu legen. Das Novum einer Besucherorganisation, die zugleich Aktionärsversammlung ist, sollte doch in unserer Filmspalte nicht übergangen werden, um so weniger, als diese Art der Filmfinanzierung nicht zuletzt für die Schweiz, die auf die Landesausstellung hin einen großen Film mit demonstrativ demokratischer Haltung drehen sollte, von gewissem Interesse sein kann.« Die wegen der drohenden Kriegsgefahr zum »Ort der geistigen Landesverteidigung« national aufgeladene vierte Landesausstellung der Schweiz fand im Mai 1939 statt.

724. Über den Farbenfilm

Filmrez.: LE JARDIN D'ALLAH / THE GARDEN OF ALLAH. Richard Boleslawski. US 1936.

Der kürzlich in Zürich vorgeführte Film: DER GARTEN ALLAHS,[1] der Marlene Dietrich und Charles Boyer als Helden einer Handlung vorführt, die einem Salonroman vor fünfzig Jahren Ehre gemacht hätte, ist der erste ganz in Farben gehaltene Film.[2] Um es vorwegzunehmen: er beweist, daß sich die Technik der Farbenphotographie auf dem richtigen Weg befindet. Die Fleischtöne der Gesichter sind gut geraten, und einige koloristische Effekte – bei weitem nicht alle – wirken täuschend echt.

Doch wäre die Technik auch vollkommener als sie ist, so bliebe immer noch die Frage offen, ob die Farbe den Film in ästhetischer Hinsicht bereichert. Wie behutsam Urteile dieser Art formuliert zu werden verlangen, hat sich beim Übergang des stummen Films in den tönenden gezeigt. Viele Kritiker, die damals, auf keineswegs unwichtige Argumente gestützt, den Tonfilm im voraus verdammten, haben inzwischen erfahren, daß die Zukunft einer Erfindung vom Bestehenden her niemals abschließend ermessen werden kann. Dies vorausgesetzt, darf immerhin die Aussage gewagt werden, daß die Farbe im Film überall dort ästhetisch abträglich ist, wo sie als bloße Zutat auftritt, wo sie Gegenstände verkörpern hilft, die auch ohne sie rundum darstellbar sind. Auf lange Strecken hin ist die Farbe im GARTEN ALLAHS ein Ballast. Die Wüstenlandschaften dieses Films erinnern an Öldrucke, und es duldet nicht den geringsten Zweifel, daß die Sonne stärker glühte, die Hauswände greller leuchteten und Afrika mehr Afrika wäre, wenn die Schwarzweiß-Schattierungen allein das Feld behaupteten. Das Spiel der Farben behindert das der Lichter, und die Buntheit stört wie ein Nebengeräusch.

Ein Eindruck, der nicht von den Mängeln der heutigen Technik herrührt, sondern sich aus der Konstitution des Farbenfilms erklärt. Filme vom Typus des GARTEN ALLAHS zum mindesten bemühen sich um die getreue Reproduktion der Welt. Aber wann hätte je ein Gemälde die diffuse Natur kopiert? Die Aufgabe des Malers besteht vielmehr darin, die nichtssagende Mannigfaltigkeit des Gegebenen zu sichten und seine Impressionen einem Zusammenhang einzuordnen, der etwas bedeuten mag. *Das Bild ist kein Abbild*; *es spricht nur in dem Maße, in dem es von der Natur abstrahiert.* Gerade dadurch, daß der Schwarzweiß-Film die undurchdrungene Farbigkeit nicht in sich aufnimmt, erhält er bis zu einem gewissen Grad jene Unabhängigkeit vom Objekt, die eine Vorbedingung seiner Gestaltung ist. Kommt dagegen die schlechte Unendlichkeit der dem Objekt anhaftenden Farben hinzu, so wird dem Film die Freiheit geraubt, deren er zur Dechiffrierung des Materials bedarf, und er gerät in die Sklaverei der verworrenen Natur. Technischer Fortschritt ist hier gleichbedeutend mit ästhetischem Rückschritt. Farbenfilme wie DER GARTEN ALLAHS sinken zur Beute des Gegenstandes herab, den sie erobern sollten, und müssen es sich gefallen lassen, daß ein kunterbuntes Geraun ihre Äußerungen unverständlich macht.

Diese grundsätzlichen Bedenken richten sich, wohlgemerkt, gegen den Versuch einer totalen Imitation der natürlichen Farbigkeit, nicht aber gegen die Verwendung der Farbe überhaupt. Belastet die Farbe den Film, wenn sie sich ihm in der Absicht sturer Nachahmung beimischt, so erweitert sie seine Grenzen, wenn sie Sensationen hervorruft, die zu erzeugen ihr, nur ihr, vorbehalten ist. In einem Trickfilm[3] erscheint ein rotbraunes Hündchen, das sich auf dem Gletscher verirrt und zum Zeichen seiner Erschöpfung eine grüne Färbung annimmt, die jedoch kaum, daß ihm ein hilfreicher Bernhardinerhund Branntwein eingeflößt hat, sofort wieder einer heiteren Röte weicht. Die Farbe ist in der kleinen Szene deshalb ein Gewinn, weil sie den Wechsel der Zustände auf die kürzeste Formel bringt. Auch im GARTEN ALLAHS will es manchmal ein glücklicher Zufall, daß sie aus dem koloristischen Durcheinander herausbricht und zu sich selber kommt. An diesen Stellen, an denen ihr Eigenwert überwiegt, erlangt sie unverzüglich Sprachgewalt. Dank ihrem Einsatz mengt sich der erregende Schein des Kerzenlichtes ins Spiel, und erst durch sie erzielt das schillernde Gewand der Tänzerin seine volle sinnliche Wirkung.

Da die Farbe viel ausdrücken kann und nicht wenige einzigartige Funktionen versieht, hat der Farbenfilm große Möglichkeiten. Nur muß er von vornherein dem falschen Ehrgeiz absagen, die Natur komplett widerzuspiegeln.

(NZZ vom 23. 5. 1937)

1 Im Typoskript (KN): »Der Film: LE JARDIN D'ALLAH [. . .].«

2 Der Film wurde im neuen Dreifarben-Technicolor-Verfahren (siehe auch Nr. 66, Anm. 3 und Nr. 777, Anm. 2) hergestellt, bei dem erstmals alle drei Farbbereiche parallel aufgenommen wurden und somit das gesamte Farbspektrum erfaßt werden konnte. Der erste in diesem Verfahren produzierte Film war 1935 Rouben Mamoulians BECKY SHARP gewesen, jedoch wurde das Verfahren mit THE GARDEN OF ALLAH technisch perfektioniert. So rühmte das *Time-Magazine* den Film als das beste Beispiel der Farbphotographie, das der Kinoproduktion bisher gelungen sei. W. Howard Greene (Kamera) und sein Berater erhielten beim Academy Award 1937 einen Sonderpreis für die Farbaufnahmen.

3 Vermutlich handelt es sich um den Mickey Mouse-Cartoon ALPINE CLIMBERS (Dave Hand. US 1936); zur beschriebenen Szene siehe auch Nr. 729.

725. Der Reporter als Filmheld

Filmrez.: L'EXTRAVAGANT MR. DEEDS / MR. DEEDS GOES TO TOWN. Frank Capra. US 1935/36.

Die amerikanischen Filme bemächtigen sich neuerdings mehr und mehr der Figur des Reporters; wobei sie diese Figur nicht nur in den Mittelpunkt der Handlung rücken, sondern auch zugleich standardisieren. So tritt in dem ausgezeichneten Film L'EXTRAVAGANT MR. DEEDS eine Reporterin auf, die genau dieselben Eigenschaften wie ihr männlicher Kollege in LOUSOQUE CIE[1] besitzt. Der amerikanische Reporter ist – das bestätigt sich durchweg – zum feststehenden Filmtypus geworden.
Wie erscheint er seinen Landsleuten? Auf der einen Seite als Klette, als Parasit. Wenn immer er sich im Film zeigt, heftet er sich seinen Opfern mit unausstehlicher Zähigkeit an die Fersen, mengt sich ungeniert in ihre intimsten Privatangelegenheiten ein und schreckt nicht einmal davor zurück, irgendeiner ihn gerade interessierenden Person anderen Geschlechts tiefere Gefühle vorzutäuschen, wenn er nur auf diese Weise den Kontakt mit ihr gewinnen kann, dessen er zu einem Artikel über sie bedarf. Einer, der sich prostituiert, um Zeilen zu schinden. Während sich Mr. Deeds von dem Mädchen, das er liebt, wiedergeliebt glaubt, macht ihn das Mädchen unter einem Pseudonym in ihrer Zeitung lächerlich.
Auf der andern Seite wird dieser Journalist[2] im Film mit einem Wohlwollen behandelt, das der Abneigung gegen ihn mindestens die Waage hält. Sämtliche Filme verklären den Reporter, nachdem sie seine professionellen Untugenden gebührend angeprangert haben. Bald erweist sich

der Reporter in der Ausübung seines Berufes als ein ganzer Kerl, der Schwindelmanöver aufdeckt und gemeingefährliche Verbrecher fängt, bald bereut er seine Niedertracht und empfindet wirklich die Liebe, die er vorher um eines Interviews willen zur Schau trug. Er ist widerwärtig, aber er hat das Herz auf dem rechten Fleck; man möchte ihn abschütteln, aber er versteht es, sich unentbehrlich zu machen.
Die beharrliche und gleichförmige Darstellung dieses Typs beweist, daß er die Amerikaner in Unruhe versetzt. Erzeugt wird aber ihre Unruhe zweifellos dadurch, daß sie sich in der Gestalt des Reporters eines der Widersprüche bewußt werden, die das gesellschaftliche Leben durchziehen – des Widerspruchs zwischen der Notwendigkeit, alle möglichen Dinge an die Öffentlichkeit zu bringen, und dem Bedürfnis, über alle möglichen Dinge Schweigen zu breiten. Informiert zu sein, ist nützlich; unbehelligt zu bleiben, ist angenehm. Sind die amerikanischen Zeitungen eine demokratische Institution, so werden im Reporter gewisse Erscheinungsformen der Demokratie zum Problem. Nicht so, als ob die Reporterfilme dieses Problem zu lösen versuchten; sie begnügen sich damit, es zu exponieren und ihrem fragwürdigen Helden gegenüber Gefühle zu entwickeln, deren Widerstreit den der Verhältnisse spiegelt. Aus der Tatsache, daß die Sympathie für den Reporter regelmäßig überwiegt, scheint immerhin zu folgen, daß man in Amerika nicht daran denkt, die demokratische Öffentlichkeit ihrer Auswüchse wegen preiszugeben.
(NZZ vom 6. 6. 1937)

1 Französischer Verleihtitel für LOVE ON THE RUN. W. S. Van Dyke. US 1936.
2 Im Typoskript (KN): »Auf der anderen Seite wird dieser Abschaum der Menschheit [...].«

726. Ein utopischer Film

Filmrez.: HORIZONS PERDUS / LOST HORIZON. Frank Capra. US 1936/37.

Frank Capras Film LOST HORIZON stellt der sozialen Realität die soziale Utopie gegenüber und gehört insofern in die Reihe jener amerikanischen Filme, die einen Anlauf zur Gesellschaftskritik nehmen. Es gibt

deren nicht wenige. Zweifellos übt der reformatorische Geist des New Deal seinen Einfluß auf die Produktion in Hollywood aus ...
Hübsch ist die Einkleidung des Films. Ein von *Ronald Colman* intelligent verkörperter englischer Diplomat, der sich im Innern Chinas aufhält, um den unschuldigen Opfern des Bürgerkrieges Hilfe zu bringen, besteigt, von mehreren Europäern gefolgt, in einer Nacht des Schrekkens das letzte der Flugzeuge, die ihm für seine Rettungsaktion zur Verfügung gestellt worden sind. Aber statt sich programmäßig der Küste zuzuwenden, zieht das Flugzeug zum Entsetzen der Passagiere über die asiatische Hochgebirgswelt dahin und landet schließlich in einer Gletscherwüste, von der aus die Reisenden unter kundiger Eingeborenenführung durch eine Schlucht eskortiert werden. Sie trauen ihren Sinnen nicht: eben noch eine Beute der Kälte und des Schneesturms, befinden sie sich plötzlich in einem lieblichen Talkessel, den die Sonne warm beglänzt. Der Garten Eden. Nachträglich erfährt man, daß er seinerzeit von einem Missionar entdeckt worden ist, der den englischen Diplomaten deshalb hat entführen lassen, weil er ihn allein für würdig erachtet, seine Nachfolge anzutreten und dieses Paradies weiterzuregieren, das, eine zweite Arche Noah, alle kostbaren Menschengüter bergen soll, während sich in Gestalt von Kriegen und Revolutionen die Sintflut über die Erde ergießt.
Gut so, ein Märchen mag märchenhaft begründet sein. Fatal ist nur, daß die utopische Oase selber die durch ihre anspruchsvolle Exposition geweckten Erwartungen enttäuscht und auf eine Weise vergegenwärtigt wird, die den Wunsch der meisten hierher verschleppten Reisenden, schleunigst wieder die verderbten Stätten der Zivilisation aufzusuchen, sehr verständlich macht. Um davon zu schweigen, daß dieses Idyll der künstlichen, jeder sozialen Entwicklung spottenden Zurückversetzung der Menschen in archaische Verhältnisse seine Existenz verdankt, es ist auch von starrer Einförmigkeit. Seine Bewohner beschäftigen sich unverdrossen damit, ihre Herden zu hüten, fromme Lieder abzusingen und in feierlicher Prozession einen Gebäudekomplex zu durchwallen, dessen Jugendstilformen die Herkunft aus dem Filmatelier deutlich verraten. Und obwohl ihr Freudendasein auf die Dauer sterbenslangweilig sein muß, sind sie noch dazu mit ewiger Jugend begabt. Die Beimengung dieses mystischen Motivs verleiht aber der Utopie keineswegs eine er-

höhte Anziehungskraft, sondern macht nur die Unhaltbarkeit ihrer Konstruktion vollends offenbar.
Wenn Frank Capra einem solchen Drama die Arbeit zweier Jahre gewidmet hat, so ist er sicher von der Möglichkeit bestochen worden, die Wirklichkeit mit dem Ideal, das Grauen mit der Seligkeit zu konfrontieren. Das Ergebnis bleibt jedoch weit hinter dieser Absicht zurück; es besteht darin, daß der realistische Teil ungleich besser gelungen ist als die Chimäre. Die großartige Darstellung der Nacht in China könnte Bürgerkriegen als Vorbild dienen, und die verzweifelte Flucht der Reisenden durchs Hochgebirge ist mit Fanatismus gestaltet. Wie schal wirkt daneben das utopische Getändel! Aber so muß es auch sein. Denn die Sonne des Glücks zerstört alle Konturen, und was unter ihr geschieht, läßt sich nicht mit nach Hause tragen.
(NZZ vom 11. 7. 1937)

727. Ein französischer Kriegsfilm

Filmrez.: LA GRANDE ILLUSION. Jean Renoir. FR 1936/37.

Jean Renoirs neuer, sehr beifällig aufgenommener Film LA GRANDE ILLUSION spielt während des Weltkrieges in Deutschland, genauer: in einem Lager kriegsgefangener französischer Offiziere. Die große Illusion – dieser Titel soll, wenn nicht alles täuscht, mit melancholischer Gebärde auf die unüberwindlichen Schwierigkeiten hinweisen, die der Verwirklichung des Völkerfriedens entgegenstehen. Wie ein solcher Friede aussähe, enthüllt sich gleichnishaft am Schluß: in Gestalt der Liebe, die sich zwischen der deutschen Bäuerin und dem einen der beiden flüchtigen französischen Offiziere anspinnt, denen sie vorübergehend Obdach gewährt. Aber der Wunschtraum vom Frieden beherrscht so wenig die Handlung, daß sich neben ihm Tendenzen entfalten, die ihn vollends ersticken. Um davon zu schweigen, daß der Krieg selber als undiskutiertes Naturereignis in den Film hereinragt, wird durch die Einführung zweier adeliger, besonders sympathisch gezeichneter Offiziere – eines französischen Hauptmanns und eines deutschen Majors – der Gegensatz zwischen aristokratischem und demokratischem Lebensstil zum Problem erhoben: Kurz, mehrere Motivreihen konkurrieren miteinander, ohne durchdrungen und auf einen Nenner gebracht zu sein. Bald behaupten die aristokratisch-militärischen Tugenden das Feld, bald wirkt sich, auf sentimentalische Weise, eine humane Gesinnung aus, die jene Tugenden überflügeln möchte. Zu wessen Gunsten neigt sich die Waage? Man weiß es nicht. Eine Unklarheit der Absichten, die fast den Eindruck erweckt, als wolle der Film es der Linken recht machen und es doch mit der Rechten nicht verderben. So muß freilich die große Illusion eine große Illusion bleiben.

Zum Glück entwächst die in der ideellen Sphäre angerichtete Konfusion einer filmisch glänzend gelungenen Milieuschilderung, und wer sich nur an diese hält, braucht sich nicht von Illusionen zu nähren. Die Typen auf deutscher und französischer Seite sind klug gewählt; der Wechsel von Schatten und Licht, rührenden und brutalen Episoden hält den Zuschauer in Atem; das Alltagsleben der Gefangenen, das sich von der dumpfen Hinnahme der Monotonie über vielerlei Zerstreuungsversuche hinweg bis zu Ausbrüchen der Verzweiflung erstreckt, ist mit einem Takt gestaltet, der sich durch ein sicheres Gefühl für die Zeitmaße auszeichnet und jede Art von Empfindlichkeit zu schonen weiß. Besondere Bewunderung verdient die Kunst, mit der Renoir den Krieg darstellt, ohne ihn je auf die Szene zu bringen. Der Krieg – er dröhnt in den deutschen Soldatenliedern mit, steigt aus den Marschtritten unsichtbarer Kolonnen auf und umschwelt die Bahnhöfe, die Wegweiser, die Felder. Vom geringsten Zeichen magisch beschworen, ist er allgegenwärtig im Stück.[1] Während einer Theateraufführung der Gefangenen verbreitet sich plötzlich die Nachricht eines französischen Sieges: das Spiel wird abgebrochen, und sowohl die Kostümierten wie die Uniformierten beginnen, sich in die Augen sehend, die Marseillaise zu singen. Stumm verlassen die deutschen Vorgesetzten den Saal ...

Erich v. Stroheim beweist in der Rolle des deutschen Majors, daß er nicht nur dort über eine starke Anziehungskraft verfügt, wo er sich abstoßend und schwierig gibt. Hier ist er weder ein Hasser noch ein böses, umdüstertes Gemüt, sondern die vollendete Ritterlichkeit in soldatischer Hülle, und die Aura um ihn scheint noch dichter geworden. Sie strömt von ihm aus, gleichviel ob er schweigt oder deutsch-englische

Wortbrocken herausschleudert, ob er herrisch auftritt oder ein paar nicht zu vergessende Augenblicke am Sterbebett des Feindes weilt; sie verleiht dieser Figur des guten Kavaliers eine Ganzheit, die fasziniert und ergreift.[2]
(NZZ vom 27. 7. 1937)

1 Im Typoskript (KN) folgen hier die Sätze: »Vielleicht liebäugelt die Handlung manchmal zu sehr mit dem Kriegsidyll oder wiederholt sich irgendein typischer Ablauf zu oft; aber dann folgen regelmäßig Umschläge und Szenen, die so virtuos eingesetzt und entwickelt sind, daß sie unmittelbar zünden.«

2 Im Typoskript folgt als Schlußsatz: »– Recht wirkungsvoll charakterisiert ist auch die allerdings etwas zu gepflegte deutsche Bäuerin *Dita Parlo's* mit einer blonden, herben Verhaltenheit in Sprache und Geste.«

728. Zu den Filmen Sacha Guitrys

Filmrez.: LES PERLES DE LA COURONNE. Sacha Guitry und Christian-Jaque. FR 1937.

Das von Sacha Guitry in seinem ROMAN D'UN TRICHEUR[1] und teilweise auch im PASTEUR[2] angewandte Verfahren, das er in seinem letzten Film LES PERLES DE LA COURONNE weiter entwickelt, stellt eine interessante Neuerung dar. Guitry geht von der Erkenntnis aus, daß der Film mit derselben Souveränität über Zeiten und Räume zu verfügen vermag wie der Erzähler, der mühelos Ferne und Nähe miteinander verwebt und in einem Nu aus dem Heute zur Vergangenheit und wieder zurück in die Gegenwart gleitet. Warum also immer eine geschlossene Spielhandlung vorführen und nicht lieber in die Mitte des Films den Erzähler selber rücken?[3] Seine seit der Existenz des Tonfilms mögliche Einschaltung bietet in der Tat die Chance einer freieren Organisierung des Szenariums. Denn nun braucht nicht mehr eine Filmszene aus der andern zu folgen, sondern der Zusammenhang der Szenen wird vom Erzähler geschaffen, der im Zentrum des Films waltet. Dank seiner Anwesenheit ist es eine Kleinigkeit, irgendein Stück der Fabel durch das gesprochene Wort zu vermitteln – so traktiert Guitry etwa die Jugend Pasteurs –,[4] mit Hilfe weniger Sätze zwischen den verschiedensten Episoden und Epochen Beziehungen herzustellen, die rein bildmäßig gar nicht anzubahnen wären, und jeden Teil der Handlung, der des Kommentars bedarf,

mit einer Glosse zu versehen. Auf diese Weise erhält der Film eine außerordentliche Gelenkigkeit und wird dazu befähigt, das Zusammenhanglose zu bewältigen.
Allerdings ist das Gelingen des von Guitry angestrengten Experiments an einige schwer erfüllbare Voraussetzungen geknüpft, zu denen unter anderm eine passende Fabel und ein geeigneter Erzähler gehören. Als Erzähler in dem hier geforderten Sinne sucht Guitry selber seinesgleichen. Er verkörpert den Esprit des Boulevards, der sich auf locker gefügte Improvisationen und filmisch gut verwertbare Arabesken versteht, und besitzt eine schauspielerische Leichtigkeit, die ihm gestattet, aus der Rolle des Sprechers unauffällig in die seiner jeweiligen Helden zu schlüpfen. Nicht immer dagegen gestaltet er einen der Methode angemessenen Stoff. So glänzend der Fund der Hochstaplergeschichte LE ROMAN D'UN TRICHEUR mit ihren gesellschaftskritischen Pointen ist – Pointen, die lediglich durch die dem Film verliehene Form ihren vollen Effekt erzielen –, so unbefriedigend wirkt der Film LES PERLES DE LA COURONNE, der über die Herkunft der englischen Kronperlen berichtet und zwischen der Renaissance und der Gegenwart einen kühnen Bogen schlägt. An diesem Film zeigen sich die Gefahren des neuen Genres. Die vielen Einzelszenen, aus denen er sich zusammensetzt, sind flüchtig hingeworfene Skizzen, die dringend nach Ergänzung verlangten und trotz der sie verbindenden Causerie auseinanderfallen; um ganz davon zu schweigen, daß die Causerie in einem feuilletonistischen Geist gehalten ist, der den historischen Themen nicht gerecht wird. Das Ergebnis ist ein problematisches Gemisch aus Sketsch und Revue.
Aber was besagt dieser Fehlschlag gegen die Fruchtbarkeit des Experiments, das Guitry so beharrlich wieder und wieder aufnimmt? Schon jetzt duldet es keinen Zweifel, daß die von ihm kreierte Gattung, richtig ausgebaut, den Spielfilm um eine wichtige Variante bereichern wird.
(NZZ vom 29. 8. 1937)

1 LE ROMAN D'UN TRICHEUR. Sacha Guitry. FR 1936.
2 PASTEUR. Sacha Guitry. FR 1935.
3 Siehe hierzu auch *Werke*, Bd. 3, S. 205.
4 Der Film basiert auf Sacha Guitrys Vaudeville *Pasteur. Pièce en cinq actes* (Paris: Fasquelles 1919), in dem das Leben des französischen Chemikers, Mediziners, Bakteriologen und Mikrobiologen Louis Pasteur (1822-1895) zwischen 1870 und 1892 dargestellt wird.

729. Zur Ästhetik des Farbenfilms

Je mehr die Technik des Farbenfilms fortschreitet,[1] desto deutlicher enthüllt sich seine Problematik. Nicht so, als ob ihn die Unzulänglichkeiten, die ihm noch anhaften, als fragwürdig erscheinen ließen; im Gegenteil, ästhetisch fragwürdig ist er gerade dort, wo er in technischer Hinsicht Bewunderung verdient. Diese Beobachtung könnte leicht dazu verführen, daß man dasselbe Verdikt über ihn fällte, mit dem vor knapp zehn Jahren viele kritische Köpfe, auf nicht unwichtige Argumente gestützt, der Neuerung des Tonfilms begegneten. Aber jene Eiferer haben ihr Verdammungsurteil längst revidieren müssen und inzwischen erfahren, daß die Tragweite einer Erfindung vom Bestehenden her nicht voll zu ermessen ist.

In den bisherigen Farbenfilmen – vor allem in solchen, die sich wie der GARTEN ALLAHS[2] realistisch gebärden – wirkt die Farbe auf lange Strekken hin als toter Ballast. Ich denke an bestimmte Wüstenbilder, blumige Wiesen oder Gebirgsszenerien: so gewiß der Film die natürliche Buntheit kaum minder getreu darbietet wie die geglückte Reproduktion eines Gemäldes ihr Original, ebenso gewiß gereicht ihm die Farbe in diesen Fällen zum Verderben. Die Bläue des fernen Gebirgszugs, die auf der Bildfläche auftaucht, erweckt die fatale Vorstellung, als sei die Natur blau angepinselt, und die Sahara mit der roten Sonne darüber ist ein Öldruck, mag sie hundertmal der Abklatsch Afrikas sein. Lauter Farbenspiele, die den Charakter der schändlichen Zutat tragen. Warum? Weil sie nichts von dem aussagen, was der Schwarzweißfilm – man weiß es aus dem langjährigen vertrauten Umgang mit ihm – ohne ihre Beihilfe aussagen kann. Er hat die blaue Ferne schon zarter beschworen, als es jetzt durch die Einmengung des Blaus geschieht; er hat das grelle Licht, die Hitze und die kräftigen Kontraste der Wüstenlandschaft in Bildern gebannt, deren Farbigkeit die farbigen im GARTEN ALLAHS weit übertrifft. Die Farbe realisiert in den genannten Beispielen nicht neue Möglichkeiten, unterbindet vielmehr die Ausbildung der vorhandenen. Statt den Schwarzweißfilm zu komplettieren, macht sie ihn faktisch farblos. Es ist, als beschränke ihre Dazwischenkunft die Entwicklung der Schatten und Helligkeiten und lähme das Tempo.

Pudowkin, der Regisseur der MUTTER[3] und anderer großer Filmwerke, vertritt in seinem Buch über den Film,[4] das den archaischen Zeiten des stummen Films entstammt, nachdrücklich die Auffassung, daß der Film keine Imitation der Welt, sondern ihre Konstruktion durch Montage sei. Sämtliche Formulierungen des Buchs ergreifen gegen die vulgäre Darstellungsart der Dinge und Ereignisse Partei, die eben infolge ihrer Vulgarität gern für die Imitation des Erscheinenden gehalten wird. Denn angesichts eines Bildes, das die Natur vom landläufigen Standpunkt aus betrachtet, liegt die Versuchung nahe, die Existenz eines Standpunktes überhaupt zu leugnen und das Bild mit einem Abbild zu verwechseln. Aber diese »Abbilder« sind keineswegs standpunktlos; sie nehmen nur die Gegebenheiten so hin, wie sie sich dem banalen Blick ergeben. Blind gegen den Gehalt der Phänomene, registrieren sie in Wirklichkeit ein konfuses Zufallsgemenge, das nichts meint und mit dem nichts gemeint ist.

Indem Pudowkin der Montage das Wort redet, setzt er sich für eine filmische Verfahrungsweise ein, die im Interesse der Herausarbeitung des jeweiligen Gehalts der Dinge deren Oberflächenzusammenhang zerreißt. Die gewohnten Alltagsbilder müssen gesprengt werden, damit aus den Stücken Bilder montiert werden können, denen Bedeutung innewohnt. Das heißt aber, daß die Montage das Gegenteil scheinbarer Naturimitationen beabsichtigt. Sie erstrebt keine Ähnlichkeit mit den sogenannten Objekten, sondern will umgekehrt belanglose Ähnlichkeiten vernichten und aus den der Vernichtung entspringenden Elementen Gebilde konstruieren, die jedenfalls alles andere eher als Kopien im üblichen Sinne sind. So wären die Konstruktionen der Montage unserer Vorstellungswelt unähnlich? Wenn Pudowkin die Säulenfassade eines zaristischen Gerichtsgebäudes vorführt,[5] erscheint diese tatsächlich unter einem so fremdartigen Aspekt, daß niemand sie ohne weiteres mit einer Ansichtskarte derselben Fassade zu identifizieren vermöchte. Aber Pudowkins Fassade gewinnt gerade dadurch Sprachgewalt, daß sie sich mit dem Klischee solcher Fassaden nicht auf einen Nenner bringen läßt. Der Ansichtskartenperspektive entrückt, denunzieren diese Prunksäulen, für jedermann vernehmlich, sich selber als Wahrzeichen zaristischer Willkürjustiz.

Die Ausschaltung der Farbe ist für den Schwarzweißfilm insofern ein Vorteil gewesen, als sie ihm von vornherein eine gewisse Unabhängigkeit vom Gegenstand zugesichert hat. Je weniger Bindungen an die Oberfläche bestehen, eine um so geringere Anstrengung ist vonnöten, um von ihnen zum Zweck der Montage zu abstrahieren. Nun tritt die Farbe hinzu und mit ihr eine neue Eigentümlichkeit der Objekte, die fortan nicht mehr vernachlässigt werden darf. Hier wird verständlich, aus welchem Grunde die erwähnten farbigen Partien den Film so belasten. Zum Unterschied vom Gemälde, das diesen Namen verdient, begehen sie keinen Sabotageakt gegen den konventionellen Zusammenhang der Phänomene, sondern setzen ihren Ehrgeiz darein, ihn rundum zu reproduzieren. Der Maler bewältigt die Aufgabe, dem farbigen Material Bedeutung abzuzwingen, und seine Bilder sprechen genau in dem Maße, in dem sie nicht »Abbilder« sind. Der Farbenfilm dagegen bemüht sich einstweilen aus einer Art kindlicher Freude am technisch Erreichbaren um die exakte Wiedergabe dessen, was dem trivialen Begriff von Natur gemäß ist. Sein Stolz ist das Klischee. Aber indem er Bildstreifen liefert, die den Eindruck von Imitationen einer vermeintlich an sich seienden Welt machen, versäumt er die Durchdringung seines Materials und fängt eine diffuse Mannigfaltigkeit ein. Er erobert nicht die Gegenstände, er versklavt sich ihrem abgenutzten Gepräge. Die verfilmte Wüstenlandschaft im GARTEN ALLAHS gleicht deshalb einem Öldruck, weil dem Durchschnitt der Menschen originale Wüstenlandschaften faktisch als Öldruck entgegentreten, und die Bläue, deren oben gedacht wurde, ist deshalb nichtssagend, weil sie eine Impression fixiert, die nichts besagt. Ansichtskartenzauber! Ansichtskarten verfälschen jedoch nicht die Welt, diese ist wirklich ein Ansichtskartenalbum, wenn sie auf banale Weise gesehen wird.

Jetzt erst erklärt sich auch, warum es nicht selten den Anschein hat, als werde die filmische Entwicklung durch das Eingreifen der Farbe gehemmt. Im Schwarzweißfilm ist die Montage zum Usus geworden, wie verkehrt und mechanisch immer sie praktiziert zu werden pflegt. Bei der Handhabung der Farbe indessen zielt man noch kaum auf Montageeffekte ab, sondern gibt sich etwa damit zufrieden, die Illusion blumiger Wiesen hervorzurufen. Diese Illusionskünste mögen den hohen Stand der Farbentechnik dartun, sie laufen darum nicht minder auf die Verbildlichung gleichgültiger, bedeutungsleerer Gegebenheiten hinaus. Das Resultat ist, daß sich im Farbenfilm zwei Tendenzen ausleben: die eine, vom alten Schwarzweißfilm herrührend, bezweckt die Durchleuchtung der Phänomene mittels der Montage; die andere, die auf der falschen Behandlung der Farbe beruht, verschreibt sich einer schlechten Fülle unerhellter Impressionen. Beide im Farbenfilm zusammengekoppelten Tendenzen widerstreiten aber einander; denn in demselben Grade, in dem sich die Farbe auf »Imitation« versteift, wird der Abbau der imitierbaren Zusammenhänge und damit der Durchbruch der Montage verhindert. So kommt es, daß die Farbe an den hier gemeinten Orten nicht nur scheinbar bremsend wirkt. Ihre Buntheit ist kunterbunt, ihr Zusatz hintertreibt die Entfaltung der Montage.

Wie sich von selbst versteht, richtet sich diese grundsätzliche Analyse nicht gegen die Verwendung der Farbe überhaupt, sondern gegen eine billige Methode ihrer Verwendung. Worauf hingearbeitet werden muß, ist die *Montage der Farbe*. Der Farbenfilm kann sich erst unter der Bedingung zum Rang der besten Schwarzweißfilme erheben, daß er die Farbe zu montieren lernt.

Freilich nicht nach Art der Gemälde. Irgendeinem Farbenfilm wurde vor kurzem nachgerühmt, daß in ihm die Palette Courbets[6] erstehe. Zweifellos ist es ein reizvolles Beginnen, Gemälde aus ihrer Starre zu befreien, aber der Farbenfilm verfehlte seine Bestimmung, wenn er sich an der Malerei orientierte, und sei es an der modernen. Was für den Schwarzweißfilm zutrifft, gilt auch für ihn: er gelangt nur dadurch zum Ziel, daß er bei der Montage auf Grund seiner eigenen technischen Voraussetzungen verfährt.

Wohin sie ihn führen, läßt sich im voraus nicht absehen. Immerhin herrscht schon heute kein Mangel an Beispielen, die den richtigen Gebrauch der Farbe illustrieren. Ich erinnere mich eines Disneyschen Trickfilms, in dem ein Raketenfeuerwerk abgeprasselt wird.[7] Wann hätte man bisher je Bewegungsspiele von Farben veranschaulichen können? Bei Disney sind sie gestaltet: ein bunter Sprühregen zischt, ungeahnte Sensationen erzeugend, über die Fläche. In einem anderen Trickfilm, dessen Held ein Hündchen ist, bringt die Farbe den Wechsel der Zustände auf die knappste Formel. Das Hündchen verirrt sich auf einem

Gletscher und nimmt zum Zeichen seiner Erschöpfung eine grünliche Färbung an, die jedoch, kaum daß ihm ein hilfreicher Bernhardinerhund Branntwein eingeflößt hat, sofort wieder einer heiteren Röte weicht.[8] – Manchmal will es der Zufall, daß auch in den Filmen, die nicht wie die Trick- und Reklamefilme von vornherein auf den Schein der Imitation verzichten, sondern durchaus realistische Absichten verfolgen, die Farbe gleichsam aus der Verworrenheit des Klischees herausbricht und zu sich kommt. Es verhält sich allerdings nicht so, als ob sie plötzlich ihr Verlangen unterdrückt, eine Pseudowirklichkeit nachzuahmen; aber vorübergehend wird das vorgeformte Material selber transparent. Der GARTEN ALLAHS birgt eine Tanzszene, die sich dadurch auszeichnet, daß das Gewand der Tänzerin in den verschiedensten Farben schillert. Je leidenschaftlicher der Tanz wird, desto schneller changiert das Kostüm – ein kaleidoskopartiger Wechsel der Farben, der dem Auftritt erst zu seiner vollen sinnlichen Wirkung verhilft. An einer zweiten Stelle desselben Films flackert Kerzenlicht, dessen ungemischtes, zum Leben erwachtes Rot eine unvergleichliche Ausdruckskraft besitzt.

In allen diesen Fällen – es handelt sich meist nur um Passagen von geringer Länge – ist die Farbe kein Störungsfaktor, sondern erweitert die Grenzen des Films. Sie versieht einzigartige Funktionen; sie vergegenwärtigt auf echt filmische Weise Gehalte, die zu entdecken ihr allein vorbehalten bleibt. So wird sie zum notwendigen Bestandteil der Gesamtmontage.

(*Das Werk*, September 1937)

1 Zum Farbfilm siehe auch Nr. 66, Anm. 3 und Nr. 724, Anm. 2.
2 Siehe Nr. 724.
3 Siehe Nr. 229.
4 Siehe die Rezension Kracauers, Nr. 416.
5 Siehe zu dieser Szene aus DIE MUTTER Nr. 229.
6 Gustave Courbet (1819-1877), französischer Maler, einer der Hauptvertreter des Realismus, dessen Bilder sich u. a. durch einen außergewöhnlichen Farbenreichtum auszeichnen.
7 Vermutlich handelt es sich um den Disney-Cartoon TOBY TORTOISE RETURNS (Wilfred Jackson. US 1936) aus der SILLY SYMPHONIES-Reihe.
8 Zu dieser Szene siehe auch Nr. 724.

730. Über den Konversationsfilm

Es ist sonderbar, daß in Paris, der Heimat des Vaudeville und des leichten Boulevardstücks, die Spezies des Konversationsfilms nicht gedeihen will. Beim Transport vom Theater ins Filmatelier verflüchtigt sich gewöhnlich der Geist, die Dialoge vergröbern sich, und aus der schmächtigen Komödie, die sich mit Andeutungen begnügt, wird ein beleibtes Lustspiel, das seine Trümpfe polternd aussticht. Woher rührt es, daß die französische Produktion gerade auf einem Gebiet zurückbleibt, das ihr eigenstes sein sollte? Möglicherweise auch daher, daß diese Filmgattung hier mehr als anderswo ein Nachzügler ist. Der französische Esprit lebt in selbstgeschaffenen, durch die Tradition doppelt befestigten Formen, die ihm immer noch so viele Chancen der Aussage gewähren, daß er sich jeder neuen Form gegenüber gern spröd bezeigt. Dem Bestehenden verpflichtet, faßt er sie als eine Art Eindringling auf und neigt ein wenig dazu, sie stiefmütterlich zu behandeln. Alte Kulturen pflegen sich zu verschanzen. Die Pariser Filme René Clairs[1] sind Vorboten gewesen, denen nichts gefolgt ist, und erst die jüngst in dieser Rubrik erwähnten Versuche Sacha Guitrys[2] scheinen wieder einen entwicklungsfähigen Keim zu enthalten.

Kein Zweifel, der Konversationsfilm, in dem wirklich Esprit mitschwingt, wird heute nicht in Paris, sondern in Hollywood hergestellt. Auch das ist sonderbar, aber nicht unerklärlich. Abgesehen davon, daß sich die amerikanischen Produzenten dank ihrer Mittel die besten Kräfte und die beste Ausführung sichern können, gilt es zweierlei zu bedenken. Einmal trifft der Film in Amerika auf eine Kultur, die noch unbelastet genug ist, um mit dem Film weiterzuwachsen und ihre Erfahrungen in ihm – vor allem in ihm – zu gestalten. Zum andern bringen die europäischen Spezialisten, die in Hollywood arbeiten, eine Menge von Kenntnissen und Kunstelementen mit, die sich nun, da sie aus ihren ursprünglichen Zusammenhängen gerissen sind, ohne großen Widerstand in die Sphäre des Films transponieren lassen. Entwurzelte Gehalte, die einen für sie empfänglichen Boden finden. Das Ergebnis ist interessant.

Will man Beweise für meine Behauptung? Ich denke etwa an den jetzt in

Paris laufenden Film: LA FIN DE Mme CHEYNEY, der nach jenem bekannten Theaterstück gedreht ist,[3] mit dem einst Elisabeth Bergner auf Gastreisen ging.[4] Obwohl die Künstlichkeit einiger Szenen verrät, daß er das Theater noch nicht vollkommen abgestreift hat, ist er ein ausgezeichneter Konversationsfilm. Das Gewicht liegt auf dem Gespräch, das so gewichtlos geführt wird, daß die leiseste Akzentuierung Effekt erzielt. Ein verspielter Dialog, dessen Pointen mit kleinen Widerhaken versehen sind. Seiner unaufdringlichen Suffisanz entspricht die Mimik, der ganze Kammerspielton des Ensembles. Montgomerys englischer Lord ist mit einer Selbstverständlichkeit impertinent, die durchaus den Eindruck erweckt, als sei sie vererbt; Frank Morgan verkörpert wie öfters schon den distinguierten älteren Gentleman, dem seiner Schüchternheit wegen Sympathie gebührt; William Powell skizziert einen gefühlstiefen Gauner, der halb im Hintergrund verschwimmt. Schade, daß Joan Crawford in der Rolle der Bergner[5] an einer gewissen Steifheit krankt. Welchen sehr besonderen Reiz sie besitzt, wenn sie sich gelöst gibt, hat sie vor kurzem in dem Film: I LIVE MY LIFE[6] gezeigt, einer anderen netten Filmkomödie übrigens, die nebenher das Thema des Parvenütums abwandelt.

(Typoskript aus KN, September [1937])[7]

1 Siehe Nr. 614 und 705.
2 Gemeint ist die Rubrik »Film« in der NZZ, in der Kracauers Beiträge erschienen. Zu Sacha Guitry (1885-1957) siehe Nr. 728 und 749.
3 THE LAST OF MRS. CHEYNEY. Richard Boleslawski. US 1936/37. Drehbuch: Leon Gordon, Samson Raphaelson und Monckton Hoffe, nach Frederic Lonsdale, *The Last of Mrs. Cheyney: A comedy in 3 acts*. London: Collins 1925.
4 Bevor Elisabeth Bergner 1923 ihre Karriere als Filmschauspielerin antrat, war sie eine gefeierte Bühnenschauspielerin u. a. am Stadttheater Zürich, am Wiener Burgtheater, den Münchner Kammerspielen und v. a. am Deutschen Theater in Berlin unter Max Reinhardt.
5 Es handelt sich um die Hauptrolle der Fay Cheyney.
6 I LIVE MY LIFE. W. S. Van Dyke. US 1935.
7 Das Typoskript ist maschinenschriftlich datiert »Paris im September«; es wurde 1937 für die NZZ geschrieben; eine Veröffentlichung konnte bislang nicht nachgewiesen werden.

731. La Dame de Malacca

Filmrez.: LA DAME DE MALACCA. Marc Allégret. FR 1937.

Der nach dem gleichnamigen Erfolgsroman von François de Croisset[1] gedrehte Pathé-Film: LA DAME DE MALACCA erhebt sich zwar nicht zum Rang einer Spitzenleistung, ist aber eine angenehme, mit ausgezeichneten Pointen versehene Unterhaltung. Um den Gang der Fabel anzudeuten: Eine junge Engländerin, die an einem Mädcheninstitut in Le Havre unterrichtet, wird dort so schlecht behandelt, daß sie den Antrag eines ungeliebten Jugendfreundes annimmt, der, Arzt seines Zeichens, eine Berufung nach Malacca erhalten hat. Sie kommt aus dem Regen in die Traufe; denn ihr Mann erweist sich als Streber, und die Würdenträgerinnen der englischen Kolonie nehmen es an Strenge mit der Institutsvorsteherin auf. Zum Glück ist ein malaiischer Prinz zur Stelle, und kein erfahrener Romanleser wird sich darüber wundern, daß der Roman, der sich zwischen diesem Deus ex machina und dem geplagten Mädchen entspinnt, in ein strahlendes happy end einmündet, das übrigens zugleich die löbliche Tendenz verfolgt, den Rassenstolz und einige andere Konventionen sanft zu erschüttern.

Das Konventionelle, dem der Spott gilt, wird im Film nicht immer vermieden. Die Heldin muß während der Überfahrt nach Indien mitten im Orkan auf Deck bleiben, damit der Orkan ihrer Gefühle tiefere Bedeutung gewinnt; die Liebesgeschichte ist eine Magazingeschichte; die exotischen Milieus mit ihren Basarfreuden und Fackelumzügen erinnern nicht selten an Opernensembles. Anscheinend ist die Abgegriffenheit exotischer Darstellungen die Rache für den Mißbrauch, der mit der Exotik getrieben wird. Doch was besagen diese Schwächen und Konzessionen im Vergleich mit der vom Regisseur Marc Allégret vorzüglich entwickelten Kolonial- und Gesellschaftssatire, die zudem den Hauptteil des Films einnimmt! Wie die Heldin in aller Unschuld sämtlichen Vorurteilen der englischen Kolonie zuwiderhandelt und dadurch einen bösen Skandal heraufbeschwört; wie Lady Brandmore, die Frau des Gouverneurs und ein Musterexemplar unantastbaren Wohlanstands, den Skandal systematisch schürt, bis er zum Eklat wird und sie das Opfer verfemen darf; wie der Gouverneur selber, je nach den Erfordernissen

der englischen Politik und ohne Rücksicht auf irgendwelche Vorurteile, die verschiedenen Figuren einschließlich seiner Gattin hin- und herschiebt und auch das Strebertum des Arztes geschickt zum Heile Englands auszunutzen weiß – das alles ist mit witzigem Freimut dargestellt und zu Szenen gerundet, die voll heiterer Laune sind. Die Rolle der jungen Engländerin ist mit Edwige Feuillière[2] besetzt, die zweifellos eine große Zukunft hat. Nicht genug damit, daß sie über Charme und Intelligenz verfügt und eine wunderschöne Stimme besitzt: ihr Spiel weist eine Schwingungsweite auf, die sich vom leichten Sousentendu bis zur Verbildlichung starker Empfindungen erstreckt.[3]
(NZZ vom 21. 11. 1937)

1 François de Croisset (d.i. Franz Wiener), *La dame de Malacca*. Paris: Grasset 1935.
2 Richtig: Edwige Feuillère; die Schreibung wird im folgenden stillschweigend korrigiert.
3 Im Typoskript (KN) folgen hier die im Druck gestrichenen Schlußsätze: »So verkörpert sie, gut von der Regie unterstützt, zum Greifen deutlich die Angst, die sich ihrer Heldin in der Ankunftsnacht bemächtigt. Gabrielle Dorziat als Lady Brandmore erzielt durch die Vereinigung von Prüderie und Herrschsucht einen höchst komischen Effekt. Ein Kabinettsstück bietet Jacques Copeau; er gestaltet mit den sparsamsten Mitteln einen Gouverneur, der hinter liebenswürdigen Formen einen abgebrühten Cynismus verbirgt und sich wie kaum einer auf die Handhabung der Macht versteht. Pierre Richard-Wilm ist ein Publikumsliebling; aber das entschädigt nicht dafür, daß er in der Rolle des malayischen Prinzen wie ein europäischer Beau aus einem internationalen Luxushotel wirkt.«

732. Ein französisches Filmexperiment

Filmrez.: DRÔLE DE DRAME. Marcel Carné. FR 1937.

DRÔLE DE DRAME nennt sich dieser merkwürdige Film. Auf Grund eines englischen Romans hergestellt,[1] läuft er so ziemlich allen Gesetzen zuwider, nach denen sich brave Filme sonst zu richten pflegen. Hat er eine Handlung? Wenn ja, so hält er sich jedenfalls nicht an sie, sondern improvisiert unterwegs und gehorcht gassenjungenhaft allen möglichen Launen, die oft weit vom Thema abführen. Überhaupt fehlt es ihm an Sinn für Zusammenhang und rücksichtsvollen Manieren. Er erschreckt die Leute, um sie hinterher zu hänseln.[2] So geht es blitzschnell durch sämtliche Zustände und Stilarten hindurch. Wer eben noch in einem spannenden Detektivstück zu sein glaubt, befindet sich schon mitten in der Burleske oder im Melodrama.

Schauplatz ist ein London, das an Dickens, die *»Beggar's Opera«*[3] und den Grand-Guignol[4] erinnert und mit Personen bevölkert ist, von denen kaum eine alltäglich heißen darf. Ein von Michel Simon zur echten E. T. A. Hoffmann-Figur ausgestalteter Botaniker, der Mimosen betreut und gleichzeitig insgeheim unter Pseudonym erfolgreiche Schauerromane schreibt; ein hysterischer Verbrecher, der es sich aus Tierliebe zum Prinzip macht, lauter Metzger zu morden; ein zärtlicher Milchbursche mit einer Moritatphantasie;[5] Louis Jouvets Bischof und Françoise Rosay als gezierte ältliche Bürgerin – das ganze Ensemble ist ein einziges Kuriositätenkabinett. Um davon zu schweigen, daß diese bizarren Existenzen von einem Wirbelwind ergriffen scheinen, der sie vollends aus dem Gleichgewicht bringt. Sie leisten plötzlich unvorhergesehenen Motiven Folge, wechseln die Farben wie ein Chamäleon und sind jederzeit dazu bereit, irgendeinen der grotesken Einfälle auszuspinnen, die regellos aufschießen und zuletzt, einem Gestrüpp gleich, alles überwuchern. Ihrer manche sind komisch. Ein Gauner etwa, der einen Blumenstrauß besorgen soll, entledigt sich dadurch seiner Mission, daß er elegantesten Passanten[6] auflauert, ihnen einen Schlag auf den Kopf versetzt und sie dann der Blume im Knopfloch beraubt.

Ist der Film gut oder schlecht? Er ist ein interessantes, wenn auch verwildertes Experiment, das immerhin ein paar starke Stimmungen und originelle Anregungen bietet.

(NZZ vom 6. 12. 1937)

1 Joseph Storer Clouston, *His First Offence*. Mills & Boon: London 1912.

2 Im Typoskript (KN) lautet der vorangehende Satz: »Er erschreckt die Leute, um sie hinterher zu hänseln, scheut nicht davor zurück, sehr seriöse Dinge zu verhöhnen, und gebärdet sich im nächsten Augenblick wieder verliebt und sentimental.«

3 Johann Christian Pepusch, *The Beggar's Opera*, nach einem Libretto von John Gay (UA 1782).

4 Das Pariser Theater Grand Guignol, gegründet 1895 als Théâtre Salon, spezialisierte sich seit 1899 unter Max Maurey auf die naturalistische Darstellung von Schauer- und Horrorstücken. Als Grand Guignol bezeichnet man vor allem die Gattung der Terror- und Gruselstücke, die in den zwanziger Jahren z. B. von André de Lorde u. a. mit *Le laboratoire des hallucinations* und *La morte lente* vertreten wurde.

5 In den genannten Rollen: Jean-Louis Barrault als Serienmörder und Jean-Pierre Aumont als Milchbursche.

6 Im Typoskript: »eleganten Passanten«.

733. Ein epischer Film

Filmrez.: REGAIN. Marcel Pagnol. FR 1937.

Marcel Pagnol hat seinen letzten Film REGAIN nach dem gleichnamigen Roman von *Jean Giono*[1] gedreht, in dem dieser wie stets die Erde und die bäuerliche Existenz verherrlicht. Das Dorf Aubignane ist leer und verfallen, und nur Panturle kann sich nicht zur Abwanderung entschließen, sondern schleicht einsam und untätig zwischen den Ruinen umher. Er drohte zu verwildern, verirrte sich nicht ein Mädchen in seine Nähe, dessen Liebe ihn neu beflügelt. Zu zweit beginnen sie, von Freundeshilfe unterstützt, das Land zu bestellen, und siehe, der Boden vergilt ihnen tausendfach ihre Mühe. Wohlstand kündigt sich an, ein erstes Kind wird erwartet, und schon ist durch den Zuzug von Kolonisten die Gewähr dafür gegeben, daß sich die Ruinen in ein blühendes Dorf verwandeln. Der Roman drängt zum Epos hin und vermag doch seine romantische Tendenz nicht zu verleugnen. Sie treibt die Figur jener Alten empor, die – halb Fee, halb Kräuterhexe – auf magische Weise das Mädchen in die Arme von Panturle lockt, ist für den etwas zu glatten Verlauf der Handlung verantwortlich und äußert sich nicht zuletzt darin, daß die Rückkehr zur Erde den Städtern als Allheilmittel gegen politische und soziale Infektionen gepriesen wird.

Mit Recht unterstreicht der Film den epischen Zug seiner Vorlage. So kommt es zwar zu einer Reihe unnötiger Längen, aber Längen lassen sich leicht beseitigen. Und was liegt überdies an ihnen, wenn sie im Laufe einer Schilderung auftreten, die durch die Beobachtung kleinster Eindrücke zu fesseln weiß? Die Schönheit des Werkes beruht auf der Treue seiner Wahrnehmungen, auf der Genauigkeit im Detail. Gemeinhin pflegt man nur dramatisch zugespitzte Filme als spannend zu bezeichnen; nichts ist jedoch im Film – gerade im Film – der Spannung vergleichbar, die daraus entsteht, daß *statt der Haupt- und Staatsaktionen die unscheinbaren Ereignisse zu den eigentlichen Trägern der Handlung erhoben werden*. Der Film ist seiner Natur nach episch. Bei Pagnol spielt die provenzalische Landschaft mit, die er wie kein anderer kennt – eine Landschaft, deren Elemente bis in die leiseste Nuance hinein ausgewertet sind. Der Bauernhof übernimmt eine Charakterrolle, die Landstraße

vollführt eine exakt abgezirkelte Geste. Eine solche Akzentuierung der Einzelheit macht selbstverständlich nur unter der Bedingung unbezweifelbarer Echtheit den vollen Effekt. Nirgends ist man weiter vom Atelier entfernt als in diesem Film. Die Dorfruinen stehen auf einem wirklichen Hügel, der Wald scheint zu duften, und der Wasserfall rauscht keineswegs zwischen Felsenkulissen. Wunderbar gelungen sind die Aufnahmen aus dem Landstädtchen: an stillen Vorgärten vorbei, die in der Mittagshitze brüten, gelangt man zum Marktplatz, auf dem sich inmitten weißer Häuser und schattigem Laub ein Treiben entwickelt, dessen südliche Lebhaftigkeit so packend festgehalten ist, daß der Beschauer die Szenerien als ungestellte Gegenwart empfindet.
Nicht minder sorgfältig behandelt die Regie das Ensemblespiel. Sie schenkt Statisten und Solisten die gleiche Beachtung,[2] und der an sich unwesentliche Gendarmenauftritt ist zu einem wahren Kabinettstück gediehen. Den Vordergrund füllt Gabriel Gabrios Panturle aus, der sich freier regen könnte, wenn er sich nicht so idealisch gebärden müßte. Auch seine Partnerin Orane Demazis und Marguerite Moreno in der Rolle der Alten werden durch die ihnen von der Romantik des Stoffes auferlegten Verpflichtungen spürbar beeinträchtigt. Um so besser geraten sind die rein realistischen Typen: Delmont, der als gelähmter, alter Schmied unübertrefflich eine Sterbeszene gestaltet, und Fernandel, dem der Scherenschleifer, die glücklichste Erfindung des Romans, anvertraut ist. Mag Fernandel zu viel chargieren, er modelt diesen Scherenschleifer zu einer Figur zurecht, die sich tief einprägt. Ein kauziger, koboldartiger, bald ziviler, bald kratzbürstiger Geselle, der übrigens von Honeggers Musik[3] glänzend untermalt wird. Wenn er mit seinem Karren über die Landstraße zieht, scheint es nicht anders, als sei er geradewegs den Seldwyler Geschichten[4] entsprungen.
(NZZ vom 19. 12. 1937)

1 Jean Giono, *Regain*. Paris: Grasset 1930; dt.: *Ernte*. Übers. von Ferdinand Hardekopf. Berlin: Fischer 1931.
2 Im Typoskript (KN): »dieselbe Beachtung«.
3 Arthur Honegger (1892-1955), französischer Filmkomponist und Schauspieler, schrieb u. a. die Filmmusik zu LA FIN DU MOND, siehe Nr. 649.
4 Anspielung auf die Novellensammlung von Gottfried Keller, *Die Leute von Seldwyla* (Teil 1: 1856; Teil 2: 1873/74).

1938

734. Amerikanische Gesellschaftssatire

Filmrez.: LA JOYEUSE SUICIDÉE / NOTHING SACRED. William A. Wellman. US 1937.

Der unter dem Titel LA JOYEUSE SUICIDÉE laufende amerikanische Farbenfilm NOTHING SACRED – eine Produktion der Firma David O. Selznick, die sich nicht nur auf Farben, sondern auch auf zeitgemäße Themen spezialisieren zu wollen scheint – entwirft ein satirisch-groteskes Gesellschaftsbild, das Witz mit Übermut vereint. Längst ist in amerikanischen Filmen der Reporter, dessen Ehrgeiz der neuesten Sensation gilt, zur stehenden Figur geworden;[1] hier wird die Sensationsgier des breiten Publikums gegeißelt, der die des Reporters entspringt. Um seine bedrohte Stellung zu retten, sucht einer dieser für New York typischen Journalisten aus einem Mädchen in der Provinz Kapital zu schlagen, das, wie er erfahren hat, an einer unheilbaren Krankheit leidet und dem sicheren Tod entgegengehen soll. Man muß den Lesern, so schwebt ihm vor, alle Empfindungen und Gedanken der Todeskandidatin berichten, und ganz New York wird die Artikel verschlingen. Er stöbert Hazel auf, und Hazel begleitet ihn gern nach New York; wobei sie ihm nur unterschlägt, daß ihre Krankheit auf einer Fehldiagnose beruht und niemand weiter vom Tod entfernt ist als sie. Carola Lombard[2] verkörpert reizend die kleine Heuchlerin, die mit unglaublicher Schnelligkeit vom Lachen zum Weinen hinüberwechselt. Die journalistische Spekulation erweist sich als richtig: ganz New York verschlingt nicht nur die Artikel, sondern auch Hazel selber, die zum Gegenstand öffentlicher Huldigungen wird, deren Komik der Zuschauer um so unbefangener würdigen kann, als er weiß, daß die Gefeierte vor Lebenslust platzt. Aus einer unverwüstlichen Laune heraus travestiert der Film die Übersteigerungen des Kults, den die Großstadtmassen mit ihren jeweiligen Lieblingen treiben. Der Bürgermeister von New York überreicht Hazel die Schlüssel der Stadt; Kinderchöre singen an Hazels Bett; ein feudales Kabarett gibt Hazel zu Ehren einen Abend und verschafft so seinen Klienten die Gelegenheit, beim Champagner Tränen der Rührung zu vergießen, die für das Glück des Daseins doppelt empfänglich machen. Nothing sacred. Aber der Spott verletzt nicht, sondern erweckt, im Gegenteil, unbeschwerte Heiterkeit; denn es ist der gesunde Menschenverstand, der die

Lächerlichkeit der emotionalen Verirrungen entlarvt. Eine besonders ausgelassene Szene ist die des Box-Matchs: kaum wird die Anwesenheit Hazels ruchbar, so kommandiert der Sprecher eine kurze Schweigepause, und die Boxer erstarren mitten im wütenden Gemenge zur plastischen Gruppe. – Der Film ist, auch farbentechnisch – präzis gearbeitet und stellenweise von erstaunlicher Virtuosität.
(Typoskript aus KN, 20. 4. 1938)[3]

1 Siehe Nr. 725.
2 Richtig: Carole Lombard.
3 Auf dem Typoskript hat Kracauer handschriftlich notiert: »am 20. April 1938 an Arnet [d.i. Edwin Arnet, Redakteur der NZZ] – N.Z.Z. – geschickt«. Eine Veröffentlichung konnte bislang nicht nachgewiesen werden.

735. Film und Malerei

In der letzten Zeit sind in Paris zwei Kurzfilme gelaufen, die Gemälde reproduzieren: der eine, ein russischer Schwarzweißfilm,[1] gibt einen Überblick über die Schätze der Eremitage; der andere, ein Farbenfilm,[2] zeigt Bilder von Rubens und Meisterwerke der holländischen Malerei, Filme, die eine völlig überraschende Wirkung erzielen.[3] Schon der Russenfilm entlockt den von ihm überflogenen Bildern Effekte, deren auch die beste Photographie bisher nicht fähig gewesen ist. Und was auf ihn zutrifft, gilt doppelt vom Farbenfilm, der schlechterdings eine Sensation bedeutet. Mit ihm erstehen zum erstenmal Reproduktionen, die das reproduzierte Gemälde zu neuen Aussagen zwingen.[4]
Vorauszuschicken ist, daß beide Filme selbstverständlich auf die Wiedergabe der Bilderrahmen verzichten und von der Freiheit Gebrauch machen, außer dem ganzen Gemälde Details in Großaufnahme vorzuführen.[5]
Das Phänomen selber ist leicht beschrieben. Zunächst stimmen die Filmbilder darin überein, daß sie ein Leben ausstrahlen, das man nicht immer gleich im Original entdecken wird; geschweige denn in den herkömmlichen Projektionsbildern, die das Leben des Originals eher ersticken. Der russische Filmstreifen enthält einen französischen Frauen-

kopf, der dem 18. Jahrhundert entstammen mag: die junge Frau verfügt auf der Leinwand über eine solche Daseinskraft, daß der Beschauer nicht die Reproduktion des Gemäldes, sondern die seines Urbildes vor sich zu haben glaubt. Des Urbildes? Es ist vielmehr, als habe das Frauenporträt selber körperliche Existenz angenommen und sich dann filmen lassen. Und wer hundertmal weiß, daß dem Filmbild ein gemaltes Original zugrunde liegt, kann angesichts dieser Augen und dieses Lächelns nicht die Vorstellung los werden, das Original sei dem Gemälde entstiegen und erfülle einen imaginären Raum. In dem ausgezeichneten amerikanischen Farbenfilm: VOGUES 1938[6] werden bei einer Modeschau lebende Bilder gestellt: die Mannequins sind vor dem hellen Hintergrund zu Silhouetten-Gruppen arrangiert, auf die allmählich Licht fällt, in dem sie sich zu regen beginnen. Keine andere Absicht scheinen im Film die Figuren der wirklichen Bilder zu hegen.

Eine Illusion, die dadurch vertieft wird, daß der Film mit einem Schlag das Vergangene in die Gegenwart rückt. Jene Frau hat nicht gelebt; sie ist von heute und lebt unter uns. Der Film aktualisiert die historischen Gemälde. Bis zu welchem Grade er dem zeitlich Fernen Nähe schenkt und Bildern, die selber nur noch mittelbar ansprechen, die Unmittelbarkeit zurückerstattet, verrät nicht zuletzt der bärtige Silen, der einer Rubens-Komposition entnommen ist.[7] Man meint, ihm gestern über den Weg gelaufen zu sein. Fast hat es den Anschein, als bewältige der Film des Gemäldes aus eigener Kraft eine Aufgabe,[8] die der Kunstkenner dem Gemälde gegenüber vollbringt – die Aufgabe, durch die historisch gewordenen Bildelemente hindurch zur ursprünglichen Konzeption vorzustoßen. Jedenfalls sind die Filmbilder frei von Moderschichten, die erst abgedeckt werden müßten. Gerade die farbigen Reproduktionen brechen mit einer erstaunlichen Kraft ins Heute ein. Unter ihnen findet sich ein Landschaftsdetail, das einer besonderen Anmerkung bedarf.

Aus einer jener holländischen Landschaften, denen man in sämtlichen Galerien begegnet, holt der Film eine kleine Partie heraus, die Gebüsch, Ebene und Wolkenstreifen umfaßt. Man kennt das Genre: Seine Vorliebe für eine barocke Natur und seine immer wiederkehrenden blauen und grünen Töne. Nach dem Gesagten versteht es sich von selbst, daß diese Großaufnahme durch ihre Frische die konventionellen Gepflogenheiten des Originals in Vergessenheit bringt. Wesentlicher aber noch ist, daß sie auch die bisherigen Leistungen des Farbenfilms auf dem Gebiet der Naturwiedergabe überflügelt. Der erwähnte Farbenfilm: VOGUES 1938 setzt mit einer kurzen Schilderung des abendlichen New York ein, die unter dem Niveau der folgenden figürlichen Szenen bleibt und beinahe zum Glauben verführt, sie sei nicht nach der Natur, sondern nach Ansichtskarten hergestellt. Während das Landschaftsfragment,[9] das faktisch auf ein Gemälde zurückgeht, die Impression hervorruft, daß es die Natur mit überzeugender Echtheit banne. Seine Wolken sind greifbare Gebilde, seine Farben von einer Natürlichkeit ohnegleichen. Ein kurioser Befund: *die Naturreproduktion gemahnt an mindere Bilder, die Bildreproduktion beschwört die Natur herauf.*[10] Zweifellos erklärt sich diese Verkehrung nicht nur aus den technischen Schwierigkeiten,[11] sondern vor allem daraus, daß die Natur ein diffuses Gemisch von Farben enthält, das sich höchstens zufällig einmal in einer für Reproduktionszwecke wirklich geeigneten Weise zusammensetzt. Lassen sich Kostüme, Gesichter, Interieurs auf ihre Farbwerte hin komponieren, so ist dem Farbenchaos der Natur nicht ohne weiteres beizukommen. Die hier erforderliche Selektion der Farben wird allein im Gemälde bewerkstelligt und nicht am [Objekt].[12]

Zwei Fragen drängen sich auf, deren zureichende Beantwortung in diesem Zusammenhang freilich nicht einmal versucht werden kann. Die eine: woher rührt das ungeahnte Leben, das die Gemälde in den Filmbildern erlangen? Bei seiner Entstehung – soviel läßt sich immerhin andeuten – spielen technische Faktoren wie die Art der Anstrahlung des Originals und die ganze Art seiner Fixierung im Verlauf des filmischen Reproduktionsprozesses eine sehr wichtige Rolle. Diese Faktoren gestatten es, Nachdunkelungen und Übermalungen zu eliminieren, schaffen gewisse Ausgleiche und können auch deshalb nicht ohne belebende Wirkung sein, weil sie das Standobjekt einem bewegten Objekt gleichsetzen. Einzukalkulieren ist ferner ein subjektives Moment. Der Organismus hat sich so daran gewöhnt, vom Film die Widerspiegelung der dreidimensionalen und aktuellen Realität zu erwarten, daß er diese Realität unwillkürlich auch dort unterschiebt, wo sie gar nicht gegeben ist. Indem das Gemälde wie irgendein Mensch oder ein Fahrzeug im Film auftritt, nimmt es ohne eigenes Zutun einen Realitätscharakter an, der desto unausweichlicher wird, je mehr plastische Gewalt dem Gemälde selber innewohnt.

Die andere Frage gilt der Bedeutung des Lebens, das der Film den bemalten Flächen abgewinnt. Stellt er nur das heraus, was sie wirklich bergen, oder verändert er ihre Gehalte? Die Großaufnahme des Silenkopfes reißt diesen mit einem solchen Ungestüm ins Dasein, daß sich der Verdacht regt, sie begnüge sich nicht mit der Reproduktion des Kopfes, gestalte ihn vielmehr aus und um. Wäre der Silen ein Geschöpf aus Fleisch und Blut, so könnte jeder Photograph Bilder von ihm anfertigen, die weder die gewohnten Züge des Silens zu vergegenwärtigen, noch auch sich untereinander zu gleichen brauchten. Durch die Variation des Standorts und der Beleuchtung ist der Photograph tatsächlich in der Lage, das Aussehen eines körperlichen anwesenden Modells nahezu beliebig zu wandeln. Aber der Silen ist gemalt, und als ein flächiges Gebilde duldet das Gemälde[13] nicht den unbeschränkten Wechsel der Aufnahmebedingungen, sondern verlangt von vornherein aus einer bestimmten Perspektive und unter einer bestimmten Beleuchtung visiert zu werden. Das heißt, es verweigert sich jenen Verwandlungskünsten, die dem subjektiven Ermessen entspringen. Hieraus folgt, daß der Film – zumal der Farbenfilm – keine Gegebenheiten veranschaulicht, die nicht schon im Gemälde steckten; mag er auch mit Hilfe von Großaufnahmen Partien herausarbeiten, deren Akzentuierung besonders wünschenswert ist. Das Mehr an Lebensfülle und Gegenwartsnähe, das die filmische Reproduktion nicht selten vor ihrem Original vorauszuhaben scheint, ist also im wesentlichen die Frucht der Bekenntnisse, die das Original selber im Film ablegt.

Unter allen Umständen ist erwiesen, daß durch den Farbenfilm die Werke der Malerei dem Publikum auf eine sehr zeitgemäße, sehr eindringliche Weise nahegebracht werden können.[14]

Schon jetzt steht fest, daß sich die großen *Museen* über kurz oder lang diesem Zustand der Dinge anpassen müssen. Sie werden zur Anlage von Farbenfilm-Archiven und vielleicht auch zur Errichtung von Vorführungsräumen genötigt sein; ihre ganze Funktion wird sich durchgreifend ändern. Eine Epoche hebt an, in deren Verlauf sie sich aus sogenannten Kunsttempeln zusehends in Forschungsstätten und Laboratorien verwandeln werden.[15]

(NZZ vom 15. 5. 1938)

1 Es handelt sich vermutlich um den Wochenschaubericht SOJUZKINOZHURNAL, Nr. 54 (1938), über Ausstellungsobjekte der St. Petersburger Museen aus der Zeit Peter des Großen. In einem Brief an Iris Barry (siehe Nr. 736, Anm. 13) vom 14. 4. 1939 (KN) charakterisiert Kracauer den Film, der Anfang 1938 im Théâtre Pigalle gezeigt wurde, als »un documentaire qui s'efforce à montrer les richesses de quelques musées russes – surtout l'Eremitage et encore d'autres musées à Leningrad.«
2 Vorläufig nicht zu ermitteln.
3 Im Typoskript (KN) lautet der vorangehende Teilsatz vom Semikolon an: »der andere, ein Farbenfilm, zeigt Bilder von Rubens und Meisterwerke der holländischen Malerei. Wer die Filme nicht gesehen hat, dürfte kaum vermuten, daß sie etwas anderes zuwege bringen als die mehr oder weniger geglückte Wiedergabe bestimmter Originale. Tatsache ist, daß sie die an sie geknüpften Erwartungen weit hinter sich lassen und eine völlig überraschende Wirkung erzielen.«
4 Der vorangehende Satz lautet im Typoskript: »Mit ihm erstehen zum ersten Mal Reproduktionen, die dem reproduzierten Gemälde nicht nur nahe kommen, sondern es zu neuen Aussagen zwingen.«
5 Hier folgen bis zum Absatzende im Typoskript die Sätze: »Ein Stück Natur erscheint isoliert; aus einer Massenszene werden einzelne Gruppen herausgelöst. Sicherlich erweckt die Großaufnahme, deren Verwendung bei Kunstwerken freilich ein schwieriges, hier nicht zu erörterndes Problem darstellt, einen stärkeren Eindruck als die Gesamtansicht; aber auch diese weist bereits die Beschaffenheiten auf, durch die sich die filmische Reproduktion von allen übrigen Reproduktionsarten unterscheidet.«
6 WALTER WANGER'S VOGUES OF 1938 (VOGUES OF 1938). Irving Cummings. US 1937.
7 Peter Paul Rubens, *Der trunkene Silen* (ca. 1618). Im Typoskript ist der folgende Satz ausführlicher formuliert: »Unmöglich, den Gedanken zu realisieren, dieser versoffene Alte sei durch Jahrhunderte von uns getrennt; man meint, ihm gestern über den Weg gelaufen zu sein, und bewundert das Geschick, mit dem ihn der Kameramann mitten im Gewühl erspäht und festgehalten hat.«
8 Im Typoskript: »eine der Aufgaben«.
9 Im Typoskript: »Sie wirkt unecht wie eine gemalte Schwarte; während das Landschaftsfragment [...].«
10 Keine Hervorhebung im Typoskript.
11 Im Typoskript folgt hier der Relativsatz: »auf die man vorerst noch bei der Verfilmung farbiger landschaftlicher Sujets stößt [...].«
12 Text nach dem Typoskript und der handschriftlichen Korrektur Kracauers im Zeitungsausschnitt; im NZZ-Druck: »Objektiv«. Im Typoskript folgt hier der Satz: »Das Filmbild der holländischen Landschaft hat vor dem des abendlichen New York den unschätzbaren Vorzug, daß es bereits auf einer solchen Farbenauslese beruht; es reproduziert statt der rohen Natur eine farbig durchgeformte und vermag daher die Natur mit größerer Intensität zu vermitteln als ein noch so guter Abklatsch der Natur selber.«
13 Im Typoskript: »und als ein flächiges Gebilde, dessen Formen und Farben Eigenwert besitzen, duldet das Gemälde [...].«
14 Im Typoskript folgen hier die Sätze: »Der Farbenfilm befreit diese Werke aus ihrer Gebundenheit an den Ort und wertet sie zugleich auf; er stiftet erregende Beziehungen zwischen den Laien und einer Kunst, die aus den verschiedensten Gründen immer mehr die Fühlung mit dem Heute verloren hat. Bald werden die Tizians und die Rembrandts von

Kino zu Kino ziehen und in diesen profanen Lokalen unverhoffte Eroberungen machen. Vergangene Visionen, die sich zu neuem Leben anschicken ...«

15 Zum »Film über Kunst« siehe auch *Werke*, Bd. 3, S. 309-318.

736. Ausstellung der New-Yorker Film Library

Die zur Zeit im Jeu de Paume untergebrachte Ausstellung »Trois siècles d'art aux États-Unis«,[1] eine Veranstaltung des New Yorker »Museum of Modern Art«, umfaßt auch eine von der Film Library dieses Museums[2] arrangierte Sonderschau, die das höchste Interesse verdient. Sie gliedert sich in drei Abteilungen, deren erste den Herstellungsprozeß des von der Firma David O. Selznik im Vorjahr produzierten Farbenfilms: TOM SAWYERS ABENTEUER[3] veranschaulicht. An zahlreichen Originaldokumenten, Photos, Plänen, Skizzen und Modellen vorbeidefilierend, durchmißt der Beschauer in kurzer Zeit die lange Strecke, die vom Rohmaterial des Mark-Twain-Romans[4] bis zum fertigen Film zurückgelegt worden ist. Er verfolgt die Entwicklung des Drehbuchs, die Tätigkeit der Talent-Scouts und die vorbereitenden Recherchen; er wird in die Korrespondenz mit dem Hays-Büro[5] eingeweiht, das unter anderem der Herstellerfirma zu bedenken gibt, daß Knaben ohne Badehosen Anstoß erregen könnten; er erhält einige Aufschlüsse über die Kunst des Schminkens, die Tonmontage und die Schwierigkeiten des Schnitts. Ein regelrechter Lehrkurs, der nicht zuletzt bezeugt, daß heute in Hollywood sämtliche Arbeitsvorgänge bis ins kleinste durchorganisiert sind.

Die zweite Abteilung mit ihrer chronologisch angeordneten Kollektion von Standphotos bildet eine notwendige Ergänzung der dritten und wichtigsten, die aus täglichen Filmvorführungen besteht. Hier wird dem Publikum auf Grund umsichtig ausgewählter Fragmente das Werden des amerikanischen Films im Laufe der 45 Jahre seines Bestehens dargeboten. Unter den Beispielen finden sich manche Filme, die einst Wendepunkte waren: so der 1915 von David W. Griffith geschaffene THE BIRTH OF A NATION, dessen Kampfszenen und technische Effekte niemals über-

troffen worden sind. Und welche Erinnerungen steigen herauf! Rio Jim[6] sprengt auf seinem treuen Roß durch den Wilden Westen unserer Knabenjahre; Fattys plumpe Körpermasse[7] verfällt in ein anmutiges Scharwenzeln; Valentino,[8] schön wie die Helden von Magazingeschichten, wahrt mitten im wüstesten Treiben eine lässige Eleganz; Chaplin erscheint, der Chaplin aus THE IMMIGRANT,[9] und behauptet sich mit Clownerien und Listen gegen eine Welt, die ihn unfehlbar zermalmte, wenn er nicht immer wieder eine Lücke in ihr erspähte, durch die er gerade noch hindurchschlüpfen kann. Zwischen Bilder, die Bestätigungen oder Enttäuschungen bringen, mengen sich ein paar Bruchstücke sensationeller Art. Mag die Schilderung der Spießbürgerhochzeit in Stroheims Film GIER (1924)[10] vom Haß eingegeben sein, sie erweist sich heute dank der bewundernswerten Zeichnung der Figuren und des Milieus als eine Satire ganz großen Stils. Auch mehrere schauspielerische Leistungen – Mae West als Lady Lou[11] etwa, oder Maria Dreßlers versoffene Alte in ANNA CHRISTIE,[12] dem ersten Sprechfilm der Garbo – wirken überraschend stark: es ist, als hätten sie mit der Zeit einen Wertzuwachs erfahren.
Hinzuzufügen bleibt, daß die von John E. Abbott und Iris Barry geleitete New-Yorker Film Library,[13] die erst vor drei Jahren gegründet wurde, über eine der größten Sammlungen ihres Spezialgebietes verfügt; daß sie sich ferner systematisch um die pädagogische Auswertung und wissenschaftliche Durchdringung des von ihr angehäuften Materials [bemüht].[14] Wenn es zutrifft, daß die Interpretation des zeitgenössischen Lebens auch an die Versenkung in den Filmen gebunden ist, wird dieses Institut noch außerordentliche Aufgaben zu bewältigen haben.[15]
(NZZ vom 24. 7. 1938)

1 Die Ausstellung »Trois siècles d'art aux États-Unis« hatte den Untertitel »Peinture, Sculpture, Architecture. Exposition organisée en collaboration avec le Museum of Modern Art, New York«. Sie war von Mai bis Juli 1938 im Musée du Jeu de Paume in Paris zu sehen. Siehe auch *Werke*, Bd. 5, Nr. 759.

2 Das Film-Department des Museum of Modern Art (gegründet 1929) wurde 1935 als Filmarchiv unter der Leitung von Iris Barry (siehe unten, Anm. 13) eingerichtet. Die Sammlung enthält mittlerweile über 12.000 Filme und Videos, 4 Mio. Standbilder und zahlreiche weitere Dokumente sowie filmwissenschaftliche Bücher und Zeitschriften und gibt selbst Schriften zum Film heraus.

3 THE ADVENTURES OF TOM SAWYER. Norman Taurog. US 1937/38.

4 Mark Twain (d.i. Samuel Langhorne Clemens), *The adventures of Tom Sawyer* (1876); dt.: *Die Abenteuer Tom Sawyers* (1876).
5 Siehe Nr. 671, Anm. 3.
6 Als Rio Jim war der amerikanische Schauspieler und Regisseur William S. Hart (1862-1946) in Frankreich bekannt. Er startete 1914 im Atelier von Thomas Harper Ince seine Karriere als berühmtester Westernstar des Stummfilms neben Tom Mix (siehe Nr. 86, 132 und 323); im Gegensatz zu diesem betrachtete Hart jedoch den Western als seriöse Kunstform.
7 Zu Fatty siehe Nr. 12, Anm. 1.
8 Zu Rudolph Valentino siehe u.a. Nr. 188 und 235.
9 THE IMMIGRANT. Charles Chaplin. US 1917.
10 Siehe Nr. 601, Anm. 1.
11 In dem Film: SHE DONE HIM WRONG. Lowell Sherman. US 1932/33.
12 Siehe Nr. 643; der Name der Schauspielerin ist Marie Dressler.
13 John E. Abbott (1908-1952) war der damalige Direktor der Film Library des Museum of Modern Art; Iris Barry (1895-1969), bis 1930 Filmkritikerin bei *The Spectator* und der *London Daily Mail*, wurde 1932 Bibliothekarin am Museum of Modern Art in New York, 1935 Kuratorin der Filmabteilung des Museums und ab 1947 deren Direktorin; 1946 wählte sie die International Federation of Film Archives zu ihrer Präsidentin.
14 Im NZZ-Druck: »verfügt«.
15 Zur Film Library des Museum of Modern Art siehe auch Nachbemerkung und editorische Notiz, S. 578 f.

737. Dialog im Film

Filmrez.: L'HEURE MYSTÉRIEUSE / THE UNGUARDED HOUR. Sam Wood. US 1936.

Im Film stellt das gesprochene Wort[1] nur ein Element neben anderen dar; es darf, soll die Gefahr des verfilmten Theaters vermieden werden, nicht allein das Wort führen, sondern muß die auf der Leinwand sichtbaren Vorgänge kontrapunktieren und stets die Fühlung[2] mit der Musik und den Geräuschen wahren, die eine ebenso wichtige Funktion bekleiden wie die seine.[3] Gegen diese ästhetische Forderung, die sich etwa bei René Clair[4] spürbar durchsetzt, versündigen sich die meisten Publikumsfilme. Statt daß in ihnen das Wort den Bildertext illustrieren hülfe, entwerten sie die Bilder zur Illustration von Dialogen, die in sich zusammenhängen und von jedem Bühnenpodium herab gesprochen werden könnten. Unter ihnen findet sich nur ab und zu einmal einer, der trotz seiner theatralischen Geschlossenheit filmgerecht wirkt, das heißt, so innig mit dem eigentlichen Filmgeschehen verwächst, daß dieses ohne ihn gar nicht zustande käme.[5] Eine solche Ausnahme bildet die große Gesprächsszene in L'HEURE MYSTÉRIEUSE (Originaltitel: UNGUARDED HOUR), dem besten Kriminalfilm, den die Amerikaner je hergestellt haben.[6] Die Szene entwickelt sich während einer Abendgesellschaft im Haus eines mondänen Staatsanwalts, der gerade in einem Sensationsprozeß einen des Mords bezichtigten Angeklagten zu überführen sucht, dem es nicht gelingt, ein einwandfreies Alibi beizuschaffen. Im Lauf der Soirée bemüht sich der Freund des Staatsanwalts, dessen Selbstsicherheit dadurch zu erschüttern, daß er ihn über seinen eigenen Verbleib am Nachmittag ausfragt. Warum ist der Staatsanwalt nicht pünktlich zur Taufe erschienen, bei der er Pate stehen sollte? Welche Verletzung hat er sich an der verbundenen Hand zugezogen? Die scherzhaften Querfragen folgen sich immer schneller,[7] und bald ist der Staatsanwalt in die unglückselige Situation seines Opfers hineinmanövriert: er kann die spielerisch gegen ihn gehäuften Verdachtsmomente nicht zerstören. Ist die Verdichtung des Geplänkels[8] zum straffen Kreuzverhör schon an sich sehr fesselnd, so wird sie doppelt bedeutungsvoll durch die Dazwischenkunft eines Ereignisses, das den ganzen Dialog in ein neues Licht rückt. Ein Kriminalinspektor tritt ein und meldet dem Oberst eine Mordaffäre, die sich genau zu der für den Staatsanwalt kritischen Zeit zugetragen hat. Sofort nimmt das eben verflossene Gespräch einen völlig veränderten Charakter an.[9] Äußerungen, die harmlos klangen, erhalten rückwirkend einen bedrohlichen Sinn, und pure Fiktionen verwandeln sich nachträglich in einleuchtende Hypothesen. Aus dem Spiel ist Ernst geworden, aus dem Ankläger ein Delinquent. Nach seinem Erlöschen greift also der Dialog, sich in der Erinnerung transfigurierend, ein zweites Mal in die Handlung ein, um sie wieder entscheidend voranzutreiben. Das ist gutes Theater und zugleich – ein seltener Fall – guter Film; um so mehr, als sich Sam Woods Regie spezifisch filmischer Mittel zu bedienen weiß. Eine ungemein bewegliche Kamera[10] sorgt für Bildausschnitte, die das Doppelleben der Worte enthüllen.

(NZZ vom 9. 8. 1938)

1 Im Typoskript (KN): »In einem Film, der wirklich ein Film ist, stellt das gesprochene Wort [...].«

2 Im Typoskript: »Tuchfühlung«.

3 Im Typoskript: »[...] die eine ebenso wichtige Funktion wie die seine bekleiden.«

4 Siehe Nr. 614 und 673.
5 Im Typoskript: »[. . .] daß dieses ohne ihn gar nicht zustande zu kommen vermöchte.«
6 Im Typoskript: »[. . .] dem besten Kriminalfilm nebenbei bemerkt, den die Amerikaner je hergestellt haben.«
7 Im Typoskript: »Die scherzhaften Querfragen, an denen sich auch, mehr und mehr interessiert, ein überzeugend echter Oberst von Scotland Yard beteiligt, folgen sich immer schneller [. . .].«
8 Im Typoskript: »des wie zufällig angesponnenen Geplänkels«.
9 Im Typoskript lautet der vorangehende Satz: »Sofort nimmt das eben verflossene Gespräch, das dem Staatsanwalt experimentell darzutun bezweckte, daß seine Konstruktionen unbedingter Schlüssigkeit entraten, einen völlig veränderten Charakter an.«
10 Im Typoskript: »Nahaufnahmen wechseln je nach dem Gang des Gesprächs mit Großaufnahmen, und eine ungemein bewegliche Kamera [. . .].« Kameramann war James Van Trees.

738. Fernandel in »Hercule«

Filmrez.: HERCULE. Alexandre Esway. FR 1937/38.

Wie viele französische Sprechfilme ist auch Carlo Rims[1] HERCULE verfilmtes Theater, aber ein Theater, das auf intelligente Weise unterhält.[2] Eine Komödie, die nicht ohne Esprit und mit wirklicher Kennerschaft die Interieurs einer gewissen weltstädtischen Sensationspresse ableuchtet. »L'Incorruptible« nennt sich die zweifellos nicht ganz frei zusammenphantasierte Zeitung, die dem Einfluß eines versierten Managers dunkler Herkunft untersteht,[3] der ohne die geringsten Skrupel unerwünschte Informationen in gewinnbringende Lügenmeldungen umbiegt, nie vergißt, in die eigene Tasche zu arbeiten, und, von Jules Berry mit einem stark anrüchigen Charme ausgestattet, auch festere Charaktere für seine Zwecke einzuspannen weiß. Zu diesem Publizitätsgenie paßt ein Chefredakteur, dem kein Kompromiß Unbehagen bereitet, passen die schönen Worte, mit denen die Drahtzieher des »Incorruptible« nicht nur alle Welt, sondern obendrein sich selber so umnebeln, daß die Grenzen zwischen Betrug und Wahrheit bedenklich zerfließen. Weit davon entfernt zu moralisieren, schlägt der Film einen leichten Konversationston an.[4] Es war ein glücklicher Einfall, den Herkules, der diesen Augiasstall reinigen soll, einen Provinztölpel sein zu lassen und die Rolle *Fernandel*[5] anzuvertrauen. Fernandel spielt immer nur sich und wirkt dennoch nie eintönig, weil er eine echte Natur hat, aus der er stets

neu schöpfen kann. So sind ihrer viele im Süden: naiv und zugleich gewitzt; zutunlich untereinander und mißtrauisch gegen Fremde; bald mürrisch, bald turbulent; zu harten Späßen geneigt und vom Kompaß des guten Herzens sicher gelenkt. Als Hercule bildet Fernandel diesen Typus mit einer Komik durch, der die tieferen Züge nicht fehlen. Man muß gesehen haben, wie er, der sich plötzlich als der Sohn des just verstorbenen Zeitungsbesitzers entpuppt, aus seinem Fischerdorf nach Paris angereist kommt, nichtsahnend im »Incorruptible« auftaucht und nach und nach – ein undurchdringliches Gemisch von Tolpatsch und hellem Jungen – die Sippe derer meistert, die ihn für einen Gimpel halten, den sie mühelos nasführen zu können glauben.[6]
(NZZ vom 9. 8. 1938)

1 Carlo Rim verfaßte das Drehbuch und die Dialoge.
2 Der Textanfang wurde im Druck gekürzt. Er lautet im Typoskript (KN): »Wie viele französische Sprechfilme ist auch Carlo Rim's HERCULE verfilmtes Theater. Und weder die paar Landschaftsstaffagen noch das gelegentlich stilwidrige Entgleiten in die Filmoperette vermögen darüber hinwegzutäuschen, daß die meisten Situationen und Dialoge des Films von rechtswegen auf eine Boulevardbühne gehörten. Das hindert nicht, daß HERCULE, eben als Theater, auf intelligente Weise unterhält.«
3 Im Typoskript: »die zweifellos nicht ganz frei zusammenphantasierte Zeitung, die als Exempel dient und das Gegenteil ihres Titels ist. Sie untersteht dem Einfluß eines versierten Managers dunkler Herkunft [. . .].«
4 Im Typoskript lautet der vorangehende Satz: »Weit davon entfernt zu moralisieren, schlägt der Film einen leichten Konversationston an, und je mehr Redaktionsgeheimnisse durchschwitzen, desto begreiflicher wird es, warum der Held gerade Hercule heißen muß.«
5 Fernandel (d. i. Fernand Joseph Désiré Contandin, 1903-1971), avancierte in einer Vielzahl von Komödien in den dreißiger Jahren zu einem Publikumsliebling in Frankreich (siehe auch Nr. 733).
6 Im Typoskript folgen hier als Schlußsätze: »Er setzt die kleinen Profiteure und eitlen Wichte an die Luft, spielt mit dem Bürodiener, seinem Landsmann, im Direktionszimmer Boule und krönt am Ende seine Torheiten und Triumphe dadurch, daß er den Reklamemann zum Verduften zwingt. Bei dieser Säuberungsaktion wird er von einer aufgeweckten Redaktionssekretärin dirigiert, der Gaby Morlay routinierte Anmut verleiht.«

739. Ein amerikanischer Film[1]

Filmrez.: LA FURIE DE L'OR NOIR / HIGH, WIDE AND HANDSOME.
Rouben Mamoulian. US 1937.

Die heutigen amerikanischen Filme lassen selten vergessen, daß sie in einem demokratischen Klima gedeihen. Sie enthüllen problematische Zustände; sie scheuen nicht vor gesellschaftskritischen Pointen zurück. Gleichviel, welches Bewenden es mit ihrem Verhalten hat: dieses freimütige Gebaren kommt ihnen in jeder Weise zugute. Denn dadurch, daß sie mit einer gewissen Aufgeschlossenheit in die soziale Sphäre vordringen, werden sie nicht nur thematisch bereichert, sondern auch in künstlerischer Hinsicht zu überraschenden Aussagen getrieben. Die Kunst hat Meinungsfreiheit zur Voraussetzung.[2]
Der in Paris gezeigte amerikanische Film LA FURIE DE L'OR NOIR bestätigt diese Einsicht. Er illustriert die Notwendigkeit der Kampagne gegen die Trusts an einem Beispiel aus der Epoche der ersten industriellen Konquistadoren.[3]
Wie geflissentlich naiv immer hier in Schwarz-Weiß-Manier das gute Prinzip gegen das böse ausgespielt wird: die Absichten, die den Film erfüllen, sind der realistischen Durchgestaltung seines Stoffes förderlich. Es braucht verhältnismäßig wenig beschönigt zu werden, und manche Empfindungen dürfen getrost am richtigen Fleck sitzen. Rouben Mamoulian, der Regisseur des Films, hat diese Chance zu nützen gewußt. Er setzt die Lachsalven des Eisenbahngewaltigen so kunstvoll ein, daß sie dessen soziale Position zureichend definieren, und wenn er auch mitunter dem Bedürfnis nach Sentimentalität und der Freude an Raufereien allzu willfährig Vorschub leistet, bringt er doch zur Entschädigung dafür lange Bildfolgen, die das eine oder andere Stück Realität wirklich durchgreifend erhellen. Reich an treffenden Beobachtungen sind besonders jene Szenen, in denen er das Eindringen des von Irene Dunne geführten Jahrmarktsvolkes ins Industriellenmilieu und den Zusammenprall der Frivolität mit dem puritanischen Geist schildert.[4]
(NZZ vom 11. 8. 1938)

1 Das Typoskript (KN) hat den Titel: »Zwei amerikanische Filme«. Es wurde für den Druck redigiert und erheblich gekürzt, u. a. um die Besprechung des im Typoskript-Titel angekün-

digten zweiten Films, bei dem es sich um DEAD END (William Wyler. US 1937) handelt. Die gekürzten Passagen werden im folgenden in den Anmerkungen wiedergegeben.

2 Der vorangehende Satz lautet im Typoskript: »Die Kunst hat Meinungsfreiheit zur Voraussetzung und ist an deren Gebrauch gebunden.«

3 In der ausführlicheren Fassung des Typoskripts lautet der vorangehende Absatz: »Von den beiden, zur Zeit in Paris laufenden amerikanischen Filmen, die diese Einsicht bestätigen, ist der eine, LA FURIE DE L'OR NOIR, zweifellos zur Unterstützung der Politik Roosevelt's gedreht worden. Er illustriert die Notwendigkeit der Kampagne gegen die Trusts an einem Beispiel aus der Epoche der ersten industriellen Conquistadoren. Ein junger Farmer stellt auf seinem Besitztum Bohrungen an und träumt davon, das von ihm entdeckte Petroleum zu billigem Preis unter die Menge zu bringen; aber er gerät in Konflikt mit einem Eisenbahnmagnaten, der auch über eine Petroleum-Raffinerie verfügt und durch die willkürliche Verteuerung der Transporttarife den Volksbeglücker auf die Kniee zwingen möchte. Um sich von der Eisenbahn unabhängig zu machen, schreitet der erfindungsreiche Farmer-Ingenieur zur Anlage einer Pipe-Line, die der Eisenbahnkönig mit allen Mitteln der Bestechung und der direkten Aktion zu zerstören sucht. Es versteht sich von selbst, daß am Schluß dieses Heroenkampfes der wagelustige Einzelunternehmer über die Ränke des Trustherrn triumphiert.«

4 Im Typoskript hat der Text eine knapp zweiseitige Fortsetzung, die direkt an den letzten Satz der Druckfassung anschließt. Sie lautet:
»Sie [d.i. die erwähnten Szenen] verdanken ihre Wirkung einer Präzision im Detail, die durchweg spürbar ist. War, nach dem vor Jahren gezeigten romantischen Film: DAS SCHLOSS IM MOND [deutscher Verleihtitel für LOVE ME TONIGHT. Rouben Mamoulian. US 1932] zu schließen, die artistische Begabung Mamoulian's von der Gefahr des Entgleitens ins Kunstgewerbliche bedroht, so hat sie in diesem Film unstreitig eine Haft gefunden. Gerade die Massenauftritte sind bis in jede Einzelheit hinein komponiert. Wunderschön ist die Hochzeit, in deren Verlauf aus dem provisorischen Bohrloch plötzlich ein dicker Petroleumstrahl emporschießt, der die weißen Festkleider und alle Gesichter beschmutzt – eine Episode, die sinnfällig auf die späteren Geschehnisse vordeutet. Nicht minder großartig entwickelt sich unterhalb des Felsens, den die Pipe-Line erklimmen muß, die tosende Männerschlacht, die erst in letzter Minute durch die Hilfe des Zirkus zugunsten der gerechten Sache entschieden wird. Der ganze Zuschauerraum jauchzt, wenn die Elefanten anrücken und die beschwingten Trapezkünstler, Clowns und Akrobaten im Nu das Ingenieurwerk vollenden.
Auch der Film: DEAD END, dessen französischer Titel: RUE SANS ISSUE lautet, ist kämpferisch gesinnt. Sein Schauplatz: eine ärmliche New Yorker Gasse, oder richtiger das in den Fluß einmündende Ende der Gasse. Hier lungert tagaus, tagein verwahrloste Jugend herum, die sich nach dem Vorbild der Gangster zu Banden vereinigt und unaufhörlich die Bewohner eines am Ufer gelegenen luxuriösen Mietshauses belästigt. Die aufdringliche Symbolik des krassen Nebeneinanders von Reichtum und Elend, Vorderhaus und Hinterhaus, scheint noch aus dem Theaterstück übrig geblieben zu sein, nach dem der Film hergestellt wurde [Drehbuch: Lillian Hellman, nach Sidney Kingsley, *Dead End*. A play in three acts. New York: Random House 1936]. Zum Glück ist die Handlung viel unromantischer als das Architekturbild. Sie sucht zu veranschaulichen, daß diese Gassenjugend auf Abwege geraten muß, solange die Verhältnisse andauern, unter denen sie heranwächst. Armut, Arbeitslosigkeit und Milieu züchten anarchische Instinkte, und über kurz oder

lang arten die Kinder jenem Gangster nach, den es zur Gasse zurücktreibt, in der auch er einst seine Kindheit verbrachte. Ist diese Zukunft unabwendbar? Ein anständiger Junge – Sylvia Sydney, seine Schwester, durchwaltet als guter Engel den Film – geht, von der Bande verführt, gegen irgendeinen Outsider mit dem Messer vor und stellt sich zuletzt der Polizei, die dafür sorgen wird, daß er in eine Zwangserziehungsanstalt kommt. Aber die Meinung des Films ist eben die, daß sich in solchen Anstalten die kriminellen Jugendlichen erst recht verhärten. So bleibt am Schluß kaum eine Hoffnung, und der Blick wird von den verlorenen Opfern der Zustände auf diese selber gelenkt.
Der Hauptakzent ruht, wie bei jedem echten Film, auf dem Epischen, das William Wyler mit der gleichen Konzentrationskraft meistert, die er bereits in seinem Film THESE THREE [siehe Nr. 780, Anm. 2] und im DODSWORTH-Film [siehe Nr. 718] bewährt hat. Pfähle im Wasser, die Klänge eines mechanischen Klaviers, Treppenläufe und labyrinthische Gänge fügen sich zur Umwelt zusammen – zur Umwelt einer menschlichen Vegetation, die ebenfalls aus lauter unscheinbaren Elementen ersteht. Nicht so, als ob es an starken dramatischen Effekten mangelte; aber die winzigen Ereignisse des Alltags gestalten sich rein durch die Art ihrer Beschreibung erregender als diese Effekte. Gesten verwandeln sich in Aktionen, das Schweigen des Gangsters ist mit Spannung geladen. [Von hier an bis zum Ende handschriftlicher Text, A. d. Hrsg.] Und wieder erweist sich die Aufrichtigkeit als guter Bundesgenosse. Mögen die Gegenspieler aus den Luxuswohnungen ein wenig schablonenhaft ausgefallen sein: das Leben in der Gasse ist mit einer Vorurteilslosigkeit erfaßt, die alle Gemeinplätze beiseiteschiebt und eine Menge unkonventioneller Bilder zeitigt. Jungen Hyänen gleich bewegen sich die von Wyler erstaunlich sicher geleiteten Halbwüchsigen durch den Dschungel, und nirgends wird der Versuch gemacht, ihr abstoßendes Benehmen zu mildern. Ein Film wie dieser dechiffriert die Realität, statt sie zu vertuschen. Die Kunst hat Gewinn davon.«

740. Pariser Filmbrief

Filmsammelrez.: COQUELUCHE DE PARIS / THE RAGE OF PARIS. Henry Koster. US 1938; ALTITUDE 3200. Jean Benoît-Lévy und Marie Epstein. FR 1938/39; BLANCHE-NEIGE ET LES SEPT NAINS / SNOW WHITE AND THE SEVEN DWARFS. David Hand. US 1937/38; QUAI DES BRUMES. Marcel Carné. FR 1938; GRIBOUILLE. Marc Allégret. FR 1937.

In den an filmischen Ereignissen armen letzten Wochen hatten immerhin die Aktualitätentheater und Wochenschauprogramme eine Sensation zu bieten: den englischen Königsbesuch, dessen repräsentative Etappen ausführlich festgehalten worden sind.[1] Vor ein paar Kinos stand das Publikum bis in die Nacht hinein Schlange, um jene drei unvergeßlichen Tage nochmals an sich vorbeigleiten zu sehen; wobei es auch eine bunte Reportage mit in Kauf nahm, die wieder einmal bewies, daß der

Farbenfilm die diffuse, ungeschminkte Natur noch nicht zu bewältigen vermag.

Es ist Sommer, und Novitäten sind rar. Man zeigt COQUELUCHE DE PARIS, den ersten amerikanischen Film mit *Danielle Darrieux*, und die zahlreichen Verehrer dieses temperamentvollen Wesens feiern beglückt Wiedersehen mit ihrem Idol.[2] Ferner läuft seit kurzem der Film ALTITUDE 3200, in dem *Jean Benoît-Lévy* den Charme der Jugend und des Hochgebirges kundig auszuwerten weiss.[3] Kinos, die einen Erfolg verbuchen konnten, suchen von ihm während der heißen Jahreszeit so lange wie möglich zu zehren. *Disney's* SCHNEEWITTCHEN-Film[4] behauptet sich schon Monate hindurch auf den Champs-Elysées, und ein kaum minder zähes Leben führt der Film des begabten *Marcel Carné*: QUAI DES BRUMES, der hier mit Recht viel beachtet wird. Denn nicht genug damit, daß er die Milieus einer kleinen Hafenstadt photographisch wunderbar schildert, bemüht er sich ernstlich darum, durch die anspruchsvollere Gestaltung der Handlung und des Dialogs das Niveau des französischen Spielfilms zu heben. QUAI DES BRUMES strebt nach literarischer Qualität. So anerkennenswert aber dieses Streben ist, es zeitigt auch bedenkliche Folgen: der glänzend pointierte Dialog *Jacques Préverts*[5] wird in einer Weise belastet, die mehr dem Theater als dem Film entspricht, und über den schönen Bildern kommt die Aktion zu kurz. Gefahren, die um so weniger übergangen werden dürfen, als man das literarische Genre in Zukunft stärker pflegen will und unter anderem den Roman *»Léviathan«* von Julien Green zu verfilmen gedenkt . . .[6] Bei Gelegenheit dieser Spitzenproduktion mag die problematische Methode nicht unerwähnt bleiben, mit deren Hilfe sich manche Uraufführungstheater neuerdings Absatz verschaffen. Sie kündigen von vornherein an, daß der Film, den sie gerade starten, nach seinem Verschwinden bei ihnen ein halbes Jahr überhaupt nicht mehr in Paris gezeigt werde, und errichten so ein Monopol, dem sich alle die Konsumenten unterwerfen müssen, die nicht warten wollen oder können, bis der betreffende Film endlich in die kleinen, billigeren Kinos herabgesunken ist.

In der Hauptsache zirkuliert selbstverständlich Altbewährtes. Es gibt eine Menge französischer Filme, die zum festen Repertoire gehören und mit der Regelmäßigkeit der Jahrmärkte von Quartier zu Quartier wandern. UN CARNET DE BAL[7] und LA GRANDE ILLUSION[8] kehren immer wie-

der, mehrere betagte Spionagefilme erweisen sich als wertbeständig, und die Filme von Marcel Pagnol[9] etwa finden sich jede Woche auf dem Programm. Auch *Marc Allégret* hat sich mit GRIBOUILLE einen Stammplatz erobert. Für dieses Repertoire bedeutet Erich von Stroheim einen nicht leicht zu überschätzenden Gewinn. Ob er nun seinen von früher her bekannten Typus verkörpert[10] oder wie im Kriminalstück LES DISPARUS DE ST.-AGIL,[11] in dem er einen sehr verschlossenen, sehr gütigen Schulprofessor spielt, Züge entwickelt, die bei ihm ungewohnt sind: sobald er nur auftritt, erfüllt er mit seiner Person den Raum und übt eine fremdartige, höchst faszinierende Wirkung aus. Zum Glück braucht auch die unvergleichliche Regiekunst Stroheims nicht länger brachzuliegen; er bereitet einen Film über sein gehaßtes und geliebtes Österreich vor, der, ähnlich wie CAVALCADE,[12] drei Generationen umfassen soll.[13]
Vielleicht die segensreichste Begleiterscheinung der toten Saison ist die, daß in ihr verschollene Filme auferstehen. Das intelligent geleitete *Studio 28*[14] führt Mamoulians Virtuosenstück DR. JEKILL AND MR. HYDE[15] vor und greift gar [auf den] CALIGARI-Film[16] und die Experimente der Avantgarde zurück. Anderswo holt man die DREIGROSCHENOPER[17] von Pabst oder Eisensteins MEXICO-Film[18] aus der Versenkung. Wer auf solche Beutezüge auszuziehen liebt, kann vor allem in den Cinérire-Theatern[19] und in den Kinos des Ostens überraschende Entdeckungen machen. Abgesehen von der einen oder andern amerikanischen Groteske werden allerdings kaum je noch stumme Filme zitiert.[20]
(BNZ vom 16. 8. 1938)

1 Im Juli 1938 hielten sich König George VI. und Königin Elizabeth für vier Tage zu einem Staatsbesuch in Frankreich auf, um die Allianz der demokratischen Staaten gegen den Faschismus zu festigen.
2 Danielle Darrieux (geb. 1917), französische Schauspielerin und Sängerin, avancierte seit ihrem Filmdebüt in LE BAL (1931) schnell zum Star des französischen und internationalen Films; siehe auch Nr. 749, Anm. 8.
3 An dieser Stelle folgt im Typoskript (KN) der Satz: »Neben einigen Filmen aus Hollywood, die, wie BLOCUS [französischer Verleihtitel für BLOCKADE. Wilhelm Dieterle. US 1938], eine besondere Würdigung verdienten, taucht auch ab und zu ein amerikanisches Lustspiel auf, das nett anzuschauen ist, aber so wenig Inhalt hat, daß man es hinterher entweder vergißt oder mit irgendeinem anderen amerikanischen Lustspiel verwechselt.«
4 Deutscher Verleihtitel für SNOW WHITE AND THE SEVEN DWARFS, siehe oben.
5 Dialoge und Drehbuch: Jacques Prévert, nach dem Roman von Pierre Mac Orlan, *Le*

Quai des Brumes. Paris: Nouvelle revue française 1927; zu Prévert siehe auch Nr. 744, Anm. 4.
6 Julien Green, *Léviathan*. Paris: Plon 1929; dt.: *Leviathan*. Übers. u. a. von Gina Kesten. Berlin: Kiepenheuer 1930. Zu Kracauers Rezension des Romans siehe *Werke*, Bd. 5, Nr. 456. Der Roman wurde erst 1961/62 von Léonard Keigel verfilmt (LÉVIATHAN. FR 1961/62).
7 UN CARNET DE BAL. Julien Duvivier. FR 1937.
8 Siehe Nr. 727.
9 Siehe Nr. 719, 733 und 750.
10 Stroheims Paraderollen waren der Typus des preußischen Offiziers (erstmals in FOR FRANCE. US 1917) und des »bösen Deutschen« (z. B. in THE HUN WITHIN. US 1918).
11 LES DISPARUS DE SAINT-AGIL. Christian-Jaque. FR 1938.
12 CAVALCADE. Frank Lloyd. US 1933.
13 Stroheims letzter vollendeter Regiefilm war QUEEN KELLY (US 1928), sein erstes Tonfilmprojekt als Regisseur, WALKING DOWN BROADWAY (US 1932/33), hat er nie zu Ende führen können; nach 1933 arbeitete er nur noch als Schauspieler.
14 Das Studio 28 in der Rue Tholozé wurde am 10. 2. 1928 eröffnet und war auf Avantgarde-Filme spezialisiert.
15 Richtig: DR. JEKYLL AND MR. HYDE. Rouben Mamoulian. US 1931.
16 Siehe Nr. 756, Anm. 2.
17 Siehe Nr. 636.
18 THUNDER OVER MEXICO. Sergej M. Eisenstein. US 1930-1933.
19 In Cinérire-Theatern (von rire, frz.: lachen) wurden vornehmlich Filmkomödien gezeigt.
20 Mit diesem Artikel nahm Kracauer seine Tätigkeit als Filmkritiker für die Basler *National-Zeitung* auf, für die er bis Mai 1940 berichtete (siehe Nr. 774). Die BNZ hatte bereits 1937 Vorabdrucke von Kracauers *Offenbach*-Buch (siehe *Werke*, Bd. 8) veröffentlicht.

741. Wiedersehen mit alten Filmen[1]

[I.] Pudowkin

Alte Filme sehen, heißt auch, einen Kontrollgang durch seine eigene Vergangenheit machen. Und diese Revision fördert in der Regel unerwartete Ergebnisse zutage – Ergebnisse, die nur selten Bestätigungen sind. Man ist einst von Filmen überzeugt gewesen, die sich jetzt als dürftig erweisen, und man lernt, umgekehrt, erkennen, daß ein früher wenig beachteter Film außerordentliche Qualitäten besitzt. Je mehr man sich aber zeitlich von einem Werk entfernt, desto mehr nähert man sich seinem eigentlichen Gehalt.

Die Wiederbegegnung mit Pudowkin bereitet eine Enttäuschung, die nur der über einen Freund zu vergleichen ist, von dem man nach zehnjähriger Trennung feststellen muß: er hat sich inzwischen nicht weiterentwickelt, sondern verharrt auf den ehemaligen Positionen, und man hat sich kaum noch etwas zu sagen. Aufs Ganze hin gesehen, wirkt Pudowkin in der Tat heute veraltet. Das bedeutet keineswegs, daß seine Filme arm an Szenen und Elementen wären, die ihre ursprüngliche Kraft voll bewahrt haben. In MUTTER weiß er das kurze Zusammentreffen von Mutter und Sohn nach dem über diesen verhängten Gerichtsurteil durch eine Schnellmontage so zu gestalten, daß in ein paar Sekunden eine Sturzflut von Empfindungen aufrauscht, und die Schilderung des ersten Eindrucks, den im ENDE VON ST. PETERSBURG die zwei armen Landarbeiter von der großen, mächtigen Stadt empfangen, ist ein Meisterwerk filmischer Erzählungskunst.[2] Anderes noch erhält sich unverbraucht: die Entfaltung der Massen im Raum; die wunderbare Verwendung von Typen aus dem Volk; die Darbietung von Gesichtern, die, ohne daß sie die Lippen bewegten, rein durch die Art ihres Einsatzes sprechen. Auch hat Pudowkin gewisse typische Haltungen in ein für allemal gültiger Weise verbildlicht; so die des Machthabers, der es sich leisten kann, mit einem Minimum von Gesten auszukommen. Alle diese Errungenschaften bleiben; wobei es wenig verschlägt, daß sie zum Teil auf Eisenstein zurückgehen.

Wenn trotz solcher Vorzüge die Filme Pudowkins ihr altes Gewicht verloren haben, so rührt das von ihrer theoretischen Überlastung oder, was dasselbe ist, von ihrem Mangel an Wirklichkeit her. Im Gegensatz zu Eisenstein, dem Eisenstein des POTEMKIN[3] zum mindesten, der sich ohne viel Theoretisieren auf die Darstellung einer Wirklichkeit beschränkt, die von sich aus zur Revolution treibt, nimmt Pudowkin kaum je direkte Fühlung mit der noch undurchdrungenen Wirklichkeit auf, sondern benutzt diese in der Hauptsache dazu, um seine theoretischen Erkenntnisse zu illustrieren. Die Montage ist ihm nicht so sehr Mittel der dramatischen Steigerung oder der Beschreibung gleichzeitiger realer Vorgänge, als ein Instrument zur Versinnbildlichung der Gedanken, die er sich über die Vorgänge macht. Er montiert die Schaftstiefel eines Soldaten mit den Säulenschäften des Gerichtsgebäudes nicht etwa deshalb zusammen, weil sich ihre Ähnlichkeit ungezwungen ergäbe; er stiftet vielmehr die Beziehung zwischen ihnen in der Absicht, durch diese Analogie die Unbarmherzigkeit zaristischer Macht zu symbolisieren. Auf derartige verstandesmäßige Kombinationen stößt man in seinen Filmen auf Schritt und Tritt. Die Bildphantasie Pudowkins ist ungleich schwächer als sein analytisches Vermögen, und statt den Sinn des Geschehens von der Realität abzulesen, stellt er aus lauter Fragmenten der Realität ein optisches Mosaik zusammen, mit dessen Hilfe er das veranschaulicht, was er für den Sinn des Geschehens hält.

Filme, die auf diesem Verfahren beruhen, müssen sich aber, wie auch das Beispiel von Eisensteins GENERALLINIE[4] zeigt, desto rascher verschleißen, je zeitgebundener die theoretischen Einsichten sind, um derentwillen sie entstehen. Pudowkin steckt tief in intellektuellen Vorurteilen, deren Stunde vorbei ist, und da er im Interesse ihrer Herausarbeitung die Welt rücksichtslos zerstückelt und neu montiert, sind seine Werke doppelt dem Verfall preisgegeben. Manche gesellschaftlichen Glossen, die seinerzeit vielleicht angebracht waren, haben sich längst eine Korrektur gefallen lassen müssen; die ewige Natursymbolik wirkt heute unerträglich; die dogmatische Bevorzugung des Massenhaften gehört der Geschichte an.

Indem Pudowkin die Methode der Montage im Dienst oft fragwürdiger Theoreme ungehemmt ausbaut, hat er zwar zu blenden vermocht, aber auch den Zerstörungsprozeß beschleunigt, dem seine Filme unterliegen. Der Atem ist aus ihnen gewichen; sie sind zu historischen Dokumenten geworden.

(BNZ vom 13. 9. 1938)[5]

1 Der Reihe »Wiedersehen mit alten Filmen« (siehe auch Nr. 743, 746, 752, 756, 760 und 765), die mit diesem Text eröffnet wurde, geht folgende redaktionelle Bemerkung voran: »Der Film ist eine *werdende* Kunst. Und die besonderen Formen seiner Entwicklung bringen es mit sich, daß alte Filme nach wenigen Jahren in der Versenkung verschwinden: man erinnert sich noch an sie, man zitiert sie noch, aber man bekommt sie nicht mehr zu sehen. Und doch ist es überaus aufschlußreich, wieder zurückzuschauen auf abgelaufene Filmzeitalter und zu sehen, was uns heute noch von ihnen übrig bleibt. Unser Pariser Mitarbeiter S. Kracauer wird darum in einer Reihe von Aufsätzen die Eindrücke und Erkenntnisse schildern, die er bei der Wiederbegegnung mit alten Filmen gewonnen hat.«

2 Zu diesen beiden Filmen siehe Nr. 229 und 357.

3 Siehe Nr. 159.

4 Siehe Nr. 611, Anm. 6.

5 Zusammen mit Nr. 743, 746, 752 und 756 u. d. T. »En renvoyant des films anciens« wiederveröffentlicht in: *La Vie Intellectuelle* vom 25. 6. 1939, Nr. 3, S. 414-430.

742. Pariser Filmbrief

Filmsammelrez.: A L'ANGLE DU MONDE / THE EDGE OF THE WORLD. Michael Powell. GB 1937; LA GRANDE VILLE / BIG CITY. Frank Borzage. US 1937; LA PISTE DU SUD. Pierre Billon. FR 1938.

Während der letzten Ferienwochen boten sich einige aktuelle Anlässe zu Rückblicken auf die Entwicklung des französischen Films. So brachten Pariser Blätter die Meldung, daß in Saint-Loubès ein Denkmal zur Erinnerung an *Max Linder* errichtet werden solle, der im Gedächtnis der meisten höchstens noch durch sein unseliges Ende und einen fatalen Prozeß fortlebt.[1] Um so notwendiger ist es, das Andenken dieses ersten und größten französischen Filmkomikers zu pflegen, dem Chaplin und die amerikanische Groteske so viel verdanken. Auch der Tod von *Pearl White* – sie starb jüngst in einer Pariser Klinik – erweckte hier manche Reminiszenzen; war sie doch der stets bedrohte, stets gerettete Star der MYSTÈRES DE NEW YORK[2] und anderer amerikanischer »serials« gewesen, die zur Zeit des Weltkriegs gerade das französische Publikum entzückten.[3] Man muß freilich wissen, daß jene serials ein Genre weiterbildeten, das seinen Ursprung in Frankreich selber hatte, wo bereits vor dem Krieg die FANTÔMAS-Serie[4] entstanden war . . . Schließlich ist der auf der *Biennale* gezeigten *retrospektiven Schau des französischen Films* zu gedenken,[5] die an Hand gut ausgewählter Fragmente ein bedeutendes Stück Vergangenheit heraufbeschwor. Diese von der internationalen Jury belobigte Schau war der Sammlung der *Pariser Cinémathèque* entnommen, zu deren treibenden Kräften Henri Langlois gehört, der auch die wöchentlichen Vorführungen alter Filme im *Cercle du Cinéma*[6] betreut. Schade, daß sie völlig isolierte Veranstaltungen sind; tatsächlich findet sich heute außer dem *Studio 28*[7] in ganz Paris kein Kino, das den sicherlich lohnenswerten Versuch machte, stumme Filme auf sein Programm zu setzen.

Ein Zeichen für das Ansehen, das der französische Film jetzt im Ausland genießt, ist nicht nur die internationale Karriere von Filmen wie LES PERLES DE LA COURONNE[8] oder PRISON SANS BARREAUX,[9] sondern auch die kürzlich in Paris eingetroffene amerikanische Version von PÉPÉ LE MOKO,[10] die den Titel CASBAH D'ALGER (im Original ALGIER[s]) führt und Jean Gabin durch Charles Boyer ersetzt.[11] Bei dieser Gelegenheit sei festgestellt, daß sich in der französischen Produktion unverkennbar eine Neigung zum »fait divers« bemerkbar macht, die wahrscheinlich dem Bedürfnis entspringt, vom verfilmten Theater loszukommen und eine spannende Handlung zu bringen. Häufig genug wird auf das »Milieu«, auf Dramen mit exotischem oder kriminellem Einschlag und auf Outsider-Typen zurückgegriffen. Es fragt sich nur, ob nicht die Spannung, die man mit Recht begehrt, nachhaltiger durch die intensive filmische Gestaltung des bewegten Alltags und typischer Schicksale oder Begebenheiten zu erzielen wäre.

Inmitten der Filme des stehenden Repertoires tauchte einer von außerordentlichem dokumentarischem Wert auf: *Michael Powells Film*: THE EDGE OF THE WORLD, der auf einer Insel vor Schottland spielend, das Leben armer Fischer schildert und wunderbare Bilder von Meer-, Felsen- und Nebellandschaften enthält. Er wurde übrigens letzthin in einem Quartier vorgeführt, dessen Publikum mit einem ausgesprochen fachmännischen Interesse allen Darbietungen sportlicher oder kämpferischer Art folgt. Als in irgendeinem Kino jener Gegend unlängst BIG CITY lief, ging die prachtvolle Boxszene am Schluß unter lauten Kundgebungen der Zuschauer vor sich, die sich nicht anders benahmen wie bei einem echten Match und ganz hingerissen waren von der Virtuosität, mit der die Berufsboxer ihr Metier handhabten.

Die Saison hat bereits begonnen. Allmählich geraten die Programme in Fluß und in die Uraufführungstheater zieht eine Novität nach der anderen ein. Unter dem französischen Vortrupp befinden sich Produktionen von *Sacha Guitry* und *Marcel Pagnol*[12] und *Billon's* Film LA PISTE DU SUD, der jetzt Disneys SCHNEEWITTCHEN-Film[13] von den Champs-Elysées verdrängt hat.

(BNZ vom 11. 10. 1938)

1 Zum Tod Max Linders siehe Nr. 399, Anm. 2; zu Linders Filmen siehe Nr. 63 und 743.

2 MYSTÈRES DE NEW YORK / THE PERILS OF PAULINE. Louis J. Gasnier. US 1914.

3 Pearl White (1889-1938) war die populäre Hauptdarstellerin u. a. der Serials THE PERILS OF PAULINE (1914); THE EXPLOITS OF ELAINE (1914); THE NEW EXPLOITS OF ELAINE (1915); THE ROMANCE OF ELAINE (1916).

4 Louis Feuillade drehte zwischen 1913 und 1914 eine Serie von fünf Filmen mit dem geheimnisvollen Gangsterkönig Fantômas als Helden, von denen einige in Deutschland gezeigt wurden: FANTOMAS / FANTÔMAS (1913); JUVE CONTRE FANTÔMAS (1913); DER TOTE,

DER TÖTET / LE MORT QUI TUE (1913); FANTÔMAS CONTRE FANTÔMAS (1914); DER FALSCHE BEAMTE / LE FAUX MAGISTRAT (1914).

5 Die Biennale in Venedig entstand 1895 als internationale Kunstausstellung in den Giardini di Castello. Sie wurde 1932 um ein internationales Filmfestival erweitert, das 1938 u.a. auch eine Retrospektive des französischen Films von 1891 bis 1933 umfaßte.

6 Le Cercle du Cinéma wurde im Oktober 1935 von Jean Mitry, Henri Langlois (1914-1977) und Georges Franju mit dem Zweck gegründet, die Geschichte des Stummfilms aufzuarbeiten. Die Mitglieder des Kreises trafen sich wöchentlich im Salle FIF (France International Films) in der Avenue Champs-Élysées 33, um sich alte Stummfilme anzusehen. Aus den Mitgliedern des Cercle ging die Cinémathèque française hervor, die im September 1936 mit dem Ziel gegründet wurde, ein umfassendes Filmarchiv aufzubauen. Kracauer war ein häufiger Besucher der Cinémathèque und mit Henri Langlois befreundet.

7 Siehe Nr. 740, Anm. 14.

8 Siehe Nr. 728.

9 PRISONS SANS BARREAUX. Léonide Moguy. FR 1937/38.

10 PÉPÉ LE MOKO. Julien Duvivier. FR 1936/37.

11 CASBAH D'ALGER / ALGIERS. John Cromwell. US 1938.

12 Siehe Nr. 749 und 750.

13 Siehe Nr. 740.

743. Wiedersehen mit alten Filmen

[II.] Max Linder

Chaplin ist, wie er niemals verhehlte, von Max Linder entscheidend beeinflußt worden. Später freilich hat sich das Verhältnis umgedreht, und Linder bekennt in den Jahren nach dem Weltkrieg offen, daß er auch seinerseits bei Chaplin in die Schule gegangen sei. Mehr noch als die Tatsache der Verdunkelung des eigenen Ruhmes durch den des andern mag ihn die Erkenntnis umdüstert haben, daß dieser andere in Schichten heimisch war, die ihm selber verschlossen blieben.

Schon äußerlich deutet Linder auf Chaplin vor. Man lasse sich nicht dadurch täuschen, daß er statt in Vagabundentracht in Zylinder und Frackmantel aufzutreten pflegt; er verkörpert darum doch nicht eigentlich den Elegant, sondern die Vorstellung, die sich das Publikum vom Elegant macht. Es ist, wenn er erscheint, als sei eine Figur aus einem Modejournal lebendig geworden. Dieser Elegant ist genau so ein Mannequin wie Chaplins Vagabund, und im übrigen fällt die Verschiedenheit ihrer Kostüme um so weniger ins Gewicht, als sich beide, der Vagabund und der Elegant, darin gleichen, daß sie Outsider der Gesellschaft sind. Hinzu kommen direkte Gemeinsamkeiten: auch Max Linder ist von kleiner, schmächtiger Statur; auch er besitzt ein mimisches Ausdrucksvermögen, das blitzschnell funktioniert und jeder Situation neue Gesten abgewinnt, die durchweg ihre Verwandtschaft mit denen des Jongleurs oder des Tänzers verraten. Wer von beiden spielt den Betrunkenen in folgender Szene? Aus dem Restaurant herausbefördert, klammert sich der Betrunkene an einen Oleanderbaum, der natürlich mit ihm ins Schwanken gerät, begibt sich dann, nachdem wie durch ein Wunder das Gleichgewicht wiederhergestellt ist, zu einem Hotel, dessen Drehtür ihn unverzüglich ausspeit, torkelt ein Stück weiter und landet vor einem Schaufenster, hinter dem eine Schlafzimmereinrichtung prangt, die er im Morgengrauen mit der seinen verwechselt; denn bei ihrem Anblick beginnt er sich auszukleiden und geht schnurstracks auf das Bett los, wobei er heftig gegen die Spiegelscheibe prallt – ein Mißgeschick, das ihm den Verdacht einflößt, es seien überall verborgene Spiegelscheiben angeordnet, so daß er nur unter unendlichen Vorsichtsmaßnahmen durch die Magazintür ins öffentliche Schlafgemach dringt, in dem er sich schließlich zur Ruhe legt. Die Szene könnte von Chaplin sein; sie findet sich in dem Film: LE ROI DU CIRQUE,[1] der, obwohl erst nach Linders Amerikareise gedreht,[2] für den französischen Komiker sehr charakteristisch ist und überdies Motive enthält, die im ZIRKUS-Film Chaplins[3] verwandelt wiederkehren.

Doch die Übereinstimmungen reichen noch tiefer, und gerade der Film LE ROI DU CIRQUE, dem, nebenbei gesagt, die Zeit nichts anzuhaben vermocht hat, beweist schlagend, daß Linder vor allem deshalb als Vorläufer Chaplins gelten muß, weil er seine gestischen Einfälle und komischen Erfindungen aus derselben Quelle wie dieser schöpft. Tatsächlich benutzt er bereits vor Chaplin seine zierliche Gestalt zur Darstellung einer Figur, die in vielen Märchen auftaucht. Er hat etwas vom Taugenichts und vom Bruder Liederlich, und nur ab und zu spürt ein liebendes Mädchen, daß er in Wahrheit ein Prinz aus einem unsichtbaren Königreich ist. Wie ihn die Welt verkennt, so fühlt er sich fremd in aller Welt.[4] Welche Ähnlichkeit mit Chaplin, wenn er über eine Person, die ihn komisch berührt, schämig in sich hineinlacht, mit der Miene größter Selbstverständlichkeit eine heillose Konfusion anrichtet und in irrsinnige Freude ausbricht, sobald er zu seinem Erstaunen merkt, daß die Liebe, die er empfindet, erwidert wird! Allerdings hat er Grund, über eine solche Chance zu staunen, da ihn das Schicksal immer zurückstößt. Als reize seine bloße Existenz sie zum Äußersten, drohen Egoismus, Dummheit und Brutalität ihn jeden Augenblick zu vernichten, und sicherlich wäre er, der so fragil und überflüssig ist, eine leichte Beute dieser Mächte, verführe er nicht ihnen gegenüber nach Art der Märchenhelden, die sich mit Witz, Charme und List aus der Klemme ziehen. Die von Linder ersonnenen Gags sind nicht anders wie die Chaplins lauter Handgriffe und Tricks, die der Selbstbehauptung des Schwachen dienen, und ihre Komik besteht darin, daß sie auf unerwartete Weise die plumpe Gewalt zu Fall bringen. Weiße Magie. Mit ihrer Hilfe wird die Gewalt verzaubert und hypnotisiert, und der Erfolg ist regelmäßig der, daß sie wie der vom Bäuerlein übertölpelte Teufel das Nachsehen hat. Im ROI DU CIRQUE rettet sich Linder dadurch aus einer peinlichen Situation, daß er ein paar Tanzschritte vollführt, die seinen wütenden Onkel hinreichend perplex machen, um ihn außer Gefecht zu setzen. An einer anderen Stelle desselben Films nimmt er seine Zuflucht zu jener Frechheit, die der Verzweiflung entstammt, und behandelt – gleichfalls ein echter Chaplin-Gag – den baumstarken Akrobaten Emilio, der ihn verprügeln will, wie einen Klienten im Photographenatelier. Er dreht ihm den Kopf hin und her, tritt zurück und bewundert sein Profil – Faxen, die den blöden Emilio so verwirren, daß er erst zur Besinnung kommt, nachdem sein Opfer auf und davon ist. Was auf Chaplin zutrifft, gilt zwangsläufig auch für Linder: immer wieder glückt es ihm, dem heimlichen Prinzen, kleine Triumphe über die rohe Kraft zu feiern, von Mißverständnissen zu profitieren und in irgendeine Lücke des Weltgeschehens zu schlüpfen.

Dennoch sind seine Möglichkeiten begrenzter als die Chaplins. Nicht so, als ob er ihm an Talent und Originalität nachstünde; aber seine Maske ist eine Figur, die sich nur aus den Traditionen der französischen, genauer: der Pariser Gesellschaft begreifen läßt. Der »fêtard«, in den er sich zu verpuppen liebt, hat sich ursprünglich auf dem Boulevard des zweiten Kaiserreichs getummelt; zu seinen Ahnen zählen Bobinet und

Gardefeu, die zwei närrischen jungen Herrchen aus der Offenbach-Operette: »*Pariser Leben*«.[5] So gewiß Linder dieser Figur einen neuen, allgemeineren Sinn schenkt: er kann sie doch nicht von ihrer Vergangenheit loslösen und beliebig ausweiten. Sein Elegant ist und bleibt einem bestimmten Milieu verhaftet, ein Typus, der zwar am Rand der Gesellschaft existiert, doch keineswegs dem Volk angehört; während Chaplins Vagabund mitten durch das Volksgewühl watschelt und überall oder nirgends zu Hause ist.
(BNZ vom 18. 10. 1938)[6]

1 Französischer Verleihtitel für CLOWN AUS LIEBE, siehe Nr. 63 und 399.
2 Zwischen 1921 und 1923 arbeitete Max Linder zum zweiten Mal (zuerst 1916) in den USA; er gründete dort seine eigene Produktionsfirma und drehte drei Filme, darunter eine Parodie auf den Fairbanks-Film THE THREE MUSKETEERS (siehe Nr. 426) u. d. T. THE THREE MUST-GET-THERES (1922).
3 Siehe Nr. 336.
4 Im Typoskript (KN): »fremd in der Welt«.
5 Jacques Offenbach, *La Vie Parisienne.* Operette nach einem Libretto von Henri Meilhac und Ludovic Halévy (1866). Siehe auch *Werke*, Bd. 8.
6 Zusammen mit Nr. 741, 746, 752 und 756 u. d. T. »En renvoyant des films anciens« wiederveröffentlicht in: *La Vie Intellectuelle* vom 25. 6. 1939, Nr. 3, S. 414-430.

744. Pariser Filmbrief

Filmsammelrez.: ADRIENNE LECOUVREUR. Marcel L'Herbier. FR 1938; KATIA. Maurice Tourneur. FR 1938; PRISON DE FEMMES. Roger Richebé. FR 1937; ENTRÉE DES ARTISTES. Marc Allégret. FR 1938; CASIER JUDICIAIRE / YOU AND ME. Fritz Lang. US 1938; ADIEU POUR TOUJOURS / ALWAYS GOOD BYE. Sidney Lanfield. US 1938; PILOTE D'ESSAI / TEST PILOT. Victor Fleming. US 1937/38; LE FILS DU CHEIK / SON OF THE SHEIK. George Fitzmaurice. US 1926; FAMOUS PAINTERS. Teil I: VIGÉE LE BRUN. Horace Shepherd. GB 1937.

In den vergangenen Wochen hat die französische Produktion eine Novität nach der anderen herausgebracht. Man sah den Film ADRIENNE LECOUVREUR, in dem *Marcel L'Herbier*, der einst hervorragende Stummfilme schuf,[1] höfische Intrigen mit einer Ausführlichkeit schildert, für die nur das Spiel von *Yvonne Printemps* zu entschädigen vermag. An den Höhepunkten durchdringen sich bei dieser Künstlerin Gefühl und Intellekt auf eine bezwingende, sehr französische Art. Die Première von

KATIA war eines jener großen gesellschaftlichen Ereignisse, die früher das Privileg der Theater bildeten; allerdings liegt dem Film, der das bekannte Liebesidyll des Zaren Alexander II. behandelt, ein Roman der Prinzessin Bibesco zugrunde,[2] und außerdem wird die Titelrolle von *Danielle Darrieux* verkörpert, die nun einmal die erklärte Favoritin des Publikums ist. Auch der Film PRISONS DE FEMMES hat seine Sensation aufzuweisen: er ist nicht nur nach einem Werk Francis Carcos gedreht,[3] sondern läßt diesen selber in der Gestalt eines Romanciers erscheinen, der die unglückseligen Verwicklungen erhellt, die sich daraus ergeben, daß eine Dame der Gesellschaft vor der Ehe drei Jahre Gefängnis hat absitzen müssen. Die Handlung spielt in das »Milieu« hinein, das die eigenste Domäne Carcos ist. Ein anderes Milieu ersteht in *Marc Allégret's* ENTRÉE DES ARTISTES, das der Schauspielschüler, deren Alltag im Rahmen eines Eifersuchtsdramas vergegenwärtigt wird. Der Film, zu dem *Henri Jeanson* die Dialoge geschrieben hat,[4] bestätigt von neuem, daß Frankreich über einen vielversprechenden Nachwuchs von Talenten verfügt. Nicht jedes von ihnen wird so stark ausgewertet, wie der im Übergangsalter befindliche Robert Lynen, der neuerdings wieder in einer Filmkomödie ÉDUCATION DE PRINCE[5] mitwirkt. Im Anschluß an diese so unvollständige wie summarische Aufzählung, der bald eine eingehendere Würdigung des heutigen französischen Films folgen soll,[6] sei gerade noch angemerkt, daß die hiesige Presse von Meldungen und Gerüchten über die Pariser Filmpläne *Marlene Dietrichs* überquillt. Schon träume sie sich, so wird unter anderem verkündet, als die Heroine eines echtbürtigen Montmartre-Stücks.

Was nicht französischer Herkunft ist, stammt fast durchweg aus Hollywood. Von dort ist jetzt der in CASIER JUDICIAIRE umbetitelte *Fritz-Lang*-Film: YOU AND ME eingetroffen, dem, wie allen Werken dieses ausgezeichneten Regisseurs, besondere Beachtung gebührt.[7] Kurt Weill hat die Musik dazu geschrieben.[8] Eine nicht uninteressante Tendenz, die auch bei Lubitsch deutlich zu spüren ist, macht sich zur Zeit auf dem Gebiet des amerikanischen Konversationsfilms geltend: man poliert die Stücke so gründlich, daß nichts übrig bleibt als ein substanzloser Glanz. Im Film: ALWAYS GOOD BYE etwa, dessen Helden *Barbara Stanwyck*, *Herbert Marshall* und ein netter kleiner Junge[9] sind, werden sämtliche durch die Fabel geforderten Empfindungen mit solcher Beflissenheit ausgeschaltet, daß der fatale Eindruck entsteht, das Ganze sei ein Gebilde aus eitel Schaum. Es ist, als fürchte man sich davor, ein ernstes Thema anzuschlagen, als hielte man bereits die Erweckung irgend einer Leidenschaft für zu heikel. Hier ist nicht Überzüchtung im Spiel, sondern der Wille zur Flucht. Ein Glück noch, daß es neben diesen völlig entleerten Filmen andere gibt, die wie der schöne, sich hartnäckig auf dem Programm behauptende TEST PILOT das Material unseres Lebens wirklich zu bewältigen suchen. Dem *Studio de l'Étoile* ist die Ausgrabung des *Valentino*-Films: LES FILS DU CHEIK[10] als ein Verdienst anzurechnen. Valentino: im Laufe des Sommers haben die Filme des vor zehn Jahren verstorbenen Frauenlieblings große Kassenerfolge erzielt, und noch immer schmücken frische Blumen sein Grab. Woher rührt dieser Kultus? Bei der Wiederbegegnung mit Valentino läßt sich nur feststellen, daß er das Urbild des effeminierten Gigolos aus den Jahren der Prosperity ist. Freilich benimmt er sich gleichzeitig wie Douglas Fairbanks[11] als Ritter ohne Furcht und Tadel und wird überdies im Mittelpunkt erotischer Beziehungen gezeigt, die danach angetan sind, Verwirrungen der Gefühle zu stiften. Aus der Mischung so verschiedenartiger Ingredienzien mag sich halbwegs sein langwährender Zauber erklären. – Unter der Masse ausländischer Filme ist nicht zuletzt ein kurzer englischer Farbenfilm *Horace Shepherds* zu verzeichnen, der das Leben der Malerin Vigée-Lebrun an Hand ihrer Bilder heraufbeschwört.[12] Die gemalten Figuren wirken in Großaufnahme sehr plastisch, und wenn sie, sich überblendend, aneinander vorbeiziehen, entstehen die merkwürdigsten Effekte.

Nach längeren Verhandlungen, die während der Sommermonate in Paris begannen, ist dieser Tage durch die Gründung einer »Féderation internationale des archives du film«[13] die künftige Zusammenarbeit der französischen, amerikanischen, deutschen, englischen und italienischen Filmbibliotheken endgültig gesichert worden. Die neue Organisation hat sich die Aufgabe gestellt, die Entwicklung der einzelnen Filmarchive zu fördern und für eine rationelle Pflege der gemeinsamen Interessen zu sorgen.

(BNZ vom 15. 11. 1938)

1 U. a. EL DORADO (FR 1921); DIE UNMENSCHLICHE / L'INHUMAINE (FR 1923/24).

2 Marthe-Lucile Bibesco, *Alexandre asiatique ou l' histoire du plus grand bonheur possible*. Paris: Hachette 1912.
3 Francis Carco, *Prisons de femmes*. Paris: Les éditions de France 1931.
4 Henri Jeanson (1900-1970), französischer Schriftsteller, gehörte in den dreißiger Jahren neben Charles Spaak und Jacques Prévert zu einer Gruppe von Autoren, die sich vor allem auf das neue Genre des Filmdrehbuchs konzentrierten.
5 ÉDUCATION DE PRINCE. Alexander Esway. FR 1938.
6 Siehe Nr. 751.
7 Siehe Nr. 745.
8 Kurt Weill schrieb die Musik zu den drei Songs *»Song of the Cash Register«*, *»The Right Guy for Me«* und *»Knocking Song«*, deren Texte von Sam Coslow stammen.
9 Johnnie Russel als Roddy.
10 Siehe Nr. 235.
11 Zu Douglas Fairbanks siehe u. a. Nr. 172, 185, 244 und 426.
12 Horace Shepherd brachte ab November 1937 in Großbritannien eine Kurzfilm-Serie heraus: FAMOUS PAINTERS. Die erste Folge handelte von der französischen neo-klassizistischen Malerin Marie Louise Élisabeth Vigée-Lebrun (1755-1842), die vor allem durch ihre Portraits von Persönlichkeiten des Hofes und des Kulturlebens bekannt wurde.
13 Die Féderation Internationale des archives du film (FIAF) wurde 1938 zur Förderung und Koordinierung der Sammlung und Bewahrung des audiovisuellen Erbes gegründet.

745. Ein soziales Märchen

Filmrez.: CASIER JUDICIAIRE / YOU AND ME. Fritz Lang. US 1938.

Nachdem *Fritz Lang* in YOU ONLY LIVE ONCE[1] mit großer Meisterschaft den Leidensweg eines entlassenen Sträflings geschildert hat, dem die Gesellschaft keine Chance mehr gibt, möchte er in YOU AND ME zeigen, daß das Problem der Vorbestraften unter gewissen Bedingungen auch positiv gelöst werden könne. Als eine der Bedingungen tritt in diesem neuen Film Mr. Morris auf, ein vorurteilsloser Warenhausbesitzer. Mr. Morris beschäftigt eine Reihe ehemaliger Einbrecher und Diebe, in der Erwartung, daß sie sich, der moralischen Isolierung enthoben, als nützliche Mitglieder der Gesellschaft bewähren. Aber statt sich schnurstracks läutern zu lassen, schenken seine Schutzbefohlenen den Lockungen ihres früheren Bandenchefs Gehör, der sie dazu bestimmt, das ihnen wohlbekannte Warenhaus zu plündern, und Mr. Morris verlöre sicherlich die Partie, stünde ihm nicht im letzten Augenblick die Verkäuferin

Helen (*Sylvia Sidney*) zur Seite. Hier geht der Film vollends in ein soziales Märchen über. Helen rechnet den nachts in die Spielwarenabteilung eingedrungenen Kollegen auf einer Wandtafel vor, daß ihnen der Raubzug seiner hohen Unkosten wegen nicht einmal einen nennenswerten materiellen Gewinn bringe, und überzeugt durch dieses Kalkül die kleinen Gauner von der Torheit ihres Unternehmens. Eine Bekehrungsszene wie aus dem Schullesebuch, an die sich ein happy end reiht, das nicht hundertprozentiger sein könnte. Gerade die Übersteigerung der Seligkeit wirkt allerdings verdächtig. Fast scheint es, als verfolge der Film die Tendenz, jene allzu gutgläubigen Optimisten, die ihre Reformprojekte auf die bessere Einsicht der Menschen gründen, ein wenig an sich irre zu machen; als sei das Märchenspiel auch eine Satire und der Glanz am Schluß parodistisch gemeint. Was helfen jedoch Tendenzen, die sich im Film selber nirgends direkt bewahrheiten. Man sucht nach Spuren von Zweideutigkeit und stößt überall auf den Mangel an Ironie.

Mag die Fabel annehmbar sein oder nicht: YOU AND ME enthält Szenen, die Entdeckungen sind. Eine Chanteuse singt in einem minderen Dancing ein Lied von einem Taugenichts, den sie liebe, und vom Tag, an dem er ihr für immer entschwinde. Während sie singt, erscheinen eingeblendete Meer- und Hafenbilder, die den Liedtext illustrieren; dazwischen sieht man Helen neben ihrem Taugenichts von Joe (George Raft) sitzen und beobachtet, wie beider Gesichter je nach dem Inhalt des Lieds wechselnde Gefühle widerspiegeln. Der besondere Reiz dieser kontrapunktisch verfahrenden Montage besteht darin, daß sie die enge Nachbarschaft von Kitsch und Empfindungstiefe, leerem Betrieb und vollen Herzen enthüllt. Großartiger noch ist das Zusammensein der Exsträflinge am Weihnachtsabend gestaltet. Sie treffen sich in einer obskuren Kellerkneipe, und kaum sind sie miteinander vereint, so erinnern sie sich ihrer im Gefängnis verbrachten Zeit; mit der fiebernden Erregung von Kriegskameraden, die sich wieder im Schützengraben wähnen. Einer gibt ein Klopfsignal, das andere beantworten, dann klopfen und flüstern sie alle im Chor, und unter dem Einfluß der altvertrauten Geräusche wird schließlich das Gefängnis leibhaftig heraufbeschworen, dessen Gänge und Zellen sich in einem kunstvollen Crescendo aus dem Schatten entwickeln, den die Gitterstäbe des Kellerkneipenfensters auf die Wand werfen. Wie durch akustische und visuelle Zeichen Menschen in

den Bann der Erinnerung geraten und von ihr so überwältigt werden, daß Vergangenheit und Gegenwart vertauscht zu sein scheinen, ist in dieser Szene erschöpfend dargestellt. Solche Wirkungen sind nicht zuletzt der unvergleichlichen Präzision zu danken, mit der Fritz Lang das geringste Detail behandelt. Der Film strotzt von schönen, voll ausgewerteten Einzelheiten. Es sei nur der ersten Begegnung von Joe und Helen auf den Rolltreppen des Warenhauses gedacht; sie fährt hinauf, er fährt hinab, und in der flüchtigen Sekunde, in der sie einander kreuzen, berühren sich über die Geländer weg ihre von der Kamera herausgehobenen Hände; so daß nun jeder gleich um die Liebe der beiden weiß. Wenn Sylvia Sidney traurig blickt, spricht aus ihr die Trauer von Jahrhunderten, und lächelt sie einmal glücklich, so bittet ihr Lächeln das Glück flehentlich, doch zu bleiben. George Raft ist ganz der Typ des schwierigen Großstadtjungen, der sich nur schwer zähmen läßt. Die kluge Musik stammt von Kurt Weill.
(Typoskript aus KN, 26. 11. 1938)[2]

1 YOU ONLY LIVE ONCE. Fritz Lang. US 1936/37.
2 Auf dem Typoskript hat Kracauer handschriftlich notiert: »Am 26. Nov. 38 an ›Neue Zürcher Zeitung‹«. In einem Brief an NZZ-Redakteur Arnet vom 18. 12. 1938, dem das Typoskript von Nr. 747 beigelegt war, fragte Kracauer nach dem Verbleib der Rezension; eine Veröffentlichung konnte bislang nicht nachgewiesen werden.

746. Wiedersehen mit alten Filmen

[III.] Mauritz Stiller[1] und der Schwedenfilm

Wer sich jener von *Victor Sjöström*[2] und *Mauritz Stiller* inszenierten stummen Schwedenfilme erinnert, die nach dem Weltkrieg blühten, sieht vor dem inneren Auge wunderbare Landschaften erstehen,[3] in denen sich Schicksale abspielen, wie Selma Lagerlöf[4] sie heraufbeschwört. Die Erinnerung trügt nicht. Bei der Wiederbegegnung mit einigen Werken Stillers zeigt sich, daß die Schwedenfilme in der Tat eine besondere Materie verarbeiten. Sie werden inhaltlich dadurch bestimmt, daß die Stadt im Norden hinter dem Meer, dem Land, dem Himmel zurücktritt und die Menschen noch hinreichend eins mit den Elementen sind, um

Legenden nicht nur zu dichten, sondern zu leben. Da die Vision tief in die Existenz dieser mit der Dämmerung vertrauten Menschen hineinragt, nimmt sie im Schwedenfilm Realitätscharakter an. In Stillers VIEUX MANOIR[5] erscheint der schlummernden Ingrid nachts »Madame Chagrin«: eine in Fledermausplunder gehüllte alte Frau mit vorstehendem Gebiß, die auf einem von Bären gezogenen Wagen kutschiert kommt und Unheil verkündet. Träumt Ingrid nur? Aber sie nähert sich wachen Sinnes ihrer sonderbaren Besucherin, und diese, die nun auf der Chaiselongue im Zimmer sitzt, verscheucht das junge Mädchen und kutschiert, wieder auf dem Bock befindlich, davon. Madame Chagrin ist ein Phantom und zugleich so greifbar wie ein Baum oder ein Tier.

Das stofflich Vorgegebene erhält durch die Art seiner filmischen Gestaltung volles Gewicht.[6] Der starke Eindruck, den diese Filme heute noch erwecken, ist um so merkwürdiger, als sie manchen Regeln zuwiderlaufen, nach denen man inzwischen Filme zu beurteilen gelernt hat. Sie stellen gerne schöne Bilder zur Schau, entraten äußerer Bewegtheit und verzichten auf Montageeffekte. Bedächtig ziehen sie dahin, und im Vergleich mit ihnen scheint jeder beliebige stumme Russenfilm zu gestikulieren.[7] Dennoch empfindet man ihr Verhalten nicht als Schwäche. Im Gegenteil, trotz dem versprochenen Mangel an behender Aktion wirken die Schwedenfilme durchaus spannend; auf filmgerechte Weise spannend.

Der Grund hierfür ist der, daß die Langsamkeit, mit der sie sich entfalten, nicht auf Schwerfälligkeit beruht, sondern sich aus der genauen Innehaltung des von den Gegenständen selber geforderten Zeitmaßes ergibt.[8] Stiller weiß legendären Vorgängen und den Erlebnissen naturverbundener Menschen die Zeit einzuräumen, die sie benötigen, um überhaupt darstellbar zu sein. Wenn sich die Szene aus GÖSTA BERLING,[9] in der Wölfe einen Schlitten verfolgen, nachhaltig einprägt, so rührt das eben von ihrer Dauer her. Einer freilich, die keinen Augenblick leer bleibt; denn während der Schlitten fährt und fährt, werden durch den fahlen Glanz der Schneefläche, durch das Gesicht der Garbo im Schlitten und durch das Auf und Ab der Zügel, die ihr Gesicht streifen, ununterbrochen neue Erregungen geschaffen. Nicht minder unvergeßlich ist in LE VIEUX MANOIR die berühmte Flucht der Rentierherde, deren Leittier den Hirten Niels nach sich schleift. Auch sie verdankt ihre Wirkung der Zähigkeit, mit der sie wiedergegeben ist. Stunden und nochmals Stunden glaubt man Zeuge der verzweifelten Jagd zu sein, die damit abschließt, daß Niels irrsinnig wird und entsetzt vor einem Hund zurückweicht, auf dessen Kopf er ein Rentiergeweih zu erblicken wähnt. Kein Zweifel, daß die Überzeugungskraft dieser Halluzination an die Ausführlichkeit der Schilderung geknüpft ist, die Stiller vorher von der Panik der Herde und dem Martyrium des Hirten entwirft. Er läßt sich Zeit; aber indem er so einem Geschehen, das nur langsam oder überhaupt nicht wachsen kann, die Möglichkeit gewährt, sich wirklich herauszuschälen, verschleppt er nicht etwa das Tempo, sondern verdichtet umgekehrt den Zug der Ereignisse zum atemberaubenden Prozeß.

Jetzt erst erklärt sich das häufige Verweilen der Schwedenfilme bei Bildern von Landschaften und Menschen. Statt die Handlung zu unterbrechen, sind die Bilder ein notwendiger Bestandteil der Handlung. Sie veranschaulichen ein Sein, von dem sich die Aktion im engeren Sinn nur zögernd losringt, und je gründlicher sie die Natur erfassen, desto deutlicher wird man sich der Natur als einer eingreifenden Macht bewußt. Versenkten sie sich nicht in die Landschaft, so blieben Schicksale unerhellt, die selber in die Landschaft eingesenkt sind. Die Schönheit dieser Bilder mag auch durch die reine Atmosphäre des Nordens bedingt sein, die es dem Photographen gestattet, den Raum seiner ganzen Tiefe nach zu bewältigen. Aber sicherlich sind sie vor allem deshalb schön, weil sie aus einem noch verhältnismäßig ungebrochenen Wissen um die Beziehungen hervorgehen, die zwischen Zuständlichkeit und Ereignis, zwischen Naturkräften und menschlichen Entschlüssen obwalten. Wo immer die Umwelt in schwedischen Filmen auftaucht, erfüllt sie eine Funktion, und die Schönheit ist deren Nebenprodukt. Leicht verständlich, daß eine solche Eindringlichkeit den Verkehr mit *echten* Gegenständen zur Voraussetzung hat. Die Morgensonne, die in LA VENGEANCE DE JACOB VINDAS[10] durch die Kirchenfenster fällt und das Gesicht der Großmutter bescheint, muß tatsächlich die Morgensonne sein, um die dem Licht hier zugedachte Rolle spielen zu können. Nicht umsonst vermeiden die Schweden nach Möglichkeiten Ersatzmittel. Auf der anderen Seite pflegen sie allerdings in sich geschlossene Szenen einheitlich zu färben: rosa Interieurs wechseln mit Landschaften in blauem Lokalkolorit.

Obwohl aber dieses außer Mode gekommene Verfahren lediglich der Stimmungsmache dient, trägt es doch mitunter dazu bei, die Bedeutung einer Passage zu unterstreichen; dann nämlich, wenn die Qualität des Farbtons den sachlichen Gehalt der betreffenden Passage versinnlicht. Es gibt gelbe Empfindungen und Phantasien, die grün sind ...[11]
(BNZ vom 6. 12. 1938)[12]

1 Im BNZ-Druck: »Maurice«; die Schreibung wird im folgenden stillschweigend korrigiert.

2 Siehe auch Nr. 107 und 130.

3 Im Typoskript (KN): »[...] die nach dem Weltkrieg blühten, allerorten Einfluß erlangten und erst versiegten, als sie durch die Entwicklung der Ufa von ihrem Hauptabsatzgebiet, dem deutschen Markt, verdrängt wurden, sieht vor dem inneren Auge wunderbare Landschaften erstehen [...].«

4 Selma Lagerlöf (1858-1940), schwedische Schriftstellerin, griff in ihren vielgelesenen Romanen und Erzählungen zumeist heimatliche und historische Stoffe auf, u. a. in *Gösta Berlings saga* (1891; dt.: *Gösta Berling*, 1896), *Jerusalem.* I: I Dalarne, II: I det Heiliga Landet (1901/02; dt.: *Jerusalem.* I: In Dalarne, II: Im heiligen Lande, 1902/03) und *Nils Holgersons underbara resa genom Sverige* (1906/07, dt.: *Wunderbare Reise des kleinen Nils Holgerson mit den Wildgänsen*, 1907/08); 1909 erhielt sie als erste Frau den Nobelpreis für Literatur.

5 LE VIEUX MANOIR / GUNNAR HEDES SAGA. Mauritz Stiller. SE 1923.

6 An dieser Stelle folgt im Typoskript der Satz: »Man sage nicht, daß Stiller und Sjöström das Glück gehabt hätten, auf eine bedeutende Nationalliteratur zu stoßen; einmal fehlt es nicht an Beispielen dafür, daß gute Bücher zu schlechten Filmen verpfuscht werden, und zum anderen gelingt es Stiller auch, wie sein Film LA VENGEANCE DE JACOB VINDAS [siehe unten, Anm. 10] beweist, einer hausbackenen Familienblattgeschichte filmische Substanz zu schenken.«

7 Im Typoskript: »lärmend zu gestikulieren«.

8 Im Typoskript folgt hier der Satz: »Epische Stoffe, die jedes Interesse verlören, wenn man sie eilig abhaspelte, werden in den Schwedenfilmen episch erzählt.«

9 GÖSTA BERLINGS SAGA. Mauritz Stiller. SE 1924.

10 LA VENGEANCE DE JACOB VINDAS / FISKEBYN. Mauritz Stiller. SE 1919.

11 Im Typoskript folgt hier ein weiterer Absatz: »Die Unmenge der Bildtitel im typischen Schwedenfilm, die immerfort, zu eng gestellten Arkadenpfeilern gleich, den Ausblick versperren, wirkt nur noch störend. Aber diese Filme liegen mehr als fünfzehn Jahre zurück, und heute bedarf der an filmische Abläufe gewöhnte Organismus nicht mehr so vieler Hilfskonstruktionen.«

12 Zusammen mit Nr. 741, 743, 752 und 756 u. d. T. »En renvoyant des films anciens« wiederveröffentlicht in: *La Vie Intellectuelle* vom 25. 6. 1939, Nr. 3, S. 414-430.

747. Eine holländische Cavalcade

Filmrez.: QUARANTE ANS / VEERTIG JAREN. Edmond T. Gréville und Johan de Meester. NL 1938.

Der von *[Edmond] T. Gréville* inszenierte Film QUARANTE ANS (1898-1938) verdient schon deshalb Beachtung, weil mit ihm *Holland* in die Reihe der Länder tritt, die Filme produzieren. Von allgemeinem Interesse ist auch sein Inhalt: Indem der Film die Schicksale einer bürgerlichen Familie während der letzten vierzig Jahre registriert, nimmt er zugleich auf alle großen politischen und sozialen Ereignisse Bezug, die sich unter der Regierung der Königin Wilhelmina abgespielt haben.[1] Er ist ein repräsentativer Rückblick, der die Verbundenheit des holländischen Volks mit seinem Königshaus, des individuellen Lebens mit dem nationalen dartun möchte; ein historisches Gemälde, das über der Unterhaltung nie die Belehrung vergißt. Dieser honnette offiziöse Abriß, der sich von den ersten altmodischen Autos bis zu den modernen Großflugzeugen erstreckt, die zwischen Amsterdam und Java verkehren, läßt keine Etappe der friedlichen Entwicklung des Landes unberührt. Man ist Zeuge der sozialen Kämpfe nach 1900, lernt die Leiden und charitativen Werke Hollands im Weltkrieg kennen, durchlebt, immer an Hand von Stichproben, die schwarzen Jahre der Nachkriegskrise und wird nicht zuletzt über die civilisatorischen Leistungen in Niederländisch-Indien aufgeklärt. Das alles ist vom Standpunkt eines behäbigen, patriarchalisch gesinnten Bürgertums aus gesehen, das konservativ, aber nicht starr erscheint. Die Vertreter der älteren Generation lassen sich auf manche Zugeständnisse ein, und widmet sich der Fabrikantensohn auch gegen den Wunsch des Vaters der Musik, so kommt es dabei doch nicht zum Bruch. Eben diese sympathische Vereinigung von Unbeugsamkeit und Toleranz, strengen Grundsätzen und künstlerischen Neigungen wird besonders stark unterstrichen. Was die Gestaltung betrifft, so bleibt sie freilich weit hinter Frank Lloyds wunderbarem CAVALCADE-Film[2] zurück, der offenbar als Modell diente. Die Autoren haben viel zu viel Stoff ausbreiten wollen; hieraus erklärt es sich, daß ein wesentlicher Teil des Stoffes nicht recht bewältigt wird. Unverarbeitete Episoden drängen sich aneinander, und flüchtige Bilder deuten auf Zusammenhänge hin,

die filmisch vergegenwärtigt zu werden verlangten; so daß der Zuschauer oft den Eindruck gewinnt, als ob er die Illustrationen irgendeiner Prachtausgabe durchblättere. Aber diese Schwächen sind die eines Anfängers, und der Film ist, hoffentlich, ein Beginn. Außerdem enthält er ein paar schöne, wirklich durchgeformte Passagen: das Treiben der Volksmenge ist gut beschrieben, und die Szene im Musikeratelier gewitzt aufgebaut. Schließlich muß das Geschick gerühmt werden, mit dem die dokumentarischen Partien eingefügt sind.
(Typoskript aus KN, 18. 12. 1938)[3]

1 Königin Wilhelmina (1880-1962) regierte von 1898 bis 1948 die Niederlande. In ihre fünfzigjährige Regentschaft fielen zwei Weltkriege, die Dekolonisation Indonesiens und die Besetzung Hollands durch deutsche Truppen, durch die sie ins Exil nach London vertrieben wurde.
2 Siehe Nr. 740, Anm. 12.
3 Auf der letzten Seite des Typoskripts steht ein maschinenschriftliches Anschreiben an den NZZ-Redakteur Edwin Arnet vom 18. 12. 1938, in dem Kracauer nach der Publikation von Nr. 745 fragt. Ein späterer Brief Kracauers an Arnet vom 16. 4. 1939 (KN) belegt die Honorarüberweisung für »Eine holländische Cavalcade«. Eine Veröffentlichung der Rezension konnte bislang aber nicht nachgewiesen werden.

748. Ein französischer Avantgarde-Film

Filmrez.: MONSIEUR COCCINELLE. Bernard-Deschamps. FR 1938.

Der im *Pariser Studio 28* uraufgeführte Film von *Bernard[-]Deschamps* MONSIEUR COCCINELLE stellt insofern einen Ausnahmefall dar, als er nicht dem Publikumsgeschmack schmeichelt, sondern mit einer heute seltenen Unnachsichtigkeit die Alltagsmysterien einer typischen Kleinbürgerfamilie durchdringt. Monsieur Coccinelle ist ein Kanzleibeamter, der den Billardspielern seines Stammcafés als Autorität gilt, seine Blümchen im Vorgarten seines Banlieue-Häuschens pedantisch betreut und manchmal Sehnsucht nach einem abenteuerlichen Leben und allerlei Ausschweifungen empfindet. Aber Madame Cocinelle sorgt dafür, daß es bei der Sehnsucht bleibt; sie hält ihren Mann mit der gleichen Strenge wie das Dienstmädchen im Zaum, duldet keine Gemütsregung, die wider die Konvention verstieße oder gar Kosten verursachte, und ist so phantasielos, daß ihrer Borniertheit nie eine Versuchung droht. Eine Ehe, die wie ein Tümpel ist. Der Tümpel gerät durch den vermeintlichen Tod der Tante in Wallung, die im ersten Stock über dem Eßzimmer wohnt und seit Jahrzehnten einem Jahrmarktsillusionisten nachtrauert, den sie in ihrer Jugend nicht hatte heiraten dürfen. Kaum scheint die Tante gestorben, so treten die barbarischen Instinkte an den Tag, die unter der ehrbaren Oberfläche schlummern. Madame kennt nur das Ziel, der Verwandtschaft zuvorzukommen und sich schleunig der hinterlassenen Kostbarkeiten zu bemächtigen; Monsieur vergißt seinen Kummer über dem erhebenden Bewußtsein, daß er als Hauptleidtragender vom ganzen Ort hochgeehrt wird.

Der Film hat Schwächen. So fallen z. B. jene Stellen ab, an denen sich der Film beflissen satirisch gebärdet.[1] Die Verspottung der Ärzte ist nicht einmal witzig, und die beiden dem Tagewerk der Bürokratie und dem Demonstrationszug der Lieferanten gewidmeten Passagen sind auf eine Weise durchstilisiert, die der vorherrschenden realistischen Gesinnung zuwiderläuft. Hier und anderswo gehorcht Deschamps, vielleicht einer Selbsttäuschung erliegend, allzu willig der Neigung, die tänzerische Manier René Clairs nachzuahmen, in der er seine eigentlichen Absichten gar nicht auszudrücken vermag. Aber diese Entgleisungen treten hinter der Analyse des Spießbürgertums zurück,[2] die immer wieder zu glänzenden Formulierungen gelangt.[3] Nicht René Clair, sondern Maupassant[4] hat bei dem Film Pate gestanden. Auf Maupassant weist die Fröhlichkeit zurück, die sich während des Nachtessens[5] entwickelt, das unter dem frischen Eindruck des Ablebens der Tante vor sich geht; von ihm könnte die nächtliche Szene erfunden sein, in deren Verlauf der Urlauber aus den Kolonien seinem Schulfreund Coccinelle einige Photos schwarzer Schönheiten zeigt, die dieser im Laternenlicht gierig betrachtet.

Die Hauptrolle wird von *Larquey* verkörpert, und niemals hat man ihn besser gesehen. *Jane Lorys* Madame Coccinelle ist eine hervorragende Leistung.

(BNZ vom 20. 12. 1938)

1 Der Anfang des Absatzes lautet im Typoskript (KN) bis zu dieser Stelle: »Der Film hat Schwächen. Mag auch der Jahrmarktsillusionist, der zuletzt die wieder zum Leben erwachte Tante im schimmernden Wagen entführt, unwirklich wie ein Märchenprinzip sein,

so zerstört doch sein leibhaftiges Auftreten die Illusionen, die er als reine Traumfigur hervorgerufen hätte. Ferner fallen die Stellen ab, an denen sich der Film beflissen satirisch gebärdet.«

2 Im Typoskript: »Aber diese Entgleisungen brauchen nicht überbelastet zu werden, denn sie treten hinter einer Analyse des Spießbürgertums zurück [...].«

3 Hier folgt im Typoskript der Satz: »Wie Madame Coccinelle statt des fehlenden Eau de Cologne den Essig aus dem Gurkenglas zu Einreibungen benutzt; wie sie und Monsieur mit Stöcken gegen die Zimmerdecke klopfen, um der Tante die Essenszeit anzukündigen; wie, ohne jede Beziehung zu den Ereignissen, die Meldungen und Darbietungen, die aus dem Lautsprecher tönen, einer akustischen Hecke gleich um das Ehepaar aufwachsen und so dessen Verwirrung nur noch mehr steigern – das alles ist mit einer Genauigkeit registriert, die dem Haß gegen die Dummheit entstammt.«

4 Ein früherer Film Bernard-Deschamps (siehe Nr. 693) war direkt nach einer Vorlage des französischen Schriftstellers Henri-René-Albert-Guy de Maupassant (1850-1893) gedreht worden, dessen Romane (u. a. *Une vie*, 1883; dt.: *Ein Leben*, 1894; *Bel Ami*, 1895; dt.: *Der schöne Freund*, 1923) und berühmte Novellensammlungen (u. a. *La maison Tellier*, 1881; dt.: *Das Haus*, 1898; *Mademoiselle Fifi*, 1882; dt.: *Fräulein Fifi*, 1898; *Miss Harriet*, 1883; dt.: *Miss Harriet*, 1898; *Le Horla*, 1887; dt.: *Der Horla*, 1899) sich durch einen kühldistanzierten Erzählgestus auszeichnen, in dem sich psychologische Analyse und Gesellschaftsdarstellung verschränken. Im Fall dieses Films, für den Bernard-Deschamps Drehbuch und Dialoge schrieb, handelt es sich nicht um einen direkten Rückgriff auf eine Maupassant-Vorlage, sondern um eine motivische Affinität.

5 Im Typoskript: »während des Abendmahls«.

1939

749. Französische Filme

Filmrez.: REMONTONS LES CHAMPS-ÉLYSÉES. Sacha Guitry. FR 1938; LE RÉVOLTÉ. Léon Mathot und Robert Bibal. FR 1938; LE ROMAN DE WERTHER. Max Ophüls. FR 1938; MONSIEUR COCCINELLE. Bernard-Deschamps. FR 1938.

In REMONTONS LES CHAMPS-ÉLYSÉES nimmt *Sacha Guitry* wieder das Genre auf, das er im ROMAN D'UN TRICHEUR[1] auf seine klassische Formel gebracht hatte. Diesmal ist er ein Lehrer, der seiner Schulklasse aus der Vergangenheit der Champs-Élysées erzählt; wobei er nicht nur die großen Staatsaktionen und den kleinen Alltag der Avenue aufrollt, sondern auch manche mehr für die Erwachsenen bestimmten Indiskretionen begeht, die das Liebesleben der einstigen Souveräne betreffen. Eine stellenweise amüsante Geschichtsklitterung in Bilderbogenmanier; eine Revue zahlreicher gekrönter und berühmter Häupter, deren eines nicht zuletzt deshalb als das Richard Wagners kenntlich ist, weil es unter einem Samtbarrett sitzt.

Léon Mathots Film: LE RÉVOLTÉ hat einen Matrosen zum Helden, der sich aus Trotz gegen eine Welt, in der ihm Unrecht geschah, auf seine Brust die Devise »ni dieu ni maître«[2] tätowieren läßt und nach dieser Devise zu handeln beginnt. Zum Glück gerät der junge Rebell, dem *René Dary* viel Charme verleiht, an den verständnisvollen Kommandanten Pierre Renoirs, unter dessen Einfluß er sich schließlich als das entpuppt, was er ist: als ein braver, gutgearteter Bursche. Die Tendenz des mit Unterstützung der Kriegsmarine gedrehten Films: einer pädagogisch einsichtigen Handhabung militärischer Disziplin das Wort zu reden, verdient jede Anerkennung.[3]

Wieder erweist sich *Max Ophüls* in seinem Film: WERTHER, der Goethes Roman benutzt, ohne sich an ihn zu halten, als ein ausgeprägter Idylliker. Was ihn zu dem filmisch spröden Stoff hingezogen haben mag, ist sicher die Möglichkeit gewesen, mittels fein abgestufter Beleuchtungen ein empfindsames Dasein zu schildern. Wie Annie Vernays reizende Lotte, das Nachtlicht in der Hand, auf der Dielentreppe Werthers Gedicht liest; wie sie im hellen Kleid und Florentiner Hut mit P.[ierre] R.[ichard]-Willm, der freilich den Werther gar zu verschwommen gibt, durch die nächtlichen Felder spaziert und ihm auf der Bank ein Volkslied singt;

wie dieses später von den Kirchturmglocken übernommene Lied in die Handlung eingreift und Tüllvorhänge und Glastüren Bedeutung gewinnen – das alles ist sehr poetisch und delikat. Es ist, als seien alte Biedermeier-Silhouetten zum Leben erwacht. Und wenn dieses Leben auch der Kraft enträt, so hat es doch etwas von der Verhaltenheit schöner Pastelle.[4]

MONSIEUR COCCINELLE,[5] der neue Film *Bernard[-]Deschamps*, zählt trotz seiner Schwächen und Ungleichmäßigkeiten zu den besten Leistungen der heutigen französischen Produktion. Er beschreibt den typischen Alltag des kleinen Bürokraten mit einer Exaktheit, die nichts unterschlägt oder schön färbt; so daß die ganze Absurdität dieses Alltags hervortritt. Man muß auf Maupassant zurückgehen, um einer derart unerbittlichen und witzigen Analyse des Spießbürgertums wiederzubegegnen.[6] Sie ist auch rein filmisch glänzend durchgeführt. Herr und Frau Coccinelle[7] selber sind so sorgfältig herauspräpariert, als seien sie wirklich Käfer und ein Gegenstand naturwissenschaftlicher Forschung.[8]

(NZZ vom 9. 1. 1939)

1 Siehe Nr. 728, Anm. 1.

2 Frz.: weder Gott noch Meister.

3 Im Typoskript (KN) folgt hier der Satz: »Im übrigen wird nach Kräften das photographisch immer dankbare Schiffsmilieu ausgebeutet, mit seinen Winkern, seinen Kanonen und seinen Matrosenbeinen, die über eiserne Treppen laufen.« Zu diesem Film siehe auch Nr. 750.

4 Zu diesem Film siehe auch Nr. 750.

5 Siehe Nr. 748.

6 Zu Maupassant siehe Nr. 748, Anm. 4.

7 Im Typoskript beginnt der Satz: »Die Kamera vergißt auf ihren verschlungenen Wegen weder die musikalische Zigarrenkiste noch das gedankenlose Geplapper des Radioapparats, und Herr und Frau Coccinelle [...].«

8 Im Typoskript folgt hier zunächst der Satz: »Ihr tragikomisches Gebaren wird von Larquey und Jane Lory vollendet dargestellt.« Daran schließt sich ein weiterer, im Druck gestrichener Absatz an:

»Danielle Darrieux tritt im Film Henri Decoin's RETOUR À L'AUBE [siehe Nr. 750] als die kleine Frau des Stationsvorstehers einer kleinen ungarischen Ortschaft auf, die es endlich durchgesetzt hat, daß der Schnellzug an ihrem Bahnhof hält. Mit dem Schnellzug dringt ein Hauch des großen Lebens in den Ort ein, und die vom Blick eines Reisenden umschmeichelte Darrieux fiebert fortan nach Glanz und Abenteuern. Ihr Wunschtraum erfüllt sich. Sie wird in die Weltstadt verschlagen, treibt ahnungslos in anrüchiger Gesellschaft durch Spielsalons und Hotelzimmer und entrinnt nur mit knapper Not den schrecklichen Gefahren, die sie im Dschungel bedrohen. Das Thema ist schon wiederholt abgewandelt worden. Der Reiz besteht hier darin, die Darrieux, dieses sehr pariserische und modische Wesen, in der Gestalt einer naiven Landpomeranze zu sehen, die mit offenem Mund über den Lauf der Welt staunt und sich in der eben erstandenen Abendrobe auf kapriziöse Weise provinzlerisch benimmt.«

750. Pariser Filmbrief

Filmsammelrez.: CONFLIT. Léonide Moguy. FR 1938; RETOUR À L'AUBE. Henri Decoin. FR 1938; LA FEMME DU BOULANGER. Marcel Pagnol. FR 1938; LE ROMAN DE WERTHER. Max Ophüls. FR 1938; LE DRAME DE SHANGHAÏ. G.W. Pabst. FR 1938; ULTIMATUM. Robert Wiene und Robert Siodmak. FR 1938; LE RÉVOLTÉ. Léon Mathot und Robert Bibal. FR 1938; LES MONTAGNARDS SONT LÀ / SWISS MISS. John G. Blystone. US 1937/38.

Am Rand des Pariser Kinobetriebs macht sich neuerdings eine Tendenz geltend, die schon lang fällig gewesen wäre: man beginnt hie und da ältere Filme auf den Spielplan zu setzen. Nach recht glücklichen Gesichtspunkten verfährt das seit kurzem wiedereröffnete *Studio des Ursulines*:[1] es wechselt häufig die Programme und bringt lauter Filme, die heute ganz aus dem Verkehr gezogen sind. Man kann dort unter anderem Paul Muni in CHAIN-GANG[2] sehen, King Vidors NOTRE PAIN QUOTIDIEN[3] oder den René Clair-Film À NOUS LA LIBERTÉ,[4] der im Lauf der Jahre an Wert zugenommen hat. Auch das im Quartier Latin gelegene Kino *Le Champollion*[5] widmet sich zum Teil der verschollenen Produktion. Unlängst zeigte man in ihm den an sich nicht unbegabten Film EXTASE,[6] der anfangs der Dreißiger Jahre seiner schwülen Erotik wegen Aufsehen erregte; jetzt ist er nur noch komisch und gerade die Spekulation auf die Lüsternheit wurde vom Studentenpublikum heiter belacht.

Einige Stichproben aus der langen Reihe neuer französischer Filme. In *Léonide Moguys* CONFLIT, einem Drama zwischen zwei Schwestern, das auf einen Kindestausch zurückgeht, tritt die junge *Corinne Luchaire* auf, die zum erstenmal in PRISON SANS BARREAUX[7] herausgestellt worden war und durch ihre Sanftmut und ihr noch kaum erschlossenes Wesen so anziehend wirkt. Wer *Danielle Darrieux* kennt, wird interessiert und ein wenig amüsiert beobachten, wie sie mit wirklichem Talent in RETOUR À

L'AUBE ihre kapriziösen Allüren abstreift und als unwissende Provinzlerin erstaunt, beglückt und erschreckt problematische Großstadtlokale durchirrt.[8] Bei dieser Gelegenheit sei noch auf die außerordentliche schauspielerische Leistung *Raimus* in LA FEMME DU BOULANGER hingewiesen; vor allem die Trunkenheitsszene sucht ihresgleichen. Unter freier Benutzung von Goethes Roman hat *Max Ophüls* einen WERTHER-Film gedreht, der eine empfindsame Idylle ist und seine besten Wirkungen zart nuancierten Beleuchtungen verdankt. Haften bleibt der Gang des hellgekleideten Liebespaares durch die nächtlichen Getreidefelder und die Rast auf der Bank.[9] DRAME DE SHANGHAI, eine stark exotisch gefärbte Mischung aus politischen Intrigen und Liebesepisoden, Marterszenen und Barbetrieb, enthält glänzende Photographien, verrät aber nur an wenigen Stellen die Regie von *Pabst*: so dort, wo während eines lähmenden Schweigens plötzlich der von der Straße her erschütterte Kristallüster leise erklingt. Ein anderer Film mit politischem Hintergrund, zu dessen Hauptfiguren *Stroheim* gehört, ist ULTIMATUM. Er spielt 1914, zur gleichen Zeit des österreichischen Ultimatums, in Belgrad und Wien, und *Robert Wiene*, der unmittelbar vor der Beendigung dieses Werkes starb,[10] hat darin den Einbruch des Kriegs in die Sphäre privaten Lebens spannend erzählt. Auch sonst sieht man viel Militärisches. Der Film LE RÉVOLTÉ[11] verquickt eine Spielhandlung mit Schilderungen des Alltags auf einem Kriegsschiff, und mehrere dokumentarische Filme behandeln die Luftwaffe, die Landesverteidigung und ähnliche Themen. Es versteht sich von selbst, daß zeitgemäße Rechenschaftsberichte über die großen kolonisatorischen Leistungen Frankreichs nicht fehlen.

Anhangsweise noch ein hübscher Gag aus LES MONTAGNARDS SONT LÀ, dem letzten, sonst ziemlich einfallsarmen[12] Gemeinschaftsfilm von *Laurel und Hardy*,[13] der in einer unmöglichen Operettenschweiz vor sich geht. Während Laurel Hühner für die Küche des Alpenhotels rupft, nähert sich ihm ein großer Bernhardinerhund, der am Hals ein Fläschchen Kognak trägt. Da der Hund weiß, daß der Kognak zur Belebung Erfrierender dient, schlägt er alle Versuche Laurels, sich des Fläschchens zu bemächtigen, entrüstet zurück. Zuletzt fällt dieser auf folgende List: er zaust eines der weißen Hühner, das er über sich hält, mit solchem Eifer, daß ihn die Zuschauer in ein Schneegestöber versetzt wähnen, und wirft

sich dann unter Gejammer zu Boden. Der Bernhardiner hält den Schnee und die Hilferufe für echt, legt sich wärmend auf das vermeintliche Opfer der Berge und läßt sich willig den Kognak entwinden.
(BNZ vom 10. 1. 1939)

1 Siehe Nr. 603, Anm. 4.
2 Siehe Nr. 712.
3 NOTRE PAIN QUODITIEN / OUR DAILY BREAD. King Vidor. US 1934.
4 Siehe Nr. 673.
5 Das Kino Le Champollion, auch Champo genannt, wurde 1938 an der Ecke Rue Champollion, Rue des Écoles erbaut und 1939 eröffnet. Es war auf künstlerische und essayistische Filme spezialisiert und wurde später zum Treffpunkt der Nouvelle Vague.
6 EXTASE. Gustav Machatý. CZ / AT 1932.
7 Siehe Nr. 742, Anm. 9.
8 Siehe auch Nr. 749, Anm. 8.
9 Siehe auch Nr. 749.
10 Robert Wiene (geb. 1873) verstarb am 17. 7. 1938. Robert Siodmak führte den Film zu Ende.
11 Zu diesem Film siehe auch Nr. 749.
12 Im Typoskript (KN): »dem letzten, ziemlich einfallsarmen«.
13 Das Komikerpaar Stan Laurel (1890-1965) und Oliver Hardy (1892-1957), das bereits in der Stummfilmzeit auf der Leinwand zu sehen gewesen war, machte in der Tonfilmzeit mit zweiaktigen Kurzfilmen große Karriere. Der körperliche Kontrast zwischen dem zierlichen, weinerlichen Sten und dem dicken, frechen und aufbrausenden Oliver wurde durch ein piepsiges Stimmchen und ein tiefes Brummen oder Grunzen komplettiert. Siehe auch Nr. 803.

751. Französische Spitzenfilme

Filmrez.: HÔTEL DU NORD. Marcel Carné. FR 1938; LA BÊTE HUMAINE. Jean Renoir. FR 1938; TROIS VALSES. Ludwig Berger. FR 1939.

Pariser Alltag – und das Leben geht weiter

HÔTEL DU NORD, *Marcel Carnés* neuer Film, zeichnet sich vor seinem QUAI DES BRUMES[1] zumindest durch die Wahl des Sujets aus: die Fabel kreist nicht wie dort um einen Outsider, um ein fait divers, das Aktion vortäuscht, sondern stellt, dem schönen Roman des zu früh verstorbenen Eugène Dabit folgend,[2] ein Stück Alltag auf humane Weise dar. In einem der ärmeren Pariser Stadtteile gelegen, in denen immer wieder Dramen die idyllische Ruhe unterbrechen, wird das Hotelchen, nach dem der Film heißt, zum Schauplatz einer Reihe von Schicksalen, die sich hier kreuzen, verschlingen und lösen. Filmgerecht wie die Auflokkerung der Handlung ist auch der Verzicht auf ein abschlußhaftes Finale; zuletzt bleibt der Eindruck, daß das Leben so weiter geht. Bei einem solchen Thema hängt selbstverständlich alles von der Schilderung des Milieus ab, und Carnés großes Talent bewährt sich eben darin, daß er die Stadtlandschaft in ein dichtes, sehr spezifisches Lokalkolorit taucht. Räume und Gegenstände hören auf, ein bloßes Dekor zu sein, und spielen wie Lebewesen mit. Da ist das Hotelzimmer, in dem sich die abgebrühte *Arletty* gegen den zum Wrack herabgesunkenen *Jouvet* ereifert und durch ihr Geschimpfe verrät, daß sie noch ein waches Herz hat; da ist die Bank am Kanalufer, auf der Jouvet der lauschenden *Annabella* seine bessere Vergangenheit beichtet, und Annabella selber, die fein und hell wirkt, mit dem charmanten *Aumont* verzweifelt zusammensitzt. Die Fußgängerbrücke, über die dieses junge Liebespaar ins Hotel kommt, um sich das Leben zu nehmen, erhält geradezu den Rang einer Hauptperson. Fortwährend erscheint sie ganz oder im Ausschnitt; so wird der Film gegliedert und zugleich veranschaulicht, daß der Nachdruck nicht auf dem Einzelgeschehen liegt, sondern eher auf der Buntheit der menschlichen Fauna, die das Kanalufer bevölkert. Carné verfährt realistischer als René Clair,[3] aber da auch er das Paris der kleinen Leute gestaltet, können Anklänge und Ähnlichkeiten nicht ausbleiben. Sie sind jedoch vorwiegend durch die Verwandtschaft der Motive bedingt. Besonders deutlich treten sie am Ende auf, gelegentlich der nächtlichen Feier des Quatorze-Juillet vor dem Hotel. In dieser glänzend gebauten Szenenfolge wirbeln noch einmal alle Figuren des Films durcheinander. Der Pistolenschuß, der im Hotelzimmer auf Jouvet abgefeuert wird, vermischt sich, von niemand gehört, mit den Böllerschüssen auf dem illuminierten Festplatz; unbemerkt stiehlt sich der Mörder durch die tanzende Volksmenge davon; Musik und Lärm tönen bis zum Morgengrauen und hallen dem Liebespaar nach, das sich langsam und selig über die Fußgängerbrücke entfernt.

Eine düstere Geschichte und ein großer Regisseur

Jean Renoirs Film: LA BÊTE HUMAINE ist nach dem gleichnamigen Roman von Zola gedreht,[4] einer düsteren Geschichte, die den verheerenden Einfluß der Trunksucht auf die Nachkommenschaft demonstrieren will und nicht weniger als zwei Morde, einen Mordversuch und einen Selbstmord enthält. Wird die Wucht des Films dadurch gesteigert, daß seine Handlung in krassen Effekten gipfelt? Es wiederholt sich hier, was bereits im Zola-Film Feyders: THÉRÈSE RAQUIN[5] zu beobachten war, in dem die Spannung von den beschreibenden Partien ausging, während die Theatercoups abfielen. So muß es auch sein; denn der Natur des Films ist eine Bewegung zugeordnet, die sich fortsetzen läßt, nicht aber eine in sich geschlossene Tragödie, die unabänderlich abbricht. Renoir wäre nicht der Künstler, der er ist, verhielte er sich dem Stoff gegenüber anders als Feyder. Aus dem Wissen heraus, daß die dramatischen Höhepunkte der Fabel nicht die des Films sein können, verkapselt er sie in breiten Schilderungen, die das filmisch oft behandelte Thema der Schienenwelt wieder aufnehmen und eindrucksvoll variieren. Man vergißt nicht leicht die Eisenbahnfahrt auf der Lokomotive nach Le Havre oder den überraschenden Anblick der Bahnhofshallen, die plötzlich hinter dem Dunkel des ihnen vorgelagerten Viadukts auftauchen. Ihre epische Substanz verdanken diese Schilderungen der Erfindungskraft, mit der Renoir innere Zustände optisch zu formulieren weiß. Nur eine Szene von vielen: Roubaux, der Stationschef, holt aus einem Versteck unter der Fußbodenplanke die Uhr, die er dem von ihm ermordeten Liebhaber seiner Frau abgenommen hatte, und geht dann zum Nebenzimmer, um mit Séverine zu sprechen; ohne noch zu ahnen, daß diese erstochen am Boden liegt. Die Zuschauer sehen immer nur seinen Rücken. Bei der Tür angelangt, steht er plötzlich still, und wie er erstarrt dasteht, beginnt die Uhrkette zu schwingen, die ihm von der Hand herabhängt. Und jetzt hört man ihn schluchzen ... Solche Bilder entschädigen für die Morde und Schreie. – Erwähnt sei noch, daß außer *Simone Simon* und *Jean Gabin*, der dem Typus des »bon mauvais garçon« treu bleibt, *Renoir* selber mitwirkt; er steuert als Cabuche eine kleine mimische Sondernummer bei.[6]

Drei Generationen Operette

Dem Film TROIS VALSES liegt die Operette[7] zugrunde, die in der vorigen Saison das Zugstück der Bouffes-Parisiens bildete.[8] Drei Walzer: drei Epochen. Im Zweiten Kaiserreich verzichtet die Tänzerin Fanny auf den Dragonerleutnant von Chalençay, um dessen militärische Karriere nicht zu gefährden; im Jahre 1900 entspinnt sich zwischen den Kindern der beiden eine Liaison, die daran scheitert, daß Fannys Tochter dem Marquis von Chalençay nicht ihre Karriere als Revuediva opfern will; in der Gegenwart endlich erreicht die dritte Generation, was der ersten und zweiten fehlschlug; die Enkel spielen im Film die Rollen ihrer Großeltern und besiegeln im Leben den von jenen nicht geschlossenen Bund. Spezialist von Walzerträumen hat *Ludwig Berger* daraus – unter Benutzung der Musik von Oskar Straus – einen beschwingten, brillant durchrhythmisierten Film geschaffen, der ungleich voller instrumentiert ist als das Urbild.[9] Mit Recht hält sich Berger nicht[10] an die Theaterversion, baut vielmehr, den Bedürfnissen der Filmoperette entsprechend, eine Menge neuer Passagen ein und treibt einen der Bühne versagten Aufwand an Kostümen, Statisten, Szenerien. Zugegeben, daß er sich nicht selten in seiner Verspieltheit gefällt oder auf bekannte Effekte zurückgreift.[11] Das alles geschieht jedoch auf eine liebenswürdige wienerische Art, die gar keine seriösen Absichten hat und der überdies ein paar reizende Szenen gelingen. So das Pferderennen in Anwesenheit des Kaiserpaares, das eine glückliche Vereinigung von gepflegter Natur und elegantem Second Empire darstellt; so die Landpartie der Diva und des Marquis, die sich beide mitten im Grünen längst nicht so ungezwungen benehmen wie im Theater oder Chez Maxime. Stets um die spielerische Auflösung der Realität bemüht, macht Berger von der Chance, daß seine Heldinnen als Stars zwischen Sein und Schein leben, am Schluß einen besonders virtuosen Gebrauch: er läßt die Liebenden, die der Galaaufführung ihres Films beiwohnen, unmittelbar hinter und neben der Riesenleinwand erscheinen, auf der sie vielfach vergrößert vorüberziehen, und kontrapunktiert ihre wirklichen Bewegungen mit denen der Bilder. Die Besetzung der Bouffes ist beibehalten worden.

Yvonne Printemps entwickelt eine fein nuancierte Heiterkeit, die das

Werk großer Routine ist. *Pierre Fresnay* trifft am besten die lebemännischen Allüren des Marquis.
(BNZ vom 14. 2. 1939)

1 Siehe Nr. 740.
2 Eugène Dabit (1898-1936), *L'Hôtel du Nord*. Paris: Denoel 1929; dt.: *Hotel du Nord Paris*. Übers. von Bernhard Jolles. Dresden: Kaden 1931.
3 Siehe Nr. 614.
4 Drehbuch: Jean Renoir, nach Emile Zola, *La Bête humaine* (1890).
5 Siehe Nr. 355.
6 Zu diesem Film siehe auch *Werke*, Bd. 3, S. 217.
7 Im Typoskript (KN): »die entzückende Operette«.
8 Drehbuch: Léopold Marchand und Albert Willemetz; Dialoge: Léopold Marchand und Hans Müller; Musik: Oscar Straus, *Drei Walzer*. Operette in drei Teilen, nach einem Libretto von Paul Knepler und Armin Robinson (UA 1935).
9 Im Typoskript folgt hier der Satz: »Nicht immer zu seinem Vorteil: die schöne Bühnenepisode des Familienrats etwa wird im Film weitgehend zerstückelt. Aber wozu vergleichen.«
10 Im Typoskript: »nicht ängstlich«.
11 Im Typoskript lautet der vorangehende Satz: »Zugegeben, daß er sich nicht selten in leerer Verspieltheit gefällt oder auf altbekannte Effekte zurückgreift, die seit den Tagen von Charells: DER KONGRESS TANZT [siehe Nr. 662] zum eisernen Bestand des Genres gehören.«

752. Wiedersehen mit alten Filmen

[IV.] Abel Gance: zu seinem Film »La Roue«

Die Werke von Abel Gance, die in den frühen Zeiten des Stummfilms einsetzen, sind das Produkt eines ungezügelten Geistes, der wie irgendein Tropengewächs maßlose Wucherungen treibt und sich durch die Sucht nach grandiosen Effekten fortwährend das Konzept verdirbt. Aber wie der Flußschlamm Gold birgt, so finden sich im Unrat, den die Filme von Gance mit sich führen, eine Menge kühner und neuer Formulierungen. Schönheit und Geschmacklosigkeit, echter Gehalt und leerer Schwulst sind in diesem Fall untrennbar aneinander gebunden.
Geschichtlich besonders interessant ist LA ROUE, der berühmte, 1921[1] vollendete Eisenbahnerfilm von Gance.[2] Dieser Film liegt an einem historisch ausgezeichneten Punkt; denn er vereinigt ungeschieden Elemente in sich, die in die Zukunft weisen, und solche, die bereits der Ver-

gangenheit angehören. Seine Eigentümlichkeit besteht eben darin, daß man aus ihm mühelos ablesen kann, woher die Filmproduktion kommt und nach welcher Richtung sie sich entwickelt.
Von der Handlung sei nur gerade angedeutet, daß sie um die Person des Lokomotivführers Sisif kreist, der seine Adoptivtochter Norma liebt und so zum Nebenbuhler seines Sohnes Elie wird, dem zwar das Herz Normas gehört, aber nicht ihre Hand, die sie einem Ingenieur namens Hersan reicht. Gance wäre nicht er selber, unterließe er es, aus diesem Ansatz sämtliche fatalen Konsequenzen zu ziehen: Sisif erblindet, Hersan und Elie bringen sich gegenseitig um und Norma verfällt schließlich dem Irrsinn. Man kann es dem Mädchen nicht einmal verübeln.
Trotz ihrer Erbärmlichkeit dürfte die Fabel mit Stillschweigen übergangen werden, wirkte sich ihr theatralischer Zug nicht in der Art der Gestaltung aus. Der Film ist insofern das Zeugnis einer abgelebten Epoche, als seine Darsteller durchweg Theater spielen. Noch weiß Gance nicht, wie sich Menschen im Film zu äußern haben. Statt die Gestik in der Großaufnahme auf das geringste Maß herabzudrücken, benutzt er umgekehrt die Großaufnahme zur Darbietung mimischer Extrakünste, und so muß das Publikum aus nächster Nähe einem Gebärdespiel beiwohnen, dessen Übertreibungen allenfalls durch die Entfernung der Bühne vom Zuschauerraum gerechtfertigt werden. Mit Ausnahme des Heizers, der aber nur deshalb filmisch gut geraten ist, weil er die Chance hat, eine Nebenfigur zu sein, schwelgen die Beteiligten in Gesichtsgrimassen, die ihren jeweiligen inneren Zustand langwierig und pathetisch vermitteln.[3]
Auch sonst erliegt Gance dem Druck gewisser in Frankreich heimischer Traditionen, die, gleichviel, ob sie auf der Bühne oder in der Malerei Geltung besitzen, den besonderen Forderungen des Films widersprechen. Er arrangiert gern monumentale Bilder: Norma sitzt wie eine Medea da; die Silhouette des alten blinden Sisif, der neben dem Grabkreuz Elies steht, hebt sich, ein Menetekel, vom Himmel ab. Er hat einen ausgesprochenen Hang zum Melodrama: der durch die Eisenbahnkatastrophe zerstörte Lokomotivkessel ist mit Blumen behangen, und das Grauen der menschlichen Tragödie entfaltet sich vor dem der Gletscherwüsten im Hochgebirge. Derlei erscheint heute unerträglich, wo nicht komisch.
Dieses längst verschollene Gebaren geht nun auf höchst erregende Weise

mit Schilderungen zusammen, die nicht fortschrittlicher sein könnten. Schon die Wahl des Eisenbahnermilieus, in dem die Menschen ihr Theater aufführen, ist ein großartiger Griff; hinzu kommt, daß Gance die von ihm für den Film eroberte, nur durch den Film überhaupt erschließbare Umwelt unübertrefflich ausschöpft. Die Schienenlandschaft mit ihren Gleisen, Tunnels, Viadukten, Rauchwolken, Signalen und Zügen durchdringt alle Poren und Ritzen. Sie umgibt Sisifs Gärtchen, zeigt sich von der Lokomotive aus, taucht hinter jedem Zimmerfenster auf, erfüllt die Nacht und den Tag und ersteht ewig neu in einer hinreißenden Flucht von Bildern, deren schönstes die unvergeßliche Einfahrt in den nebligen Pariser Bahnhof ist. Der überwältigende Eindruck, den diese Landschaft hinterläßt, ist einer technischen Virtuosität zu danken, die auch jetzt noch ihresgleichen sucht. Ein Vorläufer wie nur Griffith[4] außer ihm, beherrscht Gance mit souveräner Freiheit die gesamte Klaviatur filmischer Möglichkeiten. Seine Erfindungskraft bewährt sich vor allem auf dem Gebiet der Montage. Mittels des Gebrauchs der verschiedensten Blenden und des unaufhörlichen rhythmischen Wechsels der Distanzen, der Einstellungen und der Lichtverteilung vermag er auszudrücken, was immer er zu sagen wünscht, und es bleibt eine erstaunliche Leistung, wie er durch die Kombination von Bildern senkrecht und waagrecht hingleitender Schienenstränge, des Kesselfeuers der Lokomotive im dunklen Tunnel, des Manometers und mehrerer Gesichter die Fahrt eines Eisenbahnzuges vergegenwärtigt, dessen Schnelligkeit sich zusehends steigert.
In einem seiner frühen kleinen Filme tritt Chaplin als Gehilfe in einem Filmstudio auf, erfolgreich damit beschäftigt, kostümierte Darsteller lächerlich zu machen, die bei der Aufnahme eines historischen Films wie auf der Bühne einherstolzieren.[5] Auch Gance sucht der neuen Kunst ihren Stil zu geben; aber anders als Chaplin, der bewußt mit der Überlieferung bricht, läßt Gance[6] die theatralischen Konventionen in LA ROUE unbewußt fortbestehen. Dieses Werk erhält dadurch seinen einzigartigen Charakter, daß es sich noch einer filmwidrigen Sprache bedient und doch schon den ganzen Sprachschatz des zur Reife gelangten Stummfilms vorwegnimmt.
(BNZ vom 28. 2. 1939)[7]

1 LA ROUE. Abel Gance. FR 1920-1922.
2 Im Typoskript (KN): »[...] der berühmte, 1921 vollendete Eisenbahnerfilm von Gance,

der 2 ½ Millionen Francs gekostet hat und in einer um die Hälfte gekürzten Fassung gezeigt wird, die immer noch zwei Stunden beansprucht.«

3 In den genannten Rollen: Severin-Mars als Sisif, Ivy Close als Norma, Gabriel de Gravone als Elie, Pierre Magnier als De Hersan und Georges Térof als der Heizer Machefer.

4 Zu D. W. Griffith (1875-1948) siehe u. a. Nr. 464 und 549.

5 HIS NEW JOB. Charles Chaplin. US 1915.

6 Im Typoskript: »aber anders als Chaplin, der bewußt mit der Überlieferung aufräumt, läßt er [...].«

7 Zusammen mit Nr. 741, 743, 746 und 756 u. d. T. »En renvoyant des films anciens« wiederveröffentlicht in: *La Vie Intellectuelle* vom 25. 6. 1939, Nr. 3, S. 414-430.

753. Bei G. W. Pabst im Atelier

In Joinville beendigt *G. W. Pabst* zur Zeit einen neuen Film: LA LOI SACRÉE,[1] der in einem Mädchenpensionat spielt, dessen Insassen die unschuldigen Opfer schlechter Ehen sind. Die Kinder wachsen im Pensionat heran, weil ihre Eltern zu Hause in Scheidung liegen. Vor Konflikte gestellt, die sie nicht bewältigen können, brüten dann die jungen Menschen einen phantastischen Plan zur Besserung der Verhältnisse aus ... Der Film scheint mittelbar für die Pflege des Familienlebens plädieren zu wollen.

Es ist ein artistisches Vergnügen, einen so erfahrenen Regisseur wie Pabst bei der Arbeit im Atelier zu beobachten. Hier hat er es in der Hauptsache mit sechzehnjährigen und noch jüngeren Mädchen zu tun, die zum erstenmal filmen. Man muß gesehen haben, wie er dieses übrigens scharmante Rohmaterial in Form bringt: statt autokratisch vorzugehen, sucht er vom Eigenleben der Mitwirkenden so viel als möglich zu bewahren. Er diktiert nicht; er übt lange Strecken hindurch die Kunst des Zuwartens aus, und manchmal ist es nicht anders, als ob sich das Chaos, das vor allem beim Aufnahmebeginn der Ensembleszenen herrscht, rein aus innerem Antrieb lichtete. Je mehr sich eine solche Szene gestaltet, desto präziser müssen die Regieangaben werden. Doch auch jetzt, wo es einzelne Gesten und Blicke zu regulieren gilt, holt Pabst durch geschickten Zuspruch das Verlangte scheinbar aus den halben und ganzen Kindern selber heraus. Indem er derart verfährt, trägt er bewußt der Tatsache Rechnung, daß der Filmregisseur zum Unterschied

vom Theaterregisseur die größte Freiheit bei der Rollenbesetzung hat; wenn aber die Menschen zweckentsprechend gewählt sind, ist es nur konsequent, ihnen auch den nötigen Spielraum zu gönnen. So können die Kinder ein gut Teil Unbefangenheit beibehalten; obwohl sie doch genau darauf achten müssen, daß sie nicht die Kreidestriche übertreten, durch die ihre jeweiligen Positionen bezeichnet werden.
Zweifellos erleichtert es diese kundige Regie den Mädchen, sich in die ungewohnten Pflichten des Metiers zu schicken. Dennoch bleibt die Intelligenz erstaunlich, mit der sie jede Anweisung auffassen, die Selbstverständlichkeit, mit der sie zehnmal, wenn nicht häufiger, auf Kommando Heiterkeit mimen, betreten dastehen oder irgendein Gespräch miteinander führen. Ein drolliges, höchstens achtjähriges Mädchen, das im Atelier auf den Übernamen »Trait d'union«[2] hört, verfügt über eine Vitalität, die sich während der Pausen kaum bändigen läßt; ertönt aber der Ruf: »Silence! On tourne!«, so entledigt sich das Kind seiner Aufgabe mit der Disziplin eines Erwachsenen. Ob alle Mitglieder der kleinen Gruppe besondere Talente sind? Es mag auch sein, daß die ungeheure Verbreitung des Films die Fähigkeit dieser Art Spiel schon vom frühen Alter an begünstigt.
Immer wieder zeigt sich im Atelier, daß ein Film durch echte Kollektivarbeit zustande kommt. Sicherlich ist die endgültige Entscheidung stets beim Regisseur, der die Ausführung des Drehbuchs zu leiten und zu überwachen hat. Aber viele Kräfte müssen zusammenwirken, um auch nur eine Passage von ein paar Metern Länge erschöpfend zu realisieren, und die Kunst des Filmregisseurs besteht nicht zuletzt darin, daß er seine Mitarbeiter zur Entwicklung dieser Kräfte anregt. Pabst weiß alle Beteiligten dadurch produktiv zu machen, daß er ihnen eine gewisse Unabhängigkeit einräumt und gern ihre Vorschläge erörtert. Die Assistenten, der Operateur, der Dialogdirektor[3] greifen aus eigener Initiative ein, und man kann auch erleben, daß Frau Moreno im Lauf der Repetitionen ihrer Partnerin, einer jungen Debütantin, erklärt, wie sie sich frei sprechen könne. So ist es beim Filmen in der Ordnung; denn im Film taucht fast durchweg der Alltag auf, dessen getreue Widerspiegelung eine Fülle von Erfahrungen voraussetzt, die noch am ehesten einem Kollektiv zu Gebote stehen.
(BNZ vom 28. 3. 1939)

1 LA LOI SACRÉE lautete der Premieren-Titel von JEUNES FILLES EN DÉTRESSE. G. W. Pabst. FR 1939.
2 Frz.: Bindestrich.
3 Regieassistenten: Jacqueline Audry und André Michel; Drehbuch: Christa Winsole; Dialoge und Adaption: Jean-Bernard Luc und Tristan Bernard; Kamera: Michel Kelber und Marcel Weiss.

754. Pariser Filmbrief

Filmsammelrez.: LES SENTINELLES DE L'EMPIRE. Jean d'Esne. FR 1938/39; TROIS DE SAINT-CYR. Jean-Paul Paulin. FR 1938; LA FRANCE EST UN EMPIRE. Prod. Société Ciné-Reportages. FR 1939; LES OTAGES. Raymond Bernard. FR 1939; JE T'ATTENDRAI (LE DÉSERTEUR). Léonide Moguy. FR 1939; J'ÉTAIS UNE AVENTURIÈRE. Raymond Bernard. FR 1938.

Seit einiger Zeit mehren sich in Paris die Kinos mit auffallender Schnelligkeit. Ein Bauzaun ragt hoch, dann schießt ein Vordach heraus, und noch ein wenig später ist wieder ein Kino eröffnet. Trotz der hohen Steuerlasten scheint sich die Sache zu lohnen. Die meisten Neugründungen sind kleinere Säle zu billigen Eintrittspreisen und mit Programmen, die von Mittag bis Mitternacht ununterbrochen laufen und in der Regel nur einen Spielfilm bringen. Der Typus des *Cinéma permanent* beginnt hier ersichtlich das System der in sich abgeschlossenen Vorstellungen zu verdrängen. Offenbar entspricht dieser Typus mächtigen Bedürfnissen. Um davon zu schweigen, daß sich in einer Weltstadt wie Paris immer genügend Leute finden, die der Lust, ein Kino zu besuchen, frönen können, so wird das Verlangen, sich zu entspannen, durch die dichte Folge der Krisen nur noch verdoppelt. Das Cinéma permanent ermöglicht es aber den Menschen, ihren Drang nach Ablenkung zu jeder beliebigen Tageszeit auf die bequemste Art zu befriedigen. Es ist eine optische Zerstreuungsbar: man betritt und verläßt ein solches Kino tatsächlich nicht anders als irgendein Bistro, an dessen Comptoir man im Vorübergehen einen Apéritif trinkt.
Die politische Situation fordert auch im Film ihr Recht. Während der letzten Monate sind eine Reihe von Filmen aufgetaucht, in denen die militärische Stärke Frankreichs und die Größe seines Kolonialreiches vergegenwärtigt werden. Hierher gehören LES SENTINELLES DE L'EMPIRE und TROIS DE SAINT-CYR, ein patriotischer, mit Unterstützung der Ar-

mee hergestellter Spielfilm, der die Erziehung der zukünftigen Offiziere schildert und ihrer drei nach vollendeter Ausbildung auf vorgeschobenem Posten in Syrien zeigt. Die *Société Ciné-Reportages*, die schon SOMMES NOUS DÉFENDUS?[1] herausgebracht hat, bereitet zurzeit den dokumentarischen Film LA FRANCE EST UN EMPIRE vor. Zwei andere jetzt erschienene Filme – LES OTAGES und *Léonide Moguys* Film: LE DÉSERTEUR,[2] der den sonderbaren Landstrich zwischen Front und Hinterland eindrucksvoll schildert – sind insofern dieser Gruppe zuzurechnen, als sie die Atmosphäre des Weltkriegs heraufbeschwören. Man muß etwa den übrigens glänzend gemachten italienischen Film L'ESCADRON BLANCHE[3] gesehen haben, um die spezifischen Züge des *französischen Militärfilms* zu ermessen: der Soldat behält in ihm seinen individuellen Charakter bei, und die militärischen Tugenden schließen die bürgerlichen keineswegs aus. – Daneben gedeihen selbstverständlich die üblichen Filmgattungen weiter fort. Ein reizender Hochstaplerfilm ist J' ÉTAIS UNE AVENTURIÈRE mit der intelligenten *Edwige Feuillère*. Auf *Duviviers* LA FIN DU JOUR wird noch zurückzukommen sein.[4]

In einigen Pariser Blättern ist unlängst eine Kampagne gegen die *übertrieben hohen Gagen* eingeleitet worden, die der Produzent so manchen jungen weiblichen Publikumslieblingen nur deshalb gewähren muß, weil sie nun einmal – nicht so sehr durch Talent als durch propagandistische Tätigkeit – zum Rang von Stars aufgerückt sind. Die Schuld hieran, heißt es in einem der Artikel, liege hauptsächlich beim Filmvertrieb, der sich auf abgestempelte Namen versteife, auch wenn diese künstlich aufgebauscht seien. Daß die an sich verdienstliche Kampagne zu einem Erfolg führen wird, ist nicht zu erwarten. Denn sie greift einen Mißstand an, der kaum mehr als ein Symptom ist und erst beseitigt werden könnte, wenn sich die Verhältnisse änderten, die ihn bedingen. Außerdem winkt in der Ferne immer noch Hollywood.

Man hat neuerdings in Paris nach amerikanischem Muster eine unabhängige *Filmakademie* geschaffen, der die Aufgabe zufällt, die in- und ausländische Produktion nach verschiedenen Gesichtspunkten zu prüfen und ihre Spitzenleistungen alljährlich zu prämieren.[5] Zwei Gremien liegt die Entscheidung ob: das eine umfaßt hervorragende Filmkünstler und -techniker, das andere prominente Vertreter französischer Kunst, Wissenschaft, Literatur. Die Mitglieder der Akademie werden die Mög-

lichkeit erhalten, viele nicht in Frankreich vorgeführte Filme aus eigener Anschauung kennen zu lernen.
(BNZ vom 11. 4. 1939)

1 SOMMES NOUS DÉFENDUS? Jean Loubignac. FR 1938.
2 Siehe auch Nr. 755.
3 SQUADRONE BIANCO. Augusto Genina. IT 1936.
4 LA FIN DU JOUR. Julien Duvivier. FR 1938/39; eine spätere Filmrezension von Kracauer ist nicht bekannt. Nach diesem Satz folgt im Typoskript (KN) ein Absatz, der im BNZ-Druck gestrichen wurde: »Abel Gance gab vor kurzem der Presse die Gelegenheit, Einzelheiten über sein Projekt eines Columbus-Films zu erfahren. ›Warum ich diesen Film drehe?‹, erklärte er. ›Weil das Kino vor allem dazu dient, Helden auferstehen zu lassen. Seine Lehrgegenstände sind Energie, Erhebung und jener Mut, den die ganze heutige Menschheit so dringend benötigt.‹ Wenn die Zeitungsmeldungen stimmen, nach denen Gance auch einen Film über die Pariser Haute couture plant, dürfte er selber mit der Realisierung dieses Vorhabens am wirksamsten die Einseitigkeit seiner Definition enthüllen. Was den Columbus-Film betrifft, so werden demnächst die Außenaufnahmen an den historischen Stätten in Spanien und, wenn möglich, in Italien beginnen. Die erste Kopie des Films wird an Bord einer getreuen Nachbildung der ›Santa Maria‹, des Schiffes von Columbus, ihren Einzug in New York halten, wo sie im Rahmen der Weltausstellung vom Stapel laufen soll.« Das Columbus-Projekt von Gance wurde begonnen, aber nicht fertiggestellt.
5 Als Reaktion auf die Einflußnahme der faschistischen Regierung Italiens auf das Filmfestival in Venedig (siehe Nr. 742, Anm. 5) entschied die französische Regierung, 1939 ein internationales Filmfestival in Cannes auszurichten, und beauftragte die Association Française d'Action Artistique mit dessen Organisation. Das erste Festival sollte unter der Präsidentschaft Louis Lumières vom 1. bis 20. September 1939 stattfinden, wurde wegen des Kriegsausbruchs jedoch kurzfristig abgesagt.

755. Der Deserteur

Filmrez.: LE DÉSERTEUR. Léonide Moguy. FR 1939.

*Léonide Moguy*s neuer Film LE DÉSERTEUR[1] spielt am Ende des Kriegs, dicht hinter dem Operationsgebiet. Die Handlung setzt, filmisch sehr geschickt, mit der Fahrt eines Truppentransportzugs zur Front ein. Da eine feindliche Fliegerbombe die Schienen zerstört hat, hält der Zug auf freier Strecke; unweit eines Dorfes, in dem Paul, einer der mitfahrenden Soldaten, beheimatet ist. Hier lebt als Magd in seinem Elternhaus die von ihm angebetete Marie, und Marie hat seit langem die Briefe Pauls unbeantwortet gelassen. Der erbettelt sich für die kurze Dauer der Reparaturarbeiten Urlaub und läuft ohne Helm und Tornister ins Dorf, wo er von seiner Mutter einsilbige Auskünfte über Marie erhält und von dieser selber, die jetzt in einer Soldatenkneipe die Gäste bedient, unfreundlich abgefertigt wird. Was ist geschehen? Es ist so viel geschehen, daß Paul im Bemühen, den Sachverhalt aufzuklären und die Geliebte wiederzugewinnen, seinen Urlaub überschreitet und dadurch in die peinlichste Situation gerät. Doch den etwas breit angelegten Konflikten zwischen Paul, seiner Mutter und Marie zu folgen, verlohnt sich um so weniger, als die eigentliche Spannung nicht von ihnen, sondern von einigen Schilderungen ausgeht, die sich unabhängig von der Aktion im engeren Sinne entfalten. Mit hervorragender Umsicht ist vor allem die Etappenlandschaft vergegenwärtigt. Tragen zu ihrer Kennzeichnung schon die immer neu eingeschalteten Bilder der Schienenstränge und des mitten im Wald stillstehenden Zuges bei, so wird sie erschöpfender noch durch die Nebeldünste charakterisiert, die aus dem Boden aufsteigen, über die Schienen hinwehen, die Flieger umdampfen und fortwährend das Dorf durchstreichen; es ist, als verkörpere sich in den Nebeln die Melancholie, von der diese Zone befallen ist. Nicht minder bildhaft ist der Bann dargestellt, der über dem Dorf liegt: alte Leute, die aus der Kirche kommen, gehen beziehungslos an fremden Soldaten vorbei, die Schuhe versinken auf dem leeren Platz im Morast, und Leben herrscht nur in der von Urlaubern überschwemmten Kneipe – ein durchaus improvisiertes Leben aber, das nichts mit dem des Dorfes gemein hat und jeden Augenblick abbrechen kann. Aus der Summe dieser sorgfältig vermerkten Unstimmigkeiten ersteht zum Greifen deutlich jener verwunschene Landstrich an der Grenze des Kriegs. Auch die Szene der Rückkunft des Sohnes ins Elternhaus enthält schöne Beobachtungen. Nachdem Paul sich vergewissert hat, daß niemand zu Hause ist, eilt er die Treppe hinauf in sein Zimmer, in dem er zuerst wie ein Besucher das alte Schmetterlingsnetz mustert und sich dann enttäuscht mit der schwarzen Katze aufs Bett setzt; im Anschluß an diese paar kleinen Handlungen wird er aber wieder so tief in sein früheres Dasein hineingerissen, daß er, als sei er eben von der gewohnten Tagesarbeit heimgekehrt, mechanisch den Rock auszieht und sich Wasser in die Waschschüssel gießt. Solche Schilderungen, die von der starken Begabung

Moguys zeugen, erfüllen eine der wesentlichsten Aufgaben des Films überhaupt; denn sie machen scheinbar nebensächliche Dinge und Umstände sichtbar, deren Einfluß auf das, was uns Ereignis oder Schicksal heißt, indessen nicht überschätzt zu werden vermag. – Hinzugefügt sei noch, daß Jean-Pierre Aumont und Corinne Luchaire ein sympathisches Liebespaar sind.
(Typoskript aus KN, 27. 4. 1939)[2]

1 Siehe auch Nr. 754.
2 Auf dem Typoskript hat Kracauer maschinenschriftlich notiert: »S. Kracauer, Paris (17e). 3, Av. Mac-Mahon / Für die *neue zürcher* z. 27. IV. 1939«; eine Veröffentlichung konnte bislang nicht nachgewiesen werden.

756. Wiedersehen mit alten Filmen

V. Der expressionistische Film[1]

Die sogenannten »expressionistischen« deutschen Filme – ihre Ära beginnt nach dem Krieg und endigt ungefähr 1923 – veranschaulichen eine von Wahnvorstellungen und Spukgestalten bevölkerte Welt. Das berühmteste Werk dieser Gruppen, der CALIGARI-Film Wienes (1919),[2] ist die Geschichte eines Irren, der sich einbildet, seine Braut sei im Auftrag eines unheimlichen Arztes vom Somnambulen Cesare entführt worden – eine Geschichte, in der sich Mordaffären mit Jahrmarktsbelustigungen mischen, die selber düster wie Morde sind. Fritz Lang, Murnau, Paul Leni und andere haben Filme ähnlicher Richtung gedreht.[3] Gemeinsam ist ihnen, daß sie sich in einer völlig irrealen Sphäre abspielen und keine Möglichkeit ungenutzt lassen, die Grauen erzeugen könnte. Grauen entsteht etwa durch sonderbare Schatten; daher kündigen Schatten in CALIGARI das Nahen des Mörders mit seinem langen Messer an und brauen sich in Robisons SCHATTENSPIELER[4] so dicht zusammen, daß sie greifbarer wirken als die Menschen im Umkreis der Kerzen. Auf der Suche nach solchen Motiven bemächtigen sich die expressionistischen Filme mit Vorliebe alter Sagen- und Legendenstoffe: der Tod tritt in ihnen leibhaftig auf, Vampire und Gespenster treiben ihr Unwesen, und immer wieder geistert es über die Treppen oder durch die Türen verwunschener Schlösser. Hierher gehört auch der GOLEM,[5] in dem Paul Wegener die Fratzen und Erleuchtungen des mittelalterlichen Ghettos beschwört.

Die Angst, die sich in diesen Filmen vergegenständlicht, ist begreiflich genug. Man hat den Schock des verlorenen Kriegs in den Knochen, der Krieg im Innern schwelt weiter, die Inflation ruiniert das kleine und mittlere Bürgertum, und je unaufhaltsamer sie wächst, desto mehr breitet sich ein Gefühl heilloser Lebensunsicherheit aus. Gibt es überhaupt noch eine Realität, mit der zu rechnen wäre? Was uns Alltag heißt, ist dahin; die festen Zäune, die früher das Dasein begrenzten, sind zerstört. Alles Äußere scheint zum Chaos geworden zu sein, zu einem bösen Traum, der wie ein Albdruck auf der Bevölkerung lastet.

Nicht nur in den Filmen, auch in den Theaterstücken, Bildern und literarischen Produkten der Zeit wird dieser Albdruck auf eine Art gestaltet, die dem Umstand zuzuschreiben ist, daß die deutschen Bildungsschichten seit jeher wenig Neigung verspürt haben, sich nüchtern mit der gesellschaftlichen Realität auseinanderzusetzen. Sie sind der westlichen Aufklärung ausgewichen; sie haben weder einen Balzac noch einen Dickens hervorgebracht. Im Einklang mit dieser traditionellen Haltung verzichten die Expressionisten von vornherein darauf, das äußere Chaos zu durchdringen und den profanen Gründen der von ihnen erlittenen Qualen nachzufragen, helfen sich vielmehr damit, daß sie die eigene Seele als die Ursache der Qualen begreifen. Die Seele gilt ihnen alles, und statt dem bösen Traum der Außenwelt auf den Leib zu rücken, stempeln sie das Sichtbare vollends zum Gegenbild innerer Erschütterungen. So geschieht zwar nichts gegen die Misere; aber die Misere wird doch geadelt. Denn sie entstammt einer aufgewühlten Seele, die ihre Größe dadurch bekundet, daß sie sich vom Gipfel ekstasischer Entzückung in die Tiefen der Hölle hineindehnt. Und ihren Schwingungen Bedeutung zu verleihen, fällt dem expressionistischen Künstler desto leichter, als er an die Romantik und an mythologische Vorstellungen anknüpfen kann, die sich in Deutschland lebendig forterhalten haben.

Sämtliche deutschen Filme der ersten Nachkriegsjahre schwelgen in der

Pathologie der Seele und ersetzen zugleich die Umwelt, die gewohnte sowohl wie die ungewohnte, durch Bilder, die, jede vom Ich unabhängige Umwelt negierend, eine Ausgeburt der Seele selber zu sein scheinen. Das Dekor des CALIGARI gemahnt an eine Folge von Irrenzeichnungen, und die Bastionen, Gemächer und Hausfassaden, die Poelzig für den GOLEM errichtet, sind von beflissener Absurdität – eine Architektur im Zerrspiegel, der es lediglich darauf ankommt, exzentrische Gemütszustände zu versinnlichen.[6] Die Absicht, Räume aufzureißen, die seelische Manifeste sind, wird gerade im GOLEM drastisch unterstrichen: seine Schlußszene spielt vor der Stadtmauer, auf einem banalen Stück Allee, dessen Alltäglichkeit den imaginären Charakter der Ghettowelt nur noch steigert. – Diesen festgeronnenen Halluzinationen entspricht eine streng stilisierte Gestik. Kraft ihrer Stilisierung sollen aber die Gebärden bezeugen, daß der Darsteller nicht etwa durch irgendwelche äußeren Einflüsse, sondern rein von innen her bewegt wird. Sie verabsolutieren die Leiden und Wonnen, deren Ausdruck sie sind. Noch in Karl Grunes STRASSE (1923),[7] einem Werk, das bereits deutlich den Hang zum Realismus verrät, kommt Eugen Klöpfer, der Held, wie ein Mondsüchtiger daher; wodurch er der Meinung Vorschub leistet, die nächtliche Straße sei lediglich von ihm zusammengeträumt, oder besser: sie sei sein »Erlebnis«, wie das Modewort damals hieß. Es ist, als durchschritten die Menschen ein Vakuum, in dem sie immer nur ihren eigenen Gesichten begegnen.

Der expressionistische Film hat die Welt in Erstaunen versetzt, ja, ihre Bewunderung erregt; aber obwohl die Kermess im CALIGARI noch heute eine gewisse Faszinationskraft ausübt und die Nahaufnahmen der im Gebet sich zurückbeugenden alten Juden des GOLEM-Films nichts von ihrer Schönheit verloren haben, ist er eine vereinzelte Erscheinung geblieben, der keine Nachfolge beschieden war. Sein Outsidertum rührt daher, daß er sich auf Grund einer zeitgebundenen Mentalität die äußeren Dinge fernhält. So gewiß es zu den entscheidenden Aufgaben des Films gehört, endlos in der Außenwelt zu vagabundieren, um in ihr Entdeckungen zu machen oder mit ihr zu spielen, ebenso gewiß dürfen die Filme vom Schlag des CALIGARI nur in übertragenem Sinn Filme heißen. Ihr Gebrechen ist nicht, daß sie mit Dekorationen arbeiten; es besteht darin, daß die Dekorationen bewußt irreal sind, daß sie den Anspruch darauf erheben, Aussagen der exaltierten Seele zu sein. Die expressionistischen Dekorationen sind künstliche, mit Bedeutung geladene Bilder, die als solche betrachtet zu werden verlangen, und die Verpflichtung der Kamera ihnen gegenüber erschöpft sich darin, sie zu photographieren. Den Bildern durch seine Dazwischenkunft ein neues Geheimnis entlocken, kann der Aufnahmeapparat nicht. Sind sie überhaupt dem Film zugeordnet? Der wahre Ort dieser Dekorationen ist das Theater, und von denen des CALIGARI schreibt eine Kennerin wie Iris Barry mit Recht: »Sie sind nicht spezifisch filmisch, und tatsächlich findet sich in dem Film kaum etwas, das nicht genau so auf der Bühne hätte dargestellt werden können.«[8] – Auch die Gebärdensprache ist so absichtsvoll, daß ihr das Eingreifen der Kamera nichts Neues hinzuzufügen vermag. Theaterschauspieler mimen zwischen Kulissen. Und die Sensationen, die der expressionistische Film vermittelt, kommen weniger durch ihn selber zustande als durch die Eigentümlichkeiten der von ihm vorgeführten Kulissen und Gesten; was nicht zuletzt daraus hervorgeht, daß er weder Tricks verwendet noch die Montage belastet.

Ist der Caligarismus – das Wort stammt aus Frankreich – eine Verirrung gewesen, so eine, die sich als äußerst fruchtbar erwiesen hat. Indem jene Filme den Alltag meiden und eine phantastische, vom Ich selbstherrlich herausgesetzte Welt zeigen, regen sie zur Frage an, ob sich nicht *das Phantastische auch und gerade im Alltag* entdecken lasse. Sie [werfen][9] dieses Problem nicht nur auf, sondern leiten dadurch mittelbar zu seiner Lösung hin, daß sie den Menschen in einen imaginären Raum verpflanzen. Seiner Umgebung entrissen, befreit er sich vom Zwang konventioneller Bindungen, und wenn er sich wieder der äußeren Realität zuwendet, hat er die nötige Distanz zu ihr gewonnen, um sie hemmungslos durchstrolchen und dabei die willkürlichsten Einstellungen benutzen zu können. Den Expressionisten ist die Lockerung der Kamera und, im Zusammenhang hiermit, die Erschließung unbekannter Aspekte der Realität zu danken. Fortan achtet man auf fremdartige und unheimliche Details und wertet vor allem die verwandelnde Kraft der Beleuchtung aus, die bei der Erzeugung des Scheins von Gesichten eine so große Rolle gespielt hat. Besonders stark wirkt der expressionistische Film in Deutsch-

land selber nach. Schon Grune weiß in der STRASSE durchaus filmische Folgerungen aus ihm zu ziehen; so dort, wo er das Spiel der von der Straße hereindringenden Lichter und Schatten auf der Zimmerdecke schildert – ein Anblick, der den Helden dazu bestimmt, seine Häuslichkeit zu verlassen und das Abenteuer der Straße zu bestehen. Effekte, die im CALIGARI die magische Gewalt der Seele dartun sollten, sind hier aus einem Allerweltsniveau herausgeholt. Nach 1923 weicht dann die Panik; die vorangegangenen Bildphantasien werden als Bühnenstaffagen durchschaut, die stilisierten Gebärden als Krampf. Im Gefolge von Murnaus Film DER LETZTE MANN (1924)[10] tauchen jetzt in Deutschland Filme auf, die, erst durch den Expressionismus ermöglicht, mittels einer vollkommen beweglich gewordenen Kamera, die Umwelt erobern. Sie photographieren nicht gemalte Halluzinationen, sondern enthüllen, daß jedes beliebige Ding zur Halluzination werden kann; sie vernachlässigen nicht das Äußere um seelischer Ereignisse willen, sondern vergegenwärtigen, wie das Äußere diesen antwortet.
(BNZ vom 2. 5. 1939)[11]

1 Der Text ist als einziger aus der Reihe »Wiedersehen mit alten Filmen« numeriert.
2 DAS KABINETT DES DR. CALIGARI. Robert Wiene. DE 1919.
3 Siehe *Werke*, Bd. 2.1, Kap. 5 und 6.
4 SCHATTEN. EINE NÄCHTLICHE HALLUZINATION. Arthur Robison. DE 1923; siehe auch *Werke*, Bd. 2.1, Kap. 9.
5 DER GOLEM. Henrik Galeen. DE 1914.
6 Die Bauten zu CALIGARI stammen von Hermann Warm, Walter Reimann und Walter Röhrig, die Bauten zu DER GOLEM von Rochus Gliese (nach einem Entwurf von Hans Poelzig).
7 Zu diesem Film siehe auch Nr. 32, 33 und 94 sowie *Werke*, Bd. 2.1, Kap. 10, Bd. 3, S. 131, und Bd. 5, Nr. 239.
8 Das Zitat stammt aus Iris Barrys *Reviews of and Commentaries on Film* für die Film Library des Museum of Modern Art, Program Notes, Series III, program 1 (siehe *Werke*, Bd. 2.1, Kap. 5, Anm. 30); zu Iris Barry siehe Nr. 736, Anm. 13.
9 Korrektur d. Hrsg. nach dem Typoskript (KN). Im BNZ-Druck: »werten«.
10 Siehe Nr. 80.
11 Zusammen mit Nr. 741, 743, 746 und 752 u. d. T. »En renvoyant des films anciens« wiederveröffentlicht in: *La Vie Intellectuelle* vom 25. 6. 1939, Nr. 3, S. 414-430.

757. Frank Capra

Filmrez.: VOUS NE L'EMPORTEREZ PAS AVEC VOUS / YOU CAN'T TAKE IT WITH YOU. Frank Capra. US 1938.

Der Film YOU CAN'T TAKE IT WITH YOU, der in Paris Entzücken erregte, ist das Werk eines Regisseurs, dessen Entwicklung einen nicht uninteressanten Verlauf genommen hat. Man erinnert sich noch seines anmutigen Lustspiels NEW YORK-MIAMI,[1] das die Lubitsch-Komödie an Frische der Beobachtung übertrifft.[2] Capras Stärke sind die unscheinbaren,[3] oft heiteren Zwischenfälle, die unser zivilisiertes Leben mit sich bringt. Er verwandelt die nächtliche Fahrt im Autocar in ein unerhört spannendes Ereignis und bestrickt durch die Schilderung der an sich banalen Auftritte, die sich morgens nach dem Erwachen der Passagiere im Camp abspielen. Mit dem Sinn für die Bagatelle, ohne die ein Film kein Film wäre, verbindet Capra die gleiche ursprüngliche Neigung zum Witz, zur Satire.[4] Schon sein Film LADY FOR A DAY[5] hat eine stark soziale Note: die arme Apfelfrau Annie wird durch die wunderbare Hilfe eines abergläubischen Gangsters instand gesetzt, für die Dauer des Besuchs ihrer in Europa lebenden Tochter die vornehme Lady zu mimen, als die sie sich in ihren Briefen an das mit einem echten Grafen verlobte Mädchen ausgegeben hat. Ein Märchen im Material der Gesellschaft. Sein Zauber rührt nicht zuletzt daher, daß es die gesellschaftlichen Zustände umspielt, ohne sie in ein falsches Licht zu rücken.[6] Nun folgen Filme, die gewichtiger daher zu kommen suchen. In THE EXTRAVAGANT MR. DEEDS[7] begnügt sich Capra nicht mit Aperçus über das Bestehende, sondern ergreift selber Partei, und es trifft sich gut, daß er seinen Helden Gary Cooper eine sympathische Sache vertreten läßt.[8] Wohlgemerkt, der Wert dieses Films beruht nicht so sehr auf seiner sozialen Gesinnung als vielmehr darauf, daß in ihm eine zu bejahende Gesinnung ganz Film geworden ist. Glaubt Capra selber, daß die Fabel als solche einem Film Bedeutung verleihe? Jedenfalls begeht er mit LOST HORIZONS[9] den Mißgriff, sich unter die Regisseure reihen zu wollen, die Ideen verfilmen.[10] Über seinem Verlangen nach gehobenen Stoffen hat Capra eine Zeitlang vergessen, daß er noch mehr als andere auf Themen angewiesen ist, die ihm die Häufung greifbarer Zwischenfälle ermöglichen. Eine Zeit lang: denn

zum Lobe seines letzten Films YOU CAN'T TAKE IT WITH YOU ist zu sagen, daß er sich wieder in dem Milieu entrollt, in dem Capra zu Hause ist. Der Film wimmelt von charmanten Einfällen, belastet, wie es sich für einen guten Film gehört, die kleinen Äußerlichkeiten und ist leitmotivisch glänzend durchgearbeitet. Das hindert nicht, daß er einen bitteren Nachgeschmack hinterläßt. Schuld daran trägt sein Thema. Es ist, als sei Capra durch den Fehlschlag seines Höhenflugs zur Resignation und noch über die Resignation hinaus zur Abkehr von seiner früheren, eher fortschrittlichen Haltung getrieben worden.[11]
(NZZ vom 11. 6. 1939)

1 Französischer Verleihtitel für IT HAPPENED ONE NIGHT. Frank Capra. US 1933/34.
2 Im Typoskript (KN): »[...] das leicht ist wie eine Lubitsch-Komödie und sie an Frische der Beobachtung übertrifft.«
3 Im Typoskript: »Capras Stärke, so bewies jener Film, sind die unscheinbaren [...].«
4 Im Typoskript folgen hier die beiden Sätze: »Die Gegenstände und Situationen, die er arrangiert, sind von Anfang an Randglossen in Form von Bildern. Es ist verständlich, daß sich ein so gerichteter Geist zur Einbeziehung der gesellschaftlichen Verhältnisse gedrängt fühlt.«
5 LADY FOR A DAY. Frank Capra. US 1933.
6 Im Typoskript: »[...] ohne sie in ein falsches Licht zu rücken: die Armut bleibt das Malheur, das sie ist, und die Annehmlichkeiten des Reichtums werden nicht geleugnet. – Nun folgen Filme [...].«
7 Gemeint ist: MR. DEEDS GOES TO TOWN, siehe Nr. 725.
8 Im Typoskript folgt hier der Satz: »Hier realisiert er vielleicht das Maximum seiner Möglichkeiten: er komponiert aus lauter filmgerechten Zwischenfällen eine Handlung, die einen honetten Menschen auf der richtigen Seite zeigt.«
9 Der Filmtitel lautet: LOST HORIZON, siehe Nr. 726.
10 Im Typoskript folgen hier die Sätze: »Capra übernimmt sich dabei; vor allem merkt er nicht, daß es gar nicht gelingen kann, einer utopischen Stätte wie der von ihm gemeinten jenen Wirklichkeitscharakter zu schenken, der allein im Film zu interessieren vermag. Idealische Gestalten wallen in dieser Oase, die irgendwo in den Gletscherwüsten Asiens liegen soll, zwischen Studio-Dekorationen dahin, und es ist völlig in Ordnung, daß kein einziges Detail auftaucht, das den blutleeren Freitreppen, Figuren und Sälen filmisches Leben einflößte.«
11 Im Typoskript folgen hier als Schlußsätze: »Statt wie in LADY FOR A DAY die Armut ehrlich als einen nicht eben erwünschten Zustand anzusetzen, huldigt er [Capra] im neuen Film der Auffassung, daß, genau betrachtet, die Reichen auf der Schattenseite des Lebens vegetieren und wahrhaft glücklich nur die Armen oder doch zum mindesten die Bohémiens sind, die wie die Lilien auf dem Felde blühen. Mitunter wird es so sein; aber Capra macht daraus eine Art Trostphilosophie für die Armen zurecht, und es muß immerhin festgestellt werden: die kämpferischen Argumente von Mr. Deeds verraten mehr Aufgeschlossenheit und mehr sozialen Sinn als die faulen Schlüsse, die Mr. Vanderhof, der

Held von YOU CAN'T TAKE IT WITH YOU, aus der unbestreitbaren Tatsache zieht, daß niemand sein Geld mit ins Grab nehmen kann. – Glücklicherweise ist Capra eine bewegliche Natur, der es nicht schwer fallen wird, zu Motiven zurückzufinden, die seinem großen Talent angemessener sind.«

758. Pariser Filmbrief

Filmsammelrez.: LA BELLE ÉQUIPE. Julien Duvivier. FR 1936; LE DERNIER TOURNANT. Pierre Chenal. FR 1939; ENTENTE CORDIALE. Marcel L'Herbier. FR 1939; LA BOUTIQUE AUX ILLUSIONS. Jacques Séverac. FR 1939.

Untrügliches Zeichen der Sommermonate: in den Kinos mehren sich ältere Filme. So tauchte der heute nur noch selten gezeigte Film LA BELLE ÉQUIPE auf, ein Werk von Duvivier, das zu einem lehrreichen Vergleich mit seinem später in Hollywood gedrehten Strauß-Film THE GREAT WALTZ[1] herausfordert. Die von Jean Gabin geführte »belle équipe« besteht aus fünf Burschen am Rand der Pariser Kleinbürgerwelt, die das Geld, das sie in der Lotterie gewinnen, zur Gründung eines ländlichen Ausflugsortes verwenden, vor dessen Eröffnung sie aber einige empfindliche Schicksalsschläge erleiden. Spürbar von René Clair beeinflußt, hat Duvivier dieses traurig-heitere Stück Leben zärtlich erfaßt und mit einer rhythmischen Beschwingtheit wiedergegeben, die vor allem durch die wunderbaren Jonglierkünste der Kamera zustande kommt.[2] Nicht so, als ob sein Strauß-Film die ausgeprägte Rhythmik vermissen ließe; doch sie ist bloße Virtuosität, die statt echter Stoffe ausgelaugte Motive des Genres der Filmoperette ergreift. Ein solcher Leerlauf kann sich nur aus der mangelnden Vertrautheit des französischen Regisseurs mit den Arbeitsbedingungen und dem Menschenmaterial in Hollywood erklären.[3]

Dem neuen Film von Pierre Chenal: LE DERNIER TOURNANT liegt ein in Frankreich unter dem Titel: *»Le facteur sonne toujours deux fois«* erschienener Roman des Amerikaners James Cain[4] zugrunde. Das ausgezeichnete Buch erzählt mit dem gewollt kalten Zynismus[5] eine haarsträubende Mord- und Liebesgeschichte, die zwischen gemeingefährlichen Typen an der Landstraße spielt und durch die genau definierte

Atmosphäre zur Verfilmung reizen mochte. Bei Gelegenheit dieses Films nun trat in der hiesigen Presse eine Meinung zutage, die offenbar symptomatische Bedeutung hat. Man wandte sich gegen den Hang der französischen Produktion, immer wieder »Milieu«-Dramen zu inszenieren und aus Mordfällen Kapital zu schlagen. Im Rahmen einer allgemeinen Würdigung des französischen Films wird noch auf dessen traditionelle Vorliebe für das »Milieu« zurückzukommen sein.[6] Einstweilen sei mit Genugtuung festgestellt, daß jetzt auch französische Stimmen einer Richtung den Kampf ansagen, auf deren Bedenklichkeit wir wiederholt aufmerksam machten. Wenn das »Milieu« in den Hintergrund rückte, könnte der französische Film nur gewinnen. Trifft es zu, daß ENTENTE CORDIALE schließlich deshalb in Frankreich erscheinen durfte, weil der englische König keinen Einwand gegen diesen Film erhob, so enträt das Verbot der englischen Zensur, ihn in England aufzuführen, nicht des pikanten Beigeschmacks.[7] Der im Anschluß an das Buch von Maurois *»Edouard VII. et son temps«*[8] gedrehte Film schildert unter Aufbietung eines großen Apparats und zahlreicher historischer Persönlichkeiten die Entstehung der Entente Cordiale in der deutlichen Absicht, die aktuelle Situation zu erhellen.[9] Die friedliche Lösung des Zwischenfalls von Faschoda[10] wird demonstrativ unterstrichen; Victoria, Eduard, Clémenceau und Delcassé[11] prägen Sentenzen, die jeder beliebige Hörer ohne Mühe versteht. Um die Kühle der repräsentativen Episoden zu lindern, ist noch eine Liebesgeschichte eingebaut, deren jeweiliger Stand dem der politischen Beziehungen genau entspricht. Aus all diesen Szenen hat Marcel L'Herbier ein sehr geschicktes Arrangement zusammengestellt, das sich manchmal zum Rang eines wirklichen Films erhebt und im großen und ganzen die Funktionen der offiziellen Historienmalerei erfüllt. L'Herbier kennt selber am besten die Grenzen eines derartigen Arrangements. In einem kürzlich veröffentlichten Interview sagt er ausdrücklich, ENTENTE CORDIALE sei kein Film, sondern eine »Chronik«. ». . . la chronique«, so fügt er hinzu, ». . . contient ce qu'un film ne saurait contenir: une information, un renseignement: Et c'est en cela qu'elle me paraît passionnante.«[12]

Hin und wieder zeugen auch Filme davon, daß der Film jetzt als ein historisches Ereignis begriffen zu werden beginnt. Vor etwa vier Jahren lief QUARANTE ANS DE CINÉMA,[13] ein ziemlich willkürlicher Querschnitt

durch die Geschichte des Kinos. Handelte es sich damals um einen rein dokumentarischen Film, so kleidet der neue Film Jacques Séveracs, LA BOUTIQUE AUX ILLUSIONS, die Retrospektive in eine nette Spielhandlung ein. Ein angesäuseltes mondänes Paar träumt sich nachts auf der Heimfahrt im Taxi in einen Kintopp der Vorkriegsjahre zurück und sieht hier den Besuch des Präsidenten Fallière in Lyon, üppige Damen in Riesenhüten und lauter Komödien und Tragödien von je fünf Minuten Länge, darunter eine Posse Max Linders. Der Klavierspieler begleitet, der Patron erläutert das Programm und die Zuschauer äußern sich zeitgemäß. Schade, daß man das anscheinend zu knappe Material der Rückschau durch eine »Parade des vedettes«[14] aufgefüllt hat, die den Eindruck eines Postkartenalbums erweckt, in dem flüchtig geblättert wird. Aber der ansprechende Film beweist doch, daß das Kino reif zu autobiographischen Gestaltungen geworden ist.
(BNZ vom 4. 7. 1939)

1 THE GREAT WALTZ. Julien Duvivier. US 1938.
2 Kamera: Marc Fossard und Jules Kruger.
3 Im Typoskript (KN) folgen hier die Sätze: »Das dichte Lokalkolorit der BELLE ÉQUIPE verrät, daß Duvivier die Sprache seiner Darsteller redet und im obskuren Hinterhof so heimisch ist wie am idyllischen Fluß; umgekehrt deutet die Vorherrschaft konventioneller Bildfolgen in THE GREAT WALTZ darauf hin, daß ihn ungewohnte Verhältnisse dazu nötigten, sich an die hergebrachten Ausdrucksmittel zu klammern. Unter diesen Umständen muß er freilich versagen; denn ein guter Film setzt jene Tuchfühlung mit Menschen und Dingen voraus, die erst zur Entdeckung charakteristischer Einzelheiten befähigt.«
4 James M. Cain, *The Postman Always Rings Twice*. London: Cape 1934.
5 Im Typoskript: »Das ausgezeichnete Buch erzählt mit dem gewollt kalten Zynismus, der sich auch bei modernen amerikanischen Malern findet, eine haarsträubende Mord- und Liebesgeschichte [...].«
6 Siehe Nr. 761.
7 Kracauers eigenen handschriftlichen Notizen zufolge (KN) erhielt er diese Informationen von Leo Lania (zu Lania siehe Nr. 369, Anm. 3).
8 André Maurois, *Edouard VII. et son temps*. Paris: Éd. de France 1933; dt.: *Eduard VII. und seine Zeit*. Übers. von Helene Chaudoir. München: Piper 1933.
9 Die Entente cordiale wurde 1904 zwischen England und Frankreich geschlossen. Beide Seiten einigten sich informell auf die politische Zusammenarbeit in Fragen der Kolonialpolitik: Frankreich sicherte England Unterstützung in Ägypten zu, England dagegen Frankreich in Marokko; 1907 wurde die Entente um die englisch-russische Verständigung zur Triple entente erweitert.
10 In Faschoda (Ort im südlichen Sudan am Weißen Nil; heute Kodok) kam es 1898/99 zu einer militärischen Konfrontation zwischen England und Frankreich. Die drohende Kriegsgefahr wurde im Faschoda-Abkommen (1899), in dem die Grenze zwischen dem

französischen und englischen Machtraum in diesem Gebiet festgelegt wurde, friedlich beigelegt.

11 Victoria (1819-1901), von 1837 bis 1901 Königin von England und von 1877 bis 1901 Königin von Indien; Eduard VII. (1841-1910), als Nachfolger Victorias von 1901 bis 1910 König von England; Georges Clemenceau (1841-1929), von 1906 bis 1909 französischer Ministerpräsident; Théophile Delcassé (1852-1923), von 1898 bis 1905 französischer Außenminister.

12 »... die Chronik enthält, was ein Film nicht zu fassen weiß: eine Information, eine Auskunft. Und genau darin scheint sie mir leidenschaftlich zu sein.«

13 QUARANTE ANS DE CINÉMA. Prod. Alliance Cinématographique Européenne. FR 1935.

14 Frz.: Parade berühmter Persönlichkeiten.

759. Mamele: ein jiddischer Film

Filmrez.: PETITE MÈRE/MAMELE. Joseph Green. PL 1938.

Mehrere aus Polen kommende jiddische Filme – darunter der DIBBUK[1] – haben vor einiger Zeit in Paris Beachtung gefunden; einer von ihnen: MAMELE (PETITE MÈRE) hält sich noch immer auf dem Programm. MAMELE ist ein Sittenstück mit Gesangseinlagen,[2] das anscheinend in Lodz spielt und den Alltag einer armen kinderreichen Familie schildert; lange Strecken hindurch mit einem Realismus, der aus dem Film eine interessante Milieustudie macht. Man sieht die engen Stuben, in denen die achtköpfige Familie zusammengepfercht haust, und folgt der Kamera durch ein Stadtviertel, das kaum trübseliger sein könnte. Der dunkle Hof ist von beklemmender Häßlichkeit; die Läden sind kümmerlich; das Café gleicht eher einem Abstellraum als einem Café. Aus einer solchen Umwelt erklärt sich manches: nicht zuletzt die Verbitterung der ältesten Tochter und die magnetische Anziehungskraft, die Max Katz auf ihre jüngere Schwester Bertha ausübt – Max Katz, ein geschleckter Jüngling, der im eigenen Auto vorfährt und sein Geld durch Diebstähle verdient. Mit vollendeter Deutlichkeit ist vor allem der Vater wiedergegeben, einer jener Parasitenexistenzen, die zu den traurigen Entartungserscheinungen eines seit alters her bedrängten Daseins gehören. Hoffärtige Faulheit, unerträgliche Schwatz- und Herrschsucht und peinliche Servilität dem Reichtum gegenüber sind die hervorstechend-

sten Züge dieser Charakterfigur, die schauspielerisch glänzend durchgeführt ist.[3]
Die Misere wäre hoffnungslos, erblühte nicht inmitten der mißratenen menschlichen Vegetation eine Wunderpflanze: Eva, die zweitälteste Schwester, auf die alles Licht fällt. Mamele, wie die kleinen Geschwister sie nennen, hat einst der toten Mutter versprochen, die Familie zu betreuen, und lebt nun der Erfüllung einer ihr heiligen Pflicht. Statt sich zu putzen wie die Schwester, weckt sie die Morgenschläfer, kocht, fegt, wäscht und bügelt, begleitet den Jüngsten zur Schule, hält das Geld zusammen und findet dabei noch für jeden ein freundliches Wort. Von der Familie wie ein Aschenputtel behandelt, ist sie in Wahrheit der gute Genius des Hauses, der immer wieder die bösen Mächte des Verfalls bezwingt. Sie überwacht den Vater, befreit, durch eine übrigens reichlich plumpe Theaterschmierenintrige, Bertha aus der Gewalt von Herrn Katz, führt ihren Bruder Jo auf den rechten Weg zurück und bringt nach Möglichkeit die Geschwister unter die Haube. Um Mameles Zauber noch zu erhöhen, geht der Film, sobald sie auftritt, ins Melodrama über. Molly Picon, die ein robustes, vielseitiges Naturtalent besitz, ergießt in der Tat als Mamele Leid und Seligkeit in Lieder, und wenn gar der junge Herr Schlesinger, den sie liebt, im Haus gegenüber musiziert, stehen alle Räder der Handlung still, und beider Wechselgesang tönt ohne Ende in der Nacht. Fast brächte sie auch Schlesinger der Familie zum Opfer; aber jüdischer Wirklichkeitssinn sorgt zum Glück dafür, daß Mamele nicht ganz zum Engel wird. Am Schluß feiert sie selber Hochzeit. Und dieser Kompromiß zwischen himmlischer und irdischer Tugend läßt sich um so verheißungsvoller an, als Schlesinger es bereits zum Geiger in einem Kurorchester gebracht hat.
Die Schwäche des Films besteht darin, daß er zu sklavisch das Theater kopiert. Stellenweise hat man die Empfindung, als sei hier einfach ein jiddisches Volksstück von der Bühne auf die Leinwand verpflanzt worden.[4] Das Wort wird im Verhältnis zum Bild übermäßig belastet, und die stilisierten Gesangsnummern heben sich von ihrer realistisch gehaltenen Umgebung mit einer Schroffheit ab, die zwar auf dem Podium möglich ist, den Erfordernissen des Films jedoch widerspricht. Der Film, der zum Unterschied vom Theater Menschen und Dinge aus nächster Nähe zeigt, ist auf feine Übergänge angewiesen, und auch die Picon wird noch

lernen müssen, zwischen Frohsinn und Melancholie Vermittlungen einzuschalten und sich mit einem Minimum von Gesten zu begnügen. Am störendsten wirkt die Flüchtigkeit, mit der das Requisit behandelt ist, der kleine Gegenstand, der gerade im Film ernst genommen zu werden verlangt; so ist etwa der Ladeneinbruch auf eine Art angedeutet, die höchstens im Theater die Illusion eines Einbruchs zu erwecken vermöchte. – Alle Mängel, zu denen noch Ungeschicklichkeiten der Photographie[5] und des Schnitts kommen, sind aber verzeihlich. Denn einmal hat der jiddische Film vorerst keine Tradition, und zum andern kündigen sich schon in MAMELE wichtige Qualitäten an. Die Typen sind gut gewählt, das Straßen- und Caféhausmilieu ist scharf umrissen, und einige Szenen – besonders jene mit dem Familienalbum – zeugen von echter filmischer Erfindungsgabe. Mamele betrachtet die Großmutter im Album, und plötzlich beginnt die photographierte Großmutter, die vor einem gemalten Interieur sitzt, lebendig zu werden und ein Lied anzustimmen, das die Vergangenheit heraufbeschwört. Während sie dann singt, erscheinen neue, verblichene Fotos, die sie als kleines Mädchen, als Braut und als behäbige Mutter darstellen, und diese Fotos beleben sich ihrerseits und tanzen im Stil der Zeit . . .
Kein Zweifel: es lohnt sich, den jiddischen Film weiter auszubauen. Seine Hauptstärke ist, MAMELE nach zu schließen, ein unbestechlicher Blick für Zustände und Charaktere. Aus dieser realistischen Gesinnung heraus könnten Filme geschaffen werden, die wirklich in das jüdische Volksleben eindringen. Ihr entscheidender Wert wäre der dokumentarische.
(Typoskript aus KN, 5. 7. 1939)[6]

1 DER DIBBUK / DYBBUK. Michał Waszyński. PL 1937.
2 Musik: Abe Ellstein.
3 Max Bożyk in der Rolle des Vaters.
4 Das Drehbuch basiert auf der Komödie von Meyer-Schwartz, *Mamele* (UA 1927).
5 Kamera: Seweryn Steinwurzel.
6 Das Typoskript, das nicht veröffentlicht wurde, hat die Aufschrift: »S. Kracauer, Paris (17^{e}). 3, Av. Mac-Mahon / Für Centraal-blad voor Isr. 5.VII.39«. Siehe auch Nachbemerkung und editorische Notiz, S. 578.

760. Wiedersehen mit alten Filmen

[VI.] Der Vampfilm

Der 1914 entstandene amerikanische Film A FOOL THERE WAS[1] schlägt bereits in zeitbedingter, grotesk wirkender Verkürzung das Thema jener Vampfilme an, die lange Jahre große Mode waren und sich noch bis über 1925 hinaus fortbehaupteten. Theda Bara,[2] der erste Filmvamp, entsteigt in ihm angesichts zahlreicher von der Filmaufnahme herbeigelockter Passanten am Schiffskai einem Taxi, dessen Tür von einem Bettler aufgerissen wird, der zu ihr sagt: »Das hast Du aus mir gemacht!« Sie findet auf dem Deck des Schiffes einen jüngst abgehalfterten Liebhaber vor, der sich, nachdem er sie ein letztes Mal vergeblich bedrängt hat, vor ihren Augen eine Kugel durch den Kopf jagt. Das Schiff setzt sich in Bewegung, und sie betört am selben Fleck, auf dem die Leiche lag, einen Familienvater, dem die Seinen vom Ufer aus nachwinken. Zuletzt sieht man, Trübes ahnend, die beiden auf einer Südseeinsel unter Palmen kosen.

So geht es in sämtlichen Vampfilmen zu. Immer übt die femme fatale eine unerklärliche Fascinationskraft auf die armen Männer aus, und immer vernichtet sie alles, was sich ihr nähert. Lydia Borelli,[3] der Star früher italienischer Nachkriegsfilme, umwallt[4] und umwogt einen Mann, der sie anfleht, seinen Freund zu erhören, und kaum gewinnt der böse Zauber Macht über ihn, so erschießt sich der draußen vor der Fenstertür lauschende Freund. Nicht umsonst nennt sich der Film RHAPSODIE SATANIQUE:[5] Herr und Meister der Unholdin ist Satan in eigener Person, ein Satan in wehendem Theatermantel, der bald hinter einer Gardine, bald hinter einem Rosenstrauch hervorlugt.

Am ausgiebigsten wird das Genre in Hollywood gepflegt, wo Darstellerinnen wie Pola Negri, Gloria Swanson und Greta Garbo[6] die Nachfolge der Bara antreten. In THE FLESH AND THE DEVIL,[7] einem nach Sudermanns Roman *»Es war«*[8] gedrehten Film, ist der Typus der femme fatale zur vollen Reife gediehen. Man muß Zeuge des Raffinements gewesen sein, mit dem die Garbo in der nächtlichen Parkszene dieses Films zuerst sich, dann ihrem Partner John Gilbert eine Zigarette in den Mund steckt und es schließlich erreicht, daß statt der Zigarette Gilbert selber zu brennen beginnt, um die ganze Skala der Verführungskünste[9] eines Filmvamps zu ermessen.[10] Seine teuflische Verruchtheit offenbart sich drastisch in der Kirchenszene desselben Films:[11] der Pastor donnert von der Kanzel herab gegen den Ehebruch, und die Garbo, auf die seine Predigt gemünzt ist, schminkt sich unten im Kirchenstuhl unbeteiligt die Lippen. Es scheint, als sei damals der Lippenstift ein anerkanntes Symbol der Sünde gewesen; denn auch im deutschen Stummfilm INFLATION[12] besteht seine Funktion darin, die femme fatale zu charakterisieren. Während Brigitte Helm vom Boxer Breitenstätter auf starken Armen zum Divan getragen wird, bedient sie sich des ominösen Stifts mit solcher Seelenruhe, als ob sie sich schon auf dem Divan befände. Da im übrigen der gutgemachte Film – er stammt von G. W. Pabst – soziologisch verfährt, d. h. die Erscheinung des Vamps mit der durch die Inflation hervorgerufenen allgemeinen Sittenverwilderung in Zusammenhang bringt, ist er nicht mehr den eigentlichen Vampfilmen zuzurechnen, deren Heldinnen stets Ausgeburten finsterer Mächte sind und wie unheilvolle Meteore die bürgerliche Welt durchkreuzen.

Selbstverständlich triumphiert diese regelmäßig über die berückenden Instrumente der Zerstörung. Keine andere Filmgattung trägt die Moral so dick auf wie der Vampfilm, der es freilich sehr nötig hat, sich von der öffentlichen Meinung die Schilderungen des Lasters verzeihen zu lassen, mit denen er auf die privaten Gelüste des Publikums spekuliert. Am Schluß von RHAPSODIE SATANIQUE taucht Satan den Kopf der Borelli in ein Brunnenbassin, und wie diese sich danach über den Wasserspiegel neigt, muß sie schaudernd erkennen, daß sie durch die magische Taufe zur alten Frau geworden ist. Einen überwältigenden Sieg feiert die bürgerliche Gesellschaftsordnung in THE FLESH AND THE DEVIL. Nicht genug damit, daß die Garbo trotz ihrer Reue elendiglich im See ertrinkt – Gilbert versöhnt sich wieder mit seinem Freund und hält um die Hand seiner kleinen Schwester Hilda an, einer Mädchenfigur nach dem Herzen der Courths-Maler.[13] Indem die kleine Hilda die Garbo verdrängt, ist in der Tat jeder Dämon ausgetrieben und die Tugend gründlich gerettet. Halb Blendwerk, halb Popanz: das genau ist die Doppelmission des Filmvamps.[14]

Im Gefolge der Lockerung unserer gesellschaftlichen Konvention ist mittlerweile dieser Filmtypus, seine einstige Zugkraft einbüßend, von der Bildfläche verschwunden. Alte Vampfilme wirken heute in stofflicher Hinsicht überlebt; um davon zu schweigen, daß in ihnen ein dramatisches Spiel vorherrscht, das ganz von der Bühne herkommt ...[15] Zu einer nicht uninteressanten Beobachtung gibt das Aussehen[16] der femme fatale Anlaß. Die, die verzaubern soll, bleibt an Schönheit weit hinter den nach ihrem Abgang in Hollywood kreierten Idealgestalten zurück. Lyda Borelli enträt im Vergleich mit ihnen jeglicher Reize, und die Garbo, so schön sie ist, hat noch nicht das verfeinerte Gesicht der kommenden Jahre. Es ist eine merkwürdige Tatsache, daß die spezifisch amerikanische Filmschönheit zu einem ganz bestimmten Zeitpunkt entsteht. Vielleicht erklärt sich ihre Heraufkunft daraus, daß durch die tiefgreifenden Interessengegensätze in der Welt und das Bedürfnis immer breiterer Schichten, unlösbaren Existenzproblemen aus dem Weg zu gehen, die Absatzchancen von Filmen gefährdet werden, die sich inhaltlich zu sehr engagieren. Erfragt sind Attraktionen neutraler Art. Der Anblick des Schönen vermag aber deshalb so wirksam für den Wegfall von Inhalten zu entschädigen, weil das Schöne selber als anziehender Inhalt erscheint.[17]

(BNZ vom 25. 7. 1939)

1 A FOOL THERE WAS. Frank Powell. US 1915.

2 Theda Bara (1890-1955), amerikanische Schauspielerin, wurde als femme fatale in ihrem ersten Film A FOOL THERE WAS (1915) über Nacht berühmt. Zwischen 1914 und 1919 war sie in über 40 Filmen u.a. als Carmen, Madame Du Barry, Salome und Cleopatra zu sehen.

3 Richtig: Lyda Borelli (1884-1959); Kracauers Schreibung wird im folgenden stillschweigend korrigiert. Borelli avancierte in ihrer kurzen Filmkarriere (1913-1918) als Verkörperung der femme fatale zur Diva des frühen italienischen Films.

4 Im Typoskript (KN): »Lyda Borelli, der Star früher italienischer Nachkriegsfilme, die ersichtlich Mißbrauch mit d'Annunzio [siehe Nr. 791, Anm. 8] treiben und gerade dadurch die Leere hinter seinen Wortfassaden enthüllen, Lyda Borelli umwallt [...].«

5 Französischer Verleihtitel für RHAPSODIA SATÁNICA. Nino Oxilia. IT 1915.

6 Zu Pola Negri siehe u.a. Nr. 61, 177, 200, 281 und 552; zu Gloria Swanson (1899-1983) siehe Nr. 158; zu Greta Garbo siehe u.a. Nr. 695 und 709.

7 THE FLESH AND THE DEVIL. Clarence Brown. US 1926.

8 Hermann Sudermann, *Es war* (1894).

9 Im Typoskript: »die ganze Skala der für heutige Begriffe allerdings zu umständlichen Verführungskünste«.

10 Im Typoskript folgen hier die Sätze: »Obwohl die Garbo später Gilberts Freund heiratet, will sie doch nicht auf jenen verzichten. Und damit sich ihre Begierde wieder auf den

jetzt reservierten Gilbert übertrage, stellt sie sich beim Empfang des Abendmahls so neben ihm auf, daß ihre Lippen unmittelbar nach den seinen den Kelchrand berühren können.«

11 Im Typoskript: »An einer anderen Stelle der gleichen Kirchenszene offenbart sich die teuflische Verruchtheit des Vamps noch drastischer: [. . .].«

12 Gemeint ist: ABWEGE. G.W. Pabst. DE 1928.

13 Siehe Nr. 16, Anm. 2.

14 Im Typoskript folgt hier der Satz: »Zur Zeit seiner Erzeugung in Serien mag es nebenbei den Männern nicht unangenehm gewesen sein, durch den Hinweis auf ihn mildernde Umstände für ihre außerehelichen Abenteuer zu erlangen.«

15 Im Typoskript anstelle der Auslassungszeichen: »Die von Clarence Brown dirigierte Garbo stellt die seelische Krise, die sie erleidet, mit einem Aufwand von Armverrenkungen dar, der für einen epileptischen Anfall nicht zu gering wäre. Man hatte damals noch nicht begriffen, daß im Film die Vergegenwärtigung einer Leidenschaft keineswegs allein Sache des Schauspielers ist, sondern kaum minder von den Einstellungen der Kamera, der Wahl der Beleuchtung und dem Beitrag der Requisiten abhängt.«

16 Im Typoskript: »gibt auch das Aussehen«.

17 Im Typoskript folgt hier als Schlußsatz: »Nun trägt die Schönheit im amerikanischen Film einen vorwiegend formalen Charakter; um so eher läßt sich die Vermutung rechtfertigen, daß das Bild von ihr den Zweck eines Deckbildes erfüllt.«

761. Bemerkungen zum französischen Film

Noch immer liegt im französischen Film der Nachdruck nicht so sehr auf der Bewegung als auf der Atmosphäre. Dieses erfahrene, reife Volk hat einen ausgeprägten Sinn für Zuständlichkeiten. Man ist aktiv und passioniert, gewiß; aber man *ist* vor allem und strebt danach, die Art, in der man ist, wissend auszuschöpfen. Nicht umsonst stammt der Typus des Flaneurs aus Paris. Sind die Höhepunkte amerikanischer Filme vom Schlage der THREE BENGAL LANCERS[1] Szenen des Angriffes und der Verteidigung, so bemühen sich seit Feyders GRAND JEU[2] die französischen Kolonial- und Legionärsfilme um die Veranschaulichung der Melancholie, die von Bazarstraßen, orientalischen Tingeltangels und weißen Wüstenforts ausstrahlt. Erfragt ist ein Sein. Das Bistro mit seinem »Zinc«, seinen Flaschenaufbauten und Spielautomaten, der Graus von Zimmern in Stundenhotels und die abseitige Vorortstraße, deren Stille gelegentlich durch einen Lokomotivpfiff unterbrochen wird, sind bleibende Themen des französischen Filmes – Themen, die er wie kein anderer zu gestalten weiß. Stets drängen sich atmosphärische Sensationen vor die dynamischen: in Renoirs BÊTE HUMAINE[3] wirkt vorwiegend die Eisenbahnlandschaft, im DÉSERTEUR Moguys[4] die Beschreibung eines weltverlorenen Etappenabschnittes. So kann man sich nur dort verhalten, wo die Beschaffenheit der Existenz den Wert des Handelns bedingt. Es ist ein französischer Film – Préverts Groteske: L'AFFAIRE EST DANS LE SAC[5] –, der in extremer Weise die Wesenlosigkeit purer Aktivität anprangert.

Die kleinen Leute von Paris, die René Clair einst in wunderbaren Quadrillen durcheinanderwirbelte,[6] erfüllen heute wie früher den französischen Film; wenn sie auch inzwischen unter dem Einfluß kritischer Jahre gesetzter geworden sind. Kaum ein Film aus dem Alltag, der auf die Concierge, den Kneipenwirt und das Geschwätz der Nachbarinnen verzichtete; nicht ein Bistro, in dem sich nicht der Spießbürger und der »Voyou«, leicht irreguläre Typen und ehrbare Mitglieder der Gesellschaft, begegneten. Man denke an BELLE ÉQUIPE[7] oder HÔTEL DU NORD[8] ... Jean Gabins »bon mauvais garçon« gehört zu den unbestrittenen Helden dieses sozialen Grenzgebietes, das eine filmisch dankbare Mischung verschiedenartigster Figuren umfaßt. Vielleicht hängt, in einer tiefer gelegenen Schicht, seine ständige Wiederkehr damit zusammen, daß es der Naturschutzpark anarchischer Instinkte ist, ohne deren Unterstrom die bürgerliche Welt erstarrte.

Paris ist auch für den Film nicht gleichbedeutend mit Frankreich. Um von jenen durchschnittlichen Lustspielen zu schweigen, die wie CES DAMES AUX CHAPEAUX VERTS[9] das Kleinstadtleben nach bewährter Manier von der komischen Seite her nehmen, so taucht hin und wieder ein Film auf, der wirklich Einblicke in die Provinz vermittelt. QUAI DES BRUMES[10] stellt mustergültig die Schwermut dar, die sich in den Gassen der eigenbrötlerischen Hafenstadt umtreibt. Und dann gibt es Pagnol, dessen provençalische Bauernstücke sich fort und fort auf dem Programm erhalten;[11] trotz ihrer unfilmischen Langsamkeit, die aber, ähnlich wie bei den stummen Schwedenfilmen, durch den Tiefgang der naturnahen Handlung gerechtfertigt werden mag.

Überraschend selten macht die Filmproduktion vom spezifisch französischen Esprit Gebrauch, der allerdings auch im gegenwärtigen Schrifttum hinter atmosphärischen Schilderungen und existentiellen Analysen nahezu verschwindet. René Clair liegt weit zurück; die aus dem Geiste Maupassants geborenen Satiren von Bernard[-]Deschamps: LE ROSIER DE MADAME HUSSON[12] und M. COCCINELLE[13] sind vereinzelte Erscheinungen. Selbst der leichte Boulevardwitz ist zur Zeit viel eher in der amerikanischen Gesellschaftskomödie als im französischen Film heimisch. Bezeichnend hierfür, daß Sacha Guitrys glänzender Wurf: LE ROMAN D'UN TRICHEUR[14] keine Nachfolge gefunden hat, und nur in großen Abständen einmal ein Film wie J'ÉTAIS UNE AVENTURIÈRE[15] erscheint, der zum mindesten amüsant ist.

Das soll nicht heißen, daß die Dialoge Préverts oder auch Jeansons[16] glücklicher Prägungen ermangelten. Im Gegenteil. Alte Theaterkultur und ein enges Verhältnis zur Sprache verführen in Frankreich immer wieder dazu, Werke zu verfilmen, die ihr Leben vom Wort her empfangen, und überhaupt den Dialog auf Kosten der Bilder zu entwickeln. Die Pariser Kinobesucher stören sich nicht daran, daß NOIX DE COCO und FRIC-FRAC kaum etwas anderes als Kopien der ihnen zugrunde liegenden Theaterstücke sind[17] und lauschen den langen Reflexionen in ENTRÉE DES ARTISTES[18] mit einer Befriedigung, über der sie vergessen, wie wenig das Sichtbare selber zu sagen weiß. Es wird zu viel gesprochen im französischen Film: zu willig richtet sich in ihm die Anordnung der Bilder nach dem Inhalt des Dialogs. Hier liegt eine konstitutive Schwäche vor. Um so großartiger sind die Ausnahmen, denen es, wie Vigos ATALANTE,[19] gelingt, sich der Gewalt des geistigen Erbes zu entziehen und die Vorherrschaft des Wortes zu erschüttern.

Nicht unbedenklich ist die augenblickliche Neigung der französischen Produktion zum »fait divers«. Der Schritt vom »bon mauvais garçon« zum Verbrecher wird oft zurückgelegt, und auch Filme, die nicht geradezu im »Milieu« spielen, schlagen gern aus einem Mord Kapital. Die Zeitschrift *Cinémonde* veröffentlichte jüngst unter dem Titel: »On tue beaucoup dans le cinéma français«[20] eine Statistik, der zufolge die 150 Filme der letzten 18 Monate nicht weniger als 85 gewaltsame Todesfälle enthalten, die sich auf 58 Filme verteilen. Zweifellos entspringt diese erschreckend hohe Ziffer dem an sich verständlichen Bedürfnis, das Übergewicht des Atmosphärischen durch effektvolle Handlungen zu beseitigen – Handlungen, die desto plausibler erscheinen, als die Boulevardpresse von Milieu- und Eifersuchtsdramen widerhallt. Aber die Rechnung stimmt nicht. Denn abgesehen davon, daß die einseitige Ausschlachtung des »fait divers« ein Zerrbild nationalen Lebens ergibt, zeitigt sie nicht einmal die erstrebte Spannung. Der Film ist seiner Essenz nach epischer Art, und Spannung in ihm kommt erst in letzter Linie durch krasse Ereignisse zustande. Was zählt, ist vielmehr der Effekt, der dem Kleinen, Unscheinbaren abgelockt wird.[21] Zum Glück scheint sich neuerdings – es ist hier darauf hingewiesen worden[22] – eine Abwendung vom »Milieu«-Film bemerkbar zu machen.

Zum Unterschied von der amerikanischen Produktion zerfällt die französische in viele kleine, oft fluktuierende Firmen. Das bringt Nachteile mit sich. Die Stetigkeit leidet darunter, daß sich das technische Personal immer neu umgruppieren muß; der große Rahmen fehlt, in dem die Spezialisten und Spezialitäten gedeihen; am bescheidenen Umfang des Produktionsapparates scheitert häufig die volle Durchbildung des Details. Man versteht, warum die wenigsten französischen Filme die Präzision der in Hollywood hergestellten erreichen. Auf der andern Seite konnte Duvivier vor kurzem die Freiheit rühmen, die er hier, im Gegensatz zu Hollywood, als Regisseur genieße, und das Pariser Studio mit einer Künstlermansarde vergleichen. In der Tat haben die französischen Methoden den Vorzug, daß sie der Individualität einen gewissen Spielraum gönnen und Abweichungen von der Norm zulassen. Experimente wie DRÔLE DE DRAME[23] oder der farbige Marionetten-Trickfilm BARBE BLEUE[24] sind vielleicht nur in Paris möglich.

Der wachsende Erfolg der französischen Produktion im Ausland erklärt sich nicht allein aus der Qualität ihrer Spitzenleistungen, sondern auch aus dem Druck der Diktaturländer. Gegen ihre Absicht steigert die totalitäre Propaganda in Millionen von Menschen die Empfänglichkeit für Filme, die sich schon dank ihrer Herkunft durch Räume bewegen, in denen die menschliche Würde etwas gilt und humane Gesinnung nicht verächtlich gemacht wird. Man ist hellhörig geworden in solchen Dingen, und selbst mittelmäßige französische Filme weisen noch, ob sie es wollen oder nicht, auf die Existenz eines bis in seinen Alltag hinein zivilisierten Volkes hin, das gut vom Glück denkt und die Fähigkeit besitzt, Leidenschaft und Vernunft zu vereinen. Daher die Werbekraft dieser

Produktion. Sie versetzt das Weltpublikum in eine Atmosphäre, die zu schätzen es jetzt mehr denn je gelernt hat.
(BNZ vom 15. 8. 1939)

1 Gemeint ist: THE LIVES OF A BENGAL LANCER. Henry Hathaway. US 1934/35.
2 LE GRAND JEU. Jacques Feyder. FR 1933/34.
3 Siehe Nr. 751.
4 Siehe Nr. 755.
5 L'AFFAIRE EST DANS LE SAC. Pierre und Jacques Prévert. FR 1932.
6 Siehe Nr. 614.
7 Siehe Nr. 758.
8 Siehe Nr. 751.
9 CES DAMES AUX CHAPEAUX VERTS. Maurice Cloche. FR 1937.
10 Siehe Nr. 740.
11 Siehe Nr. 719, 733 und 750.
12 Siehe Nr. 693.
13 Siehe Nr. 748.
14 Siehe Nr. 728, Anm. 1.
15 Siehe Nr. 754.
16 Zu Jacques Prévert und Henri Jeanson siehe Nr. 744, Anm. 4.
17 NOIX DE COCO. Jean Boyer. FR 1938/39, nach dem Drama von Marcel Achard, *Noix de coco.* Pièce en trois actes. Paris: L'Illustration 1936; FRIC-FRAC. Claude Autant-Lara. FR 1939, nach Édouard Bourdet, *Fric-frac.* Pièce en 5 actes. Paris: L'Illustration 1937.
18 Siehe Nr. 744.
19 Siehe Nr. 765, Anm. 4.
20 Der Artikel (»Man tötet viel im französischen Kino«) wurde in *Cinémonde* vom 31. 5. 1939, Nr. 554, S. 7, veröffentlicht.
21 Im Typoskript (KN) folgt hier der Satz: »Noch im QUAI DES BRUMES [siehe Nr. 740] und in BÊTE HUMAINE [siehe Nr. 751] wirken die Mordtaten als unzulänglicher Handlungsersatz.«
22 Siehe Nr. 758.
23 Siehe Nr. 732.
24 BARBE BLEUE. Jean Painlevé und René Bertrand. FR 1936.

762. System der Filmästhetik

Rez.: Ernst Iros, *Wesen und Dramaturgie des Films*. Zürich und Leipzig: M. Niehaus 1938.

Ernst Iros entwirft in seinem über 800 Seiten starken Werk: »*Wesen und Dramaturgie des Films*« eine Lehre vom Film, wie sie in dieser Vollständigkeit weder von Arnheim[1] noch von Balázs[2] oder anderen deutschen Vorgängern auch nur erstrebt worden ist; um von der französischen, englischen und amerikanischen Filmliteratur zu schweigen, die den Nachdruck von vornherein auf empirische Beobachtungen legt. Allerdings schadet sich Iros gerade durch diese Systematisierungssucht: von ihr beherrscht, verschreibt er sich willig dem idealistischen Denken, das den Schein der Allgemeingültigkeit mit dem formalen Charakter seiner Begriffe erkauft. Statt Kategorien zu verwenden, die dem behandelten Gegenstand wirklich eng aufsitzen, übernimmt er im wesentlichen die Ästhetik Volkelts,[3] deren Bestimmungen gewiß nicht den Eigentümlichkeiten des Films abgewonnen sind. So entstehen Schemata, die viel Stoff halbverarbeitet durch ihre Maschen schlüpfen lassen, ja, nicht selten den im Stoff beschlossenen Intentionen Gewalt antun. Es dürfte ein schwieriges Unternehmen sein, sich mit den Mitteln dieses idealistischen Begriffsapparats etwa der spezifischen Gehalte Chaplins bemächtigen zu wollen ... Zum Glück bemüht sich aber Iros nicht nur um die theoretische, sondern auch um die angewandte Ästhetik des Films, und so oft er aus den abstrakten Sphären in konkretere niedersteigt, wandelt sich mit einem Schlage das Bild. Hier, im unmittelbaren Verkehr mit dem Material, gelangt er zu einer Menge wichtiger Erkenntnisse, die deshalb doppelt erstaunlich anmuten, weil sie sich gleichsam unter der Decke blasser Generalisierungen entwickeln, mit denen sie faktisch nichts gemein haben. Sie ergeben sich vielmehr, wie es ja auch von Rechts wegen sein muß, aus der Betrachtung der Technik des Films und der ihm zugeordneten Welt. Um nur ein paar Beispiele anzuführen, so belastet Iros mit Recht die Tatsache, daß für die Filmkamera außermenschliches Geschehen dieselbe Rolle wie menschliches spielt. Er unterstreicht die Bedeutung, die im Film den kleinen Dingen zukommt. Er folgert, gelegentlich der Gebietsabgrenzung von Film und Theater, in schlüssigen und erschöpfenden Formulierungen aus den technischen Voraussetzungen des

Films auf seinen epischen Grundcharakter, der eine dramatische Lösung in ihm zum Unding macht. Immer wieder wird so die idealistische Hülle durch Einsichten gesprengt, die eine genaue Kenntnis des Metiers verraten und nicht wenige Sachgehalte zum erstenmal auswerten. Die Liebhaber des Films und vor allen: die Filmschaffenden selber können daher aus diesem Buch großen Nutzen ziehen; einen desto größeren als es eine Art Kompendium ist, das sich von den Sinnzusammenhängen bis zu den Einstellungen und Blenden erstreckt.
(BNZ vom 12. 9. 1939)

1 Siehe Nr. 671.
2 Siehe Nr. 259 und 621.
3 Johannes Volkelts *System der Ästhetik* (1905-1914; siehe Nr. 259, Anm. 1) beruht auf einer Verbindung von zeitgenössischen psychologischen Deutungsmustern und normativen Vorgaben der klassisch-idealistischen Ästhetik.

1. ES LEBE DIE FREIHEIT / À NOUS LA LIBERTÉ. René Clair. FR 1931.

2. DER TUGENDKÖNIG / LE ROSIER DE MADAME HUSSON. Bernard-Deschamps. FR 1932.

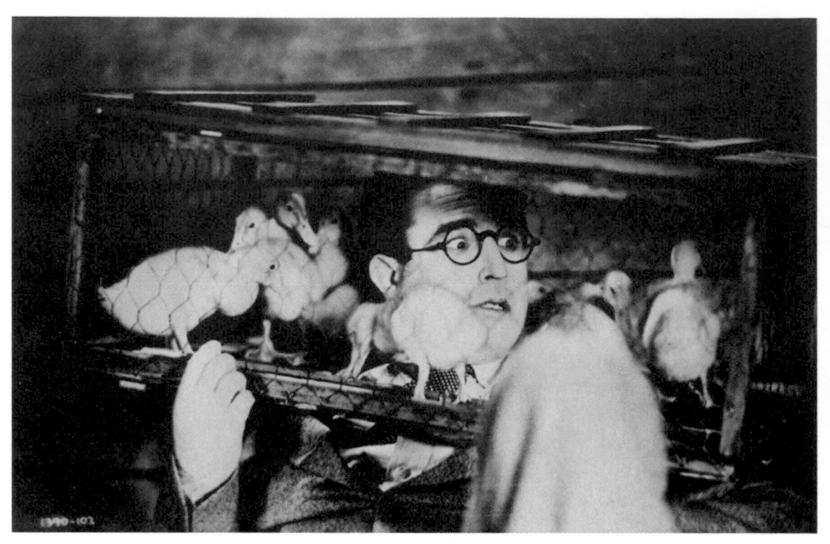

3. FILMVERRÜCKT / MOVIE CRAZY. Clyde Bruckman. US 1932.

4. DIE BLONDE VENUS / BLONDE VENUS. Josef von Sternberg. US 1932.

5. F. P. 1 ANTWORTET NICHT. Karl Hartl. DE 1932.

6. DER REBELL. DIE FEUER RUFEN. Kurt Bernhardt und Luis Trenker. DE 1932.

7. MENSCHEN IM HOTEL / GRAND HOTEL. Edmund Goulding. US 1931/32.

8. DIE INSEL DER DÄMONEN. Friedrich Dalsheim. DE 1932/33.

9. DIE GROSSE ILLUSION / LA GRANDE ILLUSION. Jean Renoir. FR 1936/37.

10. SACKGASSE / DEAD END. William Wyler. US 1937.

11. GÖSTA BERLING / GÖSTA BERLINGS SAGA. Mauritz Stiller. SE 1924.

12. BESTIE MENSCH / LA BÊTE HUMAINE. Jean Renoir. FR 1938.

13. MAMELE. Joseph Green. PL 1938.

14. ATALANTE / L'ATALANTE. Jean Vigo. FR 1933/34.

15. BETRAGEN UNGENÜGEND / ZÉRO DE CONDUITE. Jean Vigo. FR 1933.

16. CITIZEN KANE. Orson Welles. US 1940/41.

17. FEIND IM DUNKEL / THE DARK CORNER. Henry Hathaway. US 1946.

18. DIE WENDELTREPPE / THE SPIRAL STAIRCASE. Robert Siodmak. US 1945/46.

19. ROM, OFFENE STADT / ROMA CITTÀ APERTA. Roberto Rossellini. IT 1946.

20. TRÄUME FÜR GELD / DREAMS THAT MONEY CAN BUY. Hans Richter. US 1944-1947.

21. MESHES OF THE AFTERNOON. Maya Deren. US 1943.

22. MESHES OF THE AFTERNOON. Maya Deren. US 1943.

23. EHE IM SCHATTEN. Kurt Maetzig. DD 1947.

24. PAISA/PAISÀ. Roberto Rossellini. IT 1946.

25. PAISA/PAISÀ. Roberto Rossellini. IT 1946.

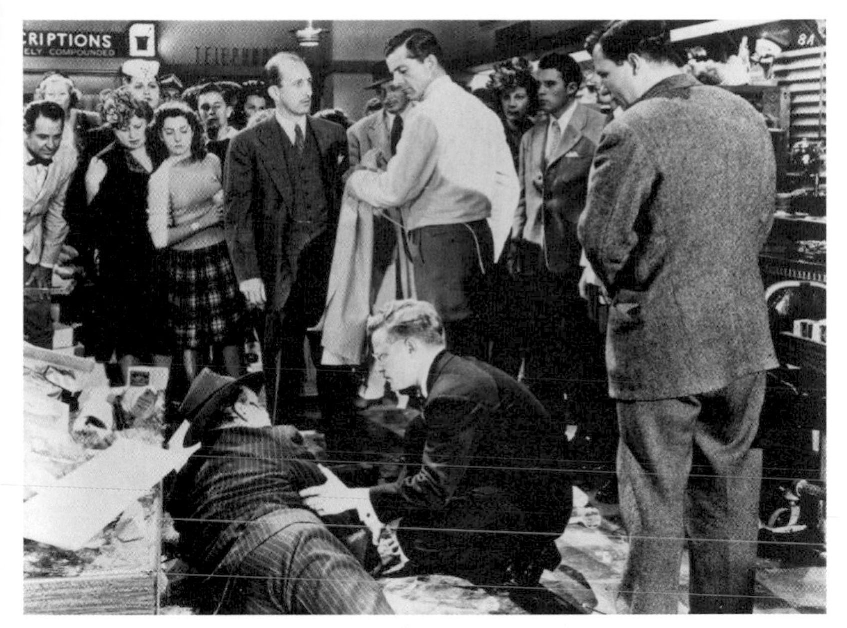

26. DIE BESTEN JAHRE UNSERES LEBENS / THE BEST YEARS OF OUR LIVES.
William Wyler. US 1946.

27. Stummfilmkomödie mit Chester Conklin und Bathing Beauties (Prod. Mack Sennett, US).

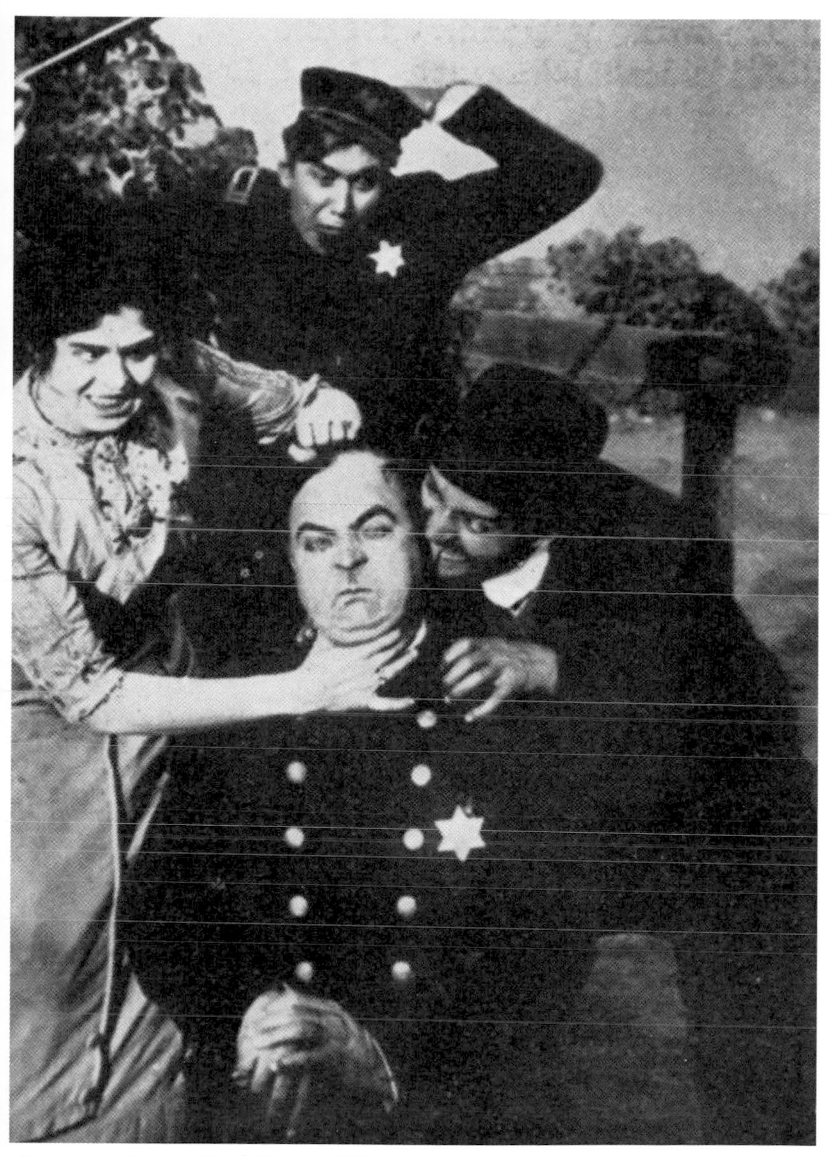

28. MURPHY'S IOU. Mack Sennett. US 1913.

29. SULLIVANS REISEN / SULLIVAN'S TRAVELS. Preston Sturges. US 1941.

1940

763. Pariser Filmbrief

Stück für Stück erobert der Alltag seine Rechte in Paris zurück. In den Lokalen und Kaufhäusern herrscht Leben; an den mit Papierstreifen gemusterten Schaufenstern zieht wie früher die Menge vorbei. Auch die Kinos, deren viele während der ersten Kriegsmonate geschlossen waren, sind seit mehreren Wochen fast alle wieder in Betrieb, und der Mangel blendender Lichtreklame scheint ihrem Besuch keinen Abbruch zu tun. Auf den Champs-Élysées hat sich sogar kürzlich ein neues Kino zwischen die Unzahl der hier schon vorhandenen gedrängt. Das Bild provisorischen Friedens wird durch die Cinémathèque gerundet, die ab Anfang Dezember ihre wöchentlichen Vorführungen alter Filme aufgenommen hat und in dieser Saison hauptsächlich die Geschichte des französischen Films zu rekapitulieren gedenkt.
Was die Programme betrifft, so haben sie kaum gewechselt; ebensowenig ist ihre Gestaltung durch den Krieg in irgend einer Weise beeinflußt worden. Auf dem Repertoire halten sich immer noch altbewährte Werke wie JENNY,[1] BANDERA[2] oder KERMESSE HÉROÏQUE[3]; ferner einige dokumentarische Vorkriegsfilme, die das französische Kolonialreich schildern, und wohl auch der eine oder andere Sommererfolg – so FRIC-FRAC, eine nach dem Theaterstück Bourdets gedrehte Komödie,[4] in der sich der biedere Fernandel mit dem Gaunerpärchen Michel Simon und Arletty einläßt, das besonders drollig wirkt, wenn es auf einem Tandem durch die Natur radelt. Neben diesem festen Bestand französischer Filme behaupten sich längst bekannte amerikanische Filme in den Krieg hinein fort: BOYS' TOWN,[5] GUNGA DIN,[6] ANGELS WITH DIRTY FACES[7] und Duviviers GREAT VALTZ[8] werden durch die kleinen Säle getrieben, und die Marx Brothers erheitern mit PANIQUE À L'HÔTEL[9] jedes Quartier. Festgestellt mag auch werden, daß die Beliebtheit der Spionage-Filme, der Deanna-Durbin-Filme[10] und der Bulldog-Drummond-Serie[11] inzwischen nicht gelitten hat.
Inmitten dieser von früher her vertrauten Umgebung finden sich begreiflicherweise nur ganz wenige französische Novitäten; worunter die paar Filme zu verstehen sind, die, wie LOUISE,[12] zu Beginn des Kriegs herausgebracht worden waren, oder damals nahezu vor der Vollendung

standen. Der von Abel Gance gedrehte Film LOUISE, in dem die charmante Grace Moore die Titelrolle singt und spielt, ist übrigens aus einem bestimmten Grunde interessant; er zeigt, was ein wirklich erfahrener Regisseur dem spröden Opernstoff abzugewinnen weiß. Das Feuerwerk beim Gartenfest ist virtuos einbezogen; Louise und ihr Vater bilden, während dieser sein Solo: *»Je suis ton père«* singt, eine Gruppe, die sowohl durch die Nahführung und Schwenkung der Kamera wie durch die Art der Beleuchtung den Charakter der Vision erhält. In diesen Zusammenhang gehören auch der Sacha-Guitry-Film: ILS ÉTAIENT NEUF CÉLIBATAIRES[13] und der erst in der zweiten Dezemberhälfte angelaufene Film Siodmaks: PIÈGES, auf den noch gesondert zurückzukommen sein wird ...[14]

Vorderhand ruht die französische Filmindustrie so gut wie ganz; was sich nicht zuletzt daraus erklärt, daß zahlreiche Filmschaffende das Atelier mit der Kaserne, das Kostüm mit der Uniform vertauscht haben. Immerhin hört man neuerdings, daß hie und da weitergearbeitet wird: Jacques Feyder führt LA LOI DU NORD[15] zu Ende. Jean Boyer stellt SÉRÉNADE[16] fertig. Ja, Duvivier will im Süden mit den Aufnahmen zu einem neuen Film UN TEL PÈRE ET FILS[17] beginnen, in dem Raimu, Michèle Morgan und Jouvet mitwirken sollen. Wann werden sich die verlassenen Studios füllen? Kein Geringerer als René Clair, der selber seinen Kinderfilm L'AIR PUR[18] noch nicht hat abschließen können, redet in einem jüngst in *Candide* erschienenen Artikel der Wiederankurbelung der Produktion das Wort.[19] Sie stellt zweifellos alle Beteiligten vor schwere Probleme; aber das Ansehen – und damit die Werbekraft – des französischen Films im Auslande ist ein zu gewichtiger Faktor, als daß nicht eine Lösung gefunden werden müßte.

(BNZ vom 4. 1. 1940)

1 JENNY. Marcel Carné. FR 1936.
2 LA BANDERA. Julien Duvivier. FR 1935.
3 LA KERMESSE HÉROÏQUE. Jacques Feyder. FR 1935.
4 Siehe Nr. 761, Anm. 17.
5 BOYS TOWN. Norman Taurog. US 1938.
6 GUNGA DIN. George Stevens. US 1938/39.
7 ANGELS WITH DIRTY FACES. Michael Curtiz. US 1938.
8 Siehe Nr. 758, Anm. 1.
9 Französischer Verleihtitel für ROOM SERVICE. William A. Seiter. US 1938.

10 Deanna Durbin (d.i. Edna Mae Durbin, geb. 1921), Hollywood-Star der späten dreißiger und vierziger Jahre. Zu ihren bekanntesten Filmen gehören MAD ABOUT MUSIC (US 1937/38), THAT CERTAIN AGE (US 1938), THREE SMART GIRLS GROW UP (US 1939); siehe auch Nr. 777, Anm. 6.
11 Film-Serie um den englischen Detektiv Hugh »Bulldog« Drummond nach Romanen und Theaterstücken von Herman C. McNeile. Erste Filme entstanden bereits in den zwanziger Jahren (z.B. BULLDOG DRUMMOND. Oscar Apfel. GB 1923), die Hochphase aber erlebte die Serie in den Dreißigern.
12 LOUISE. Abel Gance. FR 1938/39, nach der gleichnamigen Oper von Gustave Charpentier (UA 1900).
13 ILS ÉTAIENT NEUF CÉLIBATAIRES. Sacha Guitry. FR 1939.
14 Siehe Nr. 764.
15 LA PISTE DU NORD (LA LOI DU NORD). Jacques Feyder. FR 1939-1942.
16 SÉRÉNADE. Jean Boyer. FR 1939/40.
17 UN TEL PÈRE ET FILS. Julien Duvivier. FR 1940-1945.
18 Der Filmtitel lautet: AIR PUR. René Clair. FR 1939; der Film blieb wegen des Krieges unvollendet.
19 René Clair, »Des Films, oui ou non?« In: *Candide*. Grand Hebdomadaire Parisien et Littéraire vom 27. 12. 1939, Nr. 824, S. 6.

764. Die Filme der Woche

Filmsammelrez.: HÔTEL IMPÉRIAL / HOTEL IMPERIAL. Robert Florey. US 1938/39; QUARTIER SANS SOLEIL. Dimitri Kirsanoff. FR 1939-1945; LE BRIGAND BIEN-AIMÉ / JESSE JAMES. Henry King. US 1938/39; DER TAG NACH DER SCHEIDUNG. Paul Verhoeven. DE 1938; PIÈGES. Robert Siodmak. FR 1939.

Hotel Imperial (*Alhambra*)[1]

Hier ist einmal ein Spionagefilm, der ohne das übliche Schema auskommt und der eben darum viel besser und, was bei einem Spionagefilm schließlich die Hauptsache ist, viel spannender ausfällt. HOTEL STADT LEMBERG[2] (so lautet der deutsche Titel des Films) hat ein geschicktes, auf starke Steigerungen bedachtes Drehbuch[3] und einen Regisseur, der den dankbaren Stoff mit einer Reihe ausgezeichneter Einfälle zu verlebendigen weiß. Es ist der seit vielen Jahren in Hollywood lebende und filmende Franzose *Robert Florey*, ein Generationsgefährte und Freund von Douglas Fairbanks,[4] der für diese vorzügliche Regie verantwortlich ist; was vor allem auffällt, ist die ungewöhnliche Bildwirkung, die stellenweise an die gute Schule der schönen alten Russenfilme denken läßt und die manchen Szenen mit rein optischen Mitteln ein starkes und nicht unecht wirkendes Pathos verleiht. Die Handlung spielt in Galizien, in einem kleinen Städtchen, das abwechselnd von den Österreichern und den Russen besetzt wird und wo mancherlei Fäden durcheinanderlaufen; hier begegnet die polnische Sängerin, die den Freitod ihrer Schwester an dem Schuldigen rächen will, dem österreichischen Offizier, der sich in einen Kellner verwandelt hat, und dem russischen Spion, der als österreichischer Offizier erscheint. *Isa Miranda* spielt die Heldin: der italienische Star ist in Amerika zu einer zweiten Marlene Dietrich stilisiert worden, und das ist der schönen Schauspielerin nicht durchwegs gut bekommen – man spürt denn doch den Abstand vom Original. Aber das ist eben das Wesen des guten Regisseurs, daß er auch mit Schauspielern zweiten Ranges einen Film zusammenbringt, der stärker wirken kann als mancher Starstreifen.

Quartier sans soleil (*Eldorado*)[5]

Der in Frankreich filmende russische Regisseur *D.[imitri] Kirsanoff* hat sich um die Entwicklung des französischen Films unvergeßliche Dienste erworben: er war einer der ersten, die – deutschen und russischen Vorbildern folgend – in den Anfangszeiten des Tonfilms das ganze Leben des Alltags für den Film entdeckten;[6] die Tradition des »Realismus«, die filmische Schilderung von Elend und Not in Hafenquartieren und Vorstädten, die wir heute als typisch französisch empfinden, verdankt Kirsanoff wesentliche Impulse. Auch QUARTIER SANS SOLEIL, sein neuester Streifen, verläßt die Bahnen dieser Tradition nicht, und wenn dieses Werk im Gegensatz zu Kirsanoffs frühen Filmen nicht mehr den Vorzug der Originalität hat, ja, wenn man darin heute gelegentlich einen theatralischen Ton zu vernehmen glaubt und im romantischen Untergrund dieses »Realismus« deutlich erkennt, so spürt man doch noch allenthalben die Hand des Könners, des treffsicheren Milieuschilderers, dem ein paar Bilder von nachhaltiger Wirkung gelingen. Das beginnt schon mit den Titeln, dem langen Verzeichnis der Mitwirkenden: Name um Name läuft auf dem Hintergrunde einer

Mauer ab, die den Eindruck des Zerfressenen, Kranken, mit suggestiver Kraft im Betrachter erweckt, ehe auch nur das erste Bild der Handlung aufblendet. Und dann dieses erste Bild: ein frommer Öldruck, den Gang nach Emmaus darstellend, und unter diesem Helgen ein scheußliches Gewirre von Kleidern, Schuhen, Lumpen, in deren Mitte das Bett mit den beiden schlafenden Mädchen steht und durch das eine Katze mit lässigen Bewegungen strolcht – da ist in wenigen Einstellungen eine Atmosphäre zwingend eingefangen. Solcher Bilder gibt es noch einige: der eindrucksvoll ausgemalte Hintergrund packt das Interesse, stärker als die recht konventionelle Handlung. Ähnlich stark ist der Eindruck der Szenen, die während des Abbruchs des ungesunden, sonnenlosen Quartiers spielen: die erbarmungslos aufgerissenen Zimmer, all die bloßgelegte Ärmlichkeit und Trümmerhaftigkeit hat etwas Ergreifendes. Wenn allerdings am Ende an die Stelle der scheußlichen Wohnlöcher herrliche moderne Wohnungen mit breiten Straßen und Treppen, mit Spielplätzen und Schwimmbädern treten und dem dunkel getönten Film den lichten Abschluß geben soll, dann überlegt man sich, woher denn die bisherigen Bewohner des »Quartiers sans soleil« das Geld für die luxuriösen neuen Mietswohnungen hernehmen sollen ... Der Autor[7] hat sich da die Sache doch wohl ein wenig zu leicht gemacht.
Unter den Schauspielern dominieren die Frauen: vor allem das Schwesternpaar *Michèle Lahaye* (die ein wenig an Michèle Morgan[8] erinnert, aber freilich deren Sicherheit und Ausdruckskraft erst noch erwerben muß) und *Nadia Sibirskaia*, der wir jüngst auch in Renoirs LE CRIME DE M. LANGE[9] begegnet sind.

Jesse James (*Palace*)[10]

Noch einer der »großen« Pionierfilme, diesmal in Farben, von *Henry King* geschickt inszeniert: die Geschichte von Amerikas populärstem Banditen, einem aus der Gattung der »edlen Räuber«, die allezeit die Volksphantasie beschäftigt haben. *Tyrone Power* ist der Held, der gegen das Unrecht der großen Eisenbahngesellschaften kämpft: der schöne jeune premier der Fox[11] folgt mit dieser Rolle dem Zuge zur Männlichkeit und Rauhbeinigkeit, der schon seinen Konkurrenten Robert Taylor in den Boxring geführt hat.[12] Übrigens kann Power bei dieser Gelegenheit beweisen, daß er das Zeug zu einem guten Schauspieler in sich hat. Er weiß für seinen Helden, der vom romantischen Kämpfer zum gemeinen Banditen abzusinken droht, menschlich zu interessieren. Schade nur, daß eine Liebesgeschichte mit der hübschen, aber ihrer Aufgabe nicht ganz gewachsenen *Nancy Kelly* allzu breiten Raum einnimmt und daß in der Handlung die Notwendigkeit, den sympathischen Räuber dem Hays-Office[13] angenehm zu machen, gelegentlich störend hervortritt. Mit großer Sorgfalt sind die Nebenrollen besetzt: *Henry Fonda* als der Bruder des Helden, *Randolph Scott* als sympathischer Sheriff, *Donald Meek* als Präsident der Eisenbahngesellschaft, *Slim Summerville* als trottelig-schlauer Gefängniswärter und viele andere ausgezeichnete Charakterspieler haben ihre Rollen glänzend durchgearbeitet. Herrlich sind ein paar Jagden und Verfolgungen herausgekommen: in diesen Freiluftszenen kommt die Farbe am besten zu ihrem Recht.

Der Tag nach der Scheidung (*Palermo*)

Ein nettes junges Pärchen hat sich scheiden lassen, weil der Ehemann (*Hans Söhnker*) von einer ach so argen Mondänin (*Hilde Hildebrand*) berückt wurde. Die Ehefrau aber gewinnt ihn schlußendlich zurück, indem sie ihn nachträglich eifersüchtig macht und mit Hilfe eines fabelhaften Dritten (*Johannes Riemann*), der dann als seine Schuldigkeit getan habender Mohr ungeachtet seiner eigenen Gefühle wieder gehen kann. *Luise Ullrich* berührt als treue kleine Ehefrau in dieser Virecks-Geschichte am sympathischsten. Sie hat früher zusammen mit Victor de Kowa einigen der gelungensten, spritzigsten deutschen Komödien zu verdientem Erfolg verholfen.[14] Auch heute noch ist sie eine der charmantesten und verläßlichsten Künstlerinnen des »naiv-sentimentalen« Fachs, über die der deutsche Film verfügt, weil sie sich immun erwiesen hat gegen seine Neigung, das Komische ins derb Farcenhafte, gelegentlich sogar Vulgäre abgleiten zu lassen, eine Neigung die auch ohne die obligat gewordenen Dorfschenkenszenen mit »volkhaftem« Humor immer stärker zu werden droht.

Pièges (*Rex*)[15]

Einige Mädchen, darunter ein blondes Taxigirl, sind auf geheimnisvolle Weise verschwunden. Wer hat sie beiseite geschafft? Die Antwort hierauf erteilt der neue französische Film PIÈGES, der insofern eine interessante Spielart des Polizeifilms darstellt, als er nicht einfach die immer engere Umzingelung des Verbrechers beschreibt,[16] sondern das Hauptgewicht auf die Schilderung verdächtiger Milieus legt. Adrienne, die von der Polizei engagierte Freundin des Taxigirls, muß allen erdenklichen zweifelhaften Inseraten auf den Grund gehen und gerät dabei in Berührung mit sonderbaren Figuren und Kreisen. Der Manicure-Salon erweist sich als harmlos; der Majordomus eines herrschaftlichen Hauses, der harmlos scheint, entpuppt sich als Spießgeselle eines griechischen Mädchenhändlers. Es ist der besondere Reiz des Films, daß er am Leitfaden von Inseraten ins Menschengestrüpp der Weltstadt dringt und durch eine Reihe von Episoden zeigt, wie viele Fallen im Dickicht gestellt sind und wie der kleinste Schritt vom Weg ins Bodenlose führen mag. Das Gefüge dieser Episoden ist fesselnd genug, um über die Unwahrscheinlichkeiten hinwegzuhelfen, zu denen die Handlung im Interesse primitiver Spannung ihre Zuflucht nimmt.

Vielleicht auch im Interesse von *Maurice Chevalier*; denn indem er, dem die Unschuld auf der Stirn geschrieben steht, des Mordes angeklagt wird, erhält er die Möglichkeit geboten, einmal ins ernste Rollenfach hinüberzuwechseln und einen Menschen zu spielen, der unter der Last von Indizienbeweisen zusammenbricht. Er zieht sich gut aus der Affäre und hat überdies reichlich Gelegenheit, jenen bekannten Charme zu entfalten, den das Publikum seit alters her von ihm begehrt. *Stroheim* verkörpert mit der kalten Besessenheit, über die nur er verfügt, einen berühmt gewesenen Schneider, der im Wahn lebt, er schaffe immer noch für eine erlesene Kundschaft; während er in Wahrheit seine Modeschau vor leeren Sitzreihen veranstaltet. Eine erfreuliche Erscheinung ist *Marie Déa*, die als Adrienne von Anfang bis zu Ende die Szene beherrscht; sie weiß durch ihr intelligentes Spiel, ihre angenehme Sprechweise und ihren aparten Gesichtsschnitt für sich einzunehmen.

Von der ausgezeichneten Photographie *Kelbers* unterstützt, bringt *Robert Siodmak* die spielerischen Leistungen und stofflichen Spannungen

mit beachtenswerter Routine zur Geltung. Die einleitenden Abschnitte des Films, die zwischen nächtlichen Straßen, Polizeibüros, Tanzbarinterieurs, Fahndungsblättern und anonymen Briefen hin- und herpendeln, sind das Musterbeispiel einer knappen, erregenden Bildreportage. Über bloße Routine geht die große Szene am Schluß hinaus, in der Adrienne, ein paar Stunden vor der Hinrichtung ihres geliebten Chevalier, dem wirklichen Mörder das Geständnis entlockt. Hier ist es der Regie gelungen, durch das Miteinander des Kaminfeuers, des fortwährenden Tikkens der Uhr, der hartnäckig sich dahinschleppenden Nahaufnahmen beider Hauptfiguren und des gelegentlichen Auftauchens ihrer Spiegelbilder eine Angstatmosphäre von außerordentlicher Dichte zu erzeugen.
(BNZ vom 18. 1. 1940)

1 Das Pariser Kino Alhambra am Boulevard de la Villette 22 wurde 1906 eröffnet und bestand bis 1969.
2 HOTEL STADT LEMBERG ist der deutsche Verleihtitel eines 1926/27 von Mauritz Stiller gedrehten und von Kracauer rezensierten Films (siehe Nr. 200), dessen amerikanischer Originaltitel ebenfalls HOTEL IMPERIAL lautete. Kracauer verwechselt hier die Titel.
3 Drehbuch: Lajos Biró, Gilbert Gabriel und Robert Thoeren, nach Lajos Biró, *Színmü négy felvonásban*. Budapest: Singer & Wolfner 1914; dt.: *Hotel Imperial*. Schauspiel in vier Aufzügen. Übers. von Ernst Lorsy. S.I. [ohne weitere Angaben].
4 Zu Douglas Fairbanks siehe u.a. Nr. 172, 185, 244 und 426.
5 Das Eldorado am Boulevard de Strasbourg 4 wurde in den dreißiger Jahren errichtet und galt als eines der renommiertesten Kinos der Stadt.
6 Siehe Nr. 614 und 694 sowie Nr. 542, Anm. 8.
7 Auch das Drehbuch stammt von Dimitri Kirsanoff.
8 Michèle Morgan (geb. 1920), französisch-amerikanische Schauspielerin, wurde international bekannt durch ihre Rolle in QUAI DE BRUMES (siehe Nr. 740) und erhielt 1946 für die Darstellung des blinden Mädchens in LA SYMPHONIE PASTORALE (FR 1946) eine Auszeichnung in Cannes.
9 LE CRIME DE MONSIEUR LANGE. Jean Renoir. FR 1935/36.
10 Das Pariser Kino Le Palace lag in der Avenue de la Motte-Picquet 18-20.
11 Tyrone Power (1913-1958), amerikanischer Schauspieler, in der Rolle des romantischen Helden und Abenteurers einer der populärsten Stars der Twentieth Century Fox in den späten dreißiger und vierziger Jahren, u.a. in LLOYD'S OF LONDON (1936), SUEZ (1938) und JESSE JAMES (1938/39).
12 In dem Film: THE CROWD ROARS. Richard Thorpe. US 1938.
13 Siehe Nr. 671, Anm. 3.
14 Z.B. VERSPRICH MIR NICHTS! Wolfgang Liebeneiner. DE 1937; ICH LIEBE DICH. Herbert Selpin. DE 1938.

15 Das Rex, auch Le Grand Rex genannt, am Boulevard Poissonnière wurde 1932 als das größte Premierenkino Europas (2800 Plätze) eröffnet; es besteht bis heute.
16 Im Typoskript (KN): »die immer engere Umzingelung des Verbrechers betreibt«.

765. Wiedersehen mit alten Filmen

[VII.] Jean Vigo

Jean Vigo – er ist, noch nicht dreißigjährig, im Herbst 1934 gestorben[1] – hat nur wenige Filme hinterlassen, auf deren zeitlich ersten: À PROPOS DE NICE[2] hier seiner jahrelangen Unzugänglichkeit wegen nicht einmal Bezug genommen werden kann. Dieser satirischen Reportage folgte 1933 der von René Clair und der französischen Avantgarde beeinflußte Film: ZÉRO DE CONDUITE,[3] der eine Schülerrevolte in einem Internat schildert. Den Abschluß der kurzen Reihe bildet ATALANTE (1934),[4] jenes den Teilnehmern der vorjährigen Basler Filmwoche bekannte Meisterwerk,[5] mit dem Vigo in die vorderste Reihe der französischen Filmregisseure rückt. Außer René Clair, dem Clair der großen Pariser Filme,[6] hat vielleicht nur Vigo noch Gebiete zu entdecken und zu erobern vermocht, die allein dem Film vorbehalten sind. Und ermangelt er[7] der herrlichen Leichtigkeit Clairs, so hat er doch vor ihm den Ernst dessen voraus, dem es um Erkenntnis geht.

Schon seine Kompositionsmethode verrät eine ursprüngliche Beziehung zum Film. Dem Usus entgegen, ist die Fabel bei Vigo keine hermetisch abgedichtete Konstruktion, die alle Spannung auf sich zöge, sondern ein kaum belastetes, sehr poröses und gar nicht zielbewußtes Geschehen. Das ATALANTE zugrunde gelegte[8] könnte nicht unauffälliger sein: Jean, der junge Patron des Flußdampfers, nach dem der Film heißt, hat Juliette geheiratet, die sich bald aus der Monotonie von Kajüte, Wasser und Landschaft heraus nach Paris sehnt, ihren auf Paris und alle Welt eifersüchtigen Mann verläßt und sich in der Stadt verlöre, brächte sie nicht Père Jules, das Faktotum des Frachtschiffes, dem armen Jean zurück. Der Nachdruck ruht nicht so sehr auf dieser alltäglichen Geschichte als auf den zahlreichen kleinen Einzelepisoden, die viel spannungsträchtiger sind und durch die Handlung wohl ermöglicht, aber nicht bedingt werden. Gleich die erste Passage, in der Jean und Juliette, weit der Hochzeitsgesellschaft voraus, im Feststaat stumm nebeneinander wie Fremdlinge durch den Wald übers Feld zum Strand schreiten, ist ein in sich geschlossenes Stück Poesie. Indem Vigo die Episoden wie Perlen an der Schnur der Handlung aufreiht, macht er ein technisches Faktum ästhetisch fruchtbar; das Faktum, daß der Zelluloidstreifen grundsätzlich endlos ist und jederzeit abgebrochen werden kann.

Wichtiger sind die Folgerungen, die er aus der Tatsache zieht, daß die Kamera zwischen Menschen und Dingen, belebter und unbelebter Natur keinen Unterschied kennt. Zunächst trägt er ihr insofern Rechnung, als er sich um den Aufweis der materiellen Komponenten seelischer Vorgänge bemüht. In ATALANTE ist deutlich zu spüren, wie stark die Flußnebel, die Baumalleen und die vereinzelten Gehöfte am Ufer aufs Gemüt wirken und wie das Verhältnis der Schiffer zur Stadt dadurch mitbestimmt wird, daß sie die Mietshäuser oberhalb der Kaimauern vom niedrigen Wasserspiegel aus erblicken. Aber auch andere Regisseure haben die Sachen der stillen Teilhaberschaft an unserem Denken und Fühlen bezichtigt. Vigo geht noch weiter. Er stellt nicht einfach bei irgendeinem Anlaß die Mitverantwortlichkeit der Dinge fest; vom Drang beherrscht, sie voll an der Macht zu zeigen und so die Indifferenz der Kamera allem Erscheinenden gegenüber extrem zu rechtfertigen, sucht er vielmehr Konstellationen auf, in denen der Eingriff der materiellen Gegebenheiten dem geringsten Widerstand begegnet. Da nun zunehmende Bewußtheit die Wucht dieses Eingriffs mehr und mehr vermindert, verfährt Vigo nur folgerichtig, wenn er zu Hauptpersonen seiner beiden Filme schwach bewußte Menschen wählt – solche, die tief in der Dingwelt stecken.
Knaben, die sich noch nicht mit der Realität auseinandergesetzt haben, sind die Helden von ZÉRO DE CONDUITE. Ihrer zwei fahren am Anfang des Films nachts in einem Eisenbahnabteil III. Klasse zur Schule, und dieses Abteil nimmt unverzüglich die ihren Träumen angemessene Existenzform eines Wigwams an, in dem sie sich selber überlassen sind. Man sieht zwar ein Paar Männerbeine auf der einen Bank und dann auf der andern die obere Hälfte eines schlafenden Herrn, aber eben die Hal-

bierung des Schläfers besagt, daß er ein lebloses Wesen ist, dessen Gegenwart eher noch den Eindruck der Weltverlorenheit steigert, der bereits durch die Rauchfahnen hinter dem Wagenfenster erweckt wird. Die Coupéwand mit dem Fenster sitzt etwas schräg im Bild, eine Einstellung, die darauf hindeutet, daß sich dieses ganze Gehäuse räumlich und zeitlich nicht lokalisieren läßt. Ihr abenteuerliches Beisammensein erregt die beiden[9] zu Gaukeleien. Aus unergründlichen Taschen holen sie abwechselnd eine Spirale hervor, aus der ein Bällchen hochschnellt, eine Flöte, zusammengeschrumpfte Kinderballonhüllen, die der kleinere Junge aufbläst, ein Bündel Gänsefedern, mit denen der größere sich schmückt, und zuletzt ellenlange Zigarren. Wie sie, von unten nach oben aufgenommen, erhaben dahocken, der Lokomotivenrauch sich mit dem Zigarrenqualm vermischt und inmitten des Dunstes die runden Ballons vor den bleichen Gesichtern hin und her taumeln, ist es nicht anders, als führen die zwei in ihrem Zauberwigwam durch die Lüfte. Ruckartig fällt der Schläfer hin. »Il est mort!« ruft der eine Knabe erschreckt. Von den Ballons umschwebt, steigen sie aus; an der Coupéwand außen ist die Aufschrift: »Non-Fumeurs« zu lesen, und sofort verwandelt sich der Wigwam in ein gewöhnliches Eisenbahnabteil III. Klasse zurück.

Beteiligen sich die Dinge am Spiel der Knaben, wenn sie es nicht vorziehen, diese zu ängstigen, so werden sie im Umkreis des alten Pères Jules zu Fetischen. Michel Simons Père Jules gehört zu den wunderbarsten Figuren, die je von einem Schauspieler und einem Regisseur für den Film geschaffen worden sind. Der Alte, ein ehemaliger Matrose, der in Gesellschaft zahlloser Katzen, seiner Ziehharmonika und eines halbidiotischen Jungen das Schiff betreut, unartikuliert vor sich hinbrummelt und beständig zwischen Steuerrad und Kajüte auf und ab wandelt, lebt in einer Art Dämmerzustand dahin – so eins mit der ATALANTE, als sei er aus einer ihrer Planken geschnitzt. Was sich ihm mitteilt, sind körperliche Aktionen, die er aber nicht bewußt erfährt, sondern auf der Stelle in ähnliche Aktionen umsetzt. Jean hebt Juliette hoch, mit der er Rücken an Rücken zusammensteht: Zeuge dieses verliebten Spaßes, veranstaltet Père Jules einen Boxkampf mit sich selber. Juliette probiert ihm einen Rock an, den sie näht: der Rock veranlaßt ihn zur Nachahmung einer afrikanischen Bauchtänzerin, und da ihm Afrika nicht weit von San Sebastian zu liegen scheint, bedient er sich gleich seiner wie eines roten Tuchs, um einen imaginären Stier zu reizen. Er erinnert sich nicht an die Ereignisse, er reproduziert sie auf bestimmte Signale hin. Ein atavistisches Verhalten, das nirgends durchbrochen wird; statt über die Objekte zu verfügen, ist er ihnen verfallen. Mit welch unwiderstehlicher Gewalt sie ihn behexen, offenbart jene einzigartige Szene, in der Père Jules der bei ihm eingetretenen Juliette die Raritäten vorführt, die er von seinen Reisen mitgebracht hat. Vigo weiß die kunterbunt aufgestapelte Kollektion so zu schildern, daß man erkennt: die Dinge sind buchstäblich über den alten Jules zusammengewachsen. Die Formulierung dieses Tatbestandes gelingt ihm dadurch, daß er, unter Verwendung von lauter Nah- und Großaufnahmen, zu denen die räumliche Enge ihn nötigt, die einzelnen Sachen von vielen Seiten her und in jeder Höhenlage darbietet, ohne ihre örtliche Beziehung zueinander zu klären. Der Wecker, die Spieldose, die Photographie, die den jungen Jules zwischen zwei Frauen in Flitterkleidern zeigt, der Elefantenzahn und all der Krimskrams, der nach und nach auftaucht, bilden ein undurchdringliches Geflecht, in das sich fortwährend Fragmente des Alten verstricken: sein Arm, sein tätowierter Rücken, sein Gesicht. Wie genau dieses zerstückelte Erscheinen dem Kult entspricht, den er mit seinen Schätzen treibt, erhellt auch daraus, daß er von einem verstorbenen Kameraden die Hände in Spiritus aufbewahrt. Triumphierend entfalten die Götzen ihrerseits die ihnen innewohnenden Kräfte. Ihrem großen Defilee läßt Vigo eine Puppe vorangehen, die, vom Père Jules in Gang gesetzt, aus einem Marionettentheater heraus wie ein Kapellmeister eine mechanische Musik dirigiert. Das magische Leben, mit dem die Puppe begabt ist, überträgt sich auf die Kuriositäten in ihrem Gefolge.

»... un documentaire bien romantique«, schreibt Brasillach in seiner *»Historie du Cinéma«* von À PROPOS DE NICE, »mais d'une belle cruauté, où les ridicules des dames vieilles et amoureuses, des gigolos et de la bourgeoisie décadente étaient férocement stigmatisés.«[10] Von der bewußten Kritik am Bestehenden, mit der er anfängt, hat sich Vigo, dem überwältigenden Appell der materiellen Gegebenheiten gehorchend, immer mehr entfernt; ja, in ATALANTE scheint er geradezu eine bewußtseinsfeindliche Haltung besiegeln zu wollen. So wäre Vigos Entwick-

lung in regressivem Sinne verlaufen? Aber noch in ZÉRO DE CONDUITE schlägt die Satire durch, und vielleicht hat er sich nur deshalb dem Dingzauber verschrieben, um eines Tages, gründlicher und kenntnisreicher als zuvor, das im Nizza-Film begonnene Werk der Entzauberung fortsetzen zu können. Sein Zurückweichen ist möglicherweise das des Springers gewesen, der einen Anlauf nimmt.
(BNZ vom 1. 2. 1940)[11]

1 Jean Vigo (geb. 1905) starb am 5. 10. 1934.
2 À PROPOS DE NICE. Jean Vigo. FR. 1929.
3 ZÉRO DE CONDUITE. Jean Vigo. FR 1933.
4 L'ATALANTE. Jean Vigo. FR 1933/34.
5 Im Typoskript (KN) hat Kracauer – wahrscheinlich im Zuge einer nachträglichen Korrektur – »jenes den Teilnehmern der vorjährigen Basler Filmwoche bekannte Meisterwerk« gestrichen und ersetzt durch: »ein Meisterwerk«. Im Juni 1939 hatte der Schweizer Filmclub »Le Bon Film« in Basel eine internationale Woche des Films organisiert, an der u. a. Jean Renoir als Referent teilnahm.
6 Siehe Nr. 614, 649 und 705.
7 Im Typoskript handschriftliche Korrektur: »und ermangelt er auch«.
8 Im Typoskript handschriftliche Korrektur: »Die ATALANTE zugrunde gelegte Fabel [...].«
9 Im Typoskript handschriftliche Korrektur: »die beiden Knaben«.
10 Frz.: »[...] ein Dokumentarfilm, der wohl romantisch, zugleich aber von einer schönen Grausamkeit ist und die Lächerlichkeiten alter und verliebter Damen, der Gigolos und der dekadenten Bourgeoisie unerbittlich geißelt.« (Maurice Bardèche und Robert Brasillach, *Histoire du cinéma*. Nouv. Éd. définitive. Givors: André Martel 1953-54 [1. Aufl. Paris: Denoël et Steele 1935], Bd. I, S. 270.)
11 U. d. T. »Jean Vigo« in amerikanischer Übersetzung wiederveröffentlicht in: *Hollywood Quarterly* Nr. 3, April 1947, S. 261-263.

766. Dokumentarische Filme

Filmsammelrez.: UN VILLAGE DANS PARIS. Pierre Harts. FR 1940; LA MODE RÉVÉE. Marcel L'Herbier. FR 1938; LES TAPISSERIES DE FRANCE. Jean Tedesco. FR 1938; VIOLONS D'INGRES. Jacques B. Brunius und Georges Labrousse. FR 1939.

Im Pariser *Cercle du Cinéma*[1] waren jüngst jene dokumentarischen Kurzfilme zu sehen, die auf der New Yorker Weltausstellung[2] einen Begriff von Frankreich und seinen kulturellen Schätzen vermitteln sollten. Ein glücklicher Gedanke, solche Filme, die meist im Beiprogramm versinken, einmal zusammenhängend zu zeigen; desto glücklicher, als sich darunter ein paar bemerkenswerte Streifen befinden. Sie lassen erkennen, wieviel aus dieser etwas stiefmütterlich behandelten Gattung herauszuholen wäre.

René Clairs Montmartre-Schilderung UN VILLAGE DANS PARIS[3] überrascht durch den völligen Verzicht auf Virtuosität. Einfache, klare Bilder folgen sich ohne Inanspruchnahme von Montagekünsten, und die einzige Sorge gilt der Treue des Berichts, der die Topographie des Montmartrehügels und das Treiben seiner Bewohner veranschaulicht. Aber gerade die Präzisionskunst Clairs ist auf eine souveräne Beherrschung des Stoffs angewiesen. Und hier bemüht sich Clair nicht um Gestaltung im engeren Sinne, sondern öffnet gleichsam seine Mappen und breitet Studienmaterial aus. Trotz ihrer geflissentlichen Sachlichkeit ermangeln diese Bildnotizen, die einen von Liebespärchen geschätzten Mauervorsprung ebenso gewissenhaft verzeichnen wie den Markt auf der Rue Lepic, keineswegs des zärtlichen Untertons. Er rührt vom Wissen um die Vergänglichkeit der wunderbaren Stadtlandschaft her, das sich in den elegischen Schlußbildern offen ausspricht: hohe moderne Mietshäuser ragen dicht hinter einigen dem Abbruch geweihten Häuschen hoch, und durch eine verfallene Gasse humpelt ein alter Mann davon.

Marcel L'Herbier beweist mit seinem Fantasiestück LA MODE RÉVÉE, daß ein Film über die haute couture selber etwas vom Reiz einer Modeschöpfung haben kann. Eine junge Amerikanerin, die sich zu einer Modenschau begeben will, macht unterwegs im Louvre Station und schläft hier vor Watteaus *»Embarquement pour Cythère«*[4] ein, während gerade ein Fremdenführer Landsleuten von ihr dieses Bild erklärt. Immer weiter dozierend tritt der Cicerone – die Schläferin träumt schon – unversehens ins Bild hinein und beginnt mit der größten Selbstverständlichkeit die schönen Watteau-Damen anzusprechen. Noch scheinen sie gemalte Figuren, da prasselt mitten im Bild ein Regenguß nieder, vor dem sie mit Schwebeschritten die Flucht ergreifen. Wie sie dann als Mannequins an der Modenschau teilnehmen, zum Louvre heimkehren und wieder ins Gemälde dringen, vor dem die ab und zu dazwischen eingeblendete Amerikanerin verwirrt erwacht – dies alles ergibt sich zwanglos aus dem ursprünglichen Einfall der Verlebendigung des Bildes, der ein noch nicht genügend ausgeschöpftes Filmthema berührt: das der Darstellung von Bildern im Film.[5]

Zwei weitere Kurzfilme gehen auf dieses Thema näher ein und erhärten die Tatsache, daß der Film über die Möglichkeit verfügt, Bildern zu einem extremen Leben zu verhelfen. Die auf Grund aller anderen Reproduktionsmethoden gewonnenen Nachbildungen bleiben hinter dem Original zurück; der Film dagegen zwingt auch verschlossene Originale zum Reden, solche, die lieber ganz schwiegen. Liegt es an seiner Fähigkeit, vor dem Bild hin- und herzuwandern und einzelne seiner Partien in Großaufnahme herauszugreifen? Jedenfalls erzielen die Großaufnahmen in *Jean Tedescos* Film LES TAPISSERIES DE FRANCE die Wirkung eines Elixiers; es ist, als hielten die gestickten Köpfe, biblischen Fabeltiere und Ornamente auf den mittelalterlichen Gobelins in einer imaginären Bewegung inne. Tedesco unterstützt übrigens die optischen Effekte mit Erfolg durch den akustischen, die jeweiligen Räume durch die Stimme des Sprechers mitklingen zu lassen; wenn dieser die apokalyptischen Webereien beschreibt, glaubt man das hohe Kirchenschiff zu spüren, in dem er verweilt. – Auch *J.[acques] B.[ernard] Brunius* und *G.[eorges] Labrousse* verfilmen Gemälde und Stiche. In ihrem charmanten Film VIOLONS D'INGRES, der sich nicht etwa mit dem Aufweis kurioser Liebhabereien begnügt, sondern darüber hinaus die Grenze sichtbar macht, an der sich Abstrusität und Genie verwischen, sind Gemälde von Henri Rousseau[6] auf sehr instruktive Art einbezogen. An Stelle der gemalten Landschaft erscheint einen Augenblick lang die echte, die dann wieder dem Bild weicht, das durch den Vergleich mit seinem Modell noch mehr Dasein gewinnt. Unheimlich knistert und glimmt es im farbigen Blätterdickicht des Urwaldes, in dem Jadwiga, auf der Chaiselongue liegend, dem Flötenspiel lauscht.
(BNZ vom 14. 3. 1940)

1 Siehe Nr. 742, Anm. 6.
2 Die Weltausstellung fand vom 30. 4. bis 31. 10. 1939 und vom 11. 4. bis 27. 10. 1940 in New York statt.
3 René Clair produzierte den Film.
4 Gemälde von Jean Antonine Watteau, entstanden 1720.
5 Zur Verfilmung von Gemälden siehe auch Nr. 735 sowie *Werke*, Bd. 3, S. 309-318.
6 Henri Rousseau (1844-1910), französischer Maler, Begründer der sogenannten »naiven« Malerei der Moderne.

767. Der Stand der französischen Filmproduktion[1]

Durch den Beginn des Krieges wurde zunächst die französische Filmproduktion mit einem Schlag lahmgelegt. Die eben noch voll besetzten Studios standen leer; die in Arbeit befindlichen Filme schienen für die Rumpelkammer bestimmt. Nachdem der erste Schock überwunden war, gab es nur eine Meinung darüber, daß dieser Zustand nicht andauern könne. Und alsbald kam eine eifrige Diskussion über die Möglichkeit einer Neubelebung der Produktion in Gang – eine Diskussion, die noch heute fortgeführt wird und die Fachpresse erfüllt. Einige wesentliche Punkte aus ihr verdienen festgehalten zu werden.[2]
Jetzt, da es um Sein oder Nichtsein des französischen Films geht, dringen die meisten auf die sofortige Inangriffnahme der notwendigen *Reorganisation*, die auch eine Säuberung der Branche von allerlei bedenklichen Elementen und ihren verwegenen Finanzierungskünsten nach sich zöge.[3] Nur ist mit den Reformen[4] eine Gefahr verbunden, die in sämtlichen Beteiligten große Besorgnis erweckt: die einer Art Verstaatlichung des Films. Nimmt sich der Staat der Produktion an, so kann deren Unabhängigkeit darunter leiden. Journalisten, Regisseure und Verbände machen kein Hehl daraus, daß sie in einem staatlichen Protektorat eine schwere Bedrohung des französischen Films erblickten. Um so mehr treffen sich alle in der Forderung, daß an die Spitze der Produktion eine aus ihr selber hervorgegangene starke Persönlichkeit treten möge, die sich der ihrer harrenden herkulischen Aufgaben gewachsen zeigt. Ein Direktor des Films oder ein Direktorium: das ist die Hoffnung vieler. Mittlerweile ist Henry Torrés zum Chef des Filmressorts beim *Commissariat Général de l'Information*[5] ernannt worden. An die Begrüßungen, die ihm aus Filmkreisen reichlich zuteil werden, knüpft sich fast durchweg der Wunsch, daß er die nötigen Machtbefugnisse erhalte, um die ihm gesteckten Ziele wirklich zu erreichen.[6]
Nicht zuletzt erstreckt sich der Meinungsaustausch auf die besonderen Probleme, vor die der französische Film durch den Krieg gestellt wird. Eingedenk des internationalen Erfolgs französischer Erzeugnisse in jüngster Vergangenheit, will man weiterhin *Qualitätsfilme* produzieren; schließlich hat sich erwiesen, daß gute Filme zugleich gute Propa-

ganda sind. Selbstverständlich wird die direkte propagandistische Auswertung des Films nicht vergessen. In diesem Zusammenhang ist die Anregung beachtenswert, die zuständigen Behörden sollten die Herstellung von Kurzfilmen fördern, die außer ihrer Schlagkraft und leichten Verwendbarkeit auch den Vorzug verhältnismäßiger Billigkeit haben und jungen Regisseuren die Gelegenheit bieten, sich zu erproben.[7]

Immerhin hat, auch ohne Maßnahmen größeren Stils, die Produktion in letzter Zeit etwas angezogen. Spezialurlaube sind erteilt worden, und so können ein paar seit September liegengebliebene Filme fertiggestellt werden. Léonide Moguy vollendet L'EMPREINTE DU DIEU;[8] der große Meerfilm REMORQUES[9] mit Michèle Morgan und Gabin wird abgeschlossen. Sogar neue Filme sind in Arbeit. Unter andern dreht Duvivier in den Studios von Nizza den Film UN TEL PÈRE ET FILS,[10] der, thematisch an CAVALCADE[11] erinnernd, die Geschichte einer französischen Familie von 1870 an bis zum heutigen Tage erzählt.[12]

(NZZ vom 18. 3. 1940)

1 Das Typoskript (KN) hat die Überschrift: »Zum Stand der französischen Filmproduktion«.

2 Im Typoskript folgt hier ein neuer Absatz, der mit den Sätzen beginnt: »Schon geraume Zeit vor dem Krieg sind sich die Interessenten und die öffentlichen Gewalten darin einig gewesen, daß es gewisser Reformen und gesetzlicher Regulierungen bedürfe, um die Mißstände im französischen Filmwesen zu beseitigen, deren Folgen sich vor allem auf dem Gebiet der Finanzierung fühlbar machen. Man hat sich in zahlreichen Kommissionen und Parlamentsausschüssen mit den einschlägigen Fragen befaßt, ohne daß sich diese Beratungen je zu einem Statut verdichtet hätten.«

3 Im Typoskript folgt hier der Satz: »Der gelegentlich geäußerte Standpunkt, daß sich die fälligen Reformen unter dem Druck der gegenwärtigen Verhältnisse leichter als vorher bewerkstelligen ließen, ist zweifellos nicht unberechtigt.«

4 Im Typoskript: »Nur ist mit ihnen [. . .].«

5 Das Commissariat Général de l'Information war für die Informationspolitik von Nachrichtensendungen in Film, Funk und Fernsehen zuständig.

6 Im Typoskript folgt hier der Satz: »Hierzulande ist man immer zur Skepsis geneigt.«

7 Im Typoskript folgen hier die Sätze: »Es ist sicher kein Zufall, daß Leslie Howard, der berühmte englische Filmschauspieler, während eines Pariser Besuchs im Januar nicht nur für die engere Zusammenarbeit der englischen und französischen Produktion eintrat, sondern ebenfalls der Pflege des Kurzfilms in propagandistischem Interesse das Wort redete. Diese allzu sehr vernachlässigte Filmgattung ist in der Tat noch längst nicht ausgeschöpft.«

8 L'EMPREINTE DU DIEU. Léonide Moguy. FR 1939-1941.

9 REMORQUES. Jean Grémillon. FR 1939-1941.
10 Siehe Nr. 763, Anm. 17.
11 Siehe Nr. 740, Anm. 12.
12 Im Typoskript folgt hier als Schlußsatz: »Die Werkaufnahmen daraus sind sehr vielversprechend.«

768. Frankreich und der Zeichenfilm

Über der Mickey-Mouse, Donald Duck und dem leider verschollenen Kater Felix[1] haben viele vergessen, daß der Trickfilm aus Frankreich stammt und erst von hier, wenn auch in früher Jugend schon, nach Amerika ausgewandert ist. An seinem Ursprung stehen die weißen Strichmännchen, die Émile Cohl lange Jahre vor dem Weltkrieg auf schwarzem Grund geschaffen hat[2] – Gebilde im Stil von Klee,[3] deren behende Evolutionen und entzückende Abenteuer noch heute unübertroffen sind. Im Hinblick auf diese archaischen Epopöen erscheint der jetzt in Paris gemachte Versuch, dem französischen Zeichenfilm wieder eigenes Leben einzuflößen, doppelt gerechtfertigt ... Er wird vom *Centre de coordination des Métiers* in Form eines Preisausschreibens unternommen, das sich, genau besehen, aus zwei Wettbewerben zusammensetzt:[4] der erste wendet sich an die Zeichner und dient der Erlangung passender Typen drolligen oder grotesken Charakters; der zweite betrifft die Librettisten und Komponisten, die sich von den so erhaltenen Typen zu Drehbüchern anregen lassen sollen. – Das Ergebnis der zeichnerischen Konkurrenz, an der sich übrigens nicht alle Spezialisten dieses Gebiets beteiligt haben, liegt bereits vor; es verrät die Machtstellung der Walt-Disney-Produktion, von der beeinflußt zahlreiche Künstler wie selbstverständlich die systematische Ausbeutung des Tier- und Pflanzenreiches betreiben. Der Maiskolben und die Spinne, die Banane und das Känguruh hatten sich zu Heldenrollen bestens empfohlen. Inmitten des Trosses dieser Personifikationen bewegen sich, origineller als sie, einige Mechanismen in Tiergestalt: ein aus Maschinenteilen gebildeter Vogel Strauss und ein Gaul mit dem Leib einer Lokomotive. Die üppige menschliche Fauna umfaßt Karikaturen, wie sie in den Zeitschriften auftauchen, kostümierte Figurinen, Varianten der obligaten Trickfilmkin-

der, darunter den an seiner gewaltigen karierten Mütze kenntlichen Gassenjungen Pichoum, und ein paar filmisch interessante Geschöpfe, die ihr Dasein dem Krieg verdanken. Da ist der skurrile Bileux, dem die Gasmaske wie ein Proviantkörbchen umhängt; da ist, mit demselben Kriegsattribut versehen, Baron Chichi, ein soignierter weißbärtiger Herr, der als die Verkörperung alten Boulevardglanzes unberührt durch die trüben Zeitläufe wandelt. Ein chaotisches Gewimmel, in dem man zu seiner Freude ab und zu Darstellungen begegnet, die an die wunderbaren Anfänge des Trickfilms erinnern. Das in den verschiedensten Positionen vorgeführte Männchen, das mit Macht in ein überlebensgroßes Horn tutet, darf sich getrost unter die echtbürtigen Filmtypen reihen. Und welch glückliche Effekte ließen sich aus jener Serie delikater Strichkompositionen ziehen, die bald ein märchenhaftes Arabien hinhauchen, bald sich zu einem federleichten Kinderreigen fügen!
(BNZ vom 21. 3. 1940)

1 Siehe Nr. 96, Anm. 5.
2 Émile Cohl (d.i. Émile Courtet, 1857-1938), französischer Pionier des Zeichen- und Puppenfilms. Cohls erste Zeichenfilme, wie z.B. FANTASMAGORIE, mit seinem – erstmals – gezeichneten Helden »Fantoche«, erschienen 1908; insgesamt schuf er rund 400 Filme, teils reine Zeichenfilme, teils Zeichenfilme in Kombination mit animierten Gegenständen oder Puppenfilme, u.a. LE TOUT PETIT FAUST. FR 1910.
3 Paul Klee (1879-1940), deutscher Maler und Graphiker schweizerischer Herkunft; die »poetischen« Konstruktionen seiner Bilder sind zunächst figürlich und gegenständlich gebunden, werden aber im Spätwerk auf eine elementare Bild- und Zeichensprache reduziert.
4 Nähere Angaben zu den Wettbewerben und der Ausstellung, die Kracauer im folgenden kommentiert, ließen sich bislang nicht ermitteln.

769. Auf Streifzügen erbeutet

Filmrez.: ALEXIS, GENTLEMAN ET CHAUFFEUR. Max de Vaucorbeil. FR 1937.

Ist schon die Psychologie des »Film-Fan«, d.h. des passionierten Filmliebhabers geschrieben worden? Jedenfalls gehört er nicht zur Menge derer, die in erster Linie zu den groß angekündigten Premieren strömen und nur der Verführungskraft weltberühmter Stars erliegen. Im Gegenteil. Vom Abenteuerdrang der umherschweifenden Kamera beseelt, die gerade das Inoffizielle, Unbeobachtete visiert, liebt auch er es vor allem, aufs Geratewohl durch die Kinos zu schlendern und abseits von der Heerstraße seine Entdeckungen zu machen. Paris bietet ihm heute besondere Chancen; denn da die Produktion erst jetzt neu aufzuleben beginnt, erhalten sich viele Filme länger als in normalen Zeiten auf dem Programm. So hat er genug Möglichkeiten, sich überraschen zu lassen. Und wann blieben Überraschungen aus? Die besten ereignen sich immer dann, wenn man ohne Erwartung irgendein Kino betritt, plötzlich aufmerkt und sich zusehends beteiligt fühlt; wie es Ihrem Referenten zum Beispiel in dem Filmlustspiel: ALEXIS, GENTLEMAN-CHAUFFEUR erging. Nicht so, als ob der Film ein anderes Ziel als das leichter Unterhaltung verfolgte; aber er charmiert durch sein spezifisch französisches Gepräge – diese Mischung von guter Laune, kecker Improvisation und gallischer Spottlust, die es hier übrigens nicht versäumt, im Vorübergehen auch mit Paul Valéry[1] anzubandeln. Raymond Cordy, ganz bon garçon, gibt einen seiner unnachahmlichen Typen aus dem Volk, und will man wissen, was unter capriziös zu verstehen sei, so muß man Suzy Prim als Filmdiva gesehen haben. Die Landpartie, die sie mit Luguet, dem Taxichauffeur und ehemaligen Kampfflieger, unternimmt, könnte kaum pariserischer sein: zwei Weltstädter werden angesichts der Natur zu Weltstadtkindern und führen zärtlich-vernünftige Dialoge im Ruderboot. Zwischendurch entwickeln sich ein paar echt filmische Einfälle. Bei einer Gesellschaft im Hause der Diva entpuppt sich der für diesen Abend engagierte »Extra« als ein berufsmäßiger Jongleur, den mitten im Servieren das Bedürfnis ankommt, die Teller bündelweise durch die Luft zu wirbeln, bevor er sie gesittet niedersetzt. Nachdem einmal der Geist in ihn gefahren ist, bemächtigt er sich zu denselben Zwecken noch anderer Gegenstände in Reichweite, und während die Weinflaschen und Zylinderhüte blitzschnell ihre Gaukeleien vollführen, panoramiert die Kamera gemächlich über die verdutzten Gesichter der Herrschaften am Tisch ... Solche Funde sind das eigentliche Glück des »Film-Fan«, der insofern dem wahren Sammler gleicht, als ihm nur die Besitzstücke etwas gelten, die er auf seinen Streifzügen und wie durch Zufall erbeutet hat.

(NZZ vom 14. 4. 1940)

1 Paul Ambroise Valéry (1871-1945), französischer Schriftsteller, der mit seinen aus dem Umkreis der symbolistischen Lyrik Mallarmés hervorgegangenen Gedichten (*Charmes*, 1922ff.; dt.: [Auswahl]: *Gedichte*, 1925) sowie mit seinen Essays und Prosatexten (u.a. *Monsieur Teste*, 1896, erweitert 1926; dt.: *Herr Teste*, 1927; *Eupalinos ou l'architecte*, 1923; dt.: *Eupalinos oder Über die Architektur*, 1927; *L'idée fixe ou Deux hommes à la mer*, 1932; dt.: *Die fixe Idee oder Zwei Männer am Meer*, 1965) von maßgeblichem Einfluß auf die gesamte europäische Moderne wurde. Zu Valérys Kritik am Medium Film siehe *Werke*, Bd. 3, S. 440f.

770. Eine Geschichte des Films

Rez.: Carl Vincent, *Histoire de l'Art Cinématographique*. Brüssel: Trident 1939.

Die kurz vor dem Krieg erschienene »*Histoire de l'Art Cinématographique*« des Belgiers *Carl Vincent* ist ein groß angelegtes Werk, dem alle die vielen Erfahrungen und Einblicke zugute kommen, die sein Autor im Lauf einer jahrzehntelangen Tätigkeit als Filmkritiker hat gewinnen können. Um den äußeren Zuschnitt des Buchs anzudeuten: mit Frankreich beginnend, widmet Vincent jedem einzelnen Produzentenland ein besonderes Kapitel, das von einem allgemeinen Überblick eröffnet wird, in dem er die Eigentümlichkeiten der Produktion des jeweiligen Landes charakterisiert. Gerade diese Einleitungen sind wichtiger grundsätzlicher Bemerkungen voll; die Vormachtstellung des amerikanischen Films etwa wird mit wirklicher Umsicht erklärt. Was die Darstellungsart Vincents betrifft, so beschränkt er sich in der Hauptsache auf die Beschreibung der Filme selber und die Kennzeichnung ihrer Regisseure, ohne den sozialen Verhältnissen nachzufragen, die den historischen Werdegang des Films beeinflussen – ein Verzicht, der beträchtliche Lücken in der Interpretation verschuldet. Aber es bleibt genug übrig. Das Buch ist, in der Tat, nicht nur reich an wesentlichen Filmanalysen, es schafft auch manche gängigen Irrtümer endgültig aus der Welt und liefert eine Menge interessanter Beobachtungen und neuer Angaben, die auf eigener Forschung beruhen. Nicht sein geringstes Verdienst besteht in den Auskünften, die es über die Genesis der im Film verwandten technischen Mittel und künstlerischen »Figuren« erteilt. Daß in einer solchen Gesamtwürdi-

gung hie und da kleine Ungenauigkeiten unterlaufen, ist um so unvermeidlicher, als Monographien auf diesem Gebiet noch fehlen. Zahlreiche, zum Teil unbekannte Abbildungen erhöhen den Wert des wunderschön ausgestatteten Werks, dem Jacques Feyder[1] in seinem sympathischen Vorwort mit Fug und Recht weite Verbreitung wünscht.
(BNZ vom 25. 4. 1940)

1 Zu Filmen Jacques Feyders (1885-1948) siehe u. a. Nr. 355, 576 und 643.

771. Das Grauen im Film

Unter den ersten Filmen, die je gedreht wurden, befindet sich der winzige amerikanische Streifen THE EXECUTION OF MARY QUEEN OF SCOTS[1] aus dem Jahre 1895; die Königin beugt sich über den Richtblock, und der Henker schlägt ihr den Kopf ab, den er dann erhobenen Armes dem Publikum entgegenhält. Wie die paar Meter Zelluloidband beweisen, wohnt der Filmkunst von Anfang an jener Hang zum Grauen inne, von dem getrieben sie im Verlaufe ihrer fünfundvierzigjährigen Geschichte immer wieder Ereignisse veranschaulicht, die Entsetzen wecken. Eingebungen des Irrsinns nehmen Gestalt an, Mordaffären lösen sich in endloser Kette ab, Torturen werden peinlich genau beschrieben, furchtbar entstellte Gesichter erscheinen in Großaufnahme, Kriegsschilderungen überbieten sich an Schreckensszenen, und zahlreich sind die Filme, die, wie SAN FRANCISCO,[2] OLD CHICAGO,[3] HURRICANE,[4] SUEZ[5] und neuerdings THE RAINS CAME[6] Naturkatastrophen auf drastische Weise vergegenwärtigen. Es ist nicht anders, als fühle sich das Kino dazu berufen, sämtliche Motive des Grauens zu inventarisieren. Man hat diesen Zug des Films als Spekulation auf die Sensationslust der Massen abtun zu können geglaubt. Aber so gewiß derartige Spekulationen oft mitspielen, so gewiß rechtfertigt ihr Vorhandensein keineswegs das ästhetische Verdammungsurteil gegen die Behandlung der hier gemeinten Themen im Film.
Die Grenzen einer neuen Kunst werden nicht durch die bestehenden ästhetischen Konventionen festgesetzt, ergeben sich vielmehr aus den

besonderen Möglichkeiten dieser Kunst. Um davon zu schweigen, daß erst der Film so komplexe Vorgänge wie Naturkatastrophen oder Kriegsepisoden zeigen kann, die sich von einem einzigen Standpunkt aus überhaupt nicht erschließen lassen, ist es ihm allein vorbehalten, als unbefangener Beobachter tief in die Zonen des Grauens zu dringen; woraus folgt, daß seine eingewurzelte Neigung zu grauenerregenden Stoffen ästhetisch durchaus legitim ist. Indem er seine Chancen nutzt, durchbricht er allerdings nicht nur die bisher der künstlerischen Darstellung gezogenen Schranken, sondern verbildlicht auch Geschehnisse, die dort, wo sie faktisch vonstatten gehen, keinen Zeugen dulden, weil sich unter ihrem Einfluß jeder Zeuge in ein von Angst, Wut, Verzweiflung erfülltes Wesen verwandelt.

Der Film strahlt die Erscheinung des Entsetzlichen an, dem wir sonst im Dunklen begegnen, macht das in Wirklichkeit Unvorstellbare zum Schauobjekt. Daß die jähe Entblößung des Grauenvollen zunächst als Sensation wirkt, ist unvermeidlich. Nun suchen die meisten Filme diese Wirkung dadurch fernzuhalten, daß sie mit dem Aufweis der betreffenden Gegenstände ideelle Absichten verbinden. Man bietet die schaurigen Untergründe menschlichen Daseins in ihrer brutalen Nacktheit dar, um aus ihnen desto nachdrücklicher moralische oder soziale Forderungen ableiten zu können; man führt in amerikanischen Filmen Erdbeben, Springfluten, Feuersbrünste oder Sandstürme niemals vor, ohne gleichzeitig dafür zu sorgen, daß das Wüten der Elemente der sittlichen Läuterung des Helden dient. Gutgemeinte Sublimierungen und Veredelungsversuche, denen es aber nicht gelingt, die Bilder des Grauens hinreichend zu sanktionieren.

Diese Bilder geben ihre Bedeutung eher dann preis, wenn man sie nicht sofort wieder dem bewußten Leben einordnet. Welche Bedeutung wäre ihnen beizumessen? Jede Darstellung ist auch ein Spiel mit dem Dargestellten, und vielleicht zielt das mit dem Grauen darauf ab, daß die Menschen Dinge in den Griff bekommen, denen sie einstweilen noch blind ausgeliefert sind. Auf der andern Seite droht freilich die Gefahr, daß der Zuschauer gegen Schrecknisse abstumpft, die er zu häufig sieht, und sie schliesslich als unabänderlich hinnimmt. – Erwägungen solchen Inhalts greifen jedoch schon über den Rahmen dieser Glosse hinaus.[7]

(BNZ vom 25. 4. 1940)

1 THE EXECUTION OF MARY QUEEN OF SCOTS. Alfred Clark und William Heiss. US 1895.
2 SAN FRANCISCO. W. S. Van Dyke. US 1936.
3 Der Filmtitel lautet: IN OLD CHICAGO. Henry King. US 1937/38.
4 HURRICANE. Ralph Ince. US 1929.
5 SUEZ. Allan Dwan. US 1938.
6 THE RAINS CAME. Clarence Brown. US 1939.
7 Zum »Grauen im Film« siehe auch Nr. 787 und Anhang, S. 479-485, sowie *Werke*, Bd. 3, S. 108-110.

772. Der historische Film[1]

Der historische Film, der sich, bei den frühen italienischen und französischen Produktionen angefangen, ununterbrochen durch die Geschichte des Films zieht, ist bis heute ein problematisches Genre geblieben. Seine Problematik besteht darin, daß er zwangsläufig in die Nähe des Theaters gerät oder wie lebendig gewordene Malerei wirkt. Wenn Edelleute Renaissancehallen durchschreiten, Königinnen ihre Günstlinge empfangen und kostümierte Volksgruppen sich an historischen Stätten aufrührerisch gebärden, so ist in der Tat die Erinnerung an Bühnendekorationen, Opernchöre und Gemäldegalerien nicht abzuweisen. Aber diese äußeren Analogien spielten nur eine verhältnismäßig geringe Rolle, wäre der historische Film nicht auch in tieferen Schichten zum Angleich ans Theater genötigt. Er muß sich mit Jahrhunderten auseinandersetzen, in denen der Film und die ihm zugeordnete Welt noch gar nicht existieren – mit Zeiträumen, die sich zum Unterschied von den unsrigen statisch verhalten, vieles als Schicksal ansehen, was sich uns längst als Menschenwerk enthüllt hat, und infolge ihrer Unkenntnis des Naturgeschehens und der Funktion der kleinen stofflichen Elemente außerstande sind, die dem Film eigentümliche Wendung vom Gesamtbild zum Detail und wieder zurück zur Totale zu vollziehen. Ein Geschöpf der Gegenwart, dringt der Film als Fremdling in die Vergangenheit ein; es bleibt ihm versagt, ihr Dasein, das vom Theater auf gültige Weise auskonstruiert worden ist, mit seinen besonderen Mitteln vollkommen zu bewältigen. Die Beschaffenheit seiner Themen selber also zwingt den historischen Film dazu, Zuflucht bei theatralischen Intrigen, bei Kompromissen mit einer diesen Themen angemesseneren Kunstform zu suchen. Desto mehr bemüht er sich begreiflicherweise um den Einbau von Effekten, die über seine Bindung an die Bühne hinwegtäuschen. Seit den glorreichen Tagen des italienischen Prunkfilms CABIRIA (1914)[2] werden in historischen Filmen immer wieder gewaltige Massenaktionen vorgeführt, die auf den Brettern unmöglich wären. Oder man hilft sich mit der Darbietung schneller Bewegung: der Anblick des klassischen Wagenrennens im BEN HUR (1925)[3] versetzt den Zuschauer in einen solchen Taumel, daß ihm der Sinn für Kostüme und Historie vergeht. In diesem Zusammenhang ist auch Dreyers JEANNE D'ARC-Film zu nennen,[4] der dadurch die Theateratmosphäre fernhält, daß er, auf jedes historische Kolorit verzichtend, statt der ganzen Menschen lauter Gesichter in Großaufnahme zeigt, die aus ihrer Umgebung und damit aus der Zeit gehoben sind – ein außerordentliches Experiment, das freilich seiner Einseitigkeit wegen keine Nachfolge finden konnte. – Unter den verflossenen Epochen gibt es indessen eine, die nicht nur dem Film nicht widersteht, sondern, im Gegenteil, von ausgezeichneter Bedeutung für ihn ist: jene, deren Inhalte noch in die unmittelbare Tradition hereinragen und doch schon zum Bestand der Geschichte gehören. Man denke an den wunderbaren Film: CAVALCADE;[5] nichts erregender in ihm als die Szenen, die den Abtransport der Truppen zum Burenkrieg, den Flug Blériots über einem englischen Badestrand und die Beerdigung der Königin Victoria schildern. Die Schockwirkung dieses Rückblicks beruht aber darauf, daß er Dinge zur Sprache bringt, die uns Heutigen deshalb besonders unsichtig sind, weil sie in den Untergründen unseres Wesens rumoren. Indem der Film die an der historischen Schwelle gelegene Zeit bewußt macht, weckt er die Medaillons der Großeltern aus dem Schlaf und veranschaulicht blitzartig, daß das Totgeglaubte in uns fortlebt und das eigene Leben dem Tod entgegeneilt.[6]

(BNZ vom 9. 5. 1940)

1 Dem Artikel war folgende redaktionelle Anmerkung vorangestellt: »Die nachfolgenden Bemerkungen unseres Mitarbeiters S. Kracauer ergänzen in mancher Hinsicht den Aufsatz von Christoph Dunker über dasselbe Thema.« Siehe Christoph Dunker, »Der historische Film«. In: BNZ vom 4. 4. 1940, Nr. 156, Beilage Film, und ders., »Historische Filme«. In BNZ vom 11. 4. 1940, Nr. 168, Beilage Film.

2 CABIRIA. VISIONE STORICA DEL TERZO SECOLO AC. Giovanni Pastrone. IT 1914.
3 Siehe Nr. 183.
4 Siehe Nr. 453.
5 Siehe Nr. 740, Anm. 12.
6 Zum historischen Film siehe auch *Werke*, Bd. 3, S. 137-144.

773. Zwölf Frauen

Filmrez.: ELLES ÉTAIENT DOUZE FEMMES. Georges Lacombe und Yves Mirande. FR 1940.

Wir befinden uns im Krieg, und da die Männer draußen sind, liegt die Versuchung nahe, die Tradition jener Filme fortzusetzen, in denen nur Frauen auftreten. Soll man sie noch wie einst in Dramen verwickeln, ihnen schwere Konflikte zumuten? Yves Miranda[1] hält, wohl nicht zu Unrecht, dafür, daß heute im Kino ein wenig Heiterkeit nottut. Und so schildert er in seinem neuen, von Georges Lacombe inszenierten Film ELLES ÉTAIENT DOUZE FEMMES einen Kreis von Damen und jungen Mädchen, der sich unter dem Druck der Ereignisse gebildet hat, mit einer ausgesprochenen Lust an Aperçus und komisch zugespitzten Situationen, wie sie von alters her auf der Boulevardbühne beheimatet sind. Hiervon zeugt gleich die amüsante Einleitung. Zwischen einigen Bildern des nächtlichen Paris erscheint eine heulende Sirene in Großaufnahme; es folgt die Kellertreppe eines hochherrschaftlichen Miethauses, auf der eine schwarze Katze ängstlich herunterschleicht; die Kamera panoramiert ihr nach und man sieht: im üppigen Kellerraum sitzen, mit Gasmasken vor den Gesichtern,[2] die eleganten Bewohnerinnen des Hauses wie eine Verschwörerclique um einen Tisch herum und wechseln zeitgemäße Bemerkungen über die Männer, den Krieg und das Leben im allgemeinen. Aus dieser filmisch geschickten Introduktion entwickelt sich nicht so sehr eine geschlossene Handlung als eine Folge leicht improvisierter Szenen, in deren Verlauf zahllose Liebespakete für Soldaten ohne Familie gepackt, die Vorurteile der »femmes du monde« sanft gegeißelt und verschiedene Liebesintrigen zum guten Ende gebracht werden. Damit über dem mondänen Wesen das Moralische nicht zu kurz kommt, wird auch auf gefällige Art der Nachweis geführt, daß

durch die Abwesenheit der Männer die eheliche Treue nicht etwa ins Wanken gerät, sondern, umgekehrt, noch im Kurs steigt. So ist doch den Zeiten Rechnung getragen.[3]
(NZZ vom 22. 5. 1940)

1 Richtig: Yves Mirande; er war Co-Regisseur und schrieb das Drehbuch zum Film.
2 Im Typoskript (KN): »vor dem Gesicht«.
3 Im Typoskript folgt hier als Schlußpassage: »Die großen Rollen sind Schauspielerinnen wie Simone Berriau, Betty Stockfeld, Micheline Preslès [richtig: Presle] anvertraut, die für die feineren Nuancen zu sorgen wissen, von denen die ganze Wirkung eines solchen Konversationsfilmes abhängt. Reizend ausgestaltet ist vor allem das Tête-à-tête der beiden Hauptpersonen – eine Boudoirszene, in der *Françoise Rosay*, die sich anfänglich sehr sittenstreng gebärdet, durch den intellektuellen Charme *Gaby Moriay's* und reichlichen Champagnergenuß dazu verführt wird, die Zügel locker zu lassen und längst verschollene Abenteuer zu beichten. Pamela Stirling, eine Neuerscheinung, könnte mit ihren Pausbäckchen, ihren Glitzeraugen und ihrer netten Naivetät das Zeug zu einer Komikerin haben.«

774. Über den Filmschauspieler [I.][1]

Während der Bühnendarsteller wirklich die Rolle spielt, in der er erscheint, liefert der Filmschauspieler nur Beiträge zu einer Rolle, an der andere mitschaffen.
Die Möglichkeit einer solchen Kluft zwischen seinem Spiel und der Erscheinung seines Spiels ergibt sich aus der Tatsache, daß nicht er selber, sondern sein von der Filmkamera erzeugtes Bild auf der Leinwand ersteht. Bei den Aufnahmen im Studio haben Photograph und Regisseur volle Freiheit hinsichtlich der Wahl der Beleuchtung. Durch deren Wechsel kann aber das Aussehen eines Menschen vielerlei Veränderungen erfahren, und diese Veränderungen werden um so befremdender wirken, je mehr der Film, seiner ihm eigentümlichen Technik gemäß, mit Nah- und Großaufnahmen arbeitet, die dem Theater verwehrt sind. Denn die Identität eines aus der Nähe betrachteten und daher isolierten Objektes ist schwerer festzuhalten als die eines Gegenstandes, der inmitten einer bestimmten Umgebung auftritt.[2] – Hieraus folgt, daß die Filmhersteller schon allein durch das Arrangement der Beleuchtung in

die Rolle des Schauspielers ohne dessen Zutun verwandelnd eingreifen können.

Dank der unbegrenzten Beweglichkeit der Kamera sind sie außerdem in der Lage, den Schauspieler von den verschiedensten Seiten her zu vergegenwärtigen und so Effekte hervorzubringen, die zwar mit ihm, aber nicht durch ihn erzielt werden. Gewisse Einstellungen verleihen menschlichen Figuren oder Gesichtern eine Bedeutung, die ihnen üblicherweise nicht zukommt; die Rückenansicht eines Darstellers mag mehr besagen als ein noch so großes mimisches Aufgebot ...[3] Auch kann die Kamera jederzeit Bewegungen ausführen, die den Schauspieler oder ein Bruchstück von ihm in Verbindung mit allerlei Dingen zeigen und derart wichtige, noch unausgeschöpfte Beziehungen zwischen der Dingwelt und dem menschlichen Geschehen enthüllen. Jean Vigo nutzt in seinem wunderbaren Flußdampfer-Film ATALANTE[4] die Enge der Kajüten dazu aus, um Halb- und Großaufnahmen von Michel Simon mit einer Raritätenkollektion zu verkoppeln, wie sie nur ein alter Seebär zusammengestapelt haben konnte: Bilder, die tief in atavistische Schichten hinabreichen. Sie sind Bestandteile der Rolle Michel Simons; aber es ist die Aktion der Kamera, der sie ihr Vorhandensein danken.

Statt wie der Theaterschauspieler seine Rolle von Anfang bis zu Ende durchzuführen, spielt der Filmdarsteller im Studio lauter einzelne Szenen, deren Reihenfolge sich nicht nach dem Sinn der Handlung richtet, sondern sich auf Grund eines durch ökonomische und technische Erfordernisse bedingten Arbeitsplanes ergibt. Die Schlußpassagen können sehr wohl zu Aufnahmebeginn gedreht sein. Mag nun der Schauspieler in diesen oft winzigen Szenen stets das Ganze ins Auge fassen, die Übergänge zwischen ihnen herzustellen, ist ihm versagt. Die einzelne Szene gleicht einer in sich geschlossenen Zelle. Es ist die Aufgabe der Montage, die zahlreichen Fragmente, aus denen ein Film besteht, in einen verständlichen Zusammenhang zu bringen. Um dem Cutter diese Arbeit zu erleichtern, pflegt man im Studio jede Szene nicht nur auf die vorgesehene Art zu drehen, sondern sich ihrer durch einen Überschuß von Aufnahmen zu versichern, so daß der Cutter bei der Komposition der

Bilderfolge die Freiheit hat, unter verschiedenen Aufnahmen die passendste auszuwählen. Die Erfahrung hat aber hundertfältig bewiesen, daß es der Montage rein durch die Anordnung der Bilder möglich ist, die Wirkungen des Schauspielers weitgehend zu beeinflussen und so einen Teil seiner Funktionen mitzuübernehmen.[5]

Die Gestalt des Schauspielers, die wir auf der Leinwand sehen, ist also keineswegs seine Reproduktion, sondern eine Figur, zu der ein Original überhaupt nicht existiert. Eine imaginäre Figur. Sie spielt eine Rolle, die in Wirklichkeit niemand gespielt hat, und gebärdet sie sich auch wie der Doppelgänger des Schauspielers, der für sie verantwortlich zeichnet, so hängt darum ihre Erscheinung doch nicht minder von der Beleuchtung, der Einstellung und dem Bildschnitt ab. Nicht umsonst äußert sich Leslie Howard,[6] einer der intelligentesten Filmdarsteller, mit einiger Resignation über die Möglichkeiten des Schauspielers im Film.[7] (Schluß folgt)[8]

(BNZ vom 23. 5. 1940)

1 Zu diesem und dem nachfolgenden Text (siehe Nr. 775) sind in KN zwei Typoskripte erhalten, von denen das eine handschriftlich »4. 12. 1939«, das andere maschinenschriftlich »17 Avril 1940« datiert ist. Das spätere Typoskript ist mit der Druckfassung fast identisch, das frühere, das den Untertitel hat: »Einige grundsätzliche Bemerkungen«, weicht z. T. erheblich ab.

2 Hier folgen im früheren Typoskript die Sätze: »Lerski, der Kameramann des frühen Stummfilms DAS WACHSFIGURENKABINETT [Paul Leni. DE 1923/24] hat vor einigen Jahren auf einem palästinensischen Hausdach das sommersprossige Durchschnittsgesicht eines Jünglings hunderte Male aus sehr geringer Distanz aufgenommen: jede dieser Großaufnahmen ist bei einer anderen Belichtung gewonnen; jede zeigt das Jünglingsgesicht in einer anderen Gestalt. Es ist das eines Kriegers, eines Asketen, eines alten Weibes, eines Toten; nur das des Jünglings selbst ist es nicht. Wie die Fotos untereinander verschieden sind, so haben sie in der Tat nichts mehr mit den gewohnten Zügen des Originals gemein.« Siehe zu diesem Experiment auch *Werke*, Bd. 3, S. 160f.

3 Die vorangehende Passage lautet im früheren Typoskript (vom Absatzanfang an): »Dank der unbegrenzten Beweglichkeit der Kamera sind sie außerdem in der Lage, den Schauspieler von allen möglichen Seiten her zu vergegenwärtigen und so Effekte hervorzubringen, die zwar mit ihm, aber nicht durch ihn erzielt werden. Der starke Eindruck, den die Rückenansicht von Jannings in VARIÉTÉS [richtig: VARIETÉ. Ewald André Dupont. DE 1925] hinterläßt, ist nicht so sehr der Kunst des Darstellers als der Erkenntnis des Regisseurs zuzuschreiben, daß an diesem Punkt der Handlung der Rücken des Helden mehr besagt als ein noch so großes mimisches Aufgebot. Ein beliebiger Double hätte in der betreffenden Szene nicht weniger erschüttert als Jannings selber. Vor allem die russischen Regisseure – Eisenstein, Pudowkin und andere – haben einen reichlichen, oft zu reichlichen Gebrauch von dem Kunstmittel gemacht, durch gewisse Einstellungen der Kamera

menschlichen Figuren oder Gesichtern eine Bedeutung zu verleihen, die ihnen üblicherweise nicht zukommt. Man kennt aus ihren Filmen den Gendarmen, der sich dadurch, daß er von unten nach oben aufgenommen wird, in den Vertreter zaristischer Gewalt verwandelt [siehe u.a. Nr. 229], kennt die Volks- und Matrosengesichter, die so ins Bild gestellt sind, daß sie zu monumentalen Allegorien der Revolution anwachsen [siehe Nr. 159]. Andere Einstellungen, und der Gendarm erschiene als gutmütiger Poltron, der Matrose als verstockter Gegenrevolutionär ...«

4 Siehe Nr. 765, Anm. 4.

5 Anstelle des vorangehenden Satzes schließt der Absatz im früheren Typoskript mit den Sätzen: »Bis zu welchem Grad er durch die Anordnung der Bilder die Wirkungen des Schauspielers beeinflussen und damit dessen Funktionen mit übernehmen kann, geht aus dem Experiment hervor, das Pudovkin mit Choulechov anstellte. Beide entnahmen einem alten Film eine Großaufnahme Mosjukins [zu Ivan Mosjukin (1889-1939) siehe u.a. Nr. 418 und 434] – eines Mosjukin, der ein ganz ausdrucksloses Gesicht macht – und bauten, vermutlich die Zeitmaße variierend, diese Großaufnahme in drei kleine Szenen ein: man sah immer denselben Mosjukin vor einem Teller Suppe, angesichts einer toten Frau in einem Sarg und schließlich bei einem spielenden Kind. Das Publikum, das von der Machination nichts wußte, staunte über die mimischen Künste des Filmstars und war überzeugt davon, daß er die Suppe leicht nachdenklich betrachte, die Tote tief beklage und dem Spiel des Kindes mit einem freundlichen Lächeln folge.«
Während seiner Arbeit bei der Sektion Montage und Chronik des Moskauer Filmkomitees Ende 1918 experimentierte der sowjetische Regisseur und Filmtheoretiker Lev Vladimirovič Kulešov (1899-1970) mit der Neumontage alter Filme. Dabei entdeckte er bei dem oben beschriebenen Experiment den später sogenannten »Kulešov-Effekt«, d.h. die Montage als die eigentlich bedeutungsgebende Grundlage des Films; siehe auch *Werke*, Bd. 3, S. 126f.

6 Leslie Howard (1893-1943), englischer Schauspieler, Regisseur und Produzent, machte in den USA zunächst auf der Bühne, dann im Film in der Rolle des prototypischen Englishman Karriere, u.a. in GONE WITH THE WIND (1938/39). Bei Ausbruch des Zweiten Weltkriegs kehrte er nach England zurück und begann, Regie zu führen und Filme zu produzieren.

7 Zum Filmschauspieler siehe auch *Werke*, Bd. 3, S. 161-173.

8 Siehe Nr. 775.

775. Über den Filmschauspieler [II.][1]

Die Bedeutung eines Schauspielers für den Film wächst mit seiner Fähigkeit, zum Aufbau der ihm anvertrauten Rolle beizutragen. Ist es die Stärke und damit die Obliegenheit der Filmkamera, ihm dicht auf den Leib zu rücken und ihn von allen erdenklichen Standorten aus zu visieren, so muß er für sie nicht nur seinen Absichten, sondern auch und erst recht seiner puren Existenz nach interessant sein. Eben weil sie das Sosein eines Darstellers mit unerreichbarer Genauigkeit zu erschließen vermag, genügte sie aber ihrer Verpflichtung unvollkommen, wenn sie sich auf die Wiedergabe des vom Schauspieler Gemeinten beschränkte, ohne zugleich den Gegebenheiten seines Äußeren nachzufragen. Hierin sündigt der heutige Sprechfilm. Um der von ihm überschätzten Dialoge willen vernachläßigt er die Auswertung der bewegten Kamera und der Montage und gibt immer wieder Szenen, wie sie, kaum anders, auch im Theater möglich wären; sie illustrieren das Gesprochene durch Bilder, statt die Bilder zum Sprechen zu zwingen. Die Kamera erfüllt ihre Verpflichtung allein unter der Bedingung, daß sie, zwischen der Totale und der Großaufnahme hin- und herschweifend, die Figur des Schauspielers oder Fragmente seiner Figur aufs Korn nimmt und so außer dem von ihm Gemeinten auch das mit seiner Erscheinung Gemeinte veranschaulicht. Der Mensch ist für sie in doppelter Hinsicht Objekt: sowohl als Träger von Intentionen wie als ein Stück Natur. Und vielleicht besteht die eigentümlichste Aufgabe der Kamera ihm gegenüber in der ständigen Konfrontation seines Seins mit seinen Akten; wobei sich nicht selten zeigen mag, daß seine bewußten Äußerungen von seinem unbewußten Sein Lügen gestraft werden. Während der Theaterschauspieler, infolge der beträchtlichen, nie wechselnden Distanz zwischen Bühne und Publikum, rein durch die Kunst wirkt, mit der er seine Intentionen verkörpert, wirkt der Filmschauspieler nicht nur durch sein spielerisches Können, sondern gleich sehr oder gar noch mehr durch seine Natur. Chaplin sagte einmal, er betrachte es als eine Chance, daß er klein von Gestalt sei.

Je anziehender in irgendeinem Sinne die Natur eines Schauspielers für die Massen ist, desto eher läßt sie sich filmisch verwerten. Daher greift der Film gern auf Typen zurück, die dank der gerade herrschenden gesellschaftlichen Situation nur sich selber darzubieten brauchen, um schon das allgemeine Interesse oder Gefallen zu erregen. Ob sie ein wenig besser oder schlechter »spielen«, zählt hierbei nicht einmal soviel; denn die Filmhersteller können ja, wenn es gilt, das Spiel retouchieren oder den Hauptakzent von vornherein auf die natürlichen Qualitäten des Schauspielers legen. Gründet sich dessen Verwendungsfähigkeit vorwiegend auf die sozial bedingte Anziehungskraft, so wird er freilich, der Modeschöpfung gleich, rasch veralten. Das Pathos des Vamps der Stummfilme löst heute Heiterkeit aus.[2]

Schwerer als die anziehende Natur wiegt die reiche, von der dann gesprochen werden darf, wenn ein Schauspieler, ganz unabhängig von seinen Intentionen, über einen großen Fundus gehaltvoller physiognomischer und gestischer Bestände verfügt. Raimu[3] ist deshalb für die Kamera so ergiebig, weil sie an ihm immer neue unscheinbare Züge und Bewegungen zu beobachten findet, die etwas bedeuten; um davon zu schweigen, daß er seine Natur wirklich spielen lassen kann – man denke an den herrlichen Tanz, den er, eifersüchtig und trunken, in der FEMME DU BOULANGER[4] ausführt. Schauspieler dieses Schlags, die nicht allein eine wesentliche Natur ihr eigen nennen, sondern sie auch zu handhaben wissen, machen aber das eigenmächtige Eingreifen der Kamera und der Montage dadurch bis zu einem gewissen Grade[5] entbehrlich, daß sie selber für die filmische Gestaltung ihrer Rolle sorgen. Sie beschränken sich nicht darauf, Rohmaterial zu liefern, das erst durch den Bildschnitt seine Form erhielte; ihr Spiel nähert sich vielmehr der Erscheinung ihres Spieles an, und die Kamera darf sich auf lange Strecken hin damit begnügen, ihm getreulich zu folgen.

Nur wenige Schauspieler besitzen die sonderbare und außerordentliche Gabe, mit jeder neuen Rolle eine neue Natur anzunehmen; so Michel Simon,[6] so Charles Laughton. Wer Laughton als Marmeduke Ruggles gesehen hat,[7] wird ihn als Captain Bligh[8] oder als Quasimodo im GLÖCKNER VON NOTRE-DAME[9] nicht wiedererkennen;[10] nicht nur sein Aussehen, sondern auch seine Aura hat sich gewandelt, ja, seine körperliche Statur scheint ausgewechselt zu sein. Laughton spielt nicht eine Rolle: er ist leibhaftig die Person, die er darstellt.[11]

(BNZ vom 30. 5. 1940)

1 Zu Teil I und den nachgelassenen Typoskripten (KN) siehe Nr. 774.
2 Zum »Vampfilm« siehe Nr. 760.
3 Zu Raimu (d. i. Jules Muraire, 1883-1946) siehe u. a. Nr. 719 und 750.
4 Siehe Nr. 750.
5 Im früheren Typoskript: »bis zu einem hohen Grade«.
6 Der französische Schauspieler Michel Simon (1895-1975), der seinen ersten großen Filmauftritt in Dreyers LA PASSION DE JEANNE D'ARC (siehe Nr. 453) hatte, wurde in den dreißiger Jahren zu einem der wichtigsten Darsteller des französischen Kinos; er wirkte u. a. in Renoirs LA CHIENNE (siehe Nr. 694 und 704), Vigos L'ATALANTE (siehe Nr. 765) und Carnés LA QUAI DES BRUMES (siehe Nr. 740) mit. Zu weiteren Simon-Filmen siehe Nr. 732, 763 und 765.
7 In: RUGGLES OF RED GAP. Leo McCarey. US 1934/35.
8 In: MUTINY ON THE BOUNTY. Frank Lloyd. US 1935.
9 DER GLÖCKNER VON NOTRE DAME / THE HUNCHBACK OF NOTRE DAME. William Dieterle. US 1939.
10 Im späteren Typoskript lautet der vorangehende Teilsatz: »wird ihn als Captain Bligh nicht wiedererkennen«.
11 Im früheren Typoskript lautet der vorangehende Absatz: »Nur wenige Schauspieler besitzen die sonderbare und außerordentliche Gabe, mit jeder neuen Rolle eine neue Natur anzunehmen; so Laughton, Michel Simon, Werner Krauß. Lerski erzählt aus der Zeit seiner Aufnahmen zum WACHSFIGURENKABINETT, in dem Jannings die Figur Harun al Raschids und Veidt die Iwans des Schrecklichen spielte: als er von diesen beiden, die er sehr bewunderte, mit seiner Kamera zu Werner Krauß vorrückte, brach ihm der Angstschweiß aus, und er vermochte kaum weiter zu kurbeln. Der hier stand, stellte nicht Jack the Ripper dar, sondern war Jack the Ripper in Person.«
Zum WACHSFIGURENKABINETT siehe auch *Werke*, Bd. 2.1., Kap. 6; zum Filmschauspieler siehe auch *Werke*, Bd. 3, S. 161-173.

1941

776. Ein amerikanisches Experiment

Filmrez.: CITIZEN KANE. Orson Welles. US 1940/41.

Der kaum 26jährige *Orson Welles*, der als Radiomann, Schriftsteller, Schauspieler und Theaterdirektor schon viel von sich reden machte, ist durch seinen im Mai am Broadway herausgebrachten Film CITIZEN KANE erneut zum Tagesgespräch geworden. Dieser Film ist in jedem Sinne sein Werk; denn Welles stellt nicht nur den Helden des Stückes dar, sondern er zeichnet auch als Regisseur, Produktionsleiter und Mitverfasser des Manuskripts verantwortlich, abgesehen davon, daß er die Schauspieler seines Mercury-Theaters, lauter neue Namen in Hollywood, herangezogen hat. Aufsehen erregte der Film schon deshalb, weil die Hauptgestalt, ein Zeitungsmagnat, nach dem Leben modelliert zu sein scheint; man nennt einen wohlbekannten Namen[1] und man hat von Protesten gelesen.

Ungleich wesentlicher sind die Sensationen, die das Werk in *konstruktiver* und *technischer* Hinsicht bietet. Statt die Biographie des verstorbenen Charles Foster Kane in fortlaufender Erzählung zu entwickeln, setzt Welles verschiedene Fragmente des Lebenslaufes in einer Weise zusammen, die ziemlich hohe Anforderungen an das Kombinationsvermögen des unvorbereiteten Betrachters stellt. Eine Art Puzzlespiel! Nach dem Tode Kanes wird ein Reporter damit beauftragt, die Bedeutung des Wortes »Rosebud« (Rosenknospe) zu ermitteln, des letzten Wortes, das Kane vor dem Hinschied sprach. Der Reporter fragt einige Vertraute des Verstorbenen aus, und aus ihren Rückblicken formt sich allmählich Kanes Geschichte, das Leben eines Mannes von großartiger Dynamik, der eine phantastische Karriere als Zeitungsverleger macht, der aber so selbstherrlich und eigenwillig ist, daß ihm alles Erträumte fehlschlägt. In Bruchstücken erfährt man, wie er seine Ehe zerstört und wie er als Politiker zu Fall kommt, einer Geliebten wegen, die er trotz ihrer schlechten Stimme zur großen Sängerin machen will; wie er ferner seinen ältesten Freund preisgibt und zuletzt, auch von der Geliebten verlassen, in einem märchenhaften Schloß einsam in seinen Sammlungen seine Tage verbringt. Warum hat er »Rosebud« gesagt? Die schöne Schlußpointe ist die, daß niemand es weiß; nur der Zuschauer sieht ganz

am Ende, wenn die Kamera über Kanes Sammlungen hinweggleitet, das Wort auf einem Kinderbett[2] prangen, das mit anderen wertlosen Stükken verbrannt wird.
Wie der Aufbau der Handlung, so weicht die Methode ihrer Darstellung vom Üblichen ab. Zum Unterschied von vielen in der Routine erstarrten Regisseuren frischt Welles bei der Kameraführung und bei der Montage verschollene Traditionen des Stummfilms auf, mit besonderem Glück dort, wo er den Ablauf der Ehe Kanes auf eine wirksame filmische Formel bringt. Selten wurden im Sprechfilm die Stimmen so fein abschattiert, so genau zu ihrer jeweiligen Umgebung in Beziehung gesetzt wie hier. Ungewöhnlich ist der beharrliche Gebrauch des *Breitwinkelobjektivs*, das Bilder von großer Tiefe und Weite bei voller Deutlichkeit der Einzelheiten gestattet; die Personen im fernen Hintergrund spielen mit, und die Gesichter sind wie auf alten Gemälden gleich stark ausgeprägt. So entstehen sonderbare Effekte, zu denen auch der unbeabsichtigte Effekt gehört, daß sich bewegende Personen infolge der vom Objekt erzeugten Verzerrungen übertrieben rasch verkleinern oder vergrößern.
So reich der übrigens vorzüglich gespielte Film – Welles selber vollbringt als Kane eine erstaunliche Leistung – an Einfällen jeder Art ist, eine neue Ära führt er gewiß nicht herauf, schon aus dem Grunde nicht, weil die *Aufmachung* den Gehalt fühlbar überwiegt. Weder wird Kanes Privatleben hinreichend gestaltet, um wirklich zu fesseln, noch vermag das an sich wundervolle Motiv der Suche nach dem Sinn eines Schlüsselwortes das Künstliche der Konstruktion zu rechtfertigen. Die wahllose Häufung heterogener technischer Mittel verrät den Mangel eines aus sachlichem Zwang geborenen Stilwillens; viel eher scheint manchmal, worauf nicht zuletzt die musikalische Bearbeitung[3] hindeutet, der Wunsch nach Originalität vorherrschend gewesen zu sein: nach einer Originalität, die zum Teil rückschrittlich ist. Welles gibt nicht nur durch die Belastung des Dialogs, sondern gerade durch die neuartige Verwendung des Breitwinkelobjektivs eine deutliche Abhängigkeit vom Theater zu erkennen. Indem er dieses Objektiv andauernd benutzt, erschließt er lauter Szenen und Räume in der Totale. Er macht Bilder, die mit der Bühne mehr Gemeinsames haben als mit dem Film, dessen Funktion es doch wäre, eine Fülle materieller Details aus der Totale herauszulösen und in die Handlung eingreifen zu lassen.

Ungeachtet solcher Schwächen ist CITIZEN KANE ein wichtiger, unbedingt sehenswerter Film. Er beschwört zu Unrecht vergessene filmische Möglichkeiten herauf; er gibt nicht wenige interessante Anregungen, und er kann dadurch, daß er mit einem Schlag den *Manierismus* des heutigen *Sprechfilm* bewußt macht, vieles zur Auflockerung überlebter Konventionen beitragen.[4]
(NZZ vom 15. 7. 1941)

1 Gemeint ist William Randolph Hearst (1863-1951), amerikanischer Zeitungsverleger, später auch im Besitz von Radiosendern und Filmfirmen (siehe auch Nr. 651, Anm. 1). Er nutzte sein Medienmonopol für nationalistische politische Kampagnen, war Gegner der »League of Nations« und forderte die Unterdrückung ethnischer Minderheiten.
2 Es handelt sich nicht um ein Kinderbett, sondern um einen Schlitten (siehe auch *Kino*, S. 234).
3 Musik: Bernard Herrmann.
4 Der Text ist Kracauers erste Filmrezension aus New York.

777. Filmnotizen aus Hollywood

Die neueste Verlautbarung des Hays-Office[1] legt Nachdruck darauf, daß gegenüber der wachsenden Neigung zu rein informatorischen und propagandistischen Filmen die Vormachtstellung des der Unterhaltung dienenden Spielfilms nicht aus den Augen verloren werden dürfe. »Erkenntnis wird nicht auf Kosten des unterhaltenden Elements gewonnen«, sagt Mr. Hays, »sie ist das Ergebnis von Unterhaltung.«

Die Produktionskosten eines Films werden heute, einem Bericht der *Twentieth Century Fox* zufolge, mit nahezu wissenschaftlicher Genauigkeit vorausberechnet. Man hat ein Schema aufgestellt, nach dem von der für einen Film ausgesetzten Gesamtsumme durchschnittlich zu entfallen haben: 5 Prozent höchstens auf den Ankauf der »story«, 5-7 Prozent auf die Bearbeitung des Szenarios, 25 Prozent auf die Darstellung (einschließlich der Stars und Statisten), 10 Prozent auf den Regisseur, 12,5 Prozent auf die Dekorationen und ihren Entwurf, 2 Prozent auf die Kostüme und ihren Entwurf, 0,9 Prozent auf die kosmetische

Abteilung, 2 Prozent auf Reklamefachleute, technische Berater usw., knapp 2 Prozent auf die Kameraleute.

Auch auf den Nebengebieten der Filmindustrie macht sich der Einfluß des Krieges fühlbar. Joe Delfino, der Tontechniker der Fox, erklärt, daß allein im Atelier seiner Gesellschaft Toneffekte in der Höhe von mindestens 100 000 Dollar durch den Krieg entwertet worden seien. »Sogar das Geräusch von Flugzeugmotoren, die nicht mehr als drei Jahre alt sind, ist heute archaisch. Die neuen Typen von Bomben, Granaten und andern Explosivkörpern müssen für künftige Kriegsfilme mit großen Kosten tonmäßig registriert werden.«

Warner Bros. hat mit dem weltberühmten Russischen Ballett von Monte Carlo einen Vertrag abgeschlossen, der die getreue Verfilmung aller Nummern dieses Balletts mittels des Technicolor-Verfahrens[2] vorsieht. Zum erstenmal in der Geschichte des Films wird so das Repertoire eines großen Balletts auf der Leinwand erscheinen. Die Produktion soll mit *Gaîté Parisienne* beginnen.[3]

Einige Personalien: Der von der Fox langfristig verpflichtete französische Filmregisseur Jean Renoir wird zunächst die Aufnahmen des Films SWAMP WATER[4] leiten, dem ein in der *Saturday Evening Post* veröffentlichter Erfolgsroman[5] zugrunde liegt. – Im nächsten Deanna-Durbin-Film der Universal, ALMOST AN ANGEL,[6] wirkt Charles Laughton mit. – Albert Bassermann wird im Kriminalfilm FLY BY NIGHT[7] die Rolle des Chefarztes eines Sanatoriums spielen.
(NZZ vom 30. 11. 1941)

1 Siehe Nr. 671, Anm. 3.
2 Durch die Entwicklung des Monopack-Technicolor-Verfahrens 1941 war es möglich, ohne Spezialkamera alle drei Farben auf einem einzigen Film aufzunehmen. Zum Technicolor-Verfahren siehe auch Nr. 66, Anm. 3 und Nr. 724, Anm. 2.
3 THE GAY PARISIAN / GAÎTÉ PARISIENNE. Jean Negulesco. US 1941.
4 SWAMP WATER. Jean Renoir. US 1941.
5 Vereen Bell, *Swamp water.* London: Collins 1941.
6 Zu Deanna Durbin siehe Nr. 763, Anm. 10; ALMOST AN ANGEL war der Arbeitstitel für IT STARTED WITH EVE. Henry Koster. US 1941.
7 FLY-BY-NIGHT. Robert Siodmak. US 1941/42.

778. Ein paar amerikanische Filme

Filmsammelrez.: BLOOD AND SAND. Rouben Mamoulian. US 1941; BLOSSOMS IN THE DUST. Mervyn LeRoy. US 1941; A WOMAN'S FACE. George Cukor. US 1941; TOM, DICK AND HARRY. Garson Kanin. US 1941.

Noch produziert Hollywood nicht viele Farbfilme,[1] aber die paar jetzt erschienenen weisen spürbare Fortschritte auf. Der eine: BLOOD AND SAND, ein Film der Twentieth Century-Fox, der das Thema eines Valentino-Films aus dem Jahre 1922 wieder aufnimmt,[2] spielt im farbig ergiebigen Spanien und kommt dem Bedürfnis nach Prunk und Massenentfaltung willig entgegen. Nach einem Roman des Spaniers Ibáñez[3] gedreht, schildert er unter Einflechtung einer Vamp-Episode das Leben eines Stierkämpfers, nicht ohne zu zeigen, wie unsolid der Ruhm dieser Volkslieblinge ist und wieviel Kläglichkeit sich hinter dem Glanz verbirgt. Die Verbesserungen bestehen vor allem darin, daß die in früheren Farbfilmen so störende Verschwommenheit der Hintergründe beseitigt ist und die Komposition der Farben bewußt gepflegt wird. Obwohl der M.G.M.-Film: BLOSSOMS IN THE DUST[4] – er erzählt etwas ungeordnet die rührende Geschichte einer amerikanischen Menschenfreundin, die auf manchen Umwegen und unter Verzicht auf persönliches Glück als erste dahin gelangt, gegen die soziale Ächtung der illegitimen Kinder anzukämpfen – nicht die Chance einer farbenprächtigen Umwelt hat, arbeitet er doch Bilder heraus, in denen die Farbe wirklich etwas sagt. Zu den Hauptfiguren des Films gehört *Felix Bressarts* alter Landarzt, eine erstaunliche, menschlich packende Gestalt. – Allgemein wäre zum Thema des Farbfilms noch zu bemerken, daß er noch nicht über das Stadium des Experimentierens hinausgekommen ist; schlagende Wirkungen sind die Ausnahme, die Wiedergabe der Gesichter bleibt ein Problem.

Im M.G.M.-Film A WOMAN'S FACE rächt sich *Joan Crawford* für die Demütigungen, die sie ihres entstellten Gesichtes wegen erleidet, dadurch, daß sie, im Bund mit einer Verbrecherbande, reiche Leute erpreßt. Ein Chirurg, der Mann eines ihrer Opfer, gibt ihr die Schönheit wieder, und der körperlichen Wandlung folgt die seelische auf dem Fuße. Bei der Verfilmung dieser Magazingeschichte[5] ist kaum ein

Spannungsmittel ungenutzt geblieben: der Zusammenhang enthüllt sich erst allmählich durch Rückblicke während einer Gerichtsverhandlung, die für dramatische Atmosphäre und beklemmende Ritardandos sorgt, und die Antwort auf die bange Frage, ob die Gesichtsoperation geglückt ist, wird so lange wie möglich hinausgeschoben. Kunstgerechte Belichtung unterstreicht solche Effekte. Neben der Crawford, deren Kunst Stil hat, wirken, gut an ihrem Platze, mit: Albert Bassermann, unverkennbar der Alte,[6] und ein äußerlich stark veränderter Conny Veidt.[7]
Einen großen, wirklich verdienten Erfolg hatte hier der neue R. K. O.-Film[8] TOM, DICK AND HARRY, der ein liebenswürdiges Märchen aus dem Alltag mit ausgeprägtem Sinn für filmische Pointen erzählt und so das Publikum in die angenehme Atmosphäre von Wunschträumen versetzt. Dieser Film steht und fällt mit Ginger Rogers, die als kleine, törichte Telefonistin mit drei jungen Männern anbandelt, jedesmal hinterher träumt, wie sich der Betreffende wohl in der Ehe ausnähme, und sich für keinen der drei zu entscheiden weiß. Sie ist schlechterdings entzückend, und die starke Wirkung, die von ihrem holden Geplapper ausgeht, beweist, daß es im Sprechfilm nicht so sehr auf den Inhalt des gesprochenen Wortes als vielmehr auf die Art ankommt, in der es vorgetragen wird. Hübsche Bildeinfälle entschädigen für die etwas dünne Handlung und die leichte Monotonie der drei Träume, die aus Gingers Kopfkissen aufsteigen und merkwürdigerweise die sonst sehr versüßte Realität krud verzerren. So ist gleich die Eröffnung originell: man sieht den Zuschauerraum eines Kinos von der Stelle aus, an der die Leinwand zu vermuten ist, und hört die unsichtbare Heldin auf der imaginären Leinwand versichern, daß sie weinen müsse vor Glück. Erwähnenswert auch der [Gag][9] des melodischen Klingens, das immer ertönt, wenn Ginger den ärmsten der drei Liebhaber küßt.
(NZZ vom 7. 12. 1941)

1 Zum Farbfilm siehe Nr. 66, Anm. 3.
2 In BLOOD AND SAND (Fred Niblo. US 1922) spielt Rudolph Valentino die Hauptrolle.
3 Vicente Blasco Ibáñez, *Sangre y arena, novela*. Valencia u. a.: F. Sempere y compañía, 1908; dt.: *Die blutige Arena*. Leipzig u. a.: Europäischer Phönix-Verlag, 5. Aufl. 1925.
4 Metro-Goldwyn-Mayer produzierte den Film; zu MGM siehe auch Nr. 651, Anm. 1.
5 Drehbuch: Donald Ogden Stewart und Elliot Paul, nach dem Theaterstück von François de Croisset, *Il était une fois*. Pièce en trois actes et six tableaux. Paris: L'Illustration 1932.

6 Zu Albert Bassermann (1867-1952) siehe u. a. Nr. 504, 645 und 690, Anm. 10.
7 Zu Conrad Veidt siehe u. a. Nr. 155, 260, 261 und 402.
8 R. K. O.: Abkürzung für die 1928 gegründete Produktionsgesellschaft Radio-Keith-Orpheum, die in den dreißiger und frühen vierziger Jahren Astaire-Rogers Musicals, Komödien mit Katharine Hepburn und Cary Grant sowie Hitchcocks SUSPICION (US 1941) und Orson Welles' CITIZEN KANE (siehe Nr. 776) herausbrachte.
9 Im NZZ-Druck: »Gang«.

779. Dumbo

Der neue Walt Disney-Film

Filmrez.: DUMBO. Walt Disney. US 1941.

Das neue Modell, das Walt Disney in diesem Jahr auf den Markt bringt, ist ein fliegendes Elefantenbaby. Es ersteht in dem nach ihm genannten, knapp abendfüllenden Film DUMBO, der eine Fülle der herrlichsten Episoden enthält. Dennoch setzt Disney auch mit diesem Film noch eine Entwicklung fort, deren Bedenklichkeit seit SCHNEEWITTCHEN,[1] seinem ersten langen Werk, immer fühlbarer geworden ist. Worin besteht ihre Problematik?
In PLANE CRAZY,[2] Disneys erstem Mickey Mouse-Film (1928), verwandelt sich, allein durch die Macht des Zeichenstifts, ein Kinderauto in ein Flugzeug, das, von Mickey gelenkt, auf und davon fliegt. In DUMBO ereignet sich ein ähnliches Wunder: der erdhafte Elefant beginnt plötzlich seine übergroßen Ohrlappen als Flügel zu gebrauchen und wie ein Pegasus oder ein Bomber durch die Lüfte zu entschweben. Doch das Mirakel folgt hier nicht einfach aus der Tatsache, daß der Film ein Zeichenfilm ist, sondern wird auf die psychologische Wirkung einer »magischen Feder« zurückgeführt, die Dumbos Freund, eine winzige Maus, dem impertinenten Krähengesindel ablistet. Dieser Unterschied weist auf eine *strukturelle Veränderung* der Disney-Filme hin. Am Anfang trägt Disney noch durchaus der Maxime Rechnung, daß jede Kunstgattung im Einklang mit ihren besonderen Mitteln eine spezifische, nur ihr vorbehaltene Funktion zu erfüllen habe, und spottet in seinen Kurzfilmen der

photographierbaren Realität: Mickeys Freundin benutzt in PLANE CRAZY ihren Unterrock als Fallschirm, und das Skelett in der ersten Silly-Symphony THE SKELETON DANCE (1929)[3] spielt mit einem, seinem eigenen Gerippe entnommenen Schenkelknochen auf säuberlich angeordneten Knochenreihen Xylophon. Alle diese Metamorphosen ergeben sich aus Beziehungen zwischen Formen oder Bewegungen, und je unbekümmerter sie vertraute Zusammenhänge zerstören, desto rechtmäßiger sind sie, desto nachdrücklicher offenbaren sie die Verfügungsgewalt des Künstlers über sein Material. Ist der Trickzeichner auf die Dazwischenkunft von begnadeten Prinzen, Hexenmeistern und magischen Federn angewiesen, um die Naturgesetze aus den Angeln zu heben? Indem Disney seine Zuflucht zu solchen Märchenwesen nimmt, überstimmt er nur den Zeichenfilm.

Hinzu kommt, daß DUMBO die photographierbare Realität nachbildet und auch imaginierte Objekte auf ihren Nenner bringt. Kein Zweifel, die Imitation des realistischen Films ist gewollt; das hindert nicht, daß sie den Prinzipien zuwiderläuft, nach denen Disney seine klassischen Kurzfilme entwirft. In ihnen setzt er noch alles daran, um eine Welt zu schaffen, die mit der unsern so wenig gemein hat wie Mickey mit einer lebenden Maus. Emile Cohls Strichmännchen[4] gleich, die im Nirgendwo zu Hause sind, durchmessen auch seine Kreaturen einen Raum von Gnaden des Zeichenstifts in einer Zeit, die sich, wie der Raum selber, je nach Gefallen ausdehnt oder zusammenzieht. Es ist nur folgerichtig, daß in diesem Kosmos die Schwerkraft aufgehoben ist, perspektivische Regeln nichts gelten und beliebige Entfernungen mit Gedankenschnelle zurückgelegt werden. Wenn nun Disney, vom hier geübten Verfahren abweichend, in DUMBO irreale Objekte wie reale behandelt und sie, darüber hinaus, gezeichneten Menschen oder Dingen beigesellt, die ebenso gut photographierbar wären, bedroht er die wahren Interessen des Zeichenfilms in doppelter Hinsicht. Einmal strebt der Zeichenfilm, wie seine besten Beispiele beweisen, nicht die Verfestigung, sondern die Auflösung der konventionellen Realität an. Zum andern hat er gewiß nicht die Funktion, eine Wirklichkeit zu vergegenwärtigen, die zu ihrer Darstellung den Zeichenfilm gar nicht benötigt.

Die *Wendung zum realistischen Stil* wird durch die zum abendfüllenden Film begünstigt, der eine Handlung erfordert. Man erinnert sich der alten Groteske, die unter ihrer Erweiterung zu normaler Spielfilmlänge nicht minder gelitten hat. Groteske und Zeichenfilm stimmen darin überein, daß sie nicht die Verfilmung einer Handlung im üblichen Sinne, sondern die Herausarbeitung ausgezeichneter Momente bezwecken. Gegenstand der Groteske ist ursprünglich die Verhütung einer Katastrophe im letzten Augenblick; Gegenstand des Zeichenfilms die überraschende Konfiguration, die das zeichnerische Spiel mit den Beständen der Realität jeweils erzeugt. Beide Gattungen zielen von vornherein auf solche Pointen ab; ihre eigentliche Handlung erschöpt sich im »Gag« oder in einer Folge von Gags. Daher bevorzugen sie die Kürze; denn nur bei geringer Länge kann die verbindende Handlung noch den Charakter des Fadens bewahren, an dem sich die Perlen der Gags aufreihen. Aus der spezifischen Natur der ausgezeichneten Momente in beiden Gattungen ergibt sich auch die Richtung der Fabel; nicht umsonst treibt der Zeichenfilm ursprünglich seinen Schabernack mit der sich selbstherrlich gebärdenden Technik und wählt, wie die Groteske, zu seinem Helden die schwache Kreatur, die sich im Kampf gegen die bösen Gewalten der Welt behauptet. Es gereicht Disneys langen Filmen nur zum Schaden, daß sie von dieser Linie abweichen. Sie unterwerfen sich inhaltlich zu willfährig den sozialen Konventionen; ihre Fabel neigt dazu, ihre Gags zu diskreditieren. Bezeichnend hierfür manche Songs oder auch der Schluß von DUMBO: statt mit seiner Mutter einem unbekannten Paradies zuzufliegen, endigt Dumbo als hochbezahlter Star desselben Zirkusdirektors, der seine Mutter geprügelt hatte.

Sollten bessere Lösungen nicht zu finden sein? Mit dem Film FANTASIA, der allerdings als Illustration absoluter Musik problematisch ist,[5] hat Disney zumindest bewiesen, daß auch ein abendfüllender Film nicht unbedingt der »Handlung« bedarf. Ferner ließe sich denken, daß Disney wie Chaplin verführe und nicht wie bisher Märchen dem konventionellen Alltag angliche, sondern Alltagsgeschichten mit den Mitteln des Zeichenfilms als Märchen enthüllte. Und was die Methode der Darstellung betrifft, so hätte er die Möglichkeit, nach dem Vorgang großer Maler reale *und* imaginäre Dinge gleichmäßig zu verwandeln und beide in eine neue Sphäre zu heben.

DUMBO zeigt bereits Ansätze zu solcher Verwandlung; hoffnungsvoll stimmt vor allem die Schilderung der Aufrichtung des Zirkuszelts, in der

die Realität spürbar durchbrochen wird. Zum Glück setzt sich auch sonst immer wieder Disneys zeichnerisches Genie gegen seine zeichnerischen Intentionen durch und drängt, wenn es sein muß, die störende Handlung einfach beiseite, um Platz zu schaffen für so wunderbare Erfindungen wie die der ungenierten Krähenbande oder des Spiels mit den Champagnerperlen, das die üppige Elefantenballett-Phantasie einleitet, und für eine Menge reizender Gags, die überall rechts und links am Wegrand blühen.
(NZZ vom 12. 12. 1941)[6]

1 Siehe Nr. 740.
2 PLANE CRAZY. Walt Disney. US 1928.
3 THE SKELETON DANCE. Walt Disney. US 1929 (aus der Reihe der SILLY-SYMPHONIES).
4 Siehe Nr. 768, Anm. 2.
5 FANTASIA. James Algar u. a. US 1940. Walt Disney produzierte den Film, dessen Musik sich aus Stücken u. a. von Johann Sebastian Bach, Modest Mussorgski, Franz Schubert, Igor Strowinsky, Peter Tschaikowsky und Ludwig van Beethoven zusammensetzte. Siehe auch *Werke*, Bd. 3, S. 248.
6 Die amerikanische Originalfassung dieses Essays erschien u. d. T. »Dumbo« in *The Nation* vom 8. 11. 1941, Nr. 19.

780. William Wylers neuer Bette Davis-Film

Filmrez.: THE LITTLE FOXES. William Wyler. US 1941.

Im Rahmen der Samuel Goldwyn-Produktion ist jetzt unter der Regie William Wylers der neue Bette Davis-Film: THE LITTLE FOXES herausgekommen, ein hinsichtlich seiner Vorzüge und Mängel wichtiges Werk, das in New York großen Erfolg geerntet hat. Der nach einem Theaterstück[1] gedrehte Film spielt im Süden und ist im wesentlichen eine Charakterstudie der bösen, geldgierigen Regina Giddens, die im Interesse der eigenen Bereicherung ihren Mann, einen todkranken Bankier, für die vagen Finanzprojekte ihrer skrupellosen Brüder gewinnen will, mit denen sie unter einer Decke steckt; da der Mann, das Komplott durchschauend, ihr den Wunsch abschlägt, setzt sie ihm mit harten Worten so lange zu, bis er eine Herzattacke bekommt, und weigert sich dann, ihm aus dem Obergeschoß die Medizin zu holen, deren er bedürfte, um seines Anfalls Herr zu werden. Er versucht sich allein die Treppe hinaufzutasten und stürzt hin; sein Tod ist kaltblütiger Mord. – Wyler hat bereits in Filmen wie THESE THREE[2] und DEAD END[3] gezeigt, daß er vor dem Bruch mit Usancen und Konventionen nicht zurückschreckt, wenn es psychische Abgründe aufzureißen, problematische Charaktere zu veranschaulichen gilt; hier geht er seinen Weg mit einer Folgerichtigkeit, die angesichts der vorherrschenden Tendenz zur Standardisierung der Filmstoffe doppelt rühmenswert ist. – Die ursächliche Schwäche des Films liegt vor allem darin, daß Wyler – wie in früheren Filmen so auch jetzt – die Mittel des Films zwar immer glänzend benutzt, aber nicht aus den Möglichkeiten heraus schafft, die allein dem Film vorbehalten sind. Er erschwert sich den Zugang zu ihnen von vornherein durch die Übernahme eines Stoffs, der, rein für das Theater konzipiert, eine bühnenmäßige Darstellung nahelegt; doch warum gehorcht er so willfährig den Direktiven dieses Stoffes? Offenbar deshalb, weil ihm die letzte Beziehung zum Medium des Films fehlt, aus der heraus einst Griffith, Stroheim oder René Clair[4] ihre Themen wählten und formten. Zum Unterschied von ihnen, die wohl wußten, daß ein Film nur dann Film ist, wenn in ihm auch die *Dinge* aktiv in die Handlung eingreifen, versäumt es Wyler, das adaptierte Theaterstück in die Tiefe für den Bedarf des Films umzuwandeln. Damit ist zugleich gesagt, daß der Film wirklich nur in stofflicher Hinsicht ein Wagnis bedeutet; die Durchführung hält sich in konventionellen Grenzen und sabotiert die Wirkung des thematischen Wurfs. – Wenn man die konstitutive Schwäche Wylers einmal erkannt hat, kann man um so uneingeschränkter die hohe Kultur bewundern, mit der er menschliches Geschehen versinnlicht. Unterstützt von der ausgezeichneten Photographie Gregg Tolands, macht er jede seelische Nuance sichtbar. Unnachahmlich wie die Schilderung des Unbehagens, das der Gast aus Chicago und die einzelnen Familienmitglieder während des Klavierspiels im Salon empfinden, ist die Vergegenwärtigung der Katastrophe kurz vor dem Schluß: Regina sitzt hell und starr im Hintergrund, während ihr Mann sich von vorne auf die Treppe zubewegt, dann erscheint die Großaufnahme ihres Gesichtes, über das der Schatten des Wankenden gleitet, und noch etwas später sieht man hinter ihr den Mann wie ein wundes Tier die Stufen hinankriechen. Da Wyler sich weitgehend an die vom Theater gesetzten Bedingungen hält, ver-

steht es sich von selber, daß er zum Zweck der Charakterisierung das Spiel der Darsteller besonders stark belastet. Er weiß aus ihrer Mimik, ihren Gesten das Letzte an Bedeutung herauszuholen. Von ihm geleitet, wird *Bette Davis* als Regina zur unvergeßlichen Figur. Das Erstaunlichste gibt diese große, so bewußt gestaltende Künstlerin wohl in dem Augenblick, in dem ihre Tochter sie zu verlassen droht; es ist als möchte sie jetzt gegen ihre Natur ankämpfen, aber die Kruste des Bösen ist schon so verhärtet, daß sie ohnmächtig vom Kampf ablassen und bleiben muß, was sie war. Gut sind Mann und Tochter gewählt: *Herbert Marshalls* vornehme, gütige Art und die charmante Unschuld *Teresa Wrights* geben dem Spiel der Davis noch mehr Relief. Ein Höhepunkt darstellerischer – und regiemäßiger – Leistung ist auch die Szene, in der *Patricia Collinge* als Reginas Schwägerin sich betrinkt und im Trunk ihren Haß gegen die Familie ausplaudert. Ihr Sohn ist der sture, vulgäre Leo, dessen komische Tölpelhaftigkeit *Dan Duryea* filmisch vollendet verkörpert.
(NZZ vom 14. 12. 1941)

1 Lillian Hellman schrieb das Drehbuch nach ihrem eigenen Stück *The little foxes*. A Play in Three Acts. New York: Random House 1939.
2 THESE THREE. William Wyler. US 1936.
3 Siehe Nr. 739, Anm. 1.
4 Zu D. W. Griffith siehe u. a. Nr. 464 und 549; zu Filmen, bei denen Erich von Stroheim Regie führte, siehe Nr. 601, Anm. 1; zu den Filmen René Clairs siehe u. a. Nr. 604, 614, 649, 673 und 705.

1942-1943

781. Flaherty: »The Land«

Filmrez.: THE LAND. Robert J. Flaherty. US 1939-1942.

Die Schwächen dieses Films sind zu offensichtlich, um sich mit ihnen aufzuhalten. Seiner Handlung mangelt es an Genauigkeit, und sie bekommt gerade diejenigen Probleme nicht zu fassen, die sie in Angriff zu nehmen versucht: So zeugt der letzte Teil, der von den wundersamen Maschinen handelt, von einer Naivität, die angesichts des wirklichen Lebens ziemlich altmodisch wirkt. Die Schlichtheit der Darstellung entspricht der Schlichtheit von Flahertys Geist; es wäre beispielsweise möglich gewesen, die Beziehungen zwischen Kommentar und Bildern auf interessantere Weise zu gestalten. Vielleicht hat Flaherty zu lange an seinem Film gearbeitet; das würde erklären, warum bestimmte Motive während der Arbeit aufgegeben wurden und warum die verschiedenen Teile nicht richtig zusammenhängen.

Aber alle diese Mängel wiegen nicht schwer genug, um die wahren Verdienste von THE LAND zu schmälern: seine tiefe Ehrlichkeit und die Schönheit seiner Bilder. Das Ganze ist in der Tat durchtränkt mit einer Aufrichtigkeit, die die Zuschauer beeindrucken muß. Flaherty mag naiv sein; in seiner Naivität spricht er jedoch wirklich aus, was er fühlt, und vermeidet übereilte Schlußfolgerungen. Auch wenn er nicht immer die Probleme angeht, die er aufdecken will, so geht er doch mit einem Instinkt vor, der so unfehlbar ist, daß künftige Lösungen nicht gefährdet werden. Es ist wichtig, daß seine eigene Stimme den ganzen Film hindurch zu hören ist; diese Stimme hat Überzeugungskraft und unterstreicht wirkungsvoll den Gehalt der Bilder. Das Geheimnis dieser Bilder besteht darin, daß sie *die Zeit* in sich aufgenommen haben. Sie ähneln Fragmenten eines verlorenen epischen Gesangs, der das gewaltige Landleben feiert; nichts wird ausgelassen, und jede Episode ist voller Bedeutung. Die Episode mit dem alten Bauern, der langsam fegt und dann die Glocke läutet, gehört zu den unvergeßlichen Leinwandszenen.[1] Solche Effekte werden noch vertieft durch die Montage. Frau van Dongen[2] weiß, wie man eine Situation entfaltet, wie man aus einer Reihe von Großaufnahmen und Totalen klare und bestimmte Räume schafft und zu welchem Zeitpunkt man sie enthüllt.[3]

(Typoskript aus KN, 16. 4. 1942)

1 Zu Robert Flaherty siehe auch *Werke*, Bd. 3, S. 384-387.
2 Helen van Dongen war »supervisor« für den Schnitt.
3 Übersetzung des gleichnamigen Typoskripts (KN), handschriftlich datiert: »April 16/17, 1942«, maschinenschriftlich: »April 16, 1942«. Der Text war nicht zur Veröffentlichung, sondern für den internen Gebrauch der Film Library des Museum of Modern Art bestimmt, wo der Film im April 1942 bei einer nicht-öffentlichen Vorführung erstmals gezeigt wurde.

782. [Hollywood]

Rez.: Leo C. Rosten, *Hollywood*. The Movie Colony – The Movie Makers. New York: Harcourt, Brace 1941.

Bevor ich auf Rostens Buch selbst eingehe, möchte ich ein Wort der Anerkennung für das Verständnis seiner Geldgeber aussprechen, der New Yorker Carnegie Corporation und der Rockefeller Foundation, die es dem Autor ermöglicht haben, den komplizierten Organismus namens Hollywood zu durchleuchten. Europäische Schriftsteller hatten selten Gelegenheit, wirkliche gesellschaftliche Probleme unter so günstigen Bedingungen zu untersuchen. Und Rosten scheint besonders gut für diese umfassende Studie ausgerüstet gewesen zu sein, denn er verbindet die Fähigkeit der unmittelbaren Beobachtung mit einer umfassenden soziologischen Schulung, ein lebhaftes Interesse an jedem Exemplar dieser eigenartigen menschlichen Fauna mit dem Vermögen, Distanz zu bewahren, und schriftstellerische Talente mit der Kompetenz des Gelehrten – Begabungen, die man selten gebündelt findet, die aber äußerst wichtig für einen produktiven Zugang zu den gegenwärtigen Gesellschaftsstrukturen sind.
Das Buch umfaßt die Zeit von 1938 bis 1941 und besteht aus zwei Teilen, von denen der erste sich mit den sozialen Gesetzen und Regelungen beschäftigt, die das Leben der Filmkolonie im allgemeinen bestimmen, während der zweite, konkretere Abschnitt die Stellung der Produzenten, Regisseure, Schauspieler usw. behandelt. Sein Aufbau könnte eine Konstruktion in den Dimensionen der Materialien selbst genannt werden. Anders gesagt, reproduziert Rosten weder wie ein Journalist bloße Eindrücke, die aus dem engen Kontakt mit den jeweiligen Menschen

und Tatsachen resultieren, noch hüllt er seine Beobachtungen in eine allgemeine Theorie, deren Maschen zu weit sind, um das Einzelphänomen einzufangen. Sein Blickpunkt ist nah genug, um ihn die mannigfaltigen Züge der Filmwelt unterscheiden und charakterisieren zu lassen, und zugleich ist er weit genug entfernt, um ihn von den Fesseln der Intimität zu befreien und ihm einen Blick auf Hollywood als Ganzes zu gestatten. Herr Rosten hat nicht nur das methodische Problem gelöst, er zeigt auch Fingerspitzengefühl, was keine geringe Leistung ist, denn er hatte es mit den persönlichen Eigenarten, Hobbys, Neigungen und Sorgen von besonders empfindlichen Künstlern zu tun. Aber trotz der Diskretion, mit der das Buch absichtlich über bestimmte Aspekte hinwegsieht – die z. B. in Schulbergs Roman »*What Makes Sammy Run?*«[1] hervorgehoben werden –, fürchtet sich der Autor nicht davor, die weitverbreitete »Hollywood-Legende« zu zerstören und den dichten Nebel zu durchdringen, der von Werbemanagern und den entsprechenden Klatschspaltenschreibern bis ins Zentrum von Hollywoods innerer Organisation hinein erzeugt wird.

Eine Grundidee scheint mir besonders aufschlußreich zu sein: Rosten betrachtet Hollywood als die »Quintessenz des *nouveau riche*« und stellt – durch eine ausgezeichnete Auswahl von Beispielen und Zitaten – eine überzeugende Parallele zu jener Ära der amerikanischen Geschichte her, in der die großen Industrie- und Finanzmagnaten zur Macht aufstiegen. »Hollywood macht das, was gemacht wird, macht mehr davon«: Mit dieser Formel verdeutlicht er, daß Hollywood keine Ausnahme ist, sondern das Extrem einer sozialen Konstellation bezeichnet, die in den Vereinigten Staaten bereits aufgetreten war und die wieder auftreten kann, wenn bestimmte Voraussetzungen erfüllt sind. Noch wichtiger ist vielleicht seine Analyse der Wechselbeziehung zwischen gesellschaftlichen Bedingungen und psychologischen Eigenschaften. Im Hinblick auf die Psychologie findet Rosten ebenfalls die richtige Perspektive: Im Unterschied zu vielen Wissenschaftlern verschmäht er weder die Beschäftigung mit psychologischen Tatsachen, noch verfällt er in jenen Relativismus, der mit der Überschätzung solcher Tatsachen verbunden ist. Statt dessen versucht er zu zeigen, wie jedes charakteristische Merkmal von bestimmten Konstanten der sozialen Sphäre abhängt. Das Ergebnis ist eine zuverlässige Topographie von Hollywoods psy-

chischer Struktur. So erklärt er beispielsweise den Optimismus, den Filmemacher an den Tag legen, als Deckmantel einer tiefsitzenden Angst, nämlich der unterbewußten Überzeugung, daß das Glück nicht dauerhaft sein und sich jeden Augenblick eine Katastrophe ereignen kann. Außerdem hat er sehr Interessantes über Hollywoods Spielleidenschaft zu sagen, über den unbestimmten Schuldkomplex, der die Menschen dort heimsucht. Die angekündigten Folgebände, die Hollywoods Wirtschaft behandeln und auch Filmanalysen einschließen sollen, werden dasselbe Interesse finden wie dieser erste Band.[2]
(*Social Research*, Mai 1942)

1 Budd Schulberg, *What Makes Sammy Run?* New York: Random House 1941.
2 Folgebände sind nicht nachweisbar.

783. Warum die Franzosen unsere Filme mochten

Was könnte ein intelligenter europäischer Beobachter aus amerikanischen Filmen über das Leben in Amerika erfahren? Die Notwendigkeit, mich auf recht persönliche Eindrücke zu stützen, beunruhigt mich etwas, aber glücklicherweise haben wir festen Boden unter den Füßen: Es ist eine unbestreitbare Tatsache, daß der amerikanische Film während des ganzen letzten Jahrzehnts eine große Anziehungskraft auf die intellektuelle Elite Europas ausübte. Hollywood exportierte zwar hauptsächlich A-Filme nach Frankreich – Filme, die leicht mit der Masse der in Frankreich hergestellten durchschnittlichen Tonfilme konkurrieren konnten. Aber ihre Macht, die europäischen Zuschauer zu verzaubern, schuldete sich nicht so sehr ihrer relativen Vollkommenheit als spezifischen Zügen, die diese Zuschauer in ihren einheimischen Produktionen vermißten.
Was vermißten sie? Schon 1919 machte Louis Delluc, einer der Pioniere des französischen Films, die finstere Prophezeiung: »Ich möchte gern daran glauben, daß wir schließlich gute Filme machen werden. Das wäre jedoch sehr überraschend, denn der Film liegt uns nicht im Blut ... Ich sage voraus – wir werden in der Zukunft sehen, ob ich Recht habe –, daß

Frankreich für den Film keine größere Begabung hat als für die Musik.«*

Unterdessen haben so große französische Regisseure wie René Clair, der verstorbene Jean Vigo, Jean Renoir, Julien Duvivier und andere manchen Film gemacht, der zu den klassischen Werken der Leinwand gehört.[1] Aber das sind wohl eher Ausnahmen, und aufs Ganze gesehen hat sich Dellucs Kritik bewahrheitet: Der typische französische Film, insbesondere der französische Tonfilm der letzten zehn Jahre, ist weit davon entfernt, die wesentlichen Möglichkeiten, die diesem Medium innewohnen, zu verwirklichen. Er offenbart eine Mentalität, die sich viel besser auf der Bühne oder in der Literatur ausdrücken ließe.

Französische Filme leiden an einem spürbaren Mangel an Handlung und Bewegung. Wenn man sie anschaut, empfindet man, daß sie einer Mentalität entsprungen sind, der mit weiten Räumen und mit Ereignissen, mit denen die Kamera sich beschäftigt, nicht vertraut ist. Alte kulturelle und künstlerische Traditionen lasten auf dieser Mentalität, so daß sie den direkten Kontakt mit einer primitiveren Welt verloren hat und geistige Erfahrungen den einfachen Abenteuern und plötzlichen Veränderungen vorzieht, die junge, unbefangene Menschen genießen. Die französische Seele ist kultiviert und ruht in sich wie die bezaubernde französische Landschaft, die keine Gedanken an weite Entfernungen, an überwältigende Katastrophen oder aufregende Entdeckungen weckt. Bezeichnenderweise ist es sogar den vielen Filmen über die französische Fremdenlegion[2] nur selten gelungen, die gewaltige Ausdehnung des französischen Imperiums in Afrika faßbar zu machen. Natürlich ist eine solche Leidenschaftslosigkeit dem Medium des Films nicht angemessen. Mir scheint, daß während der Vorkriegszeit die politische Situation Frankreichs viel dazu beigetragen hat, diese natürliche Einstellung in eine Art von Stagnation zu verwandeln. Als das Leben sich verlangsamte, wurde es zu riskant, manches wirkungsvolle Thema auf der Leinwand zu präsentieren. Daß man dann Filme bevorzugte, die in einer mehr oder weniger literarischen Weise ein Verbrechen zeigten und die es Jean Gabin gestatteten, seine Faszination als »good bad man« auszuüben,[3] kann durch das dringende Bedürfnis nach Handlung erklärt wer-

* Zitiert nach »*The History of Motion Pictures*« von Maurice Bardèche und Robert Brasillach, New York, 1938, S. 134.

den. Man entfloh in die Unterwelt, weil in den höheren Schichten der Gesellschaft alles gelähmt war. Oder die französischen Filmproduzenten verfuhren auf dieselbe Weise wie die französischen Literaten: Als Ersatz für Bewegung wurde das Atmosphärische maßlos intensiviert. Oft enthielten französische Filme aus dieser Zeit überhaupt nichts anderes als Atmosphäre, die in schönen Bildern realisiert wurde, um die Unzulänglichkeiten der Handlung zu verbergen.

Diese Filme vernachlässigten auch materiale Details – all jene Gegenstände und Gesten, die auf der Leinwand so wichtig sind und die nur die Kamera entdecken und mit Bedeutung erfüllen kann. Am Ende der Stummfilm-Ära war es gerade die französische Avantgarde, die darauf bestand, bis dahin noch nicht gesehene Erscheinungen zu zeigen und sie zu bizarren Bildern zusammenzustellen.[4] Aber sobald der Tonfilm erschien, schwächte sich diese Tendenz immer mehr ab; dominant wurden Filme, die es vermieden, die Grenzen unserer visuellen Konventionen zu überschreiten. Während die Story, die sie erzählten, manchmal bewegend war und wichtige Fragen des menschlichen Lebens berührte, änderten ihre Erzählmethoden nichts am gewöhnlichen Bild der Welt. Die kleinen Dinge blieben klein; die Schauspieler beanspruchten den Vordergrund.

Diese Praxis wurde durch die absolute Vorherrschaft des Dialogs noch verstärkt. Schon immer haben die Franzosen sich den *Feinheiten* der literarischen Sprache gewidmet und schätzen nichts mehr, als eine geistreiche Bemerkung oder eine wohl abgewogene Antithese auszukosten. Daher versuchte der französische Tonfilm, die einheimischen Zuschauer durch lange Konversationen und Erklärungen zu bezaubern, die von Jacques Prévert[5] oder einem anderen guten Stilisten poliert wurden. Filme wie z. B. ENTRÉE DES ARTISTES,[6] in denen die Flut der Wörter die Bilder überschwemmte, begeisterten die Zuschauer. Die Folge war, daß sich die Leinwand der Bühne annäherte und die Bilder als bloße Illustration dienten. Während die Entwicklung eines echten Films von der Bedeutung seiner Bilder abhängt, bestimmte in diesen Filmen der Dialog allein den Fortgang der Handlung. Und da Wörter gewöhnlich mannigfache traditionelle Assoziationen transportieren, hatten selbst originelle Bilder kaum Gelegenheit, die dichte Hülle von Konventionen zu durchdringen, in die sie eingebettet waren. Anstatt den Lauf der Wörter zu steuern, folgten sie ihm.

1937 schrieb Valerio Jahier in einem hervorragenden Essay über die Geschichte des Films: »Stellen wir uns für einen Augenblick vor, daß wir ab morgen Filme weder produzieren noch zeigen könnten. Wir glauben nicht, daß das französische Ansehen darunter leiden würde. Andererseits würden wir den Eindruck bekommen, daß Amerika plötzlich verstummt wäre ... Denn Amerika liegt der Film im Blut.«* So dachten viele Europäer über den Unterschied zwischen französischen und amerikanischen Filmen. Und es war ganz natürlich, daß ihnen die Hollywoodfilme als Manifestation von Leben und Bewegung erschienen. Wo sonst als im Western galoppieren wirkliche Pferde über wirkliche Prärien? Sie stehen stellvertretend für die Schnelligkeit der Handlung und, was noch wichtiger ist, diese Handlung, die so typisch ist für amerikanische Filme, kommt den Erfordernissen der Filmkamera entgegen, insofern sie sich über die ganze Dimension des Materiellen erstreckt und genau den Bereich der Wirklichkeit umfaßt, den man als Kamera-Realität bezeichnen könnte. Seit der Zeit von Mack Sennett[7] sind Passanten, Treppenhäuser, Fahrzeuge – all die scheinbar unbedeutenden Gegenstände des Alltagslebens – ein unverzichtbarer Teil der Handlung gewesen. Dieser enge Kontakt mit der äußeren Welt ermöglicht es Hollywood, Situationen, Ereignisse und Wechselbeziehungen zu zeigen, die jeder anderen Kunstform unzugänglich sind. Dadurch bekommen kleine Details, die gewöhnlich unter der Masse von Eindrükken verschwinden, das ganze Gewicht, das sie verdienen: Ich erinnere an den wiederholten Gag mit den bereitgehaltenen Zigarren und Streichhölzern in THE BOWERY[8] und an das Leitmotiv der zerbrochenen Trinkgläser in ONE WAY PASSAGE.[9] So spielt auch der Zufall beständig seine Rolle – der Zufall, dessen Eingreifen anzeigt, daß die Story die verschiedenen unvorhersehbaren Ereignisse des Lebens nicht überspringt. Erhellend in dieser Hinsicht ist die Anfangssequenz von SAN FRANCISCO.[10] In der Straßenmenge am Silvesterabend gehen Gable und McDonald zufällig aneinander vorbei, ohne schon zu ahnen, daß sich ihre Schicksale miteinander verknüpfen werden. Auf diese Weise führt der Wunsch, der Entwicklung des Materials bis zum Äußersten zu folgen, zur Darstel-

* Valerio Jahier: »42 ans de cinéma«, S. 40. Dieser Essay eröffnet die Anthologie: *»Le rôle intellectuel du cinéma«* – ein Band hrsg. von der League of Nations. Institut international de Coopération Intellectuelle, Paris 1937.

lung von Naturkatastrophen und Szenen des Grauens, Erscheinungen, die in der Kunst nie gezeigt werden könnten.[11] Die Erdbebensequenz in SAN FRANCISCO und der Orkan in dem gleichnamigen Film sind symptomatisch.

Fassen wir zusammen: Der Realismus des amerikanischen Films hat den europäischen Zuschauer, der gewöhnlich Filme einer ganz anderen Ausrichtung zu sehen bekam, angezogen. Er spürte, daß die amerikanischen Filme durch die Aneignung neuer Sphären der sichtbaren Welt eine der besonderen Berufungen des Mediums verwirklichten, und außerdem schätzte er sie auch als eine fortwährende Demonstration der amerikanischen Lebensauffassung. Alle amerikanischen Filme schienen ihm die unmittelbare und realistische Weise zu offenbaren, in der die Amerikaner fühlen, denken und sich verhalten. Und dank dieser grundlegenden Eigenschaft, die in jedem Hollywoodfilm zum Tragen kam, erfuhr er von ihm – oder meinte zu erfahren – zahlreiche Tatsachen über das Alltagsleben in Amerika.

Um genau zu sein: die Hauptquelle der Information waren in diesen Filmen eher die Milieus als die Stories. Viele Filme stellten sich als Nieten heraus; aber selbst die größten kommerziellen Nichtigkeiten enthielten oft einen gut beobachteten Moment des Lebens. Wie greifbar wurde die Main Street früherer Zeiten im ersten Teil von STELLA DALLAS;[12] wie dicht war in BACK STREET[13] die Atmosphäre der altmodischen Gartenkonzerte einer Kleinstadt. Die Mietshausszenen in BACK STREET, die von dem entsetzlichen Lärm aus einem benachbarten Haus begleitet wurden, das gerade im Bau begriffen war, waren so lehrreich, daß sie lange soziologische Abhandlungen zu diesem Thema ersetzten. Ich darf auch an jene Szenen aus dem ganz durchschnittlichen Film MANNEQUIN[14] erinnern, in dem Joan Crawford, ein schäbiges Treppenhaus hinuntersteigend, gewohnheitsmäßig die Glühbirne ausknipst und anschließend in der Hochbahn ununterbrochen mit ihrem jungen Liebhaber redet. Hinter solchen Bruchstücken des New Yorker Lebens scheint die gewaltige Stadt selbst sichtbar zu werden. Andere Filme ließen andere Bereiche hervortreten: OUR DAILY BREAD[15] führte aufs Land, und JEZEBEL[16] machte uns mit den Gebräuchen des Südens bekannt. Obwohl es sich bloß um fiktive Geschehnisse handelte, fungierten all diese realistischen Einschübe doch als Dokumente der Wirklichkeit. In den Augen der Europäer hatte sogar der amerikanische Spielfilm das wirkliche Leben zu seinem Hintergrund.

Der Realismus beschränkt sich aber nicht auf das Milieu allein: Er kennzeichnet auch verschiedene Zyklen von Hollywoodfilmen, die in Paris als besonders lebendige Portraits amerikanischer Charaktertypen Eindruck machten. Ich denke an die Gangsterfilme mit ihrem Reichtum an Entdeckungen, etwa an Rafts Münzen werfenden Banditen[17] und die angedeuteten engen Beziehungen zwischen diesem besonderen Typ von Verbrecher und einem Leben mit Plakatwerbung, Papierfähnchen und Leuchtreklamen. Es gab auch eine Anzahl von Boxerfilmen,[18] die das Wissen um populäre Vergnügungen in Amerika beträchtlich vermehrten; und ich erinnere mich an die Zuschauer in den Filmtheatern des Pariser Boulevard Rochechouart, die als wirkliche Experten lautstark die boxerischen Feinheiten in diesen Filmen kommentierten. Außerdem gab es eine Welle von Reporterfilmen wie HI NELLY!, THE FRONT PAGE[19] usw., in denen Reporter als ziemlich störende und aufdringliche Wesen gezeigt wurden, zugleich aber als mutige Helden, die im entscheidenden Augenblick einen verwickelten Mord oder einen vorgetäuschten Bankrott aufklären – für Europäer war das ein ungewöhnlicher Aspekt dieses Berufs. Man sah sie herumrennen, einander anschreien und in riesigen, lärmerfüllten Räumen, wo niemand sich konzentrieren konnte, nebeneinander auf ihre Schreibmaschinen einhämmern. Doch trotz dieses Chaos erschien die Zeitung immer pünktlich und hatte Erfolg. Die atemlose Verwirrung in den Büros des Herausgebers schien den Zustand des amerikanischen Geschäftslebens im allgemeinen widerzuspiegeln. Ähnlich energisch waren die Detektive, die die Leinwand bevölkerten; und in Filmen wie CITADEL[20] konzentrierte sich die Kamera auf die Arbeit der Ärzteschaft. Von den Bankiers bis zu den Arbeitern wurden alle gesellschaftlichen Schichten erfaßt – nicht zu vergessen die Freuden der müßiggängerischen Reichen, die unermüdlich im Interesse derjenigen dargestellt wurden, die an diesen Freuden keinen Anteil hatten.

Aber wenn amerikanische Filme auch auf einer realistischen Weltauffassung beruhen, so geben sich einige doch damit zufrieden, diese Weltauffassung einfach nachzubeten. Das Aufgebot historischer Filme ist in diesem Zusammenhang an sich nicht von Interesse. Eine Ausnahme sind jene Filme, die sich im Gewand von aufwendigen Western mit dem Bau der ersten transpazifischen Eisenbahn und dem Aufbruch nach Westen befassen oder, wie THE BOWERY und BARBARY COAST,[21] die rauhen Siedlermanieren der noch unzivilisierten Städte beschreiben. Für Europäer, die in der Lage sind, zwischen Dichtung und Wahrheit zu unterscheiden, waren solche bebilderten Lehrstücke ein wertvoller Anschauungsunterricht über Amerikas Vergangenheit. Was die Filme betrifft, die sich der zeitgenössischen Lebensweise widmeten, so war der Pariser Zuschauer besonders beeindruckt von bestimmten Hollywoodproduktionen, die gesellschaftliche Probleme mit einer Direktheit behandelten, die in Frankreich nach 1933 unmöglich gewesen wäre. Daß die Filme MR. DEEDS GOES TO TOWN[22] oder DEAD END[23] sich solchen Problemen zu stellen wagten, war einer der Gründe für ihren europäischen Erfolg; sie brachen mit der Regel der Neutralität, die auf dem französischen Film lastete. Zugleich klärten sie über das politische Denken und die gesellschaftlichen Auseinandersetzungen in Amerika auf. Als die Substanz des französischen republikanischen Geistes mehr und mehr von der Leinwand verschwand, zeugten diese Filme von der Stärke der amerikanischen Demokratie, wobei es keine große Rolle spielte, daß sie oft naiv waren, wie z. B. YOU AND ME,[24] oder den Streitpunkt einfach umgingen, wie YOU CAN'T TAKE IT WITH YOU.[25] Gewöhnlich stellten sie den Fortschritts-Optimismus der Amerikaner und ihren festen Glauben an individuelle Werte dar. Europäische Beobachter verurteilten solche Ansichten oft als unangemessene Vereinfachungen, weil sie von komplizierten Traditionen belastet und gegenüber ihren eigenen wirklichen Problemen hilflos waren. Andererseits konnten sie aber auch nicht umhin, die Einfachheit und die bereitwillige Zuversicht und Direktheit zu beneiden, mit der Amerikaner anscheinend versuchen, alle Hindernisse zu überwinden. Und wurden denn die Schattenseiten geleugnet? So wichtige Filme wie I AM A FUGITIVE[26] und YOU ONLY LIVE ONCE[27] beweisen das Gegenteil, und oft stellte sich das angefügte Happy-End als ein absichtlich märchenhafter Schluß dar, wie in WINTERSET.[28]

Interessante Einblicke wurden auch durch die Behandlung erotischer und psychologischer Themen auf der Leinwand eröffnet. Ich denke, der

Einfluß amerikanischer Filme auf den Verlauf europäischer Liebesgeschichten kann kaum überschätzt werden. Indem sie ständig die Frage wälzten, auf welche Weise junge Männer es anstellen können, junge Mädchen kennenzulernen, bestimmten sie das Auftreten, die Gesten und Worte zahlloser junger Leute, die, in den gewaltigen Prozeß sozialen Wandels verstrickt, in einer Art Vakuum lebten und doch als Ersatz für verlorene Konventionen Vorbilder brauchten, denen sie folgen konnten. Immer wenn Garbo in den mittelmäßigen Filmtheatern auftrat, verließen Tausende kleiner Verkäuferinnen diese Kinos als Garbos. Aber hier geht es eher darum, was diese Filme über amerikanische Liebesgewohnheiten zeigten. Ich bin geneigt zu glauben, daß weibliche Figuren in ihnen mit einer Art Sexappeal erschienen, der in Europa unbekannt war. Es handelte sich um das Ergebnis einer nahezu mechanisierten Oberfläche, unter der man jedoch eine Natur voll bezaubernder Regungen spürte. Die Europäer wunderten sich vielleicht über die offenkundige Schüchternheit, mit der sich der junge amerikanische Liebhaber dem Objekt seiner innersten Gefühle näherte – ein Verhalten, das gewiß nicht nur den Bemühungen des Hays-Büros[29] zuzuschreiben war. Liebe geschieht in einer Welt, die von ungeschriebenen Gesetzen geregelt wird und die voller Einzelschicksale ist. Mancher Film, der an das psychologische Verständnis appellierte, gab Einblick in ihre Struktur. Man erfuhr durch THESE THREE[30] oder BACK STREET etwas über die Macht gesellschaftlicher Konventionen und Vorurteile in Amerika und konnte z. B. in DODSWORTH[31] hinter die Kulissen von Ehen schauen, die scheinbar Vorbilder an Erfolg und Harmonie waren. In Amerika wurde die Ehe nicht anders als in Europa oft zu einer bloßen Routine, die nichts als Resignation oder den Wunsch, zu entkommen, übrigließ. Vielleicht wurde der verheerende Einfluß eines alles verschlingenden Geschäftslebens auf das private Glück im amerikanischen Film besonders herausgestellt.

Diese flüchtige Übersicht wäre unvollständig ohne einen Seitenblick auf die mehr oder weniger hochentwickelten Filmkomödien, die in den Jahren vor dem Ausbruch des Krieges Furore machten. Lubitsch und Capra hatten das Muster für diese munteren Stücke geliefert,[32] in denen eine sportliche (und augenscheinlich wohlhabende) Jugend sich mit Abenteurern und redseligen älteren Damen vermischte, wobei alle miteinander anbändelten und recht nutzlose Aktivitäten an den Tag legten, mit dem Ergebnis, daß kühne Einfälle nötig waren, um die nachfolgenden Verwicklungen zu entwirren. NOTHING SACRED und THEODORA GOES WILD[33] gehörten zu dieser Art von Leinwandvergnügen, in denen Carole Lombard, Billie Burke und junge Männer wie Cary Grant und James Stewart häufig mitspielten. In einer für den amerikanischen Humor typischen Weise verspotteten diese Filme beiläufig soziale Konventionen und standardisierte Typen und zeichneten sich durch geistreiche Dialoge aus, die das deutliche Gespür der amerikanischen Zuschauer für Hohn und Satire offenbarten. Mit der Ausnahme von René Clairs unvergeßlichen Werken erreichte die französische Filmkomödie nie das Niveau dieser Hollywoodfilme, die natürlich eher Bühnenstücke als Filme waren. Das war für die Europäer um so erstaunlicher, als das ganze Genre seinen Ursprung zum Teil in dem Pariser *Vaudeville* hatte. Man mußte zugeben, daß die Hollywoodkomödie weniger in Paris als in Hollywood gedieh.

Eine Antwort auf die Frage zu geben, ob diese in Europa gesammelten Eindrücke hierzulande Bestand haben, ist alles andere als einfach. Die Perspektive, aus der das amerikanische Leben auf den Leinwänden Europas gesehen wird, wird bestimmt und gerahmt von den Reaktionen auf die einheimischen europäischen Produktionen. Wenn der französische Film in den Jahren vor dem Krieg durch andere Merkmale charakterisiert gewesen wäre, hätten sich zweifellos andere Aspekte der amerikanischen Wirklichkeit aufgedrängt. Es gibt nur einen kurzen Augenblick, in dem der europäische Zuschauer die Gültigkeit des Bildes vom amerikanischen Leben beurteilen kann, das er in europäischen Kinos gewonnen hat: der Augenblick seiner Ankunft in diesem Land. Als Neuankömmling ist er immer noch gänzlich mit der alten Welt verbunden und kann so seine frischen Eindrücke auf amerikanischem Boden mit den Bildern in seinem Kopf vergleichen. Diese ersten Eindrücke sind ziemlich oberflächlich; aber unglücklicherweise ist er, je mehr es ihm gelingt, sie zu vertiefen, desto weniger in der Lage, die aus Europa mitgebrachten Vorstellungen zu bestätigen. Nicht so sehr deshalb, weil sie sich in blasse Erinnerungen verwandeln, sondern vielmehr aus einem anderen Grund: Der Neuankömmling läßt sich in Amerika nieder, und bald schon ist er mit den Gebräuchen dieses Landes zu vertraut, um noch objektiv und leidenschaftslos über das amerikanische Leben urteilen zu können. Die ganze Perspektive ändert sich. Er ist in dieses Leben einbezogen, und seine Reaktionen sind nicht länger die eines Zuschauers, sondern die eines Teilnehmers. Für diese beiden Perspektiven gibt es keinen gemeinsamen Nenner. So kommt es zu einer paradoxen Situation: Indem der frühere Europäer sich eine Meinung über die amerikanische Wirklichkeit bildet, verliert er die Möglichkeit, sie zur Bestätigung oder Widerlegung seiner früheren Vorstellungen einzusetzen. Wahrscheinlich können viele dieser Vorstellungen hierzulande nicht aufrechterhalten werden; aber das besagt nichts gegen ihre Gültigkeit in Europa.

Kommen wir auf diesen entscheidenden Augenblick zurück – auf die wunderbare erste Begegnung mit dem Leben in Amerika. Während wir in den Hafen von New York einliefen, begann das seltsame Gefühl in mir zu wachsen, dies alles schon gesehen zu haben. Jeder neue Anblick war ein Akt des Wiedererkennens. Wir kamen an so alten Bekannten wie der Freiheitsstatue vorbei, an Ellis Island und der Skyline, die jedoch vor dem weiten Himmel kleiner aussah, als ich sie mir aufgrund von Bildern vorgestellt hatte. Dann kamen die Kriminalinspektoren an Bord und riefen »Take it easy!« und »Go ahead!«. Anschließend wimmelte es auf dem Kai von Reportern. Für den leidenschaftlichen Kinogänger war es wie ein Traum: Entweder war er selbst plötzlich auf die Leinwand verpflanzt worden oder die Leinwand hatte sich in eine dreidimensionale Wirklichkeit verwandelt. Der Traum hörte auch nicht in New York auf, wo andere vertraute Typen aus der Menge aufzutauchen begannen: der Eisverkäufer, der Schuhputzerjunge, die Heilsarmee. All die Dinge, die den Hintergrund von hunderten amerikanischer Filme bildeten, stellten sich als lebensecht heraus. Die Treppen vor den Klinkergebäuden waren so wirklich wie die möblierten Zimmer, die wunderbaren Drugstores und die prächtigen Foyers der Wohnhäuser, die man in Europa für bloße Studioausstattungen hielt.

Das war der Anfang – ein überzeugender Beweis der realistischen Macht, mit der Hollywoodfilme den Menschen im Ausland das amerikanische Alltagsleben vermittelten. Dann folgte der langwierige Prozeß der persönlichen Anpassung und mit ihm der oben erwähnte Perspektivenwechsel. Zu gegebener Zeit stieß man auf Dinge, die in diesen Filmen

übersehen wurden. In New York zum Beispiel nehmen die Filme weder Notiz vom Broadway am Morgen noch zeigen sie die Hunderte von Querstraßen, die im leeren Himmel enden. Soweit ich mich erinnere, hat es auch keine Aufnahmen gegeben, die die verschiedenen Wirkungen zur Geltung bringen, welche von Hochhäusern und Wolkenkratzern ausgehen und die Eintönigkeit der langen Avenuen aufbrechen. Dasselbe gilt offenkundig vom ganzen Lebensstil. Aber es ist kein europäischer Beobachter mehr, der diese Betrachtungen anstellt.
(*New Movies*, Mai 1942)

1 Zu René Clair siehe u. a. Nr. 604, 614, 649, 673 und 705; zu Jean Vigo siehe Nr. 765, dort auch Anm. 1; zu Jean Renoir (1894-1979) siehe u. a. Nr. 694, 723, 727 und 751; zu Julien Duvivier (1896-1967) siehe Nr. 405, 678 und 758.
2 Siehe LE GRAND JEU (Nr. 761, Anm. 2) und LA BANDERA (Nr. 763, Anm. 2).
3 Jean Gabin (1904-1976), französischer Schauspieler, galt in der Zwischenkriegszeit als Gentleman des französischen Kinos. Auf einen bestimmten Typus ließ sich Gabin jedoch nicht festlegen, er spielte Adelige, Farmer, Diebe und Manager mit gleichem Geschick. Eine seiner populärsten Rollen war in den späten 50er Jahren die des Inspector Maigret. Kracauer charakterisiert ihn häufig als »bon mauvais garçon«, siehe u. a. Nr. 751 und 761.
4 Siehe u. a. Nr. 604.
5 Zu Jacques Prévert siehe Nr. 744, Anm. 4.
6 Siehe Nr. 744.
7 Zu Mack Sennett siehe Nr. 12, Anm. 1.
8 THE BOWERY. Raoul Walsh. US 1933.
9 ONE WAY PASSAGE. Tay Garnett. US 1932.
10 Siehe Nr. 771, Anm. 2.
11 Zum »Grauen im Film« siehe auch Nr. 787 und Anhang, S. 479-485, sowie *Werke*, Bd. 3, S. 108-110.
12 STELLA DALLAS. King Vidor. US 1937.
13 BACK STREET. Robert Stevenson. US 1940/41.
14 MANNEQUIN. Frank Borzage. US 1937.
15 OUR DAILY BREAD. King Vidor. US 1934.
16 JEZEBEL. William Wyler. US 1937/38.
17 George Raft (1895-1980), amerikanischer Filmschauspieler, spielte häufig den tough guy in der Rolle eines Gangsters oder Sträflings. Die große Glaubwürdigkeit, mit der er diese Typen darstellte, und seine tatsächlichen Verbindungen zur Gangster-Welt nährten zahlreiche Gerüchte über seinen Lebenswandel. Der »Münzen werfende Bandit« war Rafts erste große Rolle in SCARFACE (Howard Hawks. US 1932); zu seinen Filmen siehe auch Nr. 745.
18 Siehe Nr. 698, 701 und 742 sowie Nr. 764, Anm. 11.
19 HI NELLIE! Mervyn LeRoy. US 1934; THE FRONT PAGE. Lewis Milestone. US 1931.
20 THE CITADEL. King Vidor. US 1938.
21 BARBARY COAST. Howard Hawks. US 1935.
22 Siehe Nr. 725.

23 Siehe Nr. 739, Anm. 1.
24 Siehe Nr. 745.
25 Siehe Nr. 757.
26 Siehe Nr. 712.
27 Siehe Nr. 745, Anm. 1.
28 WINTERSET. Alfred Santell. US 1936.
29 Siehe Nr. 671, Anm. 3.
30 Siehe Nr. 780, Anm. 2.
31 Siehe Nr. 718.
32 Siehe u. a. Nr. 209, 250, 425 und 725 sowie Nr. 757, Anm. 1.
33 NOTHING SACRED. William A. Wellman. US 1937; THEODORA GOES WILD. Richard Boleslawski. US 1936.

784. Der Lumpensammler

I. Übertriebene Propaganda

Filmrez.: THE WAR AGAINST MRS. HADLEY. Harold S. Bucquet. US 1942.

THE WAR AGAINST MRS. HADLEY ist ein gutes Beispiel für Übertreibung. Der Film wurde in der Absicht gemacht, zu zeigen, daß der rücksichtslose Individualismus, der Mrs. Hadley und ihresgleichen bewegt, einer ernsthaften Prüfung nicht standhält; in Kriegszeiten stellt er sich als hinderliche Selbstsucht heraus. Durch die Kritik an Mrs. Hadleys Einstellung verrät dieser Unterhaltungsfilm deutlich seine propagandistischen Absichten. Diese sind zweifellos sehr lobenswert und wurden darüberhinaus bis zu einem gewissen Grad in einer ästhetisch vertretbaren Weise ausgeführt. Außer in seinem letzten Teil stellt der Film in der Tat Ereignisse und Figuren dar, die in sich durchaus konsistent sind. Mrs. Hadleys Groll gegen den Krieg, der ihre Kinder, Freunde und Hausangestellte in Beschlag nimmt, ist so lebensnah wie die bewegenden Szenen, die zeigen, wie der Krieg mehr und mehr ihre selbstgewählte Isolation durchdringt. Und weil durch alle diese Phasen hindurch die Story überzeugt, erscheint die propagandistische Absicht eher als ihr zwangloses Resultat denn als ihre *raison d'être*. Die Propaganda in diesem Film ist im wesentlichen implizite Propaganda.

Leider wurde diese erfolgreiche Linie am Ende verlassen, als Mrs. Hadley nach dem heldenhaften Tod ihres Sohnes jeden Widerstand aufgibt und zu kooperieren beginnt. Eifrig darauf bedacht, das Bild abzurunden, haben die Filmemacher hier entschieden zu viel getan. Mrs. Hadley findet jetzt wunderbar, was sie einen Augenblick zuvor noch ablehnte, sie tut sich in gemeinnützigen Tätigkeiten hervor und geht ihrer neuen Ehe in einer so heiteren Stimmung entgegen, als ob sie nie einen Sohn verloren hätte. Da der Film gewiß nicht darauf abzielt, den übertriebenen Eifer eines Proselyten darzustellen, wird all das aufgeboten, um die Moral hundertprozentig herauszustreichen. Aber gerade durch ihre vollständige Zurschaustellung hört der Zweck auf, dem Film selbst innezuwohnen. Anstatt sich immer noch aus dem Verlauf einer konsistenten Geschichte zu ergeben, nimmt sie eine Unabhängigkeit an und zwingt die Figuren in ihren Dienst, wodurch der Plot zerstört wird. Mit anderen Worten: Die Propaganda ist so übertrieben, daß sie schließlich ihre Grenzen überschreitet und selbst in den Blick kommt. Je offener sie erscheint, desto mehr untergräbt sie jedoch ihre möglichen Wirkungen. Nun, da sie zur direkten Propaganda geworden ist, verärgert sie nicht nur die Zuschauer, die schon darauf vorbereitet waren, Schlüsse aus einer plausiblen Handlung zu ziehen, sondern weckt in der Folge auch Zweifel an der Integrität dieser Handlung selbst.

Die Moral ist . . . dieser Kommentar warnt jedoch davor, unnötigerweise eine Moral zu formulieren.[1]

(Typoskript aus KN, 26. 8. 1942)

1 Übersetzung des Typoskripts »The Rag-Picker. I. Overdoing Propaganda« (KN); das Typoskript ist mit der maschinenschriftlichen Aufschrift »For *The National Board of Review*, Aug. 26, 1942« versehen. Kracauer schickte den Text am 26. 8. 1942 an Scudder Middleton von der Zeitschrift *New Movies*, dem Publikationsorgan des National Board of Review of Motion Pictures. Wie aus dem Begleitbrief (KN) hervorgeht, war er als erster Teil einer kleinen Reihe »The Rag-Picker« gedacht. Eine Veröffentlichung konnte bislang nicht nachgewiesen werden, Folgetexte hat Kracauer nicht geschrieben.

785. In Eisensteins Werkstatt[1]

Rez.: Sergej M. Eisenstein, *The Film Sense*. Hrsg. und übers. von Jay Leyda. New York: Harcourt, Brace 1942.

Eisensteins Name ist für immer mit seinem Film PANZERKREUZER POTEMKIN verbunden,[2] der sowohl durch seinen Inhalt als auch durch seine Methoden nicht nur die Welt beeindruckte, sondern auch die gesamte Filmentwicklung beeinflußte. Bezeichnenderweise pries Dr. Goebbels in den frühen Tagen des Naziregimes POTEMKIN als Modell und deutete an, daß die Nazi-»Revolution« von Filmen ähnlicher Art verherrlicht werden sollte. So greifen Filme in den Lauf der Geschichte ein. Es muß jedoch hinzugefügt werden, daß POTEMKIN unmöglich gewesen wäre ohne die Vorbilder, die der amerikanische Regisseur D.W. Griffith mit THE BIRTH OF A NATION[3] und INTOLERANCE[4] während des letzten Weltkriegs setzte. Die Russen haben diesem großen Erneuerer immer Ehre erwiesen.
In »*The Film Sense*« widerspricht Eisenstein der verbreiteten Ansicht, nach der künstlerische Inspirationen und analytische Fähigkeiten zu verschieden seien, um sich in ein und derselben Person ausprägen zu können. Er will die Aufmerksamkeit auf jene Methoden der Filmkomposition lenken, die nicht nur dazu beitragen, aus dem Film ein Kunstwerk zu machen, sondern auch den Wunsch der Zuschauer nach kreativer Zusammenarbeit wecken. Im Hinblick auf solche Ziele behandelt er insbesondere die »Montage«, d.h. die Zusammenstellung aller akustischen und visuellen Elemente, aus denen ein Film besteht. Es ist ein Akt der Selbstkorrektur (und auch der Selbstverteidigung), daß Eisenstein derart die Kunst des Schnitts in den Vordergrund rückt. Durch seine eigenen Stummfilme förderte dieser Regisseur einst die Tendenz des sowjetischen Films, sich zu sehr auf Techniken des Schnitts zu verlassen. Pudowkin, der Autor von so bedeutenden Filmen wie MUTTER[5] und DAS ENDE VON ST. PETERSBURG,[6] zögerte zu jener Zeit nicht, eine bildhafte Analogie zwischen voranschreitenden Revolutionären und einem Fluß herzustellen, der mit Wucht Eis aufbricht, oder die Säulen eines zaristischen Hofgebäudes mit den hohen Wasserstiefeln eines Postens zu vergleichen, der das Gebäude bewacht[7] – eine metaphorische Behandlung

von Dingen, die deren eigentliche Bedeutung oft vergewaltigte. In der nachfolgenden Periode wurde dieser Irrweg zugunsten einer nicht weniger einseitigen Vernachlässigung von legitimen »Montage«-Effekten verworfen, was durch technische Schwierigkeiten im Zusammenhang mit dem Tonfilm bedingt war.

Eisenstein versucht in der Tat, eine Art Synthese herbeizuführen, die diese beiden extremen Positionen vereint. Er weist darauf hin, daß man auch dem Inhalt der Aufnahmen und Toneinheiten, die zusammengestellt werden sollen, Aufmerksamkeit schenken muß, anstatt nur die »Montage« zu beachten. Die Form des Films insgesamt ergibt sich sowohl aus der besonderen Natur dieser Elemente als auch aus deren motivierter Zusammenstellung. Nach der Entwicklung seines neuen »Montage«-Konzepts wendet er sich den Problemen der »audio-visuellen Kinematographie« zu und erörtert insbesondere die Frage, wie im Film die Musik und die Bilder so kombiniert werden können, daß sie durch ihre Kombination die Story des Films verkörpern. Ein langes Kapitel ist den wichtigen Entsprechungen zwischen Farbe und Ton gewidmet. Indem er auf die Existenz solcher Entsprechungen hinweist, fordert Eisenstein, daß der Charakter der musikalischen und bildlichen Elemente eines Films in strenger Übereinstimmung mit seinen Hauptgedanken stehen soll. Das ist natürlich nicht alles. Um diese Ideen darzustellen, müssen die Verläufe musikalischer und visueller Themen bewußt miteinander verbunden werden. Man kann sie kontrapunktisch durch den Film laufen lassen oder ihre Bewegungen parallelisieren. Von diesen beiden Möglichkeiten hebt Eisenstein nur die zweite hervor. Eine Sequenz seines letzten Films, ALEXANDER NEWSKY,[8] dient als ein ausgearbeitetes Beispiel der vollständigen »Kongruenz der Bewegung der Musik mit der Bewegung der visuellen Umrisse«.

Symptomatisch für die Veränderungen, die Eisensteins Denken durchgemacht hat, ist genau diese Betonung der Kongruenz. In seinen Anfängen verließ Eisenstein das Theater, um Filmregisseur zu werden, weil er erkannte, daß nur der Film ihm gestatten würde, die besonderen Ansichten und revolutionären Ideen auszudrücken, die ihn bewegten. Die Leinwand eignet sich besser als die Bühne dazu, Massen und kollektive Handlungen darzustellen. Zu jener Zeit legte er den Nachdruck auf alle Merkmale und Techniken, die allein dem Film zukommen, und als später der Tonfilm aufkam, war er mehr an der kontrapunktischen Beziehung zwischen Bild und Ton interessiert als an ihrem möglichen Gleichklang. Das war auch ganz einleuchtend: Die Situation in Rußland war weiterhin im Fluß, und wenn Filme die revolutionäre Bewegung widerspiegeln wollten, mußten sie ständig Schockeffekte produzieren; das erforderte eine kontrapunktische Behandlung des jeweiligen Materials. Inzwischen haben sich die ästhetischen Theorien ins Gegenteil verkehrt – vermutlich im Zusammenhang mit dem Stabilisierungsprozeß, der unter Stalin stattfand.[9] Weit davon entfernt, den Tonfilm von den benachbarten Künsten abzusetzen und seine besondere Rolle zu bestimmen, versucht Eisenstein nun im Gegenteil zu beweisen, daß Filme und große Werke der Literatur[10] alle wesentlichen Methoden teilen. Zu diesem Zweck zitiert er Puschkin, Shelley, Milton, Leonardo da Vinci – als ob er den Film als eine Art Aschenputtel betrachtete, dem er zu einer gesellschaftlichen Karriere verhelfen wollte. Seine ästhetischen Untersuchungen sind so sehr darauf bedacht, Filme auf eine Ebene mit Dichtungen zu stellen, daß er die entscheidenden Differenzen übersieht. Daher rührt der formale Charakter dieser Untersuchungen. Und da dieser Formalismus überdies auch noch starrsinnig an der Harmonie der verschiedenen Elemente des Films festhält, zeugt er um so nachdrücklicher von Eisensteins gegenwärtiger Vorliebe für Werke der Leinwand, die künstlerischen Leistungen eines ziemlich idealistischen Typs nahekommen. Ist es Zufall, daß er kürzlich Wagners »*Walküre*«[11] in einer Moskauer Oper inszenierte? Der Eifer, mit dem er alle akustischen und visuellen Komponenten eines Films seinen Leitgedanken unterordnet, erinnert etwas an die Wagnerische Idee des »Gesamtkunstwerks«. ALEXANDER NEWSKY enthält in der Tat zahlreiche Szenen, die auch Teil einer romantischen Oper sein könnten.

Trotz seiner problematischen Haltung ist Eisensteins Buch fesselnd. Mit bestechender Intensität beschreibt es die mannigfaltigen schöpferischen Prozesse, die der Endfassung eines Films vorangehen. Niemand, der sich mit dem Film und der Ästhetik im allgemeinen befaßt, sollte diesen Einblick in Eisensteins Werkstatt ignorieren. Seine zahlreichen Anweisungen, wie die Gefühle des Zuschauers zu steuern seien, könnten sich als wertvoll für die Produktion von Filmen erweisen, die zum Ziel haben, die amerikanische Kriegsanstrengung[12] zu unterstützen.[13]

(*Kenyon Review*, Winter 1943)

1 Diese Rezension erschien zuerst ohne Titel in *New Movies. The National Board of Review Magazine* (Jg. 17, Nr. 6, September 1942) in einer kürzeren und leicht abweichenden Fassung. Sofern die Abweichungen rein stilistisch sind, werden sie im folgenden nicht angemerkt, inhaltliche Abweichungen werden in deutscher Übersetzung wiedergegeben.
2 Siehe Nr. 159.
3 Siehe Nr. 736.
4 INTOLERANCE. D. W. Griffith. US 1916.
5 Siehe Nr. 229.
6 Siehe Nr. 357.
7 Zu dieser Szene siehe auch Nr. 229.
8 ALEXANDER NEWSKY / ALEKSANDR NEVSKIJ. Sergej M. Eisenstein und Dmitrij Vasil'ev. SU 1938.
9 In der *New Movies*-Fassung lautet der Satz: »Jetzt haben sich die ästhetischen Theorien ins Gegenteil verkehrt – wahrscheinlich unter dem permanenten Druck jenes schwerwiegenden sozialen Umbruchs, der sich unter Stalin vollzog.«
10 In *New Movies*: »Filme, große Werke der Literatur und Gemälde«.
11 Im Dezember 1939 wurde Eisenstein vom Bolschoj Theater die Inszenierung von Wagners *Die Walküre* (1870) angeboten. Ab April 1940 arbeitete er an der Inszenierung der Oper, die am 21. 11. 1940 Premiere hatte.
12 In *New Movies*: »die totale Kriegsanstrengung«.
13 In *New Movies* folgt noch der Schlußsatz: »Das Buch wurde von Jay Leyda mit bewundernswerter Sachkenntnis übersetzt und herausgegeben.«

786. Wem die Stunde schlägt

Filmrez.: WEM DIE STUNDE SCHLÄGT / FOR WHOM THE BELL TOLLS. Sam Wood. US 1941-1943.

WEM DIE STUNDE SCHLÄGT, Paramounts Leinwandversion von Hemingways berühmtem Roman,[1] ist ein ebenso langer wie ambitiöser Film. Hergestellt auf der Grundlage eines Werks von hohem literarischen Rang, will er jedermann zu verstehen geben, daß er gleichfalls ein Kunstwerk sei. Das Maß an Kunstfertigkeit und Sorgfalt, das in diesen Film investiert wurde, ist unübersehbar. Das Ergebnis ist trotzdem erbärmlich. Denn abgesehen von einigen wenigen Episoden, verbreitet der Film über seine ganze Länge von drei Stunden nichts als Langeweile – ein Mißerfolg, der von vielen Kritikern in der Presse bestätigt wurde. Wie war es möglich, daß so große Anstrengungen in einem so wertlosen Produkt resultierten? Der Versuch einer Antwort gibt Anlaß zu einigen Bemerkungen, die das Problem von Literaturverfilmungen und das Wesen der filmischen Darstellung betreffen.

Hemingways Roman über den Spanischen Bürgerkrieg bietet ein Minimum an äußerer Handlung. In den Eröffnungsszenen erhält Robert Jordan, ein amerikanischer Sprengstoffexperte im Lager der Loyalisten, den Befehl, in einem strategisch entscheidenden Moment eine Brücke in den Bergen zu sprengen; im Schlußteil erfüllt er diesen Auftrag. Der Hauptteil des Buches beschäftigt sich in mehr beschreibender Weise mit Roberts Leben in einer Gruppe von Menschen, die, in der Nähe dieser Brücke versteckt, einen Guerillakrieg gegen die Faschisten führen und ihm bei der Erfüllung seiner Aufgabe helfen sollen. Hier verliebt sich Robert in Maria, ein spanisches Mädchen, das von den Soldaten Francos vergewaltigt wurde und doch eine jungfräuliche Unschuld ausstrahlt. Hier zwingt er durch seine unaufdringliche Anwesenheit alle Mitglieder dieser sonderbaren Gemeinschaft dazu, ihre Gedanken kundzutun und wirkliche Geschichten zu erzählen, die das Grauen des Bürgerkriegs enthüllen.

Das ist ungefähr alles, soweit es um greifbare Ereignisse geht. Tatsächlich kommt es nicht so sehr auf die äußeren Ereignisse selber an, sondern auf die inneren Haltungen, die sie symbolisieren. Die Sprengung der Brücke ist als solche von sekundärer Bedeutung; aber sie erlaubt dem Künstler, in die Mentalität der Guerillakämpfer einzudringen, die in ihrem Kampf für die Freiheit fortwährend mit dem Tod konfrontiert sind. Alle Ereignisse konzentrieren sich im Roman auf das eine Problem: Wie sind Menschen unter solchen verwirrenden und ungewöhnlichen Bedingungen in der Lage weiterzumachen? Die spanischen Linken bemühen sich zwar, ihren politischen Idealen zu entsprechen. Hemingway weiß jedoch, daß alles von der Beziehung zwischen diesen Idealen und der psychologischen Wirklichkeit abhängt, der sie vorgeblich Gestalt geben, und erforscht deshalb die Seele jedes Partisanen mit der Neugier und Genauigkeit des geborenen Experimentators. Manche sind erschöpft; andere haben sich auf einen herben Zynismus zurückgezogen, ohne jedoch ihren Glauben gänzlich zu verlieren. Erfüllt von seiner Liebe zu Maria, erfährt Robert, »daß du dein ganzes Leben in die zwei Nächte hineinpressen mußt, die dir geschenkt werden – daß du, so wie du jetzt lebst, alles das, was du eigentlich immer haben solltest, in den kurzen Zeitraum hineinpressen mußt, in dem du es haben kannst.«[2] In der Person Roberts, Hemingways Helden, zerstören soziale Ideale und triebhaftes Verlangen einander nicht, sondern wirken in glaubwürdiger Weise zusammen. Robert könnte der Bürger einer besseren Welt sein. In dem langen und abgelösten Dialog wird auch die Erfahrung festgehalten, daß Liebe sich nirgends so intensiv entfaltet wie in der Nähe einer bevorstehenden Gefahr.

Wäre es möglich, dieses heikle Thema auf die Leinwand zu übertragen? Aber die Frage ist eher, was tatsächlich mit dem Roman angestellt wurde. Es sieht so aus, als wären die Filmemacher von folgenden Überlegungen ausgegangen: Da Hemingways Buch ein Bestseller und zugleich ein offiziell anerkanntes Kunstwerk ist, eröffnet seine Bearbeitung uns die einzigartige Chance, einen künstlerisch hochstehenden Film zu produzieren, ohne finanzielle Risiken einzugehen. Die einzige Bedingung ist, keine von Hemingways differenzierten Beobachtungen zu unterschlagen. Kopieren wir also den Roman so genau wie möglich, und wie der Roman wird der resultierende Film Kunst sein, die sich bezahlt macht.

Die Leinwandversion gibt in der Tat das Original nahezu wortgetreu wieder und behält die Abfolge der Episoden ebenso bei wie einen Großteil des Dialogs. Es gibt selbstverständlich Auslassungen. Aus naheliegenden Gründen wurden nicht nur die intimen Schlafsackszenen unterschlagen, sondern ebenfalls alle Gespräche und Passagen, die die politischen Implikationen des Buchs zum Ausdruck bringen. So wird die Klarheit seines geistigen Hintergrunds zugunsten einer vagen Neutralität preisgegeben, die den Horizont der Figuren verengt und das ganze Bild verschwimmen läßt. Trotz dieser Kompromisse hält sich der Film jedoch mit mehr Eifer an sein literarisches Vorbild, als es ähnliche Produktionen gewöhnlich tun. Und darin besteht sein grundlegender Mangel.

Jedes literarische Werk besteht aus erzählerischen Elementen, die so ausgewählt und angeordnet wurden, daß sie einen bestimmten Sinn vermitteln. Sie sind mit Bedeutungen durchtränkt und so miteinander verknüpft, daß sie sich gegenseitig erhellen. Selbstverständlich sind sie, was sie sind, nur innerhalb des gegebenen Rahmens des Werks. Wenn das richtig ist, können sie nicht wie Möbelstücke von einem Medium in ein anderes transportiert werden – so, als ob das Gleiche immer das Gleiche wäre. Um annähernd das gleiche Thema zu präsentieren, müssen verschiedene Medien im Gegenteil verschiedene Mittel einsetzen. Eine Filmversion, die sich nur darauf beschränkt, die Bestandteile eines literarischen Werks auf die Leinwand zu übertragen, wird aller Wahrscheinlichkeit nach in eine Reihe von Bildern münden, denen der Sinn fehlt, den diese Bestandteile ursprünglich vermittelten. Denn ein solches Vorgehen entspringt der naiven Überzeugung, daß mit den äußeren Formen die Bedeutungen automatisch übertragen würden, und versäumt es daher, diese Bedeutungen auf wirklich filmische Weise aufzubauen. Die Bilder, die schließlich erscheinen, sind folglich eher leere Zeichen als wesentliche Symbole.

Der Hemingwayfilm ist eine mechanische Reproduktion. Bezeichnenderweise haben die dilettantischen Hollywoodexperten die ganze Brükkenepisode ohne jede Veränderung übernommen. Sie kopieren das Buch wörtlich, indem sie zeigen, wie die Brücke von faschistischen Wachposten bewacht, von den Guerillas beobachtet und am Ende von Robert gesprengt wird – ein Finale, das überladen ist mit zertrümmerten Panzern, Nahkämpfen und Leichen auf beiden Seiten. Diese sture Unterwerfung unter den ursprünglichen Text erfolgt zweifellos in der Absicht, die Leinwandversion von der starken Spannung des Romans profitieren zu lassen, in dem die Brücke den Geist der Loyalisten ständig heimsucht und so die gewaltigen Ausmaße eines Gespensts annimmt. Doch gerade weil der Film sich zu sehr auf verbale Bezugnahmen auf die Brücke stützt, scheitert er an der filmischen Umsetzung ihrer Bedeutung. Anstatt, wie im Roman, ein phantastisches, allgegenwärtiges Wesen zu verkörpern, ist die Brücke im Film nichts weiter als eine der vielen Stahlbrücken, die im Verlauf eines Krieges zerstört werden sollen. Das erklärt, warum der Film so außerordentlich langatmig ist. Er gibt vor, das Niveau von Hemingways Story zu erreichen, und vollzieht sich tatsächlich in einer Dimension, die rein äußerlichen Ereignissen vorbehalten ist. Die Zuschauer sind zu Recht gelangweilt von den endlosen Gesprächen, die immer wieder die Sprengung verzögern, welche ihrerseits nicht mit den Standards konkurrieren kann, die für militärische Operationen in Filmen wie BATAAN[3] und IN WHICH WE SERVE[4] gesetzt wurden. Um den Mangel an oberflächlicher Erregung auszugleichen, haben die Filmemacher sich sehr bemüht, den Angriff auf die Brücke in dramatischer Weise darzustellen. Aber durch die spektakuläre Rolle, die sie diesen Kampfszenen zuweisen, wird ihre Bedeutung überbetont. Im Roman sind sie die natürliche Folge einer Story, die reich ist an innerer Handlung; im Film gewinnen sie eine Bedeutung, die das Gewicht der vorangehenden Dialogszenen in einer nicht gerechtfertigten Weise schmälert.

Eifrig darauf bedacht, den Roman Zeile um Zeile zu reproduzieren, enthält der Film auch Fragmente, die in keiner Weise geeignet sind, auf der Leinwand zu erscheinen. Während einer ihrer ersten Begegnungen mit Robert beweist Maria ihre Unerfahrenheit, indem sie in naiver Weise um die schwierige Kunst des Küssens besorgt ist. Was sollen zwei Liebhaber mit den vorstehenden Nasen anfangen, während ihr Mund versucht, den des anderen zu treffen? Maria hält Nasen für ein ernsthaftes Hindernis ... Ob einem dieses süßliche Stückchen Dialog nun gefällt oder nicht: Auf der Leinwand ist Marias Versuch, das Hindernis störender Nasen zu überwinden, von einer unerträglichen Absurdität. In ihrem Verlangen, Hemingway einzuholen, haben die Filmproduzenten übersehen, daß es oft gefährlich ist, die vagen Vorstellungen, die von Wörtern erweckt werden, in Bilder mit fest umrissenen Konturen zu übersetzen.

Als Folge der falschen Auffassung, auf die der Film sich gründet, werden alle Möglichkeiten des Mediums gründlich vernachlässigt. Sam Wood, der bei vielen Filmen Regie führte, die sich durch eine schnelle Handlung auszeichnen,[5] scheint eine solche Ehrfurcht vor Hemingways literarischer Leistung zu haben, daß er manchmal wie ein Porträtphotograph agiert. Die Kamera läuft im allgemeinen einfach leer und überläßt es den Schauspielern, ihre Absichten auszudrücken. Sie sind dabei in Landschaften gestellt, die darauf beschränkt bleiben, einen fernen Hintergrund abzugeben, der überhaupt keinen positiven Beitrag leistet. Verschneite Hügel sind stumme Zeugen eines Gesprächs zwischen mehreren Personen, die ein paar Schritte gehen und dann ihr Gespräch vor anderen schneebedeckten Hügeln wiederaufnehmen. Diese Art des Vorgehens greift auf die noch unentwickelten Techniken der ältesten Filme zurück, in denen eine unbewegliche Kamera sich auf Ensembleszenen richtete, die nach Bühnenmanier gestaltet waren. Es ist kein Zufall, daß der Hemingwayfilm über weite Strecken die Züge einer Oper annimmt. Genau wie die Schmuggler in *»Carmen«*[6] treten die romantisch gekleideten Guerillakämpfer auf, verschwinden und treten wie auf ein Stichwort wieder auf. Das Ganze erinnert an eine Theateraufführung in einer Provinzstadt – abgesehen natürlich von der guten schauspielerischen Leistung.

So sehr auch die Schauspieler zu loben sind, die Tatsache, daß sie allein in der Lage sind, die schläfrigen Zuschauer vorübergehend aufzurütteln, zeigt erneut die grundlegende Schwäche des Films. In einem echten Film hängt die Entfaltung der Handlung nicht nur von den Schauspielern ab, sondern auch vom Beitrag der Gegenstände. Dinge können dazu gebracht werden, wirkungsvoller zu agieren als jeder Schauspieler. Indem er diese auf Kosten der Dinge in den Vordergrund rückt, zwingt sie der Hemingwayfilm, das Verhalten von Bühnenschauspielern anzunehmen. Es sieht so aus, als bewegten sie sich zwischen Theaterausstattungen, anstatt Teil einer sich bewegenden Welt zu sein. Katina Paxinou[7] ist zweifellos eine herausragende Figur. Gary Cooper personifiziert Roberts Wesen, ohne seinen geistigen Hintergrund zu vermitteln. Aber das trifft auch auf die anderen Charaktere zu. Da sie den Mangel des Films an Bedeutung teilen, sind sie nur von psychologischem Interesse. Pablo,[8] in dem Hemingway den langsamen Verfall und das dennoch zähe Leben revolutionärer Ideale im Herzen eines Alten veranschaulicht, stellt im Film den fast pathologischen Fall eines launischen und haltlosen Trunkenbolds dar.

Nicht daß ein Film, der sich dem wahren Gegenstand von Hemingways Buch annäherte, unmöglich wäre. Die übernatürliche Brücke des Romans kann auf der Leinwand dargestellt werden; seine Lebenserfahrung ist Bildern gewiß zugänglich. Um das zu erreichen, muß man nur Hollywoods mechanische Reproduktion durch eine Bearbeitung ersetzen, die entschlossen die Struktur des Buchs aufbricht und sie neu gestaltet. So sollte der Dialog nicht wörtlich übertragen werden wie in der Paramountproduktion – was ein sicheres Mittel ist, die Zuschauer daran zu hindern, seine Tragweite zu erfassen –, sondern so gehandhabt werden, daß diese Tragweite filmisch umgesetzt wird. Die Kamera kann dazu beitragen, Bedeutungen zu transportieren, die die Leinwandfiguren nicht durch Worte ausdrücken können. Es stellt sich jedoch die Frage,

ob selbst eine angemessene Filmversion in diesem besonderen Fall ratsam wäre. Als ein dezidiert literarisches Gebilde scheint der Hemingwayroman zu jenen Werken zu gehören, die tief in ihrem eigenen Medium verwurzelt sind; so sehr, daß sie nicht verpflanzt werden können, ohne einen Verlust an Wesentlichem zu erleiden. Strenggenommen ist Hemingway unübersetzbar. Für Hollywood war dieser Roman natürlich nichts weiter als ein wegen seiner literarischen Qualität hoch geschätzter Bestseller. Das erklärt, warum der Film so ist, wie er ist. Er erweckt in einem die Sehnsucht nach einem Hitchcockthriller.[9]
(Typoskript aus KN, undatiert [ca. 1943])

1 Ernest Hemingway, *For Whom the Bell Tolls.* New York: Scribner 1940.
2 Ernest Hemingway, *Wem die Stunde schlägt.* Übers. v. Paul Baudisch. Reinbek bei Hamburg: Rowohlt 1989 (1. Aufl. 1977), S. 168 (= Gesammelte Werke in zehn Bänden, Bd. 3).
3 BATAAN. Tay Garnett. US 1942/43.
4 IN WHICH WE SERVE. Noel Coward und David Lean. GB 1942.
5 Siehe Nr. 737.
6 Siehe Nr. 474, Anm. 2.
7 In der Rolle der Pilar.
8 Dargestellt von Akim Tamiroff.
9 Der Originaltitel des Typoskripts lautet: »For Whom the Bell Tolls«; eine Veröffentlichung konnte bislang nicht nachgewiesen werden.

1946-1951

787. Hollywoods Greuelfilme[1]

Greuelfilme wurden in letzter Zeit von Hollywood in einer solchen Zahl herausgegeben, daß sie zu einer alltäglichen Erscheinung geworden sind. Diese Entwicklung ist unzweifelhaft eine Folge der Bedürfnisse der Kriegspropaganda. Die ursprüngliche Aufgabe war die, dem amerikanischen Publikum die Bedrohung durch den Nationalsozialismus zu beschreiben – Folterungen durch die Gestapo, glänzende Paraden, die mit stillen Todeskämpfen abwechseln, das Leben in der bedrückenden Atmosphäre des von den Nationalsozialisten besetzten Europas usw. Aber schon während des Krieges ging die Entwicklung über die Bloßstellung von Roheiten hinaus. Zusammen mit antifascistischen Filmen erschien eine Anzahl anderer, die die gleiche Art von Greueln allein zum Zwecke der Unterhaltung pflegten. Und jetzt, nach dem Krieg, blüht diese Spezies weiter.

Greuelfilme sind ein ehrwürdiger Filmtypus. Aber die gegenwärtige Mode zeigt eine einmalige Vorliebe für bekannte, alltägliche Umgebung als Hintergrund, auf dem sich Verbrechen und Gewalttaten abspielen. Die Verbrecher in SHADOW OF A DOUBT[2] und Orson Welles' THE STRANGER[3] lassen sich in einfachen Kleinstädtchen nieder, wo niemand daran denken würde, jemals einen Verbrecher von Fleisch und Blut anzutreffen. Angstträume treten am hellichten Tag auf, mörderische Fallen lauern hinter jeder Ecke. Das alltägliche Leben gebiert Furcht und Zerstörung. Dabei werden die Übeltäter immer anziehender; sie bezaubern unschuldige Mädchen und gewinnen das Vertrauen von braven Bankkassierern. Das Frankenstein-Monstrum der Vergangenheit ließ uns im ersten Augenblick erschauern, aber das Monstrum unserer Zeit kann unerkannt unter uns leben. Das Böse zeichnet nicht mehr das Gesicht eines Menschen. Auf diese Weise wird die unheimliche, verhüllte Unsicherheit des Lebens unter der nationalsozialistischen Herrschaft auf die amerikanische Bühne übertragen. Dunkle Verschwörungen werden in unserer Nähe ausgebrütet, innerhalb einer als normal erachteten Welt kann plötzlich der Nachbar sich in ein Ungeheuer verwandeln.

Trotz der alten Vorliebe Hollywoods für das Rauhe und Groteske ist die jetzt mit einer solchen Besessenheit geschilderte Grausamkeit von einer

Art, wie man sie früher nur selten auf der Leinwand zu sehen bekam. Da sie aus einem zwingenden, sadistischen Drang hervorgeht und weniger animalisch ist, könnte man sagen, daß sie weniger spontan sei. In DARK CORNER[4] wird ein Privatdetektiv von einem Verbrecher verfolgt; er erwischt aber seinen Verfolger und quetscht seine Hand, um von ihm den Grund für die Verfolgung zu erfahren. Später schleicht sich der Verbrecher in die Wohnung des Detektivs und schlägt ihn nieder; bevor er weggeht, kehrt er plötzlich zurück und tritt mit seinem ganzen Körpergewicht auf die Hand seines bewußtlosen Opfers. [Dieselbe Lust, willkürlich Schmerz zu erzeugen, manifestiert sich in der Szene von LOST WEEKEND,[5] in der der Trunkenbold nach einer Nacht im Alkoholdelirium eine Halluzination hat und eine Maus sieht, die ein Loch in eine Wand nagt und sich vergeblich hindurchzuzwängen sucht; dann stürzt sich eine Fledermaus, die im Zimmer hing, auf das Tier und tötet es, während es im Loch gefangen ist. Während die winzigen Schreie der Maus verebben, rinnt eine Blutspur langsam die Wand herunter. Es ist ein Bild, das für einen Moment die tabuisierten Tiefen unserer körperlichen Existenz enthüllt.]

Titel wie SHADOW OF A DOUBT und SUSPICION[6] (beides Filme von Hitchcock) sind charakteristisch für die Betonung, die viele unserer gegenwärtigen Produzenten nicht so sehr auf den ausgesprochenen Sadismus, als vielmehr auf die ständige Drohung mit ihm legen. Besorgnis wird angestaut; bedrohliche Andeutungen und schreckliche Möglichkeiten zeigen eine Welt auf, in der jeder jeden fürchtet und keiner weiß, wann und wo der letzte und unvermeidliche Schrecken eintreffen wird. Wenn er eintrifft, kommt er unerwartet: er bricht von Zeit zu Zeit aus dem Dunkeln hervor mit einer unbeschreiblichen Brutalität. Jene dauernde Furcht, die in den antifascistischen Filmen die besondere Atmosphäre des Lebens unter Hitler charakterisierte, erfüllt nun die ganze Welt.

[Der schon erwähnte neuere Film DARK CORNER treibt die Terrorisierung des Publikums bis zum Äußersten. Der Privatdetektiv kann sich nicht vorstellen, warum ein Killer ihn verfolgen sollte, und sucht verzweifelt nach der Identität des Feindes, um am Ende herauszufinden, daß die ganze Sache nichts mit ihm zu tun hat: die Instanz der Macht hinter der Bühne – ein skrupelloser master mind, der den Liebhaber seiner Frau ermorden will – hat die Jagd inszeniert, um den Verdacht von

sich auf den Detektiv zu lenken, den er für einen geeigneten Sündenbock hält. Die Wirkung des Terrors wird durch diese Verbindung von sinnlosem Leiden und willkürlicher Verfolgung jedoch nur verstärkt.]
Hand in Hand mit dem Sadismus der neuen Filme geht die Krankhaftigkeit. Körperliche Mängel werden ausgeschlachtet und geistiges Entsetzen mit grober Gewalt verbunden. Die Hauptperson von THE SPIRAL STAIRCASE[7] ist ein stummes Dienstmädchen, das im Haushalt eines Geisteskranken angestellt ist, der mit körperlichen Mängeln behaftete Frauen umbringt, um die menschliche Rasse zu verbessern. SPELLBOUND[8] und SOMEWHERE IN THE NIGHT[9] beuten den Gedächtnisschwund aus, um Spannung zu erzeugen.
Sehr beliebt ist auch das Thema der psychischen Vernichtung: der Pianist in GASLIGHT[10] und der Psychiater in SHOCK[11] erschießen, erwürgen oder vergiften nicht mehr die Frauen, die sie beseitigen wollen, sondern versuchen, sie systematisch zum Irrsinn zu treiben. Die Entwicklung in Hollywood ist auf kranke Seelen und falsche Psychiater ausgerichtet. Und manches bekannte Melodrama deutet an, daß der nomale und der abnormale Geisteszustand in einander überfließen und daß sie schwer voneinanderzuhalten sind. [Der junge Mann in SHOCK kehrt aus dem Krieg zurück, um zu erfahren, daß seine Frau in eine Nervenklinik eingeliefert wurde. War sie nicht immer gesund und bei klarem Verstand? Er ist ein naiver junger Mann, und ihn erfaßt Furcht bei dem Gedanken an das, was die Natur unerklärlicher Weise mit einem gewöhnlichen Menschen tun kann – und die Furcht läßt das mitfühlende Publikum begreifen, daß keiner von uns gegen Geisteskrankheiten immun ist.]
Anders als in den Gangsterfilmen der Depressionszeit setzen sich die heutigen weniger mit sozialen Mißständen als mit psychologischen Abirrungen auseinander. Diesmal ist das Unvermögen des Films, Lösungen zu bieten oder anzudeuten, besonders auffällig; die alles ergreifende Angst, die die geistige Gesundheit des Durchschnittsmenschen bedroht, scheint als unvermeidlich und beinahe unerforschlich angenommen zu werden. Ein Vergleich zwischen dem italienischen Film ROM ... OFFENE STADT[12] und der Masse der amerikanischen antifascistischen Filme ist aufschlußreich.
[Mit einem radikalen Realismus, der vergleichbaren Hollywood-Filmen in der Regel fremd ist, zeigt ROM ... OFFENE STADT die psychischen

Schrecken und andere Greuel, mit denen die italienische Widerstandsbewegung in ihrem Kampf gegen den Facsismus konfrontiert wird. Ein Kommunist wird vor unseren Augen zu Tode gefoltert; raffinierte Grausamkeit, Niedertracht, Gemeinheit werden mit unvorstellbarer Intensität dargestellt. Aber gleichzeitig werden uns die Entschlossenheit des kommunistischen Märtyrers, der Glaube des Priesters und Pinas natürliche Seelengröße in einer solchen Weise vermittelt, daß sie uns ebenso wirklich erscheinen wie der Terror, von dem sie umringt sind. In diesem allegorischen Drama – so nennt Dorothy Thompson ROM ... OFFENE STADT[13] –, wird menschliche Würde nicht nur proklamiert, sondern praktiziert. Und obwohl die Anführer des Widerstands ohne jede Chance sind, schwächt die Kraft ihrer Überzeugungen die Moral der Nazis.]
Die amerikanischen antinationalsozialistischen Filme bekämpfen das Böse nicht so aus der Nähe – in der Regel umgehen sie es. Die Helden und Heldinnen in Filmen wie EDGE OF DARKNESS,[14] THIS LAND IS MINE,[15] JOAN OF PARIS[16] und andern lassen die Folter der Nazis nicht weniger tapfer über sich ergehen als die italienischen Partisanen in ROM ... OFFENE STADT; aber meistens sind ihre Siege bloße Hintertreppentaten, die die Denkungsart des Gegners unberührt lassen. Der Hitlerismus, der in ROM ... OFFENE STADT in einem bedeutsamen Sinn unterhöhlt wird, bleibt in den Filmen aus Hollywood – die auf Eiern zu gehen scheinen, wenn sie die positiven Momente, die sie eigentlich verteidigen wollen, berühren – eigentlich unbesiegt. Die eindrückliche Zurschaustellung der nationalsozialistischen Macht in PRELUDE TO WAR[17] und anderen militärischen Tendenzfilmen wird eigenartig ausweichenden Bildern aus dem Leben in der Demokratie gegenübergestellt, die eher eine Unsicherheit bezeugen als ein Vertrauen und die Lippendienst leisten an Stelle von Taten. In fast jedem der antifascistischen Filme aus Hollywood tritt eine Gestalt auf, die in irgendeinem passenden oder unpassenden Augenblick wie rein mechanisch das Lob des demokratischen Lebens und der kommenden prächtigen neuen Welt singt. Aber ein Glaube, der seine Anhänger wirklich ergreift, hätte es nicht nötig, so ausdrücklich und oberflächlich proklamiert zu werden. [Er wäre ein integraler Teil und der Höhepunkt des Dramas des gesamten Filmes.
Unter den Greuelfilmen ohne politische Botschaft ragt LOST WEEKEND

heraus, weil dieser Film versucht, dem Horror einen Sinn zu geben. Hier schwört der Trinker nach einem Anfall von delirium tremens der Trinkerei ab. Doch die Bekehrung kommt erst ganz am Ende des Films und wird viel zu flüchtig behandelt, um den Eindruck aufheben zu können, daß die Sucht von Dauer sein wird. Es ist eine Pseudo-Bekehrung.
Die Halluzination des Trinkers wird auch nicht gezeigt, um seinen Sinneswandel zu erklären. Die Illusion eines Wandels dient im Gegenteil nur als Vorwand, um sich in den Details der Halluzination zu ergehen, die – und das läßt sich nicht rechtfertigen – um ihrer selbst willen ausgekostet werden.]
Die meisten der bekannten Greuelfilme versuchen nicht einmal, die Schaustellung sadistischer Greuel zu erklären oder zu beschönigen. Die Dringlichkeit des gefühlsmäßigen Drangs, die gegenwärtig durch die stellvertretende Teilnahme an diesen besonderen Spielarten von Grausamkeit, Gewalttätigkeit und Furcht befriedigt wird, wird an sich schon als genügende Rechtfertigung angenommen. Wenn dies der Fall ist, dann wird das Happyend, mit dem diese Filme aus den psychologischen Greueln herauskommen, noch sinnloser als gewöhnlich. Das unbehagliche Gefühl, das in den Betrachtern des Schauspiels einer alltäglichen Welt voll von totalitären Greueln hervorgerufen wird, bleibt ungelöst. Die Krankheit der Psyche wird als gegeben angenommen, und der Eindruck bleibt, daß nichts unternommen werden kann, um sie zu heilen.
Alle diese Filme zeigen ein ungewöhnliches Interesse für den realen Hintergrund, vor dem sich die Handlung abspielt. Die zufällige Anordnung von leblosen Gegenständen wird verdächtig, dunkle Hintergründe machen sich selbst geltend. In THE SPIRAL STAIRCASE ist ein Hotelzimmer irgendwo über einem altväterischen Kino der Schauplatz des ersten Mordes, den der Geisteskranke begeht; die einleitenden Bilder zeigen lange die zweideutige Grenzscheide zwischen Verbrechen und Vergnügen und betonen die auffallende Nähe der beiden Milieus. Eines der Leitmotive von DARK CORNER ist das Treppenhaus in einem baufälligen Heim, vor dem ein zerlumptes kleines Mädchen beständig auf einem billigen Pfeifchen bläst. Das Mädchen, das eher einer Erscheinung als einem wirklichen Menschen gleicht, scheint die Verzweifeltheit des Heims zu verkörpern. Ein Treppenhaus ist auch der Schauplatz eines entscheidenden Ereignisses in LOST WEEKEND: der Trunkenbold fällt, so lang er

ist, die Treppe hinunter und betritt damit das letzte Stück seines Leidensweges.

Die beiden zuletzt erwähnten Filme zeigen die Third Avenue und ihr Gitterwerk, ihre Bars und ihre Pfandhäuser als Gebiet von Anarchie und Verzweiflung. (Bezeichnenderweise genug wurden auch immer Ausschnitte aus dem Straßenleben in den deutschen Filmen aus der Zeit der Weimarer Republik gezeigt, die die traurigen Schicksale von nur von ihren Instinkten besessenen Wesen darstellten.)[18] Dies ist nicht zufällig. Menschen, die in ihrem Gefühlsleben aus dem Geleise geworfen sind, halten sich in einem Reich von körperlichen Empfindungen und materiellen Aufpeitschungsmitteln auf, ein Reich, in welchem stumme Gegenstände zu Wegzeichen oder zu Hindernissen werden, über die man stolpert, zu Feinden oder zu Freunden. Diese Aufdringlichkeit von leblosen Gegenständen ist ein unfehlbarer Beweis einer immanenten Beziehung zu geistigen Auflösungserscheinungen.

Aber Filme befriedigen nicht nur die volkstümlichen Bedürfnisse; sie spiegeln auch die Tendenzen und Neigungen des Volkes wider. Die notwendige Folgerung daraus wäre, daß die innere Auflösung, gleich welchen Stadiums, gegenwärtig zu einer weit verbreiteten Erscheinung geworden ist. Und die Bilder, die sich auf der Leinwand unseres Kinos dauernd wiederholen, lassen annehmen, daß unkontrollierter Sadismus und Furchtsamkeit mit diesen Auflösungserscheinungen zusammenhängen. Die Hoffnung, »die Freiheit von Furcht«[19] zu erlangen, scheint aus der starken Zunahme der Furchtgefühle zu erwachsen. Die Greuelfilme aus Hollywood sind aber dabei nicht fähig, irgendwelche Gegenmaßnahmen darzustellen, die die geistige Stabilität wieder herstellen würden. Sie zeigen dabei die gleiche Unfähigkeit, die wir schon bei den antifascistischen Filmen aufgezeigt haben. Die Greuel sind nie in eine sinnvolle Handlung verwoben, die sie neutralisieren würde. Man könnte daraus den Schluß ziehen, daß das wirkliche Leben keine solche Handlung anregt. Ob die Gesellschaft ein geistiges Vakuum sei oder ein Kampfplatz unvereinbarer Glaubenssätze, nie scheint sie mehr dem Individuum Schutz zu bieten oder Prinzipien, die seine Unantastbarkeit erzwingen würden.

[In THE THREE CABALLEROS[20] zeigt uns Walt Disney – dessen Filme ein besonderes Gespür für Unterströmungen zeitgenössischer Emotionalität verraten – ein Universum, das durch einen Teppich von Atombomben in Stücke gerissen wurde. Wie Barbara Deming in »The Artlessness of Walt Disney«, einem kürzlich in *Partisan Review* erschienenen Artikel erklärt, ist das zerschmetterte Universum symptomatisch für die Art und Weise, in der wir die Welt um uns herum gegenwärtig empfinden.[21] Inmitten der Trümmer eines solchen Universums finden dunkle Impulse gewiß ein freieres Spiel.]

Wenn unsere Lage wirklich so ist, dann wäre ein allgemeines Bedürfnis nach Wiederherstellung der inneren Sicherheit oder nach einem Wiederaufbau sehr natürlich. Daß dieses Bedürfnis wirklich vorhanden ist, wird durch die gegenwärtige Volkstümlichkeit von zwei anderen Filmarten neben den Greuelfilmen bewiesen. Eine dieser Arten bringt die psychologische Heilung auf die Bühne und zeigt, wie das geistige Gleichgewicht von innen heraus wiederhergestellt werden kann: halb Magier, halb Techniker lüftet der Psychoanalytiker oder Psychiater den siebenten Schleier von seines Patienten Seele, wägt die zerstreuten Seelenteile und setzt dann sogleich das Zusammensetzspiel wieder zusammen, mit dem Resultat, daß der Patient wieder normal funktioniert.

Die andere Art von »therapeutischen« Filmen zeigt uns das katholische Leben und deutet an, daß die Reintegration auch von außen mit Hilfe der Kirche erfolgen kann. Der chaotischen Kultur wird die organisierte Gemeinschaft der Gläubigen gegenübergestellt, und verständnisvolle Priester übernehmen die Sorge für diejenigen, denen ein geistiger Rückhalt fehlt. Canon Roche in THE GREEN YEARS[22] vergleicht seine Berufung mit derjenigen eines Arztes. »Die Seele ist die Mutter vieler Übel«, sagt er zu einem Jüngling, von dem er gerne sähe, daß er Geistlicher würde. »Als ein Kämpfer für die Wahrheit heilt man den Körper so gut wie die Seele.« Als Vertreter eines Wunschdenkens treten sowohl der Filmpriester wie der Filmpsychoanalytiker aus der Wirklichkeit heraus, in der die Dinge auseinandergefallen sind und der Mittelpunkt nicht länger mehr feststeht.

Die Probleme, zu denen diese Entwicklung der Hollywooder Filmproduktion führt, können auf dem Raum dieses kurzen Artikels kaum berührt werden. Die Art von Greueln, die früher in den antinationalsozialistischen Greuelfilmen nur dem Leben unter Hitler zugeschrieben waren, sind nur an die amerikanische Bühne angepaßt worden, und dies ist mehr als ein Zufall. Ganz abgesehen von der ursprünglichen und dauernden Verwandtschaft zwischen Sadismus und Fascismus, scheint es wahrscheinlich, daß die sadistischen Energien, die in unserer Gesellschaft gegenwärtig vorhanden sind, ganz besonders als Öl auf das glimmende Feuer des Fascismus wirksam sind. Gerade in diesen Energien, in dieser gefühlsmäßigen Bereitschaft für den Fascismus, liegt die wirkliche Gefahr, mehr als bei den Agitatoren und Aufhetzern der Massen, die, unter günstigen Umständen, in der Lage sind, sie zu ihren bestimmten Zwecken auszunützen. Der Haß gegenüber Minderheiten nährt sich aus der Furcht der Mehrheit, und wenn diese Furcht nicht verschwindet, dann wird sich der Haß noch vervielfachen.

Die besondere Furcht, mit der wir es zu tun haben, entspringt letzten Endes einem entscheidenden Dilemma. Obwohl wir in den Schlingen eines Systems der freien Unternehmung gefangen sind, fassen wir trotzdem mit Besorgnis die totalitaristischen Möglichkeiten ins Auge, die jeder Art von geplanter Wirtschaft innewohnen. Die Demokratie mit ihrer Individualfreiheit scheint wirtschaftlich aus den Fugen geraten, so daß sie zu Vorspiegelungen greifen muß und zu Schreckgespenstern von fascistischen Pseudolösungen, die schlimmer sind als die Übel, die man heilen will. Werden wir fähig sein, die Individualfreiheit unter dem Kollektivismus zu bewahren?

In Frankreich, dem traditionellen Hort der individuellen Freiheiten, ist dieses Gefühl, in eine Sackgasse geraten zu sein, besonders stark. Bedrängt von diesem Gefühl, beschworen die Existenzialisten anfänglich das Nichts oder die Indifferenz oder das Schicksal in einem Kampf um den letzten Graben gegen die Mächte, die das Individuum von allen Seiten umfassen.

Die politischen und sozialen Kämpfe unserer Zeit sind nicht nur mit äußerlichen Veränderungen und neuen Grenzen verknüpft – sie ergreifen den innersten Punkt unserer Existenz. Ein Bürgerkrieg wird in jeder Seele ausgefochten, und die Filme spiegeln die Unsicherheiten dieses Krieges in der Form einer allgemeinen inneren Auflösung und geistigen Unruhe wider.

Die Furcht kann allein beschworen werden durch eine dauernde Anstrengung, sie zu durchdringen und ihre Gründe auszutreiben. Dies ist das allererste Erfordernis der Erlösung, auch wenn der Ausgang vielleicht nicht vorauszusehen ist. Es wäre ein hoffnungsvolles Zeichen,

wenn in diesem Lande Filme erscheinen würden, die wie ROM ... OFFENE STADT[23] die Prinzipien der menschlichen Integrität wirklich zeigen würden, wenn sie im Kampfe mit einer entwurzelten Welt stehen – und wenn sie sie als positive Kräfte zeigen würden, mit einem Wirklichkeitswert, der mindestens gleich, wenn nicht stärker wäre als die Kräfte der Grausamkeit und der Gewalt und als die Furcht, aus der sie entspringen. Doch liegt es am Leben selbst, diese Prinzipien aufzuzeigen und ihre Wirksamkeit zu bestätigen.
(NZZ vom 1. 12. 1946)

1 Dieser Artikel erschien zuerst u. d. T. »Hollywood's Terror Films. Do They Reflect an American State of Mind?« in: *Commentary*, August 1946, S. 132-136. Er wird hier in der deutschsprachigen Version abgedruckt, die am 1. 12. 1946 in der NZZ veröffentlicht wurde. Anders als bisher angenommen (vgl. *Kino*, Quellennachweis, S. 283), stammt die Übersetzung nicht von Kracauer. Er war vielmehr erleichtert, daß er »nicht die Uebersetzung ins Deutsche selber machen muss« (Brief an Clem Cramer vom 1. 12. 1946, KN) und schrieb dem zuständigen NZZ-Redakteur nach Erscheinen: »Es war mir, nebenbei bemerkt, sehr merkwürdig, diese erste Übersetzung ins Deutsche eines englischen Originalartikels von mir zu lesen.« (Brief an Edwin Arnet vom 2. 12. 1946, KN) Der NZZ-Text ist gegenüber dem *Commentary*-Text um sechs Passagen bzw. Absätze gekürzt, die im folgenden in deutscher Übersetzung in eckigen Klammern im fortlaufenden Text wiedergegeben werden.
Dem *Commentary*-Artikel liegt ein Typoskript zugrunde, das sich in KN befindet und den Titel hat: »Freedom From Fear? An analysis of popular film trends«. Es wurde von Clement Greenberg, dem damaligen Redakteur der Zeitschrift, für die Publikation erheblich überarbeitet. Kracauer sah seinen Text durch diese Überarbeitung entstellt, willigte aber in die Revisionen ein, um die Publikation nicht insgesamt zu gefährden. Die amerikanische Originalfassung dieses Typoskripts ist im Anhang dieses Bandes (siehe S. 479-485) abgedruckt. Zu Kracauers Reaktion auf die Änderungen seines Texts siehe S. 485, Anm. 1.

2 SHADOW OF A DOUBT. Alfred Hitchcock. US 1942/43.

3 THE STRANGER. Orson Welles. US 1945/46.

4 THE DARK CORNER. Henry Hathaway. US 1946.

5 THE LOST WEEKEND. Billy Wilder. US 1945.

6 SUSPICION. Alfred Hitchcock. US 1941.

7 THE SPIRAL STAIRCASE. Robert Siodmak. US 1945/46.

8 SPELLBOUND. Alfred Hitchcock. US 1944/45.

9 SOMEWHERE IN THE NIGHT. Joseph L. Mankiewicz. US 1945/46.

10 GASLIGHT. George Cukor. US 1943/44.

11 SHOCK. Alfred L. Werker. US 1945/46.

12 ROM, OFFENE STADT / ROMA CITTÀ APERTA. Roberto Rossellini. IT 1946.

13 Dorothy Thompson, »›Open City‹ – An Open Question«. In: *New York Post*, Daily Magazine Section, vom 18. 3. 1946, S. 34.

14 EDGE OF DARKNESS. Lewis Milestone. US 1942/43.

15 THIS LAND IS MINE. Jean Renoir. US 1942/43.
16 JOAN OF PARIS. Robert Stevenson. US 1941/42.
17 PRELUDE TO WAR. Prod. Frank Capra. US 1943.
18 Siehe u.a. Nr. 32 und 33 sowie *Werke*, Bd. 2.1, Kap. 10.
19 Das Zitat bezieht sich auf den von Kracauer im Typoskript vorgesehenen Titel dieses Artikels; siehe oben, Anm. 1.
20 THE THREE CABALLEROS. Norman Ferguson. US 1944; der Film wurde von Walt Disney produziert.
21 Barbara Deming, »The Artlessness of Walt Disney«. In: *Partisan Review* 12 (1945), S. 226-231.
22 THE GREEN YEARS. Victor Saville. US 1945/46.
23 Korrektur d. Hrsg. Im NZZ-Druck »die wie die OPEN CITY«.

788. [Untersuchung der Commission on Freedom of the Press]

Rez.: Ruth A. Inglis, *Freedom of the Movies.* A Report on Self Regulation from The Commission on Freedom of the Press. Chicago: The University of Chicago Press 1947.

Zusätzlich zu ihrem General Report hat die Commission on Freedom of the Press[1] jetzt eine Spezialuntersuchung herausgegeben, in der Frau Inglis, die der Kommission angehört, die Prinzipien der Selbstkontrolle in der Filmindustrie untersucht. Wird die Freiheit des Films durch die von der Motion Picture Production und den Advertising Codes vorgenommene Selbstkontrolle behindert oder gefördert?[2] Das ist die zentrale Frage des Buchs.

Bevor sie Antworten gibt und Vorschläge macht, rekonstruiert Frau Inglis mit beachtlicher Sorgfalt im Detail die sukzessiven Phasen der Entwicklung, in der Hollywood von einer Gruppe unorganisierter Pioniere zu der am stärksten stereotypisierten Unterhaltungsindustrie der Welt wurde. Es ist eine aufregende Geschichte. Anfangs führten alle möglichen sozialen und beruflichen Gruppen, die, zu Recht oder Unrecht, ihre angestammten Interessen von irgendeinem Film berührt sahen, einen Dschungelkrieg gegen die Filmgesellschaften. Die Folge war eine extreme Unsicherheit und eine drohende restriktive Gesetzgebung. Um der Alternative von Anarchie oder Reglementierung zu entgehen, setzte die Industrie den National Board of Review ein,[3] doch dieser erste

Versuch einer Selbstkontrolle erwies sich bald als unzureichend. Dann übernahm Hays[4] und dehnte in seinen Bemühungen, jedem Angriff zuvorzukommen, die Kontrolle auf den Inhalt der Filme aus. Erst nach jahrelangem Experimentieren wurden aus seinen anfänglichen »Don'ts and Be Carefuls« die strengen Regeln des Production Code, der allerdings immer noch nicht streng genug war, um die »Legion of Decency«-Kampagne der Jahre 1933-1934[5] zu verhindern. Unter dem Druck dieser Kampagne wurde der Code nochmals strenger gefaßt und in seine gegenwärtige Form gebracht, die zu einem gewissen Grad die zunehmende Standardisierung von Hollywoodfilmen erklärt. Es ist der Code, der verlangt, daß Verbrechen bestraft werden und daß die sympathischen Figuren über ihre bösen Antagonisten obsiegen.

Frau Inglis veranschaulicht das Funktionieren der Hays Office-Maschinerie mit einer Fülle von Beispielen. Aber sie hätte tiefer in die Materie eindringen können. Es reicht nicht aus, die Sterilität unserer Filme der Rigidität des Codes zuzuschreiben. Die Standard-Motive, die auf unserer Leinwand erscheinen, müssen auch auf vorhandene Bedürfnisse der Massen zurückgeführt werden. Gewiß wird Hollywood durch Regeln und Begrenzungen, die es sich selbst aus Furcht vor vermeintlichen Empfindlichkeiten des Publikums auferlegt hat, eingeschränkt. Doch trotz dieser Regeln sind seine Alpträume und Märchen symptomatisch für gegenwärtige Tendenzen und Dispositionen.

Obwohl Frau Inglis der Überzeugung ist, daß der Production Code eine größere Freiheit der Filme ernsthaft behindert, teilt sie doch den Standpunkt Hollywoods, nach dem Selbstkontrolle der Intervention einer externen Zensur vorzuziehen ist. Sie plädiert für Reformen. In Übereinstimmung mit der Kommission, deren Empfehlungen ihrem Buch vorangestellt sind, schlägt sie die Gründung einer neuen Kommission vor, die die gegenwärtigen Verfahren verbessern soll. Die Öffentlichkeit sollte ihrer Ansicht nach ein »national advisory board« unterstützen, das die überholten Regeln des Codes ständig überprüft und aktualisiert und als eine »Prüfstelle für die Filmkritik und für Anregungen, die auf eine großzügigere Nutzung der Leinwand zielen«, dient. Wie dieser Beirat zusammengesetzt sein und wie er arbeiten sollte, sagt Frau Inglis nicht. Aber derartige Kommissionen ziehen unweigerlich die Bildung weiterer Kommissionen nach sich.

Andere Empfehlungen ergänzen diesen zentralen Vorschlag. Frau Inglis appelliert an die Regierung, ihre Instrumentarien zur Beschränkung von Kartellen rigoros einzusetzen und drängt die Filmindustrie, sich ihrer Aufgabe als einer Einrichtung mit einem Informationsauftrag und einer staatsbürgerlichen Verantwortung bewußt zu sein. Sie geht ausführlich auf die Notwendigkeit der Einrichtung von landesweiten Bürgerräten ein und fordert die Anhebung des öffentlichen Geschmacks durch niveauvolle Kritik. Bezeichnenderweise richten sich die meisten dieser gutgemeinten Vorschläge nicht an die Produzenten, sondern an die Konsumenten der Filme. Und darin liegt die spezifische Schwäche des Buchs, die aufs engste verknüpft ist mit seinem Mangel an analytischer Kraft.
Selbstverständlich beruht die Freiheit des Films – wie im übrigen die Freiheit jedes Massenkommunikationsmediums – ebenso auf der Spontaneität der Öffentlichkeit wie auf der Initiative der Produzenten. Doch auf Dauer kommt Hollywood nicht darum herum, das zu produzieren, wonach die Öffentlichkeit verlangt. Hätte Frau Inglis ihre Aufmerksamkeit auf die Bedeutung unserer gegenwärtigen Leinwand-Produkte gerichtet, hätte sie vielleicht erkannt, daß sie eine Massenmentalität widerspiegeln, die genauso eigenartig gelähmt und unwirklich ist wie Hollywood selbst. Deshalb sind diejenigen ihrer Vorschläge, die auf die Notwendigkeit der Mobilisierung des Publikums abheben, schlicht abwegig. Bürgerräte, bessere Filmkritiken, Bemühungen um eine Anhebung des Publikumsgeschmacks – in einer Zeit, in der es zuallererst um eine Veränderung des geistigen Klimas geht, unter dem nicht nur Hollywoodfilme, sondern die Menschen überhaupt leiden, sind solche vereinzelten Rezepte wirkungslos. (Nebenbei: Findet eine Veränderung nicht gerade statt? Einige neuere Filme zeugen von einer emotionalen Verunsicherung, die zu einigen Hoffnungen Anlaß gibt, während andere mit einer für Hollywood ungewöhnlichen Schärfe versuchen, die öffentliche Meinung gegen aktuelle soziale Mißstände einschließlich des Antisemitismus zu mobilisieren.)[6]
Als eine Untersuchung über die Entstehung des Motion Picture Code ist das Buch von Frau Inglis ein wichtiger Beitrag. Als ein Programm für eine substantiellere Freiheit des Films ist es zu wenig durchgearbeitet, um Wirkungen zu zeitigen.[7]
(Typoskript aus KN, undatiert [ca. 1947])

1 Die Commission on Freedom of the Press – bekannt auch als Hutchins' Commission (nach dem Mitbegründer und Kanzler der Universität von Chicago) – wurde 1942 mit dem Ziel gegründet, die Entwicklung sowie die gesellschaftliche Funktion und Verantwortung der Massenkommunikationsmedien Zeitung, Radio, Film und Zeitschrift zu untersuchen. Sie wurde als Nichtregierungsorganisation von Time Inc. sowie Encyclopedia Britannica, Inc. finanziert und war an die Universität von Chicago angegliedert. 1947 erschien der Abschlußbericht der Kommission: Commission on Freedom of the Press, *A free and responsible press.* A general report on mass communication: newspapers, radio, motion pictures, magazines, and books ... Chicago, Ill.: University of Chicago Press 1947.

2 Zum Production Code siehe Nr. 671, Anm. 3.

3 Im März 1909 gründeten Vertreter der Filmindustrie und des People's Institute, einem Institut für Erwachsenenbildung und Sozialforschung, in New York den National Board of Censorship, eine unabhängige Organisation, die sich 1916 in National Board of Review umbenannte. Die Nichtregierungsorganisation verfolgte zunächst das Ziel, eine Altersgrenze bei Filmvorführungen einzuführen und deren Einhaltung zu gewährleisten; später wurde sie zur maßgeblichen Preview-Institution, die sich jedoch nicht für Zensur, sondern vielmehr für Auszeichnung und Hervorhebung von qualitativ hochwertigen Filmen einsetzte. Kracauer verfaßte mehrere Artikel für die Zeitschrift *New Movies*, die dem National Board bis 1949 als Publikationsorgan diente (siehe Nr. 783, 784 und 785) sowie für deren Nachfolgerin (ab 1950) *Films in Review* (siehe Nr. 798, 801 und 802).

4 Zum Hays-Office siehe Nr. 671, Anm. 3.

5 Am 1. 10. 1933 rief Erzbischof Cicognani, der soeben ernannte Vorsitzende der apostolischen Kirche in den USA, die Delegierten der Catholic Charities Convention in New York dazu auf, sich gegen den moralischen Verfall des Films zu engagieren. Daraufhin entschieden die katholischen Bischöfe bei ihrem Jahrestreffen im November 1933, eine »National Legion of Decency«-Kampagne durchzuführen, bei der zunächst zum Boykott jener Filme aufgerufen wurde, die nach Ansicht des neugegründeten katholischen Episcopal Committee on Motion Pictures den Motion Picture Production Code (siehe Nr. 671, Anm. 3) verletzten. Die Kampagne wurde 1934 verstärkt und führte dazu, daß der neukonstituierte Verband amerikanischer Filmunternehmer der Forderung zustimmte, fortan jede Filmproduktion durch ein Zertifikat von dem Episcopal Committee of Motion Pictures genehmigen zu lassen.

6 Siehe auch Nr. 792.

7 Das hier in Übersetzung wiedergegebene Typoskript (KN) hat im Original keinen Titel; eine Veröffentlichung konnte bislang nicht nachgewiesen werden.

789. Kunst und Film

Zu Hans Richter: »Träume für Geld«

Filmrez.: TRÄUME FÜR GELD / DREAMS THAT MONEY CAN BUY. Hans Richter. US 1944-1947.

Hans Richter, dessen erster amerikanischer Film: TRÄUME FÜR GELD (DREAMS THAT MONEY CAN BUY) jetzt herauskommt, genießt internationalen Ruf als einer der Begründer des Avantgarde-Films. Es waren rein künstlerische Absichten, die ihn, den Maler, ursprünglich zum Film trieben.[1] Und zum Unterschied von René Clair[2] oder Cavalcanti[3] schenkt er niemals den Lockungen der Industrie Gehör, sondern setzte seine filmischen Experimente mit dem Fanatismus eines Besessenen fort.
TRÄUME FÜR GELD ist ein neuer Beweis seiner großartigen Unbeirrbarkeit. Dieser abendfüllende Farbenfilm, dem die diesjährige Biennale in Venedig seiner Originalität und fortschrittlichen Gesinnung wegen einen Preis zuerkannt hat,[4] wurde für die lächerliche Summe von noch nicht 25 000 $ hergestellt.[5]
Der Film selber ist ein Mosaik innerlich unzusammenhängender Episoden, deren jede auf dem Werk oder der Idee eines zeitgenössischen Künstlers beruht. Surrealistische Phantasien stehen unvermittelt neben abstrakten Konstruktionen. Allein die Tatsache einer solchen Anthologie läßt darauf schließen, daß heute die Kunst der Gegenwart genügend anerkannt ist, um auf der Leinwand registriert zu werden. Was einst heftig bekämpft wurde, ist zum selbstverständlichen Element unseres Daseins geworden. Darüber hinaus verrät der Film, daß die verschiedenen Kunstrichtungen der Zeit trotz ihren tiefgehenden stilistischen Abweichungen nur Spielarten eines und desselben Stils sind. Die Episoden oder »Träume« erwecken in der Tat den Eindruck, als ob sie einer ihnen gemeinsamen Grundeinstellung entsprängen. Und wiesen sie nicht alle nach der gleichen Richtung, so würde dieser filmische Querschnitt kaum als ein reichgegliedertes Ganzes wirken.
Die Max Ernst-Episode,[6] die auf sechs Zeichnungen seiner *»Semaine de la Bonté«*[7] zurückgeht, stellt den wollüstigen Traum eines schlafenden Mädchens dar. Ihr schweifendes Unterbewußtsein äußert sich in verzückten Monologen und in Bildern, in denen Fragmente der Wirklich-

keit eine Traumwelt aufbauen helfen, die wirklicher ist. Schiffbrüchige werden unter dem Bett des Mädchens hervorgezogen, und ihr Schlafzimmer treibt durch eine Wildnis drohender Korridore und Verliese dahin. Sobald ihr Geliebter zu ihr vorgedrungen ist, wird ihr eigener Traum durch einen Traum verdrängt, [den][8] sich die beiden teilen. Er besteht aus einer Folge von Visionen, die den Rausch der Liebeserfüllung und ihren zitternden Nachglanz symbolisieren. Die Ekstase des Paares würde sich im Uferlosen verlieren, tauchte nicht immer wieder eine von Max Ernst selber gespielte Figur auf. Als eine Art von Über-Ich oder Gewissen folgt Ernst den Liebenden überall hin, und dadurch, daß er sie schweigend beobachtet, setzt er ihrer Gefühlsschwelgerei Grenzen.

Im Gegensatz zu diesem Gemälde der Leidenschaft steuert Fernand Léger eine spielerische Satire auf mechanisierte Liebe bei. New Yorker Schaufensterpuppen lassen sich auf eine Herzensaffäre ein, in deren Verlauf das Hochzeitsgewand der Braut so ruiniert wird, daß sie es vorzieht, ihrem Bräutigam den Laufpaß zu geben. Libby Holman und Josh White singen dazu einen reizenden Song von John Latouche,[9] der nach Art einer Moritat das Mädchen mit dem standardisierten Herzen ins Lächerliche zieht. Das Ganze ist ein BALLET MÉCANIQUE[10] in amerikanischem Stil.

Die Man Ray-Episode, zu der er selber das Skript geschrieben hat, fällt spürbar ab. Sie heißt »Ruth, Roses, Revolvers«, ist redselig und gibt ihre Unklarheit für Tiefe aus. Die Nebel lichten sich nur in einer einzigen Passage, die in einem Kino spielt und das Bedürfnis so vieler Zuschauer, sich mit einem Filmhelden zu identifizieren, verspottet. Aber der Spott ist zu dick aufgetragen, um wirklich amüsant zu sein.

Zwei andere Künstler erscheinen in vollem Glanz. Marcel Duchamps rotierende Spiralen sind mit einer Prozession nackter Frauen kombiniert, zu der sein Gemälde *»Nu descendant un escalier«* die Anregung gegeben hat – ein faszinierendes Gemisch zarter Linien und üppiger Leiber.[11] Daran schließt sich eine wirkungsvolle Verfilmung der Schöpfungen Alexander Calders.[12] Seine *mobiles* – bewegliche Raumkonstruktionen aus Draht- und Metallstücken – verwandeln sich in prangende Form- und Farbenspiele; und seine Zirkusfiguren, charmante Produkte einer atavistischen Phantasie, ziehen zur Musik Dave

Diamonds vorbei, die den Eindruck ihrer gespenstischen Unwirklichkeit noch vertieft.[12]
Richter hat diese so verschiedenartigen Beiträge durch eine Rahmengeschichte, deren Musik von Louis Applebaum stammt, zu vereinheitlichen gesucht. Ihre Hauptfigur ist Jack Bittners Joe, ein armer, junger Dichter, der die ungewöhnliche Gabe besitzt, schlummernde Träume zum Leben zu erwecken. Joe beschließt, diese Gabe nutzbringend zu verwerten. Er läßt sich in einem seltsam eingerichteten Bureau nieder und verkauft dort seinen Kunden die Gebilde, die er aus dem Material ihres Unterbewußtseins formt. Es versteht sich von selber, daß die Träume den Träumern entsprechen: die Max Ernst-Orgie drückte die Sehnsüchte eines blassen Ehemannes aus, während Légers Satire ein verkrampftes Mädchen von ihren Hemmungen befreit. Bei alledem ist Joe nicht so sehr ein Psychiater als ein Künstler. Er hilft den Bedrückten dadurch, daß er ihre gestaltlosen Wünsche in greifbare Kunstwerke umsetzt.
Aus der Rahmengeschichte wächst Richters eigene Episode, »Narzissus«, hervor, die letzte des Films. Es ist ein Traum, der Joes innere Erfahrungen in drastischen Symbolen vergegenständlicht. Sein Gesicht färbt sich blau, sobald er sein wahres Selbst entdeckt; und wie er in Begierde, den ihm vorbestimmten Weg zu Ende zu gehen, eine Leiter erklimmt, verschwindet eine Stufe nach der andern unter seinen Füßen. So wird in dramatischen Bildern das Werden jedes schöpferischen Menschen verfolgt – sein Drang nach Selbstverwirklichung, sein Kampf gegen die Gleichgültigkeit der Welt und seine unabwendbare Einsamkeit. Am Schluß zerbricht die Zeusbüste, die Joe mit der Vergangenheit verbindet, und er selber löst sich ins Nichts auf. Was von ihm zurückbleibt, sind seine Werke: glühende Farbenkompositionen, die sich im Raum entfalten.
Kein Wunder, daß ein so hochstrebender Film nicht alle mit ihm gegebenen Versprechungen erfüllt. Ungenügende Mittel und schlechte Atelierverhältnisse hinderten Richter an der vollen Entfesselung seiner Kamera.[13] So kommt es, daß nichts sich rührt in Augenblicken, in denen Beweglichkeit wünschenswert wäre. Und wie um für ihre Reglosigkeit zu entschädigen, verweilt die Kamera manchmal zu lang bei immer denselben Gegenständen und Vorgängen. Aber ich beeile mich, hinzuzufü-

gen, daß mir diese Ungeschicklichkeit lieber ist als die Glätte vieler Hollywood-Filme.

Andere Schwächen wiegen schwerer. Das an sich richtige Prinzip, der »Stimme des Unterbewußtseins« Gehör zu verschaffen, ist überspannt worden. Anstatt sich normal zu unterhalten, verfallen die Darsteller oft in ein unnatürliches Stillschweigen, das dieser Stimme erlaubt, ihre uneingestandenen Absichten preiszugeben. So treten in langen Monologen Bedeutungen zutage, die nicht einfach gesagt, sondern geformt werden sollten. Gleich abwegig ist die Verwendung kruder Symbole. Das häufige Wiedererscheinen Max Ernsts in seiner Episode ist kaum mehr als eine wörtliche, und daher künstlerisch unzureichende Übersetzung des Gedankens vom allgegenwärtigen Gewissen. Und trotz ihrer Bildkraft mutet die Szene mit den verschwindenden Leiterstufen in Joes Traum wie die Illustration einer Redefigur an. Diese Beispiele ließen sich vielleicht vermehren. Im ganzen herrscht die Tendenz, literarische Metaphern als visuelle Symbole auszunutzen.

Aber diese paar Unvollkommenheiten tun den großen Verdiensten des Films keinen Abbruch. Richter sucht weder, wie Maya Deren oder Sidney Peterson,[14] die Avantgarde-Bewegung der späten Zwanziger künstlich wiederzubeleben, noch erniedrigt er abstrakte Formen zu bloßem Zierrat nach der Art Disneys. Er ist ein Neuerer. Er überträgt zum erstenmal wesentliche Gehalte moderner Kunst auf die Leinwand. Und indem er sie wissend verfilmt, treibt er das mit ihnen Gemeinte plastisch heraus.

Richters Film ist noch aus einem anderen Grunde wichtig: er veranschaulicht schlüssig, daß bestimmte Kunstwerke durch ihre Verfilmung viel zu gewinnen haben. Calders räumliche Konstruktionen zum Beispiel erzielen ganz unerwartete Wirkungen auf der Leinwand – Wirkungen, die der Einbeziehung ihrer Schatten, kunstvollen Großaufnahmen, überraschenden Farbkombinationen und nicht zuletzt der brillanten Musik von Paul Bowles zu danken sind. Schwingende und klingende Phänomene einer Welt, die nur aus Licht und Farbe besteht, offenbaren diese uns einst vertrauten *mobiles* jetzt viele fremdartige Dinge. Wie sein Joe, so hat Richter das, was ohne unser Wissen schon immer in ihnen schlief, zum Dasein erweckt.

TRÄUME FÜR GELD beschwört das geheime Traumleben von Zeichnun-

gen, Gemälden und plastischen Formen herauf. Mit diesem Werk könnte eine Zeit fruchtbarer Zusammenarbeit von Kunst und Film beginnen.[15]
(NZZ vom 25. 1. 1948)

1 Der Maler, Regisseur und Filmtheoretiker Hans Richter (1888-1976) begann 1919 mit dem schwedischen Maler Viking Eggeling an Rollenbildern zu arbeiten, in denen sie die Entwicklungsetappen abstrakter Kompositionen aus geometrischen Formen festhielten. Diese dienten als Vorlage ihrer ersten Filme, die sie ab 1920 in der Trick-Abteilung der Ufa produzierten; der erste Versuch Richters ging als Fragment in RHYTHMUS 21 (1921) ein. Weitere frühe Filmexperimente, die z. T. auch als Werbe- bzw. Vorfilme für das reguläre Programm liefen, waren z. B. RHYTHMUS 23 und RHYTHMUS 25 (entsprechend der Entstehungsjahre; der zweite Film ist verloren), VORMITTAGSSPUK (DE 1927/28), RENNSYMPHONIE (DE 1928/29) und ALLES DREHT SICH, ALLES BEWEGT SICH (DE 1929). In den dreißiger Jahren stellte Richter Dokumentar- und Experimentalfilme in den Niederlanden, England und der Schweiz her, 1941 emigrierte er in die USA. Kracauer, der seit den zwanziger Jahren mit Richter bekannt war und dessen FILM-STUDIE (1925/26) im Rahmen seiner ersten Besprechung von Experimentalfilmen (siehe Nr. 349) kommentierte, kam mit seiner NZZ-Rezension von TRÄUME FÜR GELD, dessen Enstehung er auch durch eigene, allerdings unverwirklichte Ideen zu der Rahmengeschichte begleitete (vgl. Brief an Richter, 4. 4. 1945, KN), einer ausdrücklichen Bitte des Regisseurs nach (vgl. Brief an Richter, 12. 7. 1947, KN).
2 Zu René Clair siehe u. a. Nr. 604, 614, 649, 673 und 705.
3 Alberto Cavalcanti (1897-1982), brasilianischer Filmregisseur, Regiedebüt mit RIEN QUE LES HEURES (FR 1926); siehe auch Nr. 349.
4 Der Film erhielt auf der Biennale von Venedig 1947 den Preis als »bester Originalbeitrag zum Fortschritt in der Kinematographie«.
5 Richter selbst gab die Summe von $ 15.000 an (siehe *Life* vom 23. 12. 1946).
6 Sie hat den Titel »Desire«.
7 Max Ernst, *Une Semaine de Bonté, ou, les sept elements capitaux: Roman* (1934; Collage-Buch).
8 Korrektur d. Hrsg. Im NZZ-Druck: »in den«.
9 Der Titel des Songs, der auch der Episode den Namen gibt, ist »The Girl with the Prefabricated Heart«; von John Latouche stammen sowohl Text als auch Musik; weitere Sänger des Liedes sind Norma Cazanjian und Doris Okerson.
10 BALLET MÉCANIQUE. Dudley Murphy und Fernand Léger. FR 1924; zu diesem Film siehe auch *Werke*, Bd. 3, S. 293 f.
11 Die Episode trägt den Titel »Discs and Nudes Descending a Staircaise« und beruht auf Marcel Duchamps *Rotorliefs* (1935) sowie seinem Gemälde *Nu descendant un escalier* (1912).
12 Die Titel der Episoden lauten: »Ballet« und »Zirkus«. Die erste zeigt bewegte Formkonstellationen Alexander Calders, die als *Mobiles* (ab 1930) bekannt geworden sind, die zweite Figuren aus Calders *Circus* (1926 ff.).
13 Kamera: Arnold Eagle in Zusammenarbeit mit Werner Brandes und Victor Vicas; die Kamera in »Circus« führte Peter Gluchanok, in »Ruth, Roses and Revolvers« Meyer Rosenblum und Herman Shulman.

14 Zu Filmen von Maya Deren und Sidney Peterson siehe Nr. 790.

15 Die NZZ-Rezension von TRÄUME FÜR GELD beruht auf einem verschollenen amerikanischen Originalmanuskript, das Kracauer auf der Basis des diesem Film gewidmeten Schlußteils des folgenden Essays (Nr. 790) erstellt hat, das aber mit diesem nicht identisch ist. Im Zusammenhang der Vorbereitung der deutschen Übersetzung eines *Caligari*-Kapitels in der Zeitschrift *Der Monat* drängte Kracauer darauf, daß ein guter Übersetzer mit der Übertragung betraut werde und er die Übersetzung zur Revision bekomme. Dabei verwies er auf eine Erfahrung mit der NZZ: »I have made a sad experience with an article of mine translated by NEUE ZUERICHER ZEITUNG; the translation they had made on their own account was a wholesale distortion.« (Kracauer an Melvin K. Lasky, 16. 5. 1948, KN). Bei dieser Übersetzung kann es sich nur um den Richter-Artikel gehandelt haben. Kracauers Klage ist auf der Basis der veröffentlichten Texte allerdings nicht nachvollziehbar; wenn man die hier wiedergegebene NZZ-Rezension mit dem Richter-Abschnitt in der amerikanischen Fassung des folgenden Essays vergleicht, kann von einer »complete distortion« nicht die Rede sein. Kracauers Formulierung »the translation they *had* made on their *own account*« legt allerdings nahe, daß er diese Übersetzung vor dem Druck zur Durchsicht bekam und revidierte. Bei paralleler Satzfolge und korrespondierendem Wortlaut wird der NZZ-Text deshalb der Übersetzung des Richter-Abschnitts des folgenden Essays zugrundegelegt.

790. Die filmische Gestaltung des Unterbewußten

Filmsammelrez.: MESHES OF THE AFTERNOON. Maya Deren. US 1943; AT LAND. Maya Deren. US 1944; STUDY IN CHOREOGRAPHY FOR CAMERA. Maya Deren. US 1945; RITUAL IN TRANSFIGURED TIME. Maya Deren. US 1945/46; THE POTTED PSALM. Sidney Peterson und James Broghton. US 1946; GLEN FALLS SEQUENCE. Douglas Crockwell. US 1948; FILM EXERCISES 1-5. John und James Whitney. US 1941-1945.

Die folgenden Anmerkungen zu verschiedenen neuen Experimentalfilmen wurden angeregt durch das wachsende Interesse an diesem Genre. Als das Cinema 16 – eine Organisation, die sich auf die Verbreitung avantgardistischer Filme aller Art spezialisiert hat – sein erstes Programm letzten Herbst in New York vorstellte, waren die meisten seiner Vorstellungen schon im voraus ausverkauft. Gleiches Interesse regt sich auch in Los Angeles, Chicago und Minneapolis. Und Amos Vogel, der junge Leiter von Cinema 16, erzählt mir von unbekannten Amateuren, deren Filmexperimente so vielversprechend sind, daß er plant, sie in kommenden Programmen zu zeigen. Eine neue Avantgarde-Bewegung scheint im Entstehen zu sein. Aller Wahrscheinlichkeit nach verdankt sie

sich in mancher Hinsicht dem weitverbreiteten Unbehagen an der gegenwärtigen Hollywood-Produktion.
Maya Deren, die ein Guggenheim-Stipendium erhielt und deren Filme vielleicht die bekanntesten der Gruppe sind, hat vier experimentelle Filme gedreht, die alle bis auf einen die psychische Wirklichkeit in der Gegenständlichkeit der äußeren Welt zur Erscheinung bringen. Dies hat es schon zuvor gegeben, besonders bei Germaine Dulac, in ihrem Film LA COQUILLE ET LE CLERGYMAN (1928).[1] Maya Deren jedoch führt das mit einer solchen Vitalität fort, daß es ihr gelingt, die alten Schemata mit neuem Leben zu erfüllen.
Der Film MESHES OF THE AFTERNOON (1943), den sie zusammen mit ihrem Mann Alexander Hammid, einem unserer besten Kameramänner, gedreht hat, stellt den Geisteszustand eines frustrierten Mädchens dar. Das Mädchen kehrt von einem Spaziergang nach Hause zurück und findet sein Heim verlassen vor; alles steht auf dem Kopf, als ob ihr Mann oder Geliebter plötzlich fortgelaufen wäre. Sie schläft in einem Sessel ein und bearbeitet in ihrem folgenden Traum mit morbider Hartnäckigkeit ihre Erfahrungen in dem verlassenen Haus. Dieser Vorfall, so zeigt der Traum, löst in ihr das Gefühl aus, für immer von der Welt zurückgestoßen zu sein. Deren verbindet in der Darstellung der Stimmungen des Mädchens psychologische Einsicht mit einem Sinn für das Filmische, der sie dazu befähigt, sich die expressiven Funktionen verschiedener filmischer Mittel zunutze zu machen. Das nachmittägliche Phantom einer schwarzgekleideten Frau mit einem Spiegel als Gesicht zeigt an, daß das träumende Mädchen nicht die Kruste durchstoßen kann, die sie von anderen trennt. Die absichtliche, nur im Detail leicht abgewandelte Wiederholung ganzer Sequenzen und Ereignisse symbolisiert ihre völlige Stagnation. Und die Szene, in der das Mädchen oder eine ihrer Inkarnationen hinter der langsam schreitenden schwarzen Frau hereilt und sie doch nicht erreicht, illustriert seine vergeblichen Bemühungen, seine Hemmungen zu überwinden.
Der Film AT LAND (1944) behandelt dasselbe Thema mit besonderer Betonung der durch Frustration hervorgerufenen Verzerrungen von Zeit und Raum. Ein nymphenhaftes Mädchen, das von den Wellen an Land gespült wurde, fühlt sich im Meer auf festem Land. Was immer es verfolgt, entflieht ihm in einer endlosen Flucht von Dingen, Personen und

Situationen. Es kriecht über einen Tisch, der in einem Raum steht, in dem eine Festlichkeit stattfindet, ohne daß jemand es bemerkte; es schleicht sich in ein Holzhaus und entflieht, erschreckt durch einen Fremden im Bett, durch eine Tür nach der anderen; es schließt sich zwei Mädchen an der Küste an, die fortfahren, Schach zu spielen, als hätten sie es gar nicht bemerkt; schließlich läuft sie ins Meer zurück. Für eine Seele, die sich nicht mitteilen kann, wird so die Welt zu einer Folge fliehender Erscheinungen. Und daher gerät die Zeit ins Wanken: Erinnerungen und gegenwärtige Ereignisse verschmelzen miteinander.

Maya Derens nächstes Experiment, der Dreiminutenfilm [STUDY IN] CHOREOGRAPHY FOR CAMERA (1945), scheint ihrem wachsenden Interesse für rein formale Probleme entsprungen zu sein. An die Stelle ihrer Beschäftigung mit psychologischen Grenzfällen tritt jetzt ihr Wunsch, mit Hilfe der bewegten Kamera künstlerische Zeit-Raum-Verhältnisse zu schaffen. Ein Tänzer im Wald setzt zu einem Sprung an und beendet ihn in einem Zimmer. Auf diese Weise kreist und wirbelt er von einer Szenerie in eine andere, bis er sich schließlich aufschwingt und in Zeitlupe einer Landschaft entgegenfliegt, seinem eigentlichen Ziel. Es handelt sich, wie Deren sich ausdrückt, um »ein Duett zwischen dem Raum und einem Tänzer«.

Ihr letzter Film, RITUAL IN TRANSFIGURED TIME (1945-1946), nimmt auf höherem Niveau erneut das Leitmotiv vom frustrierten Mädchen wieder auf. Diesmal materialisiert sich das innere Leben des Mädchens in der Gestalt einer Schwarzen, die die Wünsche und Leiden der Seele verkörpert, der sie entsprungen ist. Wie ihre Vorgängerinnen versucht die Frau, dem Gefängnis ihres Selbst zu entfliehen; doch im Gegensatz zu ihnen ereilt sie das Verhängnis nicht eher, als bis sie die Liebe erfahren hat. Künstlerisch gesehen bedeutet dieser komplexe Film einen Fortschritt, weil er eine Synthese von Form und Inhalt, Tanz und Psychologie anstrebt. Die Szene einer sozialen Zusammenkunft, in der die schwarze Frau von der Menge nicht bemerkt wird, ist so gedreht und geschnitten, daß aus ihr ein Tanz wird, der alle Personen und Dinge erfaßt. Maya Deren ist zu einem Bedeutungsausdruck durch Rhythmus gelangt; das Problem ist nur, worauf die Bedeutung selbst hinausläuft.

In dem im Sommer 1946 gedrehten Film THE POTTED PSALM mischen Sidney Peterson und James Broghton in der Art von Maya Deren Fragmente der Realität mit unwirklichen Elementen. Doch hier hört die Ähnlichkeit auch schon auf. In schwacher Anlehnung an gewisse surrealistische Experimente der zwanziger Jahre ist dieser Film eine Folge locker verknüpfter Assoziationen, die von einem Mann ohne Kopf über zwei Füße, die ihre Zehen aneinander reiben, bis zu einem menschlichen Bein reichen, welches sich in ein Klavierbein verwandelt. Im Programmheft wird behauptet, daß THE POTTED PSALM »die chaotischen inneren Verwicklungen unserer Nachkriegsgesellschaft« behandelt. Diese Interpretation ist ziemlich großzügig, denn die Filmemacher sind nicht in der Lage, ihren Absichten eine filmische Substanz zu verleihen. Die Kameraführung trägt nicht viel bei,[2] und die ›Montage‹ ist rhythmisch nicht strukuriert. Daher bleiben die Bedeutungen vage.

Einige kürzlich erschienene Experimentalfilme, die nicht-gegenständliche Strukturen darstellen, zeitigen interessante Resultate. GLEN FALLS SEQUENCE von Douglas Crockwell – eine Animation von Bildern, die auf verschiedene bewegliche, übereinander angeordnete Glasplatten gemalt sind – verbindet unbekannte Formen mit irgendwie bekannten Elementen zu einem Universum, das unmöglich und komisch zugleich ist. Mikro-Organismen versammeln sich aus keinem ersichtlichen Grund; Pilze schlendern durch eine Tanguy-Landschaft; Blütenornamente, die keinen Abschluß finden, bedecken ein Blatt, das aus einer tintenfleckartigen Wolke erwächst; kompakte Massen lassen etwas aus sich heraustropfen oder tragen kleinste Kristalle in sich, die aus plötzlich aufbrechenden Rissen hervordringen; ein Schornstein wird zu einer Säge, die versucht, durch ihren eigenen Rauch zu schneiden. Die moderne Naturwissenschaft spricht dem Kausalitätsgesetz Hohn und sieht in der Masse eine Manifestation von Energie. Die Materie befindet sich in fortwährendem Fluß, alle Substanzen sind im Prinzip austauschbar. Crockwell nimmt die Naturwissenschaft beim Wort, indem er geometrische und organische Formen ineinander verwandelt. Geistreich spielt er Vorsehung und Schicksal. Seine abstrakten Kompositionen entspringen entweder aus Kakteen und ähnlichem oder erschaffen aus sich heraus neue, dem Leben ähnliche Geschöpfe. Dazwischen tauchen hin und wieder kulturelle Reminiszenzen auf. Ein Totenkopf kommt aus einer Urne, und ein weißes Kreuz wird auf irgendetwas gestellt, das ein Gebirgskamm, ein Berg Hefe oder ein Zusammenlauf wogender Wellen sein kann.

Mit Hilfe eines Guggenheim-Stipendiums haben John und James Whitney eine Serie von Kurzfilmen, ABSTRACT FILM EXCERCISES (1943-1945),[3] produziert, in der sie versuchen, ästhetisch gültige Beziehungen zwischen Form, Farbe und Ton aufzustellen. Die Formen stammen von Papierschnitten; die Toneffekte werden von einer Maschine produziert, die die Gestalt eines Lichtstrahls reguliert, der direkt auf eine Tonspur geworfen wird. Solche Experimente sind nicht neu, doch lassen die Brüder Whitney, obwohl sie im Hinblick auf Rhythmus und bildliche Darstellung nicht besonders einfallsreich sind, alle vergangenen Experimente hinter sich. Ihre Vision ist die vom heute allgemein so genannten Atomzeitalter. Und von ihr geleitet, gehen sie bis zum Äußersten in der Gestaltung eines Kosmos, der mit nichts anderem als wirbelnden, rot und grün erglühenden Materieteilchen angefüllt ist, die im unbegrenzten Raum zittern und flackern. Winzige Kügelchen sausen in den Vordergrund, werden zu strahlenden Sonnen und verschwinden wieder. Atome treiben auf diese Weise ziellos umher, und ihre Spiele werden von einer Musik begleitet, die stark an Dschungel-Geräusche erinnert, wie wir sie von Kriegsfilmen über Burma und Guadalcanal kennen. Es scheint für die Menschheit äußerst schwer zu sein, sich an diesem Schnittpunkt von kosmischem und animalischem Leben zu behaupten.[4]

Hans Richters erster abendfüllender Farbfilm, TRÄUME FÜR GELD, der bei der Biennale in Venedig einen Preis »für den besten Originalbeitrag zum Fortschritt des Films« erhielt, ist ein Mosaik aus einzelnen Episoden; jede dieser Episoden beruht auf dem Werk oder einer Idee eines zeitgenössischen Künstlers.

Die Max Ernst-Episode, die auf sechs Zeichnungen aus *»Semaine de la Bonté«* zurückgeht, stellt den wollüstigen Traum eines schlafenden Mädchens dar. In einem verzückten Monolog materialisiert sich ihr schweifendes Unbewußtes in Bildern, in denen Fragmente der konventionellen Wirklichkeit dazu dienen, eine wirklichere Traumwelt aufzubauen. Gestrandete Körper werden unter dem Bett des Mädchens hervorgezogen, und ihr Schlafzimmer treibt durch einen Dschungel bedrohlicher Korridore und Verliese dahin. Als ihr Geliebter schließlich mit ihr zusammenkommt, wird ihr einsamer Traum durch einen gemeinsamen Traum abgelöst – eine Folge ekstatischer Visionen, die den Rausch der Liebeserfüllung und seinen zitternden Nachglanz symbolisieren. Eine von Ernst gespielte Figur folgt den Liebenden wie ein Über-Ich; als stummer Zeuge bildet sie ein Gegengewicht zu ihrer Gefühlsschwelgerei.

Im Unterschied zu diesem glühenden Gemälde der Leidenschaft ist die Ferdinand Léger-Episode eine spielerische Satire auf mechanisierte Liebe. Puppen, wie man sie aus den Schaufenstern der großen Kaufhäuser kennt, lassen sich auf eine Herzensaffäre ein, in deren Verlauf das Hochzeitsgewand der Braut so ruiniert wird, daß auch ihre Liebesgefühle erlöschen. Libby Holman und Josh White singen zu dieser mißglückten Affäre einen Song von John Latouche, der in der Art einer Moritat »Das Mädchen mit dem vorfabrizierten Herzen« ironisch kommentiert. Das Ganze ist wie ein BALLET MÉCHANIQUE, das sich in der Atmosphäre amerikanischer Folklore entfaltet.

Im Vergleich zu diesen beiden Folgen fällt die Episode Man Rays, zu der er selber das Skript geschrieben hat, spürbar ab. Sie heißt »Ruth, Roses, Revolvers«, ergeht sich in Dialogen und suggeriert tieferen Sinn. Die Nebel lichten sich nur in einer einzigen Passage, die sich über das Bedürfnis der Zuschauer, sich mit einer Leinwandfigur zu identifizieren, lustig macht. Aber der Spott ist zu dick aufgetragen, um wirklich amüsant zu sein. Glücklicherweise kann man sich mit der Musik von Darius Milhaud identifizieren.

Zwei andere Künstler erscheinen in vollem Glanz. Die Drehungen der rotierenden Scheiben Marcel Duchamps wechseln sich mit einer Prozession nackter Frauen ab, die an sein Gemälde *»Nu descendant un escalier«* erinnert – eine faszinierende Kombination zarter Linien und üppiger Leiber. Diesem Wechselspiel folgt eine eindrucksvolle Reformulierung der Schöpfungen Alexander Calders. Seine *»Mobiles«* verwandeln sich in prangende Gebilde von Formen und Farben; und seine Zirkusfiguren, charmante Produkte einer atavistischen Phantasie, ziehen zur Musik Dave Diamonds vorbei, die den Eindruck ihrer gespenstischen Unwirklichkeit noch vertieft.

Um diesen disparaten Elementen eine Einheit zu verleihen, hat Richter sich eine Rahmengeschichte ausgedacht, deren Musik von Louis Applebaum stammt und deren Protagonist von Jack Bittner dargestellt wird. Bittner spielt Joe, einen armen jungen Dichter, der die ungewöhnliche Gabe besitzt, schlummernde Träume zum Leben zu erwecken, und aus dieser Gabe Kapital schlagen will. Er läßt sich in einem seltsamen Büro nieder und verkauft seinen Kunden dort, was immer er aus dem Material ihres Unbewußten formt. Es versteht sich von selber, daß die Träume in einer bestimmten Beziehung zu den Träumern stehen: die Max Ernst-Orgie drückt die Sehnsüchte eines blassen Ehemannes aus, während Légers Satire einem verkrampften Mädchen ermöglicht, sich zu entspannen. Indem Joe diese Träume formt, erweist er sich nicht als Psychiater, sondern als Künstler. Er tröstet die Unglücklichen, indem er ihre innersten Wünsche in greifbare Kunstwerke übersetzt. Das Reich der Kunst erscheint derart als ein Schutzraum, in den wir aus der Welt, in der wir wirklich leben, entfliehen.

Aus der Rahmengeschichte wächst Richters eigene Episode, »Narzissus«, hervor, die letzte des Films. Hier geht es um einen Traum, den Joe selbst träumt und in dem seine inneren Erfahrungen in drastischen Symbolen dargestellt werden. Sein Gesicht färbt sich blau, als er sein wahres Selbst entdeckt; und als er, entschlossen den ihm bestimmten Weg zu gehen, eine Leiter hochsteigt, verschwindet eine Stufe nach der anderen unter seinen Füßen. In eindrucksvollen Bildern von großer Leidenschaft wird das Werden des schöpferischen Menschen verfolgt – sein Drang nach Selbstverwirklichung, sein Kampf gegen die Gleichgültigkeit und seine unabwendbare Einsamkeit. Am Schluß zerbricht eine Zeusbüste, die Joes kostbarste Erinnerungen symbolisiert, und er selber löst sich in Nichts auf. Alles, was von ihm zurückbleibt, sind seine Werke: glühende Farbkompositionen, die durch den Raum schweben.

Kein Wunder, daß ein so ehrgeiziger Film nicht alle Versprechungen einlöst. Der an sich gute Gedanke, die Stimme des Unbewußten darzustellen, ist überzogen worden. Auch herrscht im Film durchgängig die Tendenz, literarische Metaphern als optische Symbole zu mißbrauchen. Aber diese Unvollkommenheiten sollten die großen Verdienste des Films nicht übersehen machen. Richter ist ein Neuerer. Er überträgt zum ersten Mal den wesentlichen Gehalt moderner Kunst auf die Leinwand. Moderne Kunst, wie sie in diesem Film erscheint, verknüpft das Reich der reinen Form mit dem Urwald der menschlichen Seele. Was dazwischen liegt – die unermeßliche mittlere Sphäre des gewöhnlichen Lebens – wird stillschweigend übergangen oder offen attackiert. Die Léger- und Richter-Episoden lassen keinen Zweifel an ihrer Ablehnung unserer mechanisierten Zivilisation. Sie verspotten sie oder stellen die vermeintliche Normalität als eine Verzerrung des wirklich Normalen dar. Moderne Kunst, so die Aussage des Films, stellt sich gegen eine Welt, die den Ausdruck der Liebe und die schöpferische Spontaneität erstickt; daher rührt das anhaltende Interesse der modernen Künstler an unbewußten Trieben und abstrakten Strukturen. Richter macht unmißverständlich deutlich, daß die abstrakten Strukturen ohne die beständigen Impulse aus dem Unbewußten nicht freigesetzt würden. Um ihre wechselseitige Abhängigkeit zu unterstreichen, überblendet er nicht nur nackte Frauenkörper mit Duchamps Bewegungsspielen, sondern stellt auch eine primitive Maske und eine Art von Widderhorn mit Calders *»Mobiles«* zusammen. Und in der Max Ernst-Episode bringt der sexuelle Aufruhr die Interieurs des 19. Jahrhunderts so gründlich durcheinander, daß sie fast auseinanderfallen – in zerstreute Elemente, die dazu bestimmt scheinen, innerhalb nicht-gegenständlicher Texturen wiedergeboren zu werden. Die Stimmung, die dem ganzen Film innewohnt, spiegelt seine wesentlichen Gedanken. Die Melancholie, die unser kreatürliches Los ist, wechselt mit einer Fröhlichkeit, die sich von der künstlerischen Erfüllung nicht trennen läßt. Die gemischten Empfindungen, die für die mittlere Sphäre charakteristisch sind, werden gnadenlos unterdrückt.

Richters Film ist noch aus einem anderen Grund von Bedeutung: er veranschaulicht überzeugend, daß bestimmte Kunstwerke durch ihre richtige filmische Darstellung viel gewinnen können. Calders räumliche Konstruktionen zum Beispiel erzielen ganz unerwartete Wirkungen auf der Leinwand – Wirkungen, die der Einbeziehung ihrer Schatten sowie kunstvollen Großaufnahmen, überraschenden Farbkombinationen und nicht zuletzt der großartigen Musik von Paul Bowles zu danken sind. Schwingende und klingende Phänomene einer Welt, die nur aus Licht und Farbe besteht, werden diese uns einst vertrauten *»Mobiles«* jetzt zu seltsamen Offenbarungen. Was ihnen, uns allen unbekannt, latent innewohnte, hat Richter, wie sein Joe, zum Dasein erweckt.

TRÄUME FÜR GELD beschwört das geheime Traumleben von Zeichnun-

gen, Gemälden und plastischen Formen herauf. Es weist damit einen vielversprechenden Weg für die zukünftige Zusammenarbeit von Kunst und Film.
(*Theatre Arts*, Februar 1948)

1 LA COQUILLE ET LE CLERGYMAN. Germaine Dulac. FR 1927.
2 Kamera: Frank Stauffacher.
3 Titel und Produktionszeitraum wie oben angegeben.
4 Der folgende Abschnitt zu Hans Richters TRÄUME FÜR GELD, der der NZZ-Rezension dieses Films (siehe Nr. 789) zugrundeliegt, aber eine längere Passage enthält, die dort nicht enthalten ist, wurde in der ersten deutschen Teilübersetzung dieses Essays in *Kino* gestrichen. Zu den Texterläuterungen und zur Übersetzung siehe die Anmerkungen zu Nr. 789.

791. Paisà

Filmrez.: PAISÀ / PAISAN. Roberto Rossellini. IT 1946.

Roberto Rossellinis PAISÀ ist als Panorama breiter angelegt und bedeutender als ROMA CITTÀ APERTA.[1] ROMA CITTÀ APERTA war noch ein Drama; PAISÀ ist ein Epos, vergleichbar nur mit PANZERKREUZER POTEMKIN,[2] obwohl er sich grundlegend von ihm unterscheidet.
Dieser neue italienische Film besteht aus sechs realistischen Episoden, die in der Zeit des Italienfeldzugs spielen. Sie scheinen völlig unverbunden zu sein, abgesehen von der Tatsache, daß ihre Aufeinanderfolge dem Vormarsch der alliierten Truppen entspricht. Die erste Episode handelt von den Abenteuern eines amerikanischen Spähtrupps unmittelbar nach der Landung in Sizilien. Angeführt von einem italienischen Bauernmädchen, erkunden die Amerikaner eine verfallene Burg – ein nächtlicher Aufklärungsgang, der seinen Höhepunkt in einem großartigen Dialog zwischen dem Mädchen und einem der Soldaten findet.[3] Aber diese zweisprachige Idylle währt nicht lange. Einige Deutsche, die plötzlich aus dem Nichts auftauchen, erschießen den Soldaten und töten dann das Mädchen, das auf sie geschossen hat. Als die übrigen Amerikaner, durch die Schüsse alarmiert, zurückkehren, halten sie es für ausgemacht, daß das Mädchen sie in eine Falle gelockt hat. Ihr schlichtes und aufrichtiges Opfer bleibt unbemerkt.

Die zweite Episode, die in Neapel spielt, zeigt einen Straßenjungen und einen Militärpolizisten – ein schwarzer Amerikaner, der völlig betrunken ist. Der Junge, der danach trachtet, die Schuhe des Schwarzen zu stehlen, führt ihn zu einem Schutthaufen unter den Ruinen, wo sein voraussichtliches Opfer über den heldenhaften Empfang phantasiert, der für ihn in New York und in seiner Heimatstadt vorbereitet wird. Aber das Wort »Heimat« ruft einen plötzlichen Stimmungsumschwung in ihm hervor. Er sagt, daß er nicht nach Hause gehen werde; und in einem Zustand der Hoffnungslosigkeit schläft er ein, leichte Beute für den Jungen. Kurz darauf fängt der Schwarze den Dieb und zwingt ihn, die Schuhe zurückzugeben. Der Junge ist ein Kriegswaise und wohnt in einer Höhle, die voller zerlumpter Frauen und Kinder ist. Von Mitleid überwältigt, läßt der Schwarze seine Schuhe in der Höhle zurück. Lebendige Straßenszenen runden die brillanten Miniaturporträts dieser beiden verirrten Geschöpfe ab. Die Szene im Marionettentheater, in der der rasende Schwarze auf die Miniaturbühne klettert, um einen Mohren zu verteidigen, ist ein wahres Juwel, das wie eine Don Quixoterie funkelt.

Die folgende Episode in Rom ist eine Art literarischer Liebesgeschichte mit einem Hauch von Maupassant.[4] Sechs Monate nach dem Fall Roms folgt ein betrunkener amerikanischer Soldat einer Prostituierten auf ihr Zimmer. Er ist kein Trunkenbold, sondern ein sensibler junger Mann, der von der ständig zunehmenden Verkommenheit um ihn herum bestürzt ist. Anstatt einfach mit dem Mädchen zu schlafen, erzählt er ihr von Francesca, dem ersten Mädchen, das er beim Einzug in Rom am Tag der Befreiung kennengelernt hatte. Eine Rückblende, die reich an bezaubernden Details ist, gibt ihren unschuldigen Flirt und dessen vorzeitiges Ende wieder. »Warum bist du nie zurückgegangen?« fragt die Prostituierte. Er murmelt, daß er das Haus nicht habe wiederfinden können. Die Prostituierte beschreibt es zitternd. Während ihm ihre Identität vage bewußt wird, döst er weg. Am nächsten Tag wartet sie verzweifelt auf ihn, während er selbst, im Begriff wegzufahren, den Zettel mit ihrer Adresse zerreißt. Er steigt auf einen Lastwagen, und die Truppen ziehen weiter.

Die vierte Episode zeigt die Alliierten in den Vororten von Florenz, während sie den letzten Angriff auf die Stadt planen, in der die Partisanen bereits gegen die Deutschen und die Faschisten kämpfen. Eine amerikanische Krankenschwester, die ihren Florentiner Liebhaber aus den

Vorkriegstagen wiedersehen möchte, erfährt, daß er »Lupo«, der legendäre Partisanenführer ist. Das Ganze ist ein Bericht in Bildern über das, was ihr und einer italienischen Freundin zustößt, als sie sich durch die Frontlinien in den von den Partisanen besetzten Sektor von Florenz hineinschleichen. Sie gehen an zwei britischen Offizieren vorbei, die in ihrer ganzen lässigen Penibilität beschrieben werden; sie gehen durch die Gänge der verlassenen Uffizien und erhaschen einen Blick von drei deutschen Soldaten, die sich vom Ende der Straße her langsam nähern. Als sie schließlich eine Straßenecke erreichen, an der Kugeln vorbeisausen, wird einer der wenigen Partisanen, die diese Stellung verteidigen, tödlich verwundet. Seine Kameraden erschießen zwei Faschisten auf der Stelle. Bevor er in den Armen der Krankenschwester stirbt, erzählt der verwundete Partisan, daß Lupo am selben Morgen getötet wurde. »Gott!«, sagt die Krankenschwester.

In der fünften Episode betreten drei amerikanische Feldkaplane auf der Suche nach einem Unterschlupf ein entlegenes Franziskanerkloster in den Appeninen und finden dort Aufnahme für die Nacht. Die naive Weltabgewandtheit der Mönche wird in Szenen beschrieben, die von Respekt getragen sind und von einem unmerklichen Lächeln begleitet werden. Kaum finden die Mönche heraus, daß einer ihrer Gäste ein Protestant und der andere ein Jude ist, verwickeln sie den katholischen Kaplan in eine Art religiöser Disputation. These steht gegen These: die besorgten Mönche bestehen darauf, daß die beiden verlorenen Seelen gerettet werden müssen, während ihr weltmännischer Glaubensbruder davon überzeugt ist, daß sie auch außerhalb der Kirche Gnade erlangen können. Dieses Duell in frommer Dialektik ist um so köstlicher, als Kämpfe in der Nachbarschaft toben. Das Ende kommt überraschend. Die eifrigen Mönche erlegen sich um des Juden und des Protestanten willen eine Fastenzeit auf, und der katholische Kaplan preist ihre Demut, anstatt seine Position der Toleranz zu bekräftigen. Es ist ein merkwürdiger Schluß, der ein bißchen an den spirituellen Ton in Silones Romanen[5] erinnert.

Die letzte Episode ist ein furchtbarer Alptraum, der sich in den Sümpfen der Poebene abspielt, wo das flache Land und der Himmel zu einer eintönigen Welt verschmelzen. Eine kleine Gruppe italienischer Partisanen, britischer Flieger und amerikanischer O.S.S.-Agenten[6] führt einen hoffnungslosen Kampf hinter den feindlichen Linien. Zuerst sieht man die Deutschen nicht; man sieht nur die Leiche eines Partisanen auf dem Wasser schwimmen. Das Schilf ist voller Drohungen; unbekannte Gefahren lauern um das einsame Haus, das in seiner Isolation den Eindruck der Eintönigkeit verstärkt. Dann, nach einer Ewigkeit unerträglicher Spannung, nimmt das Massaker seinen Lauf. Die Menschen im Haus werden unterschiedslos getötet, außer einem kleinen Kind, das außerhalb des Hauses schreit und schreit, verlassen von den am Boden liegenden Toten. Die Partisanen werden an Händen und Füßen gefesselt ins Wasser geworfen. Die entsetzten englischen und amerikanischen Gefangenen sehen sie einen nach dem anderen verschwinden, unfähig, diesen wie ein Uhrwerk ablaufenden Prozeß aufzuhalten. Ein anderer Zeuge bleibt zurück: hinter den Gefangenen sieht man den gehängten Führer der Partisanen.

»Das geschah im Winter 1944«, sagt ein Kommentator ganz zum Schluß. »Wenige Wochen später kehrte der Frühling in Italien ein, und der Krieg in Europa wurde für beendet erklärt.«

Alle diese Episoden erzählen die Erlebnisse von gewöhnlichen Leuten in einer Welt, die ihre edelsten Bemühungen immer wieder durchkreuzt. Das tote sizilianische Mädchen wird gefühllos von denen verleumdet, die sie hätten ehren sollen; Francesca, das unverdorbene römische Mädchen, wird zu einer Prostituierten, und ihr zurückhaltender Liebhaber versinkt in emotionaler Trägheit. Es ist der Krieg, der sie verdammt. Doch es ist nicht immer der Krieg: Im Fall des Schwarzen ergibt sich sein Schicksal aus Umständen, die mit den Ereignissen in Italien nichts zu tun haben.

Was uns an diesen Menschen so berührt, ist ihre angeborene Würde. Sie haben Würde in derselben Weise, wie sie atmen oder essen. Durch den ganzen Film hindurch erscheint Humanität als Teil der Natur des Menschen, als etwas, das in ihm unabhängig von seinen Idealen und Prinzipien existiert. Rossellinis Partisanen sprechen nie über ihre politischen Überzeugungen; vielmehr kämpfen und sterben sie in einer selbstverständlichen Weise, weil sie so sind, wie sie sind. Und der Schwarze ist einfach ein menschliches Wesen, voller Mitgefühl, Liebe zur Musik und Träumen, wie Don Quixote sie hegt.

Diese emphatische Behauptung der Wirklichkeit des Guten ist verknüpft mit einer betonten Gleichgültigkeit gegenüber Ideen. Natürlich erscheinen die Nazis als hassenswert, aber man hat den Eindruck, daß sie nur wegen ihrer barbarischen Handlungen und ihres rohen Benehmens gehaßt werden. Alle Urteile haben mit der Würde des Menschen zu tun, und was darüber hinausgeht, bleibt gänzlich ausgespart. Im ganzen Film gibt es keine einzige verbale Stellungnahme gegen die faschistische Regierung oder ein Plädoyer für die Demokratie, geschweige denn für eine soziale Revolution. Und der oberflächliche Eindruck, daß PAISÀ den Pazifismus befürwortet, muß ebenfalls zurückgewiesen werden, denn er ist kaum mit der Erfahrung des katholischen Kaplans vereinbar, für den der Krieg eine große Lektion in Sachen Toleranz war. Diese absichtliche Geringschätzung aller politischen Ziele [»›causes‹«], einschließlich der der Humanität, ist nur durch eine tiefe Skepsis gegenüber ihrer Wirkungen zu erklären. Selbst das lobenswerteste politische Ziel, so die implizite Aussage des Films, wird Fanatismus, Korruption und Elend nach sich ziehen und dadurch den freien Lauf eines guten und sinnvollen Lebens stören. Bezeichnenderweise sind die sizilianischen Bauern gleichermaßen mißtrauisch gegenüber amerikanischen Befreiern wie deutschen Invasoren; und die Episode in Rom bestätigt ihr Mißtrauen, indem sie die Demoralisierung herausstellt, die sich unter den Befreiten in weniger als sechs Monaten ausbreitete.
Der Haltung, die hinter PAISÀ steht, entspricht die episodische Struktur des Films. Indem er sechs getrennte Episoden aneinanderreiht, bekundet Rossellini seinen Glauben an die Unabhängigkeit der menschlichen Würde von allen überformenden Ideen. Wenn Humanität sich nur unter der Herrschaft einer Idee verwirklichte, dann würde sich eine einzige, durchkomponierte Geschichte anbieten, um die Bedeutung dieser Idee zu vermitteln (wie z.B. in POTEMKIN). Aber Humanität ist ein Element und Stück der Wirklichkeit und muß deshalb an verschiedenen Orten aufgespürt werden. Die sechs isolierten Episoden zeigen, daß man ihre Spuren überall findet.

Da PAISÀ sich auf lebensgetreue Erfahrungen beschränkt, ist sein dokumentarischer Stil völlig angemessen. Dieser Stil, der von D.W. Griffith, Flaherty und den russischen Filmregisseuren entwickelt wurde, ist genuin filmisch, denn er erwächst aus dem der Kamera innewohnenden Drang, die Welt der Tatsachen zu erkunden. Wie Eisenstein oder Flaherty geht Rossellini in seinem Versuch, die Wirklichkeit einzufangen, bis zum Äußersten. Er dreht vor Ort und bevorzugt Laiendarsteller gegenüber Berufsschauspielern. Und statt auf der Grundlage eines fertigen Drehbuchs zu arbeiten, wo jedes Detail schon im voraus ausgedacht ist, läßt er sich von den unvorhersehbaren Situationen inspirieren, die sich während der Dreharbeiten ergeben.

Diese Techniken werden zu Tugenden aufgrund von Rossellinis Leidenschaft für die Wirklichkeit und seiner Gabe, jede ihrer Manifestationen in filmische Begriffe zu übersetzen. Er beherrscht Szenen des Grauens nicht weniger als Augenblicke der Zärtlichkeit, und die verworrene Menge auf der Straße steht ihm so nahe wie der verlassene Einzelne in ihr. Seine Kameraeinstellungen[7] und Handlungsumschwünge verdanken sich Funken der Intuition, die einer engen Berührung mit dem jeweiligen Material entspringen. Und unter seiner Regie spielen die meisten Leute sich selber, ohne den Eindruck zu vermitteln, daß sie überhaupt spielen. Gewiß hat PAISÀ auch seine Schwächen: Teile der Episode in Sizilien wurden schlampig gedreht; die römische Liebesgeschichte ist zu literarisch; die Krankenschwester und ihre Gefährtin in der Florentiner Episode bleiben eigenartig flach; und der katholische Kaplan entspricht nicht ganz dem Typus. Aber diese gelegentlichen Mängel fallen kaum ins Gewicht bei einem Film, dessen dokumentarischer Stil neue Maßstäbe setzt. Seine wunderbare Frische ergibt sich aus Rosselinis unerschütterlicher Direktheit bei der Formulierung seiner besonderen Auffassung von Humanität. Er weiß, was er sagen will, und sagt es so einfach wie möglich.

Bedarf es der Beispiele? Weit entfernt davon, nach der Art von THE LAST CHANCE[8] aus dem zweisprachigen Dialog Kapital zu schlagen, um die Idee der internationalen Solidarität zu verkaufen, stellt PAISÀ die Vermischung der Sprachen im Italien der Kriegszeit ohne jede Absicht dar. In der Anfangsepisode ist das Gespräch zwischen dem sizilianischen Mädchen und dem amerikanischen Soldaten, der sich um sie kümmert, ein sprachliches Herumstümpern, das, aus der Langeweile und Einsamkeit des Soldaten geboren, folgenlos bleibt. Doch gerade durch die unendlich sorgfältige Dokumentation ihrer zwecklosen Versuche, einander zu verstehen, gelingt es Rosselini, uns zu rühren und zu bezaubern. Denn unterdessen offenbaren diese beiden Menschen, die von ihren Muttersprachen im Stich gelassen werden, mehr und mehr, was gewöhnlich unter konventionellen Phrasen begraben liegt.

In jeder Episode gibt es vielfältige Beispiele. Als der betrunkene GI der römischen Prostituierten von seiner Sehnsucht nach Francesca erzählt, sieht man ihn auf der Couch liegen, seine auseinandergespreizten Beine im Vordergrund – eine Aufnahme, die seinen physischen Ekel und seine moralische Ernüchterung aufs vollkommenste wiedergibt. Obwohl die Totale in der Regel weniger aussagekräftig ist als die Großaufnahme, macht Rossellini in der letzten Episode in der Beschreibung der Sümpfe ausgiebig von ihr Gebrauch. Er tut das mit Absicht, denn diese Aufnahmen vermitteln nicht nur den Eindruck der trostlosen Einöde, sondern lassen gerade durch ihre Flachheit das folgende Massaker um so entsetzlicher erscheinen. Von vorbildlicher künstlerischer Intelligenz sind die Straßenszenen in der neapolitanischen Episode. Zunächst scheint es, als ob diese nur lose miteinander verbundenen Aufnahmen von spielenden Gauklern, zerlumpten Einheimischen, auf dem Schwarzmarkt handelnden Kindern und müßiggängerischen G. I.s nur wegen des Lokalkolorits eingefügt wurden. Bald wird jedoch deutlich, daß sie auch dazu dienen, den Schwarzen zu charakterisieren. Als er wieder aus dem Marionettentheater auftaucht, fängt sein Begleiter, der listige Junge, der ihn nicht verlieren will, auf einer Mundharmonika zu spielen an; und der Schwarze, verführt von diesen himmlischen Klängen, folgt dem kleinen Rattenfänger durch die Straßen, in denen es von den Menschen und Zerstreuungen wimmelt, die uns schon bekannt sind. Um so stärker rührt uns der Eindruck, den die rieselnde Mundharmonikamusik auf den Schwarzen macht.

Dieses letzte Beispiel veranschaulicht sehr gut die Art und Weise, in der Rossellini sein Material gestaltet. Es liegt ein wahrer Abgrund zwischen seinem Stil des Schnitts und den »Montagemethoden«, die in POTEMKIN und anderen frühen sowjetischen Filmen verwendet wurden. Denn Rossellini kehrt Ideen absichtlich den Rücken zu, während die russischen Filmregisseure ausschließlich darauf aus sind, eine Botschaft zu übermitteln. In PAISÀ geht es um die menschlichen Eigenschaften gewöhnlicher Leute; Eisensteins POTEMKIN zeigt gewöhnliche Leute, die sich der

Sache der Revolution verschrieben haben. Alle Schnittverfahren in Eisensteins Film zielen darauf, nicht nur einen historischen Aufstand wiederzugeben, sondern ihn im Licht der marxistischen Lehre darzustellen. Im POTEMKIN steht das Gesicht des Priesters, außer daß es sein Gesicht ist, für die zaristische Unterdrückung, und die Matrosen erscheinen als Vorkämpfer des Proletariats. Nichts davon findet sich in dem italienischen Film. Im Gegenteil, Rossellini komponiert seine Geschichte so, daß wir uns nie aufgefordert fühlen, eine symbolische Bedeutung in ihr zu suchen. Die Beispiele von Unterdrückung oder Menschlichkeit, die in PAISÀ gezeigt werden, sind streng individuelle Tatsachen, die keine Verallgemeinerung gestatten. Rossellini beobachtet geduldig, wo Eisenstein eifrig konstruiert. Das erklärt die Intensität einiger Aufnahmen, die Grenzfälle darstellen. Ich denke insbesondere an die dokumentarische Aufnahme der drei deutschen Soldaten in der Florentiner Episode. Vielleicht absichtlich an ähnliche Aufnahmen in offiziellen Nazi-Dokumentarfilmen erinnernd, wurde sie so eingefügt, daß sie uns als eine echte Offenbarung des deutschen Militarismus berührt. Die Aussagekraft dieser Aufnahme ist stark genug, um uns über die Grenzen der unmittelbaren Wirklichkeit hinauszuführen, und bleibt doch so unaufdringlich, daß wir den Kontakt mit ihr nicht verlieren.

PAISÀ ist um so erstaunlicher, als sich der Film den traditionellen Mustern der italienischen Produktion widersetzt. Das italienische Vorkriegskino war überladen mit historischen Extravaganzen und schön photographierten Dramen, die schwülstige Leidenschaften vor dekorativen Szenerien darstellten – eine lange Folge von glanzvollen Produkten, die von d'Annunzios weltberühmter CABIRIA[9] von 1914 angeführt wurden. Indem sie sich die Vorliebe ihrer Zuschauer fürs Theatralische zunutze machten, spiegelten diese Filme sowohl den Glanz wie die Hohlheit des Regimes wider, unter dem sie aufblühten ... Es ist ein weiter Weg von d'Annunzio zu Rossellini, vom Spektakulären zum Wirklichen. Das unvermittelte Auftauchen eines Films wie PAISÀ deutet darauf hin, daß viele Italiener in Wirklichkeit den bombastischen Stil der Vergangenheit und alles, was er an Loyalitäten und Pseudo-Überzeugungen umfaßte, verabscheuen. Sie haben die Nutzlosigkeit von Mussolinis Eroberungen erkannt und scheinen jetzt entschlossen zu sein, ohne

Botschaften und Missionen auszukommen – zumindest für den Moment.

Für die Italiener ist dieser Moment ein prekärer. Die faschistische Herrschaft ist zu Ende, die neue Regierung ist schwach, und das Land hallt von inneren Konflikten wider. Während dieses Interregnums könnten sich die Italiener völlig verloren fühlen, gäbe es nicht ein gewichtiges kulturelles Erbe, das sie vor dem Zerfall schützt. Sie haben einen klaren Sinn für Kunst und eine bewährte Art und Weise, die Tragödien, die allen Sterblichen gemeinsam sind, zu bewältigen. Und unter dem ungebrochenen Zauber von Traditionen genießen sie bewußt die Rituale der Liebe und die Freuden des Familienlebens. Die Kirche hat zweifellos durch die Jahrhunderte ihren Teil dazu beigetragen, dieses Volk zu formen und zu zivilisieren. Daß es sich dessen bewußt ist, erklärt vielleicht den überraschenden Schluß der Klosterepisode in PAISÀ – jene Szene, in der der amerikanische Kaplan sich der religiösen Inbrunst der italienischen Mönche beugt und damit verleugnet, was er kurz zuvor über die Allgemeingültigkeit wahrer Toleranz gesagt hat. Seine absichtliche Inkonsistenz läßt sich als eine Verbeugung vor dem italienischen Katholizismus und seinen humanisierenden Wirkungen deuten.

Das italienische Alltagsleben ist also reich an sinnvollen Möglichkeiten der Erfüllung aller vorstellbaren Bedürfnisse und Wünsche. So versinken die Italiener nicht in einem Vakuum, wenn sie es wie jetzt ablehnen, sich von Ideen vereinnahmen zu lassen. Selbst ohne Ideen gibt es immer noch vieles, worauf sie bauen können. Und da ihre Lebensweise, so mild und sanft wie sie nun einmal ist, ihnen seit langem zur zweiten Natur geworden ist – etwas, das ihnen als so natürlich erscheint wie der blaue Himmel oder die Luft, die sie atmen –, sind sie vielleicht überzeugt, daß ihre Ablehnung von Ideen ihr Leben von überflüssigem Ballast befreit. Was ihrer Meinung nach bleibt, ist reine und schlichte Humanität. Und wie PAISÀ demonstriert, nimmt in ihrem Fall die Humanität alle Züge einer autonomen Wirklichkeit an.

Das ist jedoch eine Fata Morgana, die nur in einem ganz bestimmten Moment für mehr als eine Fata Morgana gehalten werden kann, einem solchen nämlich, wie die Italiener ihn gerade durchleben. PAISÀ ist insofern trügerisch, als der Film im Grunde den Triumph der Humanität von einer Welt abhängig macht, die vom Druck der Ideen oder der politi-

schen Ziele [»causes«] befreit ist. Wir können das nicht so sehen. So wie die Dinge stehen, wissen wir, daß die Humanität unwiderruflich unterginge, wenn sie nicht von den Ideen getragen würde, die die Menschheit in verzweifelten Versuchen, ihr Los zu verbessern, hervorbringt. Was auch immer ihre Konsequenzen sein mögen, sie enthalten für uns ein Versprechen. Rossellinis Film entläßt die Zuschauer ohne jedes solche Versprechen. Aber das mindert seine eigentümliche Größe nicht. Gerade in diesen Nachkriegsjahren mit ihrem Wirrwarr an schiefen Slogans und Propagandatricks tritt uns PAISÀ als eine Offenbarung des ständigen Stroms der Humanität unterhalb des Gewimmels bloßer Ideologie entgegen. Wenn PAISÀ auch keine Hoffnungen erweckt, so versichert der Film uns doch der Allgegenwart ihrer Quellen.[10]
(Typoskript aus KN, 7. 3. 1948)

1 Siehe Nr. 787, Anm. 12.
2 Siehe Nr. 159.
3 Zu dieser Szene siehe auch *Werke*, Bd. 3, S. 186.
4 Zu Guy de Maupassant siehe Nr. 748, Anm. 4.
5 Ignazio Silone (1900-1978), italienischer Schriftsteller und Gründungsmitglied der KPI 1921, verfaßte politische und sozialkritische Romane, größter Erfolg mit *Fontamara* (Zürich: Nuove Ed. Italiane 1933; dt.: *Fontamara.* Zürich: Oprecht & Helbling 1933). Nach 1930 wandte er sich vom Kommunismus ab, von 1933 bis 1945 lebte er im Exil in der Schweiz. (Ende der 1990er Jahre wurde bekannt, daß Silone bereits seit 1919 als Informant für die italienische Geheimpolizei tätig gewesen war und von der Schweiz aus mit dem amerikanischen Geheimdienst zusammenarbeitete.) Kracauer, der mit Silone befreundet war, hat eine (unveröffentlichte) Rezension seines Romans *Brot und Wein* (Zürich: Oprecht 1936) geschrieben, siehe *Werke*, Bd. 5, Nr. 754.
6 Agenten des amerikanischen »USA Office of Strategic Services« (OSS), der 1942 gegründeten Vorgänger-Organisation des CIA.
7 Kamera: Otello Martielli.
8 DIE LETZTE CHANCE / THE LAST CHANCE. Leopold Lindtberg. CH 1944/45. Der Film wurde mehrsprachig produziert, d. h. die Schauspieler sprachen jeweils ihre Muttersprache.
9 Siehe Nr. 772, Anm. 2; der italienische Schriftsteller Gabriele d'Annunzio (1863-1938) fungierte offiziell als Autor des Drehbuchs, das tatsächlich vom Regisseur Giovanni Pastrone stammte.
10 Übersetzung des Typoskripts »Paisan« (KN), handschriftlich datiert »March 7, 1948«, unveröffentlicht; Kracauer erwähnt die Arbeit an diesem Text in einem Brief an John Theurer Diebold vom 23. 2. 1948 (KN): »I am now doing an article on PAISAN, the new Italien film which is really wonderful. [...] I doubt whether this article will appear, because there are so many permanent film reviewers everywhere.« Auf einem Durchschlag (KN) hat Kracauer u. a. notiert »unpublished material«. Zu PAISÀ siehe auch Nr. 792.

792. Filme mit einer Botschaft[1]

Filmsammelrez.: THE BEST YEARS OF OUR LIVES. William Wyler. US 1946; IT'S A WONDERFUL LIFE. Frank Capra. US 1946; BOOMERANG! Elia Kazan. US 1946/47; CROSSFIRE. Edward Dmytryk. US 1947; THE LONG NIGHT. Anatole Litvak. US 1946/47; PAISÀ. Roberto Rossellini. IT 1946; GENTLEMAN'S AGREEMENT. Elia Kazan. US 1947; THE FARMER'S DAUGHTER. Henry Codman Potter. US 1946/47.

I

Filme ergänzen das wirkliche Leben. Sie verleihen öffentlichen Meinungsumfragen Farbe. Sie schärfen unser Bewußtsein für das Ungreifbare und spiegeln den verborgenen Verlauf unserer Erfahrung. Sie stellen Situationen heraus, die direkt oft nur schwer faßbar sind, die uns aber unter der Oberfläche zeigen, was wir über uns selber denken. Dies gilt in besondere Weise für solche Leinwandmotive, die scheinbar unabsichtlich eingeführt wurden. Die Filmemacher haben ein vitales Interesse an dem Massenpublikum, und so kann man annehmen, daß solche Motive – vorausgesetzt, sie treten mit einiger Regelmäßigkeit auf – einen Bezug zu den Einstellungen, Wünschen und Reaktionen vieler, sehr vieler Menschen haben.

Filme spiegeln unsere Realität. Schauen wir also in diesen Spiegel.

Aufgeschreckt durch die unfreundliche Behandlung durch den Congress,[2] scheint Hollywood zur Zeit entschlossen, sich auf »reine Unterhaltung« zu beschränken, der es eine Prise antikommunistischer Filme beimischt, um so vergangene Indiskretionen wiedergutzumachen. Es wird keine Fortsetzung von THE FARMER'S DAUGHTER mit seinen faschistischen Politikern geben.[3] Der *New Yorker* zitiert eine Bemerkung William Wylers, nach der er den Film THE BEST YEARS OF OUR LIVES, in dem er Regie führte, jetzt nicht mehr in Hollywood machen könnte. Währenddessen jedoch spielten diese Filme zusammen mit anderen wie BOOMERANG, CROSSFIRE[4] und GENTLEMAN'S AGREEMENT bei den »Oscar«-Verleihungen eine zentrale Rolle, werden weiterhin in den Kinos gezeigt und ziehen die Massen an. Aus diesem Grund sind sie auch heute noch unserer Aufmerksamkeit wert.

Diese Filme sind Produkte der ersten Nachkriegsjahre und drehen sich in der Regel um ehemalige Soldaten. Der entlasssene GI aus dem Film BOOMERANG ist das leidtragende Opfer von Ungerechtigkeit; der ehemalige Feldwebel in THE BEST YEARS OF OUR LIVES versucht, seinen Kameraden, die nun mit ihm das Veteranenschicksal teilen, das Los zu erleichtern. Auf gleiche Weise benutzen die Filme CROSSFIRE und GENTLEMAN'S AGREEMENT Soldaten, um ihre Kampagne gegen den Antisemitismus zu stützen. Der Film THE FARMER'S DAUGHTER verwendet zwar keine GIs, doch haben seine Heldin und ihre Verwandten als schwedische Einwanderer vieles mit heimkehrenden Soldaten gemeinsam. Veteranen und Fremde müssen sich gleichermaßen einer Umgebung anpassen, die sie im Licht ihrer Visionen interpretieren.

Der Leser erinnert sich wohl noch an diese Visionen – unsere Filme aus der Kriegszeit waren voll von ihnen. Gewöhnlich hielt eine Figur in einem bestimmten Moment, ganz gleich, ob dieser nun angemessen war oder nicht (oft war er es nicht), eine Rede, die in Zukunftshoffnungen schwelgte. »Ich hoffe ... daß wir alle zusammen versuchen werden – aus der Erinnerung an unsere Qual heraus versuchen werden – unsere zerbrochene Welt wieder so fest und gerecht zusammenzufügen, daß ein neuer großer Krieg nie wieder möglich sein kann« (THE STORY OF GI JOE).[5] Oder: »Ich wünsche mir ... Frieden in Stolz und ein anständiges Leben, mit allem, was dazu gehört« (NONE BUT THE LONELY HEART).[6] Dieses Friedensevangelium war immer verflochten mit einer Lobrede auf unsere demokratischen Ideale und einem Versprechen, nach dem Krieg diesen Idealen gemäß zu leben. Aus dem Alptraum der Konzentrationslager, der Gestapo-Folterungen, der Schlachtfelder und bombardierten Städte erwuchs der Traum von der amerikanischen Demokratie. Die Worte waren blumig und sollten die Heimwehkranken trösten.

Nachdem der Sieg errungen war, kamen wir aus den Wolken wieder auf die Erde zurück. Erstaunlicherweise nahm Hollywood die Herausforderung des Gegensatzes an. Alle hier zur Diskussion stehenden Filme konfrontierten die Hoffnungen der Kriegsjahre mit der Nachkriegsrealität. Alle gingen in der Bestärkung eben dieser Hoffnungen so weit, wie Hollywood es sich leisten konnte. Die Filme sind ein wenig militant. Sie schlagen einen Ton an, der in verschwommen-liberaler Weise progressiv klingt. Diese eigentümliche Qualität wird deutlich, wenn wir zwei von ihnen vergleichen: William Wylers THE BEST YEARS OF OUR LIVES und Frank Capras IT'S A WONDERFUL LIFE.

II

Gemeinsam ist den beiden Filmen, die ungefähr zur selben Zeit uraufgeführt wurden, die Feindseligkeit gegenüber geldgierigen Bankiers und das Mitleid mit den sozial Benachteiligten. In Capras Film wird jedoch alles, was zugunsten der Unterprivilegierten getan oder gesagt wird, nur dazu benutzt, um die natürliche Großmut seines Helden James Stewart herauszustreichen. Der Film IT'S A WONDERFUL LIFE handelt vornehmlich von Individuen: auf der einen Seite der böse, ausdrücklich als schwarzes Schaf herausgestellte Bankier, auf der anderen Seite der arglose und edelmütige Stewart, der, wie seine Vorgänger in früheren Capra-Filmen, in Wirklichkeit ein Märchenprinz in durchsichtiger moderner Verkleidung ist. Und in echter Märchenart gibt der Film zu verstehen, daß alle sozialen Probleme im Nu gelöst wären, gäbe es nur solche Prinzen. Während Capra auf diese Weise alle Mißstände hinwegzaubert, die sich der Gutherzigkeit gegenüber resistent erweisen könnten, setzt Wyler sich in seinem Film THE BEST YEARS direkt mit ihnen auseinander.
Wylers Charaktere sind in gleichem Maße Individuen wie Capras; aber im Gegensatz zu Capras Figuren spiegeln sie die Auswirkungen wider, die die Gesellschaft, der sie angehören, auf ihr Inneres hat. Die Bankiers in diesem Film führen sich wie typische Bankiers auf, nicht besser und nicht schlechter; und Fredric March, ein ehemaliger Feldwebel, selbst kein Vorbild an Tugendhaftigkeit, wirft ihnen weniger zügellose Gemeinheit vor als vielmehr ein stures Beharren auf üblichen Praktiken, welche dazu angetan sind, Veteranen zu schaden. Wyler ist bei der Zeichnung seiner Charaktere mehr an sozialen Mechanismen als an persönlichen Konflikten interessiert. Und niemals macht er, wie Capra, sein Publikum glauben, daß menschlicher Anstand allein ausreicht, um die bestehenden Verhältnisse zu verändern. Sein Film ist kein Märchen, sondern ein wie immer beschränkter Versuch, sozialen Fortschritt zu fördern.
Dasselbe gilt für die anderen Filme, die ich genannt habe. Sie entlarven

Korruption in der Innenpolitik, Selbstgefälligkeit in der Mittelschicht, Rassenvorurteile und faschistische Mentalität mit einer auf der Leinwand ungewohnten Direktheit. Die den Filmen innewohnende Tendenz, diese Probleme in Angriff zu nehmen, ist so stark, daß sie sogar die Bedeutung von Plots umkehrt, die ihnen auszuweichen suchen. In der offenkundigen Absicht, die Integrität seines Protagonisten herauszustreichen, stellt BOOMERANG detailliert die obskuren Machenschaften kleinstädtischer Politiker dar. Wäre diese Story in der traditionellen Hollywoodmanier erzählt worden, wäre keiner versucht, sich näher mit ihren Implikationen zu beschäftigen. Doch der dokumentarische Stil, in dem der Film tatsächlich gedreht ist, ändert alles. Indem sie zahlreiche dokumentarische Aufnahmen von Stamford, Connecticut, zeigen und gewöhnliche Stadtbewohnern in das darstellende Personal einbeziehen, vermitteln die Filmemacher den Eindruck, daß ihre Geschichte eine reale und zeitgenössische Begebenheit sei. Und wie jeder echte Dokumentarfilm stellt BOOMERANG der Kraft der reinen Erzählung den Einfluß der Umwelt zur Seite. Zusammen mit dem Fall selbst wird die gesamte soziale Textur, der er entspringt, in den Vordergrund gerückt. So verwandelt sich eine Erzählung, die ursprünglich ein außergewöhnliches Individuum darstellen sollte, vermöge der dokumentarischen Darstellungsweise in einen lebendigen Kommentar der zeitgenössischen *Sitten*.[7]
All diese »progressiven« Filme[8] weisen jedoch einen eigenartigen inneren Widerspruch auf. Wenn man sie genauer untersucht, kann man nicht umhin festzustellen, daß sie die tiefgreifende Schwäche der Sache [»cause«] an den Tag bringen, für die sie gerade um Sympathie werben. Zweifellos treten sie auf der Ebene des Plot und des Dialogs für sozialen Fortschritt ein, in den weniger offensichtlichen Dimensionen des Films bringen sie es jedoch zuwege, anzudeuten, daß liberales Denken eher ab- als zunimmt. Dieser Eindruck verdankt sich vornehmlich zwei Charaktertypen, die in den meisten quasiliberalen Filmen Hollywoods vertreten sind und die stillschweigend diskreditieren, was die Filme selbst mitzuteilen vorgeben. Statt daß sie die Stärke des Liberalismus aufzeigen, bezeugen sie seine außerordentliche Gebrechlichkeit.

Eine dieser Typen ist der erschöpfte Standartenträger des Fortschritts. Die Hauptcharaktere von mehreren dieser Filme sind sich darin auffallend ähnlich, daß sie ihre Überzeugungen mit der geringstmöglichen Verve vertreten. Weit davon entfernt, ein siegreicher Held zu sein, ist der Staatsanwalt in CROSSFIRE, der den Mörder eines Juden aufspürt, ein blasierter Lebemann, der die Rolle eines liberal gesinnten Detektivs spielt. Er gibt selber zu, daß er seiner Arbeit müde ist. Dies mag die adäquate Pose für einen Leinwanddetektiv sein, der bemüht ist, seine Härte zu maskieren; aber es entspricht nicht gerade der Haltung eines Kämpfers gegen Intoleranz. Der Staatsanwalt ist kein Kämpfer. Und obwohl er sich die Mühe macht, einen Hinterwäldler aus Tennessee von den Gefahren des Antisemitismus zu überzeugen, tut er es doch in erster Linie, weil er Hilfe braucht, um den Mörder zu fassen. Es ist höchst unwahrscheinlich, daß dieser müde Staatsanwalt je versucht wäre, seine Überzeugungen unter die Gleichgültigen, die mit Vorurteilen Belasteten oder die Unwissenden zu tragen. Er scheint viel eher von einem Gefühl der Resignation übermannt, als habe er entdeckt, daß der Kampf um Aufklärung eine Sisyphus-Arbeit ist. Daher rührt die fast melancholische Distanziertheit, mit der er sich darauf beschränkt, die liberale Position zu verteidigen.

Der ehemalige Feldwebel in THE BEST YEARS OF OUR LIVES flößt kein größeres Vertrauen ein. Aus seinem feinen Gespür für soziale Verantwortung heraus besteht dieser Bankbeamte darauf, daß Veteranen Darlehen ohne Bürgschaften erhalten sollten, obwohl seine Vorgesetzten sich diesem Gedanken widersetzen. Bei einem Toast, den er in ihrer Anwesenheit ausspricht, greift er ihre furchtbare Rückständigkeit zwar unverblümt an; doch muß er sich vorher einen antrinken, um genügend Mut für diese Rede aufzubringen, und er treibt die Dinge nie bis zu dem Punkt, wo sie seine Stellung gefährden könnten. Am Ende muß das Publikum annehmen, daß ihm die Flasche früher oder später dazu dienen wird, seine Frustrationen hinunterzuspülen. Je älter er wird, desto wahrscheinlicher ist es, daß er sich zu einem Gegenstück des Gefängnisarztes in BRUTE FORCE[9] entwickelt (einem Film, der den Aufstand Gefangener gegen sadistische Gefängniswärter in drastischer Weise in Szene setzt; die Figur des Arztes ist die einzige Verbindung zwischen diesem Thriller und der Serie der »progressiven« Filme). Der Doktor, der demokratische Methoden verficht, widersetzt sich den Aufsehern, die das Gefängnis verwalten, und sagt ihnen unverblümt, wie sehr er von ihrer Barbarei angeekelt ist. Dies ist die Konfrontation des eingefleischten Demokraten mit der faschistischen Herrschaft, und doch weiß der Doktor, noch während er die Flut aufzuhalten sucht, daß sie ihn verschlingen wird. Er steht am Rand des Grabes, ein alter, kranker, vom Leben zermürbter Säufer, der nun mit kaum verhohlenem Zynismus seine Meinung äußert.

All diese Charaktere deuten darauf hin, daß der Liberalismus sich in der Defensive befindet. In anderen Filmen wird dieselbe Aussage mit anderen Mitteln gemacht. Der Film THE FARMER'S DAUGHTER zeigt, wie aufrechte Demokraten reaktionäre Politiker mit der größten Leichtigkeit besiegen, doch verrät der prononcierte Tagtraumcharakter des Films den unbewußten Versuch, der Realität auszuweichen. Ein traumhafter Sieg fortschrittlicher Kräfte bestätigt so die tatsächliche Absenz eines solchen Ereignisses im realen Leben. BODY AND SOUL,[10] ein Boxer-Film, der die Praxis vorheriger Absprachen geißelt, gibt realitätsgetreu zu, daß diese Mißbräuche fortdauern werden. Obwohl der anständige Champion den betrügerischen Plan des New Yorker Managers zunichte macht, fährt dieser in seinen Schiebergeschäften ungerührt fort, und nichts hat sich geändert.

GENTLEMAN'S AGREEMENT berührt mit seinen redseligen Argumenten gegen Countryclub-Antisemitismus mutig ein Thema, das tabu ist, und läßt es zugleich ungestört. Abgesehen davon, daß die Filmemacher den Kampf gegen Vorurteile der Oberschicht durch eine zuckrige Liebesgeschichte, die immer mehr Gewicht erhält, verdunkeln, sparen sie auch – als ob sie sich vor ihrer eigenen Courage fürchteten – jegliche Handlung aus, die ihrer Botschaft Gewicht verliehe. Uns wird lediglich gesagt, daß sich die Verlobte des Journalisten am Ende dem ungeschriebenen Gesetz, das Juden von einer bestimmten eleganten Wohngegend ausschließt, widersetzt, und wir können nur raten, wie der Junge, den sie fördert, es schaffen wird, in dieser feindlichen Umgebung zu bestehen. Statt dem Geschehen beizuwohnen, werden wir nur mit Gesprächen und Gerüchten abgespeist. Das liberale Räsonnement in GENTLEMAN'S AGREEMENT mündet nicht so sehr in Reformen als vielmehr in Zeitschriftenartikeln, die vorgeben, solche Reformen zu initiieren – ein Berg von Dialogen, der eine Maus gebiert.

Der andere Typus, der sich häufig in diesen Filmen findet, ist der potentielle Empfänger des Evangeliums des Liberalismus. Es ist immer ein ehemaliger GI, der sich in einem Zustand vollkommener Verwirrung befindet. Nehmen wir zum Beispiel den ehemaligen Piloten in THE BEST YEARS OF OUR LIVES, die unter Mordverdacht Stehenden in CROSSFIRE und BOOMERANG und Henry Fondas »Joe« in THE LONG NIGHT, einem Film, der meiner Meinung nach locker mit den anderen zusammenhängt. Charaktere dieser Art waren zuvor selten auf der Leinwand zu sehen. Ohne Zielvorstellungen, wie Fähnchen im Wind, betäubt selbst noch in ihrem Liebeswerben, treiben sie in einer Dumpfheit umher, die an Stumpfsinn grenzt. Man fühlt sich an jene Unschuldsgestalten erinnert, die Chaplin, Buster Keaton und Harry Langdon[11] in ihren Slapstick-Komödien schufen und die es, von wundersamen Glücksfällen begünstigt, stets fertigbrachten, im letzten Moment ihnen feindlich gesinnte Dinge und böse Goliathe zu überlisten. Es ist, als ob diese Unschuldigen aus ihrem verzauberten Universum gezerrt worden wären, um der Welt, wie sie tatsächlich ist, ins Auge zu blicken – einer Welt, die nicht im geringsten für ihre redlichen Träume und Hoffnungen empfänglich ist. Die Maske des entlassenen Soldaten bestätigt uns, daß es sich um durchschnittliche Individuen handelt, die vom Schock der Wiederanpassung gelähmt sind.

Bezeichnenderweise setzen diese Charaktere wenig Vertrauen in die Vernunft. Sie sind für Ideen nicht nur unempfänglich, sondern weichen auch instinktiv vor ihnen zurück, da sie in ihnen eher eine Quelle des Leids denn ein Mittel zur Erlösung sehen. Diese Haltung manifestiert sich am deutlichsten in Anatole Litvaks THE LONG NIGHT, einem nach dem französischen Film DAYBREAK[12] bearbeiteten Film. Obwohl der Litvak-Film in vieler Hinsicht ein Fehlschlag ist, stellt er in eindrucksvoller Weise Joe, den aus dem Krieg heimgekehrten, einfältigen Arbeiter, einem Nachtklub-Zauberer gegenüber, der zu Joes Mädchen ziemlich intime Beziehungen unterhält. Während Joe nicht weiß, wie er sich ausdrücken soll, handhabt der Zauberer die Worte ebenso mühelos wie einen Stoß Spielkarten. Und weil er Sadist vom Scheitel bis zur Sohle ist, bereitet es ihm großes Vergnügen, Joe mit logischen Spitzfindigkeiten zu überwältigen, die diesen in immer tiefere Verwirrung stürzen. Selbstverständlich ist der Geist des Zauberers böse und korrupt, aber seine fundamentale Identität mit eigentlicher Vernunft kann er nicht leugnen. Daß der zur Artikulation unfähige Joe artikulierte Vernunft als solche verabscheut, erweist sich in seinem Verhalten in der Mordszene: Er tötet den Zauberer nicht aus Eifersucht, er tötet ihn, weil er sein innerstes Wesen haßt. Am Ende des Films wird diese Abneigung, die Vernunft anzuerkennen, zum Hauptthema. Nachdem die »Lange Nacht« vorüber ist, eine Nacht voller Schießereien und Rückblenden, wird Joe von seinem Mädchen überredet, den Erwartungen seiner vielen wohlmeinenden Freunde nachzukommen und sich der Polizei zu stellen. Als er dann durch eine sowohl von seiner Revolte wie von seiner Unterwerfung betroffene Menge zum Polizeiauto geführt wird, gibt die Aufnahme eines Schwarzen, der ihm die Hand schüttelt, zu verstehen, daß man einfachen Leuten Toleranz oder menschliche Würde nicht beizubringen braucht. Die unterstellte Moral lautet, daß bei der Arbeit an einer besseren Zukunft ein guter Charakter mehr wiegt als gutes Denken. Die Vernunft kann, ohne daß wir es bemerken, entarten, aber das Herz wird sich niemals korrumpieren lassen.

Hollywoods »progressive« Filme gäben somit zu verstehen, daß der gemeine Mann aus dem Volk dem Denken gegenüber gleichgültig ist. Immer wieder kommen sie auf seine intellektuelle Apathie zurück und spielen gelegentlich seine großmütigen Regungen hoch, die, so lassen sie durchblicken, seinen Mangel an Aufgeschlossenheit mehr als genug ausgleichen. Hollywood hat die Menschen nicht immer in diesem Licht gezeigt. Als Charles Laughton in den Gasthaus-Episoden von RUGGLES OF RED GAP (1935) Lincolns Gettysburger Ansprache rezitierte,[13] erhoben sich die Stadtbewohner einer nach dem anderen von ihren Sitzen und scharten sich um ihn wie Motten, die von der Flamme unwiderstehlich angezogen werden. Zwischen ihnen herrschte eine geistige Kommunikation, und in der Seele eines jeden von ihnen verband sich Vernunft mit Gefühl. Nichts dergleichen geschieht in unseren Nachkriegsfilmen. Verglichen mit den Filmen aus der Mitte der dreißiger Jahre deuten sie auf einen Schwund an geistiger Substanz.
Aber bekämpfen nicht die »Progressiven« in diesen Filmen Vorurteil und Ignoranz? Zweifellos. Und doch scheinen ihre Bemühungen wirkungslos zu bleiben. Zusätzlich zu der Schwäche, die ich schon be-

schrieben habe, entkräftet sie noch etwas anderes: All diese Streiter für die Demokratie sind viel eher Redner denn Handelnde. Sie erinnern an jene Kommentatoren in den dokumentarischen Kriegsfilmen, die sich in blumigen Erklärungen über die gute neue Welt, die da kommen sollte, ergingen, und nicht umhin konnten, ihre Überzeugungen sehr deutlich zu bekunden – in der Tat deutlicher, als es die Umstände erlaubten. So sehr es der sonst verschwiegene Staatsanwalt in CROSSFIRE vermeidet, die Geschichte, die er von seinem Großvater erzählt, aufzubauschen, erscheint sie uns dennoch als Propaganda, weil sie über den unmittelbaren Zweck hinausreicht. Weil sie weder von Bildern noch von Handlungen unterstützt werden, machen selbst die treffenden Argumente den Eindruck, ein wenig zu wortreich zu sein. Es gibt ein Übermaß an Rhetorik in diesen Filmen. Und da dieser Wortreichtum mit dem Nachdruck auf apathischen Veteranen Hand in Hand geht, besagen die Filme um so mehr über den Abgrund zwischen den Veteranen und denen, die die Rede führen. Was diese so geschwätzig erscheinen läßt, ist die Vergeblichkeit ihrer Bemühungen.

Alles in allem stellen unsere Nachkriegsfilme den Durchschnittsmenschen als jemanden dar, der die Stimme der Vernunft nicht vernehmen will, und den liberalen Wortführer als einen, der unfähig ist, die emotionale Blockade um ihn herum zu durchbrechen. Ich bin mir natürlich bewußt, daß dies nicht beabsichtigt ist. Doch so ist es.

III

Was diese Filme implizieren, läßt sich selbstverständlich nicht »beweisen«. Aber im Licht ihres Zeugnisses gewinnen verstreute Tagesereignisse an Bedeutung, und ich bin versucht, eine der Möglichkeiten, die sie andeuten, zu verfolgen: daß nämlich diese allgemeine Apathie in der letzten Zeit zugenommen hat. Gerade weil sie so häufig sind, liegt die Annahme nahe, daß die derzeit allgegenwärtigen Beschwörungen unseres »way of life« ihren Grund in der Trägheit haben. Die stereotypen Filmcharaktere deuten in dieselbe Richtung; wenn Überzeugungen zu Slogans werden, glaubt man nicht wirklich an sie. Wir zeigen in unseren Anstrengungen, ein Gegengewicht zu der russischen Propaganda zu bilden, einen deutlichen Mangel an Erfindungskraft, und das Ergebnis ist, daß man unseren »imperialistischen« Motiven im Ausland mit Mißtrauen begegnet. Auf der innenpolitischen Szene droht kalte Berechnung die öffentliche Anteilnahme an allen Fragen zu ersticken, die über das rein Praktische hinausgehen. Das gesamte Klima ist dem fragenden Geist nicht förderlich, und so läßt das Fragen nach.

Diese Apathie besteht. An der Oberfläche ähnelt sie ein wenig jener Art von Indifferenz, die in Roberto Rossellinis neuem Film PAISÀ[14] herrscht. Dieses italienische Leinwandepos, einer der großartigsten Filme, der je gedreht wurde, besteht aus sechs voneinander unabhängigen, lebensechten Episoden, die sich während des Feldzuges der Alliierten in Italien zutragen und die dessen Auswirkungen auf verschiedene Gruppen und Individuen aufdecken. Alle Begebenheiten zeigen, wie wahrhaft menschliches Streben entweder durch den Krieg oder durch die bestehende Ordnung der Dinge vereitelt wird. PAISÀ hätte kaum besser erfunden werden können, um zu zeigen, was unsere amerikanischen Filme *nicht* sind.

Mir ist kein Film bekannt, der in seinem Verständnis des wesentlich Menschlichen diesem gleichkäme. PAISÀ gibt die zerbrechlichen Manifestationen menschlicher Würde mit einer Einfachheit und Direktheit wieder, die sie als ebenso wirklich wie die harten Tatsachen des Krieges erscheinen lassen. Menschliche Würde ist hier keine Angelegenheit einer vagen Sehnsucht, sondern eine artikulierte Erfahrung, die häufig bestätigt wird – von einer römischen Prostituierten, von einem amerikanischen Schwarzen, von einem neapolitanischen Straßenjungen. Aber dieses Beharren auf Humanität ist verknüpft mit einem tiefen Mißtrauen gegenüber den »Botschaften«, die in unseren eigenen Kriegs- und Nachkriegsfilmen verbreitet werden. Für den mißtrauischen Sizilianer sehen die amerikanischen Befreier den deutschen Eroberern ziemlich ähnlich, und obwohl die italienischen Partisanen die Nazis hassen, hassen sie sie gewiß nicht aufgrund eines Glaubens an die Demokratie oder den sozialen Fortschritt.

In allen sechs Episoden findet sich kein einziges forsches Gespräch, nicht das leiseste verbale Anzeichen eines Versprechens oder einer Hoffnung. Der Film, in dem es mit großen Ernst um die wirklich vorhandende Menschlichkeit geht, erwähnt nicht einmal die Sache [»cause«]

der Humanität. Statt die Sache zu verteidigen, deutet PAISÀ an, daß all diese Versuche, so lobenswert sie auch sein mögen, die Gefahr bergen, das zu ersticken, was unverdorben und genuin zivilisiert ist. Dies ist die Weisheit eines alten und sanften – vielleicht zu sanften – Volkes, das Ideen kommen und gehen sah, Ideen, die unweigerlich Krieg und Not nach sich zogen, und das nun auf der Hut vor ihnen ist und das Leben, so wie es ist, einem Leben unter solchem Druck vorzieht.

Die Apathie, an der wir leiden, hat mit der italienischen Haltung nichts gemein. In ihrem Fall ist das Menschliche nicht eine Abstraktion, sondern eine autonome Wirklichkeit, die reich ist an Bedeutung. Wir sind von einer solchen Leidenschaft für die Humanität so weit entfernt wie von der Ernüchterung, die nach dem Ersten Weltkrieg um sich griff. Während die desillusionierten Menschen dieser Zeit sich genötigt fühlten, zu entlarven, was sie für Illusionen ansahen, scheinen wir heute von einer Lähmung unserer Energien erfaßt zu sein. Wir sind passiv, während die anderen wenigstens »engagiert« waren – um den Lieblingsausdruck des Existenzialismus zu gebrauchen. Wir sind nicht desillusioniert; wir sind gefühllos gegen alles Ideologische und sogar gegen das Wort selbst. Die Apathie dieses Landes heute könnte man als ideologische Ermüdung bezeichnen, eine Ermüdung, die zum Teil die augenblickliche Welle der Psychiatrie erklärt, deren Betonung eher auf psychologischen Beziehungen als auf sozialen Bedeutungen liegt.[15]

Wenn wir nicht so abgeneigt wären, uns mit diesen sozialen Bedeutungen auseinanderzusetzen, würden die persönlichen Probleme nicht eine solche Faszination ausüben, wie sie es derzeit tun. Man könnte sogar sagen, daß unser plötzliches Interesse an den in unseren Nachkriegsfilmen behandelten, vergleichsweise kleinen Problemen von unserem Widerwillen herrührt, uns den großen zu stellen. Die Filmemacher haben sich wechselseitig zu ihrem Mut beglückwünscht, die Probleme der Juden zu diskutieren, aber sie haben kein größeres Interesse für die Probleme der Schwarzen gezeigt.

Der Rückzug in die Apathie könnte sehr wohl ein Akt der Selbstverteidigung sein. Das Durchschnittsindividuum kommt unter dem Bann der Atombombe zu der Auffassung, daß die Vernunft letztlich doch eine zweifelhafte Richtschnur ist. Der Aufstieg dieses Landes zur Weltmacht setzt es dem Ansturm von Einflüssen aus, die seine traditionellen Werte bedrohen. Und so sehr es sich wünschte, gegen den russischen Kommunismus und den europäischen Sozialismus immun zu sein, diese Regime sind vorhanden und beunruhigen den Einzelnen um so mehr, je mehr ihr Druck im eigenen Lande spürbar wird: Die Welt ist in der Tat *eine* Welt geworden. In ihr fühlt sich das Durchschnittsindividuum völlig ratlos. Situationen, die es vor dem Krieg für kontrollierbar hielt, erscheinen heute verwirrend aufgrund von Entwicklungen, die es nicht beeinflussen kann. Weil das Individuum unfähig ist, sich zu orientieren, schließt es instinktiv die Augen, wie ein Mensch, der am Rande eines Abgrunds vom Schwindel überwältigt wird. Was nützt es denn überhaupt, wenn man versucht, das Undurchdringliche zu durchdringen? Apathie dient als schützender Unterschlupf.

In Anbetracht der Möglichkeit einer neuen Rezession ist ideologische Ermüdung in massenhaftem Umfang sehr gefährlich. Sie schafft im Einzelnen die Disposition, sich von jedem Beliebigen manipulieren zu lassen, der in einem kritischen Moment seinen angestauten Emotionen verbalen Ausdruck verschafft und sie ablenkend auf einen Sündenbock richtet. Und was ist mit den Progressiven, die uns helfen könnten, unser prekäres Gleichgewicht aufrechtzuerhalten? Sie verurteilen allen Obskurantismus und widersetzen sich sozialen Mißständen mit allen ihnen zur Verfügung stehenden intellektuellen Waffen, doch ist der Intellekt, der die Waffen schmiedet, ein wenig blutarm. Was gegenwärtig unter der Flagge der Aufklärung segelt, wird immer noch getragen vom Wind des im 19. Jahrhundert vorherrschenden Optimismus, mit seinem naiven Glauben an die Kraft der Vernunft und der eigentlichen Nicht-Existenz all dessen, was sich ihr entgegenstellt.
Doch das Böse existiert und kann nicht in hellen Visionen ertränkt werden. Selbst das wirkungsvollste Hoffnungsgepränge ist heute durch und durch unwirksam – Augenwischerei mehr noch denn weiße Magie. Ein reicher orchestriertes Denken wird benötigt, um die überwinternden Geister aufzurütteln, ein Denken, das sich direkt mit den dunklen Mächten auseinandersetzt, die ungeduldig darauf warten, uns einzukreisen. Anstatt sie leichtfertig zu übergehen, sollten wir ihre Existenz anerkennen und sozusagen in intimem Verkehr mit ihnen stehen. Pure Opposition gegen das Böse ist sinnlos. Es ergibt sich nur in der Umarmung,

in einer Veränderung der Substanz dessen, was nicht auf andere Weise erobert werden kann.
In der Zwischenzeit zeigen die »progressiven« Filme, wo wir stehen. Es ist natürlich ein statisches Bild und soll nicht die Möglichkeit ausschließen, daß kaum wahrnehmbare Veränderungen sich schon vollziehen. Sollte Hollywood entgegen seinem jetzigen Eskapismus damit beginnen, Filme zur Aufführung zu bringen, in denen die Apathie der Einsicht und die Rhetorik dem Handeln weicht, dann wäre die Hoffnung, daß die Vernunft an Substanz gewinnt, nicht unbegründet.
(*Harper's Magazine*, Juni 1948)

1 Dem folgenden Text, der amerikanisch u. d. T. »Those Movies with a Message« erschien, liegt ein Typoskript (KN) zugrunde, das »The Message of Hollywood's ›Progressive‹ Films« überschrieben ist und sich erheblich von dem gedruckten Text unterscheidet. Die amerikanische Originalfassung dieses Typoskripts ist im Anhang dieses Bandes (siehe S. 486-496) abgedruckt.
2 Zwischen 1947 und 1954 geriet die Filmbranche in Hollywood ins Fadenkreuz der Ermittlungen des House Un-American Activities Committee (HUAC), einer Behörde, deren Aufgabe es war, die USA von jeglichem kommunistischen Einfluß freizuhalten. Vor allem Drehbuchautoren und Regisseure standen unter Verdacht, Mitglieder der kommunistischen Partei zu sein und ihre Arbeit zu Propagandazwecken zu nutzen. Als »Hollywood Ten« wurde eine Gruppe von Filmschaffenden bekannt, die gegen das Vorgehen der Behörde Widerstand leisteten und jegliche Aussage verweigerten, wofür sie mit Gefängnis und Arbeitsverbot bestraft wurden. Bis 1954 verloren über 200 Personen ihren Arbeitsplatz in Hollywood, weil sie auf die »blacklists« des HUAC geraten waren.
3 Die Farmerstochter Katrin Hostrom macht in dem Film auf Umwegen eine politische Karriere als Kandidatin der Opposition. Ihr politischer Rivale versucht sie durch eine Intrige zu kompromittieren; dabei entpuppt er sich als weißer Rassist, der sich »faschistischer« Schlägertrupps zur Durchsetzung seiner Machenschaften bedient.
4 BOOMERANG! wurde für das beste Drehbuch nominiert, CROSSFIRE war Kandidat für den besten Film zusammen mit GENTLEMEN'S AGREEMENT, der als einziger der drei tatsächlich einen »Academy Award« erhielt.
5 THE STORY OF G. I. JOE war einer der Arbeitstitel von G. I. JOE. William A. Wellman und Leslie Fenton. US 1944/45.
6 NONE BUT THE LONELY HEART. Clifford Odets. US 1944.
7 Siehe zur halbdokumentarischen Konzeption des Films *Werke*, Bd. 3, S. 402 f.
8 Anspielung auf den Originaltitel des Typoskripts, siehe oben, Anm. 1.
9 BRUTE FORCE. Jules Dassin. US 1947.
10 BODY AND SOUL. Robert Rossen. US 1947.
11 Zu Buster Keaton siehe u. a. Nr. 171, 187 und 232; zu Harry Langdon siehe Nr. 803, Anm. 15.
12 DAYBREAK / LE JOUR SE LÈVE. Marcel Carné. FR 1939.
13 Siehe Nr. 775, Anm. 7, sowie *Werke*, Bd. 3, S. 181 f. Präsident Abraham Lincoln verkün-

dete am 19. 11. 1863 nach der Schlacht von Gettysburg, die die Wende im amerikanischen Bürgerkrieg zugunsten der Union brachte, in seiner berühmten »Gettysburg Address«, daß die amerikanische Nation »eine neue Geburt der Freiheit« erfahren und daß die »Regierung des Volkes, durch das Volk und für das Volk nicht von der Erde verschwinden werde«.

14 Siehe auch Nr. 791.

15 Siehe hierzu auch Kracauers Aufsatz »Psychiatry for Everything and Everybody«, *Werke*, Bd. 5, Nr. 767.

793. Filmportrait

Rez.: Parker Tyler, *Chaplin: Last of the Clowns*. New York: Vanguard Press 1947.

Parker Tylers *»Chaplin: Last of the Clowns«* hat dieselben Stärken und Schwächen wie seine früheren Bücher.[1] Es ist eine unauflösbare Mischung von profunden Einsichten und falschem Glanz. Wenn man das Buch liest, kommt man sich vor wie auf einer Schaukel: einmal ist man vom Autor fasziniert, im nächsten Augenblick mehr als verärgert.

Tyler versteht Chaplin als Clown mit einem Alter ego. Um diese These zu stützen, beruft er sich immer wieder auf biographische Tatsachen, die seiner Meinung nach darauf hinweisen, daß der wahre Chaplin an einem Mangel litt: Er wuchs in Armut auf, er war klein gewachsen, und er war ein enttäuschter Liebhaber. Der Mangel dieses Clowns, der durch die plumpen Schuhe des Tramps symbolisiert wird, hinderte ihn daran, der Traumvorstellung zu entsprechen, die ihn von seiner Kindheit an gefangen hielt – der Vorstellung eines Aristokraten, der von der Welt Muße, Macht und Liebe erwartete.

Chaplin erwarb sowohl Ruhm wie Wohlstand und verwirklichte damit zum Teil das Traumselbst, das ihn verfolgte. Der Tramp auf der Leinwand erprobt dann die Macht des Komödianten im wirklichen Leben. Im Verlauf dieser Karriere, die, wie erstaunlich sie auch immer sein mochte, ihm noch immer die innere Erfüllung, nach der er sich sehnte, vorenthielt, fühlte Chaplin sich mehr und mehr genötigt, die sittliche Bedeutung dieses Tramps mit aristokratischen Träumen einer Prüfung zu unterziehen. Der mächtige Komödiant entwickelte sich zu einem Beobachter des bösen Zwiespalts in seinem Innern.

Tyler ignoriert die gesellschaftlichen Implikationen von Chaplins letzten Spielfilmen nicht gänzlich, sondern betrachtet sie eher als Selbstprüfungen eines Künstlers, der sich über die gefährlichen Konsequenzen seines Traumlebens klar geworden ist. In DER GROSSE DIKTATOR[2] entpuppt sich der Tramp nicht nur als »Durchschnittsmensch«, sondern auch als Hynkel, der Tyrann mit dem unstillbaren Verlangen nach Macht. Und Monsieur Verdoux[3] wäre genau wie Chaplin – der wirkliche *und* der Tramp –, wenn er nicht so herzlos wäre.
Diese Gesamtinterpretation geht aus Beobachtungen hervor, die eine gewisse Zahl wirklicher Funde enthalten. Ich nenne einige davon aufs Geratewohl: Tylers Vergleich zwischen MONSIEUR VERDOUX und A WOMAN OF PARIS,[4] seine Aussagen über die Eigenart des Schweigens und die Funktion der Sprache in Chaplins Filmen; seine Analyse der Anfälle von Gedächtnisschwäche, die verschiedene Figuren in diesen Filmen befällt; und nicht zuletzt seine brillante Hypothese, daß die Kleidung des Tramps das Bild eines Erwachsenen aus der Sicht eines Kindes repräsentieren soll.
Dennoch handelt es sich insgesamt um eine irritierende Konstruktion. Chaplins angebliche emotionale Konflikte werden ständig herangezogen, um seine Filme zu erklären, die ihrerseits dazu benutzt werden, seine psychologischen Tiefen auszuloten. Der Bezug zwischen Beruf und Biographie wird permanent überbetont, während der zwischen dem Einzelnen und seiner Umgebung durchgängig vernachlässigt wird. Tyler verschränkt also Chaplins Kunst und Chaplins Leben in einer Weise, die nur dann gerechtfertigt wäre, wenn sie eine Welt bildeten, die gegenüber äußeren Einflüssen immun wäre. Aber weder Chaplin noch irgendein anderer Künstler läßt sich so von der übrigen Welt isolieren.

Tyler geht zunächst von einer falschen Annahme aus. Dann untersucht er das, was er für das vollständige und einzigartige Chaplin-Universum hält, und hat dabei ein solches Vertrauen in die eigene Intuition, daß er nüchternere Methoden geringschätzt. Zu Beginn verspricht er zwar, umsichtig vorgehen zu wollen: »Die Vergangenheit von Charlies Leben kann nur einem Zweck dienen: die Leerstellen auszufüllen, die in der großen Erzählung angelegt sind, welche er zur Geschichte des Clowns beigetragen hat . . .« Aber in seiner Analyse beschränkt er sich selten auf einen so

umsichtigen Gebrauch ästhetischer und psychologischer Daten. Vielmehr läßt er einer Einbildung freien Lauf, die kaum die Tatsachen berührt, bevor sie sich zu dem Reich der Bedeutungen aufschwingt.
Das läßt vermuten, daß Tylers Chaplinbild zum größten Teil ein Phantasiegebilde ist. Ein Blick auf Chaplins alte Komödien entlarvt es als solches. Diese Komödien sind von Leitmotiven durchzogen, die Tyler, hätte er sie überhaupt bemerkt, gezwungen hätten, seine Vorstellung von Chaplin zu revidieren. Beispielsweise taucht die zwiespältige Figur des Polizisten schon sehr früh auf, genauso wie das David-und-Goliath-Thema, das Tyler nur erwähnt, wenn es sich, wie in THE PILGRIM,[5] in den Vordergrund drängt. Der Tramp ruht tatsächlich weniger in sich selbst und hat einen ausgeprägteren Sinn für Soziales, als Tyler uns glauben machen will.
Aber in seinem Eifer, den Künstler als einen Narzißten auszuweisen, übersieht oder unterschätzt Tyler die vielen Anzeichen, die in der Hauptsache auf Chaplins ursprüngliches Interesse an der Gesellschaft hinweisen. Das Ergebnis ist eine unverkennbare Verzerrung. THE KID[6] – armes Kind – wird in psychoanalytischen Begriffen behandelt; und die späteren Filme werden als Projektionen von inneren Problemen gedeutet. Sind sie primär Projektionen? Es sollte für alle offenkundig sein, daß sie von Chaplins zunehmender Aufmerksamkeit für die Welt um ihn herum zeugen. Im Gegensatz zu dem, was Tyler behauptet, wächst Chaplin über sein Ego hinaus, um sich der wirklichen Welt, wie sie ist, zu stellen. Und in einer Welt, in der es keine Lücke mehr gibt, durch die er nach Belieben hinein- und hinausschlüpfen kann, muß sein Tramp unausweichlich verschwinden.

Tylers Chaplinbild hat die Konsistenz einer Seifenblase. Das ist um so bedauerlicher, als er einen Sinn für Werte und eine ästhetische Sensibilität besitzt, die äußerst selten sind. Was führt ihn also so hoffnungslos in die Irre? In seiner sturen Blindheit gegenüber all den Einflüssen, die ein Individuum von außen formen, hat Tyler selbst narzißtische Züge. Und mit der Selbstverliebtheit eines Narzißten erfreut er sich an der Präsentation eines intellektuellen Feuerwerks, in dem die wenigen Stücke echter Einsicht von kühnen Behauptungen und funkelnden Anspielungen überstrahlt werden – Anspielungen auf Zusammenhänge, die nur dem Autor selbst bekannt sind.

Tyler hat das Zeug dazu, ein guter Interpret zu werden. Um jedoch einer zu sein, muß er lernen, darauf zu hören, was sein Material ihm zu sagen hat.
(*New Republic*, 26. 7. 1948)

1 Siehe u.a. Parker Tyler, *The Hollywood Hallucination*. New York: Creative Age Press 1944; ders., *Magic and Myth of the Movies*. New York: Holt 1947.
2 DER GROSSE DIKTATOR / THE GREAT DICTATOR. Charles Chaplin. US 1939/40; zu diesem Film siehe auch Anhang, S. 502 f.
3 Titelfigur aus dem gleichnamigen Film MONSIEUR VERDOUX. Charles Chaplin. US 1946.
4 A WOMAN OF PARIS. Charles Chaplin. US 1923.
5 Siehe Nr. 567.
6 Siehe Nr. 374, Anm. 1.

794. Der anständige Deutsche: Filmportrait

Filmrez.: MARRIAGE IN THE SHADOWS / EHE IM SCHATTEN. Kurt Maetzig. DD 1947.

In den letzten Monaten haben uns mehrere deutsche Nachkriegsfilme aus der sowjetischen Besatzungszone erreicht. Einer von ihnen, EHE IM SCHATTEN, stellt zumindest den ernsthaften Versuch einer Selbstprüfung dar, auch wenn er kein Kunstwerk im strengen Sinn ist. Es handelt sich darüber hinaus in Technik und Perspektivik im wesentlichen um einen deutschen Film. Obwohl er unter russischer Schirmherrschaft produziert wurde, gibt es keine Anzeichen für eine russische Einflußnahme. Der Film bietet daher gewisse Hinweise auf die gegenwärtige Mentalität der Deutschen.
Das ist um so nützlicher, als aktuelle Berichte aus Deutschland, die sich mit der Tagespolitik statt mit tieferen Strömungen befassen, kein kohärentes Bild davon geben, was in den Köpfen der Deutschen vor sich geht.
Einerseits sprechen sie sehr optimistisch von einer Wende zum Besseren, insofern demokratisches Gedankengut an Stärke gewinnt. Andererseits halten sie Tatsachen fest, die ungefähr den gegenteiligen Eindruck vermitteln; allzu oft werden objektive Einschätzungen durch Wunschdenken und Moralpredigten verwässert.
Die psychologische Bedeutung eines Films ist gewiß nicht immer an seiner Oberfläche zu finden. Hollywoodfilme wurden beispielsweise dafür

kritisiert, daß sie Menschen im Ausland zu der Annahme verleiten, Amerika sei ein Paradies für Gangster, ein Land, in dem Geld alles bedeutet und Akte von zügelloser Gewalt mit Szenen von überströmender Sentimentalität abwechselten. Diese Filme, so wurde gesagt, verzerren das Leben in Amerika. Und zweifellos tun sie das auch, wenn sie für bare Münze genommen werden. In einer bestimmten Weise aber spiegeln die Filme Hollywoods – wie im übrigen die Filme aller Nationen – eine tiefere Wirklichkeit wider. Oft zeigen sie weniger offenkundige Beweggründe und Verhaltensmuster, die auf die eine oder andere Weise wirklich vorhandenen Tendenzen der Masse entsprechen. In einem früheren Aufsatz in *Commentary* (»Hollywood's Terror Films«, August 1946)[1] hat der Verfasser zu zeigen versucht, daß jene Leinwand-Spektakel von Horror und Sadismus, die unmittelbar nach dem Krieg florierten, einen deutlichen Bezug zu dem geistigen Klima der Zeit hatten. In ähnlicher Weise fällt es zumindest im Rückblick nicht schwer, den engen Zusammenhang zwischen Filmen wie Capras MR. DEEDS GOES TO TOWN[2] und der Ära des New Deal zu erkennen. Oder, um ein Beispiel aus der jüngeren Vergangenheit zu nehmen: Der italienische Film PAISÀ,[3] eine Mischung aus politischer Apathie und aufrüttelnder Humanität, entspringt unverkennbar dem psychologischen Klima einer Nation, die schon viele Ideen kommen und gehen sah und die nun allen Ideen und aller Politik mißtraut.

Über die Zeitspanne zwischen 1933 und 1943 hinweg erzählt EHE IM SCHATTEN die angeblich auf wahren Begebenheiten beruhende Geschichte eines beliebten Berliner Schauspielers und seiner jüdischen Frau, die selbst eine prominente Schauspielerin war. Die Geschichte beginnt mit ihrem erzwungenen Rückzug von der Bühne, zieht sich in einer Atmosphäre von Schwermut und ständig wachsender Verzweiflung hin und endet damit, daß der Schauspieler sich selbst und seine Frau vergiftet, um ihr das Grauen der bevorstehenden Deportation zu ersparen. Dies ist aber nur der Kern einer Handlung, die eindeutig darauf zielt, die Auswirkung des Antisemitismus der Nazis auf all jene liberal gesonnenen Juden und Nichtjuden darzustellen, die in glücklicheren Zeiten bereitwillig zusammenkamen. EHE IM SCHATTEN ist eine Chronik der deutschen Mittelschicht unter Hitler.

Wir scheinen nur das zu erfahren, woran wir nie zweifelten – daß der

Anstand nicht ausstarb, als die Nazis die Macht übernahmen. Wieland, der Schauspieler, lehnt es empört ab, sich von seiner Elisabeth scheiden zu lassen; und keiner von beiden würde im Traum daran denken, ihren jüdischen Freund Kurt im Stich zu lassen, der sich nach dem Brand des Reichstags für die Emigration entscheidet, zehn Jahre später aber wieder als Flüchtling aus einem Konzentrationslager in Berlin auftaucht. In ähnlicher Weise irrt sich der alte jüdische Doktor Silbermann nicht völlig, wenn er auf die Loyalität seiner »arischen« Patienten setzt: zumindest einige von ihnen sind bereit, ihr Leben zu riskieren, um ihm Zuflucht zu gewähren, als der Terror seinen Höhepunkt erreicht. Silbermann ist eine Art biblische Figur, ein zweiter Nathan der Weise. Welch ein scharfer – und aufgrund seiner Schärfe etwas peinlicher – Kontrast zwischen dem von den Nazis entworfenen JUD SÜSS[4] und diesem Muster von sanfter Güte!

Wir haben auch nie daran gezweifelt, daß auf viele weniger Verlaß war. Der Film bietet eine Auswahl von Beispielen, die von nachgiebiger Zustimmung bis zu gehässiger Bosheit reichen. Der Verleger Dr. Blohm, Elisabeths Verlobter aus der Zeit vor Hitler, ist besonders interessant, weil er die typischen Selbstrechtfertigungen des schwachen sozialen Aufsteigers illustriert. Kaum hat Hitler den Sieg errungen, schon löst der attraktive Dr. Blohm den Konflikt zwischen Liebe und Karriere, indem er seinen Platz in Elisabeths Herzen für eine Stelle im Propagandaministerium tauscht und sich vor ihr und sich selber als Idealist ausgibt. Unter seiner Maske von Bildung und Güte verbirgt sich ein bodenloser Sumpf. Als einer von Goebbels Helfershelfern beschützt er zuerst Elisabeth vor der Gestapo, um sein Gewissen zu beruhigen, verrät sie aber am Ende, um seine Haut zu retten. Der Sumpf verschlingt ihn.

Das wußten wir alles schon. Doch indem EHE IM SCHATTEN es bestätigt, fügt der Film einen Hauch von Erfahrung aus erster Hand und wertvolle Details hinzu. Die bildliche Wiedergabe der Zusammenrottung des antijüdischen Pöbels von 1938 rekonstruiert diese organisierte Raserei mit überzeugender Genauigkeit; und manches Gespräch über Tagesthemen klingt wie die Transkription eines Protokolls. Das besondere Verdienst des Films ist seine Ehrlichkeit, die zeitweise viel eindrucksvollere Wirkungen erzielt als der Glanz Hollywoods: Eine fröhliche ländliche Szene, die zwischen zwei quälende Episoden eingeschoben ist, erhellt den alptraumhaften Charakter einer Welt, in der erhabene Kunst und nackter Schrecken benachbart sind; und ich erinnere mich an keinen Selbstmord auf der Leinwand, der sich mit der Schlußsequenz des Films, ihren langgedehnten Phasen des Schweigens und ihrer Endgültigkeit vergleichen ließe.

Damit könnte man es bewenden lassen, wenn es nicht bestimmte Haltungen gäbe, die man hinter dem Film spürt – Haltungen, die jene beunruhigen sollten, die sich mit deutscher »Umerziehung« befassen.
EHE IM SCHATTEN arbeitet mit rein moralischen Unterscheidungen. Der Film verurteilt die »schlechten« Deutschen, die vor Hitler kapitulierten, und lobt die »guten«, die das nicht taten. Zweifellos verdienen letztere Anerkennung; aber sie reden und handeln in einer Weise, die, zurückhaltend formuliert, seltsam pathetisch klingt. Was stimmt nicht mit ihnen? Ihr ganzes Benehmen veranschaulicht die schlichte Wahrheit, daß Anständigkeit erst dann zum Tragen kommt, wenn sie sowohl auf der politischen Ebene wie im Privatleben ausgeübt wird. Und sie kann nicht wirklich zum Tragen kommen, wenn die anständigen Leute nicht von Begriffen geleitet werden, die es ihnen gestatten, die Bedeutung der Politik zu erkennen, die enge Wechselbeziehung zwischen privater und öffentlicher Moral.
Es ist kaum möglich, die politische Unreife von EHE IM SCHATTEN zu stark zu betonen. Indem der Film den Maßstab einer individuellen Moral unterschiedslos an alle menschlichen Belange anlegt, verhindert er jegliches Verständnis von Hitlers Macht über den Geist der Massen. Die Nazis – SS-Männer, Gestapo-Agenten, Spitzenbeamte und dergleichen – werden einfach als Eroberer dargestellt, die es aus unerklärlichen Gründen fertiggebracht haben, die Macht zu ergreifen, indem sie die Schwachen, die Gemeinen und die Bösartigen an sich zogen. So werden sie von Elisabeth und ihren Freunden wahrgenommen, und durch ihre Darstellung auf der Leinwand wird der Eindruck vertieft, daß sie eine fremde Rasse sind, die keine Verbindung mit den übrigen Menschen haben – als ob die Deutschen wie die Franzosen Opfer einer Invasion gewesen wären. Muß man betonen, daß ein solcher Zugang unangemessen ist? Vor und nach 1933 hielten viele Deutsche, die angesichts der enormen Arbeitslosigkeit, des unversöhnlichen Antagonismus der Rechten

und Linken und der Sterilität eines Systems, das die Nazis so erfolgreich untergraben hatten, zutiefst verunsichert waren, Hitler allen Ernstes für einen Erlöser. Die bloße Vorstellung eines allmächtigen Führers sprach ihre traditionellen autoritären Neigungen an. *Hitler kam von innen.* Es ist absurd, die Masse seiner Anhänger unter den Gebildeten als einfache Opportunisten oder Heuchler auszugeben.

In EHE IM SCHATTEN entfaltet sich Anständigkeit auf Kosten des reifen politischen Urteils. Das zeigt sich am auffälligsten in der Tendenz der Filmproduzenten, die jüdische Emigration zu verurteilen. Kurt, der sensibler ist als die anderen, verläßt zwar Berlin, um nach Wien zu gehen; und Elisabeth hätte die Stadt ebenfalls verlassen können, wenn ihre Gefühle nicht ihre Vernunft besiegt hätten. Aber die überwältigende Sympathie gehört jenen, die zu Hause die Last tragen. Statt Elisabeth wegzuschicken und in Sicherheit zu bringen, fleht ihr Mann sie an, mit ihm in Deutschland zu bleiben, und sieht im allgemeinen auf Emigranten herab. »Vielleicht wird es nicht so schlimm kommen«, sagt Dr. Silbermann in den frühen Tagen des Regimes, »aber wenn es sich zum Schlechteren wenden sollte, würde ich sogar noch weniger daran denken, ins Ausland zu gehen.« Als ob sein Mut unterstrichen werden sollte, werden zwei Juden, die in seinem Wartezimmer über Auslandsvisa diskutieren, als bemitleidenswerte und minderwertige Geschöpfe charakterisiert.

Jüdische Emigranten werden in dem Film also tendenziell fast als Deserteure behandelt. Doch wem sollten sie die Treue halten? Und warum versucht Elisabeth nicht, sich mit ihrem Mann über die Lage auseinanderzusetzen? Trotz ihrer persönlichen Integrität handeln die jüdischen Figuren aus einem gefühlsmäßigen Idealismus heraus, der in Deutschland sehr gepflegt wird – ein Idealismus, der die Vernunft verachtet und sich selbst damit brüstet, niemals Fragen zu stellen. Sein schlagendstes Resultat in diesem Film ist ein zweifacher Selbstmord, der ohne Folgen bleibt; als ob sein unrealistischer Charakter betont werden sollte, wird dieser Selbstmord nach dem Vorbild der Schlußszene eines Bühnenstükkes gestaltet, das Hans und Elisabeth zu Beginn des Films aufführen – wodurch ein Rahmen bereitgestellt wird, der bezeichnender ist, als es die Filmproduzenten wohl beabsichtigten.

Als Produkte einer tiefgreifenden Bemühung um Assimilation ähneln die guten Juden des Films den guten Deutschen darin, daß sie hehre Gefühle mit schwachem Urteilsvermögen verbinden. Sie nehmen ihre Misere als gegeben hin; die Existenz anderer Möglichkeiten und einer anderen Welt – z. B. Palästina – scheint ihnen unbekannt zu sein.

Ob Juden oder Nichtjuden, diese anständigen Deutschen der Mittelschicht sind sogar unfähig zu dem Versuch, ihren Anstand in Handlungen zu überführen. Sie machen sich zwar wiederholt Selbstvorwürfe, die Arena nicht als Kämpfer betreten zu haben, aber diese seltenen Anflüge von Einsicht erweisen sich als bloß rhetorische Proteste, die nirgendwohin führen. Im übrigen vermeidet es EHE IM SCHATTEN konsequent, den Tatsachen ins Auge zu sehen. Die jüdischen Charaktere sterben entweder durch eigene Hand oder ihnen gelingt die Flucht; ihre Angst vor der Deportation wird nie durch eine Szene zum Ausdruck gebracht, die die letzte Konsequenz der Deportation in Erinnerung ruft. Der Film erwähnt auch keine politischen Aktivitäten gegen die Nazis. Es bleibt beispielsweise unklar, ob die Leute, die Silbermann Unterschlupf gewähren, Untergrundkämpfer sind oder nicht. Silbermann selbst, der die Natur eines Heiligen hat, ist politisch ein unbeschriebenes Blatt. Dasselbe gilt für Elisabeth und die anderen, mit der möglichen Ausnahme von Kurt, der sich zumindest dunkel der Schlagkraft des Hitlerismus bewußt ist.
Politik ist für diese Menschen nichts anderes als ein verabscheuungswürdiger Übergriff auf die Privatsphäre ihrer Gefühle und ihrer Kultur. Eine Episode deutet an, daß Wieland sich im Interesse seiner Karriere als Schauspieler mit den Nazis ohne weiteres versöhnen könnte, wäre da nicht seine *persönliche* moralische Verpflichtung gegenüber Elisabeth. Elisabeth selbst kommuniziert mit den Elementen an einem Nordseestrand und sucht in hoffnungsloser Stimmung Trost in den Briefen Goethes, während sich die Wolken über Berlin zusammenziehen. Sie und ihre Freunde sind so ausschließlich mit ihrem Privatleben beschäftigt, daß sie das öffentliche Leben als etwas ansehen, das außerhalb ihrer Reichweite bleibt. Sie sind daher völlig überfordert, wenn politische und gesellschaftliche Ereignisse ihren gesunden Menschenverstand in Anspruch nehmen anstatt ihre Vertrautheit mit Goethe. Sie wissen nur, daß sie in dieser Situation irgendetwas tun *sollten*; aber wenn es hart auf hart geht, sind sie wie gelähmt.

Der Film zeigt keinerlei wirkliches Bewußtsein dieser Mängel. Hier lohnt sich ein Seitenblick auf PAISÀ. Die Mönche in der Klosterepisode des Films sind Silbermann sowohl in seiner Frömmigkeit wie in seiner Unwissenheit ebenbürtig. Aber gerade aufgrund dieser Eigenschaften behandelt der Film sie mit einer subtilen Ironie, die dezent die Grenzen ihrer Sichtweise markiert. In der Darstellung von Silbermann, Elisabeth und Wieland wird keine solche Ironie verwendet. Zwar geben diese Figuren sich gelegentlich einem Optimismus hin, der regelmäßig durch die Tatsachen widerlegt wird; doch selbst diese Betonung ihrer Selbsttäuschung erfolgt so, daß sie nicht zu einer Kritik an ihrer politischen Unfähigkeit wird, sondern bloß zu einem weiteren Mittel, Mitleid für ihre tragische Hilflosigkeit zu erwecken.

Wenn, wie ich glaube, EHE IM SCHATTEN eine tatsächlich vorhandene Geisteshaltung widerspiegelt, dann wäre die uneingeschränkte Sympathie, mit der der Film seine »guten« Charaktere umgibt, ein Hinweis darauf, daß die Mentalität der deutschen Mittelschicht sich nicht wirklich geändert hat. Durch seine einseitige Konzentration auf Fragen persönlicher Moral rückt dieser Film das Problem der deutschen Umerziehung in den Mittelpunkt.[5] Anders als viele immer noch zu glauben geneigt sind, hat dieses Problem nichts mit einer individuellen Ethik zu tun, sondern vielmehr mit bestimmten Grundvorstellungen, die, insofern sie den »schlechten« und den »guten« Deutschen gemeinsam sind, für ihre politischen Beschränktheiten verantwortlich sind. Die Mehrheit der Deutschen hat eine falsche Vorstellung von Autorität, von der Rolle der Vernunft, von der Wechselbeziehung zwischen Kultur und Zivilisation. Eine wirkungsvolle Mobilisierung des deutschen Anstands hängt von einer Veränderung von Denkgewohnheiten ab, die Jahrhunderte alt sind.

Unsere Korrespondenten in Deutschland berichten über eine ständig zunehmende Rehabilitierung früherer Nazis und eine steigende Welle von Antisemitismus. Man befürchtet, daß die anständigen Deutschen von heute noch einmal das Unheil anwachsen lassen, ohne es zu durchdringen und ihm zu widerstehen, und daß sie noch einmal in den Strudel hineingezogen werden, ohne daß ihnen etwas anderes als ihr geschätzter Anstand übrigbleibt. Der Selbstmord, der am Ende des Films steht, ist die äußerste Antwort, zu der eine rein persönliche Moral fähig ist.[6]

(*Commentary*, Januar 1949)

1 Siehe Nr. 787.
2 Siehe Nr. 725.
3 Siehe Nr. 791 und 792.
4 JUD SÜSS. Veit Harlan. DE 1940.
5 Siehe auch Kracauers Rezension »Umerziehungsprogramm für das Reich«, *Werke*, Bd. 5, Nr. 765.
6 Zu diesem Artikel hat sich ein auf den 24. 10. 1949 datiertes Typoskript erhalten (KN), das den Titel trägt: »Is Decency Enough?« Es ist weitgehend identisch mit der Druckfassung, mit Ausnahme der beiden einleitenden Absätze, die um einen Satz zu Wolfgang Staudtes Film MÖRDER UNTER UNS (DE 1947) gekürzt und leicht umgestellt wurden. Der gestrichene Satz lautet in deutscher Übersetzung: »MÖRDER UNTER UNS, der ganz kurz nach dem Krieg gedreht wurde, ist nichts anderes als eine moralisch verworrene Rationalisierung von Schuldgefühlen, mit einem Anti-Nazi als Helden, der so unheilbar romantisch ist, daß er leicht zur Beute eines neuen Hitler werden könnte. Verglichen mit diesem Ausbruch zweifelhafter Gefühle, die kein Gedanke trübt, stellt EHE IM SCHATTEN einen entscheidenden Fortschritt in Richtung auf die innere Stabilisierung dar.«

795. Der Natur den Spiegel vorhalten

Es besteht kein Zweifel, daß unsere Filme auf wachsende Kritik und, schlimmer noch, Abneigung stoßen. Unter den möglichen Gründen für diesen bedauerlichen Zustand scheinen mir zwei wesentlich zu sein: Hollywoods realistisch ausgerichteten Filmen – d. h. dem Großteil der Produktion – mangelt es in auffallender Weise an Erfahrungen aus dem wirklichen Leben. Vielleicht war das immer so, abgesehen von wenigen Gangsterfilmen oder dergleichen. Aber die Menschen selbst haben sich auch verändert. Unter dem Einfluß der Nachkriegszeit werden sie nicht länger von Filmen aufgewühlt, die die Welt unter dem Vorwand, sie widerzuspiegeln, entweder falsch darstellen oder geschickt umgehen. Wie die Dinge stehen, weiß der Durchschnittszuschauer mehr über die Wirklichkeit, als ihm in unseren Kinos gezeigt wird. Es sollte umgekehrt sein.

Was Hollywood fehlt, wird uns durch einen Blick auf verschiedene europäische Filme klar. Sie unterscheiden sich von unseren eigenen Produktionen gerade darin, daß sie einem engeren Kontakt mit der Wirklichkeit entspringen. Alle beruhen auf unmittelbaren Erfahrungen von Menschen und Situationen. BRIEF ENCOUNTER,[1] einer der besseren, wenn auch keineswegs außergewöhnlichen britischen Filme, veranschaulicht gut die Erfahrung, um die es mir geht. Es handelt sich um eine jener normalen außerehelichen Romanzen zwischen Angehörigen der Mittelschicht, die stets in der Resignation enden. Nichts Aufregendes also. Und doch schaffen es die Filmemacher, diesem alltäglichen Ereignis ein Höchstmaß an Spannung abzugewinnen. Ihr Geheimnis besteht darin, daß sie beobachten, statt zu blenden. Sie gehen, anders als in so vielen Hollywoodfilmen, nie über Details hinweg.

BRIEF ENCOUNTER stellt eine kurze Begegnung an einem Eisenbahnknotenpunkt mit liebevoller Sorgfalt dar, während z.B. CASS TIMBERLANE[2] das Leben der New Yorker Gesellschaft zu einer unkenntlichen Flut ausgelassener Parties verzerrt. Die Heldin des britischen Films ist auch keine Mrs. Miniver, die einen selten vergessen läßt, daß sie, außer Mrs. Miniver zu sein, auch ein Hollywoodstar ist.[3] Anstatt sich von geborgtem Glanz zu nähren, ist oder scheint diese Frau nichts anderes als eine Hausfrau zu sein, die ein von Sorgen gezeichnetes Gesicht hat, hinter dem ein schüchterner Traum steht. Es gibt sie, so möchten wir glauben, auch jenseits der Leinwand, eine schlichte Frau, die auf ihren Liebhaber an einem Bahnknotenpunkt wartet, den es ebenfalls gibt. Der Film stellt einfach ihre heimlichen Treffen dar – aber er stellt sie mit einer Genauigkeit dar, die durch echtes Mitgefühl und einen Sinn für menschliche Werte gesteigert wird. Das Leben wird hier auf mehreren Ebenen erkundet. Auf diese Weise wird ausschließlich durch teilnehmende Beobachtung eine scheinbar banale Geschichte in eine gespannte Erfahrung von Momenten der Freude und beständigem Kummer verwandelt.

Die Beispiele ließen sich mehren. Was auch immer seine Mängel sein mögen, der französische Film übertrifft den unseren im Ausdruck von schillernden Stimmungen, Liebesgefühlen und emotionalen Verwicklungen. Filme wie CHILDREN OF PARADISE[4] und Renoirs UNE PARTIE DE CAMPAGNE[5] bieten fesselnde Einblicke in melancholische Leidenschaften und schal gewordene Liebe. Wo die Franzosen echte Erfahrungen vermitteln, beschränken wir uns im allgemeinen auf stereotype Muster. Selbst ansonsten überdurchschnittliche Hollywoodfilme versagen, wenn es um die Darstellung innerer Konflikte geht. Ehrgeizige Ziele werden unechten Gefühlen geopfert. Der Film GENTLEMAN'S AGREEMENT[6] verknüpft z.B. einen differenzierten Kampf gegen den Antise-

mitismus mit einer vorgefertigten Liebesgeschichte, die so hohl ist, daß die Ernsthaftigkeit jenes Kampfes Lügen gestraft wird.
Schließlich gibt es die neuen italienischen Filme mit ihrer Verwendung von Laienschauspielern und ihrem ganzen dokumentarischen Ansatz. Ich kenne keine Hollywoodproduktion – noch nicht einmal einen britischen oder französischen Film –, der sich im Hinblick auf seine Beobachtungskraft und sein Mitgefühl mit gewöhnlichen Menschen mit ROM ... OFFENE STADT,[7] SHOE-SHINE[8] und PAISÀ[9] messen könnte. Diese Filme bemächtigen sich des Rohmaterials des Lebens und erfassen es so leidenschaftlich, daß all seine menschlich wesentlichen Bedeutungen zum Vorschein kommen. Man kann das Entsetzen, das Leiden und die Großmütigkeit, die sie darstellen, förmlich greifen und schmecken. Im Vergleich mit ihnen nehmen sich Hollywoodfilme besonders naiv aus. In ROM ... OFFENE STADT entspringt die Folter der Gestapo aus dem ganz konkreten Wechselspiel zwischen den Verfolgern und ihren Opfern, während sie in den meisten unserer Anti-Nazifilme den sensationsartigen Höhepunkt von Handlungen bezeichnet, die einzig darauf zugeschnitten sind, in ihr zu kulminieren.
Gewiß ist das Leben in Europa mühevoller als bei uns. Bombardierte Städte und Jahre des Naziterrors, gefolgt von Jahren des Hungers, haben das Ihre dazu beigetragen, die Augen zu öffnen und die Sinne wachzurütteln. Es wäre ein Wunder, wenn es Filmen, die einem solchen Hintergrund entwachsen, an Authentizität mangelte. Es sollte auch nicht vergessen werden, daß einige der besten von ihnen unter unglaublichen Schwierigkeiten improvisiert wurden. Dem Leben abgerungen, tragen sie sein unauslöschliches Mal.
Unsere Filme sind, was sie sind, aufgrund der Bedingungen ihrer Produktion. Hollywoods Filmemachern ist es weniger um die Wirklichkeit als um ihr schwaches Abbild in Bestsellern und Broadway-Hits zu tun. Beim Anzapfen dieser zweifelhaften Quellen werden sie wesentlich eingeschränkt durch die enorme Größe unserer führenden Filmgesellschaften, wobei diese Größe ihrerseits zur Mechanisierung der Produktionsmethoden führt. Die Improvisation weicht der Organisation, persönlicher Wagemut der Teamarbeit, die durch Spezialisten besorgt wird. Die ganze Konstellation führt dazu, daß jener Abenteuergeist erlahmt, mit dem allein die Wirklichkeit auf der Leinwand eingefangen

werden kann. Auch die Produktionsregeln ermutigen solche Abenteuer nicht. Die Wirklichkeit wird zu einem verworrenen Gerücht in einem luftleeren Raum, der mit Stereotypen angefüllt ist, die dieses Gerücht weiter verfälschen.
Hollywood ist sich seiner Lebensferne bewußt. In seinem Film SULLIVAN'S TRAVELS[10] von 1941 entlarvt Preston Sturges diese Lebensferne im Versuch, sie zu rechtfertigen. Der Film ist eine autobiographische Tragikomödie, die aus Gewissensbissen geboren wurde, welche Sturges alle Ehre machen. Sullivan, der Hauptdarsteller, ist ein Filmregisseur aus Hollywood, der die Komödien, die ihn berühmt machten, so satt hat, daß er sich entschließt, seinen nächsten Film dem Elend der Massen zu widmen. In seinem Mitgefühl mit ihrem Leiden behauptet er, daß unsere gewöhnliche eskapistische Unterhaltung durch Filme ersetzt werden sollte, die sich mit dem wirklichen Leben auseinandersetzen. Aber wie soll man das Leben an einem Ort wie Hollywood beobachten? Nachdem er eingesehen hat, daß Filmleute in »splendid isolation« von ihren Mitmenschen leben, besucht Sullivan als Landstreicher verkleidet verschiedene Obdachlosenlager, um zu erfahren, was er darstellen will. Er landet schließlich in einem Südstaatengefängnis und sieht dort ein, oder glaubt einzusehen, daß er sich völlig getäuscht hatte, als er dachte, Hollywood reformieren zu müssen. Der Wendepunkt des Films ist jene Szene, in der er und die übrigen Gefangenen über eine alte Mickey Mouse-Komödie herzlich lachen – ein Lachen, das sie ihre Mühsal vergessen läßt. Sullivan, der Rebell mit einer Berufung, ist sehr glücklich über diese Lektion, die ihm nun erlaubt, sich den Normen Hollywoods mit reinem Gewissen zu fügen. Und als er wieder zu Hause im Studio und an seinem Swimmingpool ist, nimmt er freudig die Arbeit an seinen Komödien wieder auf.
Dieser hervorragende Film mit seiner zynischen Moral ist um so aufschlußreicher, als er den Kurs vorwegnimmt, den Hollywood tatsächlich in den Jahren nach seiner Uraufführung einschlug. Nach der Art Sullivans verließ mancher prominente Filmregisseur Hollywood, um in den Krieg zu ziehen, und erwarb Kenntnisse von der Schattenseite des Lebens, die er am Sunset Boulevard nie hätte erwerben können. Und genau wie in dem Sturges-Film stellten sich diese Ausflüge in eine Welt von Blut und Tränen als folgenloses Zwischenspiel heraus. Das Hollywood der Nachkriegszeit, ob es nun Sullivans Glaube an die erlösende Wir-

kung des Lachens übernahm oder nicht, tut weiterhin das, was es vor dem Krieg auch schon getan hat.

Aber die Analogien sollten nicht überstrapaziert werden. Schließlich gibt es kleine Unterschiede, und diese bergen ein wenn auch schwaches Versprechen. Die Gegenstücke zu Sullivan im wirklichen Leben haben von ihren Reisen Dokumentarfilme wie THE FIGHTING LADY,[11] SAN PIETRO[12] und THE MEMPHIS BELLE[13] mitgebracht, die den Krieg ohne alle Hollywoodschnörkel schildern. Diese Filme sind gültige Berichte, weil sie bescheiden, aufrichtig und menschlich sind. Und zumindest William Wyler, der Regisseur von THE MEMPHIS BELLE, hat aus der gemeinsamen Lektion einen größeren Nutzen als Sturges' Held gezogen. Sein Film THE BEST YEARS OF OUR LIVES[14] ist weit entfernt von seinem MRS. MINIVER, obwohl er insgesamt zu viele Kompromisse macht. Insbesondere die Eröffnungsszene mit den drei heimkehrenden Soldaten, von denen jeder sich auf seine Weise vor der bevorstehenden Aufgabe der Wiedereingliederung fürchtet, zeugt von einer Ehrfurcht vor Tatsachen, die unsere heiligsten Leinwandtraditionen in Frage stellt. Hier wird das Leben einmal nicht nach einem Muster zugeschnitten, sondern Schicht um Schicht in einem langsamen Prozeß offengelegt.

Andere Filme atmen einen ähnlichen Geist. Obwohl sie sich in ihrer Zielen stark unterscheiden, stimmen sie doch darin überein, Bereiche der Wirklichkeit zu durchdringen, die zuvor verwischt oder ignoriert wurden. Eine gewisse Frische des Zugangs zeichnet sie alle aus. Vielleicht ist MOURNING BECOMES ELECTRA[15] nicht so sehr ein Film als vielmehr ein lebendiges Wandgemälde; aber als solches ist er eine kundige Schilderung großer Zwänge und Leidenschaften. BOOMERANG,[16] der sich durch seine anregenden und mitfühlenden Beobachtungen auszeichnet, scheint einen ganzen Trend von dokumentarischen Filmen eingeleitet zu haben. Leider beschränken sich die meisten davon auf Kriminalfälle und mißbrauchen Wochenschauaufnahmen als Drapierung für ansonsten konventionelle Handlungen. THE NAKED CITY[17] ist in dieser Hinsicht symptomatisch.

Daß das jedoch nicht so sein muß, zeigt der Film THE SEARCH,[18] in dem ein Hollywoodregisseur – der in Österreich geborene Fred Zinnemann – dokumentarische Techniken benutzt, um das Leben in seiner Fülle zu erkunden. Der Film, der sich vor dem Hintergrund von Lagern vertriebener Kinder und bombardierten deutschen Städten abspielt, ist eine faszinierende Mischung amerikanischer und europäischer Mentalität. Es gibt darin immer noch Spuren von künstlichen Gefühlen und Hollywoodrhetorik, aber sie verschwinden alle in einer Fülle von Szenen, die, vor Ort gedreht, wirkliche Not mit echtem Verständnis darstellen.

Die Menschen selbst haben sich geändert, wie ich oben bemerkte. Hollywood wird sich ebenfalls ändern müssen. THE SEARCH, ein in Auftrag gegebener Hollywoodfilm,[19] weist in die richtige Richtung. Gefordert sind Filme, die sich auf die Suche nach dem Innersten des Lebens begeben, Filme, die auf unverfälschter Erfahrung beruhen.

(*Penguin Film Review*, Mai 1949)

1 BRIEF ENCOUNTER. David Lean. GB 1945; siehe auch *Werke*, Bd. 3, S. 396.
2 CASS TIMBERLANE. George Sidney. US 1947/48.
3 Anspielung auf die weibliche Titelfigur (Darstellerin: Greer Garson) in William Wylers Film MRS. MINIVER (US 1941/42).
4 Amerikanischer Verleihtitel für LES ENFANTS DU PARADIS. Marcel Carné. FR 1943-1945.
5 UNE PARTIE DE CAMPAGNE. Jean Renoir. FR 1936-1946.
6 Siehe Nr. 792.
7 Siehe Nr. 787, Anm. 12.
8 SHOE-SHINE (SHOESHINE) / SCIUSCIA. Vittorio De Sica. IT 1946.
9 Siehe Nr. 791 und 792.
10 Siehe Nr. 798, Anm. 2.
11 THE FIGHTING LADY. Prod. Louis De Rochemont. US 1944.
12 SAN PIETRO (THE BATTLE OF SAN PIETRO). John Huston. US 1945.
13 THE MEMPHIS BELLE: A STORY OF A FLYING FORTRESS. William Wyler. US 1944.
14 Siehe Nr. 792.
15 MOURNING BECOMES ELECTRA. Dudley Nichols. US 1947, nach dem gleichnamigen Drama (1931) von Eugene O'Neill.
16 Siehe Nr. 792.
17 THE NAKED CITY. Jules Dassin. US 1947/48.
18 THE SEARCH. Fred Zinnemann. CH / US 1947/48.
19 Der Film entstand im Rahmen eines schweizerisch-amerikanischen Kooperationsprojektes: Lazar Wechsler, Chef der größten schweizerischen Filmgesellschaft Praesens, versuchte sich 1946 mit der Gründung einer Produktionsgesellschaft in den USA zu etablieren, die schweizerisch-amerikanische Koproduktionen in Hollywood bzw. Zürich finanzieren sollte. Für THE SEARCH wurde Fred Zinnemann von der MGM, bei der er unter Vertrag stand, ausgeliehen und mit einer Reihe amerikanischer Schauspieler (u. a. Montgomery Clift und Aline MacMahon) nach Europa geholt. Im Austausch realisierte der Regisseur der Praesens, Leopold Lindtberg, ein Filmprojekt in den USA.

796. Unterricht total

Rez.: Godfrey M. Elliott (Hrsg.), *Film and Education: A Symposium on the Role of the Film in the Field of Education*. New York: Philosophical Library 1948.

Die Nachfrage nach audio-visuellen Hilfsmitteln in der Kinder- und Erwachsenenbildung wird immer größer. Schulen, Regierungsbehörden, Kirchen, Gemeindezentren und Unternehmen – alle haben sich daran gewöhnt, Filme als wirkungsvolles Medium für ihre Ziele einzusetzen. Was ist bisher erreicht worden? Und was könnte man in Zukunft tun?
»*Film and Education*« bietet einige Antworten auf diese Fragen. Es handelt sich um eine Aufsatzsammlung mit 37 Beiträgen, die die weit verstreute Literatur zu diesem Thema durch eine einbändige Übersicht über das riesige Gebiet des Lehrfilms ersetzt. Kein Einzelner hätte so viel Material zusammentragen können; und es ist dem Herausgeber, Godfrey M. Elliott, als Verdienst anzurechnen, daß er den heterogenen Stoff zu einem wohlgegliederten Ganzen geformt hat. Dieses Handbuch, das für Sponsoren und Produzenten gleichermaßen unverzichtbar ist, fordert zum Erfahrungsaustausch auf und verhindert so Energieverschwendung und unnötige Anstrengungen.
Einige Punkte, auf die die Experten hinweisen, sind von allgemeinem Interesse. Die meisten Autoren der Beiträge stimmen darin überein, daß die gegenwärtige Aufmerksamkeit auf audio-visuellen Unterricht auf den letzten Krieg zurückzuführen ist, insbesondere auf den unbestreitbaren Erfolg der Lehrfilme des Militärs. Diejenigen, die damals mit der Herstellung dieser Filme betraut waren, machen nun in der gleichen Richtung weiter und hauchen einer alten Gattung neues Leben ein. Doch der Unterrichtsfilm als solcher stammt aus der Anfangszeit des Mediums. Elliott selbst verweilt bei seiner ehrwürdigen Vergangenheit;[1] und einer seiner Mitarbeiter legt großen Wert auf die Tatsache, daß der erste Film, der je für eine Regierungsbehörde produziert wurde, schon 1908 vom Landwirtschaftsministerium in Auftrag gegeben worden ist.[2] Doch erst in den letzten Jahren haben wir damit begonnen, den Lehrfilm systematisch auf alle Bereiche menschlicher Tätigkeit auszudehnen. Um den Völkern der Erde unseren Lebensstil nahezubringen, wird das aktuelle Filmprogramm des Außenministeriums in 22 Sprachen herausgegeben.

Warum sind Filme besonders geeignet, die Zwecke der Erziehung und Ausbildung zu erfüllen? »Der Film ist der beste Lehrer«, sagt Pudowkin, »weil er nicht nur über das Gehirn, sondern über den ganzen Körper lehrt.«[3] Das Buch enthält viele Feststellungen, die diese Behauptung stützen. Sie weisen ausnahmslos auf etwas hin, was man die psychosomatische Wirkung von Lehrfilmen nennen könnte, die nicht über Gebühr mit verbalen Kommentaren beladen sind. Zumindest zwei Autoren sind der Ansicht, daß solche Filme der Sprache überlegen sind, wenn es gilt, bestimmte erwünschte Einstellungen hervorzubringen;[4] ein dritter, der über Ausbildungsfilme in der Industrie schreibt, traut diesen Filmen eine direkte Mobilisierung angemessener »muskulär-neuronaler Koordinationen« zu.[5] Der ununterbrochene Bilderfluß scheint in erster Linie auf die Sinne des Auszubildenden einzuwirken und sie auf die Anregungen der Leinwand einzustellen. Der Auszubildende erlebt das, was er sieht, nicht nur mit seinem Verstand, sondern mit seinem ganzen Körper. Das würde beispielsweise erklären, warum Filme beim Unterricht von schwach begabten Kindern hilfreich sind.
Ein Kapitel kommentiert den zunehmenden Einsatz von Unterhaltungsfilmen in Schulen und erwähnt Hollywoods Bereitschaft, den Wünschen der Pädagogen innerhalb vernünftiger Grenzen entgegenzukommen.[6] Die Absicht ist lobenswert, die Begründung schwach. »Durch die Einführung des Tons«, sagt der Autor, »wurde es möglich, daß ganz Amerika Shakespeares Verse hörte und der allgemeine Pöbel die Werke von Hugo, Thackeray, Dickens und Tolstoi kennenlernte.« Indem er sich auf eine letzte, scheinbar uneinnehmbare Verteidigungsposition zurückzieht, mißt er dann der Tatsache große Bedeutung bei, daß Filme dieser Art ein starkes Verlangen nach den ihnen zugrunde liegenden Originalen hervorrufen.
Ich bezweifle jedoch, daß der »Pöbel«, um den Ausdruck des Autors zu gebrauchen, mit Tolstoi und Dickens Bekanntschaft schließt, indem er populäre Leinwandbearbeitungen ihrer Werke anschaut. Solche Bearbeitungen mit ihren notwendigen oder überflüssigen Verzerrungen behindern eher ein wirkliches Verständnis der Meisterwerke, statt es zu fördern, so daß kaum etwas gewonnen wäre, wenn die Menschen sich ihnen unter dem Einfluß fragwürdiger Filmversionen nähern. Den Sinn für die Literatur wachzurufen, ist Aufgabe der Schulen. Das bedeutet

nicht, daß Schulen davor zurückschrecken sollten, Unterhaltungsfilme zu zeigen. Im Gegenteil, einige davon – z. B. THE BEST YEARS OF OUR LIVES[7] oder BOOMERANG[8] – haben einen hohen Bildungswert, weil sie echte Filme mit einer echten Botschaft sind. Alles hängt von der Auswahl ab. JOAN OF ARC[9] ist geeignet, der Jugend das Interesse an der Geschichte gründlich zu verderben, während STAGECOACH[10] ihr historisches Verständnis vertiefen könnte.
(*New Republic*, 6. 6. 1949)

1 Siehe Godfrey M. Elliott, »The Genesis of the Educational Film«. In: *Film and Education*, S. 3-19.
2 Siehe Chester A. Lindstrom, »Films in the Federal Government«. In: ebd., S. 373-384.
3 Conrad Hal Waddington, »Two Conversations with Pudovkin«. In: *Sight and Sound*, Winter 1948/49, Bd. 17, Nr. 69, S. 161.
4 Siehe Helen Reynolds, »Applications of the Film In Business Education«. In: *Film and Education*, S. 203-213, und Don Cash Seaton, »Applications of the Film In Safety Education«. In: ebd., S. 212-225.
5 Siehe J. Bruce Buckler, »The Film Trains Industrial Workers«. In: ebd., S. 281-295, Zitat S. 285.
6 Siehe Roger Albright, »Education from the Theatrical Screen«. In: ebd., S. 407-421, das nachfolgende Zitat S. 408.
7 Siehe Nr. 792.
8 Siehe Nr. 792.
9 JOAN OF ARC. Victor Fleming. US 1947/48.
10 STAGECOACH. John Ford. US 1939.

797. Der russische Regisseur[1]

Rez.: Sergej M. Eisenstein, *Film Form*. Essays in Film Theory. Hrsg. und übers. von Jay Leyda. New York: Harcourt, Brace and World 1949; Vsevolod Pudovkin, *Film Technique and Film Acting*. Übers. von Ivor Montagu, Einleitung von Lewis Jacobs. New York: Lear 1949.

»Film Form« ist ein Nachfolgeband von *»Film Sense«*,[2] der ersten Eisenstein-Anthologie. Die neue Publikation – die vom Autor kurz vor seinem Tod zusammengestellt und wie ihre Vorgängerin sachkundig von Jay Leyda herausgegeben wurde – enthält mehrere Aufsätze, die zuvor noch nie übersetzt wurden. Das Buch ist von besonderem Interesse, weil es die Entwicklung von Eisensteins Denken von 1928 bis 1945 umfaßt.

In dieser Zeit *änderten* sich seine ästhetischen Vorstellungen fundamental, wobei diese Veränderungen die des herrschenden politischen Systems widerspiegelten. Eisenstein akzeptierte den Stalinismus und ging in der Anpassung seiner künstlerischen Ansichten an die Erfordernisse eines starren totalitären Regimes sehr weit. Das wird durch alles belegt, was er in späteren Jahren schrieb. Aber das Buch zeigt auch, daß sein Leben als Künstler in einer reinen Tragödie endete. Oder, um es vorsichtiger zu formulieren, daß sein Leben sich für den Beobachter als Tragödie darstellt. Denn es ist zweifelhaft, ob er selbst jemals zugegeben hätte, daß er in einen Konflikt zwischen äußerem Druck und innerer Berufung verwickelt war: Seine Fähigkeit zur Theoriebildung gestattete ihm, sich starken Rationalisierungen hinzugeben.[3] Doch es gibt Belege dafür, daß seine Spontaneität nicht völlig von einer alles durchdringenden Umgebung aufgezehrt wurde; daß seine Natur selbst tatsächlich das ablehnte, was sein Geist verzweifelt befürwortete.

Das Drama entfaltet sich in Begriffen der Filmästhetik. Bis etwa 1930 bestand Eisenstein in strenger Übereinstimmung mit PANZERKREUZER POTEMKIN[4] und seinen anderen früheren Leinwandepen[5] darauf, daß ausgedachte Stories und erfundene Plots den neuen Medien nicht angemessen sind. Da Filme aus einer Folge von Aufnahmen bestehen, die alles aus jedem Blickwinkel darstellen können, sind sie dazu prädestiniert, das Leben in seiner Unerschöpflichkeit zu zeigen. Natürlich ist dieses Leben das russische Leben der zwanziger Jahre – die fortschreitende Revolution mit den Massen als Held. Es ist eine Wirklichkeit, in der die Vorherrschaft der Massen wie geschaffen ist für die allgegenwärtige Kamera.[6]
Eisensteins unerschöpflicher Sinn für Details ließ ihn allen Arten materieller Phänomene nachspüren, und seine künstlerische Entschlossenheit, dieses Material zu formen, veranlaßte ihn, ein geniales Schnittverfahren zu erfinden: Er stellte anscheinend unverbundene Aufnahmen so zusammen, daß ihre Kombination Bedeutungen ergab, die ihnen zuvor nicht innewohnten. So ist das, was auf der Leinwand erscheint, die Wirklichkeit als »bedeutungsvolles Ganzes« – d. h. die Wirklichkeit im Licht der marxistischen Lehre, die Eisenstein als ein gesellschaftlich sanktioniertes Prinzip künstlerischer Gestaltung angesprochen haben dürfte. Aber so sehr er auch mit der Komposition eines bedeutungsvol-

len Ganzen befaßt ist, vergißt er doch nicht, daß die vielen Elemente, die dieses Ganze ausmachen, auch ein Eigenleben führen. Er ist fasziniert von Booten im Nebel, von Straßen und Gesichtern; und er ist begeistert von der Idee, den endlosen Strom des inneren Monologs auf der Leinwand zu rekonstruieren. Anstatt sich jedem Detail aufzuzwingen, entwächst das Ganze Bildern, die immer noch ein Maß an Unabhängigkeit bewahren. In seinen frühen Filmen findet man eine gewisse Offenheit. PANZERKREUZER POTEMKIN hat eine dokumentarische Qualität, die sehr wohl für sein Überdauern verantwortlich sein mag.

Nach 1930 festigt sich der Stalinismus; die Zeit der revolutionären Massenbewegungen und des unterschiedslosen Kollektivismus geht zu Ende. Nun werden Filme verlangt, die einzelne Helden darstellen und die sich entlang der Vorgaben fest umrissener Plots entwickeln sollen. Solche narrativen Filme erfüllen nicht nur Bedürfnisse, die in einer Zeit der Stabilisierung weit verbreitet sind, sondern spiegeln entweder tatsächlich oder potentiell die Struktur eines herrschenden Systems, das in einer gottgleichen Einzelperson kulminiert und das Leben all seiner Untertanen bestimmt. In der Folge wird Eisenstein dafür getadelt, daß er das Individuum in der Entfaltung der Masse vernachlässigt und sich auf Kosten von straff komponierten Stories auf besondere Techniken des Schnitts konzentriert. Der zweite Punkt ist besonders wichtig: Denn hier wird ihm vorgeworfen, die Abfolge einzelner Aufnahmen zu betonen, statt sie alle der verbindenden Kraft eines definierten Plots unterzuordnen. Das ist eine ernste Kritik, denn solche Verfahrensweisen müssen einem Regime, das die Initiative des Einzelnen um der totalitären Planung willen unterdrückt, als subversiv erscheinen.

Eisenstein kapituliert. Er akzeptiert die Zeitgemäßheit von narrativen Filmen und individuellen Helden. Er gesteht die Einseitigkeit seiner früheren blinden Leidenschaft für den bloßen Schnitt ein und sucht sie durch die damals herrschenden gesellschaftlichen Bedingungen zu erklären. Er bemüht sich sogar, PANZERKREUZER POTEMKIN als ein Drama in fünf Akten zu reinterpretieren, wobei jede Aufnahme ihre wohldefinierte Funktion in einer gänzlich vorherbestimmten Einheit hat. Das Ganze, das sich zuvor aus verschiedenen Kombinationen relativ unabhängiger Aufnahmen zu ergeben schien, bestimmt nun von Anfang an den Inhalt und den Horizont jedes einzelnen Bildes. Die Kunst der Kinematographie, sagt er 1932, »liegt darin, daß jedes Fragment eines Films ein organischer Teil eines organisch gedachten Ganzen ist«.[7] Der Totalitarismus behält die Oberhand; die Planung verdrängt die der Kamera innewohnende Tendenz, unvorhersehbare Ereignisse des wirklichen Lebens zu erkunden.

Aber Eisenstein wäre nicht der Künstler gewesen, der er war, wäre er sich der Gefahren einer zu starren Vorgabe nicht bewußt gewesen; unter ihrem Druck kann die bildliche Erzählung zu einer schlichten und flachen Illustration der jeweiligen Story verkommen – was in vielen Fällen dann auch geschah. Deshalb legte er so großen Wert auf Bilder, die die Story wirklich versinnlichen. Die Theorie, die er zur Unterstützung dieser Forderung ersann, ist ebenso differenziert wie wenig überzeugend. Im Grunde wollte er beides zugleich: Filme sollten nach dem Vorbild der stalinistischen Gesellschaft gestaltet sein und doch das filmische Leben von PANZERKREUZER POTEMKIN atmen. Die Unvereinbarkeit dieser Bestrebungen konnte nicht schlagender als durch seine eigenen Filme ALEXANDER NEWSKY (1938)[8] und IWAN DER SCHRECKLICHE (1945)[9] unter Beweis gestellt werden. Beide enthalten zwar Sequenzen, die in filmischer Hinsicht vollkommen sind und wahre Einsicht in das Leben des Mittelalters vermitteln. Aber diese Sequenzen büßen dadurch viel von ihrer Kraft ein, daß sie nur dazu dienen, die unveränderliche Struktur opernhafter Plots umzusetzen. Tatsächlich affizieren die Bemühungen um die Komposition jedes Detail, indem sie alles Eigenleben ersticken, das sonst hätte dargestellt werden können. Eisenstein wollte »totale« Kunstwerke schaffen, doch ist es gerade ihr Anspruch auf Totalität, der ihr filmisches Wesen beeinträchtigt. NEWSKY wie IWAN fehlt die Offenheit von POTEMKIN; beide sind eher große Opern als echte Filme.
Eisenstein identifiziert sich bedingungslos mit diesen Filmen. Worin besteht also die Tragik? Sie deutet sich in verstreuten Passagen seiner späteren Schriften an. 1932 fügt er in einer Besprechung des Lehrplans des staatlichen Filminstituts eine Erklärung über die Notwendigkeit der marxistischen Lehre ein, und zwar in einer Weise, die zeigt, daß er sie hauptsächlich aus Gründen des Anstands erwähnt.[10] In derselben Abhandlung erinnert er sich an seine Bearbeitung von AN AMERICAN TRAG-

EDY[11] mit ihrer neuen Betonung des inneren Monologs;[12] die ganze Passage zeugt von der Sehnsucht nach einer filmischen Darstellung des Lebens. Obwohl er diese Sehnsucht einige Jahre später leugnete, flackerte sie am Ende seiner Laufbahn wieder auf, und zwar in striktem Gegensatz zu allem, was er tat und predigte. 1944 rühmte er D.W. Griffiths »unnachahmliche Charaktere, die geradewegs aus dem Leben auf die Leinwand gebannt zu sein scheinen«;[13] er lobte Griffith dafür, daß er in seinen Filmen das Leben in seiner unberechenbaren Fülle darstellte.[14] Es scheint, als ob Eisenstein damit – wie indirekt auch immer – sein eigenes Leiden an Bedingungen ausdrücken wollte, die ihn zwangen, dieses Leben auszuschließen; als ob er durch die Charakterisierung von Griffith eine Vergangenheit verherrlichen wollte, in der auch er das Objektiv auf Passanten in der Menge gerichtet hatte.
Aber das ist nicht die Tragödie; diese besteht vielmehr darin, daß er sich ihrer nicht bewußt war. Abgesehen von jenen gelegentlichen Einschüben leugnete sein Verstand die Forderungen seines Herzens. Der Stalinismus hatte seine Widerstandskraft von innen geschwächt.

Pudowkins klassische Schriften über den Film sind ebenfalls wieder veröffentlicht worden. Diese Sammlung, die durch ein ausgezeichnetes Vorwort von Lewis Jacobs eingeleitet wird, enthält auch zwei neue Beiträge, die sich mit den Problemen des Tonfilms befassen.[15] Pudowkin hat zwar keinen Forschergeist wie Eisenstein, aber er ist ein großer Handwerker und ein großer Lehrer. Seine Abhandlungen über Technik und Schauspielkunst führen direkt zum Kern der Sache und stellen den Vorgang der Filmproduktion mit der Klarheit des Experten und der Liebe des Künstlers zu seinem Material dar. Ein Teil des Materials hat immer noch Gültigkeit; die eindringliche Analyse des Schauspielers ist bis heute unübertroffen.[16]
(*New Republic*, 26. 9. 1949)

1 Das amerikanische Typoskript (KN) hat den Titel: »The Tragedy of Eisenstein«. Es wurde für den Druck geringfügig überarbeitet. Sofern diese Überarbeitung eine rein stilistische war, wird sie im folgenden nicht angemerkt. Inhaltliche Abweichungen werden in Übersetzung wiedergegeben.
2 Siehe Nr. 785.
3 Im Typoskript: »[...] sich starken Rationalisierungen hinzugeben, die sein Verhalten auf allen Ebenen des Bewußtseins rechtfertigten.«

4 Siehe Nr. 159.
5 U. a. GENERALLINIE / GENERAL'NAJA LINIJA, siehe Nr. 611, Anm. 6; OKTOBER / OKTJABR', siehe Nr. 382.
6 Im Typoskript folgt hier der Satz: »Eisenstein überträgt sie auf die Leinwand und bezieht sich dabei auf revolutionäre kollektive Aktionen der Vergangenheit und Gegenwart.«
7 Sergej M. Eisenstein, »A Course in Treatment«. In: *Film Form*, S. 84-107, Zitat S. 92.
8 Siehe Nr. 785, Anm. 8.
9 IVAN DER SCHRECKLICHE / IVAN GROZNYJ. Sergej M. Eisenstein. Teil I: SU 1945; Teil II: SU 1958.
10 Siehe Sergej M. Eisenstein, »A Course in Treatment«. In: *Film Form*, S. 94.
11 Siehe Nr. 661, Anm. 10, sowie *Werke*, Bd. 3, S. 122-124.
12 Siehe Sergej M. Eisenstein, »A Course in Treatment«. In: *Film Form*, S. 96-106.
13 Ders., »Dickens, Griffith and the Film Today«. In: *Film Form*, S. 195-255, Zitat S. 199.
14 Ebd.
15 Siehe Vsevolod Pudovkin, »Asynchronism as a Principle of Sound Film«. In: *Film Technique and Film Acting*, S. 155-165, sowie ders., »Rhythmic Problems in my first Sound Film«. In: ebd., S. 165-174.
16 Siehe ders., »Film Acting«. In: ebd., S. 11-153. Im Typoskript endet der Text mit dem Satz: »Das Buch ist unverzichtbar für jeden, der sich mit dem Medium Film beschäftigt.«

798. Preston Sturges oder Verratenes Lachen[1]

Preston Sturges, den man auf die Rolle des Entertainers festgelegt hat, ist zweifellos mehr als das: sein eigenes Credo (dargelegt in SULLIVAN'S TRAVELS)[2] sowie seine Art, Plots durch bedeutungsvolle Stories einzurahmen, zeugen von einem suchenden und introvertierten Geist. Und im übrigen: was machte es für einen Unterschied, wenn Sturges tatsächlich bloß ein Entertainer wäre? Nichts sollte ernster genommen werden als eine Unterhaltung, die sich bei den anonymen Millionen beliebt macht. Stimmungen der Massen, die weitreichende Konsequenzen haben, finden oft ein Ventil in scheinbar unbedeutenden Vergnügen.

Als Preston Sturges in den frühen dreißiger Jahren Drehbücher zu schreiben begann, war ihm nicht immer zum Lachen zumute. Seine Phantasie beschäftigte sich vorzugsweise mit Männern, die skrupellos um Macht kämpften, und mit einer Welt, in der Integrität eher ein Hindernis denn ein Vorzug war.

Diese Beschäftigung manifestierte sich zum ersten Mal in Sturges' Drehbuch zu THE POWER AND THE GLORY, einem Film, bei dem William K. Howard (1933) Regie führte. Die Handlung ist eine Variante des WHAT PRICE GLORY?[3]-Themas: einem Streckengänger mit dem Instinkt eines geborenen Bonzen gelingt es, Eisenbahnmagnat zu werden, und er begeht Selbstmord, nachdem er von seiner eigenen Familie verraten worden ist. Sturges behandelte dieses abgedroschene Thema aus einem besonderen Blickwinkel: er stellte die Rücksichtslosigkeit des Bonzen und sein antisoziales Handeln schonungslos dar und gab sich zugleich große Mühe, ihn von aller Schuld reinzuwaschen. Der Film vermittelte eine Moral: Macht, so lautet sie, ist mit menschlicher Loyalität unvereinbar, und derjenige, der die Welt erobert, muß notwendig sich selbst verlieren.

Sturges nahm dieses Thema in THE GREAT MCGINTY (1940) wieder auf, dem ersten Film, bei dem er selbst Regie führte. (Gedreht wurde der Film nach einem mehrfach abgelehnten Drehbuch, das er schon 1933 verfertigt hatte.) In Form einer Rückblende, die hier dazu dient, Drama in Satire zu verwandeln, stellt der Film die Lebensgeschichte eines self-made man dar. Dan McGinty, der ältliche Barkeeper einer gottverlassenen Spelunke in einer »Bananenrepublik«, erzählt von seiner außergewöhnlichen Vergangenheit daheim in den Staaten; und diese Vergangenheit entfaltet sich in leuchtenden Episoden, die zeigen, wie er in der Parteipolitik Karriere macht. Unter den Fittichen seines äußerst verrufenen »Bosses« steigt er vom Landstreicher, der sich zur Armenspeisung anstellt, zum Gouverneur eines Staates auf, zu Schiebergeschäften und Gangstertum in immer größerem Ausmaß. Sein Höhenflug wäre so grenzenlos wie seine Unverschämtheit, nähme die Story nicht eine scharfsinnige Wende: bedrängt von der Frau, die er liebt, beschließt Dan nach seiner Vereidigung als Gouverneur, ehrlich zu werden: eben diese Bekehrung führt seinen Sturz herbei. Er schließt sich im Gefängnis seinem Boss an und flieht dann mit in die düstere Vorhölle der Hafenspelunke der »Bananenrepublik«, von der aus ein halb melancholisches, halb höhnisches Licht auf seine ruhmreiche und abscheuliche Karriere fällt.

Dieser amüsante Angriff auf Freibeuterei in der Politik stützt sich auf so ziemlich die gleiche Haltung wie THE POWER AND THE GLORY. Beide

Filme stimmen darüber hinaus in ihrem ständigen Bemühen um soziale Kritik überein; bis zum Schluß geißelt THE GREAT MCGINTY eine Gesellschaft, in der Ehrlichkeit sich nicht bezahlt macht. Sein unerwarteter Erfolg verdankte sich natürlich nicht nur seiner Moral, sondern auch, und vielleicht vor allem, der filmischen Behandlung der Thematik, die eine Fülle treffender Gags und einen Schuß Slapstick-Humor aufwies. Er trug zur Entfaltung eines Plots bei, der soziale Mißstände anprangert; so ist es zu verstehen, daß dem Lachen, das von THE GREAT MCGINTY ausgeht, eine erlösende Kraft innewohnt.

Ein anderer allgemeiner Zug von Sturges Bilderwelt hängt mit seiner Kameraführung zusammen. Mit echtem Gespür für das Filmische mobilisiert er die Kamera,[4] wann immer er einen witzigen Einfall herausstellen oder eine komische Situation gestalten will; und bei solchen Gelegenheiten gewinnt seine Kamera eine Unabhängigkeit, die an ihre Rolle in ausgereiften Stummfilmen erinnert.

Der self-made man mit seinem Machthunger (er tauchte leicht verändert wieder auf in dem Film THE GREAT MOMENT, einer schwachen Tragikomödie von 1939)[5] markierte den einen Pol des Universums in Sturges' frühen Filmen. An seinem anderen Pol stand eine Figur auf, die man die Unschuldsgestalt nennen könnte – der naive, offene und in Lebensdingen völlig unerfahrene junge Mann. Sturges scheint von diesem Antipoden seiner rücksichtslosen Bonzen und korrupten Politiker betört gewesen zu sein. In den zwei Komödien, die auf THE GREAT MCGINTY folgten, stellt er solche Unschuldsgestalten als Glückspilze dar, die alles bekommen, was sie sich wünschen.

Die erste dieser Komödien war CHRISTMAS IN JULY (1940). Jimmy, die Unschuldsgestalt des Films, ist ein einfältiger Angestellter, der seine Hoffnungen in einen von einem Kaffee-Magnaten ausgeschriebenen Slogan-Wettbewerb setzt. Selbstverständlich gehen Jimmys Hoffnungen in Erfüllung. Aber der Witz der Handlung liegt darin, daß er den 25000-Dollar-Preis bekommt, ohne ihn eigentlich zu gewinnen. Diese ausgefuchste Trickserei wird von einigen groben Witzbolden in Jimmys Büro ins Werk gesetzt, die ihm ein gefälschtes Telegramm zuschicken, das ihm seinen Sieg bestätigt. Der überglückliche Jimmy präsentiert dem Kaffee-Magnaten das Telegramm, und da dieser sich mit der Wettbewerbs-Jury überworfen und keinen Kontakt mehr mit ihr hat, nimmt er das Telegramm für bare Münze und unterschreibt den Scheck. Nachdem Jimmys Fähigkeit, Slogans zu prägen, derart allgemeine Anerkennung gefunden hat, wird er von seinem Boss befördert. Er und sein Mädchen leben in großem Reichtum, und auch die unvermeidliche Entdeckung des Betrugs kann sie nicht daraus vertreiben.

CHRISTMAS IN JULY, dem ein Drehbuch von 1931 zugrundeliegt (zu dieser Zeit war die Weltwirtschaftskrise in vollem Gange), erscheint auf ersten Blick wie ein weiterer eskapistischer Film, der bemüht ist, die Angestellten von ihrer heiklen Lage abzulenken. Was immer der Film an Satire enthält, zielt auf absurde Werbeslogans, mechanisierte Möbelstücke und anmaßende Jurys – alles kleinere Mängel der ansonsten von Sturges beschworenen idealen Welt. Das bewundernswürdige dénouement des Films ist jedoch ein eindrucksvolles Zeugnis für den ihm eigenen Nonkonformismus: in der letzten Szene entscheidet sich die Jury, Jimmy den Preis zu geben – eine Entscheidung, die den konformistischen Gedanken impliziert, daß Tagträume im wirklichen Leben wahr werden; da wir jedoch wissen, daß Jimmys Karriere nicht von dem Resultat des Wettbewerbs abhängt, sind wir angehalten, diese Implikation in dem Augenblick, in dem sie aufkommt, auch schon wieder zu verwerfen. Dank dieser plötzlichen Wende bestätigt Sturges den Graben zwischen seiner Traumwelt und der wirklichen Welt gerade in dem Moment, in dem er ihn zu überbrücken scheint.

Die Unschuldsgestalt in THE LADY EVE (1941), der zweiten Komödie nach THE GREAT MCGINTY, ist ein junger Forscher, der nicht in eine Karriere lanciert zu werden braucht, da er der Sohn eines Bierkönigs ist. Aber Geld ist nicht das Wichtigste, wenn man es hat; und Unschuld hört auf, eine Tugend zu sein, wenn sie gleichbedeutend ist mit Unreife. Der in Sachen Gefühl unterentwickelte Charles bekommt von der welterfahrenen und reizenden Jean, Mitglied eines Falschspielertrios, eine Lektion in Liebe. Der Plot – er besteht in den sukzessiven Stadien von Jimmys Erziehung – entwickelt sich mit einem Esprit, der an die besten französischen Boulevard-Komödien erinnert. Zunächst hält Charles um Jeans Hand an, um sie, als er von ihrem fragwürdigen Beruf erfährt, auf der Stelle sitzenzulassen. Dann erobert Jean, verkleidet als »Lady Eve«, Charles zurück, der diese vorbildliche englische

Aristokratin für die Zwillingsschwester des Kartenfälscher-Mädchens hält. Sie und Charles begeben sich in einem Pullmanwagen auf ihre nächtliche Hochzeitsreise, in deren Verlauf Jean-Eve vergnügte Rache übt, indem sie ihrem Bräutigam eine Reihe von Liebesabenteuern gesteht, die sie nie gehabt hat. Charles, von Entsetzen gepackt, verläßt sie in stockfinstrer Nacht, und erst ganz zum Schluß sind die beiden wieder vereint.

Auch in diesem Film sind Wirtschaftsmagnaten wieder als komische Typen dargestellt, und die Macht, die sie ausüben, erscheint unbedeutend; wiederum wird die soziale Satire, statt sich gegen wesentliche Mißstände zu richten, auf harmlose Mängel wie moralische Prüderie und amerikanische Ehrfurcht vor englischen Manieren umgelenkt. Und wiederum weicht diese scheinbare Selbstzufriedenheit schließlich einem tiefersitzenden Unbehagen.

Kurzum, beide Komödien sind vom Schlage von THE GREAT MCGINTY: indem sie das Publikum zum Lachen bringen, wecken sie seine kritischen Fähigkeiten. Und diese Übereinstimmung in der Haltung erklärt die Ähnlichkeit in der Technik. In beiden Komödien ist der bedeutungsvolle Gag wichtiger als der Spaß um seiner selbst willen. Wie in THE GREAT MCGINTY gibt es andererseits auch hier, inmitten einer ansonsten glänzenden Bilderfolge, Durststrecken, die ausschließlich aus Dialogen bestehen.

THE GREAT MCGINTY und die beiden folgenden Komödien kamen nach dem Zusammenbruch Frankreichs heraus, zu einem Zeitpunkt, als die zivilisierte Menschheit in der Furcht vor dem Untergang lebte. War Gelächter inmitten weltweiter Verzweiflung tragbar? Als ob ihn seine Rolle als Komödienautor in einer solchen Zeit beunruhigte, versuchte Sturges in dem Film SULLIVAN'S TRAVELS (1941), einer Art Tragikomödie, die er unmittelbar nach THE LADY EVE schrieb und drehte, das Lachen zu rechtfertigen. Der Film markiert den Wendepunkt seiner Karriere.

Sullivan, ein durch seine Komödien berühmter Hollywood-Regisseur, ist derart von Gewissensbissen gequält, daß er sich entschließt, fortan nur noch solche Filme zu drehen, die die Massen nicht mehr unterhalten, sondern ihnen ein Bild ihrer unerträglichen Misere vorführen und auf diese Weise die menschliche Würde fördern. Um die Nöte und Mühen kennenzulernen, denen er sich in seinem nächsten Film widmen will, besucht er, als Landstreicher verkleidet, mehrere Obdachlosenlager. Diese Reisen, eine Mischung aus Slapstick und ernsten Begegnungen, enden in einer Katastrophe: Sullivan verliert sein Gedächtnis und wird, unter dem Bann des Gedächtnisschwunds, zu langjähriger Schwerstarbeit verurteilt, weil er den Vorgesetzten Widerstand leistete. In einem Zuchthaus der Südstaaten wird ihm und seinen Mitgefangenen eines Abends erlaubt, einen alten Disneyfilm anzuschauen. Während Mickey Mouse über die Leinwand tanzt, weilt die Kamera auf den lachenden Gesichtern von niedergeschlagenen Verbrechern. Obwohl die Fröhlichkeit der Zuschauer am Ende des Kurzfilms verfliegt, hinterläßt sie bei Sullivan einen bleibenden Eindruck. Er gewinnt sein Gedächtnis wieder und kehrt nach Hollywood zurück, erfüllt von dem Credo, daß echtes Leiden nur durch Lachen gelindert werden kann. Dies ist die Lehre, die seine Reisen ihm erteilt haben. Und mit einem wahrhaft missionarischen Eifer läßt er sein Projekt eines sozialkritischen Films zugunsten einer Komödie fallen.

Sullivan bekundet Mitgefühl mit den Leidenden. Doch hält ihn das nicht davon ab, sich nur für pittoreske Landstreicher und Zuchthäusler zu interessieren, die weit weniger repräsentativ für unsere Gesellschaft sind als z. B. die Angestellten in CHRISTMAS IN JULY. Sullivans Reisen sind auch eine Art Ausweichmanöver; indem sie das Unauffällige zugunsten des Spektakulären vernachlässigen, ähneln sie Sightseeing-Touren durch die Bowery. Zudem hat Sullivan wenig für die auserwählten Unglücklichen übrig, denen er unterwegs begegnet. Von Anfang an hatte er es vermieden, in die graue Arbeitswelt verstrickt zu werden. Sein Widerwillen, menschliches Leid – oder überhaupt irgendein Leid – wirklich an sich herankommen zu lassen, geht Hand in Hand mit der Überzeugung, daß die Dinge so, wie sie sind, nun einmal sind und daß man daran nichts ändern kann. Wenn er die Gesellschaft eine »absurde Karawane« nennt,[6] gibt er stillschweigend zu, daß diese Unzulänglichkeit seiner Ansicht nach nicht zu ändern ist. Sein Lachen läßt auf eine konformistische Haltung schließen. Im nachhinein erscheint die Rechtfertigung der Bonzen in THE POWER AND THE GLORY und in anderen Filmen viel eher als Symptom sozialer Selbstgefälligkeit denn als ein Angriff auf moralische Heuchelei. Dan McGintys ursprüngliche Gleichgültigkeit den Armen gegenüber wird jetzt durch die Kaltschnäuzigkeit von Sullivans Butler betont, der in ungefähr den gleichen Worten wie Dan seinem Herrn den Rat gibt, die Armen sich selbst zu überlassen – einen Rat, den Sullivan zu verwerfen scheint, sich in Wirklichkeit aber zu Herzen nimmt. In den Anfängen hatte Sturges etwas von Aristophanes, doch mit SULLIVANS'S TRAVELS verriet er das, was an seinem Lachen das Beste war.

Nachdem er Komödien als wahren Segen in diesen Tagen des Zorns gerechtfertigt hatte, setzte Sturges mit beruhigtem Gewissen ihre Produktion fort. Es folgte THE PALM BEACH STORY (1942). Diese Komödie über die oberen Zehntausend wimmelt von Millionären aller Schattierungen und bringt anstelle der traditionellen Unschuldsgestalt gleich zwei ins Spiel: den ungeschickten Tom und John, den Sohn eines Super-Magnaten. Toms liebende Frau wird durch ihren Wunsch, diesen stumpfsinnigen Esel nach oben zu bringen, der Mittelpunkt einer wendigen Intrige, die das verschwenderische Leben der Reichen in einer Mischung aus aggressivem Slapstick und nachsichtigen Lubitsch-Gags hell ausleuchtet. Im Finale überschüttet Sturges Tom, John und alle sonstigen Personen mit einem Märchenglück, das dem Publikum durch einen wohldosierten Schuß Ironie schmackhaft gemacht wird.

Die beiden nächsten Filme behandelten kleinstädtisches Leben während des Krieges in einer Art und Weise, die Sturges' wachsende Leidenschaft für alte Slapstick-Komödien zeigte. Der Held in THE MIRACLE OF MORGAN'S CREEK (1944), gespielt von Eddie Bracken, stottert, wenn er aufgeregt ist, und das ist oft aufgrund des unverantwortlichen Verhaltens seiner angebetenen Trudy der Fall. Trudy hatte an einer fröhlichen Abschiedsparty für Soldaten teilgenommen; die Party endete damit, so erinnert sie sich dunkel, daß sie einen GI heiratete, dessen Name ihr entfallen ist. Leider ist das Resultat deutlicher als ihr Gedächtnis. Eddie, eine süße Mischung aus Ritter und Tor, versucht das Unmögliche, um Trudy vor der Schande zu bewahren; aber natürlich wird alles durch seine lächerlichen Versuche für beide nur noch schlimmer. Spott auf überstürzte Kriegsehen, heuchlerische Sexualmoral und administratives Gepfusche erwecken den allgemeinen Eindruck einer Gesellschaft, in der es drunter und drüber geht. Es ist in einer solchen Welt auch logisch, daß ein vierzehnjähriges Mädchen – eine der besten komischen Gestalten von Sturges – sich aufführt und spricht wie ein desillusionierter Erwachsener. Wiederum wird die Story in Form von Rückblenden erzählt; doch zum Schluß, als alles hoffnungslos verworren scheint, gibt Sturges die Überraschung preis, auf die er das Publikum von Anfang an vorbereitet hatte: Trudy schenkt Sechslingen das Leben. Und weil Dan, der Gouverneur des Staates, dieses Wunder als ein einzigartiges Aushängeschild für seine Regierung ansieht, sanktioniert er Trudys Fauxpas, indem er ihr Eddie zum legitimen Ehemann gibt und diesen obendrein zum Obersten der Landesmiliz befördert.

In HAIL THE CONQUERING HERO (1944) ist Bracken so beschämt über seine Entlassung aus der Armee wegen chronischen Heuschnupfens, daß er es nicht wagt, zu seiner Mutter zurückzukehren, die mit großem Stolz das Andenken an seinen Vater, einen Helden des Ersten Weltkriegs, pflegt. Sechs »Marines« auf Heimaturlaub von Guadalcanal und auf der Suche nach angenehmem Zeitvertreib lesen Bracken in einer Bar auf und schlagen ihm vor, daß er, statt seine Mutter zu enttäuschen, sich ihr dankbar erweisen solle, indem er als Heldensohn vor ihr erscheint. Sie stecken den zögernden, unschuldigen Würdenträger in eine mit Medaillen behängte Uniform, eskortieren ihn nach Hause und nehmen ausgelassen an seinem triumphalen Empfang teil, in dem sich die Stadt an den angeblichen Heldentaten ihres Sohnes berauscht. Nie war Sturges' Satire aktueller als in diesem ausgelassenen Gemisch, das mitten im Krieg nicht nur so unbedeutende Leute wie Souvenirjäger und politische Windbeutel aufs Korn nahm, sondern die Heiligkeit unseres offiziellen Mütter- und Helden-Kultes attackierte. Der Streich der »Marines« spitzt sich zu, als einige Bürger, die sich über den Stand der städtischen Angelegenheiten besorgt zeigen, Woodrow bedrängen, für das Amt des Bürgermeisters zu kandidieren. Wieder gibt er nach, doch diesmal besiegt seine angeborene Aufrichtigkeit seine Schüchternheit. Auf der Eröffnungswahlversammlung gesteht er, daß er ein Betrüger ist – ein Beispiel von Zivilcourage, dem die »Marines« als erste Bewunderung zollen. Die Wähler empfinden ähnlich, holen Bracken auf dem Bahnhof ein und halten ihn davon ab, den Zug zu besteigen, in dem die sechs schneidigen »Marines« abfahren.

Sturges' Satire ist hier nicht mehr das, was sie war, bevor er ihr durch systematischen Rückzug von jeglicher prononcierten Stellungnahme ihre

bissige Schärfe nahm. In seinen Anfängen bestand Sturges darauf, daß Ehrlichkeit sich nicht bezahlt macht. Nun möchte er uns glauben machen, daß die Welt sich zur Redlichkeit bekehrt.
Welche satirischen Elemente der Film THE MIRACLE OF MORGAN'S CREEK auch enthalten mag, sie werden in einem Plot erstickt, der zu demonstrieren sucht, daß unsere bestehende Welt, diese »absurde Karawane«, die beste aller möglichen Welten ist. Der Film unterstellt, daß unsere Welt so konstruiert ist, daß auf die Dauer jede schlechte Handlung einem guten Zweck dient. Wenn aber menschliche Integrität sich am Ende durchsetzt, weshalb sollte man dann versuchen, die Welt zu ändern? Zwar wischt Sturges die ganze Marionetten-Welt mit einem ironischen Lächeln weg, das darauf berechnet ist, das Ganze als einen souveränen Witz auszugeben. Doch ist diese Ironie viel zu oberflächlich, um eine angemessene Entschuldigung für die Harmonie zu sein, die er zwischen seinen Unschuldsgestalten und den herrschenden Mächten etabliert hat.
Sturges' ursprüngliche Affinität zur alten Stummfilmkomödie ist unbestreitbar. Neben den vielen einschlägigen Gags in seinen frühen Filmen erweist er sich auch darin als ein später Nachfahre Mack Sennetts,[7] daß er eine feste Schauspielertruppe aufgebaut hat, die die immer wiederkehrenden komischen Charaktere darstellt, welche seine Phantasie heimsuchen. Sturges hätte die Slapstick-Welt der Vergangenheit wiedererstehen lassen *können*. Das Seltsame liegt darin, daß sein bewußter Rückgriff auf diese Welt gerade in dem Moment erfolgte, als er sich von ihrem Geist entfernt hatte. Was unter solchen Umständen geschehen muß, ist vorhersehbar: die Wiedererweckung des Slapstick entpuppt sich als bloßer Vorwand. Sturges' mangelndes Interesse am Geist des Slapstick zeigt sich in der Zunahme bedeutungsloser Gags; unmotivierte Possen nehmen in den drei folgenden Komödien überhand.
Kurzum, Sturges wendet sich der klassischen Slapstick-Komödie nicht trotz, sondern wegen seines Konformismus zu. Weit davon entfernt, dieses Genre wiederzubeleben, beutet er lediglich dessen bewährte Techniken aus, um, ohne Rücksicht auf ihren ursprünglichen Sinn, so viel Spaß wie nur möglich zu produzieren. Für den späteren Sturges ist der Slapstick nichts weiter als ein Arsenal schon vorgefertigter Gags. Was immer der innere Grund dafür sein mag, gewiß ist, daß Sturges' Fä-

higkeit, komische Begebenheiten zu erfinden, ihm etwa zu der Zeit von SULLIVANS' TRAVELS abhanden kam. Mehr als früher tendieren seine Charaktere jetzt dazu, zu straucheln oder andere zum Straucheln zu bringen; und an die Stelle subtiler Ironie tritt zunehmend plumpe Farcenhaftigkeit. (Selbstgefälligkeit rächt sich an denen, die sich in ihr gefallen: Sturges' letzte Komödien: UNFAITHFULLY YOURS (1948) und THE BEAUTIFUL BLONDE FROM BASHFUL BEND (1949) sind nicht sehr witzig und ähneln Slapsticks aus der Konserve.)

Welche besondere Variante des Konformismus verschreibt Sturges-Sullivan seinem Publikum? Es ist eine Stromlinien-Variante des naiven und unkritischen Konformismus, der allgemein unter uns herrscht. Sturges appelliert zunächst an die kritischen Fähigkeiten eines geschmeichelten Publikums, indem er ihm einen kurzen Einblick in die fragwürdigen Aspekte unserer Gesellschaft gewährt; und dann gibt er dem Publikum zu verstehen, daß diese unsere Welt in der Tat ein Paradies ist, in der sich das Böse automatisch zum Guten wendet. Er verbirgt nichts und vergoldet alles. Er benutzt das Instrumentarium sozialer Kritik einzig, um ihre konstruktive Kraft zu zerschlagen.

Es ist nicht meine Absicht, zu behaupten, daß Lachen ohne soziale Bedeutung von Übel sei. Die pure Filmfarce, die allein um ihres komischen Effekts willen produziert wird, ist als Unterhaltung genauso legitim wie jeder andere Taschenspielertrick. Aber die Farce im Gewand der Satire ist gefährlich. Sie macht die Spitzen einer erstklassigen Waffe menschlicher Emanzipation stumpf. Und sie ist gefährlich in einer Zeit, in der zusammen mit den Mitteln der Massenkommunikation Methoden der psychologischen Manipulation in einem noch nie zuvor gekannten Ausmaß entwickelt worden sind.

(*Films in Review*, Februar 1950)

1 Zu diesem Text haben sich neben der hier in Übersetzung wiedergegebenen Druckfassung zwei voneinander geringfügig abweichende Typoskript-Versionen (KN) erhalten, die 1946/47 entstanden und sich erheblich vom publizierten Text unterscheiden. Die Originalfassung der zweiten, überarbeiteten Typoskript-Version ist im Anhang dieses Bandes (S. 496-511) abgedruckt; siehe dort auch zur Entstehungsgeschichte.

2 SULLIVAN'S TRAVELS. Preston Sturges. US 1941.

3 WHAT PRICE GLORY. Raoul Walsh. US 1926.

4 Kamera in THE GREAT MCGINTY: William Mellor.

5 THE GREAT MOMENT. Preston Sturges. US 1942-1944. Kracauer irrte sich im Produktionsjahr des Films.
6 Siehe Anhang, S. 502.
7 Zu Mack Sennett siehe Nr. 12, Anm. 1.

799. [Von der Bühne zur Leinwand: Die dramatische Methode von Garrick bis Griffith]

Rez.: Alexander Nicholas Vardac, *Stage to Screen: Theatrical Method from Garrick to Griffith*. Cambridge, Mass.: Harvard Univ. Press 1949.

Die meisten Diskussionen des Mediums Film betonen die nicht zu bestreitenden Unterschiede zwischen Bühne und Leinwand; sie behaupten, daß das filmische Verfahren eine Abkehr von den Techniken des Theaters bedeutete und daß das in den Anfangszeiten des Mediums auch so wahrgenommen wurde. Wenn Vardac diese Überzeugung nicht umstößt, so schränkt er sie doch durch den Nachweis ein, daß das Theater des 19. Jahrhunderts den Boden für den Film bereitete, daß es tatsächlich von demselben Realismus geprägt war, den wir für eine ausschließliche Eigenschaft des Films halten.
Indem er weitgehend unerforschte Quellen erschließt, analysiert er die beliebten Melodramen und Schauspiele der Zeit, insbesondere die Inszenierungen von Henry Irving,[1] Steele MacKaye[2] und David Belasco.[3] Er ist der Ansicht, daß das Theater nicht nur nach – wie er es nennt – photographischer Echtheit strebte, sondern filmische Verfahrensweisen wie die Überblendung, die Auf- und Abblende vorwegnahm. Die Bühnenausstattung sollte authentisch wirken; Szenen, die für den Plot nicht wesentlich waren, wurden wegen ihres malerischen Wertes eingefügt; und die Menge visueller Effekte erstickte zunehmend den Dialog. Der Stummfilm entwuchs auf organische Weise einem Theater, das die Illusion des wirklichen Lebens zu erzeugen suchte; und er löste es ab, als das Theater selbst keinen weiteren Schritt in diese Richtung mehr machen konnte. Entsprechend stellt Vardac den frühen Film als eine direkte Fortsetzung der Bühnenkunst dar: Von Lumière bis Griffith machten sich die Filmschaffenden fest etablierte Bühnenthemen und -techniken zunutze.

Die Einseitigkeit dieses Standpunkts muß kaum betont werden. Vardac definiert den Film als einen Abkömmling des Theaters des 19. Jahrhunderts; für die nicht-theatralischen Merkmale des Films hat er keine Erklärung. Seine Versuche, die dem Medium innewohnende dokumentarische Tendenz mit zeitgenössischen Entwicklungen des Theaters zu verbinden, sind konstruiert; es gelingt ihm auch nicht, den theatralen Ursprung der Burleske zu beleuchten. Klar ist, was den beiden Medien gemeinsam ist; übergangen oder verwischt wird, was sie von Anfang an trennte. Vardacs großes Verdienst besteht darin, die dunklen Anfänge des Films erhellt und dadurch bestimmte Mißverständnisse beseitigt zu haben, die sich durch unsere Literatur ziehen. Als quellengestützte Forschung einschlägiger Trends des 19. Jahrhunderts ist sein Buch ein wichtiger Beitrag.
(*New Republic* vom 13. 2. 1950)

1 Henry Irving (d.i. John Henry Bradribb, 1838-1905), englischer Theaterschauspieler und -direktor; Aufsehen erregte u.a. 1885 seine *Faust*-Inszenierung am Londoner Lyceum Theatre.
2 Steele MacKaye (1842-1894), amerikanischer Dramatiker, Theaterdirektor und Bühnentechniker; 1879 eröffnete er das Madison Square Theater, wo ein Jahr später sein berühmtestes Drama, *Hazel Kirke*, aufgeführt wurde. MacKaye übernahm später das Lyceum Theater (New York) und gründete dort die erste Schauspielschule New Yorks, die spätere Academy of Dramatic Art.
3 David Belasco (1859-1931), amerikanischer Dramatiker und Schauspieler, machte sich einen Namen als Theaterproduzent, als Bühnentechniker sowie als Förderer und Entdecker junger Schauspielertalente; Belasco verfaßte außerdem meist in Zusammenarbeit mit anderen Schriftstellern zahlreiche Stücke für die Bühnenpraxis und war auch als Librettist für Puccini tätig, siehe Nr. 70, Anm. 2.

800. [Goethe und der Film]

Rez.: Heinrich Heining, *Goethe und der Film*. Baden-Baden: Neue Verlags-Anstalt 1949.

Heinings Buch ist von einigem Interesse für Filmhistoriker und Goethekenner. Es bietet eine Übersicht über alle Filme, die sich mit Goethe beschäftigen – Bearbeitungen seiner Werke, Leinwandstücke, die seine Liebesaffären erforschen, dokumentarfilmartige Biographien. Die Reihe

ist länger, als selbst Eingeweihte erwartet hätten, obwohl sie weit hinter der Menge von Filmen zurückbleibt, die von Shakespeare oder Dickens zehren. Unglücklicherweise macht Heining sich nicht die Mühe, seine Quellen anzugeben – eine Nachlässigkeit, die den Nutzen des Buches sehr schmälert. Das Ganze ist ein amateurhaftes Werk für geistige Normalverbraucher, gewürzt mit schwerfälligem Humor. Zwei kleine Beiträge von anderen Autoren, die beide kompetenter sind als Heining, runden den Band ab.[1] Einer von ihnen behandelt Goethes mögliche Beziehungen zum Film und läßt es plausibel erscheinen, daß er Gefallen an diesem Medium gefunden haben würde.
(*Books Abroad*, Sommer 1950)

1 Georg Böse, »Die lebhaft vorbeigeführten Bilderzüge«, S. 125-139, und Richard Grießer, »Die naturwissenschaftlichen Bezüge Goethes zum Film«, S. 143-162.

801. [Filme: Eine psychologische Untersuchung]

Rez.: Martha Wolfenstein und Nathan Leites, *Movies: A Psychological Study.* Glencoe, Ill. 1950.

In ihrem Buch über Filme analysieren Martha Wolfenstein und Nathan Leites die manifesten Themen von A-Filmen, die seit September 1945 uraufgeführt wurden, wobei sie dieser Auswahl einige französische und britische Filme zum Vergleich hinzugefügt haben. Ihr Ansatz ist von der vergleichenden Kulturanthropologie beeinflußt. Sie gehen davon aus, daß die Themen, die der Film einer Nation in einem gewissen Zeitraum behandelt, ein übergreifendes Muster ausbilden, das für die Kultur dieser Nation zu diesem bestimmten Augenblick irgendwie kennzeichnend ist. Auf dieser Basis erforschen die Autoren die Beziehungen zwischen Filminhalt und tatsächlichem kulturellen Inhalt. Ihr besonderes Interesse gilt Tatsachen des wirklichen Lebens, die durch die Psychoanalyse enthüllt werden können. Genauer gesagt, suchen sie in amerikanischen, französischen und britischen Filmen nach Anhaltspunkten für die unterbewußten Prozesse, die das typische Verhalten der zeitgenössischen Amerikaner, Franzosen und Briten motivieren. Die Grundidee ist,

häufig wiederkehrende Handlungsmuster als Symptome dafür zu lesen, was in den tieferen Schichten der nationalen Mentalität vor sich geht.
Als ein Verzeichnis der verschiedenen Themen, die Filmhandlungen mit demselben kulturellen Hintergrund gemeinsam haben, ist dieses Buch ausgezeichnet. Die Geschichten werden im Hinblick auf die typischen Charaktere analysiert, die in ihnen vorkommen, und jeder Typus wird durch die wichtigsten Bereiche des Alltagslebens hindurch verfolgt. Im Hinblick auf amerikanische Filme erfahren wir z. B., daß auf dem Gebiet der Liebesaffären Hollywood-Handlungen eine deutliche Vorliebe für das »gute böse Mädchen« haben – das Mädchen, das dem Helden sehr zweifelhaft erscheint, es in Wirklichkeit aber nicht ist, und auf diese Weise sowohl die niederen Triebe des Helden als auch seine edlen Bestrebungen befriedigt. Wir lernen eine Menge über Leinwandeltern und ihre Nachkommen – daß Eltern gewöhnlich Hintergrundfiguren sind und daß die Familie, die man gründet, wichtiger ist als die Familie, von der man abstammt. Wir erfahren ebenfalls vieles über Verbrechen und Bestrafung; der junge Held wird oft fälschlicherweise des Mordes angeklagt, und da die Polizei sich als inkompetent erweist, ist er selbst mit der Aufgabe konfrontiert, die Übeltäter – meist ältere Verbrecher, die ihn zugrunde richten wollen – zur Strecke zu bringen. Schließlich erhalten wir Einsicht in einen Bereich, der durch das Wechselspiel von Charakteren, die irgendwie handeln, und Charakteren, die ihnen zuschauen, gekennzeichnet ist. Dieser Bereich ist eine wirkliche Entdeckung; überzeugend arbeiten die Verfasser die standardisierten Typen des sich täuschenden Zuschauers und des berufsmäßigen Darstellers, der ein Verbrechen begeht, heraus.
Das alles dient jedoch nur als Ausgangspunkt für psychoanalytische Enthüllungen der normalerweise verborgenen Antriebe unserer Nachkriegskultur. Die Tatsache, daß es den Beziehungen zwischen männlichen amerikanischen Leinwandfiguren in der Regel an persönlicher Intimität fehlt, führt die Autoren zu der Vermutung, daß die wirklichen Amerikaner im tiefsten Innern Angst vor Homosexualität haben. An vielen Stellen schreiben die Autoren den stereotypen Filmfiguren symbolische Funktionen zu, die sie dann als Ausdruck von tatsächlich existierenden Ängsten oder Hoffnungen deuten. So sehen sie in dem älteren Verbrecher, der den Helden angreift, den bösen Vater – eine nach

außen gerichtete Projektion latenter Feindseligkeit gegenüber Vätern seitens amerikanischer Söhne. Der Verbrecher ist übrigens nicht das einzige Vaterbild; ein anderes, das den tölpelhaften amerikanischen Vater symbolisiert, wird von der Polizei mit ihren falschen Verdächtigungen und ergebnislosen Nachforschungen geliefert. Die Filmfigur der schönen Frau, die den Helden verführen möchte, ist natürlich ein Mutterersatz und personifiziert die uneingestandenen Wünsche, die unsere wirklichen Mütter in ihren jungen Helden wecken. Und so weiter. Jeder Leinwandcharakter soll eine latente Rolle neben seiner manifesten spielen. Das Ergebnis ist ein ausgefeiltes System von Korrespondenzen, das nach Ansicht der Autoren die psychologische Tiefenstruktur des amerikanischen Lebens der Gegenwart widerspiegelt oder gar enthüllt.

Die Untersuchung wirft zwei Hauptprobleme auf. Das eine – die Gültigkeit so allgemeiner psychoanalytischer Hypothesen – kann im Rahmen einer Rezension nicht behandelt werden. Um so wichtiger ist das andere Problem: Rechtfertigt die Auswahl, die die Autoren getroffen haben, die weitreichenden Schlüsse, die sie daraus ziehen? Der Rezensent ist der Ansicht, daß das nicht der Fall ist, und zwar aus folgenden Gründen:

Erstens beschränkt sich die Auswahl ausschließlich auf A-Filme – d. h. auf Filme, die per definitionem sorgfältige Planung und künstlerische Anstrengung erfordern. Sie können mit allgemeinen Trends übereinstimmen und trotzdem eine bestimmte Signatur tragen, die den persönlichen Vorlieben ihrer Hersteller entspricht. Jedenfalls sind sie meist weniger konventionell als die stereotypen B-Filme. Und da die Erfahrung zeigt, daß diese häufig Themen ansprechen, die jene nicht berühren – Themen, von denen wir vernünftigerweise erwarten können, daß sie symptomatisch für tatsächliche kulturelle Unterströmungen und allgemeine emotionale Dispositionen sind –, ist der Umstand, daß die Autoren diese Durchschnittsproduktionen nicht berücksichtigt haben, ein ernsthafter methodischer Mangel. Um die psychologischen Tiefen einer ganzen Kultur auszuloten, ist es unbedingt notwendig, Filme *aller* Niveaus zu analysieren.

Zweitens konzentrieren sich die Autoren auf Filmhandlungen, ohne dem filmischen Ganzen sonderliche Beachtung zu schenken. Abgesehen von vereinzelten Hinweisen auf rein visuelles Material ist die ablösbare

Story eines Films ihre Hauptinformationsquelle. Aber die eigentliche Story ist tatsächlich nur eines der Elemente, aus denen der manifeste Filminhalt sich aufbaut. Die Beleuchtung, die Kamerabewegung, der Rhythmus, das Verhältnis zwischen Ton und Bild – alle diese Faktoren tragen dazu bei, das Ganze der Erzählung zu formen. Dementsprechend vermitteln die meisten Filme Botschaften, die unmöglich aus ihrer Story allein erschlossen werden können. Beispielsweise ist der häufige Rückgriff auf Dokumentaraufnahmen in amerikanischen Nachkriegsfilmen an sich selbst bedeutungsvoll. Hollywoodfilme ziehen eine schnelle Handlung vor, während französische Filme sich langsam bewegen – ein Unterschied im Tempo und im Stil des Schnitts, der sehr wohl auf unterschiedliche emotionale Haltungen hinweisen könnte. Liegt es an der Unvertrautheit mit dem Medium, daß die Autoren alle diese Einflüsse übergehen? Gewiß ist: Indem sie sie vernachlässigen, kommen sie unvermeidlich zu schiefen Folgerungen.

Drittens ist die Auswahl im Hinblick auf ihre zeitliche Beschränkung fragwürdig. Sie besteht aus Nachkriegsfilmen, die, wie zu erwarten, manches Thema betonen, das auf der Leinwand der Vorkriegszeit fehlte. Die Autoren sind sich dessen völlig bewußt; tatsächlich erwähnen sie den »Vamp« und das, was sie den »Herzensbrecher« der zwanziger Jahre nennen, Typen, die inzwischen zu komischen Figuren geworden sind. Doch sie erwähnen sie nur und wenden sich im übrigen von der Vergangenheit ab, um ausschließlich die jüngsten Filme als Hinweise auf unterbewußte Vorgänge heranzuziehen. Das ist, so meine ich, eine Beschränkung, die methodisch nicht einwandfrei ist. Um die Bedeutung eines Traums zu erfassen, versucht ein Analytiker, seinen Inhalt mit frühen Erfahrungen des Träumers in Verbindung zu bringen. Solange der Traum als etwas betrachtet wird, das keine Verbindung mit der Vergangenheit hat, können seine thematischen Konfigurationen unzählige symbolische Bedeutungen annehmen. Aber was von einem einzelnen Traum gilt, läßt sich auf die Tagträume der Leinwand übertragen. Sie sind voll von unbestimmten, schillernden Bedeutungen, die nur konkretisiert werden können, wenn sie zu ihren Ursprüngen zurückverfolgt werden. Es ist bedauerlich, daß die Autoren es sich versagt haben, eine solche Fallgeschichte zu rekonstruieren.

Aber vielleicht wollten sie einfach den Durchschnittsleser mit den Möglichkeiten des psychoanalytischen Zugangs zu den Massenmedien vertraut machen und haben sich deshalb nicht gescheut, Erkenntnisse, die andernorts und in direktem Kontakt mit den nationalen Kulturen erworben wurden, ihrem Filmmaterial selbst überzustülpen. Vielleicht wollten sie bestimmte Vermutungen über unsere Lebensweise belegen und waren deshalb versucht, sich diese Vermutungen vom Material unter allen Umständen bestätigen zu lassen. Das würde vieles erklären: die Großzügigkeit, mit der sie mehr als 150 amerikanische Filme mit weniger als 30 französischen und 30 britischen Filmen vergleichen, wobei sie bezüglich der letzteren so selbstsicher sind wie im Hinblick auf die ersteren; das völlige Fehlen von Anmerkungen; und nicht zuletzt den gefälligen Stil des Ganzen. Das Buch liest sich sehr gut, ohne je den Geschmack einer unkritischen Leserschaft zu bedienen. Im Gegenteil, seine unterhaltsamen Anspielungen und ironischen Untertöne bestätigen hinreichend die intellektuelle Überlegenheit der Autoren. Zweifellos wird es dazu beitragen, den Einfluß der Psychoanalyse auf unsere Denkgewohnheiten zu stärken.

Diese Tendenz ist jedenfalls populär. Und ich kann mir eine Bemerkung über ihre Gefahren nicht versagen. Wir *mythologisieren psychoanalytische Begriffe* in zunehmendem Maße, sogar auf Gebieten, wo wir besser daran täten, den Tatsachen ins Auge zu blicken, wie offenkundig oder verwickelt sie auch sein mögen, anstatt immer nur die psychologischen Tiefen darunter auszuloten. Indem wir auf diese Weise hinter die Kulissen von gesellschaftlichen, politischen und wirtschaftlichen Ereignissen sehen oder zu sehen vorgeben, werden wir schließlich vergessen, auf diese Ereignisse selbst zu schauen, wir werden vergessen, uns mit ihnen selbst auseinanderzusetzen. Der Aufstieg dieser Mythologie mit ihren trügerischen Vater- und Mutterbildern stellt auch einen Versuch dar, wirklichen Begegnungen mit wirklichen Dingen auszuweichen. Er ist eine Form von Flucht.[1]

(*Public Opinion Quarterly*, Herbst 1950)

1 In gekürzter Fassung erschien dieser Text u. d. T. »Movie Mirror« auch in: *New Republic* vom 31. 7. 1950, Bd. 123, Nr. 5, S. 19f.

802. [Filmparade]

Rez.: Paul Rotha und Roger Manvell, *Movie Parade 1888-1949: A Pictorial Survey of World Cinema*. London: Studio 1950.

Paul Rothas klassisches Filmbuch »*Movie Parade*«[1] ist in einer überarbeiteten Fassung erschienen, die von ihm und Roger Manvell mit Unterstützung der britischen Filmakademie herausgegeben wurde. Das Ganze ist mit rund 700 Szenenfotos aktualisiert worden, die aus der Zeit von 1888 bis 1949 stammen. Einige wichtige Veränderungen wurden vorgenommen. Neue Abschnitte, die den beiden Weltkriegen und dem weiten Feld der Shakespeare-Bearbeitungen gewidmet sind, wurden hinzugefügt. Jeder Abschnitt beginnt nun mit einer zusammenfassenden Beurteilung. Vielleicht sind diese Resumés nicht immer so ausgewogen, wie ihr Zweck es erforderte; vielleicht wären in einer Reihe von Fällen auch einschlägigere Photos verfügbar gewesen. Aber der Geist des alten Buchs von Rotha mit seinen unbestechlichen Werten und seiner geschickten Organisation hat unverändert überlebt. Dieser einzigartige, bebilderte Führer durch die Wildnis des Weltfilms wird heute noch dringender benötigt als 1936. Er wird der Generation, die nur Tonfilme kennt, dabei behilflich sein – und sei es auch nur in der Phantasie –, die vergessene Ära des Stummfilms, aus der der Tonfilm hervorging, zum Leben zu erwecken. Und was ist mit denen, die mit dem Stummfilm groß wurden? Für sie ist es ein Abenteuer, diesen Band durchzublättern. Sie werden sich an halb vergessene Eindrücke erinnern, Bilder, die sie einst auf der Leinwand sahen, werden wiederauftauchen, verschmolzen mit ihren persönlichen Erinnerungen. Es wird sie jene süße Schwermut befallen, die der unerbittliche Fluß der Zeit erzeugt.
(*Films in Review*, Oktober 1950)

1 Paul Rotha, *Movie Parade*. London und New York: The Studio 1936.

803. Stummfilmkomödie

Die Stummfilmkomödie, die in den zwanziger Jahren in Amerika ihren Höhepunkt erreichte, entstand in Frankreich, wo ihre wesentlichen Züge schon lange vor dem ersten Weltkrieg ausgebildet wurden. Zu einer Zeit, da die Kunst der Filmerzählung noch unbekannt war – D. W. Griffith war noch nicht auf der Bühne erschienen –, hatte dieses Genre fast schon Vollkommenheit erreicht. Es wurzelte in der Tradition der ›Music Hall‹, des Zirkus, der Burleske und der Jahrmarktspiele, alles Schaustücke, die mehr oder weniger stark aus der ewigen Faszination lebten, die Katastrophen, Gefahren und physische Schocks auf den zivilisierten Menschen ausüben. Von Beginn an häufte die Filmkomödie diese Art von Spannungsmomenten in immer neuen Kombinationen, wobei natürlich klar war, daß es den betroffenen Personen im letzten Augenblick gelingen würde, sich in Sicherheit zu bringen. Ziel war ja schließlich das Vergnügen. Ein Junge fuhrwerkt mit einem Gartenschlauch herum und setzt dabei die Wohnungen eines benachbarten Hauses unter Wasser; Spaziergänger fallen unvermittelt in einen See; Juckpulver im Fischgericht bewirkt seltsame Dinge bei den Tischgästen; eine Braut, die irgendwo hängenbleibt, erscheint in Unterwäsche auf der Hochzeitsfeier – solche Gags waren in Frankreich zwischen 1905 und 1910 allgemein üblich. Einige Motive wanderten nach Amerika und wurden dort zum festen Bestand. So tauchten z. B. die Polizisten, stehende Figuren aus der frühen französischen Farce, als Keystone-Cops[1] wieder auf. Sie überlebten die Sennett-Ära[2] und fuhren bis zuletzt fort, ihre Doppelrolle als aufgeblasene Verfolger und kleinmütige Verfolgte zu spielen, wobei die erste Rolle nur dazu diente, ihren Zusammenbruch um so drastischer erscheinen zu lassen. Es gibt kein kurzes Chaplin-Lustspiel, in dem der Tramp nicht abwechselnd vor einem bulligen Polizisten zitterte und ihn dann an der Nase herumführte – ein Katz- und Maus-Spiel. Gleich zerbröckelnden Säulen der öffentlichen Ordnung waren diese Polizisten und Bullen sichtlich dazu bestimmt, den Eindruck von einer total verrückten Welt zu verstärken. Ebenso zog sich das Alptraum-Motiv, seiner Kleider in Gegenwart normal angezogener Leute beraubt zu werden, wie ein roter Faden durch die Geschichte des

Slapstick. Harold Lloyd, der seine Hosen verliert,[3] war nur eine andere Version der Braut in Unterwäsche.

Das Filmlustspiel beschwor das materielle Leben da, wo es sich am rohesten zeigte. Und da in jenen Uranfängen der unbewegten Kamera das Leben auf der Leinwand gleichbedeutend war mit bewegtem Leben, taten die Filmkomiker ihr Äußerstes, um alle natürlichen Bewegungen zu übertreiben. Mit Hilfe eines einzigen Kameratricks ließen sie die Menschheit rasen und berauschten sich am Spiel mit der Geschwindigkeit. In ONÉSIME HORLOGER (1908),[4] einem entzückenden französischen Kurzfilm, läuft Paris Amok, die Avenue de l'Opéra verwandelt sich in einen erregten Ameisenhaufen, und Tapeten fliegen an Wände, die kurz zuvor wie Pilze aus dem Boden schossen. Das war Kino; das war Spaß; es war, als ob man in einem Wagen auf der Achterbahn mit vollem Karacho fuhr, während sich einem der Magen drehte. Der Schwindel gesellte sich wunderbar zu den Schockwirkungen von Katastrophen und scheinbaren Kollisionen. Als Rahmen für diese raumverschlingenden Abenteuer bot sich die Verfolgungsjagd als unschätzbarer Vorwand an.[5] Polizisten verfolgten einen Hund, bis sie schließlich von ihm verfolgt wurden (LA COURSE DES SERGE[A]NTS DE VILLE, ca. 1910?);[6] ein Gemüsehändler, sein Esel und Straßenpassanten rannten Kürbissen, die von einem Karren herabrollten, durch Rinnsteine und über Dächer nach (LA COURSE DES POTIRONS, 1907; englischer Titel THE PUMPKIN RACE).[7] Für jede Keystone-Komödie wäre der Verzicht auf die Verfolgung eine unverzeihliche Sünde gewesen. Sie bildete den Höhepunkt des Ganzen – seinen rauschhaften Abschluß –, ein wildes Drunter und Drüber, bei dem Züge in Höchstgeschwindigkeit mit Autos zusammenstießen und Verfolgte sich dadurch retteten, daß sie sich an Seilen herabließen, die über einer Löwenhöhle baumelten.

Es dürfte nun auch klar sein, daß diese Verfolgungsjagden und extremen Zustände nicht nur Polizisten und Räuber umfaßten, sondern ebenso Möbelstücke und Landstraßen. Die Komödie erwies sich auch darin als filmisch, daß sie ihre Reichweite ausdehnte, um die gesamte physische Realität einzufangen, die vom Kameraauge erfaßt werden konnte. Es galt die Regel, daß unbewegten Dingen eine wichtige Stellung zukam und daß sie ihre eigenen Vorlieben entwickelten.[8] Meist waren sie von einer gewissen Bösartigkeit gegenüber allem erfüllt, was menschlich war. Wenn die Kürbisse einen Hang hinab- und wieder hinaufrollten, so schien es tatsächlich, als ob sie sich einen schlechten Scherz mit ihren Verfolgern erlaubten. Und wer erinnerte sich nicht an Chaplins heroische Kämpfe mit der Rolltreppe,[9] dem Strandstuhl[10] und dem widerspenstigen Murphy-Bett?[11] Unter den dargestellten Gegenständen waren gerade jene, die für unsere Bequemlichkeit ersonnen waren, besonders bösartig. Anstatt dem Menschen zu dienen, erwiesen sich diese fortschrittlichen Erfindungen als die stärksten Verbündeten gerade jener Kräfte, die sie im Zaum halten sollten; anstatt uns von den Launen der Materie unabhängig zu machen, waren gerade sie die Stoßtrupps ungebändigter Natur und fügten uns eine Niederlage nach der anderen zu. Sie verschworen sich gegen ihre Meister, sie straften die angeblichen Wohltaten der Mechanisierung Lüge. Ihre Verschwörung war so mächtig, daß sie das Lächeln Buster Keatons im Keime erstickte. Wie hätte er auch in einer mechanisierten Welt lächeln können? Sein unabänderlicher Gleichmut war ein Zugeständnis, daß in dieser Welt die Maschinen und Apparaturen die Gesetze bestimmen und daß es besser wäre, wenn er sich ihren Erfordernissen anpaßte. Zur gleichen Zeit jedoch ließ ihn diese Leidenschaftslosigkeit, so unmenschlich sie auch war, in rührender Weise menschlich erscheinen, denn sie war untrennbar mit Trauer verbunden, und man empfand, daß er, hätte er je gelächelt, während er die Knöpfe drückte oder seine Liebe erklärte, seine Trauer verraten und einen Stand der Dinge gutgeheißen hätte, in dem er selbst wie ein kleines technisches Gerät sich verhalten mußte.[12]

Natürlich war alles nur Komödie, und die Drohungen wurden nicht wahrgemacht. Wann immer die zerstörerischen Kräfte der Natur, feindliche Gegenstände oder rohe Menschen den Sieg davonzutragen schienen, wandelte sich das Geschick plötzlich zugunsten ihrer mitleiderregenden Opfer. Die Kürbisse kehrten auf den Karren zurück, die Verfolgten entflohen durch ein Schlupfloch, und die Schwachen erreichten einen vorläufigen Zufluchtsort. Häufig verdankten sich solche kleineren Siege akrobatischen Kunststücken.[13] Im Unterschied zu den meisten Zirkusfilmen jedoch verherrlichte die Filmkomödie nicht das Verdienst des Darstellers bei der Überwindung von Todesgefahren und unmöglichen Hindernissen; im Gegenteil, sie versuchte seine Leistungen eher zu verkleinern, um glückliche Errettungen aus höchster Not als das Werk des schieren Zufalls erscheinen zu lassen. Chancen traten an Stelle des Schicksals; eben noch gab es aus unentwirrbaren Umständen kein Entrinnen mehr, doch schon im nächsten Augenblick verwandelten sie sich ohne ersichtlichen Grund in günstige Fügungen. Harold Lloyd klammerte sich ans Gesims eines Wolkenkratzers;[14] was ihn vor dem tödlichen Absturz bewahrte, war nicht seine eigene Geschicklichkeit, sondern ein zufälliges Zusammentreffen äußerer, völlig unwillkürlicher Zwischenfälle, die ohne die geringste hilfreiche Absicht dennoch so glücklich ineinandergriffen, daß er nicht hätte abstürzen können, selbst wenn er es gewollt hätte. Auch dies war genuin filmisch, denn es entsprach dem Geist eines Mediums, das dazu bestimmt war, die zufälligen Aspekte physischen Lebens einzufangen. Aufgrund der häufigen Happy-Ends wurde der Zuschauer dazu gebracht, zu glauben, daß die den Gegenständen innewohnende Arglist in bestimmten Fällen einem Wohlwollen wich. Harry Langdon[15] zum Beispiel gehörte zu den Lieblingen der Natur. Als ein somnambuler Märchenprinz watschelte er sicher durch eine Welt tödlicher Gefahren, weit entfernt, zu ahnen, daß er nur deswegen sicher war, weil die Kräfte der Natur seiner babyhaften Offenheit und süßen Idiotie erlegen waren. War es nicht sogar möglich, den Zufall zu beeinflussen und die Bosheit zu besänftigen? Als Chaplins Tramp von einem Grobian angegriffen wird, beschwor er in seiner Angst die magische Kraft des Rhythmus, um das Schlimmste abzuwenden; er machte einige elegante Tanzschritte und ausgesuchte Gesten und versetzte mit Hilfe dieses in der Not erfundenen Rituals den Raufbold in einen Zustand ungläubiger Verwunderung, welche ihn gerade so lange lähmte, um dem listigen Tramp Zeit zu geben, sich aus dem Staube zu machen.[16]

Jeder dieser Gags bildete eine kleine, in sich geschlossene Einheit, und jede Komödie war eine Ansammlung von Gags, die, nach der Art der ›Music Hall‹-Spiele, viel eher autonome Stücke denn Bestandteile einer Story waren.[17] Meist gab es irgendeine Art von Story, aber sie hatte keine andere Funktion, als diese monadengleichen Einheiten aneinanderzureihen. Worauf es ankam, war, daß sie ohne Unterbrechung einander folgten, nicht aber, daß ihre Abfolge eine Handlung bildete. Sie entwikkelten sich zwar häufig zu halbwegs stimmigen Geschichten, aber diese Geschichte war nie so anspruchsvoll, daß ihre Bedeutung diejenigen der

Teile, aus denen sie bestand, beeinträchtigt hätte. Obwohl THE GOLD RUSH (1925) und CITY LIGHTS (1930)[18] das Genre transzendierten, kulminierten sie doch in Episoden wie dem Tanz mit der Gabel oder dem schlechten Benehmen der verschluckten Pfeife – Büschel von Gags, die in ihrem Sinn und ihrer Wirkung so wenig von der Handlung abhingen, in der sie erschienen, daß sie ohne Schaden leicht herauszulösen gewesen wären. Die Filmkomödie war ein Feuerwerk von Gags. Im übrigen schwelgte sie in Absurditäten, als wollte sie uns unmißverständlich klarmachen, daß keine Katastrophe für wirklich genommen werden und keine Handlung irgendwelche Konsequenzen haben sollte. Die unsinnigen Possen von Sennetts Badeschönheiten[19] erstickten die zarten Keime einer sinnvollen Handlung, und die vielen, sichtlich angeklebten Schnurrbärte bezeugten eine übermütige Leidenschaft für unerklärbare Narretei. Absurdität entkleidete die Ereignisse ihrer möglichen Bedeutungen. Und da sie derart die Implikationen herauskürzte, die die Ereignisse sonst für uns hätten gewinnen können, waren wir um so mehr genötigt, sie um ihrer selbst willen aufzunehmen. Zwar stellte die Filmkomödie Gewalttaten und Extremsituationen nur dar, um im nächsten Augenblick ihre Ernsthaftigkeit zu leugnen; so lange jedoch, wie sie dargestellt wurden, teilten sie nichts als sich selber mit. Sie waren, wie sie waren, und die Aufnahmen, die sie wiedergaben, hatten ausschließlich die Funktion, uns einem Spektakel zuschauen zu lassen, das im wirklichen Leben zu roh war, um distanziert wahrgenommen zu werden. Es war echtes Kino, und die Betonung lag auf den Streichen, die die Dinge spielten, und auf den Attacken der Natur. Dies erklärt, weshalb das Bildmaterial vom frühen Slapstick bis zu Chaplins abendfüllenden Filmen bis zu einem gewissen Maß den Charakter von Momentaufnahmen bewahrte. Es war nicht expressive Photographie, sondern nüchterner Bericht. Doch hätte die Kunstphotographie nicht alle jene Bedeutungen eingeführt, die die Filmkomiker instinktiv zu vermeiden wünschten? Ihnen ging es um entfremdete physische Existenz.

Die Filmkomödie starb mit dem Stummfilm. Vielleicht beschleunigte die Weltwirtschaftskrise ihren Tod. Jedoch starb sie nicht durch die Veränderung der gesellschaftlichen Bedingungen, so unglücklich diese auch gewesen sein mag; vielmehr erlag sie einem Wandel innerhalb des Mediums selbst – dem Hinzutreten der Sprache. Jene alptraumhaften Verwirrungen, das Spiel mit der Geschwindigkeit und mit der sprachlosen Materie, untrennbar mit der Komödie verbunden, bewegten sich in einer Tiefe des materiellen Lebens, in die Worte nicht eindringen; die Sprache und mit ihr alles, was aus ihr an artikulierten Gedanken und Emotionen folgt, mußte daher notwendig das eigentliche Wesen dieses Genres verdunkeln. Die Komödie hörte in dem Moment auf, Komödie zu sein, in dem das Hinzutreten des Dialogs unsere visuelle Erfahrung sprachloser Ereignisse trübte; in dem Moment, in dem die Notwendigkeit, dem mehr oder weniger verständlichen Gespräch zu folgen, uns von dem Bereich der Materie, in dem alles nur geschah, weglockte in den Bereich der diskursiven Rationalität hinein, in dem alles schon irgendwie beschildert und sprachlich verdaut war. Es war in der Tat unvermeidlich, daß das gesprochene Wort einem Genre, das sich mit ihm nicht vertrug, ein Ende bereite. Nur Harpo[20] hat die Stummfilmzeit überlebt.[21] Wie die Götter der Antike, die nach ihrem Sturz als Puppen, Schreckgespenster und andere niedere Dämonen durch Jahrhunderte fortlebten, in denen man nicht mehr an sie glaubte, so ist Harpo ein Relikt der Vergangenheit, ein exilierter Komödiengott, dazu verurteilt – oder auch auserkoren –, die Rolle eines mutwilligen Poltergeistes zu spielen. Aber die Welt, in der er auftritt, ist so mit Worten überfüllt, daß er schon lange verschwunden wäre, wenn es nicht Groucho gäbe, der das bedenkenlose Treiben des Kobolds unterstützte, indem er den Dialog von innen her zersetzt. Die Wortkaskaden Grouchos, die so schwindelerregend sind wie irgendein stummer Zusammenstoß, verwüsten die Sprache, und unter den verbleibenden Trümmern kann Harpo weiter gedeihen.

(*Sight and Sound*, August/September 1951)

1 Die Keystone Cops, ungeschickte Polizisten, die mit ihren absurden Mißgeschicken ein lächerliches Bild der Rechtsmaschinerie zeichneten, waren beliebte »Helden« der Komödien Mack Sennetts, Regisseur der 1912 gegründeten Filmgesellschaft »Keystone«.

2 Zu Mack Sennett siehe auch Nr. 12, Anm. 1.

3 Gemeint ist: THE FRESHMAN. Sam Taylor und Fred Newmeyer. US 1925.

4 ONÉSIME HORLOGER. Jean Durand. FR 1912; Kracauer irrt sich im Produktionsjahr.

5 Die folgende Passage (bis zum Absatzende) hat Kracauer fast wörtlich in *Theory of Film* übernommen, dessen deutscher Übersetzung hier gefolgt wird. Siehe *Werke*, Bd. 3, S. 85 f.

6 LA COURSE DES SERGEANTS DE VILLE. FR 1905.

7 LA COURSE AUX POTIRONS (alternativer Titel: LA COURSE DES POTIRONS) / THE PUMKIN RACE. Emile Cohl. FR 1907.

8 Zur Funktion »Lebloser Gegenstände« siehe auch *Werke*, Bd. 3, S. 90 f.

9 THE FLOORWALKER. Charles Chaplin. US 1916.

10 Gemeint ist wohl Charlies Kampf mit einem Liegestuhl an Bord eines Vergnügungsdampfers in A DAY'S PLEASURE. Charles Chaplin. US 1919.

11 Gemeint ist: ONE A.M. Charles Chaplin. US 1916, in dem sich Chaplin mit den Tücken so mancher Alltagsgegenstände konfrontiert sieht, darunter auch ein Klappbett.

12 Zu Buster Keaton siehe u.a. Nr. 171, 187 und 232.

13 Die folgende Passage (bis »[...] selbst wenn er es gewollt hätte.«) hat Kracauer fast wörtlich in *Theory of Film* übernommen, dessen deutscher Übersetzung hier gefolgt wird. Siehe *Werke*, Bd. 3, S. 115.

14 Siehe Nr. 650.

15 Harry Langdon (1884-1944), amerikanischer Film- und Theaterschauspieler, der sich in seinen Filmen stets als der schüchterne, unbeholfene und weltfremde Liebende präsentierte, der die angebetete Frau zu erobern sucht, so z.B. in THE STRONG MAN (1926) und LONG PANTS (1927).

16 Gemeint ist eventuell: THE FLOORWALKER (siehe oben, Anm. 9).

17 Die folgende Passage (bis »[...] erstickten die zarten Keime einer sinnvollen Handlung [...]«) hat Kracauer mit einigen kleinen Änderungen in *Theory of Film* übernommen, dessen deutscher Übersetzung hier gefolgt wird. Siehe *Werke*, Bd. 3, S. 394f.

18 Siehe Nr. 186 und 641.

19 Die »Bathing Beauties«, attraktive junge Damen in mehr oder weniger phantastischen Kostümen, die stets viel Raum für den Blick auf lange Beine ließen, waren eine »Erfindung« des Regisseurs Mack Sennett. Seit seine erste Schönheit, Mabel Normand, in Komödien wie THE DIVING GIRL (1911) oder THE WATER NYMPH (1912) posierte, garantierten Auftritte der »Bathing Beauties« Erfolg beim Publikum. Sie fehlten in kaum einer Sennett-Produktion der zehner und zwanziger Jahre.

20 Harpo (d.i. Adolph, genannt Arthur Marx, 1888-1964), Mitglied der Marx Brothers. Das Brüder-Quartett Groucho (1890-1977), Chico (1886-1961), Harpo und Zeppo Marx (1901-1979) machte ab 1925 zunächst Karriere am Broadway mit Shows wie »The Cocoanuts« und »Animal Crackers«. In der Tonfilmära entfalteten sie als Trio (ohne Zeppo) ihre exzentrisch überdrehte, anarchische Komik in zahlreichen Filmen – u.a. THE COCOANUTS (1929), ANIMAL CRACKERS (1930), ROOM SERVICE (1931) UND DUCK SOUP (1933). Chico spielte im Trachten-Outfit, und der stumm agierende, von infantilem Gesichtsausdruck geprägte Harpo bildete ein Paar mit Groucho, dem Kopf der Truppe mit den Erkennungsmerkmalen breiter, schwarz aufgemalter Oberlippenbart, dicker Zigarre, geduckt-hastiger Gang und vielsagender Blick; er war für die charakteristischen zynischen Gags der Truppe verantwortlich. Ende der dreißiger Jahre war die Erfolgsära der Marx Brothers vorbei; nach LOVE HAPPY (1949) gingen die Brüder getrennte Wege. Nur Groucho Marx setzt seine Filmtätigkeit fort und blieb im Showbusiness.

21 Die folgende Schlußpassage des Aufsatzes hat Kracauer fast wörtlich in *Theory of Film* übernommen, dessen deutscher Übersetzung hier gefolgt wird. Siehe *Werke*, Bd. 3, S. 183f.

1952-1961

804. [René Clairs Schriften zum Film]

Rez.: René Clair, *Reflexion faite*. Paris: Gallimard 1951.

René Clair, der uns UN CHAPEAU DE PAILLE D'ITALIE,[1] SOUS LES TOITS DE PARIS[2] und andere wunderbare Filme geschenkt hat, versammelt in diesem Buch seine Schriften zum Film – eine Reihe von Aufsätzen, öffentlichen Erklärungen und Reden, die in der Mehrzahl in der Zeit zwischen 1922 und 1935 entstanden. Das Material wird durch regelmäßige Zusätze aktualisiert, in denen der Autor von 1950 seine früheren Auffassungen kommentiert, ihre Kompromißlosigkeit gelegentlich mildert und sie im übrigen in der Mehrzahl der Fälle bestätigt. Das zeugt von einem kritischen Scharfsinn, der bei einem kreativen Künstler selten ist. Von besonderem Interesse sind Clairs Bemerkungen zum Einsatz des gesprochenen Wortes und seine beharrlichen Versuche, die verwickelte Beziehung zwischen Filmbild und Filmhandlung zu bestimmen. Bezeichnenderweise bewundert er Chaplin als Erzähler. Was dem Buch an theoretischer Einsicht fehlt, wird durch Clairs untrügliches Gespür für den Film wieder ausgeglichen. Und außerdem enthält es eine Passage von großer Schönheit: die Beschreibung einer wahrhaft filmischen Begebenheit in London, als Clair, ohne es zu wissen, D. W. Griffith begegnete, und zwar in einem Rahmen, der an die Hafenszenen aus Griffiths unvergeßlichem Film BROKEN BLOSSOMS[3] erinnert.
(*Books Abroad*, Winter 1952)

1 UN CHAPEAU DE PAILLE D'ITALIE. René Clair. FR 1927/28.
2 Siehe Nr. 614.
3 BROKEN BLOSSOMS. D. W. Griffith. US 1919.

805. Die Filme, die wir sehen wollen[1]

Welche neueren Filme will ich in Venedig sehen oder wiedersehen? Vor allem möchte ich Venedig wiedersehen, gleichgültig, welche Filme dort gezeigt werden. Aufgrund meiner Forschungstätigkeit an der Columbia University[2] bin ich im letzten Jahr nicht viel ins Kino gegangen. Da ich

den Kontakt zur neuesten Produktion verloren habe, bin ich nicht wirklich in der Lage, die Frage angemessen zu beantworten. Das einzige, was ich tun kann, ist, einige Filme zu nennen, die ich gesehen habe und die mir aus unterschiedlichen Gründen gefielen: RASHO-MON, THE QUIET ONE, LE DIABLE AU CORPS, ROMA ORE 11, LUCI DELLA RIBALTA, NATURE'S HALF ACRE[3] (und zwei andere Naturfilme von Disney); die Todesszene und Teile der »Cancan«-Episode in MOULIN[-]ROUGE[4] (selbstverständlich aber nichts sonst in diesem Film).
(*Cinema Nuovo*, 15. 8. 1953)

1 Mit diesem Text antwortete Kracauer der Zeitschrift *Cinema Nuovo*, die einigen prominenten Filmkritikern anläßlich der Filmfestspiele 1953 die Frage stellte: »Welche Filme der neueren Produktion, die Sie kennen oder von denen Sie gehört haben, wollen Sie in Venedig sehen oder wieder sehen?«
2 Kracauer war 1952/53 als Senior Staff Member bzw. Research Director des Bureau of Applied Social Research an der Columbia University tätig.
3 RASHO-MON. Akira Kurosawa. JP 1950, siehe auch *Werke*, Bd. 3, S. 428-430; THE QUIET ONE. Sidney Meyers. US 1949, siehe auch *Werke*, Bd. 3, S. 264 f.; LE DIABLE AU CORPS. Claude Autant-Lara. FR 1946/47; ROMA ORE 11 / ONZE HEURES SONNAIENT. Giuseppe De Santis. IT / FR 1952; LUCI DELLA RIBALTA / LIMELIGHT. Charles Chaplin. US 1952, siehe auch *Werke*, Bd. 3, u. a. S. 229 f.; NATURE'S HALF ACRE. (Prod. Walt Disney Productions). US 1951.
4 MOULIN-ROUGE. John Huston. GB 1952, zur Todesszene siehe auch *Werke*, Bd. 3, S. 155 f.

806. [Leserbrief an film 56][1]

Ich habe mich über den Geist gefreut, der aus dem ersten Artikel – »Panorama 1955« – spricht.[2] Dies ist ein frischer Auftakt, and it sets the right tune. Ich glaube, diese soziologische Einstellung zur Filmproduktion ist sehr nötig; nur wünschte ich mir, Sie würden in der Zukunft systematischerer versuchen, das sozial und politisch Falsche oder Richtige auch im ästhetischen Bereich zu erkennen. Vorderhand scheint es mir, als sei zu einseitig Gewicht auf den Inhalt – the manifest content – gelegt. Doch auch die Art der Photographie, der Kamera-Einstellung und der Schnittmethoden sagen viel aus, das in der Gesamtbewertung berücksichtigt werden sollte. Kurz, ich rede einer Verschmelzung der

soziologischen und ästhetischen Betrachtungsweise das Wort ...[3] Berghahns »MacArthur und die Zivilisten«[4] ist ein brillanter Interpretationsversuch, der auch hier gelesen werden sollte – vor allem von den Leuten, die das Politische um des Psychologischen und des Psychoanalytischen willen vernachlässigen – ich denke an das Wolfenstein-Leites-Buch *»The Movies«*[5] ... und halten Sie die Klingen scharf!
(*film 56*, März 1956)

1 Der Leserbrief bezieht sich auf die erste Ausgabe der Zeitschrift *film 56* vom Januar 1956.
2 Gemeint ist der einleitende Artikel von Enno Patalas, Theodor Kotulla und Ulrich Gregor, »Panorama 1955« (in: *film 56*. Internationale Zeitschrift für Filmkunst und Gesellschaft. Januar 1956, Nr. 1, S. 2-9), der eine Bestandsaufnahme der Filmproduktion in den USA, Frankreich und anderen Ländern im Jahr 1955 unternimmt.
3 Bis zu dieser Stelle und mit Ausnahme des ersten Satzes wurde der Text wiederveröffentlicht in: *Filmkritik*, März 1966, S. 175.
4 Wilfried Berghahn, »Mac Arthur und die Zivilisten. Nationale Leitbilder im amerikanischen Film und ihre politische Bedeutung«. In: *film 56*, Nr. 1, S. 28-34.
5 Siehe Nr. 801.

807. Einige Anmerkungen zu »The Connection«

Filmrez.: THE CONNECTION. Shirley Clarke. US 1961.

(1) Der Hauptmangel dieses Films besteht darin, daß das Milieu der »Junkies« nirgends mit der normalen Alltagswelt kontrastiert wird. Die Geräusche von Straße und Hof reichen nicht aus, um dem Zuschauer diese Welt einzuprägen. (Ich denke an die Stimmen der Kinder, den Feuerwehrwagen usw.) Das Alltagsleben hätte durch Aufnahmen von Menschen, Straßenszenen usw. zu Beginn, im Verlauf und sicherlich am Ende dargestellt werden müssen. Warum? Weil nur so ein hinreichend starkes Gegengewicht gegen die erschöpfte und träge Bande der Drogenabhängigen entstanden wäre. Und der Anblick von einigen durchschnittlichen oder auch überdurchschnittlichen Menschen und des Straßenlebens hätte schon ausgereicht, um die Moral des Films zu vermitteln, die, wie die Dinge nun stehen, nicht wirklich deutlich wird. Denn die Hölle ist nur dann eine Hölle, wenn sie mit dem kurzen Leben auf der Erde oder mit einer Vision vom Paradies kontrastiert wird.

(2) Mit diesem Mangel geht ein anderer einher: der Dokumentarfilm-Regisseur, der in den Schlupfwinkel der dem Untergang geweihten Bande eindringt, bleibt die ganze Zeit über eine schattenhafte Figur. Die Idee eines solchen Zeugen ist gut und wirklich filmgerecht; aber ihre Umsetzung mißlingt. Ich nehme an, daß diese Figur zumindest teilweise dazu dienen soll, unsere normale Welt darzustellen, in der Drogenabhängige schließlich die Ausnahme und nicht die Regel sind. Aber wenn das die Absicht war, dann ist sie nicht umgesetzt worden. Um den Regisseur und mit ihm die Welt um uns herum stärker hervortreten zu lassen, hätte man ihm dreidimensionale Proportionen geben müssen – z.B. durch eine Eröffnungsszene, die zeigt, wie er ein gewöhnliches Filmstudio verläßt, um nach besseren Bildern und mehr Wahrheit zu suchen. So wie es jetzt ist, wird er von dem Sumpf fast überwuchert; statt die verderbte Gesellschaft von Drogensüchtigen ins rechte Licht zu setzen, löst er sich allmählich auf, und die üblen Gefährten übervorteilen ihn. Vielleicht haben sie recht, wenn sie ihm vorwerfen, daß er als ein teilnahmsloser Beobachter in ihren Schlupfwinkel eingedrungen ist, als ein reines Kameraauge, aber das ist nicht der entscheidende Punkt. Die Pointe der Geschichte besteht vielmehr in der Enthüllung der Untaten der Drogenabhängigen. Und diese Enthüllung nimmt aus Mangel an Gegengewichten keine Gestalt an – das normale Leben wird ausgelassen, und der Filmemacher ist eine Person ohne Leben. Im Ergebnis wird die Verzweiflung der Drogenabhängigen moralisch fast gerechtfertigt. Man gewinnt den Eindruck, daß ihre Haltung eine tiefere Bedeutung hat.

(3) Der ganze Film leidet an einer Abhängigkeit von Techniken des Theaters. Er enthält viel zu viele überflüssige Gespräche; schlimmer noch, der Inhalt der Monologe oder Dialoge nimmt entscheidende Funktionen an.[1] Die Handlung schreitet durch sprachliche Kommunikation fort; weil das so ist, tragen die Großaufnahmen des Aschenbechers und der Küchenschabe nichts zur Entfaltung der Story bei, sondern sind bloß dekorative Zutaten. Ein Beispiel ist die Behauptung des Filmemachers, daß er Hollywood satt habe und zu Eisenstein zurückkehren wolle. Im Theater kann eine solche Behauptung Gewicht haben, während sie in einem Film nur eine sprachliche Verzierung ohne jegliche Überzeugungskraft ist. Außerdem werden die verschiedenen Bewegun-

gen der Schauspieler, die immer an ein und demselben Ort stattfinden, langweilig und schmecken nach Theaterregie. Der Film hätte unermeßlich gewonnen, wenn eine halbe Stunde darauf verwendet worden wäre, die normale Außenwelt und den Filmemacher zu charakterisieren. Eineinhalb Stunden für die Drogensüchtigen selbst wäre mehr als genug gewesen. Übrigens ist die Jazz-Musik auch arg übertrieben.
(4) Ich frage mich, ob es eine gute Idee war, den Anteil von Schwarzen am Drogenhandel und an der Rauschgiftsucht in einem solchen Maß überzubetonen.[2]
(Typoskript aus KN, 5. 5. 1961)

1 Tatsächlich basiert der Film auf der dramatischen Vorlage von Jack Gelber, *The Connection: a play.* New York: Grove 1960.

2 Übersetzung des Typoskripts »A few notes on ›The Connection‹« (KN), das maschinenschriftlich datiert ist: »May 5, 1961« und wohl nicht zur Veröffentlichung bestimmt war. Der Film, den Kracauer am 4. 5. 1961 im Rahmen einer geschlossenen Veranstaltung im *Preview Theater* am Broadway sah, lief auf besondere Einladung der Vereinigung französischer Drehbuchautoren im selben Monat bei den Filmfestspielen in Cannes. Er war der erste amerikanische Film, dem die Auszeichnung dieser Einladung zuteil wurde.

Anhang

I. Typoskripte in amerikanischer Originalfassung

Freedom from Fear[1]

An analysis of popular film trends

Hollywood films depicting acts of sadism and the omnipresence of fear have become an alarming commonplace. During the war, many of these films were devoted to fighting Hitler. Their task was to render a reign of terror ranging from Gestapo tortures to ever-impending threats, from shining parades to silent agonies, all of it bathed in the oppressive atmosphere of Nazi-conquered Europe. But it would be a mistake to consider the whole trend as merely a reaction against the totalitarian regime. Simultaneously with the anti-Nazi films, a number of films appeared which cultivated the same kind of horrors for the sake of sheer entertainment. And although the war is over, this species increasingly flourishes.

Thrillers are a venerable type of film. But the current vogue exceeds any previous series in the use of familiar surroundings for its settings. The criminals of SHADOW OF A DOUBT and Orson Welles' THE STRANGER settle in plain small towns, where no one would dream of meeting a killer in the flesh. Nightmares occur in bright daylight, murderous traps are sprung just around the corner. Everyday life itself seems to breed anguish and destruction. To deepen this impression the villains, prepossessing rather than repulsive, charm innocent girls and win the confidence of guileless banktellers. While the ghouls and vampires of the past gave law-abiding citizens the shudders, the present-day monsters live among us without being recognized. Evil no longer marks the form and face. In these films, the weird insecurity of life in German-occupied countries is shifted to the American scene. Sinister conspiracies develop within a world we call normal, and any trusted neighbor may turn into another Frankenstein monster.

What lurks underneath explodes in cruelties rarely pictured before, despite Hollywood's old predilection for grotesque, primitive and ruthless violence. These cruelties originate in compelling sadistic urges. In DARK CORNER, a private detective is pursued by a gunman; after capturing the pursuer, he smashes his hand with a pistol butt to make him confess the truth about his employer. Later the gunman sneaks into the detective's flat and knocks him down. He is on the point of leaving the room when, driven by thirst for revenge, he returns and with the full weight of his body stamps on the hand of his unconscious victim. The same lust for inflicting suffering at any cost manifests itself in that scene from LOST WEEKEND in which the drunkard, after a night spent with delirious dipsomaniacs, falls prey to a nauseating hallucination: a mouse gnaws a hole in the wall and futily tries to squeeze through it. Then a bat hovering about in the room kills the animal in the hole. As the thin shrieks of the mouse die away, a rivulet of blood leisurely trickles down the wall. It is a vision that for a transitory moment unveils the tabooed depths of our bodily existence.

Such titles as SHADOW OF A DOUBT and SUSPICION, both Hitchcock films, are suggestive of the emphasis numerous recent productions put not only on wanton sadism but on the permanent menace of it. Teeming with threatening allusions and dreadful possibilities, they evoke a world in which everyone fears anybody and no one knows when and where the inevitable will happen. It happens unexpectedly: once in a while unspeakable brutality juts out of the dark. This seesaw world is saturated with panic – the very panic which in the anti-Nazi films was stigmatized as the peculiar climate of Hitler rule. DARK CORNER, one of the latest Hollywood thrillers, goes the limit in terrorizing the audience. The private detective in this film cannot imagine why anyone should put a gunman on his trail and desperately gropes for the identity of his enemy. At the end he finds out that he is hunted for reasons entirely unconnected with him. The man behind the scenes – an unscrupulous mastermind intent on murdering his wife's lover – has perpetrated the hunt to shift the suspicion from himself to the detective whom he considers a suitable scapegoat. Such a combination of unexplicable suffering and arbitrary persecution is bound to produce genuine terror effects.

The most striking feature of these terror films is their penchant for the morbid. They spread panic by elaborating upon bodily handicaps and adding mental horrors to crude violence. The main character of THE SPI-

RAL STAIRCASE is a mute servant-girl in the household of a maniac who, possessed by the idea of improving the human race, murders one physically imperfect woman after another. SPELLBOUND and SOMEWHERE IN THE NIGHT capitalize on amnesia to build up suspense. Much favored is the theme of psychological destruction: both the pianist in GASLIGHT and the psychiatrist in SHOCK no longer shoot, strangle or poison the women they want to do away with, but systematically attempt to drive them insane. Sick souls and fancy psychiatrists are the last word in Hollywood, and many a current melodrama suggests that normal and abnormal states of mind imperceptibly fuse with each other. This is the meaning of that sequence in SHOCK in which the young lieutenant back home from the war learns that his wife has been taken to a psychiatric clinic. Was she not always healthy and sensible? A naïve youth, he is scared by the thought of what unaccountable nature may do to ordinary people. And his fright makes the sympathetic audience realize that none of us is immune to mental disorder.

Unlike the gangster films of the depression era, these new films deal not so much with social abuses as with psychological troubles. They indulge in the rendering of an all-pervading fear that affects the integrity of the average person. It is noteworthy that in doing so they fail to offer a serious remedy. A comparison between the Italian film OPEN CITY and the bulk of our anti-Nazi pictures reveals the inner weakness of the latter. In depicting the fight of the Italian underground movement against their Fascist oppressors, OPEN CITY exhibits horrors, mental or otherwise, with an uninhibited realism not often found in similar Hollywood productions. The communist in this film is tortured to death before our eyes; sophisticated cruelty and sordid depravity reach unimaginable heights. But at the same time OPEN CITY impresses upon the audience the Communist's determination, the Catholic priest's faith and Pina's natural magnanimity in such a way that they appear as real as the terror engulfing them. In this »morality play«, as Dorothy Thompson calls the film, human dignity is practiced, not proclaimed, and even though the resistance leaders are hopelessly doomed, the living power of their convictions wears down Nazi morale.

Evil is here combatted at close quarters, while the American anti-Nazi films as a rule merely circumvent it. Moviegoers will remember such war pictures as EDGE OF DARKNESS, THIS LAND IS MINE, JOAN OF PARIS, etc., all of which abound in hatred of tyranny and love of freedom. To be sure, their heroes – American or English fliers, French patriots, Dutch hostages, Norwegian underground workers – endure Gestapo tortures no less courageously than the partisans of OPEN CITY; but the belief in democracy they profess never impels them to wrestle with the totalitarian gospel. More often than not their triumphs are pure cloak-and-dagger feats which leave the enemy's ideological defenses intact. Hitlerism, undermined in OPEN CITY, remains virtually unconquered in films which seem to be treading on eggs whenever they approach the cause they represent. In PRELUDE TO WAR and other army morale films, impressive surveys of Nazi power are confronted with strangely evasive scenes of democratic life – scenes which betray indecision rather than confidence. This lack of strength can also be inferred from the lip service most anti-Nazi films pay to democracy. There is in each of them a character who at same moment, appropriate or inappropriate, contrives to slip in an harangue eulogizing our decent ways of life and the brave new world to come. But a creed truly swaying its followers need not be so superficially advertised.

Among the non-political thrillers LOST WEEKEND stands out in its attempt to invest horror with meaning; the drunkard, after having suffered from delirium tremens, determines to shun the bottle. His conversion, however, occurs only at the very end of the film and is much too sketchily rendered to efface the impression of his confirmed alcoholism. It is a sham conversion. The drunkard's nightmare is not exhibited to account for the change of his soul; on the contrary, the illusion of such a change serves as excuse for an exhaustive display of the nightmare. Most current thrillers do not even pretend to counterbalance their sadistic excesses, waves of terror and cases of insanity. Escaping from these psychological horrors into meaningless happy endings, they stir up a feeling of uneasiness, engendered by the bewildering spectacle of a world that mirrors our everyday life and yet somehow recalls Nazi savagery. It is a world in which the morbidity of the ego is taken for granted and nothing is done to interfere with it.

All these films manifest unusual interest in the surroundings of their characters. Chance arrangements of inanimate objects become conspicuous, somber backgrounds assert themselves vigorously. In THE SPIRAL STAIRCASE, the scene of the maniac's first murder is laid in a hotel room somewhere above an old-fashioned movie theatre; the opening sequence substantiates the eerie borderline between pleasure and crime by elaborating upon the startling proximity of these two interiors. One of the leitmotifs of DARK CORNER is the staircase of a dilapidated rooming house at the foot of which a little girl in rags is invariably blowing her penny whistle. Forever haunting this place, the girl, an apparition rather than a real person, seems to incarnate its despondency. A similar staircase marks a decisive turn in LOST WEEKEND: the drunkard falls the length of the stairs and then enters the last stage of his calvary. Both films moreover coincide in featuring Third Avenue with its iron work, its El trains, bars and pawn shops as a region of anarchy and distress. Significantly, shots of chaotic street life also played a major role in old German films devoted to the tragedies of instinct-possessed beings. This is by no means incidental: characters emotionally out of joint inhabit a realm determined by bodily sensations and material stimulants – a realm in which mute objects loom high, taking on the function of stumbling-blocks or signal posts, enemies or partners. The obtrusiveness of objects in recent terror films is an infallible sign of their inherent concern with mental disintegration.

Since films not only cater to popular demands but reflect existing mass inclinations, it can be assumed that processes of inner disintegration are actually widespread. Persistent screen images suggest that these processes involve a surge of uncontrolled sadism and frightful apprehension. The hope for »freedom from fear« seems to originate in a marked increase of fear. To what social conditions this collective malady must be traced is implied by the common characteristic of all anti-Nazi films and current thrillers: they show, as has been pointed out above, mental instability without proposing effective countermeasures; they never incorporate their horrors into a meaningful pattern that would neutralize them. The basic shortcoming evidently results from the lack of such patterns in real life. We are thrown off balance because of the lessened impact of principles enforcing individual integrity. Whether society be a spiritual vacuum or a battlefield of irreconcilable beliefs, it no longer offers a shelter. In THE THREE CABALLEROS, Walt Disney, an artist particularly susceptible to the undercurrents of the time, pictures a universe torn to pieces as if hit by an atomic bomb.* The maze he renders is symptomatic of the world about us. Among the debris dark impulses are bound to grow rampant.

If such is our predicament, a general desire for inner reconstruction would seem natural. Two groups of films prospering simultaneously with the terror films, confirm the existence of this desire by trying to satisfy it. One of them dramatizes psychoanalytical treatments to demonstrate the reestablishment of mental balance from within. Half magician, half mechanic, some psychoanalyst or psychiatrist lifts the seventh veil from his client's soul, ponders over the scattered fragments of which it consists and in no time solves the jigsaw puzzle; whereupon the client again functions as normally as a repaired watch. The films of the other group feature Catholic life, intimating that reintegration from without may be attained under the auspices of the Church. In these films, chaotic civilization is confronted with the articulate community of the faithful, and comprehensive priests take care of the mentally shelterless. Canon Roche in THE GREEN YEARS compares his profession with that of a doctor. »The mind is father of many ills,« he says to Robert whom he wants to become a clergyman. »As a champion of truth, you cure the body as well as the soul.« Exponents of wishful thinking, both the screen priest and the screen psychiatrist rise out of a reality in which things have fallen apart.

These interferences from popular film trends lead into the heart of problems which can barely be touched upon here. I have indicated that most thrillers laid in American surroundings cultivate the kind of horrors which in the anti-Hitler films were attributed to the Nazi. This, along with the fact of the genuine affinity between sadism and fascism, makes it seem probable that the sadistic energies actually at large in our society benefit the clan of the fascist-minded – all those agitators who are experts at arousing race bias. Therefore the legal danger lies no more in their activities than in the emotional preparedness for them. The baiters of minorities feed on the fear which sweeps the majority. And unless this fear subsides, they threaten to perpetuate themselves like heads of the Hydra.

* See Barbara Deming, »The Artlessness of Walt Disney«, *Partisan Review*, Spring 1945, XII, no. 2: 226-31.

It is a fear which in the final analysis springs from a crucial dilemma: caught in the snarls of the system of free enterprise, we apprehend with misgiving the totalitarian potentialities inherent in any system of planned economy. Democracy, based upon individual freedom, seems economically disconcerted; so much so that it resorts to makeshifts and breeds nightmarish dreams of fascist pseudo-solutions. But shall we be able to preserve individual freedom under a collectivistic regime? The social and political struggles of our era involve the core of our existence; a civil war is fought within every soul. The films reflect its uncertainties as general disintegration and psychological disturbance.

Fear can be exorcised only by an incessant effort to penetrate it, to spell out its causes. This effort is the prerequisite of redemption, even though the outcome may be unpredictable. It would mark a turn of the tide if films appeared in which, as in OPEN CITY, human integrity comes to grips with a deranged world.

(Typoskript aus KN, undatiert [1946])

1 Originalfassung des Typoskripts (KN) zu dem Essay »Hollywood's Terror Films. Do They Reflect an American State of Mind« (»Hollywoods Greuelfilme«, Nr. 787, siehe dort auch zu den Anmerkungen). Das Typoskript wurde von Clement Greenberg, dem damaligen Redakteur der Zeitschrift *Commentary*, in der der Artikel erschien, erheblich überarbeitet. Kracauer, der sich von dieser Überarbeitung überrumpelt fühlte, drängte darauf, den revidierten Text vor der Publikation selber noch einmal in Ruhe durchsehen zu können. Am 25. 7. 1946 schrieb er an Greenberg (Brief in KN): »I left you yesterday with a heavy heart. I had to rush over your version and could not grasp it and discuss it with you as fully as I would have liked to. I wish you would give me a chance to go over your rewritten article more thoroughly. Why not send me a copy to my vacation address (Holiday Inn, Arkville, New York, from July 29 to Aug. 16)? You would really put me at ease [...]. Being yourself a writer, you will doubtless understand my feelings.

Of course, and on the other hand, I do not wish to make things difficult for you. Therefore, if you cannot send me the copy for some reason, we simply leave it as it is. (What about galley proofs, in this case?)«

Daß die Redaktion der Bitte des Autors nicht entsprach, läßt sich einem Brief (KN) entnehmen, den Kracauer am 27. 7. 1946, also zwei Tage später, an Barbara Deming schrieb: »[...] I had a nasty experience: the editor of ›Commentary‹ has completely rewritten my article on sadism: it has become flat, explicit and vulgar in style. I was tempted to withdraw the piece, but the thought of having to try again to sell it, frightened me so much that I agreed after having made a few hasty changes.«

The Message of Hollywood's »Progressive« Films[1]

Films supplement real-life experience by reflecting mass trends and culturally relevant situations difficult to grasp in a direct approach. They lend color to what public opinion polls may yield, they stir our awareness of the all but intangible quality of collective life. This applies in particular to those screen motifs which seem to have been introduced unintentionally by the film makers. Provided that they recur with some regularity, such motifs can be supposed to bear on attitudes, desires and reactions common to many people at the time.
Films mirror our reality. Let us look in the mirror.

Frightened by Congressional unpleasantness, Hollywood seems to set to veer toward sheer entertainment, with a sprinkling of anti-Red films. There will be, for the time being, no sequel to THE FARMER'S DAUGHTER, with its Fascist-minded politicians, nor need the bankers of THE BEST YEARS OF OUR LIVES be afraid of further pinpricks. Meanwhile these films, along with such congenial productions as BOOMERANG and CROSSFIRE, continue to draw crowds to the moviehouses. And since they are still among us we might as well give them a thought.
Products of the immediate postwar era, all the films are an aftermath of the war. Characteristically, most of them feature G. I.'s in various capacities. The discharged serviceman of BOOMERANG is a suffering victim of justice, while the ex-sergeant in THE BEST YEARS tries to alleviate the lot of his fellow-veterans. In the same way both CROSSFIRE and GENTLEMEN'S AGREEMENT make use of soldiers to support their campaign against anti-Semitism. It is true that the FARMER'S DAUGHTER does not resort to G. I.'s; but as Swedish immigrants its heroine and her folks have much in common with returning soldiers. Veterans and aliens alike are faced with the task of adjusting themselves to an environment which they experience in the light of their visions of it.
One will remember that our wartime films were full of such visions. In each of them, whether the moment was appropriate or not, some character would deliver a speech glorying in hopes for the future. »I hope ... that all together we will try, try out of the memory of our anguish, to re-

assemble our broken world into a pattern so firm and so fair that another great war can never again be possible« (STORY OF G.I. JOE). Or: »I want ... peace with pride and a decent, human life, with all the trimmings« (NONE BUT THE LONELY HEART). This gospel of peace was invariably intertwined with a eulogy of our democratic ideals and the view to live up to them after the war. Out of the nightmare of concentration camps, Gestapo tortures, battlefields and bombed cities there arose the dream of American democracy as the paradise of the common man. Set forth in florid words, it was to soothe the millions of homesick soldiers.

When victory was won, this dream descended from the clouds to the earth. And Hollywood, which had cherished it, proved sensitive to the demands in its wake. All these postwar films of which THE BEST YEARS OF OUR LIVES is representative, confront the hopes of the war years with the reality of our way of life; and all of them go as far as Hollywood can afford to go in the encouragement of these hopes. They are slightly militant; they strike a tone which sounds progressive in a vaguely liberal sense.

This is corroborated by a comparison between Wyler's THE BEST YEARS OF OUR LIVES and Capra's IT'S A WONDERFUL LIFE. Released at about the same time, the two films coincide in their animosity toward greedy bankers and in their compassion for those who are socially at a disadvantage. But in the Capra film everything said or done in favor of the less privileged serves only to point up the natural magnanimity of its hero, James Stewart. It is a film about individuals: on the one side the bad banker expressly marked as a black sheep, on the other the guileless and generous Stewart who, like his predecessors in earlier Capra films, is nothing less than a modern fairy-tale prince. And in true fairy-tale fashion the film intimates that all social problems would be solved in no time if such princes existed. While Capra thus spirits away any social abuses that might prove impenetrable to good-heartedness, Wyler in his THE BEST YEARS refuses unduly to minimize the inner weight of social reality. His characters are no less individuals than Capra's; but, unlike Capra's, they also reflect the workings of the society to which they belong. The bankers in this film behave as typical bankers would – not better, not worse; and Fredric March as the ex-sergeant, himself by no means a paragon of virtue, accuses them not so much of irregular maneuvers as of a stubborn insistence on current practices apt to harm the veterans. In delineating his characters, Wyler is concerned with social mechanisms rather than personal conflicts. And he never makes the audience believe, as Capra does, that human decency is by itself alone sufficient to change the existing order of things. His film is not a fairy tale, but an attempt, however limited, to promote social progress.

The same holds true for the other films in this vein. They expose corruption in domestic politics, middle-class complacency, racial bias and Fascist mentality with a directness unusual on the screen. So strong is their inherent tendency to tackle socially relevant themes that it even reverses the meaning of plots which shy away from them. BOOMERANG details the shady dealings of small-town politicians for the obvious purpose of emphasizing the personal integrity of its protagonist, and had this story been narrated in the traditional Hollywood manner, no one would feel tempted to inquire into its social implications. But the documentary style in which the film is actually developed changes everything. Through numerous newsreel shots of Stamford, Connecticut, as well as of ordinary townspeople picked up on the spot, the film makers manage to evoke the impression that their story is a real and contemporary event. And like any genuine documentary, this one combines veracity with social significance by adding to the narrative proper all pertinent environmental factors. Along with the case itself, the whole social texture from which it emerges is brought to the fore. BOOMERANG resembles the MARCH OF TIME films in structure of design. Thus, by sheer dint of its documentary treatment, a story originally intended to feature an exceptional individual turns into a vivid comment on our present way of live.

However, there is a strange inconsistency in all these progressive films. Upon closer inspection one cannot help noticing that they reveal the profound weakness of the very cause for which they try to enlist sympathies. No doubt they champion social progress in the dimensions of plot and dialogue; yet in less articulate dimensions they inadvertently suggest that as a matter of fact liberal thought is receding rather than advancing. This impression mainly results from two types of characters common to most of Hollywood's quasi-liberal films – characters that tacitly discredit what the films themselves tend to impart. Instead of manifesting the strength of liberalism, they testify to its extreme fragility. The film makers seem to have favored these two screen types in an effort to be true to reality, without, however, being aware of the effects produced by them. Reality, as it were, has its own way of asserting itself even against the will of those who are shaping it.

One of these types is a pale incarnation of progress. In fact, the main characters of several films resemble each other strikingly in that they advance their progressive ideas with the least impetus possible. Far from being a conquering hero, the D. A. who, in CROSSFIRE, tracks down the murderer of the Jew, is a blasé man about town playing the liberal-minded sloth. He himself admits that he is tired of his job. This may be an adequate pose of a screen detective intent on masking his toughness, but it is not precisely the attitude of a fighter against Fascist intolerance. He is not a fighter. Even though he takes pains to persuade a Tennessee hillbilly of the dangers of anti-Semitism, he does so primarily because he wants the man to help him capture the murderer. It is very unlikely that this weary D. A. would ever feel tempted to spread his beliefs among the indifferent and ignorant. Rather, he seems to be overwhelmed by a mood of resignation. His fatigue, it now appears, is less a professional pose than a by-product of his experience that the struggle for enlightenment amounts to a Sisyphean task. Hence the all but melancholy aloofness with which he confines himself to defending the liberal position against the impact of mass prejudices. Incidentally, the decent Keoley who assists to the D. A. in solving the murder case is even more reserved than he, thus deepening the impression created by the latter's lack of vigor.

Nor does the ex-sergeant of THE BEST YEARS inspire much confidence in a better future. Out of a keen sense of social responsibility this bank officer insists that the veterans should receive loans without collateral, while his superiors are opposed to any such unbusiness-like exemption. It is true that in a toast delivered in their presence he makes no bones about their dire backwardness. But he had to get himself drunk to muster sufficient courage for his speech, and he never pushes things beyond the point where they might imperil his status. At the end the audience is dismissed with a presentiment that sooner or later the battle will serve him mainly to drown his frustrations. The older he grows, the more he is likely to develop into a counterpart of the prison doctor in BRUTE FORCE – a film which grossly dramatises a prisoner's revolt provoked by sadistic jailers. The person of the doctor is the only link between this thriller and the series of progressive films. A believer in democratic methods, he stands up against the disciplinarians in charge of the prison, telling them bluntly how disgusted he is with their savagery. It is the case of an ingrained democrat vs. Fascist rule. Yet while trying to stem the floods, this humanitarian knows that they will submerge him. He is on the verge of the grave, an old sick drunkard who, worn down by life, now speaks his mind with ill-concealed cynicism.

All these characters suggest that liberalism is on the defense rather than on the march. In other progressive films the same point is made by means of other devices. THE FARMER'S DAUGHTER shows upright democrats defeating reactionary politicians with the greatest of ease; but since the film's pronounced daydream character marks it as a deliberate attempt to elude reality, this victory of the progressive elements in effect confirms the true power of reaction. BODY AND SOUL, a boxing film stigmatising the practice of fight-fixing, realistically admits the longevity of such abuses; although the decent champion for once upsets the New York manager's deceptive schemes, the latter, unaffected, continues his racket, and nothing is changed. Therefore, whatever the implications of this topical film, it does not convey the impression that social progress is on the move.

GENTLEMAN'S AGREEMENT with its talkative arguments against country-club anti-Semitism boldly touches upon a tabooed theme and at the same time leaves it undisturbed. Besides obscuring the fight against upper-crust prejudices with a tacky love affair which increasingly gains momentum, the film makers, as if frightened by their own boldness, omit any action that might bear out their message. We are merely told that the journalist's fiancée eventually defies the unwritten law which excludes Jews from a certain swanky settlement. And we can only guess how the Jewish boy she sponsors will manage to get along in these adverse surroundings. Thus, instead of seeing things happen, we depend upon unsubstantiated hearsay that draws heavily on our credulity. Liberal reasoning in GENTLEMAN'S AGREEMENT results not so much in reforms of society as in magazine articles pretending to initiate such re-

forms – a mountain of dialogue bringing forth a mouse. This corroborates what has been inferred from the emergence on the screen of those exhausted or drunken standard-bearers of social progress.
The other type frequent in progressive films is the potential recipient of the liberal gospel. He is invariably an ex-G.I. in a state of complete bewilderment. I am thinking of the former flight officer in THE BEST YEARS OF OUR LIVES, of the murder-suspects in both CROSSFIRE and BOOMERANG, and of Henry Fonda's Joe in THE LONG NIGHT, a film loosely connected with the liberal trend. Characters of this kind have been rarely seen before on our screen. All of them are in a daze bordering on stupor. They drift about, visionless, at the mercy of any wind, benumbed even in their love-making. In their immortal slapstick comedies, Chaplin, Buster Keaton and Harry Langdon created Innocents, who favored by miraculous luck, succeeded in outwitting hostile objects and evil Goliaths at the very last moment. It is as if those Innocents had now been dragged out of their enchanted universe to face the world as it is – a world not in the least responsive to their candid dreams and hopes. Average individuals in the guise of discharged soldiers, they seem stunned by the shock of readjustment.
Significantly, these characters place little confidence in reason. They are not only impervious to enlightenment, but instinctively shun it as if it were a source of suffering instead of a means of redemption. This attitude is best exemplified in Anatole Litvak's THE LONG NIGHT, made from the French film DAYBREAK. Though a failure in many respects, the Litvak film impressively contrasts Joe, the simple-minded worker back home from the war, with a versatile night-club magician who is on intimate terms with Joe's girl. While Joe does not know how to express himself, this magician handles language as effortlessly as he does his pack of cards. And since he is a sadist to boot, he derives much pleasure from overpowering Joe with dialectic artifices which throw him into ever deeper confusion. Of course, the magician's intellect is vile and corrupt; but even so it cannot deny its fundamental identity with reason proper – reason that manifests itself in any great achievement, any true progress. That the inarticulate Joe resents articulate reasoning as such, follows from his conduct in the murder scene. He does not kill the magician out of jealousy; rather, he kills him because he hates his guts. This reluctance

to acknowledge reason turns into a main issue at the end of the film. After the Long Night is over, a night filled with shootings and flashbacks, Joe's girl persuades him to live up to the expectations of his many well-intentioned friends by surrendering to the police. Then, when he is walked to the police car through a crowd moved by his revolt as well as his surrender, the shot of a Negro shaking hands with him intimates that plain people need not be taught tolerance nor human dignity. The implied moral is that in the shaping of a better future good nature counts more than right thinking. Reason may deteriorate without our knowing, but the heart is forever incorruptible.

Hollywood's progressive films, then, would suggest that the common man is indifferent to enlightening thought. They dwell on his intellectual apathy, occasionally playing up his generous impulses which, they imply, more than compensate for his lack of open-mindedness. Not always did Hollywood show people in this light. When in the tavern episode of RUGGLES OF RED GAP (1935) Laughton recites Lincoln's Gettysburg address, the towns-people one by one rise from their seats and gather around him – moths irresistibly attracted to the flame. They commune in spirit; in each of them that interpenetration of reason and emotion takes place which alone keeps a democracy alive. Nothing of that kind occurs in our postwar films. As compared with what was possible in the mid-thirties, they betray a waning of spiritual substance.

But do not the progressives in these films combat prejudice and ignorance? No doubt they do. And yet their efforts seem to be ineffectual. Something emasculates them, adding to the weakness from which, as I have pointed out, several screen progressives suffer. All these fighters for democracy are talkers rather than doers. Reminiscent of those commentators who, in our war documentaries, indulged in flowery statements about the brave new world to come, they cannot help being very explicit in formulating their creeds – more explicit, in fact, than the circumstances would seem to warrant. Much as the otherwise reticent D.A. in CROSSFIRE avoids inflating the story he tells about his Irish grandfather, this story nevertheless affects us as a propaganda speech because it exceeds its immediate purpose. Unsubstantiated by images and actions, even the seemingly pertinent arguments give the impression of being a shade too wordy. There is a definite surfeit of eloquence in the progressive films. And since their verbosity goes hand in hand with their emphasis on apathetic veterans, they are all the more suggestive of a gulf between the latter and the fellows who do the talking. What makes them appear so talkative is the obvious futility of their attempts to captivate the masses.

In sum, our postwar films present a common man reluctant to heed the voice of reason, and a progressive unable to run the emotional blockade around him. I am aware, of course, that this is not intended. But there it is.

Hollywood's thinly-veiled revelations are the more poignant as they go against the grain of the films in which they occur. Tempting as it is to follow up any of these hints, I shall have to confine myself to the least obvious among them – the hint, that is, of a general apathy which, as the comparison between current and prewar films intimates, has even increased of late.

It is not possible, of course, to »prove« what the films contend. But, in the light of their testimony, scattered facts of everyday life gain significance. The invocations now made everywhere and on every occasion on behalf of our way of life and our democratic ideals succeed each other with a frequency which justifies the suspicion that they are provoked by inertia. Their stereotyped character points in the same direction; when beliefs become slogans they are not really believed. A marked lack of ideological ingenuity hampers our efforts to counterbalance Russia, as is evidenced by mounting distrust abroad of our allegedly imperialistic motives. On the domestic scene, chill expediency threatens further to stifle public concern with issues beyond the merely practical ones. The whole climate is unfavorable to searching minds. So the search subsides. Even at intimate gatherings the habit of tuning in the radio nips conversational ventures in the bud.

The apathy exists. On the surface it resembles somewhat the kind of indifference that pervades Rossellini's new film, PAISAN. This Italian screen epic, one of the greatest films ever made, consists of six independent real-life episodes which take place during the Italian Campaign, revealing its impact on diverse groups and individuals. All of them show truly humane aspirations being thwarted either by the war or the present order of things in general.

I know of no film that could match this one in its sure grasp of the humanly essential. PAISAN renders the fragile manifestations of human dignity with a simplicity and directness which makes them seem as real as are the dark powers closing in on them. Human dignity is here not a matter of vague longings but an articulate experience confirmed every now and then – by a Roman prostitute, an American Negro, a Neapolitan street urchin. Yet this insistence on the humane is bound up with a thorough distrust of any of the messages set forth in our own war and postwar films. To the suspicious Sicilian villagers the American liberators look much the same as the German conquerors, and even though the Italian Partisans hate the Nazis, they certainly do not hate them out of a belief in democracy or social progress.

Throughout the six episodes there is not a single pep talk, not the slightest verbal hint of a promise or a hope. Profoundly concerned with the actual existence of the humane, the film never so much as mentions the »cause« of humanity. On the contrary, instead of championing causes, PAISAN implies that all such ideological endeavours, however praiseworthy, tend to smother what is uncontaminated and genuinely civilized in us. This is the wisdom of an old and mellow, perhaps over-mellow, people which has seen so many ideas come and go, ideas invariably entailing war, intolerance and misery, that it is now extremely wary of them, preferring life as it is to a life under their pressure.

Sceptical rather than cynical, the attitude behind PAISAN asserts itself after the overthrow of Fascism, when everything is still in a turmoil. It is a fertile moment for the Italians. Since the humanising effects of their cultural traditions have become a second nature to them, they can indeed rely on the humane as such. In their case the humane is not an abstraction but a self-sufficient reality rich in meanings and modes. At least in this short interval between Fascist oppression and the doubtful blessings of some other regime it may seem to them that life is better and fuller without the disturbing interference of ideologies.

The apathy from which we suffer has nothing in common with the Italian attitude. In fact, it is as remote from infatuation with the humane as it is from the mood of disillusionment which spread after World War I. While the disillusioned of that period felt compelled to debunk what they considered illusions, the apathetic of today seem gripped by a paralysis of their spiritual energies. They are passive where the others were »engaged« – to use the pet term of existentialism; they are not disillusioned, but insensitive to anything ideological. Present-day apathy in this country amounts to *ideological fatigue*. It is this fatigue which, in part, accounts for the current vague of psychiatry, with its emphasis on psychological relations rather than social meanings. If it were not for the widespread aversions toward facing the latter, personality problems would hardly be so popular among schoolboys and adults alike. Nor would people offer so little resistance to the standardized products of our entertainment industry, whose soporific affects tend to perpetuate that fatigue.

The retreat into apathy may well be an act of self-defense on the part of the average individual. Under the fiendish spell of the atomic bomb he is led to believe that reason is a doubtful guide after all. Add to this the sharp increase of his emotional insecurity in the wake of our war experiences and our new international commitments. This country's rise as a world power exposes him to the full impact of influences which are a challenge to his traditional values. Much as he thinks he is immune to Russian Communism and the European brand of Socialism, these regimes nevertheless exist, and their sheer existence makes him feel all the more uncomfortable as they exert pressures on life at home. Remote events may touch off internal unrest; foreign and domestic affairs palpably fuse with each other. The world has become one world indeed. In it the average individual is completely at sea. Situations that in prewar days seemed to him controllable, now are hopelessly confused by developments beyond everybody's reach. This contributes further toward discrediting reason. And, unable to orient himself, he instinctively shuts his eyes, like a man overwhelmed by dizziness at the edge of an abyss. What is the use, anyway, of trying to dissolve the impenetrable? Apathy serves him as a protective shelter.

In view of the possibility of a new recession, ideological fatigue as a mass phenomenon is extremely dangerous. It predisposes the average individual to being manipulated by Fascist agitators who, at a crucial moment, may detonate his pent–up emotions and divert them to a scapegoat. The problem is whether the progressive are sufficiently equipped to forestall a mass poisoning. To be sure, they competently denounce obscurantism,

while opposing social abuses and retrogressive tendencies with all the intellectual weapons at their disposal. But there is something anemic about their intellect itself. What is actually sailing under the flag of enlightenment and social progress still feeds on nineteenth-century optimism, with its naïve belief in the irresistible appeal of reason and the virtual non-existence of all that temporarily withstands it. Yet the evil does exist, and it cannot be conquered by eager arguments attempting to drown its sinister presence in bright visions. Even the most impressive parade of such arguments is thoroughly ineffective – eyewash rather than white magic. A more fully orchestrated reasoning is needed to stir up hibernating minds, a reasoning that really comes to grips with the dark powers that impatiently lie in wait to close in on us. Instead of lightly passing over them, this kind of reasoning, bound to develop as we mature, will have to acknowledge their existence and, so to speak, live on intimate terms with them. Blank opposition to evil is futile. Evil yields only in an embrace that metamorphoses what is unconquerable in it.
Meanwhile the »progressive« films indicate where we are standing at present. It is, of course, a static picture, not excluding the possibility that imperceptible changes are actually under way. Should Hollywood, despite its current escapism, begin to release films in which apathy gives away to insight and rhetorical insight to action, then the hope that reason ist growing in depth would not be unfounded.
(Typoskript aus KN, undatiert [1948])

1 Originalfassung des Typoskripts zu dem Essay »Those Movies with a Message« (»Filme mit einer Botschaft«, Nr. 792, siehe dort auch zu den Anmerkungen). Wer das Typoskript für den Druck überarbeitet hat, ist nicht bekannt.

Preston Sturges or Laughter Betrayed[1]

Preston Sturges, whose meteoric career as a director-writer is within everyone's memory, has aroused nation-wide laughter through films which, from THE GREAT MCGINTY [1939/40] to HAIL THE CONQUERING HERO [1943/44], brilliantly blend satire and comedy. Distinguished by wit, inventiveness and vehemence of action, they offer, I think, a unique opportunity to catch a glimpse of what people laugh at today and what their laughter means.

I am quite aware that such an analysis of a few gay films may be accused of taking entertainment too seriously. But Sturges, who has been type-cast as an entertainer, is undoubtedly more than this: his own credo (expounded in SULLIVAN'S TRAVELS [1941]) as well as his habit of framing his plots with significant stories reveal him as a searching, introspective mind. And, besides, what if Sturges were a mere entertainer? Nothing should be taken more seriously than entertainment that ingratiates itself with the anonymous millions. Mass attitudes of far-reaching consequence often find an outlet in seemingly insignificant pleasures.

In the early '30's, when he began writing screen scenarios, Sturges did not always feel like laughing. His imagination centered around men who fight unscrupulously for power and a world in which integrity is an obstacle rather than an asset.

These preoccupations first materialized in Sturges' script of THE POWER AND THE GLORY, a film directed by William K. Howard (1933). The plot is a variation on the »What Price Glory?« theme: a trackwalker with the instincts of a born tycoon contrives to become a railway magnate and commits suicide after having been betrayed by his own family. Sturges approached this worn-out theme from a particular angle: While fully exposing the tycoon's ruthlessness and antisocial conduct, he made considerable efforts to exculpate him. These efforts even determined the form of the film. To evoke a sympathy which the audience might not otherwise feel, the story is narrated, flashback fashion, by the dead railway magnate's secretary who has known him since childhood and firmly believes in his basic mobility. The whole plot, constantly changing sides, reveals a wavering in Sturges' evaluation of tycoons and their like. But despite its inherent ambiguity the film culminates in a verdict on society: power, the tycoon's suicide implies, is incompatible with human loyalty, and he who conquers the world cannot but lose himself.

Sturges resumed this theme in THE GREAT MCGINTY (1940), the first film he directed himself (drawn from a repeatedly rejected script of his own, done as early as 1933).

Like from THE POWER AND THE GLORY, this film presents the life story of a self-made man in flashback technique, which in this case is used to transform drama into satire. Dan McGinty, an elderly bartender in a forlorn »banana republic« dive, tells of his extraordinary past back in the States; and the past unfolds in sparkling episodes which show him making headway in a political machine. Under the wings of its highly disreputable »Boss«, Dan rises from a bum in the soup line to the governor of a state, to grafting and racketeering on an ever larger scale. His upward flight would be as unlimited as his impudence, if it were not for an ingenious story twist: impelled by the woman he loves, Dan, after being sworn in as governor, decides to turn honest; and it is precisely this conversion which brings about his downfall. He joins the Boss in prison and then flees with him to the dim limbo of the banana port dive from which a half melancholy, half derisive light falls on his glorious and odious career.

This amusing attack on buccaneering in politics rests upon much the same attitude as THE POWER AND THE GLORY. Exactly as the railway magnate, Dan McGinty is both stigmatized and exonerated: now he appears as a brazen rogue, now as an essentially decent fellow who should not be condemned on surface evidence. (Incidentally, this somewhat inconsistent emphasis on the human qualifications of a parasite may result from Sturges' desire to challenge moral hypocrisy wherever he encounters it.) The two films, moreover, coincide in their sustained concern with social criticism: up to the very end, THE GREAT MCGINTY satirizes a society in which honesty does not pay.

This film was what the trade calls a »sleeper«: notwithstanding little advance publicity it made big box-office records. Thus, Sturges proved (or could have proved) to Hollywood that a screen hit need not be conformist or wind up a happy ending. The unexpected success was of course not only due to the moral of this film but also, and perhaps mainly, to a cinematic treatment rich in pointed gags and with a touch of slapstick humor. For instance, whenever Dan and the Boss meet, they become involved in a scuffle – a running gag splendidly characterising the relation between two racketeers forever welded together. Many other forceful gags readily contribute to the development of a plot that pillories social abuses; and so the laughter spread by THE GREAT MCGINTY has a redeeming quality. It enlightens. But besides the bulk of pertinent gags there remains an amount of pictorial jokes which make no definite sense. And this unaccountable fun seem to spring from the inner wavering manifest in the narrative's ambiguity.

Another overall feature of his imagery can be traced to Sturges' handling of the camera. He adroitly mobilizes the camera, with real film sense, whenever he wishes to point up some gag or create a comic situation; and on such occasions, his camera assumes an independence reminiscent of its role in mature silent films. But every now and then, these truly cinematic sequences give way to episodes with no pictorial life of their own. Then the whole emphasis shifts from the visual to fine points of dialogue – and as if stunned by verbal impact, an all but motionless camera indulges in *tableaux vivants*. It is a bewildering spectacle: the most imaginative use of camera devices constantly alternating with relapses into stage technique. These spells of visual inertia will be discussed later.

The self-made man with his thirst for power (he reappeared, slightly transformed, in THE GREAT MOMENT, a weak tragicomedy, conceived in 1939 [recte: 1942-1944]) occupied one pole of the early Sturges universe. At its other pole loomed the figure of the Innocent, or whatever you want to call a naïve and candid young man completely unexperienced in the ways of life. Sturges seems to have been infatuated with this antipode of his ruthless tycoons and corrupt politicians. In the two comedies following THE GREAT MCGINTY, he featured such Innocents as lucky fellows who get everything they want.

The first of those comedies was CHRISTMAS IN JULY (1940). Jimmy, its Innocent, is a gullible employee who stakes his hopes on a slogan contest offered by a coffee magnate. Naturally, Jimmy's hopes come true; but it is the finesse of the plot that he receives the $ 25,000 prize without really winning it. This superior trickery is achieved when several practical jokers in Jimmy's office send him a faked telegram acknowledging his victory. Overjoyed, Jimmy presents it to the coffee magnate, and since the latter is no longer on speaking terms with the contest jury, he accepts the telegram at face-value and signs the check. Jimmy's gift for coining slogans thus being firmly established, he is promoted by his boss. He and his girl are in clover, and even the inevitable discovery of the fraud cannot evict them from there.

Based on a script of 1931 (when the depression was in full swing), CHRISTMAS IN JULY looks like just another escapist film intent on diverting white-collar workers from their predicament. What satire the film includes is levelled against preposterous commercial slogans, mechanised furniture and overweening juries – minor shortcomings of the otherwise ideal world Sturges evokes. In it, employees are a lucky lot, Jews fully accepted neighbours, and tycoons no longer bogies. In fact, the coffee magnate is just a harmless grumbler forever frustrated by the small incident of everyday life's routines. The moral: no one should grudge tycoons their millions.

Yet CHRISTMAS IN JULY is not as conformist as it seems. Its complacency is unsettled, if not outbalanced, by an uneasiness manifest in Sturges' endeavour to denounce the film's fairytale character by deliberately overplaying it. For instance, the supervisor in Jimmy's office radiates the incredible benevolence of those cops who in the dream sequence of Chaplin's KID [1921] were metamorphosed into angels. And bitter reality breaks repeatedly through the wrappings of wishful thinking: Jimmy, in a talk with his girl, despairs of a future under the eternal pressure of poverty, and the girl tries to move their boss by talking of the many who might make good if they were only given a chance. A particularly striking testimony to the film's inherent nonconformism is its admirable denouement: In the concluding scene the jury decides to grant Jimmy the prize – a decision which implies the conformist meaning that day dreams do come true in real life; but since we already know that Jimmy's career does not depend upon the outcome of the context, we are advised to dismiss this innuendo as soon as it arises; in consequence, the final verdict in Jimmy's favor serves merely to ridicule the procedures of juries. With this twist Sturges maintains the gap between his dream world and the real world precisely when he seems to bridge it.

In THE LADY EVE (19[40/]41), the second comedy Sturges made after his THE GREAT MCGINTY, the Innocent is a young explorer who, as the son of a beer tycoon, need not be launched on a career. But money is not all that matters if you have it; and innocence ceases to be a virtue if it is tantamount to immaturity. Emotionally undeveloped, Charles undergoes a lesson in love from Jean, the world-wise and endearing member of a cardsharper trio. The plot – the successive stages of his education – proceeds with an esprit reminiscent of the best French boulevard comedies. First, Charles proposes to Jean and, having learned of her questionable profession, jilts her abruptly. Then Jean, disguised as »Lady Eve«, reconquers Charles who believes this model English aristocrat to be a twin of the cardsharper girl. She and Charles go on their nocturnal wedding trip in a Pullman car in the course of which Jean-Eve takes hilarious revenge by confessing to her bridegroom a series of amorous adventures she had never had. Charles, shuddering, abandons her in the dead of night, and only in the finale are the two reunited.

THE LADY EVE parallels structurally CHRISTMAS IN JULY. Again business magnates are presented as funny figures, and the power they wield is minimized; again social satire is diverted from essential abuses to such inoffensive shortcomings as moral priggishness and American awe of British manner; and again such seeming complacency ultimately yields to a deeper disaffection; when Charles at the end of his flight from Jean meets her once more, he accepts her unreservedly as the girl she is. The Innocent has learned his lesson; grown adult, he challenges society in the interest of what he considers genuine human values.

In short, both comedies are in the vein of THE GREAT MCGINTY: in making the audience laugh, they arouse its critical faculties. And this identity of attitude accounts for similarity of technique. In both comedies, significant gags predominate over fun for fun's sake. The slapstick incidents during the beer magnate's breakfast in THE LADY EVE characterize him as a frustrated tycoon; and that Charles falls down six times throughout his intricate love affair, is a contribution to Freud's *»Psychopathology of Everyday Life«*. On the other hand, just as in his GREAT MCGINTY, Sturges continues inserting pictorially arid stretches of dialogue in an otherwise brilliant imagery.

THE GREAT MCGINTY and the two subsequent comedies appeared after the downfall of France, when civilized mankind lived in the fear of doom. Was laughter sufferable amidst world-wide despair? As if troubled by his role of comedy-maker in such a time, Sturges undertook to justify laughter with SULLIVAN'S TRAVELS (1941), a sort of tragicomedy written and directed immediately after THE LADY EVE. The film is the turning point of Sturges' career.

Sullivan, a Hollywood director famous for his comedies, is so troubled by pangs of conscience that he decides to make only films which will no longer amuse the masses but, through an exposition of their intolerable plight, help promote human dignity. To experience the hardships he plans for his next film, »O Brother, Where Art Thou?«, he visits several hobo camps in the guise of a tramp. These travels, a mixture of slapstick and serious encounters, result in a catastrophe: Sullivan contracts amnesia and, under its spell, is sentenced to a long term at hard labor for having resisted the authorities. In a Southern jail, one evening he and his fellow-prisoners are allowed to look at an old Disney film. While Mickey Mouse performs, the camera dwells on the laughing faces of dejected criminals. Even though the happiness of the audience fades out with the short, it has left a lasting imprint on Sullivan. He recovers his memory and returns to Hollywood, imbued with the credo that genuine suffering can be relieved only by laughter. This is what his travels have taught him. And with a truly missionary seal he abandons »O Brother, Where Art Thou?« for a new version of his successful 1939 comedy »Ants In Your Pants«.

The question is: what kind of laughter does Sullivan advocate? At the end of the film he summarises its moral: laughter »is better than nothing in this cockeyed caravan«. On the surface, Sullivan's definition seems in keeping with Chaplin's defence of himself against the many critics who had accused his GREAT DICTATOR [1939/40] of making fun of a tragedy: »Laughter is the tonic, the relief, the surcease from pain. It is healthy, the healthiest thing in the world – and it is health-giving.« (»Mr. Chaplin Answers His Critics«, *New York Times*, October 27, 1940.) The intention behind this exuberant statement, which more or less applies to all Chaplin films, is made nowhere as clear as in THE GREAT DICTATOR itself. When the film draws to its close, laughter is superseded by the famous speech in which Chaplin, under the transparent mask of his barber, exhorts the soldiers to fight for a world of reason, liberty and universal brotherhood. (This overt plea for democracy has been indicted as a sentimental propaganda speech, transgressing the borderline between art and reality. But great art, consumed by desire to attain the unattainable, sometimes goes beyond its set limits; and what counts in the speech is the intensity of its emotion rather than its explicit wording. Perhaps no silent Chaplin film was as silent as this passage with its overflow of rhetoric.) It is as if Chaplin had felt that laughter might not be enough to press home the impending danger of tyranny and had therefore resorted to the ultimate expedient of a direct appeal. This appeal does not disavow Chaplin's use of laughter; on the contrary, it reveals its implications to the full. His laughter is health-giving because of its sympathy for man's attempt to make the world a healthier place for himself.

Sullivan expressed sympathy for the suffering. Yet this does not prevent him from being interested only in picturesque tramps and jailbirds who are far less representative of our society than, for instance, the white-collar workers in CHRISTMAS IN JULY. There is something evasive about Sullivan's travels; in their neglect of the inconspicuous for the spectacular, they resemble sightseeing tours through the Bowery. Besides, Sullivan cares little about the selected unfortunates he meets en route. When the happily laughing prisoners come in focus, it does not matter to him whether their happiness will shortly yield to despondency again or really alter their inner condition. And back home, Sullivan pleads the cause of laughter without so much as mentioning the cause of human dignity which had originally lured him away from his comedies. All this indicates that from the very outset he had avoided involvement in our workaday world. His reluctance to let himself be seriously affected by the suffering of man – by any suffering, for that matter – goes hand in hand with his belief that things are what they are and that nothing can be done about it. In calling society a »cockeyed caravan«, he tacitly admits that he considers its inadequacy unchangeable. Since he takes man's existing condition for granted, his laughter is confined to momentarily soothing those in distress. Chaplin's laughter encourages people in their striving for a better life; Sullivan's makes them forget their predicament. It is a soporific. It cynically suggests a conformist attitude.

That Sturges identifies himself with his Sullivan follows from the introductory caption which dedicates this film to »the memory of those who made us laugh: the motley mountebanks, the clowns, the buffoons, in all times and in all nations, whose efforts have lightened our burden a little

...«. SULLIVAN'S TRAVELS is an autobiographical statement – one of the few ever made on our screen. With gratifying frankness it tells the audience that Sturges has come to terms with society.
In the light of this statement certain features and details of his previous films acquire a new meaning or assert themselves more vividly than before. The exoneration of tycoons in THE POWER AND THE GLORY, and elsewhere, now appears to be a symptom of social complacency rather than a challenge to moral hypocrisy. Dan McGinty's original indifference to the poor is now pointed up by the callousness of Sullivan's butler who, in about the same words as Dan, advises his master to leave the poor alone – an advice which Sullivan seems to reject but in effect endorses. Yet in spite of all this, those earlier films with their bright laughter were a good antidote against obscurantism. Sturges' peace with the powers that be grew out of a complex mind which might have just as well led him in another direction. For there was something Aristophanic about his beginnings; but in SULLIVAN'S TRAVELS he betrayed what was best in his laughter.

Having justified comedies as a godsend in these days of wrath, Sturges' continued making them with a reassured conscience. There came THE PALM BEACH STORY (1942), thematically a leftover from the period prior to SULLIVAN'S TRAVELS. This comedy about the upper crust abounds in millionaires of all shades and throws in two Innocents instead of the customary one – the unpractical Tom, who parallels Jimmy in CHRISTMAS IN JULY, and John, the son of the super-magnate, who resembles Charles in THE LADY EVE the more strikingly as he is in love with a true counterpart to the cardsharper girl. In fact, Tom's loving wife, in her desire to push this stubborn ass ahead, becomes the center of an amusingly volatile intrigue which highlights the wasteful life of the idle rich through a blend of aggressive slapstick and condoning Lubitsch gags. In the finale Sturges lavishes on Tom, John, and everyone concerned, a fairytale happiness made palatable to the audience by just the right touch of irony.
Sturges' next two films dealt with wartime life in small towns in a manner which revealed Sturges' growing infatuation with old slapstick comedy. Both starred Eddie Bracken whose Innocents were something be-

tween Harry Langdon and Buster Keaton; and both exposed him to situations as funny and muddled as the ordeals with which those classic screen characters kept coping in by-gone happier days.

Bracken's Norval in THE MIRACLE OF MORGAN'S CREEK ([1942-]1944) stutters when excited, frequently because of his adored Trudy's irresponsible behaviour. Trudy had attended a gay farewell party for soldiers; it had ended, she dimly remembers, with her marrying some GI whose name she has forgotten. Unfortunately, the result is more concrete than her memory. Norval, a sweet compound of knight and simpleton, tries the impossible to save Trudy from disgrace; but, of course, his farcical attempts only make things worse for both of them. Gibes at hasty war-marriages, hypocritical sex morals and administrative contribute to producing the overall impression of a topsy-turvy society which, quite logically, is ruled by Dan McGinty and the »Boss« back home from their banana republic. It is also logical in such a world that a fourteen-year old girl – one of Sturges' best comical figures – talks and behaves like a disillusioned adult. Again, the story is told flashback fashion; but at the end, when all seems irretrievably mixed up, Sturges springs the surprise for which he has prepared the audience from the beginning: Trudy gives birth to sextuplets. And since Dan, the governor of the state (Dan!), considers this miracle a unique asset to his administration, he sanctions Trudy's faux pas by making Norval her legitimate husband and a State Militia Colonel to boot. A sword dangles down from the stuttering father's side – a witty comment on what he had experienced at the sight of his embarras de richesse.

In HAIL TO THE CONQUERING HERO (1944), Bracken (Woodrow) is so ashamed of having been discharged from the array for chronic hay fever that he does not dare return to his mother who still glories in the memory of his father, a hero of Word War I. Six marines on leave from Guadalcanal, and in search of a good time, pick up Woodrow in a bar and propose that, instead of letting his mother down, he should gratify her by posing as her hero son. They have the hesitant Innocent don a bemedaled uniform, escort him home and joyously participate in his triumphal reception by a town reveling in the local boy's alleged war exploits. Never was Sturges' satire more topical than in this hilarious connection which, in the midst of war, not only mocked such small fry as

souvenir hunters and political windbags, but assailed the sanctimoniousness of our official mother-and-hero cult. The marines' junket comes to a head when citizens, worried by the state of municipal affairs, urge Woodrow to run for mayor. Once again he yields, but this time his innate honesty conquers his shyness. At the opening electoral meeting he confesses to being a fraud – an instance of civil courage which the marines are the first to admire. The voters feel similarly, catch up with Woodrow at the station and keep him from boarding the train on which the six dashing marines depart.
The three comedies that followed SULLIVAN'S TRAVELS could have been devised by Sullivan himself – by Sullivan who finally desired nothing but to make laughter lighten our burden a little. Their common characteristics are particularly conspicuous in HAIL THE CONQUERING HERO, even though this film includes such an amount of social satire that it seems the unswerving equal to Sturges' nonconformist earlier films. And yet, Sturges' satire is here no longer what is was before SULLIVAN'S TRAVELS. Sturges dulls its bite through systematical retreats from any advanced position. True, he jeers at the current worship of (matrimonial) motherhood; but Woodrow's mother is nevertheless a womanly paragon to do credit to the *Saturday Evening Post*. True, Sturges attacks the homefront for wantonly idolising heroes; but the six marines in charge of his attack nevertheless solemnly salute the photograph of Woodrow's father who was one. His satire thus consumes itself; his bullets are blanks. That this is precisely Sturges' intention can be shown by a comparison of HAIL THE CONQUERING HERO and CHRISTMAS IN JULY.
In CHRISTMAS Sturges ingeniously manages to launch Jimmy, its Innocent, on a career without suggesting that reality bears out our daydreams: Jimmy's success is not founded upon the jury's ultimate decision in his favor, and throughout the film there remains a gap between real life and wishful thinking. This gap, kept open in every Sturges film prior to SULLIVAN'S TRAVELS, is definitely bridged in HAIL THE CONQUERING HERO. Here reality obliges our most extravagant hopes; Woodrow seems done for, after having confessed his guilt, yet he conquers the town. Nor does he even have to conquer it – the town surrenders. At his beginning Sturges insisted that honesty does not pay. Now he wants us

to believe that the world yields to candor. To be sure, the plot evolves in a fairytale atmosphere; and is it not natural for fairytales to indulge? But Sturges himself had forestalled such justification: in the fairytale of CHRISTMAS IN JULY he has proven that he knows how to obstruct playfully any mood of appeasement. When he started appeasing, he did it on purpose – and not because of insufficient armament.
What satire THE MIRACLE OF MORGAN'S CREEK offers is drowned in a plot that tends to demonstrate that our existing world, this »cockeyed caravan«, is the best of all possible worlds. There is virtue everywhere; unsought favors are showered upon the stuttering Norval; his benefactor is the same McGinty who once illustrated that power breeds evil. Dan McGinty may now be just as corrupt as he was before, but he has turned from a ferment of social malaise into a source of blessings. Our society, the film implies, is constructed in such a way that in the long run any bad action serves a good purpose. But if human integrity is bound to win out – why then try to change the world?
This is also the moral of THE PALM BEACH STORY, with its assertment of well-to-do parasites. In the very satirising of their way of life Sturges reveals them as the instruments of a providence sponsoring the guileless and the pure in heart. He introduces a foolish old business magnate who indulges in acts of unselfish generosity; tycoons, whom Sturges had previously indicated for ruthlessness, are now advertised as models of kindliness. Having maneuvered the unpractical Tom and his adventurous wife into the paradise of the rich, Sturges, it is true, dismisses the whole marionette world with an ironic smile that is calculated to pass it all off as a superior joke. But this irony is much too superficial to be an adequate excuse for the harmony he has established between his Innocents and the powers that be.

In this turn to conformism, Sturges adopted slapstick wholesale. This is puzzling and demands an explanation.
Unlike Sturges' films since SULLIVAN'S TRAVELS, the classic slapstick comedies never belittled the dangers to which their heroes were invariably exposed. Buster Keaton was forever victimized by mechanization; Harry Langdon lived under the omnipresent threat of emotional inertia; and Chaplin seemed eternally on the verge of being defeated by the Go-

liaths of our world. All of them showed little fellows in a struggle for survival or a better life; and since they were favored by luck, they used to win the battle in the very last moment. But it is by no means accidental that these comedies had the character of episodes resumed over and over again: triumphs of their heroes were provisional escapes rather than definite victories and the happy ending was merely an armistice with no guarantees for the future. Of course, the whole species sides with the little pigs against the big bad wolf. This inherent nonconformism, particularly manifest in THE GREAT DICTATOR where for once the wolf was called by its real name, colored all genuine slapstick gags. There were not just fun; they evoked sympathetic understanding for the hero's plight by exhibiting his dependence upon the whims of luck and risky expedients.

Sturges' original affinity for the old screen comedy is undeniable. Aside from the many pertinent gags in his earlier films, he proves himself a late descendant of Mack Sennett in that he has built up a sort of stock company to enact the ever-recurrent comic characters that haunt his imagination. Sturges *could* have resurrected the slapstick world of the past. The strange thing is that he seized, deliberately, upon this world just when he had turned away from its spirit. What must happen under such circumstances is predictable: his resurrection of slapstick turns out to be a mere pretence. This is evidenced by the very key episode in SULLIVAN'S TRAVELS through which Sturges announces his purpose of reverting to the Mack Sennett tradition. When he shows the prisoners under the spell of one of those Disney cartoons in which Mickey Mouse was still a worthy mate of the early Chaplin, he entirely disregards the specific nature of slapstick laughter. Without so much as mentioning its *encouraging* effect upon the less fortunate, he simply emphasises the fact that the prisoners laugh – and then plays up the salutary role of laughter as such. And his lack of concern for the slapstick spirit shows in the increase of meaningless gags since SULLIVAN'S TRAVELS. In THE LADY EVE, which preceded this film, Charles tumbled to the ground time and again – only Charles, and he in strict keeping with his inhibitions; in the swimming-pool sequence of SULLIVAN'S TRAVELS, all characters, whether or not inhibited, get drenched. And such unmotivated buffooneries become obtrusive in the three subsequent comedies.

In short, Sturges turns to the classic slapstick comedy not in spite of his conformism but because of it. Far from reviving this genre, he merely exploits its proved devices to produce as much fun as possible, regardless of the meaning they had originally conveyed. What once sharpened the wits of the onlooker, now serves to lull him into acceptance of Sturges' serene ideas about the world as it is. Slapstick, to the later Sturges, is nothing but an arsenal of ready-made gags. His slapstick manner since SULLIVAN'S TRAVELS might be traceable to certain psychological mechanisms touched off in anyone who, consciously or unconsciously, deserts a cause. It is as if Sturges were driven by a desire to make himself believe that he did not betray his laughter. At any rate, there is evidence that, for whatever inner reasons, Sturges' gift for inventing funny incidents began to fail him from about the time of SULLIVAN'S TRAVELS. More readily than before his characters tend to fall or to provoke falls; and subtle jests increasingly give way to farcical business.

And now it is possible to account for Sturges' strange reluctance to move the camera during passages of vivid dialogue. Such passages occur in every Sturges film since THE GREAT MCGINTY. They are not technical shortcomings. Sturges had shown his ability to progress the action through pictures alone: his realistic shots in SULLIVAN'S TRAVELS are as eloquent as many of his visual gags. Nor can Sturges possibly have intended to stress the verbal argument by draining the synchronised visual part of its significance. He is too experienced a film maker not to know that pictorially unsupported dialogue is dead weight rather than a positive contribution. The one explanation left is, therefore, that he inserts these wordy passages because he does not want to follow up the witticisms and heretic opinions in which he delights as a man of the spirit. It would be easy for him to elaborate with adequate interpretative shots; but he prefers to have his characters rattle their dangerous lines off in a pictorial vacuum, so that they evaporate without leaving a trace behind – fireworks instantly dissolved into darkness.

Sturges' dialogue technique amounts to an instinctive escape from the implications of his thoughts. He obviously does not dare to face his inner tendency toward conformism which was responsible for the ambiguity in his earlier films and has determined the character of the later ones. The same fear of self-exposition which since SULLLIVAN'S TRAVELS made him capitalize on slapstick caused him, from the outset, to immobilize his camera whenever its actions threatened to become indeed revealing.

And what particular brand of conformism does Sturges-Sullivan administer to the public? It is a streamlined variant of the naïve and uncritical conformism current among us. Sturges should not be mistaken for one of his Innocents. Having decided to throw in his lot with the »cockeyed caravan« of the world as it is, he does not relinquish his onetime social criticism. He retains it to the full. But the function he now assigns to social satire is that of a spice adding flavor to the pretty common dish. Pungent sallies become cues for complacent gags, readily exposed abuses turn into pleasing stimulants. Sturges first draws on the critical faculties of a flattered audience by having it catch a glimpse of the questionable aspects of our society; and then he gives the audience to understand that this world of ours is in effect a paradise where wrongs right themselves automatically. He conceals nothing and gilds all; he shows the black and metamorphoses it into white. Thus the spectators are led to believe that they can be enlightened and subordinate their knowledge to opportunism. Sturges, to the extent of his success, makes conformism invulnerable: he uses the tools of social criticism – only to destroy its constructive power.

I do not intend to say that laughter without social significances is evil. The straight film farce, produced for its comical effect alone, is just as valid and welcome an entertainment as any other juggler's act; it will or will not be a pure joy – depending on the elegance of performance and the degree of seemingly effortless control of motion. But the farce in the disguise of satire is evil and dangerous. It is evil because it dulls the edges of a first-rate weapon of human liberation. And it is dangerous at a time, when, along with the means of mass communication, methods of psychological manipulation have been developed to an extent unknown before. Ours is an age of giant organisations whose psychological imperialism produces prefabricated souls. In such an age, the Sturges laughter has a sinister ring because its refined conformism facilitates the dissolution of spontaneity, of self. In such an age, the cardinal virtue is nonconformism.

(Typoskript aus KN, undatiert [1946/47])

1 Originalfassung des Typoskripts zu dem gleichnamigen Text (»Preston Sturges oder Verratenes Lachen«, Nr. 798; siehe dort auch zu den Anmerkungen). Die Druckfassung des Artikels »Preston Sturges or Laughter Betrayed« erschien im Februar 1950 in der Zeitschrift *Films in Review*; die Arbeit an dem Text, mit dem Kracauer beauftragt wurde, reicht jedoch bis in das Frühjahr 1946 zurück. In einem Brief vom 17. 5. 1946 an Rosalind Constable von Time, Inc. (KN) macht Kracauer Vorschläge für die Organisation von Screenings von Sturges-Filmen und bittet um Hilfe bei der Beschaffung von Hintergrundinformationen. Schon zuvor hatte er gegenüber Herbert Levin erwähnt, daß er »einen Aufsatz über den Hollywood director Preston Sturges schreiben [soll]« (Brief vom 28. 4. 1946, KN), der, wie er einige Monate später erläutert, »von einer neuen kulturellen Zeitschrift bestellt worden [ist], die bald bei Luce (*Time* und *Life*) herauskommen wird« (Brief an Herbert Levin, 2. 9. 1946). Die beiden in KN erhaltenen, leicht voneinander abweichenden Typoskript-Versionen des Textes, von denen die zweite, überarbeitete Version hier wiedergegeben wird, sind 1946/47 entstanden, denn in beiden nennt Kracauer THE SIN OF HAROLD DIDDLEBOOK Sturges' »last comedy« und weist darauf hin, daß er diesen Film – der 1946 produziert wurde und im Februar 1947 in die Kinos kam – erst nach Fertigstellung des Artikels sah; entsprechend fehlen in beiden Typoskripten die im veröffentlichten Text (siehe oben, S. 450) enthaltenen Hinweise auf UNFAITHFULLY YOURS (1948) und BEAUTIFUL BLONDE FROM BASHFUL BEND (1949). Auf der ersten Seite des früheren Typoskripts hat Kracauer den Titel »Preston Sturges or Laughter Betrayed« handschriftlich ergänzt und vermerkt: »Copy not revised«; auf der ersten Seite der überarbeiteten Fassung ist handschriftlich notiert: »To be published in *Measure*«. Woran diese Publikation scheiterte, ließ sich nicht ermitteln. Ebensowenig ist bekannt, ob Kracauer selbst die Druckfassung von 1950 herstellte oder ob sein Typoskript von der Redaktion von *Films in Review* überarbeitet – und das heißt in diesem Fall vor allem: erheblich gekürzt – wurde.

II. Exposés und Entwürfe zu Filmproduktionen

Exposé [zu einer Kurztonfilm-Serie]

I.

Da ich es als ein Manko empfinde, daß man dem Publikum in den meisten »Kulturfilmen« wie überhaupt Kurztonfilmen Dinge vorführt, mit denen es praktisch nichts anfangen kann – dieses grundsätzliche Bedenken tritt übrigens nicht nur in meiner eigenen kritischen Berichterstattung immer zutage –, bin ich der Meinung, daß man einmal eine Kurztonfilm-Serie produzieren sollte, die außer dem ästhetischen Reiz noch einen *instruktiven* Charakter hat, der eine wirkliche Nachfrage zu befriedigen vermag.
Ich denke an eine lustige und zugleich lehrreiche Verfilmung der Gebrauchsanweisungen, die im Bädecker stehen oder auch nicht in ihm stehen. Die meisten Leute reisen sehr gern, wissen aber nicht, wie man sich im Ausland benimmt. Gerade die kleinen Alltagsdinge sind ihnen unbekannt, und gewöhnlich müssen sie erst teures Lehrgeld bezahlen, ehe sie sich richtig anzustellen wissen. Wie wäre es also z. B. mit einem Film des Titels:

»Herr X fährt nach Paris?«

Das könnte reizend gemacht werden und wäre auch tonlich sehr hübsch. Man hätte zu zeigen, wie Herr X die Grenze passiert; seine Ankunft an der Gare du Nord; seine Taxierfahrungen; seine Hotelabenteuer; seinen Aufenthalt im Café, im Restaurant, in irgendeinem Museum, in Vergnügungslokalen. Usw. Ein guter Schluß wäre: daß Herr X zu Hause von seinen Eindrücken erzählte, die sich dann alle filmisch verzerren müßten. Wenn ein guter Darsteller, vielleicht ein Komiker, die Hauptrolle spielte, empfinge das Publikum in Form einer Unterhaltung eine wichtige Instruktion, für die es zweifellos sehr aufnahmebereit ist. Der Vorteil dieser Idee ist nicht zuletzt: daß sie sich zu einer Kurztonfilm-Serie ausbauen ließe. Schlüge der erste Film ein, so könnte Herr X zu einer *Type* werden, die das Publikum sicher gern in anderen Situationen wiederkehren sähe. Auch wäre es so leicht wie nützlich, von den Produkten dieser Serie *Versionen* herzustellen. Wie die Instruktion des Deutschen, so ist auch die des Amerikaners etwa nicht unwichtig. Meines Erachtens hätte die Realisierung einer solchen Serie unter meiner Mitwirkung einen garantierten Erfolg.

II.

Zur Belebung der Kurztonfilm-Produktion halte ich ferner die stärkere Pflege der *aktuellen Reportage* bzw. von soziologisch richtig pointierten Darstellungen aus unserer *eigenen Umwelt* für unerläßlich. Statt der viel zu sehr bevorzugten exotischen Kulturfilme (aus Asien, Afrika usw.) sollte man lieber die Exotik unseres Alltags aufzudecken versuchen. Beispiele:

a) »Über den Dächern von Berlin«

Es gibt in Berlin ganz tolle Dachgestaltungen, deren gute photographische Vorführung (einschließlich ausgewählter Dachwohnungen) sicher Interesse finden würde.

b) »Umzug«

Die Darstellung des Umzugs aus einer großen in eine kleine Wohnung wäre zeitcharakteristisch und ergäbe ein geschlossenes Ganzes.

c) »Was bei uns alles verboten ist«.

Verarbeitung und Diskussion der verschiedensten behördlichen Vorschriften und Verbote; wobei ein drolliger und zugleich bitterer Kurztonfilm herauskäme.

d) »Welt und Presse«.

Konfrontation verschiedener Ereignisse mit den Zeitungsberichten über sie. Dieser Film könnte zu einer aufschlußreichen Kritik an den üblichen Presseinformationen führen.

III.

Die unter II genannten Vorschläge sind als Anregungen aufzufassen, die auf eine Aktualisierung des Kurztonfilms abzielen. Durch die *systematische Inangriffnahme dieser Aktualisierung* könnten die Kurztonfilme zu einem wesentlichen Bestandteil unserer Kinotheater werden. Natürlich wäre es auch dringend notwendig, entsprechende Themen für längere Kulturfilme und die Spielfilme aufzustellen.[1]
(Typoskript aus KN, 8. 2. 1932)

1 Das Typoskript ist maschinenschriftlich datiert: »8. Februar 1932«; handschriftlich hat Kracauer auf der ersten Seite notiert: »Herrn Bonnaire von der ›Paramount‹ am 9. Februar 32 überreicht«. Claude Bonnaire war Prokurist der Paramount Film AG in Berlin. Das Exposé, das möglicherweise in die Reihe der Initiativen gehört, die Kracauer um die Jahreswende 1931/32 ergriff, um Gehaltskürzungen auszugleichen und seinen Verkauf an die Ufa abzuwenden (siehe Nachbemerkung und editorische Notiz, S. 576f.), steht in Zusammenhang mit Umorganisationen des Kino-Programms. Unter dem Druck der Wirtschaftskrise gingen auch deutsche Kinobesitzer dazu über, double feature-Programme zu zeigen, also zwei Spielfilme zum Preis von einem Billet. Einige Filmgesellschaften versuchten, diese Erweiterung abzuwehren, indem sie den Kinobesitzern statt eines teuren zweiten Spielfilms einen attraktiven, aber billig produzierten Kurzfilm verkauften. Neben der Paramount hat Kracauer seine »Kurztonfilmidee« brieflich auch Tobis-Melofilm angeboten, ohne sich »allzu viel Hoffnungen über ihre Realisierung zu machen« (Brief an Schwarzkopf, 16. 2. 1932, KN).

Ideen-Entwurf zu einer »großen Filmkomödie« nach dem berühmten Roman: »Tartarin sur les Alpes« von Alphonse Daudet.

Vorbemerkung:

Der Roman von Daudet[1] ist darum zur *Verfilmung in internationalem* Maßstab besonders geeignet, weil er die folgenden Vorteile bietet:
1. Eine äußerst amüsante, leicht eingängige Handlung, die nirgends breiter Dialoge bedarf, sondern hauptsächlich durch Bild- und Toneffekte illustriert werden kann.
2. Gelegenheit zu herrlichen Landschaftsbildern (Schweizer Hochgebirge und Kurorte, das provençalische Städtchen Tarascon).
3. Möglichkeit der Verwendung eines komischen internationalen Ensembles. (In die Handlung eingemengt ist eine drollige internationale Reisegesellschaft, die auf allen Schauplätzen auftaucht; ferner eine kleine Gruppe russischer Anarchisten – der Roman spielt ungefähr 1880 –, mit denen Tartarin anbandelt. – Diese Episode mit den Anarchisten kann im übrigen leicht modernisiert werden.)
4. Gelegenheit zur Entfaltung großartiger und noch nicht gezeigter Filmtricks (siehe die folgende Handlungs-Skizze).

Skizze der Handlung:

Tartarin, der (durch Daudet weltberühmt gewordene) Typ des Provençalen, Lokalheld des Städtchens Tarascon und Präsident des dortigen Alpenklubs, beschließt in die Schweiz zu ziehen, um neue Lorbeeren zu pflücken. Der neidische Costecalde sucht nämlich seine Wiederwahl zum Präsidenten zu hintertreiben, und er kann sich in dieser Würde nur dann behaupten, wenn er irgendeine große, hochtouristische Leistung vollbringt.
Soweit die Vorgeschichte. Die eigentliche Handlung setzt mit einer Rigi-Besteigung Tartarins ein. Tartarin, der mit einer Überfülle hochtouristischer Utensilien ausgerüstet ist, erklimmt aus Protest gegen die Berg-

bahn, die er für eine Schändung des Alpengipfels hält, den Rigi zu Fuß und wundert sich sehr darüber, nach allen ausgestandenen Strapazen dort oben die ganze Zivilisation wieder anzutreffen. Reizend zu schildern: das Hotelleben auf Rigi Kulm, die komische internationale Reisegesellschaft, der er fortan immer wieder begegnet, das mit Alpenhörnern bewerkstelligte Wecken zum Schauspiel des Sonnenaufgangs usw. Hier im Hotel macht Tartarin auch Bekanntschaft mit den russischen Anarchisten: der schönen Sonja, ihrem Bruder und ihrem Freund. (Diese drei sind nach einem in Petersburg begangenen Bombenattentat in die Schweiz geflüchtet und beargwöhnen zuerst Tartarin als einen Spitzel. Wie sich bald danach herausstellt, ist aber in Wahrheit ein italienischer Tenor der von ihnen gefürchtete Spitzel.)
Auf der Suche nach einem Bergführer, den man ihm im Hotel empfohlen hat, steigt Tartarin talwärts zum Vierwaldstätter See, erlebt scharmante Abenteuer an der Tellsplatte und entdeckt schließlich, daß der ihm empfohlene Mann, den er da unten trifft, kein anderer als ein alter Tarasconer namens Bompard ist. Bompard, der gerade als Reisebegleiter einer peruanischen Gesellschaft fungiert, hat die üppige Phantasie aller Provençalen. Er erzählt dem gläubigen Tartarin – und diese Erzählung bietet die erste Gelegenheit zu den in der Vorbemerkung erwähnten Filmtricks – folgende wunderbare Geschichte:
Die Schweiz existiert überhaupt nicht. Was man gemeinhin Schweiz nennt, ist nichts weiter als ein riesiger Kursaal, der von einer großen Aktiengesellschaft unterhalten wird und zum Vergnügen der Reisenden aus allen vier Weltteilen dient. Es hat natürlich ungeheurer Mittel bedurft, um alle diese Wälder, Seen, Berge und Wasserfälle aufzubauen, und ein gewaltiges Heer von Angestellten ist in den Diensten dieser Gesellschaft beschäftigt. Sämtliche Angestellte sind, wie sich von selbst versteht, zum strengsten Schweigen verpflichtet; das heißt, sie dürfen den Touristen zum Beispiel nicht verraten, daß die scheinbar so gefährliche Hochgebirgsnatur in Wirklichkeit ein harmloses Kunstprodukt ist. Tatsache ist aber nichtsdestoweniger, daß, wenn etwa ein Alpinist aus Versehen in einen Gletscherspalt fällt, er unten schon von einem Portier erwartet wird, der ihn fragt: »Monsieur n'a pas de bagages?«
Es folgen Abenteuer auf dem Weg vom Vierwaldstätter See zum Fuß der Jungfrau. Auf der Fahrt über den Brünigpaß wird Tartarin durch

Sonja zum unwissentlichen Werkzeug eines Verbrechens gemacht: die Anarchisten bedienen sich nämlich seines Alpenseils, um den als italienischen Tenor verkleideten [Spitzel][2] irgendwo im Wald kurzerhand aufzuhängen. (Die ganz Anarchisten-Episode ist etwas grotesk gemeint.) Tartarin verliebt sich in Sonja, hält sich ihretwegen in Interlaken auf und macht ihr dort weidlich den Hof. Aber in Interlaken beginnt auch wieder für ihn der Ernst des Lebens: denn auf einen Brief hin, den er an einen Freund nach Tarascon geschrieben hatte, reist ihm, diesen Brief mißverstehend, eine kleine Deputation des Tarasconer Alpenklubs nach, erreicht ihn eben hier in Interlaken und überbringt ihm das Banner des Alpenklubs mit dem Auftrag, es auf dem Gipfel der Jungfrau als Triumphator zu entfalten.
Die nun anschließende Jungfrau-Besteigung kann zur filmischen Glanzszene ausgestaltet werden. Sie bietet die zweite Gelegenheit zu den erwähnten großartigen Filmtricks. Denn ihre Pointe besteht darin: daß Tartarin im Vertrauen auf die Erzählung Bompards die ganze Jungfrau tatsächlich für eine völlig gefahrlose Schöpfung der Aktiengesellschaft und seine beiden biederen Bergführer für Angestellte dieser Gesellschaft hält. Was braucht er sich also zu fürchten? Heiter und sorglos traversiert er die schwierigsten Schneebrücken und Gletscherspalten, und wenn ihn die Bergführer auf drohende Gefahren aufmerksam machen, zwinkert er ihnen mit einem Augurenlächeln zu, durch das er ausdrücken will, daß er mit im Geheimnis sei und sie bei ihm gar nicht so ängstlich zu tun brauchten. Die Bergführer sind zuletzt der Überzeugung, daß Tartarin wirklich ein Alpinist großen Stiles ist. Auf dem Gipfel entrollt der Held, der sich von der Kleinen Scheidegg aus mit Fernrohren beobachtet weiß, das Banner des Alpenklubs.
Tartarin und die kleine Deputation reisen heim. In Montreux halten sie sich auf, um noch den Genfer See zu besichtigen. Hier trifft Tartarin noch einmal Sonja, die ihm erklärt: wenn er sie wirklich liebe, müsse er morgen mit ihr nach Rußland reisen. Er denkt nicht daran. Aber die russische Affäre hat doch ein Nachspiel: man verhaftet nämlich Tartarin und sperrt ihn im Kerker des Schlosses Chillon ein – unnötig zu sagen, daß hier wie an allen anderen Ausflugsorten immer wieder die internationale Reisegesellschaft auftaucht –, weil das Seil, mit dem der Pseudo-Tenor erhängt wurde, als sein Eigentum rekognosziert worden ist. Erst

nach längerem Parlamentieren mit der Schweizer Polizei gelingt es ihm nachzuweisen, daß er kein russischer Anarchist und überhaupt völlig unschuldig ist. Wieder freigekommen, liest er in der nachgeschickten Tarasconer Zeitung, daß der neidische Costecalde ihn überflügeln und den Montblanc besteigen wolle. Also auf nach Chamounix, damit der Neidhammel von Costecalde nicht am Ende das Rennen gewinnt.

In Chamounix trifft Tartarin zwar nicht Costecalde, der im Ernst gar nicht daran dachte, den Montblanc zu besteigen, wohl aber den Lügner Bompard, der ihm den Bären von der Aktiengesellschaft aufgebunden hatte. Tartarin fordert Bompard auf, mit ihm zusammen die Montblanc-Expedition zu unternehmen. In seiner Angst gesteht ihm dieser nun ein, daß er damals geschwindelt hatte. Kaum erfährt Tartarin die Wahrheit, so ergeht es ihm wie dem Reiter über den Bodensee, und er schaudert vor dem Montblanc-Projekt zurück. Aber da das Projekt schon publik ist, muß er sich ebenso wie Bompard um des Renommees willen doch zu dem Wagnis entschließen.

Die Montblanc-Besteigung. Sie ist für den Film sehr dankbar, weil sie fortwährend mit der fröhlichen Jungfrau-Besteigung kontrastiert werden kann. Diesmal herrscht eitel Furcht und Zittern. Mitten während des Anstiegs bleiben Tartarin und Bompard zurück und lassen die Führer mit einem schwedischen Touristen weiterziehen, der trotz des schlechten Wetters in seiner Narretei den Montblanc unter allen Umständen bezwingen will. Die beiden aneinandergeseilten Tarasconer verirren sich beim Abstieg im Schneesturm und fallen derart von einem Grat herunter, daß Tartarin auf der einen Seite des Grates, Bompard auf der anderen Seite desselben Grates hängt. Nur noch das Seil hält sie aneinander. Es begibt sich folgendes: in seiner Verzweiflung durchschneidet jeder von beiden das Seil, um sich selber zu retten. Jeder von ihnen glaubt den anderen tot. Jeder von ihnen schweigt über seine erbärmliche Feigheit.

Schluß in Tarascon: Bompard [ge]langt als erster an, erzählt vom Triumph über den Montblanc und rühmt den großen, so unglücklich ums Leben gekommenen Alpinisten Tartarin. Da trifft dieser selber ein. Wie freuen sich beide darüber, daß sie leben. Großes Schlußtableau: Tartarin wird einstimmig wieder zum Präsidenten gewählt, und nur Costecalde erbleicht vor Neid.

(Typoskript aus KN, Oktober 1933)[3]

1 Alphonse Daudet, *Tartarin sur les Alpes* (1885; dt.: *Tartarin in den Alpen*, 1886). Der Roman ist das Mittelstück einer dreiteiligen Reihe, die außerdem noch die Romane *Aventures prodigieuses de Tartarin de Tarascon* (1872; dt.: *Die wundersamen Abenteuer des Herrn Tartarin von Tarascon*, 1882) und *Port Tarascon* (1890; dt.: *Port Tarascon*, 1890) umfaßt.

2 Korrektur d. Hrsg.; im Typoskript: »den als italienischen Tenor verkleideten Tenor«.

3 Das Typoskript ist maschinenschriftlich datiert: »Im Oktober 33«. In einem Brief an Fritz René Allemann (Redakteur der National-Zeitung Basel) vom 2. 1. 1939 (KN) nahm Kracauer erneut auf den Roman als geeignete Filmvorlage Bezug: »Ich frage mich schon eine ganze Zeit, warum man nicht als französisch-schweizerische Gemeinschaftsarbeit ›Tartarin sur les Alpes‹ verfilmt.«

Dimanche [Sonntag]

Ideen-Entwurf zu einem Kurzfilm

Einleitender Teil:

Blick ins Wohnzimmer einer bürgerlichen Wohnung. Man sieht eine Familie, die zum Sonntagsnachmittag-Spaziergang aufbricht. Vater und Mutter in kleinbürgerlichem Putz. Es muß dafür gesorgt werden, daß sich die karrierten Hosenbeine des Vaters und der Rock der Mutter einprägen. Während das Kind gerade fertig angezogen wird, spielt es mit einem Wollhund. Anwesend ist auch die Großmutter, eine gütige Märchenfigur, die in ihrem Lehnstuhl thront. »Verabschiede Dich von der Großmutter«, sagt der Vater ungeduldig. Das Kind klettert der Großmutter auf den Schoß und küßt sie. Im selben Augenblick ereignet sich die

Verwandlung

Sie besteht darin, daß fortan alles aus der *Perspektive des Kindes* aufgenommen wird. Der Lehnstuhl wächst, die Großmutter wird immer größer und winkt langsam dem Kind nach, das über die Treppenstufen abwärts geht.

Haupt-Teil:

Im Haupt-Teil wird die Sonntagsnachmittag-Partie so gezeigt, wie das *Kind sie erlebt*. Sie setzt sich aus einer Reihe teils furchtbarer, teils herrlicher Abenteuer zusammen, die natürlich vom Standpunkt der Erwachsenen aus gar keine Abenteuer sind, sondern nur dem Kind so erscheinen. Der Film gibt nun die Eindrücke des Kindes wieder, bildet die kindlichen Vorstellungen genau ab.
Die Handlung verläuft wie folgt:
1. *Omnibusfahrt*: Bébé – es handelt sich um einen drei- bis höchstens vierjährigen Jungen – hat nur Sinn für den Schaffner, der mit seinen blin-

kenden Knöpfen wie ein guter Weihnachtsmann aussieht. Der Weihnachtsmann verzieht sein Gesicht zu einem breiten, großartigen Lachen, das immer stehen bleibt. Das Kind folgt ihm aufgeregt mit den Blicken, klatscht entzückt in die Hände, sobald er in der Nähe auftaucht und will andauernd nach seiner Billettasche greifen, in der es Pfeffernüsse und dergleichen vermutet. Der Omnibus rattert.

2. *Hund*: Bébé geht in Gesellschaft der väterlichen Hosenbeine und des mütterlichen Rocks über einen Wiesenpfad, entfernt sich aber rasch von seiner Begleitung, um auf eigene Faust weiterzutrippeln. Plötzlich steht ein Hund vor ihm, den es für seinen Wollhund hält und strahlend begrüßt. Der Hund, der nicht gewaltig genug dargestellt werden kann, bewillkommnet Bébé mit lautem Gebell. Das Kind, an solche Geräusche nicht gewöhnt, glaubt, daß das Bellen böse gemeint sei, erschrickt und flieht in rasender Eile. Der Hund setzt ihm nach – eine Verfolgungsszene, die filmisch ausgebaut werden muß. Zum Glück zeigt sich am Ende die Mutter.

3. *Waldcafé*: Bébé sitzt vor einem Stück Kuchen, dessen Bewältigung keine geringe Aufgabe ist. Man beobachtet den angespannten Kampf des Kindes mit dem Kuchen, der nie richtig auf den Löffel will. Während Bébé sich plagt, pflegen die Eltern der Unterhaltung. Gelangweilt von ihren Gesprächen, kriecht das Kind unter die Tafel und vergnügt sich zwischen den Tisch- und Menschenbeinen wie in einem wunderbaren Urwald. Nach und nach kommen immer mehr Beine hinzu, die sich komisch bewegen. Wildes Stimmengebraus ertönt über der phantastischen Untertischlandschaft.

4. *Gebüsch*: Bald hat Bébé von ihr genug und läuft fort, immer weiter, wie auf einer Expedition. Es verliert sich zwischen Baumstämmen. Hinter einem Gebüsch stolpert es über eine Wurzel oder über einen Stein, fällt hin und blickt unwillkürlich in die Höhe. Oben sitzen Vögel auf den Ästen und singen. Die Umgebung verzaubert das Kind. Riesige Blätter rauschen ringsum, und auf dem Boden kriechen lauter Käfer. Wie schön ist die Welt. Aber wehe, ein gefährlicher Käfer mit Zangen krabbelt heran und setzt sich auf Bébés Finger. Ein Untier. In der Meinung, daß das Geschöpf beißen wolle, läuft das Kind mit vorgestrecktem Arm zurück.

5. *Die Gesellschaft*: Es findet seine Eltern in einer Gruppe erwachsener

Personen, die es alle zu trösten versuchen. Die Erwachsenen müssen komisch geschildert werden. Nicht so, als ob das Kind sie komisch fände, aber es sieht doch lauter drollige Züge und Dinge. Wie der eine Onkel wichtig tut, wie ein anderer Onkel kuriose Laute ausstößt, wie die Brosche einer Tante wackelt, sobald diese in regelmäßigen Abständen trocken hustet: das alles wirkt lächerlich. Schließlich stehen sämtliche Personen, denkmalshaft im Kreis angeordnet, um Bébé herum und bewundern es. Aber Bébé denkt noch an den Käfer und hat gar keine Lust, sich mit den Erwachsenen gemein zu machen.

6. *Karussell*: Zur Entschädigung für die erlittene Unbill darf es Karussell fahren. Schöne gesattelte Pferde harren seiner. Es reitet unter faszinierender Drehorgelmusik davon und vergißt alles um sich her vor Abenteuerlust. Mitten in die Landschaften seiner kolorierten Kinderbücher reitet es hinein. Manchmal hat es die Vision von Vater und Mutter, aber diese bleiben dann regelmäßig zurück, und es will sie auch gar nicht sehen. Zu seiner grenzenlosen Verwunderung erwarten sie es dann doch am Ziel der Reise. Bébé ist noch völlig konfus von den unerhörten Eindrücken, die es gehabt hat.

7. *Streit. Nach Hause*: In seiner Verwirrung beobachtet es, daß ein Fremder, irgend ein Onkel, auf seinen Vater zugeht, ganz zornig oder doch laut mit ihm spricht und ihn schlägt. Es möchte den Angreifer abwehren, es weint ... »Das Kind ist müde«, sagt die Mutter in der Höhe. Regenwasser klatscht nieder. Alles zieht die Mäntel an, öffnet die Schirme und eilt zum Omnibus. Bébé wird auf den Arm genommen und in einer Kapuze geborgen. Dunkel. Rattern, aus dem undeutlich der Weihnachtsmann auftaucht. Treppenstufen wie Gebirge. Das freundlich glänzende Zimmer zu Hause.

Verwandlung

Schluß-Teil:

Das Zimmer verkleinert sich und alles erscheint wieder in normaler Einstellung. Im Zimmer sitzen Vater, Mutter und die Großmutter. Diese fragt aus dem Lehnstuhl heraus, wie der Spaziergang verlaufen sei.
Der Vater beginnt zu erzählen. Und nun gleiten die im Haupt-Teil vorgeführten Szenen noch einmal vorbei; aber diesmal aus der *Perspektive der Erwachsenen*. Der Witz besteht in der Korrektur der Vorstellungen des Kindes. Was diesem als Abenteuer entgegentrat, entpuppt sich als ein alltägliches Geschehen; was es je jauchzend oder weinend erfuhr, wird von den Erwachsenen überhaupt nicht bemerkt oder bagatellisiert.
Prinzip: *Die Wiederholung des Spazierganges muß wie die Auflösung der Bilderrätsel des Haupt-Teiles wirken.*
Man sieht: der Omnibusschaffner, ein gleichgültiger Mann, lächelt das Kind flüchtig an. Der Hund bellt aus Freude über das Kind. Die Kuchenportion ist in Wahrheit schlecht und klein. Die Unterhaltung über dem Tisch, die unter dem Tisch so aufgeregt klingt, ist ganz fad. Das Kind, das hinter dem Tisch außer Sehweite zu sein wähnt, wird vom Tisch aus fortwährend beobachtet. Die Erwachsenen, die sich zu den Eltern gesellen, sind in Wirklichkeit lauter harmlose Leute wie auf Familienporträts. Während das Karussell fährt, macht das Kind starre, unbeteiligte Augen. Der fremde Mann, den Bébé vertreiben will, ist ein alter Bekannter des Vaters und klopft diesem freundschaftlich auf die Schulter. Und so weiter.
Nach der Erzählung gehen die Eltern und die Großmutter auf den Zehenspitzen noch einmal ins Kinderzimmer und beugen sich zärtlich über das schlafende Kind, das seinen Wollhund im Ärmchen hält.[1]
(Typoskript aus KN, Anfang Mai [1933 ?])

1 Das Typoskript ist maschinenschriftlich datiert »Anfang Mai« und mit der Anschrift »Paris (6e), Madison-Hotel, 143, Boulevard St. Germain, Tél: Danton 57-12« versehen. Kracauer wohnte von Mitte April 1933 bis Oktober 1936 unter dieser Adresse. Am 16. 4. 1934 legte er einem Brief an Leo Lania in London neben einigen noch in der FZ erschienenen Artikeln auch einen »Entwurf für einen 1000 Meter Kinderfilm ›Dimanche‹« bei und bemerkte dazu: »Da Sie mit Filmleuten sicher in Berührung kommen, dachte ich mir, daß es Ihnen vielleicht möglich ist, den einen oder den anderen Produzenten für meine Filmidee zu interessieren. Hier in Paris hatte man Interesse dafür (z. B. Jean Renoir), ohne daß es zur Ausführung kam.« Der hier abgedruckte Text, der auch in einer französischen Fassung erhalten ist (KN), ist also entweder »Anfang Mai« 1933 entstanden; oder aber es handelt sich um eine überarbeitete Version des an Leo Lania geschickten »Entwurfs«.

Inhaltsverzeichnis und Quellennachweise
Abbildungsverzeichnis

Inhaltsverzeichnis und Quellennachweise

Wiederveröffentlichungen werden im folgenden nur nachgewiesen, wenn sie in zeitlicher Nachbarschaft zur Erstveröffentlichung stehen oder in den Aufsatzsammlungen *Ornament* und *Straßen* sowie in *Kino* und *Schriften 2* erfolgten. Die Angaben zur FZ beziehen sich vom 21. 2. 1930 (Nr. 590) an auf die Reichsausgabe der Zeitung. Kracauers Signatur wird jeweils in Klammern hinter dem bibliographischen Nachweis angeführt.

Band 6.1: 1921-1927

1921

1. Der Film als Erzieher. In: FZ vom 6. 5. 1921, Nr. 332 (anonym).
2. Großfilm Danton. In: FZ vom 1. 6. 1921, Mittagsblatt Nr. 125 (anonym).
3. Die Wunder des Schneeschuhs. In: FZ vom 16. 6. 1921, Nr. 438 (anonym).
4. Die heilige Geschichte im Film. In: FZ vom 23. 12. 1921, Nr. 954 (Kr.).
5. Volks-Lichtspiele. In: FZ vom 24. 12. 1921, Nr. 955 (anonym).

1922

6. Ein Frankfurter Geschäftshaus im Film. In: FZ vom 3. 8. 1922, Stadt-Blatt (K.).
7. Ohne Titel [Alemannia-Lichtspiele]. In: FZ vom 19. 11. 1922, Stadt-Blatt (rac.).

1923

8. Ohne Titel [Olympia-Lichtspiele]. In: FZ vom 10. 3. 1923, Stadt-Blatt (rak.).
9. Ohne Titel [Neue Lichtbühne]. In: FZ vom 1. 7. 1923, Stadt-Blatt (Kr.).
10. Ohne Titel [Olympia-Lichtspiele]. In: FZ vom 3. 7. 1923, Stadt-Blatt (rac.).
11. Ohne Titel [Alemannia-Lichtspiele]. In: FZ vom 15. 7. 1923, Stadt-Blatt (rac.).
12. Ohne Titel [Neue Lichtbühne]. In: FZ vom 15. 7. 1923, Stadt-Blatt (rac.).
13. Ohne Titel [U. T.-Lichtspiele]. In: FZ vom 16. 9. 1923, Stadt-Blatt (rac.).

1924

47. Film und Jugend. In: FZ vom 6. 5. 1924, Stadt-Blatt (Kr.).
48. Der Mythos im Großfilm. In: FZ vom 7. 5. 1924, Nr. 341 (Kr.); wieder in: *Schriften 2*, S. 397-398.
49. Der Verführer aus Spanien. In: FZ vom 11. 5. 1924, Stadt-Blatt (rac.).
50. Fridericus Rex [Teil I]. In: FZ vom 25. 5. 1924, Stadt-Blatt (rac.).
51. Fridericus Rex [Teil II]. In: FZ vom 1. 6. 1924, Stadt-Blatt (rac.).
52. Der Geisterseher. In: FZ vom 13. 6. 1924, Stadt-Blatt (rac.).
53. Eine Tragikomödie. In: FZ vom 12. 7. 1924, Stadt-Blatt (rac.).
54. Der Segen der Milliarden. In: FZ vom 20. 7. 1924, Stadt-Blatt (rac.).
55. Der amerikanische Lausbub. In: FZ vom 2. 8. 1924, Stadt-Blatt (anonym).
56. Hochstapler und Artisten. In: FZ vom 14. 9. 1924, Stadt-Blatt (rec.).
57. Boulevard-Blut. In: FZ vom 21. 9. 1924, Stadt-Blatt (rac.).
58. Ägypten im Film. In: FZ vom 27. 9. 1924, Stadt-Blatt (rac.).
59. Der Tausendsassa. In: FZ vom 5. 10. 1924, Stadt-Blatt (rac.).
60. Rosita. In: FZ vom 10. 10. 1924, Stadt-Blatt (rac.).
61. Die spanische Tänzerin. In: FZ vom 11. 10. 1924, Stadt-Blatt (rac.).
62. Von Kindern, Affen und jungen Hunden. In: FZ vom 18. 10. 1924, Stadt-Blatt (rac.).
63. Tiere, Menschen, Zirkusgötter. In: FZ vom 25. 10. 1924, Stadt-Blatt (rac.).
64. Helden des Sports und der Liebe. In: FZ vom 25. 10. 1924, Stadt-Blatt (rac.).
65. Die Schmetterlingsschlacht. In: FZ vom 1. 11. 1924, Stadt-Blatt (rac.).
66. Die zehn Gebote. In: FZ vom 8. 11. 1924, Stadt-Blatt (rac.).
67. Die Gefahren der Berge. In: FZ vom 15. 11. 1924, Stadt-Blatt (rac.).
68. Von Galizien nach Helgoland. In: FZ vom 22. 11. 1924, Stadt-Blatt (rac.).
69. Niddy Impekhoven im Film. In: FZ vom 29. 11. 1924, Stadt-Blatt (rac.); u. d. T. »Armes, kleines Mädchen« gekürzt und überarbeitet auch in: FZ vom 2. 12. 1924, Nr. 901 (Kr.).
70. Japan und Amerika. In: FZ vom 6. 12. 1924, Stadt-Blatt (rac.).
71. Nju. In: FZ vom 11. 12. 1924, Stadt-Blatt (rac.).
72. Wohlauf, noch getrunken ... In: FZ vom 13. 12. 1924, Stadt-Blatt (rac.).
73. Lausbuben in Amerika. In: FZ vom 20. 12. 1924, Stadt-Blatt (rac.).

1925

74. Ein verwickelter Fall. In: FZ vom 4. 1. 1925, Stadt-Blatt (rac.).
75. Frankfurt und die Filmindustrie. In: FZ vom 9. 1. 1925, Stadt-Blatt (Kr.).
76. Juwelenzauber im Süden. In: FZ vom 17. 1. 1925, Stadt-Blatt (rac.).
77. Eine Serenissimus-Geschichte. In: FZ vom 24. 1. 1925, Stadt-Blatt (rac.).

114. Ufa-Gastspiele im Schumanntheater. In: FZ vom 6. 10. 1925, Stadt-Blatt (raca.).
115. Die verhinderte Hochzeitsnacht. In: FZ vom 10. 10. 1925, Stadt-Blatt (raca.).
116. Das alte Ballhaus. In: FZ vom 17. 10. 1925, Stadt-Blatt (raca.).
117. Ein exzentrisches Mädchen. In: FZ vom 24. 10. 1925, Stadt-Blatt (raca.).
118. O alte Burschenherrlichkeit. In: FZ vom 31. 10. 1925, Stadt-Blatt (raca.).
119. Schünzel als dummer Hans. In: FZ vom 7. 11. 1925, Stadt-Blatt (raca.).
120. Jazzismus. In: FZ vom 14. 11. 1925, Stadt-Blatt (raca.).
121. Das Liebesleben einer Tänzerin. In: FZ vom 21. 11. 1925, Stadt-Blatt (raca.).
122. Von Pferden und Liebe. In: FZ vom 28. 11. 1925, Stadt-Blatt (raca.).
123. Aus der Gesellschaft. In: FZ vom 2. 12. 1925, Stadt-Blatt (raca.).
124. Piraten und Bettler. In: FZ vom 5. 12. 1925, Stadt-Blatt (raca.).
125. Die Veilchen der Kaiserin. In: FZ vom 10. 12. 1925, Stadt-Blatt (raca.).
126. Lüge und Liebe. In: FZ vom 12. 12. 1925, Stadt-Blatt (raca.).
127. Die Kulturfilmgemeinde Frankfurt. In: FZ vom 18. 12. 1925, Stadt-Blatt (Kr.).
128. Die sündige Welt. In: FZ vom 19. 12. 1925, Stadt-Blatt (raca.).
129. Ein Dieb im Paradies. In: FZ vom 24. 12. 1925, Stadt-Blatt (raca.).

1926

130. Ein Seefilm. In: FZ vom 14. 1. 1926, Stadt-Blatt (raca.).
131. Ein Gesellschaftsdrama. In: FZ vom 16. 1. 1926, Stadt-Blatt (raca.).
132. Tom Mix. In: FZ vom 23. 1. 1926, Stadt-Blatt (raca.).
133. Aus der Inflationszeit. In: FZ vom 27. 1. 1926, Stadt-Blatt (raca.).
134. Kaliko-Welt. Die Ufa-Stadt zu Neubabelsberg. In: FZ vom 28. 1. 1926, Nr. 72 (Dr. S. Kracauer); wieder in: *Ornament*, S. 271-278.
135. Artistisches und Amerikanisches. In: FZ vom 29. 1. 1926, Stadt-Blatt (raca.).
136. Ein neuer Ossi Oswalda-Film. In: FZ vom 6. 2. 1926, Stadt-Blatt (raca.).
137. Die rote Maus. In: FZ vom 13. 2. 1926, Stadt-Blatt (raca.).
138. Friedrich der Große im Film. In: FZ vom 20. 2. 1926, Stadt-Blatt (raca.).
139. Paläste des Films. Berliner Lichtspielhäuser. In: *Das Illustrierte Blatt* Jg. 14, Nr. 8 vom 21. 2. 1926, S. 162 (Kr.).
140. Kairo – Kopenhagen. In: FZ vom 26. 2. 1926, Stadt-Blatt (raca.).
141. Kult der Zerstreuung. Über die Berliner Lichtspielhäuser. In: FZ vom 4. 3. 1926, Nr. 167 (Dr. S. Kracauer); wieder in: *Ornament*, S. 311-317.
142. Mein Freund, der Chauffeur. In: FZ vom 6. 3. 1926, Stadt-Blatt (raca.).

143. Das Feuerroß. In: FZ vom 10. 3. 1926, Stadt-Blatt (raca.).
144. Im goldenen Liebeskäfig. In: FZ vom 10. 3. 1926, Stadt-Blatt (raca.).
145. Der krasse Fuchs. In: FZ vom 13. 3. 1926, Stadt-Blatt (raca.).
146. Der rosa Diamant. In: FZ vom 18. 3. 1926, Stadt-Blatt (raca.).
147. Ein Hochgebirgsfilm. In: FZ vom 20. 3. 1926, Stadt-Blatt (raca.).
148. Der Irrgarten der Leidenschaft. In: FZ vom 26. 3. 1926, Stadt-Blatt (raca.).
149. Am Kinde gesündigt. In: FZ vom 27. 3. 1926, Stadt-Blatt (raca.).
150. Ohne Titel [Osterspaziergang auf der Leinwand]. In: FZ vom 4. 4. 1926, Nr. 251, Bäder-Blatt (raca.).
151. Paris und Amerika. In: FZ vom 10. 4. 1926, Stadt-Blatt (raca.).
152. Hilfe, ich bin Millionär! In: FZ vom 17. 4. 1926, Nr. 284 (raca.).
153. Schlafwagen-Geheimnisse. In: FZ vom 23. 4. 1926, Stadt-Blatt (raca.).
154. Kinder unserer Zeit! In: FZ vom 30. 4. 1926, Stadt-Blatt (raca.).
155. Die Brüder Schellenberg. In: FZ vom 2. 5. 1926, Stadt-Blatt (raca.).
156. Höfisches. In: FZ vom 8. 5. 1926, Stadt-Blatt (raca.).
157. Apachen, Frauen, Polizei. In: FZ vom 13. 5. 1926, Stadt-Blatt (raca.).
158. Madame Sans Gêne. In: FZ vom 15. 5. 1926, Stadt-Blatt (raca.).
159. Die Jupiterlampen brennen weiter. Zur Frankfurter Aufführung des Potemkin-Films. In: FZ vom 16. 5. 1926, Nr. 360 (Raca.); wieder in: *Kino*, S. 73-76.
160. Henny Porten doppelt. In: FZ vom 22. 5. 1926, Stadt-Blatt (raca.).
161. Elisabeth Bergner im Film. In: FZ vom 29. 5. 1926, Nr. 393 (raca.).
162. Der blaue Tiger. In: FZ vom 3. 6. 1926, Stadt-Blatt (raca.).
163. Der Hochverrat von Panama. In: FZ vom 4. 6. 1926, Stadt-Blatt (raca.).
164. Rudolf Schildkraut im Film. In: FZ vom 12. 6. 1926, Nr. 431 (raca.).
165. Die Welt im Stahlhelm. In: FZ vom 18. 6. 1926, Stadt-Blatt (raca.).
166. Die Insel der Träume. In: FZ vom 19. 6. 1926, Stadt-Blatt (raca.).
167. Aus der amerikanischen Gesellschaft. In: FZ vom 2. 7. 1926, Stadt-Blatt (raca.).
168. Ein Afrika-Film. In: FZ vom 14. 7. 1926, Stadt-Blatt (raca.).
169. Der Held Rin-tin-tin. In: FZ vom 21. 7. 1926, Stadt-Blatt (raca.).
170. Buster Keaton. In: FZ vom 24. 7. 1926, Stadt-Blatt (raca.).
171. Buster Keaton. In: FZ vom 24. 7. 1926, Nr. 545 (Kr.); u. d. T. »Seven Chances« wieder in: *Kino*, S. 180.
172. Glücksritter. In: FZ vom 28. 7. 1926, Stadt-Blatt (raca.).
173. Herrn Collins Abenteuer. In: FZ vom 4. 8. 1926, Stadt-Blatt (raca.).
174. Wege zu Kraft und Schönheit. In: FZ vom 5. 8. 1926, Nr. 577 (Kr.); wieder in: *Schriften 2*, S. 398-399.
175. Verfolgungen und Hochstapeleien. In: FZ vom 14. 8. 1926, Stadt-Blatt (raca.).

176. Die letzte Droschke von Berlin. In: FZ vom 22. 8. 1926, Stadt-Blatt (raca.).
177. Pola Negri spielt Sudermann. In: FZ vom 28. 8. 1926, Stadt-Blatt (raca.).
178. Leutnants und Liebe. In: FZ vom 9. 10. 1926, Stadt-Blatt (raca.).
179. Ein Zirkusfilm. In: FZ vom 16. 10. 1926, Stadt-Blatt (raca.).
180. Von Löwen und Liebe. In: FZ vom 16. 10. 1926, Stadt-Blatt (raca.).
181. Erweiterung der Bieberbau-Lichtspiele. In: FZ vom 17. 10. 1926, Stadt-Blatt (Kr.).
182. Ben Hur in Frankfurt. Vorbericht. In: FZ vom 22. 10. 1926, Stadt-Blatt (raca.).
183. Ben Hur. Zur Aufführung in Frankfurt. In: FZ vom 23. 10. 1926, Nr. 792 (raca.); wieder in: *Kino*, S. 163-165.
184. Wien-Berlin. In: FZ vom 31. 10. 1926, Stadt-Blatt (raca.).
185. Das Zeichen des Zorro. In: FZ vom 31. 10. 1926, Stadt-Blatt (raca.).
186. Chaplin. In: FZ vom 6. 11. 1926, Nr. 830 (Raca.); u. d. T. »The Gold Rush« wieder in: *Kino*, S. 165-167.
187. Buster Keaton. In: FZ vom 16. 11. 1926, Stadt-Blatt (Raca.).
188. Rudolf Valentino. In: FZ vom 17. 11. 1926, Stadt-Blatt (Raca.).
189. Volk in Not. In: FZ vom 21. 11. 1926, Stadt-Blatt (raca.).
190. Ein Marinefilm. In: FZ vom 28. 11. 1926, Stadt-Blatt (Raca.).
191. Lil Dagover. In: FZ vom 1. 12. 1926, Stadt-Blatt (Raca.).
192. Abenteuer eines Zehnmarkscheines. In: FZ vom 5. 12. 1926, Stadt-Blatt (Raca.).
193. Die versunkene Flotte. In: FZ vom 5. 12. 1926, Stadt-Blatt (Raca.).
194. Die Pfauenkönigin. In: FZ vom 11. 12. 1926, Stadt-Blatt (raca.).
195. Das Mädchen auf der Schaukel. In: FZ vom 14. 12. 1926, Stadt-Blatt (raca.).
196. Ein amerikanischer Lustspielschlager. In: FZ vom 19. 12. 1926, Stadt-Blatt (raca.).
197. Der Mitternachtsexpreß. In: FZ vom 19. 12. 1926, Stadt-Blatt (raca.).
198. Die Villa im Tiergarten. In: FZ vom 23. 12. 1926, Nr. 955 (raca.).

1927

199. Der Schachspieler. In: FZ vom 24. 1. 1927, Nr. 61 (raca.).
200. Hotel Stadt Lemberg. In: FZ vom 29. 1. 1927, Stadt-Blatt (raca.).
201. »Die lachende Grille« – ein Lustspiel mit Prominenten. In: FZ vom 30. 1. 1927, Stadt-Blatt (raca.).
202. Das Panzergewölbe. In: FZ vom 5. 2. 1927, Stadt-Blatt (raca.).
203. König Titi. In: FZ vom 12. 2. 1927, Nr. 113 (Kr.).

232. Buster Keaton im Krieg. In: FZ vom 5. 5. 1927, Nr. 331 (Raca.); wieder in: *Kino*, S. 181-183.
233. Der Meister der Welt. In: FZ vom 9. 5. 1927, Stadt-Blatt (Raca.).
234. Die Frau ohne Namen. In: FZ vom 12. 5. 1927, Stadt-Blatt (Raca.).
235. Der Sohn des Scheich. In: FZ vom 15. 5. 1927, Stadt-Blatt (Raca.).
236. Reinhold Schünzel im Ufa-Theater. In: FZ vom 20. 5. 1927, Stadt-Blatt (Raca.).
237. Derby. In: FZ vom 22. 5. 1927, Stadt-Blatt (Raca.).
238. Die Frauengasse von Algier. In: FZ vom 22. 5. 1927, Stadt-Blatt (Raca.).
239. Revue und Spital. In: FZ vom 26. 5. 1927, Stadt-Blatt (Raca.).
240. Höfisches. In: FZ vom 28. 5. 1927, Stadt-Blatt (Raca.).
241. Aus der amerikanischen Gesellschaft. In: FZ vom 29. 5. 1927, Stadt-Blatt (Raca.).
242. Die verfilmten »Weber«. In: FZ vom 30. 5. 1927, Nr. 396 (Raca.); wieder in: *Schriften 2*, S. 402-404.
243. Ein französisches Provinzidyll und der Romeo von New York. In: FZ vom 2. 6. 1927, Stadt-Blatt (Raca.).
244. Douglas Fairbanks: »Der Mann mit der Peitsche«. In: FZ vom 4. 6. 1927, Stadt-Blatt (Raca.).
245. Eine Prinzessin in Hosen. In: FZ vom 4. 6. 1927, Stadt-Blatt (Raca.).
246. Das alte Wien. In: FZ vom 11. 6. 1927, Stadt-Blatt (Raca.).
247. Rinaldo Rinaldini. In: FZ vom 12. 6. 1927, Stadt-Blatt (raca.).
248. Verbotene Küsse und Charleston. In: FZ vom 12. 6. 1927, Stadt-Blatt (raca.).
249. Der Zuchthäusler, der Junge und die Biographie. In: FZ vom 16. 6. 1927, Nr. 440 (Raca.).
250. Film-Kammerspiel. In: FZ vom 19. 6.1927, Stadt-Blatt (Raca.).
251. Die Puppenkönigin. In: FZ vom 22. 6. 1927, Stadt-Blatt (Raca.).
252. Ramon Novarro im Orient. In: FZ vom 24. 6. 1927, Stadt-Blatt (Raca.).
253. Mary Pickford: »Sperlinge Gottes«. In: FZ vom 25. 6. 1927, Stadt-Blatt (Raca.).
254. Hollywood. In: FZ vom 26. 6. 1927, Literaturblatt Nr. 26 (Kr.).
255. Valencia. In: FZ vom 30. 6. 1927, Stadt-Blatt (Raca.).
256. Altwien und Wildwest. In: FZ vom 2. 7. 1927, Stadt-Blatt (Raca.).
257. Amerikanische Lustspiele. In: FZ vom 2. 7. 1927, Stadt-Blatt (Raca.).
258. Rin-Tin-Tin. In: FZ vom 8. 7. 1927, Stadt-Blatt (Raca.).
259. Bücher vom Film. In: FZ vom 10. 7. 1927, Literaturblatt Nr. 28 (Dr. S. Kracauer).
260. Unheimliche Nächte. In: FZ vom 12. 7. 1927, Stadt-Blatt (Raca.).
261. Ein Film nach Pirandello. In: FZ vom 13. 7. 1927, Stadt-Blatt (Raca.).

262. Ehekonflikte. In: FZ vom 15. 7. 1927, Stadt-Blatt (RACA.).
263. Geheimnisse überall. In: FZ vom 16. 7. 1927, Stadt-Blatt (Raca.).
264. Der keusche Joseph. In: FZ vom 20. 7. 1927, Stadt-Blatt (anonym).
265. Satan in Seide. In: FZ vom 21. 7. 1927, Stadt-Blatt (Raca.).
266. Die drei Niemandskinder. In: FZ vom 27. 7. 1927, Stadt-Blatt (Raca.).
267. Ein Privatissimum über die Ehe. In: FZ vom 29. 7. 1927, Stadt-Blatt (Raca.).
268. Gauner im Frack. In: FZ vom 2. 8. 1927, Stadt-Blatt (Raca.).
269. England – Ägypten. In: FZ vom 4. 8. 1927, Stadt-Blatt (Raca.).
270. Mein Heidelberg ... In: FZ vom 5. 8. 1927, Nr. 576 (raca.).
271. Primanerliebe. In: FZ vom 6. 8. 1927, Stadt-Blatt (Raca.).
272. Der Mann mit den 100 PS. In: FZ vom 12. 8. 1927, Stadt-Blatt (Raca.).
273. Reiterei und Luxusyacht. In: FZ vom 14. 8. 1927, Stadt-Blatt (Raca.).
274. Die Königin der Nacht. In: FZ vom 14. 8. 1927, Stadt-Blatt (Raca.).
275. Europa in Ostasien. In: FZ vom 19. 8. 1927, Stadt-Blatt (Raca.).
276. Der Bettler vom Kölner Dom. In: FZ vom 20. 8. 1927, Stadt-Blatt (Raca.).
277. Amerika im Film. In: FZ vom 24. 8. 1927, Stadt-Blatt (Raca.).
278. Verfilmter Balzac. In: FZ vom 26. 8. 1927, Stadt-Blatt (Raca.).
279. Die Warenhaus-Prinzessin. In: FZ vom 27. 8. 1927, Stadt-Blatt (Raca.).
280. Louise von Coburg. In: FZ vom 30. 8. 1927, Stadt-Blatt (Raca.).
281. Stacheldraht. In: FZ vom 10. 9. 1927, Nr. 674 (Raca.).
282. Für den Frieden der Welt. Ein französischer Film. In: FZ vom 10. 10. 1927, Nr. 753 (Kr).
283. Das tanzende Wien. In: FZ vom 20. 10. 1927, Stadt-Blatt (Raca.).
284. Das Erwachen des Weibes. In: FZ vom 21. 10. 1927, Stadt-Blatt (Raca.).
285. Ein Emigranten-Film. In: FZ vom 23. 10.1927, Stadt-Blatt (Raca.).
286. Das Recht der ersten Nacht. In: FZ vom 27. 10. 1927, Stadt-Blatt (Raca.).
287. Ein Reinhold-Schünzel-Film. In: FZ vom 29. 10. 1927, Stadt-Blatt (Raca.).
288. Ein Film vom Fußball. In: FZ vom 2. 11. 1927, Stadt-Blatt (Raca.).
289. Auferstehung. In: FZ vom 4. 11. 1927, Stadt-Blatt (Raca.).
290. Zirkus und Junggesellen. In: FZ vom 6. 11. 1927, Stadt-Blatt (Raca.).
291. Fritz Kortner im Film. In: FZ vom 8. 11. 1927, Stadt-Blatt (Raca.).
292. Pat und Patachon; Tempsey contra Tunney. In: FZ vom 11. 11. 1927, Stadt-Blatt (Raca.).
293. Harry Piel als Patient. In: FZ vom 12. 11. 1927, Stadt-Blatt (Raca.).
294. Wir schaffens. In: FZ vom 17. 11. 1927, Nr. 856 (S. Kracauer); wieder in: *Schriften 2*, S. 404-405.
295. Der Bettler von Paris. In: FZ vom 20. 11. 1927, Stadt-Blatt (Raca.).
296. Der Hund als Held. In: FZ vom 23. 11. 1927, Stadt-Blatt (Raca.).
297. Die Spielerin. In: FZ vom 23. 11. 1927, Stadt-Blatt (Raca.).

298. Odette. In: FZ vom 25. 11. 1927, Stadt-Blatt (Raca.).
299. Alpentragödie. In: FZ vom 26. 11. 1927, Stadt-Blatt (Raca.).
300. Der Fürst von Pappenheim. In: FZ vom 29. 11. 1927, Stadt-Blatt (Raca.).
301. Ein schwedischer Film. In: FZ vom 30. 11. 1927, Stadt-Blatt (Raca.).
302. Der Napoleon-Film. In: FZ vom 4. 12. 1927, Stadt-Blatt (Raca.).
303. Alte Chaplinfilme. In: FZ vom 6. 12. 1927, Stadt-Blatt (Raca.).
304. Ein chinesischer Detektiv. In: FZ vom 6. 12. 1927, Stadt-Blatt (Raca.).
305. Pat und Patachon. In: FZ vom 8. 12. 1927, Stadt-Blatt (Raca.).
306. Verbrechen in New York und Liebe in Deutschland. In: FZ vom 10. 12. 1927, Stadt-Blatt (Raca.).
307. Wochenendzauber. In: FZ vom 11. 12. 1927, Stadt-Blatt (Raca.).
308. Zwei unterm Himmelszelt. In: FZ vom 14. 12. 1927, Stadt-Blatt (Raca.).
309. Die von der Straße leben. In: FZ vom 17. 12. 1927, Nr. 938 (Raca.).
310. Ein amerikanisches Lustspiel. In: FZ vom 18. 12. 1927, Stadt-Blatt (Raca.).
311. Fräulein Laura – keine Witwe. In: FZ vom 23. 12. 1927, Stadt-Blatt (Raca.).
312. Faschingszauber. In: FZ vom 23. 12. 1927, Stadt-Blatt (Raca.).
313. Im Luxuszug. In: FZ vom 23. 12. 1927, Stadt-Blatt (Raca.).
314. Der alte Fritz. In: FZ vom 24. 12. 1927, Stadt-Blatt (Raca.).

Band 6.2: 1928-1931

1928

315. Harry Domela im Film. In: FZ vom 1. 1. 1928, Stadt-Blatt (Raca.).
316. Der Bettelstudent. In: FZ vom 3. 1. 1928, Stadt-Blatt (Raca.).
317. Orient-Expreß. In: FZ vom 4. 1. 1928, Nr. 10 (Raca.).
318. Ein Ossi-Oswalda-Film. In: FZ vom 8. 1. 1928, Stadt-Blatt (Raca.).
319. Das Geheimnis des Abbé X. In: FZ vom 13. 1. 1928, Stadt-Blatt (Raca.).
320. Dr. Bessels Verwandlung. In: FZ vom 15. 1. 1928, Stadt-Blatt (Kr.).
321. Ein Zirkusfilm. In: FZ vom 18. 1. 1928, Nr. 46 (Raca.); wieder in: *Schriften 2*, S. 405-407.
322. Die raffinierteste Frau Berlins. In: FZ vom 18. 1. 1928, Stadt-Blatt (-er.).
323. Tom Mix. In: FZ vom 20. 1. 1928, Stadt-Blatt (-er.).
324. Ein Carmen Boni-Film. In: FZ vom 21. 1. 1928, Stadt-Blatt (Raca.).
325. Ladenmädchen spielen Kino. Ein Mary Pickford-Film. In: FZ vom 26. 1. 1928, Nr. 70 (Raca.).
326. Die Apachen von Paris. In: FZ vom 28. 1. 1928, Stadt-Blatt (Raca.).
327. Ludwig Thoma verfilmt. In: FZ vom 29. 1. 1928, Stadt-Blatt (Raca.).

360. Spione. In: FZ vom 11. 4. 1928, Stadt-Blatt (Raca.).
361. Im siebenten Himmel. In: FZ vom 12. 4. 1928, Stadt-Blatt (Raca.).
362. Heut' tanzt Mariett'. In: FZ vom 14. 4. 1928, Stadt-Blatt (Raca.).
363. Rundfunk und Colorado. In: FZ vom 15. 4. 1928, Stadt-Blatt (Raca.).
364. Amor auf Ski. In: FZ vom 17. 4. 1928, Stadt-Blatt (Raca.).
365. Der Sensationsprozeß. In: FZ vom 20. 4. 1928, Stadt-Blatt (Raca.).
366. Frauenarzt Dr. Schäfer. In: FZ vom 22. 4. 1928, Stadt-Blatt (Raca.).
367. Zwei Lustspiele. In: FZ vom 27. 4. 1928, Stadt-Blatt (Raca.).
368. Die Flucht aus der Hölle. In: FZ vom 28. 4. 1928, Stadt-Blatt (Raca.).
369. Volksverband für Filmkunst. In: FZ vom 1. 5. 1928, Nr. 325 (Kr); anonym und ohne Titel auch in: *Film und Volk* Jg. 1, Nr. 3/4 vom Juni 1928, S. 2.
370. Das Mädchen von der Straße. In: FZ vom 4. 5. 1928, Stadt-Blatt (Raca.).
371. Die Durchgängerin. In: FZ vom 5. 5. 1928, Stadt-Blatt (Raca.).
372. Onkel Tom's Hütte. In: FZ vom 6. 5. 1928, Stadt-Blatt (Raca.).
373. Ossi Oswalda & Co. In: FZ vom 11. 5. 1928, Stadt-Blatt (Raca.).
374. Spuk im Schloß. In: FZ vom 17. 5. 1928, Stadt-Blatt (Raca.).
375. Sind Frauenherzen käuflich? In: FZ vom 18. 5. 1928, Stadt-Blatt (Raca.).
376. Importierter Militarismus. In: FZ vom 19. 5. 1928, Nr. 373 (Raca.).
377. So küßt nur eine Wienerin. In: FZ vom 23. 5. 1928, Stadt-Blatt (Raca.).
378. Harry Piel. In: FZ vom 25. 5. 1928, Stadt-Blatt (Raca.).
379. Sechs Mädchen suchen Nachtquartier. In: FZ vom 26. 5. 1928, Stadt-Blatt (Raca.).
380. Der Fremdenlegionär. In: FZ vom 2. 6. 1928, Stadt-Blatt (Raca.).
381. Ein Rudolf Schildkraut-Film. In: FZ vom 3. 6. 1928, Stadt-Blatt (Raca.).
382. Der Eisenstein-Film. In: FZ vom 5. 6. 1928, Nr. 413 (Raca.); u. d. T. »Oktober« wieder in: *Kino*, S. 76-79.
383. Natur und Liebe. In: FZ vom 8. 6. 1928, Stadt-Blatt (Raca.).
384. Der Herr der Nacht. In: FZ vom 10. 6. 1928, Stadt-Blatt (Raca.).
385. Das Spielzeug von Paris. In: FZ vom 14. 6. 1928, Stadt-Blatt (Raca.).
386. Casanovas Erbe. In: FZ vom 16. 6. 1928, Stadt-Blatt (Raca.).
387. Der gelbe Paß. In: FZ vom 18. 6. 1928, Nr. 449 (Raca.).
388. Der Kurier des Zaren. In: FZ vom 20. 6. 1928, Stadt-Blatt (Raca.).
389. Der Biberpelz. In: FZ vom 21. 6. 1928, Stadt-Blatt (Raca.).
390. Girldämmerung. In: FZ vom 22. 6. 1928, Nr. 462 (Raca.).
391. Grand Hotel ...! In: FZ vom 24. 6. 1928, Stadt-Blatt (Raca.).
392. Die große Nummer. In: FZ vom 4. 7. 1928, Stadt-Blatt (Raca.).
393. Aus der Vorkriegszeit. In: FZ vom 8. 7. 1928, Stadt-Blatt (Raca.).
394. Almenrausch und Edelweiß. In: FZ vom 11. 7. 1928, Stadt-Blatt (Raca.).
395. Dorine und der Zufall. In: FZ vom 15. 7. 1928, Stadt-Blatt (Raca.).

428. Der Schuß in der großen Oper. In: FZ vom 3. 11. 1928, Stadt-Blatt (Raca.).
429. Heut spielt der Strauß. In: FZ vom 4. 11. 1928, Stadt-Blatt (Raca.).
430. Moderne Piraten. In: FZ vom 8. 11. 1928, Stadt-Blatt (Raca.).
431. Ich heirate meine Frau. In: FZ vom 9. 11. 1928, Stadt-Blatt (Raca.).
432. Saxophon-Susi. In: FZ vom 10. 11. 1928, Stadt-Blatt (Raca.).
433. »Looping the loop« mit Werner Krauß. In: FZ vom 11. 11. 1928, Stadt-Blatt (Raca.).
434. Der geheime Kurier. In: FZ vom 16. 11. 1928, Stadt-Blatt (Raca.).
435. Flucht vor Blond. In: FZ vom 17. 11. 1928, Stadt-Blatt (Raca.).
436. Rasputins Liebesabenteuer. In: FZ vom 18. 11. 1928, Stadt-Blatt (Raca.).
437. Der Dämon. In: FZ vom 24. 11. 1928, Stadt-Blatt (Raca.).
438. Buster Keaton. In: FZ vom 27. 11. 1928, Nr. 888 (Raca.); u. d. T. »Steamboat Bill Jr.« wieder in: *Kino*, S. 183-184.
439. Das gottlose Mädchen. In: FZ vom 28. 11. 1928, Stadt-Blatt (Raca.).
440. Exzentriktänzer im Gloria-Palast. In: FZ vom 28. 11. 1928, Stadt-Blatt (Raca.).
441. Der heutige Film und sein Publikum [Film 1928]. In: FZ vom 30. 11. 1928, Nr. 895, und vom 1. 12. 1928, Nr. 898 (Raca.); auch als *Sonderabdruck aus der Frankfurter Zeitung.* Frankfurter Societäts-Druckerei o. J.; ferner in: *Die Form. Zeitschrift für gestaltende Arbeit* Jg. 4, H. 5 vom 1. 3. 1929, S. 101-104; Teil 1 u. d. T. »Le Film d'Aujourdhui et son Public« gekürzt auch in: *Le Monde* Jg. 3, Nr. 86 vom 25. 1. 1930, S. 6; Teil 2 u. d. T. »Le Problème du Sujet dans le Cinéma Allemand« gekürzt auch in: *Le Monde* Jg. 3, Nr. 88 vom 8. 2. 1930, S. 8-9; u. d. T. »Film 1928« wieder in: *Ornament*, S. 295-310.
442. Ungarische Rhapsodie. In: FZ vom 1. 12. 1928, Stadt-Blatt (Raca.).
443. Chaplin. In: FZ vom 2. 12. 1928, Literaturblatt Nr. 49 (Kr.).
444. Ariadne in Hoppegarten. In: FZ vom 6. 12. 1928, Stadt-Blatt (Raca.).
445. Eine Frau von Format. In: FZ vom 8. 12. 1928, Stadt-Blatt (Raca.).
446. Ein Harry-Liedtke-Film. In: FZ vom 8. 12. 1928, Stadt-Blatt (Raca.).
447. Aus dem Tagebuch eines Junggesellen. In: FZ vom 9. 12. 1928, Stadt-Blatt (Raca.).
448. Ritter der Nacht. In: FZ vom 13. 12. 1928, Stadt-Blatt (Raca.).
449. Die Prinzessin und der Narr. In: FZ vom 15. 12. 1928, Stadt-Blatt (Raca.).
450. Die gestörte Hochzeitsreise. In: FZ vom 16. 12. 1928, Stadt-Blatt (Raca.).
451. Frau Sorge. In: FZ vom 20. 12. 1928, Stadt-Blatt (Raca.).
452. Razzia. In: FZ vom 21. 12. 1928, Stadt-Blatt (Raca.).
453. Johanna von Orleans. Anmerkungen zum Film. In: FZ vom 22. 12. 1928, Nr. 957 (Raca.).
454. Wolga, Wolga. In: FZ vom 30. 12. 1928, Stadt-Blatt (Raca.).

1929

455. Von einem Fürstenhof. In: FZ vom 4. 1. 1929, Stadt-Blatt (Raca.).
456. Die drei Frauen des Urban Hell. In: FZ vom 4. 1. 1929, Stadt-Blatt (Raca.).
457. Harold Lloyd. In: FZ vom 5. 1. 1929, Nr. 13 (Raca.); u. d. T. »The Kid Brother« wieder in: *Kino*, S. 186-187.
458. Ohne Titel [Jahrbuch der Filmindustrie]. In: FZ vom 6. 1. 1929, Literaturblatt Nr. 1 (anonym).
459. Die Siebzehnjährigen. In: FZ vom 7. 1. 1929, Nr. 17 (Raca.); wieder in: *Schriften 2*, S. 412-413.
460. Film 1929. Glosse zu einer Rundfrage. In: FZ vom 8. 1. 1929, Nr. 20 (anonym).
461. Ein neuer Harry Piel. In: FZ vom 10. 1. 1929, Stadt-Blatt (Raca.).
462. Die blonde Komteß. In: FZ vom 12. 1. 1929, Stadt-Blatt (Raca.).
463. Sturm über Asien. Zu dem Film von Pudowkin. In: FZ vom 14. 1. 1929, Nr. 36 (S. Kracauer); wieder in: *Kino*, S. 82-85.
464. Komödie einer Liebe. In: FZ vom 16. 1. 1929, Stadt-Blatt (Raca.).
465. Eine Nacht in London. In: FZ vom 17. 1. 1929, Stadt-Blatt (Raca.).
466. Sein letzter Befehl. In: FZ vom 19. 1. 1929, Stadt-Blatt (Raca.).
467. Die schönste Frau von Paris. In: FZ vom 20. 1. 1929, Stadt-Blatt (Raca.).
468. Fasching im Kino. In: FZ vom 22. 1. 1929, Stadt-Blatt (Raca.).
469. Indizienbeweis. In: FZ vom 23. 1. 1929, Stadt-Blatt (Raca.).
470. Ein Film aus der Inflationszeit. In: FZ vom 24. 1. 1929, Stadt-Blatt (Raca.).
471. Monsieur Albert. In: FZ vom 4. 2. 1929, Nr. 93 (Raca.).
472. Wem gehört meine Frau? In: FZ vom 7. 2. 1929, Stadt-Blatt (Raca.).
473. Die blaue Maus. In: FZ vom 10. 2. 1929, Stadt-Blatt (Raca.).
474. Chaplin in »Carmen«. In: FZ vom 14. 2. 1929, Stadt-Blatt (Raca.).
475. Villa Falconieri. In: FZ vom 14. 2. 1929, Stadt-Blatt (Raca.).
476. Lulu. In: FZ vom 17. 2. 1929, Stadt-Blatt (Raca.).
477. Die Abenteuer einer schönen Kurtisane. In: FZ vom 17. 2. 1929, Stadt-Blatt (Raca.).
478. Gutes Lustspielprogramm. In: FZ vom 17. 2. 1929, Stadt-Blatt (Raca.).
479. Ein Kriminalfilm. In: FZ vom 20. 2. 1929, Stadt-Blatt (Raca.).
480. Rausch. In: FZ vom 21. 2. 1929, Stadt-Blatt (Raca.).
481. Ein Henny-Porten-Film. In: FZ vom 23. 2. 1929, Stadt-Blatt (Raca.).
482. Ich küsse Ihre Hand, Madame. In: FZ vom 24. 2. 1929, Stadt-Blatt (Raca.).
483. Die Sklavin einer Ehe. In: FZ vom 26. 2. 1929, Stadt-Blatt (Raca.).
484. Die ungekrönte Königin. In: FZ vom 27. 2. 1929, Stadt-Blatt (Raca.).

485. Der lebende Leichnam. Ein russisch-deutscher Gemeinschaftsfilm. In: FZ vom 28. 2. 1929, Nr. 159 (S. Kracauer); wieder in: *Kino*, S. 95-100.
486. Gefangene des Meeres. In: FZ vom 2. 3. 1929, Stadt-Blatt (Raca.).
487. Nachtwelt. In: FZ vom 3. 3. 1929, Stadt-Blatt (Raca.).
488. Schicksalskämpfe einer Sechzehnjährigen. In: FZ vom 6. 3. 1929, Stadt-Blatt (Raca.).
489. Zuchthaus. In: FZ vom 8. 3. 1929, Nr. 181 (Raca.).
490. Die Kosaken. In: FZ vom 10. 3. 1929, Stadt-Blatt (Raca.).
491. Der Mann, der lacht. In: FZ vom 13. 3. 1929, Stadt-Blatt (Raca.).
492. Liebe im Schnee. In: FZ vom 13. 3. 1929, Stadt-Blatt (Raca.).
493. Waterloo. In: FZ vom 16. 3. 1929, Stadt-Blatt (Raca.).
494. Der Faschingsprinz. In: FZ vom 16. 3. 1929, Stadt-Blatt (Raca.).
495. Der Mann mit dem Laubfrosch. In: FZ vom 17. 3. 1929, Stadt-Blatt (Raca.).
496. Harry Piel. In: FZ vom 18. 3. 1929, Nr. 207 (Raca.).
497. Das brennende Herz. In: FZ vom 20. 3. 1929, Stadt-Blatt (Raca.).
498. Ein Hellseher-Film. In: FZ vom 22. 3. 1929, Nr. 219 (Raca.).
499. Ein Grab am Nordpol. In: FZ vom 23. 3. 1929, Nr. 222 (Raca.).
500. Die große Leidenschaft. In: FZ vom 27. 3. 1929, Stadt-Blatt (Raca.).
501. Asphalt. In: FZ vom 28. 3. 1929, Nr. 235 (Raca.); wieder in *Schriften 2*, S. 413-414.
502. Lonesome. Ein guter Film. In: FZ vom 9. 4. 1929, Nr. 262 (S. Kracauer); 1.-3. Abschnitt wieder in: *Kino*, S. 202-204; 4. Abschnitt u. d. T. »Die Frau im Mond« wieder in: *Schriften 2*, S. 414.
503. Der Patriot. In: FZ vom 10. 4. 1929, Stadt-Blatt (Raca.).
504. Fräulein Else. In: FZ vom 14. 4. 1929, Stadt-Blatt (Raca.).
505. Die weißen Rosen von Ravensburg. In: FZ vom 14. 4. 1929, Stadt-Blatt (Raca.).
506. Der Adjutant des Zaren. In: FZ vom 14. 4. 1929, Stadt-Blatt (Raca.).
507. Menjou als Maharadscha. In: FZ vom 18. 4. 1929, Stadt-Blatt (Raca.).
508. Die verschwundene Frau. In: FZ vom 21. 4. 1929, Stadt-Blatt (Raca.).
509. Warum macht Valentin keine Filme mehr[?]. In: FZ vom 30. 4. 1929, Nr. 319 (Kr.); wieder in: *Schriften 2*, S. 414-415.
510. Der Mann mit dem Kinoapparat. Ein neuer russischer Film. In: FZ vom 19. 5. 1929, Nr. 369 (S. Kracauer); u. d. T. »L'Homme à l'appareil de prises de vues. Un nouveau film de Dziga Vertov« auch in: *Monde* Jg. 2, Nr. 53 vom 8. 6. 1929, S. 11; wieder in: *Kino*, S. 88-92.
511. Exotische Filme. In: FZ vom 28. 5. 1929, Nr. 390 (S. Kracauer).
512. Der erste amerikanische Tonfilm. In: FZ vom 5. 6. 1929, Nr. 412 (S. Kracauer).

513. Submarine. In: FZ vom 17. 6. 1929, Nr. 443 (Kr.).
514. Wertoff in Frankfurt. In: FZ vom 21. 6. 1929, Nr. 456 (anonym).
515. Olga Tschechowa in »Diane«. In: FZ vom 18. 7. 1929, Stadt-Blatt (Raca.).
516. Demimonde. In: FZ vom 23. 7. 1929, Stadt-Blatt (Raca.).
517. Neue Heimat. In: FZ vom 27. 7. 1929, Stadt-Blatt (Raca.).
518. Der Held aller Mädchenträume. In: FZ vom 30. 7. 1929, Stadt-Blatt (Raca.).
519. Ein Zirkusfilm. In: FZ vom 1. 8. 1929, Stadt-Blatt (Raca.).
520. Ein Fliegerfilm. In: FZ vom 3. 8. 1929, Stadt-Blatt (Raca.).
521. Das neue Babylon. In: *Das Illustrierte Blatt* Jg. 17, Nr. 31 vom 3. 8. 1929, S. 886-887 (S. Krac.).
522. Razzia. In: FZ vom 6. 8. 1929, Stadt-Blatt (Raca.).
523. Tagebuch einer Kokotte. In: FZ vom 8. 8. 1929, Stadt-Blatt (Raca.).
524. Sport und Liebe. In: FZ vom 10. 8. 1929, Stadt-Blatt (Raca.).
525. Adieu Mascotte. In: FZ vom 18. 8. 1929, Stadt-Blatt (Raca.).
526. Revolution der Jugend. In: FZ vom 6. 10. 1929, Stadt-Blatt (Raca.).
527. Das grüne Monokel. In: FZ vom 6. 10. 1929, Stadt-Blatt (Raca.).
528. Der Frosch mit der Maske. In: FZ vom 9. 10. 1929, Stadt-Blatt (Raca.).
529. Ein »Großlustspiel«. In: FZ vom 11. 10. 1929, Stadt-Blatt (Raca.).
530. Der Teufelsreporter. In: FZ vom 12. 10. 1929, Stadt-Blatt (Raca.).
531. Polizei. In: FZ vom 12. 10. 1929, Nr. 763 (Kr.); u. d. T. »The Dragnet« wieder in: *Kino*, S. 194-195.
532. Hingabe. In: FZ vom 19. 10. 1929, Stadt-Blatt (Raca.).
533. Ein Monstretonfilm. In: FZ vom 19. 10. 1929, Nr. 782 (S. Kracauer).
534. Dulderin Weib. In: FZ vom 23. 10. 1929, Stadt-Blatt (Raca.).
535. Eine Schlagerillustration. In: FZ vom 24. 10. 1929, Stadt-Blatt (Raca.).
536. Ein Film aus dem »Milieu«. In: FZ vom 25. 10. 1929, Stadt-Blatt (Raca.).
537. Film im Film. In: FZ vom 26. 10. 1929, Nr. 801 (S. Kracauer).
538. Der Sittenpaß. In: FZ vom 30. 10. 1929, Stadt-Blatt (Raca.).
539. Vater und Sohn. In: FZ vom 1. 11. 1929, Stadt-Blatt (Raca.).
540. Die letzte Warnung. In: FZ vom 2. 11. 1929, Stadt-Blatt (Raca.).
541. Rummelplatz der Liebe. In: FZ vom 3. 11. 1929, Stadt-Blatt (Raca.).
542. Zwei Filmbücher. In: FZ vom 3. 11. 1929, Literaturblatt Nr. 44 (S. Kracauer).
543. Sinnliche Liebe. In: FZ vom 5. 11. 1929, Stadt-Blatt (Raca.).
544. Der erste deutsche Tonfilm. In: FZ vom 5. 11. 1929, Nr. 827 (S. Kracauer); wieder in: *Schriften 2*, S. 415-417.
545. Schwarzwald – Berlin. In: FZ vom 7. 11. 1929, Stadt-Blatt (Raca.).
546. Menschen-Arsenal. In: FZ vom 8. 11. 1929, Nr. 836 (S. Kracauer); wieder in: *Kino*, S. 100-102.
547. Peter, der Matrose. In: FZ vom 10. 11. 1929, Stadt-Blatt (Raca.).

548. Vergessene Gesichter. In: FZ vom 12. 11. 1929, Stadt-Blatt (Raca.).
549. Die Lady von der Straße. In: FZ vom 16. 11. 1929, Stadt-Blatt (Raca.).
550. Ballett, Jazz, Harold Lloyd. In: FZ vom 17. 11. 1929, Stadt-Blatt (Raca.).
551. Der Kriminal-Kavalier. In: FZ vom 19. 11. 1929, Stadt-Blatt (Raca.).
552. Ein Pola Negri-Film. In: FZ vom 22. 11. 1929, Stadt-Blatt (Raca.).
553. Andreas Hofer. In: FZ vom 23. 11. 1929, Stadt-Blatt (Raca.).
554. Giftgas. In: FZ vom 27. 11. 1929, Nr. 885 (Kr.); wieder in: *Schriften 2*, S. 417-418.
555. »Vier Teufel« und Drei Kukirolers. In: FZ vom 1. 12. 1929, Stadt-Blatt (Raca.).
556. Die Schleiertänzerin. In: FZ vom 4. 12. 1929, Stadt-Blatt (Raca.).
557. Die weiße Spinne. In: FZ vom 4. 12. 1929, Stadt-Blatt (Raca.).
558. Atlantik. In: FZ vom 5. 12. 1929, Stadt-Blatt (Raca.).
559. Schnecken- und Blitzzugstempo. In: FZ vom 7. 12. 1929, Stadt-Blatt (Raca.).
560. Siegfried Arno als Komiker. In: FZ vom 12. 12. 1929, Stadt-Blatt (Raca.).
561. Feuer und Eis. In: FZ vom 12. 12. 1929, Stadt-Blatt (Raca.).
562. Verbrechen und Spiel. In: FZ vom 14. 12. 1929, Stadt-Blatt (Raca.).
563. Die Docks von New York. In: FZ vom 14. 12. 1929, Nr. 932 (Kr.); wieder in: *Kino*, S. 196-197.
564. Kinder der Straße. In: FZ vom 18. 12. 1929, Stadt-Blatt (Raca.).
565. Das Mädchenschiff. In: FZ vom 19. 12. 1929, Stadt-Blatt (Raca.).
566. Um Frauen und Geld. In: FZ vom 22. 12. 1929, Stadt-Blatt (Raca.).
567. Chaplin als Prediger. In: FZ vom 23. 12. 1929, Nr. 955 (Kr); wieder in: *Kino*, S. 170-173.
568. Ein neuer Harry Piel-Film. In: FZ vom 24. 12. 1929, Stadt-Blatt (Raca.).

1930

569. Die Drei um Edith. In: FZ vom 5. 1. 1930, Stadt-Blatt (Raca.).
570. Napoleon. In: FZ vom 7. 1. 1930, Stadt-Blatt (Raca.).
571. Segelschiff und Luxusdampfer. In: FZ vom 9. 1. 1930, Nr. 23 (Kr.).
572. Flucht vor der Liebe. In: FZ vom 11. 1. 1930, Stadt-Blatt (Raca.).
573. Henny Porten im Film und persönlich. In: FZ vom 15. 1. 1930, Stadt-Blatt (Raca.).
574. Amerikanisches im Ufa-Palast Groß-Frankfurt. In: FZ vom 15. 1. 1930, Stadt-Blatt (Raca.).
575. Hollywood präsentiert sich selber. In: FZ vom 16. 1. 1930, Nr. 42 (Kr.).

602. Westfront 1918. In: FZ vom 27. 5. 1930, Nr. 389-391 (S. Kracauer); wieder in: *Schriften 2*, S. 430-432.
603. Die Jagd nach dem Glück. In: FZ vom 31. 5. 1930, Nr. 399-401 (S. Kracauer); Vorlage: Gleichnamiges Typoskript aus KN, datiert (Ende Mai), 3 S.; wieder in: *Kino*, S. 149-152.
604. Film-Notizen. In: FZ vom 11. 6. 1930, Nr. 425-427 (S. Kracauer); 1. und 3. Abschnitt u. d. T. »Afrika mit Zwischenfragen« wieder in: *Schriften 2*, S. 432-434; 2. Abschnitt u. d. T. »Französische Avantgarde« wieder in: *Kino*, S. 124-125.
605. Film und Rundfunk. In: FZ vom 15. 6. 1930, Literaturblatt Nr. 24 (S. Kracauer).
606. Für höhere Töchter. Zu Henny Portens erstem Tonfilm. In: FZ vom 17. 6. 1930, Nr. 441-443 (sk); wieder in: *Schriften 2*, S. 434-435.
607. Vagabunden im Film. In: FZ vom 20. 6. 1930, Nr. 450-452 (s. k.); wieder in: *Schriften 2*, S. 435-437.
608. Der Blaue Engel. In: *Die Neue Rundschau* Jg. 41, Bd. 1, H. 6 vom Juni 1930, S. 861-863 (S. Kracauer); wieder in: *Schriften 2*, S. 418-421.
609. Französische Tonfilm-Reportage. In: FZ vom 5. 7. 1930, Nr. 491-493 (Kr).
610. Film-Notizen. In: FZ vom 15. 7. 1930, Nr. 517-519 (Kr); 2. Abschnitt u. d. T. »Hokuspokus« wieder in: *Schriften 2*, S. 437-438.
611. Die Filmprüfstelle gegen einen Russenfilm. In: FZ vom 24. 7. 1930, Nr. 542-544 (S. Kracauer); Vorlage: Gleichnamiges Typoskript aus KN, datiert (Juli), 4 S.; 1. Abschnitt wieder in: *Kino*, S. 92-95; 2. Abschnitt u. d. T. »Menschen im Busch« wieder in *Schriften 2*, S. 438-439.
612. Film-Notizen. In: FZ vom 1. 8. 1930, Nr. 564-566 (Kr); u. d. T. »Der Tonfilm bringt es an den Tag« wieder in: *Schriften 2*, S. 439-441.
613. Kabarett und Operette [Teil II]. Auf der Leinwand. In: FZ vom 7. 8. 1930, Nr. 580-582 (Kr).
614. Neue Tonfilme. Einige grundsätzliche Bemerkungen. In: FZ vom 17. 8. 1930, Nr. 608-610 (S. Kracauer); 1.-6. Abschnitt u. d. T. »Unter den Dächern von Paris« wieder in: *Kino*, S. 125-128; 7.-9. Abschnitt u. d. T. »Unter den Dächern von Berlin« wieder in: *Schriften 2*, S. 441-442.
615. Kriminalfilme. In: FZ vom 21. 9. 1930, Nr. 703-705 (Kr).
616. Über den Umgang mit Tieren. Anläßlich eines Jagdfilms. In: FZ vom 28. 9. 1930, Nr. 722-724 (S. Kracauer); Vorlage: Gleichnamiges Typoskript aus KN, datiert (September), 3 S.; wieder in: *Schriften 2*, S. 442-444.
617. Hallelujah. In: FZ vom 5. 10. 1930, Nr. 741-743 (S. Kracauer); Vorlage: »Hallelujah. Der Negerfilm King Vidors«, Typoskript aus KN, datiert (Oktober), 4 S.; wieder in: *Kino*, S. 212-216.

618. Götterliebling. In: FZ vom 18. 10. 1930, Nr. 776-778 (Kr); Vorlage: Gleichnamiges Typoskript aus KN, datiert (Oktober), 2 S.; wieder in: *Schriften 2*, S. 444-445.
619. Rebellion im Kino. In: FZ vom 23. 10. 1930, Nr. 789-791 (S. Kracauer); 1. Abschnitt wieder in: *Kino*, S. 102-103; 2. Abschnitt u. d. T. »Im Zuschauerraum« wieder in *Schriften 2*, S. 446.
620. Über den musikalischen Tonfilm. In: FZ vom 2. 11. 1930, Nr. 817-819 (S. Kracauer); wieder in: *Schriften 2*, S. 446-448.
621. Ein neues Filmbuch. In: FZ vom 2. 11. 1930, Literaturblatt Nr. 44 (Kr.).
622. Eine plumpe Attacke. Filmindustrie gegen Filmkritik. In: FZ vom 5. 11. 1930, Nr. 824-826 (Kr); wieder in: *Schriften 2*, S. 448-450.
623. Der Prozeß um die Dreigroschenoper. Einige nachträgliche Randbemerkungen. In: FZ vom 9. 11. 1930, Nr. 836-838 (Kr); wieder in: *Schriften 2*, S. 451-454.
624. Bemerkungen zu Tonfilmen. In: FZ vom 26. 11. 1930, Nr. 879-881 (Kr); wieder in: *Schriften 2*, S. 454-456.
625. Im Westen nichts Neues. Zum Remarque-Tonfilm. In: FZ vom 7. 12. 1930, Nr. 910-912 (S. Kracauer); Vorlage: Gleichnamiges Typoskript aus KN, datiert (Anfang Dezember), 4 S.; wieder in: *Schriften 2*, S. 456-459.
626. Ein Film nach ihrem Herzen. Demonstration bei der Uraufführung. In: FZ vom 21. 12. 1930, Nr. 948-950 (Kr).
627. Der bejubelte Fridericus Rex. In: FZ vom 23. 12. 1930, Nr. 952-954 (kr); Vorlage: ohne Titel, Typoskript aus KN, datiert (Dezember), 3 S.; wieder in: *Schriften 2*, S. 459-462.
628. Über den Tonfilm. In: *Der Film* Jg. 15, Nr. 52 vom 24. 12. 1930, S. 10-11 (Dr. S. Kracauer); Vorlage: Gleichnamiges Typoskript aus KN, undatiert, 2 S.

1931

629. Berliner Filmchronik. In: FZ vom 7. 1. 1931, Nr. 14-16 (Kr.); auszugsweise wieder in *Schriften 2*, S. 473-474.
630. Berliner Filmchronik. In: FZ vom 21. 1. 1931, Nr. 52-54 (S. Kracauer); 1.-4. Abschnitt wieder in: *Schriften 2*, S. 474-475; 5. Abschnitt u. d. T. »Welcome Danger« gekürzt wieder in: *Kino*, S. 187-188.
631. 1914. In: FZ vom 22. 1. 1931, Nr. 55-57 (Kr); wieder in: *Schriften 2*, S. 475-476.
632. Fußball, Vorkriegsliebe und Revolution. Ein paar Filmeindrücke. FZ vom 2. 2. 1931, Nr. 86 (S. Kracauer); Vorlage: Gleichnamiges Typoskript aus KN, datiert (Januar), 3 S.

633. Es wird weiter verboten. FZ vom 4. 2. 1931, Nr. 90-92 (Kr); wieder in: *Schriften 2*, S. 476-478.
634. Ein gut ausgenutzter Sieg. Kurt Weill und die Tobis. In: FZ vom 10. 2. 1931, Nr. 106-108 (Kr.); wieder in: *Schriften 2*, S. 478-480.
635. Der Mörder Dimitrij Karamasoff. Einige grundsätzliche Betrachtungen zum Tonfilm. In: FZ vom 13. 2. 1931, Nr. 115-117 (S. Kracauer); wieder in: *Schriften 2*, S. 480-483.
636. Film-Hochsaison. FZ vom 24. 2. 1931, Nr. 144-146 (S. Kracauer); wieder in: *Schriften 2*, S. 484-487.
637. Zur Lage des Tonfilms. In: *Die Neue Rundschau* Jg. 42, Bd. 1, H. 2 vom Februar 1931, S. 287-288 (S. Kracauer); Vorlage: Ohne Titel, Typoskript aus KN, datiert (7. 1. 1931), 3 S.
638. Film-Notizen. In: FZ vom 5. 3. 1931, Nr. 169-171 (S. Kracauer); 1., 2. und 4. Abschnitt wieder in: *Schriften 2*, S. 487-489.
639. Chaplin kommt an! In: FZ vom 11. 3. 1931, Nr. 185-187 (Kr).
640. Dramaturgie des Tonfilms. In: FZ vom 22. 3. 1931, Literaturblatt Nr. 12 (Kr.).
641. Lichter der Großstadt. Zur deutschen Uraufführung des Chaplinfilms. In: FZ vom 29. 3. 1931, Nr. 235-237 (S. Kracauer); wieder in: *Kino*, S. 173-176.
642. Internationaler Tonfilm? In: *Europäische Revue* Jg. 7, Bd. 1, H. 3 vom März 1931; S. 228-231 (S. Kracauer). Vorlage: »Zur Frage der Internationalität des Tonfilms«, Typoskript aus KN, undatiert, 5 S.; wieder in: *Schriften 2*, S. 469-473.
643. Neue Filmware. In: FZ vom 14. 4. 1931, Nr. 272-274 (S. Kracauer); 1.-3. Abschnitt wieder in: *Schriften 2*, S. 489-490; 4. Abschnitt wieder in: *Kino*, S. 140.
644. Asta Nielsen und die Filmbranche. Grundsätzliche Bemerkungen. In: FZ vom 18. 4. 1931, Nr. 284-286 (S. Kracauer); wieder in: *Schriften 2*, S. 490-494.
645. Film-Notizen. In: FZ vom 28. 4. 1931, Nr. 310-312 (S. Kracauer); u. d. T. »Les Bas-Fonds – Films Educatifs – Les Arts Décoratifs entremêlés de Musique« (übers. von Marie Elbé) auch in: *La Revue du Cinéma* Jg. 3, Nr. 25 vom 1. 8. 1931, S. 62-66; u. d. T. »Filmzensur« wieder in: *Schriften 2*, S. 495-498.
646. Chaplins Triumph. In: *Die Neue Rundschau* Jg. 42, Bd. 1, H. 4 vom April 1931, S. 573-575 (S. Kracauer); wieder in: *Kino*, S. 176-179.
647. Kriegs- und Militärfilme in Deutschland. Typoskript aus KN, undatiert [1931], 8 S.; u. d. T. »Films de Guerre et Films Militaires Allemands« (übers. von Hans Weigel) veröffentlicht in: *La Revue du Cinéma* Jg. 3, Nr. 22 vom 1. 5. 1931, S. 32-37 (S. Kracauer).
648. Rund um die Filmstars. In: FZ vom 10. 5. 1931, Nr. 344-346 (Kr).
649. Neue Filme. In: FZ vom 18. 5. 1931, Nr. 364 (Kr); 1. Abschnitt u. d. T. »Unterwelt« wieder in: *Schriften 2*, S. 498-500; 2. Abschnitt u. d. T. »Montmar-

tre-Singspiel« wieder in: *Kino,* S. 128-130; 3. Abschnitt u. d. T. »Kostspieliger Weltfrieden« wieder in: *Kino,* S. 119.

650. Zwei Jongleure [Teil I]. In: FZ vom 18. 6. 1931, Nr. 444-446 (S. Kracauer); u. d. T. »Feet First« wieder in: *Kino,* S. 188-189.
651. Menschen hinter Gittern. In: FZ vom 27. 6. 1931, Nr. 469-471 (Kr); wieder in: *Kino,* S. 205-208.
652. Not und Zerstreuung. Zur Ufa-Produktion 1931/32. In: FZ vom 15. 7. 1931, Nr. 517-519 (Kr); u. d. T. »Détresse et Distractions – Le Programme de la UFA pour 1931-32« (übers. von Marie Elbé) auch in: *La Revue du Cinéma* Jg. 3, Nr. 26 vom 1. 9. 1931, S. 69-71; u. d. T. »Programme d'hiver« auszugsweise auch in: *Monde* Jg. 4, Nr. 171 vom 12. 9. 1931, S. 5.
653. Ein paar Bücher vom Film. In: FZ vom 19. 7. 1931, Literaturblatt Nr. 29 (S. Kracauer).
654. Eine mißglückte Reklame. In: FZ vom 23. 7. 1931, Nr. 539-541 (kr).
655. Gepflegte Zerstreuung. Eine grundsätzliche Erwägung. In: FZ vom 4. 8. 1931, Nr. 571-573 (S. Kracauer); u. d. T. »Trop Luxueux Passe-Temps. Considérations de principe« (übers. von Marie Elbé) auch in: *La Revue du Cinéma* Jg. 3, Nr. 27 vom 1. 10. 1931, S. 54-55; wieder in: *Schriften 2,* S. 500-503.
656. Die verflossene Tonfilmsaison. In: *Die Neue Rundschau* Jg. 42, Bd. 2, H. 8 vom August 1931, S. 286-288 (S. Kracauer); wieder in: *Schriften 2,* S. 462-465.
657. Ein feiner Kerl. Analyse eines Ufa-Films. In: FZ vom 10. 9. 1931, Nr. 672-674 (S. Kracauer); ohne den letzten Abschnitt wieder in: *Schriften 2,* S. 505-507.
658. Mischmasch. Bemerkungen zu einigen Filmen. In: FZ vom 22. 9. 1931, Nr. 704-706 (S. Kracauer); 1. Abschnitt u. d. T. »Free and Easy« wieder in: *Kino,* S. 184-186; 2. Abschnitt u. d. T. »The Smiling Lieutenant« wieder in: *Kino,* S. 191-192; 3. Abschnitt u. d. T. »Wochenschau-Theater« wieder in: *Kino,* S. 15.
659. Hilfe für die Jugend [Teil I]. Ein russisches [...] Beispiel. U. d. T. »Hilfe für die Jugend. Ein russisches und ein deutsches Beispiel« in: FZ vom 26. 9. 1931, Nr. 716-718 (S. Kracauer); 1. Abschnitt u. d. T. »Der Weg ins Leben« wieder in: *Kino,* S. 103-105.
660. Zweimal Wildnis. In: FZ vom 6. 10. 1931, Nr. 742-744 (S. Kracauer); wieder in: *Schriften 2,* S. 503-505.
661. »Berlin-Alexanderplatz« als Film. In: FZ vom 13. 10. 1931, Nr. 761-763 (S. Kracauer); 1.-4. Abschnitt wieder in: *Schriften 2,* S. 508-510; 5. Abschnitt u. d. T. »Morocco« wieder in: *Kino,* S. 197.
662. Kunst und Dekoration. In: FZ vom 28. 10. 1931, Nr. 802-804 (Kr.); wieder in: *Schriften 2,* S. 511-512.

663. Die Filmwochenschau. In: *Die Neue Rundschau* Jg. 42, Bd. 2, H. 10 vom Oktober 1931, S. 573-575 (S. Kracauer); wieder in: *Kino,* S. 11-14.
664. Offiziöses über Film und Kultur. In: FZ vom 8. 11. 1931, Literaturblatt Nr. 45 (S. Kracauer).
665. Grenze 1919. Zum Film: »Kameradschaft«. In: FZ vom 21. 11. 1931, Nr. 866-868 (S. Kracauer); wieder in: *Schriften 2,* S. 512-515.
666. Revolte im Mädchenstift. Ein guter deutscher Film! In: FZ vom 1. 12. 1931, Nr. 892-894 (S. Kracauer); wieder in: *Schriften 2,* S. 515-518.
667. Über die Filmzensur. In: FZ vom 20. 12. 1931, Nr. 945-947 (Kr.).
668. Der Film im Dezember. In: FZ vom 30. 12. 1931, Nr. 965-967 (S. Kracauer); Vorlage: Gleichnamiges Typoskript aus KN, datiert (Ende Dezember), 5 S.; wieder in: *Schriften 2,* S. 518-521.
669. Literarische Filme. In: *Die Neue Rundschau* Jg. 42, Bd. 2, H. 12 vom Dezember 1931, S. 859-861 (S. Kracauer); wieder in: *Schriften 2,* S. 466-469.

Bd. 6.3: 1932-1961

1932

670. Schluß mit dem Klamauk! Zu einer Rundfrage des Reichsfilmblattes. In: FZ vom 10. 1. 1932, Nr. 24-26 (SK).
671. Neue Filmliteratur. In: FZ vom 10. 1. 1932, Literaturblatt Nr. 2 (S. Kracauer).
672. Parade im Brot. In: FZ vom 18. 1. 1932, Nr. 46 (Kr).
673. Rationalisierung und Unterwelt. Ein Filmbericht. In: FZ vom 27. 1. 1932, Nr. 69-71 (S. Kracauer); 1. Abschnitt u. d. T. »Rationalisierung« wieder in: *Kino*, S. 130-132; 2. Abschnitt u. d. T. »Stürme der Leidenschaft« wieder in: *Schriften 2*, S. 526-527.
674. Todessturz eines Fliegers. In: FZ vom 5. 2. 1932, Nr. 94-96 (S. Kracauer).
675. Spionage im Krieg. In: FZ vom 18. 2. 1932, Nr. 129-131 (S. Kracauer).
676. Tonfilm von heute. In: *Kunst und Künstler* Jg. 31, H. 1/2 vom Januar/Februar 1932, S. 37-42 (S. Kracauer); wieder in: *Schriften 2*, S. 521-526; Vorlage: Gleichnamiges Typoskript, datiert (26. 1. 1937), 6 S.
677. Thema: Arbeitslosigkeit. In: FZ vom 4. 3. 1932, Nr. 170-172 (S. Kracauer); wieder in: *Schriften 2,* S. 527-529.
678. Einige Filme. In: FZ vom 19. 3. 1932, Nr. 211-213 (S. Kracauer); wieder in: *Schriften 2,* S. 533-536.
679. Goethe im Film. In: FZ vom 22. 3. 1932, Nr. 218-220 (S. Kracauer).

680. Film von heute. In: *Melos* Jg. 11, H. 3 vom März 1932, S. 88-90 (Siegfried Kracauer); wieder in: *Schriften 2*, S. 529-532.
681. Kino in der Münzstraße. In: FZ vom 2. 4. 1932, Nr. 244-246 (S. Kracauer); wieder in: *Straßen*, S. 92-95.
682. »Kuhle Wampe« verboten! In: FZ vom 5. 4. 1932, Nr. 251-253 (S. Kracauer); wieder in: *Schriften 2*, S. 536-541.
683. Zwei Filme. In: FZ vom 20. 4. 1932, Nr. 292-294 (S. K.); 1. Abschnitt u. d. T. »Mona Lilly« wieder in: *Kino*, S. 197-199; 2. Abschnitt u. d. T. »Scherzo« wieder in: *Schriften 2*, S. 541.
684. Film-Notizen. In: FZ vom 30. 4. 1932, Nr. 320-322 (S. Kracauer); 1. Abschnitt u. d. T. »Lebenswahr?« wieder in: *Schriften 2*, S. 542-543; 2. Abschnitt u. d. T. »Old Shatterhand unter Gangstern« wieder in: *Kino*, S. 218-219.
685. Über die Aufgabe des Filmkritikers. In: *Film-Kurier* Jg. 14, Nr. 118 vom 21. 5. 1932, S. 2 (S. Kracauer); ohne einleitenden Abschnitt auch in: FZ vom 23. 5. 1932, Nr. 378; wieder in: *Kino*, S. 9-11.
686. Film-Notizen. In: FZ vom 3. 6. 1932, Nr. 407-409 (S. Kracauer); u. d. T. »Auf der Reeperbahn« wieder in: *Schriften 2*, S. 543-546.
687. Ende eines Filmlieblings. In: FZ vom 3. 7. 1932, Nr. 489-491 (S. Kracauer); wieder in: *Schriften 2*, S. 546-548.
688. Zur Ideologie des deutschen Tonfilms. Vorlage: Gleichnamiges Typoskript aus KN, datiert (4. 7. 1932), 5 S.
689. Film-Sommer. In: FZ vom 8. 7. 1932, Nr. 502-504 (S. Kracauer); wieder in: *Schriften 2*, S. 548-550.
690. An der Grenze des Gestern. Zur Berliner Film- und Photo-Schau. In: FZ vom 12. 7. 1932, Nr. 512-514 (S. Kracauer).
691. Analyse einer Verordnung. Zur Neufassung der Filmkontingent-Bestimmungen. In: FZ vom 22. 7. 1932, Nr. 540-542 (S. Kracauer).
692. Ablenkung oder Aufbau? Zum neuen Ufa-Programm. In: FZ vom 28. 7. 1932, Nr. 556-558 (S. Kracauer); Vorlage: Gleichnamiges Typoskript aus KN, datiert (Juli), 4 S.; wieder in: *Schriften 2*, S. 550-553.
693. Ausländische Filme. In: FZ vom 9. 8. 1932, Nr. 588-590 (S. Kracauer); Vorlage: Gleichnamiges Typoskript aus KN, datiert (August), 3 S.; 1. Abschnitt u. d. T. »Eine französische Satire« wieder in: *Kino*, S. 141-143; 2. Abschnitt u. d. T. »Amerikanische Komödie: One Hour With You« wieder in: *Kino*, S. 192-193.
694. Realistische Lösung. In: FZ vom 16. 9. 1932, Nr. 692-694 (S. Kracauer); wieder in: *Kino*, S. 152-154.
695. Zwei Frauen im Film. In: FZ vom 20. 9. 1932, Nr. 702-704 (S. Kracauer); wieder in: *Schriften 2*, S. 554-556.

696. »F. P. 1« auf der Insel Oie. In: FZ vom 30. 9. 1932, Nr. 730-732 (S. Kracauer); wieder in: *Schriften 2*, S. 556-559.
697. Neue Filme. In: FZ vom 17. 10. 1932, Nr. 777 (S. Kracauer); u. d. T. »Geschichte eines Großstadthauses« wieder in: *Schriften 2*, S. 559-562.
698. Neue Filme. In: FZ vom 21. 10. 1932, Nr. 787-789 (S. Kracauer); u. d. T. »Amerikanisches Volksstück« wieder in: *Kino*, S. 216-218.
699. Arbeiter, lernt arbeiten! Zu einem sowjetrussischen Tonfilm. In: FZ vom 28. 10. 1932, Nr. 806-808 (S. Kracauer); wieder in: *Kino*, S. 105-109.
700. Henny Porten über sich selbst. In: FZ vom 13. 11. 1932, Literaturblatt Nr. 46 (anonym).
701. Auf der Leinwand. In: FZ vom 29. 11. 1932, Nr. 890-892 (S. Kracauer); 1. Abschnitt u. d. T. »Movie Crazy« wieder in: *Kino*, S. 190-191; 2. Abschnitt u. d. T. »Der weiße Dämon« wieder in: *Schriften 2*, S. 562-563; 3. Abschnitt u. d. T. »Blonde Venus« wieder in: *Kino*, S. 199-200; 4. Abschnitt u. d. T. »The Man I Killed« gekürzt wieder in: *Kino*, S. 193-194.
702. Das Zeitalter des Films. In: FZ vom 11. 12. 1932, Literaturblatt Nr. 50 (anonym).
703. Zwei große Film-Premieren. In: FZ vom 28. 12. 1932, Nr. 966-968 (S. Kracauer); Vorlage: »Film-Premieren«, Typoskript aus KN, datiert (Dezember), 4 S.; wieder in: *Schriften 2*, S. 563-567.

1933

704. Der schönste Film. In: FZ vom 1. 1. 1933, Nr. 1-3 (S. Kracauer).
705. Idyll, Volkserhebung, Charakter. In: FZ vom 24. 1. 1933, Nr. 62-64 (S. Kracauer); Vorlage: Gleichnamiges Typoskript aus KN, datiert (Januar), 5 S.; 1. Abschnitt u. d. T. »Das tanzende Paris« wieder in: *Kino*, S. 132-135; 2.-3. Abschnitt u. d. T. »Volkserhebung« wieder in: *Schriften 2*, S. 567-571.
706. Neue Filmbücher. In: *Die Neue Rundschau* Jg. 44, Bd. 1, H. 1 vom Januar 1933, S. 142-144 (S. Kracauer); Vorlage: Gleichnamiges Typoskript aus KN, undatiert, 4 S.
707. Duldertum und Heroismus. Zu zwei Filmen. In: FZ vom 7. 2. 1933, Nr. 100-102 (S. Kracauer); Vorlage: »Filmlegende«, Typoskript aus KN, datiert (Anfang Februar), 3 S.; 1. Abschnitt u. d. T. »Wichtiges Experiment« wieder in: *Kino*, S. 208-212; 2. Abschnitt u. d. T. »Unterseeboot-Krieg« wieder in: *Schriften 2*, S. 571-573.
708. Berliner Nebeneinander [Teil IV]. Menschen im Hotel. In: FZ vom 17. 2. 1933, Nr. 128-130 (S. Kracauer).

709. Greta Garbo. Eine Studie. In: FZ vom 25. 2. 1933, Nr. 150-152 (S. Kracauer); wieder in: *Kino,* S. 38-43.
710. Film-Literatur. In: FZ vom 26. 2. 1933, Literaturblatt Nr. 9 (Kr.); Vorlage: Gleichnamiges Typoskript aus KN, undatiert, 2 S.
711. Ein Bali-Film. In: FZ vom 1. 3. 1933, Nr. 160-162 (S. Kracauer); Vorlage: Gleichnamiges Typoskript aus KN, undatiert, 2 S.; wieder in: *Schriften 2,* S. 573-575.
712. Der Kettensträfling. U. d. T. »Der Kettensträfling. Ein Film, zweimal gesehen«; in FZ vom 24. 3. 1933, Nr. 223-225 (Kr); Vorlage: »Justiz im Film«, Typoskript aus KN, undatiert, 3 S.; wieder in: *Kino,* S. 219-221.
713. Zwei deutsche Filmregisseure im Ausland. In: FZ vom 7. 4. 1933, Nr. 261-263 (Kr); Vorlage: Gleichnamiges Typoskript aus KN, datiert (April), 4 S.
714. Der Charlatan als Präsident. In: *Das Neue Tage-Buch* Jg. 1, H. 1 vom 1. 7. 1933, S. 24 (Stergin); wieder in: *Kino,* S. 221-223.
715. Deutsch-französischer Film. In: *Das Neue Tage-Buch* Jg. 1, H. 20 vom 11. 11. 1933, S. 482 (K. . . r).
716. Anna und Elisabeth. Typoskript aus KN, undatiert [1933], 3 S.; u. d. T. »Anna et Elisabeth« in frz. Übersetzung veröffentlicht in: *L'Europe Nouvelle* Jg. 16, Nr. 829 vom 30. 12. 1933, S. 1247 (S. Kracauer); Dt. Übersetzung (Ute Schemmann) der frz. Fassung u. d. T. »Anna und Elisabeth« wieder in: *Schriften 2,* S. 575-578.

1936-1937

717. Ein französischer Film. In: NZZ vom 22. 11. 1936, Nr. 2011 (St.); Vorlage: »Tragikomödie im Film«, Typoskript aus KN, datiert (4. 11. 1936), 3 S.; u. d. T. »La tendre ennemie« wieder in: *Kino,* S. 144-146.
718. Ein amerikanischer Film. In: NZZ vom 29. 12. 1936, Nr. 2276 (St.); Vorlage: Gleichnamiges Typoskript aus KN, datiert (4. 12. 1936), 2 S.; u. d. T. »Dodsworth« wieder in: *Kino*; S. 230-231.
719. Marseille im Film. In: NZZ vom 6. 1. 1937, Nr. 25 (St.).
720. Ein Revuefilm. In: NZZ vom 31. 1. 1937, Nr. 174 (St.).
721. Gefilmtes Baby. In: NZZ vom 21. 2. 1937, Nr. 308 (St.).
722. Ein Negerfilm. Typoskript aus KN, datiert (Februar), 2 S.
723. La Marseillaise. In: NZZ vom 25. 4. 1937, Nr. 739 (St.); Vorlage: Gleichnamiges Typoskript aus KN, datiert (April), 3 S.; wieder in: *Kino*, S. 156-158.
724. Über den Farbenfilm. In: NZZ vom 23. 5. 1937, Nr. 919 (St.); Vorlage: Gleichnamiges Typoskript aus KN, datiert (April), 3 S.

725. Der Reporter als Filmheld. In: NZZ vom 6. 6. 1937, Nr. 1021 (St.); wieder in: *Kino,* S. 223-225; Vorlage: Gleichnamiges Typoskript aus KN, datiert (Mai), 2 S.
726. Ein utopischer Film. In: NZZ vom 11. 7. 1937, Nr. 1255 (St.); Vorlage: Gleichnamiges Typoskript aus KN, datiert (Mai), 2 S.; wieder in: *Kino,* S. 225-226.
727. Ein französischer Kriegsfilm. In: NZZ vom 27. 7. 1937, Nr. 1353 (St.); Vorlage: Gleichnamiges Typoskript aus KN, datiert (18. 7.1937), 2 S.; wieder in: *Kino,* S. 154-156.
728. Zu den Filmen Sacha Guitrys. In: NZZ vom 29. 8. 1937, Nr. 1546 (St.).
729. Zur Ästhetik des Farbenfilms. In: *Das Werk* Jg. 24, H. 9 vom September 1937, S. 287-288 (S. Kracauer); wieder in: *Kino,* S. 48-53.
730. Über den Konversationsfilm. Typoskript aus KN, datiert (September), 2 S.
731. La Dame de Malacca. In: NZZ vom 21. 11. 1937, Nr. 2099 (St.); Vorlage: Gleichnamiges Typoskript aus KN, datiert (Oktober), 2 S.
732. Ein französisches Filmexperiment. In: NZZ vom 6. 12. 1937, Nr. 2209 (St.); Vorlage: Gleichnamiges Typoskript aus KN, datiert (Ende Oktober), 2 S.; u. d. T. »Carnés Filmexperiment« wieder in: *Kino,* S. 146-147.
733. Ein epischer Film. In: NZZ vom 19. 12. 1937, Nr. 2322 (St.); Vorlage: Gleichnamiges Typoskript aus KN, datiert (Anfang Dezember), 2 S.

1938

734. Amerikanische Gesellschaftssatire. Typoskript aus KN, datiert (20. 4. 1938), 2 S.
735. Film und Malerei. In: NZZ vom 15. 5. 1938, Nr. 872 (St.); Vorlage: Gleichnamiges Typoskript aus KN, datiert (16.-20. 1. 1938), 5 S.; wieder in: *Kino,* S. 53-57.
736. Ausstellung der New-Yorker Film Library. In: NZZ vom 24. 7. 1938, Nr. 1313 (St.).
737. Dialog im Film. In: NZZ vom 9. 8. 1938, Nr. 1406 (St.); Vorlage: Gleichnamiges Typoskript aus KN, datiert (26. 5. 1938), 2 S.; wieder in: *Kino,* S. 228-229.
738. Fernandel in »Hercule«. In: NZZ vom 9. 8. 1938, Nr. 1406 (St.); Vorlage: Gleichnamiges Typoskript aus KN, datiert (15. 5. 1938), 2 S.
739. Ein amerikanischer Film. In: NZZ vom 11. 8. 1938, Nr. 1416 (St.); Vorlage: »Zwei amerikanische Filme«, Typoskript aus KN, datiert (17. 2. 1938), 3 S.
740. Pariser Filmbrief. In: BNZ vom 16. 8. 1938, Nr. 377 (Kr.); Vorlage: Gleichnamiges Typoskript aus KN, datiert (8. 8. 1938), 3 S.

1939

752. Wiedersehen mit alten Filmen. [IV.] Abel Gance: zu seinem Film »La Roue«. In: BNZ vom 28. 2. 1939, Nr. 98 (S. Kracauer); Vorlage: Gleichnamiges Typoskript aus KN, undatiert, 3 S.; zus. mit Nr. 741, 743, 746 und 756 u. d. T. »En renvoyant des films anciens« (übers. von Geneviève du Loup) auch in: *La Vie Intellectuelle* Jg. 11, Nr. 3 vom 25. 6. 1939, S. 414-430; u. d. T. »Abel Gance: zu seinem Film ›La Roue‹« wieder in: *Kino*, S. 116-118.
753. Bei G. W. Pabst im Atelier. In: BNZ vom 28. 3. 1939, Nr. 145 (Kr.).
754. Pariser Filmbrief. In: BNZ vom 11. 4. 1939, Nr. 164 (Kr.); Vorlage: Gleichnamiges Typoskript aus KN, datiert (4. 5. 1939), 3 S.
755. Der Deserteur. Typoskript aus KN, datiert (27. 4. 1939), 2 S.
756. Wiedersehen mit alten Filmen. V. Der expressionistische Film. In: BNZ vom 2. 5. 1939, Nr. 198 (S. Kracauer); Vorlage: Gleichnamiges Typoskript aus KN, undatiert, 5 S.; zus. mit Nr. 741, 743, 746 und 752 u. d. T. »En renvoyant des films anciens« (übers. von Geneviève du Loup) auch in: *La Vie Intellectuelle* Jg. 11, Nr. 3 vom 25. 6. 1939, S. 414-430; wieder in: *Schriften 2*, S. 578-582.
757. Frank Capra. In: NZZ vom 11. 6. 1939, Nr. 1052 (St.); Vorlage: Gleichnamiges Typoskript aus KN, datiert (14. 5. 1939), 3 S.; wieder in: *Kino*, S. 227-228.
758. Pariser Filmbrief. In: BNZ vom 4. 7. 1939, Nr. 302 (Kr.); Vorlage: Gleichnamiges Typoskript aus KN, datiert (7. 6. 1939), 3 S.
759. Mamele: ein jiddischer Film. Typoskript aus KN, datiert (5. 7. 1939), 3 S.
760. Wiedersehen mit alten Filmen. [VI.] Der Vampfilm. In: BNZ vom 25. 7. 1939, Nr. 338 (S. Kracauer); Vorlage: Gleichnamiges Typoskript aus KN, datiert (22. 5. 1939), 4 S.; u. d. T. »Der Vamp-Film« wieder in: *Kino*, S. 22-25.
761. Bemerkungen zum französischen Film. In: BNZ vom 15. 8. 1939, Nr. 374 (S. Kracauer); Vorlage: »Bemerkungen zur französischen Produktion«, Typoskript aus KN, datiert (3. 8. 1939), 4 S.
762. System der Filmästhetik. In: BNZ vom 12. 9. 1939, Nr. 421 (Kr.).

1940

763. Pariser Filmbrief. In: BNZ vom 4. 1. 1940, Nr. 5 (Kr.).
764. Die Filme der Woche. In: BNZ vom 18. 1. 1940, Nr. 29 (Kr.); Vorlage: »Pièges«, Typoskript aus KN, datiert (3. 1. 1940), 2 S.
765. Wiedersehen mit alten Filmen. [VII.] Jean Vigo. In: BNZ vom 1. 2. 1940, Nr. 53 (S. Kracauer); Vorlage: Gleichnamiges Typoskript aus KN, undatiert, 6 S.; u. d. T. »Jean Vigo« (übers. von William Melnitz) auch in: *Hollywood Quarterly* Jg. 2, Nr. 3 vom April 1947, S. 261-263; u. d. T. »Jean Vigo« wieder in: *Kino*, S. 120-124.

766. Dokumentarische Filme. In: BNZ vom 14. 3. 1940, Nr. 125 (S. Kracauer).
767. Der Stand der französischen Filmproduktion. In: NZZ vom 18. 3. 1940, Nr. 409 (-er.); Vorlage: »Zum Stand der französischen Filmproduktion«, Typoskript aus KN, datiert (10. 2. 1940), 3 S.
768. Frankreich und der Zeichenfilm. In: BNZ vom 21. 3. 1940, Nr. 137 (S. Kracauer).
769. Auf Streifzügen erbeutet. In: NZZ vom 14. 4. 1940, Nr. 556 (-er.).
770. Eine Geschichte des Films. In: BNZ vom 25. 4. 1940, Nr. 192 (Kr.).
771. Das Grauen im Film. In: BNZ vom 25. 4. 1940, Nr. 192 (S. Kracauer); wieder in: *Kino,* S. 25-27.
772. Der historische Film. In: BNZ vom 9. 5. 1940, Nr. 212 (S. Kracauer); wieder in: *Kino,* S. 43-45.
773. Zwölf Frauen. In: NZZ vom 22. 5. 1940, Nr. 754 (-er.); Vorlage: Gleichnamiges Typoskript aus KN, datiert (6. 5. 1940), 2 S.
774. Über den Filmschauspieler [I.]. In: BNZ vom 23. 5. 1940, Nr. 234 (S. Kracauer); Vorlagen von Teil I und Teil II (siehe Nr. 775): »Über den Filmschauspieler. Einige grundsätzliche Bemerkungen«, Typoskript aus KN, datiert (4. 12. 1939), 6 S., und »Über den Filmschauspieler«, Typoskript aus KN, datiert (17. 4. 1940), 5 S.
775. Über den Filmschauspieler [II.]. In: BNZ vom 30. 5. 1940, Nr. 246 (S. Kracauer); zur Vorlage siehe Nr. 774.

1941

776. Ein amerikanisches Experiment. In: NZZ vom 15. 7. 1941, Nr. 1095 (sk.); u. d. T. »Citizen Kane« wieder in: *Kino,* S. 233-236.
777. Filmnotizen aus Hollywood. In: NZZ vom 30. 11. 1941, Nr. 1921 (Kr.).
778. Ein paar amerikanische Filme. In: NZZ vom 7. 12. 1941, Nr. 1977 (Kr.); u. d. T. »Mamoulian, LeRoy, Cukor und Kanin« wieder in: *Kino,* S. 236-238.
779. Dumbo. Der neue Walt Disney-Film. In: NZZ vom 12. 12. 1941, Nr. 2028 (S. K.); u. d. T. »Dumbo« zuerst in: *The Nation,* Bd. 153, Nr. 19 vom 8. 11. 1941, S. 463; wieder in: *Kino,* S. 57-61.
780. William Wylers neuer Bette Davis-Film. In: NZZ vom 14. 12. 1941, Nr. 2035 (S. K.); wieder in: *Kino,* S. 231-233.

1942-1943

781. Flaherty: »The Land« (übers. von Jürgen Schröder). Typoskript aus KN, datiert (16. 4. 1942), 1 S.
782. [Hollywood]. Im amerikanischen Original ohne Titel (übers. von Jürgen Schröder). In: *Social Research* Jg. 9, Nr. 2 vom Mai 1942, S. 282-283 (S. Kracauer).
783. Warum die Franzosen unsere Filme mochten. Amerikanisches Original: Why France Liked Our Films (übers. von Jürgen Schröder). In: *New Movies. The National Board of Review Magazine* Jg. 17, Nr. 5 vom Mai 1942, S. 15-19 (S. Kracauer).
784. Der Lumpensammler. Amerikanisches Original: The Rag-Picker (übers. von Jürgen Schröder). Typoskript aus KN, datiert (26. 8. 1942), 2 S.
785. In Eisensteins Werkstatt. Amerikanisches Original: In Eisenstein's Workshop (übers. von Jürgen Schröder). In: *Kenyon Review* Jg. 5, Nr. 1 vom Winter 1943; S. 151-153 (Siegfried Kracauer); ohne Titel und gekürzt zuerst in: *New Movies. The National Board of Review Magazine* Jg. 17, Nr. 6 vom September 1942; S. 31-32.
786. Wem die Stunde schlägt. Amerikanisches Original: For Whom the Bell Tolls (übers. von Jürgen Schröder). Typoskript aus KN, undatiert [ca. 1943], 7 S.

1946-1951

787. Hollywoods Greuelfilme. In: NZZ vom 1. 12. 1946, Nr. 2200 (Siegfried Kracauer); u. d. T. »Hollywood's Terror Films. Do They Reflect an American State of Mind?« zuerst in: *Commentary* Jg. 2, Nr. 2 vom August 1946, S. 132-136; wieder in: *Kino,* S. 27-35.
788. [Untersuchung der Commission on Freedom of the Press]. Im amerikanischen Original ohne Titel (übers. von Inka Mülder-Bach). Typoskript aus KN, undatiert [ca. 1947], 4 S.
789. Kunst und Film. Zu Hans Richter: »Träume für Geld«. In: NZZ vom 25. 1. 1948, Nr. 167 (Siegfried Kracauer); wieder in: *Kino,* S. 61-65.
790. Die filmische Gestaltung des Unterbewußten. Amerikanisches Original: Filming the Subconscious (übers. von Barbara Rupp und Inka Mülder-Bach). In: *Theatre Arts* Jg. 32, Nr. 2 vom Februar 1948, S. 37-40 (Siegfried Kracauer); gekürzt wieder in: *Kino,* S. 66-70.
791. Paisà. Amerikanisches Original: Paisan (übers. von Jürgen Schröder). Typoskript aus KN, datiert (7. 3. 1948), 10 S.

792. Filme mit einer Botschaft. Amerikanisches Original: Those Movies With a Message (übers. von Barbara Rupp). In: *Harper's Magazine* Jg. 196, Nr. 1177 vom Juni 1948, S. 567-572 (Siegfried Kracauer); wieder in: *Kino*, S. 249-263.

793. Filmportrait. Amerikanisches Original: Portrait in Film (übers. von Jürgen Schröder). In: *New Republic* Bd. 119, Nr. 4 vom 26. 7. 1948, S. 24-26 (Siegfried Kracauer).

794. Der anständige Deutsche: Filmportrait. Amerikanisches Original: The Decent German: Film Portrait (übers. von Jürgen Schröder). In: *Commentary* Jg. 7, Nr. 1 vom Januar 1949, S. 74-77 (Siegfried Kracauer); Vorlage: »Is Decency Enough?«. Typoskript aus KN, datiert (24. 10. 1948), 7 S.

795. Der Natur den Spiegel vorhalten. Amerikanisches Original: The Mirror Up To Nature (übers. von Jürgen Schröder). In: *Penguin Film Review* Nr. 9 vom Mai 1949, S. 95-99 (Siegfried Kracauer).

796. Unterricht total. Amerikanisches Original: Total Teaching (übers. von Jürgen Schröder). In: *New Republic* Bd. 120, Nr. 23 vom 6. 6. 1949, S. 23 (Siegfried Kracauer).

797. Der russische Regisseur. Amerikanisches Original: The Russian Director (übers. von Jürgen Schröder). In: *New Republic* Bd. 121, Nr. 13 vom 26. 9. 1949, S. 22-23 (Siegfried Kracauer); Vorlage: »The Tragedy of Eisenstein«, Typoskript aus KN, datiert (27. 6. 1949), 5 S.

798. Preston Sturges oder Verratenes Lachen. Amerikanisches Original: Preston Sturges or Laughter Betrayed (übers. von Barbara Rupp). In: *Films in Review* Jg. 1, Nr. 1 vom Februar 1950, S. 11-13 und S. 43-47 (Siegfried Kracauer); wieder in: *Kino*, S. 238-249.

799. [Von der Bühne zur Leinwand: Die dramatische Methode von Garrick bis Griffith]. Im amerikanischen Original ohne Titel (übers. von Jürgen Schröder). In: *New Republik* Bd. 122, Nr. 7 vom 13. 2. 1950, S. 28 (Siegfried Kracauer).

800. [Goethe und der Film]. Im amerikanischen Original ohne Titel (übers. von Jürgen Schröder). In: *Books Abroad* Jg. 24, Nr. 3 vom Sommer 1950, S. 281-282 (Siegfried Kracauer).

801. [Filme: Eine psychologische Untersuchung]. Im amerikanischen Original ohne Titel (übers. von Jürgen Schröder). In: *Public Opinion Quaterly* Jg. 14, Nr. 3 vom Herbst 1950, S. 577-580 (Siegfried Kracauer); u. d. T. »Movie Mirror« gekürzt zuerst in: *New Republic* Bd. 123, Nr. 5 vom 31. 7. 1950, S. 19-20.

802. [Filmparade]. Im amerikanischen Original ohne Titel (übers. von Jürgen Schröder). In: *Films in Review* Jg. 1, Nr. 7 vom Oktober 1950, S. 29-30 (Siegfried Kracauer).

803. Stummfilmkomödie. Amerikanisches Original: Silent Film Comedy (übers. von Barbara Rupp). In: *Sight and Sound* Jg. 21, Nr. 1 vom August/September 1951, S. 31-32 (Siegfried Kracauer); wieder in: *Kino*, S. 16-22.

1952-1961

804. [René Clairs Schriften zum Film]. Im amerikanischen Original ohne Titel (übers. von Jürgen Schröder). In: *Books Abroad* Jg. 26, Nr. 1 vom Winter 1952, S. 48-49 (Siegfried Kracauer).
805. Die Filme, die wir sehen wollen. Italienisches Original: I Film che vorremmo vedere (übers. von Inka Mülder-Bach). In: *Cinema Nuovo* Jg. 2, Bd. 2, Nr. 17 vom 15. 8. 1953, S. 110 (Siegfried Kracauer).
806. Ohne Titel [Leserbrief an film 56]. In: *film 56* Jg. 1, H. 3 vom März 1956, S. 155 (Dr. Siegfried Kracauer); gekürzt wieder in: *Filmkritik* Jg. 10, H. 3 vom 1. 3.1966, S. 175.
807. Einige Anmerkungen zu »The Connection«. Amerikanisches Original: A few Notes on »The Connection« (übers. von Jürgen Schröder). Typoskript aus KN, datiert (5. 5. 1961), 1 S.

Anhang

I. Typoskripte in amerikanischer Originalfassung

Freedom from Fear. An analysis of popular film trends. Typoskript aus KN, undatiert [1946], 9 S.; zur Druckfassung siehe Nr. 787.
The message of Hollywood's »Progressive« Films, Typoskript aus KN, undatiert [1948], 5 S.; zur Druckfassung siehe Nr. 792.
Preston Sturges. Or: Laughter Betrayed. Typoskript aus KN, undatiert [1946/47], 29 S.; zur Druckfassung siehe Nr. 798.

II. Exposés und Entwürfe zu Filmproduktionen

Exposé [zu einer Kurztonfilm-Serie]. Typoskript aus KN, datiert (8. 2. 1932), 2 S.
Ideen-Entwurf zu einer »großen Filmkomödie« nach dem berühmten Roman: »Tartarin sur les Alpes« [1885] von Alphonse Daudet. Typoskript aus KN, datiert (Oktober 1933), 3 S.
Dimanche [Sonntag]. Ideen-Entwurf zu einem Kurzfilm. Typoskript aus KN, datiert (Anfang Mai [1933 ?]), 3 S.

Abbildungsverzeichnis

Band 6.1:

Band 6.2:

Band 6.3:

Bildnachweise

Band 6.1:

Bundesarchiv/Filmarchiv, Berlin: 4, 9, 10, 11, 12, 14, 15, 19
Deutsches Filmmuseum, Frankfurt a. M.: 13, 20
Filmmuseum, München (Fotos: Gerhard Ullmann): 24, 25
Filmmuseum/Stiftung Deutsche Kinemathek, Berlin: 1, 2, 3, 5, 6, 7, 8, 16, 17, 18, 21, 22, 23

Band 6.2:

Bundesarchiv/Filmarchiv, Berlin: 4, 6, 9, 11, 16
Deutsches Filminstitut/DIF, Frankfurt a. M.: 8, 23
Filmmuseum/Stiftung Deutsche Kinemathek, Berlin: 1, 2, 3, 5, 7, 10, 12, 13, 14, 15, 17, 18, 19, 20, 21, 22, 24, 25, 26

Band 6.3:

Bundesarchiv/Filmarchiv, Berlin: 4, 11, 12, 23, 24
Deutsches Filminstitut/DIF, Frankfurt a. M.: 15
Deutsches Filmmuseum, Frankfurt a. M.: 13, 16, 29
Filmmuseum/Stiftung Deutsche Kinemathek, Berlin: 1, 2, 3, 5, 6, 7, 8, 9, 10, 14, 17, 18, 19, 20 (Abbildung auch in der Erstpublikation von Nr. 790), 25, 26

Vè Vè A. Clark, Millicent Hodson, Catrina Neiman (Hrsg.), *The Legend of Maya Deren*. A Documentary Biography and Collected Works. Volume I, Part Two: Chambers (1942-47). New York: Anthology Film Archives, Film Culture 1988, S. 91: 21, 22
Sight and Sound Jg. 21, Nr. 1 vom August/September 1951, S. 33: 27, 28 (Abbildungen in der Erstpublikation von Nr. 801)

Nachbemerkung und editorische Notiz

Nachbemerkung und editorische Notiz

In einem der letzten Artikel, den Siegfried Kracauer vor seiner Flucht von Paris nach Marseille im Juni 1940 in der *Neuen Zürcher Zeitung* (NZZ) veröffentlichte, schmuggelte er in die Rezension einer französischen Filmkomödie einige Bemerkungen zur »Psychologie des ›Film-Fan‹, d. h. des passionierten Filmliebhabers« ein. Während das Premierenpublikum das gesellschaftliche Ereignis sucht und sich von »weltberühmten Stars« verführen läßt, gilt die Leidenschaft des wahren Liebhabers dem »Inoffiziellen, Unbeobachteten«. Getrieben von einem »Abenteuerdrang«, der dem der »umherschweifenden Kamera« gleicht, schlendert er am liebsten »aufs Geratewohl durch die Kinos«, um »abseits von der Heerstraße seine Entdeckungen zu machen«. Denn wie der »wahre Sammler« findet er sein »eigentliches Glück« in den »Besitzstücken«, die er nicht gesucht hat, sondern »auf seinen Streifzügen« überraschend und »wie durch Zufall erbeutet«.

»Auf Streifzügen erbeutet« lautet auch die Überschrift dieses Artikels (Nr. 769), dessen pseudo-martialische Metaphorik mit Bedacht gewählt ist. So wie Kracauer einen unbedeutenden und überdies nicht mehr ganz neuen Unterhaltungsfilm zum Anlaß nimmt, um am Vorabend des deutschen Angriffs auf Frankreich noch einmal jene charakteristischen Züge zu evozieren, die er als »spezifisch französisches Gepräge« bezeichnet, so hat sein passionierter Filmliebhaber eine kulturelle und zeitgeschichtliche Signatur. Als Kino-Flaneur und Bilder-Sammler steht er nicht nur in der Tradition des 19. Jahrhunderts; seine Beutezüge sind auch eine zivile Antithese zur militärischen Eroberung.

Daß Kracauers Psychologie des Film-Fans eine Selbstdarstellung ist, muß in einer Nachbemerkung zu diesen Bänden nicht betont werden. Ohne das Movens der Leidenschaft sind die Intensität und Kontinuität seiner Beschäftigung mit dem Film nicht zu verstehen. Und doch ist der Kritiker, der sich in den hier veröffentlichten Texten artikuliert, von dem passionierten Liebhaber zu unterscheiden. Als professioneller Redakteur und Korrespondent muß er sich nolens volens dem Premierenpublikum anschließen, das der Liebhaber meidet. Vor allem aber muß er die Beute, die dieser stumm mit sich nach Hause tragen kann, einer Leserschaft kommunizieren. Die Herausforderung, die darin lag, hat Kracauer auf doppelte Weise zu beantworten gesucht: indem er einen Blick und eine Sprache auch und gerade für jene Bilder entwickelte, die unterhalb der Schwelle der Verbalisierung liegen; und indem er Begriffe fand, die die Passion des Liebhabers in eine »auf richtige Erfahrungen abgestellte Schaulust« (6.2, S. 56) transformieren. Es ist diese Verbindung von optischer Leidenschaft, Übersetzungsvermögen und begrifflicher Reflexion, die Kracauers Rezensionen, Kritiken und Essays zum Film ihren singulären Rang verleihen.

Die institutionelle Plattform, von der aus Kracauer die Filmkritik zu einem eigenständigen Genre entwickelte und die Filmanalyse auf ein theoretisches Niveau brachte, war von 1921 bis 1933 die *Frankfurter Zeitung* (FZ). Mit dem durchaus unspektakulären Artikel »Der Film als Erzieher« meldete er sich hier im Mai 1921, drei Monate vor seiner Anstellung als fester Mitarbeiter, erstmals als Filmexperte zu Wort. Die Unsicherheit im Umgang mit dem neuen Medium, von der die in diesem Artikel referierten filmpädagogischen Bemühungen des Rhein-Mainischen Verbands für Volkskunst zeugen, spiegelt sich auch in dem mühsamen Prozeß der Institutionalisierung einer regelmäßigen Filmkritik. Was die FZ betrifft, so hatte die Filmberichterstattung zunächst keinen festen Ort. Kracauers erste Filmrezension (Nr. 2) erschien noch in dem wenig später eingestellten *Mittagsblatt* der Zeitung; seine anderen Texte wanderten anfangs zwischen dem Feuilleton (Nr. 1 und 4) und der Rubrik »Frankfurter Angelegenheiten« (Nr. 3 und 5). Nachdem die FZ 1922 ein eigenes *Stadt-Blatt* gegründet hatte, wurden die Filme zeitweilig unter dem Namen der städtischen Kinos angezeigt, in denen sie liefen (Nr. 8-18). Im Oktober 1923 führte die FZ dann mit der Rubrik »Von den Lichtspielbühnen« eine regelmäßige Filmspalte ein, in der nach einer kurzen Übergangsphase die Filmtitel die Überschrift des Artikels bestimmten. Daß Kracauer diese Rubrik eröffnete (siehe Nr. 16), ist nicht allein von symbolischer Bedeutung. Mit ihrer Institutionalisierung gelang es ihm, seine Position als informeller Leiter des Ressorts Film gegen interne Konkurrenz zu sichern.

Auch nach seiner Beförderung zum Vollredakteur im Jahr 1924 erreichte Kracauer mit seinen Filmkritiken, anders als mit seinen Feuilletons und Buchbesprechungen, zunächst fast ausschließlich ein lokales Publikum.

Da die neuen Filme nicht überall gleichzeitig anliefen, das Kinoprogramm folglich von Stadt zu Stadt wechselte – wobei Frankfurt, wie Kracauer sich beklagte, »von den Filmgewaltigen in Berlin nicht eben wohlwollend behandelt« wurde (6.1, S. 225) –, blieb auch seine Filmberichterstattung zunächst weitgehend auf das regional vertriebene *Stadt-Blatt* beschränkt. Hier erschien zwischen 1921 und 1930 die überwältigende Mehrzahl seiner Filmrezensionen: 499 Texte, von denen bislang nur zwei wiederveröffentlicht wurden. Ingesamt etwa 740 Produktionen, vorwiegend aus Deutschland, den USA, der Sowjetunion, Frankreich, Österreich, Schweden und Dänemark tauchen in diesen Texten auf – ein heute weitgehend versunkener Kontinent von Kriminal-, Detektiv- und Hochstaplerfilmen, Verwechslungs- und Heiratskomödien, Großstadt- und Straßenfilmen, Historiengemälden, Bergfilmen, Kriegs- und Revolutionsdarstellungen, Abenteuer- und Exotik-Filmen, Märchen, Grotesken und Kulturfilmen. In seinen wöchentlichen Rezensionen dieser Produktionen prägte Kracauer den Gestus seiner Filmkritiken aus. Hier entwickelte er eine Sprache für jene »Sichtbarkeiten, die ohne die Begleitung der Worte zu sprechen beginnen« (6.1, S. 104); hier fand er einen Rezensionsstil für das Tempo des Films, seine narrativen Logiken, die Spezifik der filmschauspielerischen Darstellung; hier entdeckte er, was in der späten Filmtheorie unter dem Begriff »Affinitäten« verhandelt wird: eine allein »dem Film zubestimmte Sphäre« (6.1, S. 187), die er als »Oberfläche« oder »Außenseite« der Welt bezeichnete und zu der die Stummheit des frühen Films ebenso wesentlich gehört wie seine Vorliebe für Zufälle und Katastrophen und seine Nähe zur Kolportage. Hier schließlich legte Kracauer die Basis für seine übergreifenden ideologiekritischen und soziologischen Analysen. Wer die Reihe der typischen Filmmotive aus dem 1927 veröffentlichten Essay »Film und Gesellschaft« (»Die kleinen Ladenmädchen gehen ins Kino«, Nr. 219) für eine Erfindung des Autors hielt, kann es nun anders nachlesen. Denn jedes dieser Motive läßt sich auf eine vorangehende Filmrezension zurückführen. Und wer die spätere Filmgeschichte *Von Caligari zu Hitler* (amerik. 1947, siehe *Werke*, Bd. 2.1) als rückwärtsgewandte Prophetie kritisiert, erhält Gelegenheit, sein Urteil zu überprüfen. Gewiß hat Kracauer den Fluchtpunkt dieser Geschichte nicht vorhergesehen. Daß die »deutsche Filmproduktion« in der zweiten Hälfte der zwanziger Jahre

»auf den Hund, das heißt auf METROPOLIS« (6.1, S. 375) kommt, ist jedoch keine nachträgliche Erkenntnis, sondern eine Kritik, die bereits 1927 anläßlich der Wiederaufführung von Richard Oswalds 1919 gedrehten Films UNHEIMLICHE GESCHICHTEN formuliert wird (siehe Nr. 260). Und daß der »stabilisierte Ungeist« dieser Produktion von einer »Verstocktheit« und »Gefühlskonfusion« zeugt (6.2, S. 163), zu deren Erklärung sozio-ökonomische und ideologiekritische Argumente nicht ausreichen, ist bereits das bittere Fazit von Kracauers Rückblick auf die deutschen Filme von 1928 (siehe Nr. 441), die er im *Stadt-Blatt* fortlaufend rezensierte. So stellt die Folge der in diesem Band wiederabgedruckten Kritiken die Diskussion um die Vorgeschichte des Caligari-Buchs erstmals auf eine gesicherte Grundlage.
Neben den regelmäßigen Artikeln im *Stadt-Blatt* konnte Kracauer ab 1924 zunächst sehr vereinzelt Filmkritiken in den Feuilletonspalten des überregional gelesenen Hauptblatts unterbringen. Sie wurden in Auswahl bereits in *Ornament der Masse* sowie in *Kino* wiederveröffentlicht und gehören seitdem zum Kanon der Filmkritik. Die Essays »Kalikowelt« (Nr. 134) und »Kult der Zerstreuung« (Nr. 141), die POTEMKIN-Kritik (Nr. 159) und das Chaplin-Porträt (Nr. 186) sowie, als Auftakt zu dieser Reihe, die hier erstmals wiederabgedruckten Besprechungen von Karl Grunes Film DIE STRASSE (Nr. 33, siehe auch Nr. 32 und 94), der zu einem cineastischen Schlüsselerlebnis wurde: in diesen programmatischen Texten formulierte Kracauer erstmals die ästhetischen, geschichtsphilosophischen und soziologischen Begriffe, die sein Denken über den Film bis in das Spätwerk hinein bestimmten, und etablierte seinen Ruf als maßgeblicher Filmkritiker der Weimarer Republik. Dieses Renommee ermöglichte es ihm, die Nachteile des Frankfurter Standorts zumindest teilweise zu kompensieren. Von einigen wichtigen Aufführungen konnte Kracauer anstelle der jeweiligen Korrespondenten aus Paris (so im Fall von STACHELDRAHT [siehe Nr. 281], FÜR DEN FRIEDEN DER WELT [siehe Nr. 282] und ZWEI JUNGE HERZEN / LONESOME [siehe Nr. 502]) oder Berlin (so vor allem bei Vertovs DER MANN MIT DER KAMERA [siehe Nr. 510]) berichten. Daneben gelang es ihm immer häufiger, anläßlich von Frankfurter Aufführungen Filme zu kommentieren, die zumal für das Berliner Publikum nicht mehr ganz neu waren. Auf diese Weise wurde im Feuilleton der FZ z. B. Dreyers

JOHANNA VON ORLÉANS (siehe Nr. 453) zweimal rezensiert. Sowjetische Filme hat Kracauer sich selten entgehen lassen, dasselbe gilt für Chaplin- und Keaton-Produktionen. Aber auch Filme etwa von Frank Capra, Joseph von Sternberg, Jacques Feyder und Paul Fejos hat er im Feuilleton besprochen, ebenso wie deutsche Produktionen, die ihn zu grundsätzlichen politischen und filmästhetischen Kommentaren reizten. Daneben beginnt ebenfalls im Feuilleton die Auseinandersetzung mit dem Tonfilm (sieh Nr. 417), während die Spalten des Literaturblatts sich für Rezensionen zur Filmtheorie öffnen (siehe Nr. 259 und 411).

EHE IN NOT heißt der letzte Film, den der Noch-Junggeselle Kracauer (im März 1930 heiratete er Elisabeth Ehrenreich) im *Stadt-Blatt* der FZ veröffentlichte (siehe Nr. 595). Mit diesem Artikel, über den Kracauer in den sogenannten Klebemappen – d. h. den im Nachlaß erhaltenen, chronologisch geordneten Mappen mit Zeitungsausschnitten, die seine FZ-Publikationen von 1921 bis 1933 mit Ausnahme des Jahres 1925 relativ vollständig dokumentieren – »Schluss, Frankfurt!« notierte, verschwinden auch die in der Frankfurter Zeit vor allem für Filmkritiken und Feuilletons verwendeten Kürzel »rac.« bzw. »raca.« aus den Spalten der Zeitung. Als Leiter des Berliner Feuilletons, das er im April 1930 übernahm, zeichnete Kracauer auch seine Film-Texte fortan in der Regel mit vollem Namen oder einem offizielleren Kürzel (»Kr.«). Daß dieser Änderung der Signatur andere Texttypen und ein anderer kritischer Duktus entsprechen, ist unverkennbar. Statt ganze Produktionsjahrgänge kommentieren zu müssen, konnte Kracauer sich nunmehr weitgehend selbst aussuchen, welche Filme er entweder einzeln oder in Form von Sammelbesprechungen vorstellte. Zugleich gewinnen seine Analysen an Reichweite und Schärfe. Dezidierter noch als in der Frankfurter Zeit verstand der Filmkritiker in Berlin sich als »Gesellschaftskritiker« (6.3, S. 63). So »unerschöpflich« das »Maskenarsenal der politischen Reaktion« (6.2, S. 356), so unermüdlich suchte Kracauer die Masken zu entlarven. In einem publizistischen Kraftakt, dem die zunehmende Verzweiflung anzumerken ist, schrieb er phasenweise fast täglich einen Artikel, in dem er seine Leserschaft über die Verflechtungen von Filmindustrie und Politik, die Macht der Ufa, die Willkür von Zensurentscheidungen, die Konsequenzen von Mediengesetzen und »die in den Durchschnittsfilmen versteckten sozialen Vorstellungen und Ideologien« (6.3, S. 63) aufzuklären suchte. Die Zahl der deutschen Produktionen, die seinem Urteil standhielten, war so gering, daß er eine der seltenen Ausnahmen – Leontine Sagans MÄDCHEN IN UNIFORM – im Untertitel seiner Rezension als solche ankündigte: »Ein guter deutscher Film!« (siehe Nr. 666). Weniger provokativ, aber ebenso nachdrücklich wies er insbesondere auf französische Filme hin, die das Potential des Mediums in anderer Weise realisierten als Tonfilmoperetten und Militärfilme.

Die traditionell linksliberale FZ, die den drohenden Bankrott 1929 und 1930 durch den geheimgehaltenen Verkauf von 49% der Verlagsanteile an die personell und finanziell mit den IG Farben verknüpfte Finanzgesellschaft Imprimatur GmbH abwendete, ließ Kracauer zunächst relativ frei gewähren. Doch die ökonomische Transaktion hatte mittelbar eine politische Rechtswende zur Folge, die Kracauer spätestens 1931 zu spüren bekam. Nach einer ersten Gehaltskürzung Anfang dieses Jahres teilte die FZ ihm im Dezember mit, daß sie sein Gehalt zu halbieren beabsichtige und er sich nach einem regelmäßigen Nebenerwerb umsehen solle. Nicht zufällig fiel zur selben Zeit seine Rezension des Ufa-Films YORCK einer hausinternen Zensur zum Opfer (siehe Nr. 668, Anm. 15). Denn Heinrich Simon, der Verleger der Zeitung, hatte die Suche nach einem Nebenerwerb für seinen Redakteur selbst in die Hand genommen und »ausgerechnet mit der Ufa« (Kracauer an Bernhard Guttmann, den ehemaligen Leiter des Berliner FZ-Büros, 1. 1. 1932, KN) verhandelt, um Kracauer vorerst für ein Jahr an den Hugenberg-Konzern ›auszuleihen‹. Was Simon zu diesem Schritt motivierte, den selbst Eingeweihte wie der ehemalige Feuilleton-Leiter Paul Geck zunächst offenbar für eine »soziologische Erfindung« Kracauers hielten (Kracauer an Paul Geck, 29. 12. 1931, KN), bleibt unerklärlich. Mit der Auslieferung an den politischen Gegner hätte die FZ nicht nur Kracauers öffentliche Wirksamkeit um ihre Glaubwürdigkeit gebracht, sondern auch ihr eigenes Renommee schwer beschädigt. Das Interesse der Ufa dagegen liegt auf der Hand: »Kein Zweifel«, schreibt Kracauer in dem zitierten Brief an Guttmann, »daß sie [die Ufa] das Geld in der Hauptsache darum ausgäbe, um mich während dieser Zeit mundtot zu machen; denn ich habe seit Jahr und Tag gegen die bei ihr herrschenden Tendenzen gekämpft und könnte in der Zeit meiner Beschäftigung bei ihr natürlich keine Filmkritiken schreiben.« Nach verzweifelten Bemühungen, sich und

»nicht zuletzt die Zeitung« vor »diesem ominösen Projekt« zu bewahren (Kracauer an Robert Drill, Feuilletonredakteur in Frankfurt, 31. 12. 1931, KN), verliefen die Verhandlungen im Sande. Zwar blieb es bei der Streichung der YORCK-Kritik, die Kracauer gerade zu diesem Zeitpunkt »besonders gern im Blatt gesehen hätte« (ebd.) und die nun an vergleichsweise abgelegenem Ort erschien (siehe Nr. 676). Seinen publizistischen Feldzug gegen die Ufa konnte er jedoch mit dem programmatischen Artikel »Schluß mit dem Klamauk!« (Nr. 670) und der Satire auf den militaristischen Ufa-»Bäckertonfilm« GETRENNT MARSCHIEREN – VEREINT SCHLAGEN! (Nr. 672) ohne größere Unterbrechung fortsetzen; in einem Brief vom 9. 2. 1932 an Herbert Ihering (KN) meldete er, daß »sich die Sache mit der Ufa zum Glück längst zerschlagen« hat.
Die Krise war damit allerdings nicht beigelegt. In dem Maß, in dem die politische und ökonomische Situation sich zuspitzte, verschärften sich auch die redaktionellen Konflikte. Nach weiteren Gehaltskürzungen und Publikationseinschränkungen im Jahr 1932 wurde Kracauer 1933 entlassen. Als er am 28. 2. 1933, unmittelbar nach dem Reichstagsbrand, von Berlin nach Paris floh, rechnete er, nach der Korrespondenz zu schließen, fest mit einer Fortsetzung des Beschäftigungsverhältnisses. Einige wenige, z. T. erheblich gekürzte Artikel konnte er in den nächsten Wochen noch in der FZ unterbringen, darunter auch zwei Filmkritiken (Nr. 712 und 713). Im Mai aber trennte die Zeitung sich definitiv von dem »Juden und Linksmann« (Kracauer an seinen Frankfurter Anwalt Selmar Spier, 6. 4. 1933, KN) und bekräftigte die Entlassung in einem Schreiben vom August. Zum Vorwand wurde Kracauers Mitarbeit an Leopold Schwarzschilds Exilzeitschrift *Das Neue Tage-Buch* genommen (siehe Nr. 714 und 715), die die FZ »auf Grund der Tendenz« dieser Zeitschrift für »untragbar« erklärte (Frankfurter Societäts-Druckerei an Kracauer, 25. 8. 1933, KN).
Obwohl Kracauer gute Kontakte nach Paris hatte und Anfang der dreißiger Jahre einigermaßen regelmäßig Film-Essays in den Zeitschriften *Monde* (siehe Nr. 441, 510 und 652) und *La Revue du Cinéma* (siehe Nr. 645, 647, 652 und 655) veröffentlichte, gelang es ihm in den acht Jahren seines Exils in Frankreich nicht, sich als Filmkritiker bei einer französischen Zeitung oder Zeitschrift zu etablieren. Dafür fand er 1936 als Pariser Filmkorrespondent der NZZ, ab 1938 auch der *National-Zei-*

tung Basel (BNZ) in der Schweiz ein neues publizistisches Forum. Da das magere Zeilenhonorar zum Leben nicht reichte, war Kracauer bemüht, diese Korrespondenten-Tätigkeit auszudehnen. Eine Spur führt zum Amsterdamer *Centraal-blad voor Israëlieten*, das im Mai 1939 mit der Bitte an ihn herantrat, für eine »neue kulturelle jüdische Wochenzeitung« über »filmische Ereignisse [...], die mit dem jüdischen Leben zusammenhängen«, zu berichten (Kracauer an *Centraal-blad voor Israëlieten*, 1. 6. 1939, KN). Im Juli schickte Kracauer seine Rezension des polnischen Films MAMELE (siehe Nr. 759) für die erste Nummer, die im September erscheinen sollte. Als der September 1939 kam, war daran nicht mehr zu denken.

Die Tätigkeit für die Schweizer Zeitungen war für Kracauer von essentieller Bedeutung. Anläßlich der von ihm in der NZZ besprochenen Ausstellung »Trois siècles d'art aux États-Unis« (siehe Nr. 736) traf er im Juni 1938 mit John E. Abbott, dem Direktor der Film Library des Museum of Modern Art, zusammen und stellte damit nach Vorsondierungen u. a. durch Max Horkheimer und Meyer Shapiro auch persönlich einen Kontakt her, der zur lebensrettenden Weichenstellung wurde. Doch die Korrespondenten-Tätigkeit verschaffte ihm nicht nur eine offizielle Funktion, die die zermürbenden Emigrationsbemühungen ein wenig erleichterte. In Form seiner Berichte für die NZZ begann Kracauer auch an dem Film-Buch zu arbeiten, das er seit Abschluß des Offenbach-Buchs (vgl. *Werke*, Bd. 8) plante. So treten neben Einzel- oder Sammelbesprechungen filmtheoretische Texte, die einzelnen Genres oder bestimmten Aspekten der Ästhetik des Mediums gewidmet sind. Zugleich schärfte sich durch die Konzentration auf französische und amerikanische Filme, auf die Kracauers Rezensententätigkeit weitgehend beschränkt blieb, der Blick für politisch und kulturell bedingte nationale Charakteristika. Schließlich nutzte Kracauer seine guten Beziehungen zu der 1936 gegründeten Cinémathèque française (siehe Nr. 742, Anm. 6), um 1939 und 1940 in der BNZ in einer von ihm selbst initiierten Retrospektive über das »Wiedersehen mit alten Filmen« (siehe Nr. 741, 743, 746, 752, 756 und 760) zu berichten. In dieser Reihe gewinnen das Medium und der eigene Blick eine historische Dimension.

Die ästhetischen, kulturgeschichtlichen, soziologischen und filmhistorischen Ansätze, die Kracauer in seinen Texten für die NZZ und BNZ verfolgte, differenzierten sich nach seiner Emigration in die USA im April 1941 zu zwei Buchprojekten aus. Während die sozialpsychologische Geschichte des deutschen Films der zwanziger Jahre, mit der er zunächst von der Filmbibliothek des Museum of Modern Art beauftragt wurde, 1947 als *From Caligari to Hitler* (*Werke*, Bd. 2.1) erschien, hat Kracauer sein Vorhaben einer Ästhetik des Films, an der er schon in den letzten beiden Jahren in Frankreich intensiv arbeitete, erst 1960 mit der Veröffentlichung von *Theory of Film* (*Werke*, Bd. 3) realisiert.

Neben diesen Buchprojekten und den zahlreichen Auftragsarbeiten für amerikanische und internationale Organisationen blieb für Rezensionen und Essays nur noch wenig Spielraum. Die Beziehungen zur NZZ, der Kracauer in den ersten Monaten in New York noch einige Filmberichte schickte, brachen Ende 1941 ab. Er nahm sie 1945 von sich aus wieder auf und schlug dem Redakteur Edwin Arnet vor, ihm einen »Beobachtungsposten anzuvertrauen«, von dem aus er »ein wirkliches Bild vom kulturellen Leben Amerikas nach dem Krieg« (Kracauer an Edwin Arnet, 25. 8. 1945, KN) vermitteln wollte. Daß es dazu nicht kam und auch die von Arnet in seiner Antwort angebotene Filmberichterstattung schließlich auf zwei Essays beschränkt blieb (siehe Nr. 787 und 789), dürfte auch mit dem Sprachwechsel zusammenhängen. Da Kracauer seit 1942 konsequent Englisch schrieb und es vermied, sich selbst zu übertragen, mußten seine Texte – mehr schlecht als recht, wie er sich verschiedentlich beklagte – von dritter Hand ins Deutsche übersetzt werden. Ungleich wichtiger war es ihm im übrigen, in der amerikanischen Öffentlichkeit Fuß zu fassen. Als Filmkritiker fand er ein Forum in *New Movies* (später: *Films in Review*), dem Publikationsorgan des National Board of Review of Motion Pictures. Hier setzte Kracauer mit dem ersten größeren Film-Artikel, den er in Amerika publizierte (siehe Nr. 783), seine kulturvergleichende Analyse fort und berichtete dabei zum einzigen Mal öffentlich von seiner Ankunft in New York; hier konnte er neben Einzelrezensionen von Filmen und Filmbüchern schließlich auch seinen Essay über Preston Sturges (siehe Nr. 798) unterbringen, um dessen Veröffentlichung er sich jahrelang vergeblich bemüht hatte. Für seine dem Caligari-Buch methodisch verwandten sozialpsychologischen Analysen der zeitgenössischen amerikanischen

Produktion standen ihm daneben etwa mit *Commentary* und *Harper's Magazine* auch renommierte kulturpolitische Zeitschriften offen. Allerdings mußte er nicht nur immer wieder redaktionelle Eingriffe hinnehmen, die weit über stilistische Verbesserungen hinausgingen; eine Reihe von Artikeln, die offenkundig zum Druck bestimmt waren, blieben am Ende auch in der Schublade. In einem Fall (siehe Nr. 791) hat Kracauer schon während des Schreibens nicht mit einer Publikation gerechnet, sondern den Text gleichsam für sich selbst verfaßt. Nicht zufällig ist dieser Text Rossellinis PAISÀ gewidmet.

Die hier vorgelegten Bände umfassen alle bislang bekannten Kritiken, Essays und Feuilletons, die Kracauer zum Film veröffentlichte – mit Ausnahme von Vorfassungen und Vorabdrucken des Caligari-Buchs und der *Theorie des Films* sowie von sechs in den USA publizierten Abhandlungen und Artikeln, die entweder als Auftragsarbeiten geschrieben wurden oder in engstem Zusammenhang mit Kracauers zumeist als Auftragsarbeit verfaßten, zum größten Teil nicht veröffentlichten Studien zu Propaganda und Massenmedien stehen und zusammen mit diesen Studien in Band 2.2 der neuen Ausgabe der *Werke* erscheinen werden.[1] Bei der Zusammenstellung der Texte war Thomas Y. Levins vorzügliches Verzeichnis der veröffentlichten Schriften Kracauers eine unerläßliche Hilfe.[2]
Ob die angestrebte Vollständigkeit erreicht wurde, ob also die Wiederveröffentlichung aller bisher ermittelten Texte tatsächlich alle publizierten Texte umfaßt, ist ungewiß und wird sich möglicherweise nie definitiv klären lassen. Obwohl Kracauer sich selbst sorgfältig dokumentiert hat, ist das Geflecht seiner publizistischen Beziehungen insbesondere in der französischen Emigration, in der er vielfach anonym oder pseudonym veröffentlichte, nach wie vor nicht ganz durchschaubar. Für die spätere Zeit ist in einem Fall ein Artikel durch die Korrespondenz belegt, der sich bislang nicht auffinden ließ. Es handelt sich um eine Rezension des Films FRIEDA (Basil Dearden. US 1947), den Kracauer für die Zeitschrift *New Movies* schrieb und am 8. 9. 1947 zusammen mit einem kleinen Begleitbrief (KN) an Richard Griffith schickte. Zwei Seiten mit mehr oder weniger ausformulierten Notizen zu diesem Film befinden sich im Nachlaß, von der Rezension aber fehlt jede Spur.

Neben den veröffentlichten Texten umfaßt diese Edition die durchformulierten bzw. druckfertigen Typoskripte von Rezensionen und Essays zum Film, die sich im Nachlaß erhalten haben. Typoskripte, deren Veröffentlichung entweder nicht erfolgte oder bisher nicht nachgewiesen werden konnte, sind als selbständige Texte abgedruckt; ausgenommen sind wiederum einige Texte, die in Bd. 2.2 der *Werke* veröffentlicht werden, unter ihnen eine durchnumerierte Folge von Kommentaren zu deutschen Filmen zumeist aus der Nazi-Zeit, die Kracauer 1942 im Auftrag der Film Library des Museum of Modern Art schrieb. Typoskripte zu veröffentlichten Texten wurden mit diesen verglichen; im Fall von Abweichungen – in der Regel handelt es sich um Kürzungen – wird der Wortlaut des Typoskripts in den Anmerkungen wiedergegeben; auf diese Weise tauchen dort gelegentlich ganze Filmrezensionen auf, wie im Fall des YORCK-Films oder bei Wylers DEAD END (siehe Nr. 739, Anm. 4). Bei drei auf englisch geschriebenen und publizierten Texten (siehe Nr. 787, 792 und 798) waren die Unterschiede zwischen den Textfassungen so groß, daß sie sich in einer deutschen Übersetzung nicht dokumentieren ließen; hier wird, ergänzend zur deutschen Übersetzung des veröffentlichten Texts im Hauptteil, die amerikanische Originalfassung des Typoskripts im Anhang abgedruckt.
Neben seinen filmkritischen und filmtheoretischen Arbeiten hat Kracauer sich in den dreißiger Jahren gelegentlich auch als Drehbuchautor und Ideenlieferant für Filmproduktionen betätigt. Am weitesten ist das Exposé zur Verfilmung seiner Offenbach-Monographie gediehen, das in Bd. 8 der *Werke* aufgenommen wird. Die anderen im Nachlaß erhaltenen »Ideen-Entwürfe« zu Filmserien und Filmen sind im Anhang dieser Ausgabe abgedruckt.
Die Texte sind nach ihrem Erscheinungsdatum chronologisch angeordnet. Zeitschriften-Aufsätze ohne Tagesdatum sind am Ende des jeweiligen Monats, Halbjahres bzw. Jahres eingereiht, undatierte Texte aus dem Nachlaß am Ende ihres mutmaßlichen Entstehungsjahrs. Bei Texten, die Kracauer mehrfach publizierte, wurde gegebenenfalls die längere Fassung, sonst die Erstpublikation zugrunde gelegt. Dies gilt auch für die fünf in *Ornament* (siehe Nr. 134, 141, 219 und 441) sowie in *Straßen* (siehe Nr. 681) wiederveröffentlichten Essays und Feuilletons. Hier, wie in allen anderen Fällen, sind die Abweichungen zwischen Erst- und

Wiederabdruck in den Anmerkungen bzw. – bei verändertem Titel – in eckigen Klammern in der Überschrift angegeben.
Alle fremdsprachigen Texte sind in Übersetzung wiedergegeben. Bei zwei französischen Publikationen (Nr. 647 und 716) konnte dabei auf deutsche Originalfassungen Kracauers zurückgegriffen werden. Vier seiner amerikanischen Texte (Nr. 790, 792, 798 und 803) wurden in der Übersetzung Barbara Rupps bereits in *Kino* wiederveröffentlicht; diese Übersetzungen wurden für den vorliegenden Band von der Herausgeberin revidiert. Die übrigen Übersetzungen stammen, sofern nicht anders angegeben, von Jürgen Schröder und wurden ebenfalls durchgesehen.
Die Wiedergabe der deutschen Texte folgt grundsätzlich dem Erstdruck. Korrekturen, die Kracauer selbst im Textexemplar seiner Klebemappen vorgenommen hat, wurden übernommen und angemerkt. Stillschweigende Eingriffe gab es bei offenkundigen Fehlern in Orthographie und Interpunktion, bei der Vereinheitlichung der Zeichensetzung im Titel und der Hervorhebungen im Text, bei über den Text gesetzten Orts- und Monatsangaben sowie bei bibliographischen Angaben zu rezensierten Büchern und Filmen. Die FZ hat bei kurzen Berichten die Textüberschrift gelegentlich in spitze Klammern gesetzt; diese wurden ebenso getilgt wie die in der Zeitung üblichen Punkte nach Titeln bzw. Untertiteln. Sperrungen und Kursivierungen im Originaltext sind durchgängig kursiv gesetzt, wobei die etwas unregelmäßige Praxis der FZ im Fall von Namen vereinheitlicht wurde: Die Angaben zu Spielstätten (Kino und Ort), die im FZ-Druck in der Regel, aber nicht durchgängig hervorgehoben sind, wurden grundsätzlich kursiviert. Dies gilt auch für die Vornamen von Personen, deren Nachname im Original hervorgehoben ist. Personennamen, die insgesamt normal gesetzt sind, werden dagegen nicht kursiviert. Titelergänzungen der Herausgeberin stehen in eckigen Klammern. Bei Texten ohne Titel, die die FZ durch Fettdruck des Textanfangs markierte, wurde der Titel aus dem Fettgedruckten extrahiert und der Textanfang normal gesetzt. Orts- und Monatsangaben über den Texten (z. B. »Berlin, im Mai«, »Paris, Anfang April«) wurden nicht übernommen. Außer in der Überschrift sind Filmtitel grundsätzlich in Kapitälchen, Aufsatztitel in Anführungszeichen und Buchtitel kursiv und in Anführungszeichen gesetzt. Anmerkungen im Original stehen

als Fußnoten am Seitenende. Die bibliographischen Angaben zu den rezensierten Büchern, die in der FZ im fortlaufenden Text erschienen, wurden aus den Texten herausgenommen und in vereinheitlichter Form über die Rezension gestellt. Analog sind die Angaben zu den Filmen gesetzt, wobei der Hauptfilm im Vorspann nachgewiesen wird, das Beiprogramm in der Regel in den Anmerkungen, es sei denn, Kracauer nimmt im Titel schon auf das Beiprogramm Bezug.
Anders als bei den Büchern konnte bei den Filmangaben nicht auf bibliographische Nachweise im Erstdruck zurückgegriffen werden. Nicht nur die Beiprogramme, zu denen Kracauer oft gar keine oder nur flüchtige Angaben macht, warfen erhebliche Probleme auf, sondern gelegentlich auch die Hauptfilme. Dies gilt insbesondere für unbekannte ausländische Produktionen, bei denen es bis heute keinen sicheren Weg gibt, um von dem deutschen Verleihtitel aus den Originaltitel zu ermitteln und den Film zu identifizieren. Die Angabe der Titel richtet sich nach dem Land, in dem Kracauer den Film gesehen hat. Bis 1933 sind die Filme grundsätzlich mit dem deutschen Titel bzw. dem deutschen Verleihtitel und dem Originaltitel nachgewiesen; französische Filme, die Kracauer in Paris gesehen und besprochen hat, werden mit französischem Titel, ausländische Produktionen mit französischem Verleihtitel und Originaltitel angegeben; analog erfolgen die Filmangaben bei den in den USA entstandenen Texten. Neben den Titeln werden die Regie (bei Kulturfilmen die Produktionsfirma), das Produktionsland und, sofern zu ermitteln, der Zeitraum vom Produktionsbeginn bis zur Uraufführung bzw. dem Release-Datum angeführt. Die Länder-Siglen folgen ISO Nr. 3166 (A 2). Bei Filmen, deren Originaltitel und/oder Jahr und/oder Regisseur nicht zu ermitteln waren, werden das Datum, die Zulassungsnummer und das Urteil der deutschen Zensur angegeben. Von manchen Filmen gibt es allerdings nicht einmal in den Zensurlisten eine Spur.

Der Nachweis der Filme und die Kommentierung der Texte erforderte aufwendige und schwierige Recherchen, die ohne die Unterstützung zahlreicher Personen und Institutionen nicht möglich gewesen wären. Unverzichtbar waren der Rat und die Hilfsbereitschaft von Hans-Michael Bock (Cinegraph – Hamburgisches Centrum für Filmforschung

e. V.). Seinem Kenntnisreichtum und seinem detektivischen Vermögen ist es zu verdanken, daß eine Vielzahl von Filmen insbesondere der zwanziger Jahre ermittelt werden konnte.

Die Mitarbeiter des Deutschen Literaturarchivs (Marbach am Neckar) haben auch unter Zeitdruck Geduld und Umsicht gewahrt und die vielfachen Sondierungen im Kracauer-Nachlaß wie immer kompetent unterstützt. Ihnen sei ebenso herzlich gedankt wie den Mitarbeitern des Deutschen Filminstituts (Frankfurt a. M.); Christof Schöbel war bis in die Suche nach Handzetteln der Kinos hinein behilflich, Barbara Visarius und Rüdiger Koschnitzki sind zahlreiche wichtige Hinweise zu verdanken. Besonders verpflichtet ist die Herausgeberin auch den Mitarbeitern des Filmmuseums Berlin – Deutsche Kinemathek, vor allem Peter Latta, der großzügig bei der Fotorecherche half, sowie Gero Gandert und den Mitarbeitern der Bibliothek. Ohne die Geduld und die Hilfsbereitschaft von Hans Peter Dieterich (Zentralarchiv der Frankfurter Societäts-Druckerei, Frankfurt a. M.) wären die Zeitungsrecherchen nicht möglich gewesen. Dasselbe gilt für die Suche nach Chaplin-Filmen, die Wilhelm Staudinger (Chaplin-Archiv, Frankfurt a. M.) unterstützte. Auch Ronny Loewy (Fritz Bauer Institut, Frankfurt a. M.), Helmut Regel (ehemals Bundesarchiv-Filmarchiv, Koblenz), Thomas Worschech (Deutsches Filmmuseum, Frankfurt a. M.), Volker Harmsziegler und Ute Schumacher (beide Institut für Stadtgeschichte, Frankfurt a. M.) sowie Gertrud Koch (FU Berlin) sind wertvolle Hinweise zu verdanken. Für Hilfe bei der Beschaffung von Abbildungen ist die Herausgeberin André Melies (Deutsches Filminstitut, Bildarchiv, Frankfurt a. M.) und Wendelin Naumann (Deutsches Filmmuseum, Artur Brauner-Archiv, Frankfurt a. M.), für Einzelrecherchen Helmut G. Asper, Clemens Gruber, Sandra Janßen und Daniel Wild verpflichtet. Erika Greber (München) hat freundlicherweise die große Mühe der Vereinheitlichung der Schreibung slawischer Namen auf sich genommen. Dank für Informationen und Rat geht ferner an: Oksana Bulgakova, Helga Jäger, Ethel Matala de Mazza, William Moritz, Steve Rydzewski, Markku Salmi und Claudia Sassen. Marietta Alcalá, Simon Bunke, Julia Encke, Helen Müller, Florian Schneider, Thomas von Steinaecker, Heide Volkening und Cornelia Zumbusch haben mit großem Einsatz bei Texttranskriptionen, Korrekturvorgängen und bibliographischen Recherchen geholfen.

Besonderer Dank geht schließlich an die beiden Lektoren des Verlags, die die Kracauer-Ausgabe betreut haben. Friedhelm Herborth hat auch in schwierigen Zeiten stets an ihr festgehalten. Daß aus dieser Ausgabe die neue Edition der *Werke* wurde, ist nicht zuletzt dem großen Engagement Bernd Stieglers zu verdanken, ohne dessen Kompetenz, Rat und Ermutigung die hier vorgelegten Bände nicht erschienen wären.

1 Es handelt sich dabei zum einen um die als hektographierte Broschüre verteilte Studie *The Conquest of Europe on the Screen. The Nazi Newsreel 1939-1940* (Washington D.C. 1943), die Kracauer in zwei Aufsätzen auszugsweise und in überarbeiteter Form veröffentlichte: »The Conquest of Europe on the Screen. The Nazi Newsreel 1939-1940« (*Social Research* Jg. 10, Nr. 3 vom September 1943, S. 337-357) und »The Hitler Image« (*New Republic* Jg. 110, Nr. 1 vom 3. 1. 1944, S. 22); ferner um Kracauers späten Kommentar zu »Der Ewige Jude« (»The Eternal Jew«, in: *Cinema 16*, Film Notes 1958/59 vom 4./5.11. 1958). Ebenfalls in *Werke* 2.2 werden die im Auftrag der UNESCO entstandene Studie »National Types as Hollywood Presents Them« (*Public Opinion Quarterly* Jg. 13, Nr. 1 vom Frühjahr 1949, S. 53-72; u. d. T. »How U.S. Films Portray Foreign Types« auszugsweise auch in: *Films in Review* Jg. 1, Nr. 2 vom März 1950, S. 21 f. und 45 f.) sowie die zusammen mit Joseph Lyford verfaßte Rezension amerikanischer Wochenschauen: »A Duck Crosses Main Street« (*New Republic* Jg. 119, Nr. 24 vom 13. 12. 1948, S. 13-15) veröffentlicht.

2 Vgl. Thomas Y. Levin, *Siegfried Kracauer*. Eine Bibliographie seiner Schriften. Marbach am Neckar: Deutsche Schillergesellschaft 1989; ders., »Neue Kracauer-Texte. Eine bibliographische Meldung«. In: *Jahrbuch der Deutschen Schillergesellschaft* Jg. 35 (1991), S. 460-462. Levins Angaben wurden für diesen Band überprüft, korrigiert und ergänzt; über die von ihm nachgewiesenen Titel hinaus konnten zwar eine Vielzahl nachgelassener Texte, jedoch keine weiteren veröffentlichten Film-Artikel ermittelt werden.

Verzeichnis der Siglen und Kurztitel

BNZ	National Zeitung (Basel)
FZ	Frankfurter Zeitung
NZZ	Neue Zürcher Zeitung
DZ	Deutsche Zensur
B. [...]	Filmprüfstelle Berlin [Zulassungsnummer]
M. [...]	Filmprüfstelle München [Zulassungsnummer]
O. [...]	Film-Oberprüfstelle Berlin [Zulassungsnummer]
G.	[Urteil im Zensurverfahren:] Genehmigt
Jf.	[Urteil im Zensurverfahren:] Jugendfrei
Jv.	[Urteil im Zensurverfahren:] Jugendverbot
V.	[Urteil im Zensurverfahren:] Verbot
KN	Kracauer-Nachlaß, Deutsches Literaturarchiv, Marbach am Neckar
Klebemappen	12 im Nachlaß erhaltene, chronologisch geordnete Mappen mit beschrifteten und z.T. korrigierten Zeitungsausschnitten, die Kracauers Publikationen in der *Frankfurter Zeitung* von 1921 bis 1924 und 1926 bis 1933 (relativ vollständig) umfassen.
Kino	Siegfried Kracauer, Kino. Essays, Studien, Glossen zum Film. Hrsg. von Karsten Witte. Frankfurt a.M.: Suhrkamp 1974.
Ornament	Siegfried Kracauer, Das Ornament der Masse. Essays. 2. Aufl. Mit einem Nachwort von Karsten Witte. Frankfurt a.M.: Suhrkamp 1977.
Straßen	Siegfried Kracauer, Straßen in Berlin und anderswo. Frankfurt a.M.: Suhrkamp 1964.
Schriften 2	Siegfried Kracauer, Schriften. Bd. 2: Von Caligari zu Hitler. Eine psychologische Geschichte des deutschen Films. Übers. von Ruth Baumgarten und Karsten Witte. Hrsg. von Karsten Witte. Frankfurt a.M.: Suhrkamp 1979.

Werke Siegfried Kracauer, Werke. Bd. 1-9. Hrsg. von Inka Mülder-Bach und Ingrid Belke. Frankfurt a. M.: Suhrkamp 2004 ff.
Bd. 1: Soziologie als Wissenschaft. Der Detektiv-Roman. Die Angestellten. Hrsg. von Inka Mülder-Bach.
Bd. 2.1: Von Caligari zu Hitler. Eine psychologische Geschichte des deutschen Films. Hrsg. von Inka Mülder-Bach.
Bd. 2.2: Studien zu Massenmedien und Propaganda. Hrsg. von Ingrid Belke und Inka Mülder-Bach.
Bd. 3: Theorie des Films. Die Errettung der äußeren Wirklichkeit. Hrsg. von Inka Mülder-Bach.
Bd. 4: Geschichte – Vor den letzten Dingen. Hrsg. von Ingrid Belke.
Bd. 5: Essays, Feuilletons und Rezensionen (in vier Teilbänden). Hrsg. von Inka Mülder-Bach.
Bd. 6: Kleine Schriften zum Film (in drei Teilbänden). Hrsg. von Inka Mülder-Bach.
Bd. 7: Romane und Erzählungen. Hrsg. von Inka Mülder-Bach.
Bd. 8: Jacques Offenbach und das Paris seiner Zeit. Hrsg. von Ingrid Belke.
Bd. 9: Frühe Schriften aus dem Nachlaß (in zwei Teilbänden). Hrsg. von Ingrid Belke.

Register

Namenregister

Filmregister

Kinoregister

Gesamtinhaltsübersicht

Gesamtinhaltsübersicht

Band 6.1

Band 6.2

Band 6.3

Anhang

Register